DAS GESUNDE HAUS

Hubert Palm

10. Auflage 1992
Vollständig unveränderter Nachdruck der 9. Auflage
ORDO-Verlag in ORDOSAN AG, CH Kreuzlingen

Gesamtherstellung: Kösel, Kempten

Das gesunde Haus

Das kranke Haus und seine Heilung

Unser nächster Umweltschutz

Die biologische Bauordnungslehre
in der
Architectura perennis

Die Zivilisationskrankheiten der Architektur

Ein Rezeptbuch zum Selberhandeln

Herausgeber:

Dr. med. Hubert Palm

AUS DEM VORWORT ZUR DRITTEN AUFLAGE

Die biologische Bauordnungslehre existierte bisher noch nicht!
Als systematische, ganzheitliche, wissenschaftliche Baulehre ist sie jetzt erst aufgestellt worden. In dem vorliegenden Buch wird sie in ihren Grundzügen erstmals veröffentlicht.
. . . Das Buch soll vielen verschiedenen Ansprüchen gerecht werden. Jeder soll das Seine finden. . . .
Viele zustimmende Briefe hat der Verfasser inzwischen erhalten, noch keinen einzigen ablehnenden! Erschütternde Mitteilungen waren darunter, etwa wo Menschen ein Heim suchten, aber in eine „Hölle" kamen. Was sie leiden oder litten, bis sie endlich in ein „Haus aus Ziegeln, Kalk und Holz" kamen, das klagen sie. Sie klagen an! —
Niemand darf ein krankes Haus bauen. Das ist wider Menschenrecht und Gesetz! Das ist wider die natürliche Ordnung des Lebens!
Was sagen aufgeschlossene Baufachleute? „Während man den gesellschaftlichen Bedarf des . . . Menschen bei der Erstellung neuer Wohnungen jetzt weitgehend berücksichtigt, vernachlässigt man unverständlicherweise fast gänzlich seine biologischen Bedürfnisse" (Dr. E. Schlieder in „Allgemeine Bauzeitung" Nr. 21/68).
Ein angesehener Professor der Architektur stimmte dem Verfasser zu; aber seine Studenten würden nicht glauben, daß man das Rad der Zeit zurück drehen könne. Das heißt hier, daß man den Fortschritt in den Abgrund immer ungesünderer Bauweisen nicht aufhalten könne! — Welche Haltung zeigen diese Studenten? Und woher? — Viele Studenten bekunden inzwischen, daß der Mensch frei und urverpflichtet ist, das Rad der Zeit, wenn auch nicht zurück, so doch in eine bessere Richtung und wieder hinauf zu lenken! —
Die Redaktion einer bekannten Bauzeitschrift schrieb, das Thema „Das gesunde Haus" interessiere sie nicht. Man bedenke: Baufachleute interessieren sich nicht für die Hauptaufgabe ihres Berufes! Denn das Haus hat doch dem Wohl des Menschen zu dienen. Wohin sind wir geraten? Wie weit abgeirrt in unseren Interessen! —
Andere aber schrieben: „Das Werk hat keine Vorgänger". „Es legt den Grund und setzt Maßstäbe". „Es schließt eine große Lücke im bisherigen Schrifttum und besonders in der Medizin".

Konstanz, im Juni 1968

VORWORT ZUR FÜNFTEN AUFLAGE

Die Lehre und Praxis vom gesunden Haus, dem kranken Haus und seiner Heilung ist im weiteren Sinne die Urwissenschaft und Urpraxis aller Hochkulturen. Denn sie ist die Lehre und Praxis des Lebens in der Ordnung des Mikro- und Makrokosmos.

Schon Pythagoras, der Urvater der abendländischen Wissenschaft hat die Bauordnung des Kosmos und also die ersten und fundamentalen Lebensbedingungen des Menschen dargelegt. Und er hat mit seiner Gemeinschaft in dieser urwesentlichen Ordnung gelebt. Paracelsus hat die ganzheitliche, integrale, sozial-kommune Bau- und Wohnordnung aller realen Einheiten im Kosmos erneut gelehrt und bis jetzt unerreicht erfolgreich praktiziert.
Ihm folgte der Verfasser als er im Jahre 1955 mit dem Artikel „Biologisch bauen" die biologische Bauordnungslehre im engeren Sinne begründete, nämlich in der Anwendung auf das Haus aus vier Wänden und insbesondere im Hinblick auf die Zivilisationskrankheiten der Architektur am Ende der Neuzeit und zugleich am Ende der abendländischen Kultur.
Von diesem Artikel ausgehend erhielt der Verfasser von Architekten die Bezeichnung „Vater des biologischen Bauens". Erst durch diese und andere Reaktionen wurde deutlich, daß die Anwendung der uralten Makro-Mikrokosmoslehre auf das steinerne und hölzerne Haus noch nicht existierte und insofern eine fundamentale neue Lehre war.
Da das gesunde Wohnen ebenso lebenswichtig wie das gesunde Ernähren ist, so erforderte eine ausführliche Veröffentlichung eine gründliche Vorarbeit. Über die gesunde Ernährung existierte schon eine große Bibliothek mit zumindest fünfstelliger Bücherzahl. Über das gesunde Bauen und Wohnen aber existierte noch nicht ein einziges Buch, das von der biologischen Betrachtung ausgeht, also von Lebensqualitäten, und das darin systematisch und ganzheitlich vorgeht.
Von Architekten gedrängt hielt der Verfasser im Jahre 1967 mehrere Vorträge über die Ordnung des gesunden und menschengerechten Bauens. Das Vortragsmanuskript wurde auf vielfachen Wunsch mit eiligsten Erweiterungen sofort gedruckt. Es war ursprünglich nur für die Architekten des Bodenseeraumes bestimmt. Doch mit schnell aufeinander folgenden Auflagen und mit mehreren Erweiterungen ging es schon in wenigen Monaten in alle Erdteile.
Jetzt endlich folgt, neu geschrieben, auf das Vielfache erweitert, mit mehreren Registern und Lit. Angaben versehen, die Lehre vom gesunden Haus, dem kranken Haus und seiner Heilung als reguläres Buch.
Die folgenden Darlegungen sind auf die Praxis hin gerichtet und auch im wissenschaftlichen Teil möglichst allgemeinverständlich geschrieben. Vorweg sei zusammengefaßt: Wie man objektiv gesund baut und wohnt, das wissen wir heute sicher. Neben diesem Grundwissen existiert ein zweiter Bereich, der problematische Bau- und Wohnformen umfaßt, insbesondere bedingt durch die moderne Zivilisation. Hier also wissen wir noch nicht sicher, was gesund ist, was krank ist und in welchem Ausmaß. Der dritte Bereich wiederum ist Wissen, nämlich vieles, was ein Haus und seine Bewohner auf Bewohnungsdauer krank macht. Wer also den zweiten und dritten Bereich meidet, der kann heute sicher gesund bauen und wohnen.

Dieses Buch dient nicht nur der Heilung von Hauskrankheiten, an denen praktisch alle Zivilisationsmenschen leiden, also auch jeder Leser, sondern zuerst der Gesundheitsvorsorge, wie sie ihr neuer Begründer, Kötschau uns unermüdlich vor Augen stellt und wie sie weithin schon Gesetz geworden ist. Sie ist eine Urpflicht sich selbst, der eigenen Familie und allen gegenüber. Das Buch befaßt sich nicht mit Beweisversuchen denen gegenüber, die keinen ihnen unangenehmen Beweis annehmen wollen. Daher geht es auch nicht auf solche Streitereien ein. Die Perlen an Wissen von den Lebensqualitäten und Lebensgesetzen, welche uns die alten Meister hinterlassen haben, soll man perlengerecht behandeln. —

Obwohl das vorliegende Buch hauptsächlich ein Rezeptbuch für den nächsten und lebenswichtigsten Umweltschutz ist, nämlich in den vier eigenen Wänden, so wird doch auch ausführlich auf die Grundlagenforschung eingegangen. Zu ihr streben in der heutigen Fundamentalkrise alle verantwortungsbewußten Wissenschaftler. Die großen Gelehrten wie Paracelsus sind stets von der Grundlagenforschung ausgegangen und haben ihr breiten Raum gewidmet. In der heutigen Weltenwende müssen wir wieder zu der einen übereinstimmenden Grundwissenschaft der Hochkulturen zurück finden, zur Scientia perennis generalis, zur „Mathesis universalis" (Leibniz). Diese in die heutige Mentalität zu übersetzen, hier auf biologischem und medizinischem Gebiet, das ist eine weitere wichtige Aufgabe des vorliegenden Buches. Denn nur aus der Biologie der Hochkulturen ist die Biologie des Hauses, d. h. allgemein des Körpers, des Organismus, der Hülle, der Materie, der Erde, der Natur, des Kosmos wirklich zu verstehen.

Das vorliegende Buch steht daher im Rahmen der großen Erneuerungsbewegung, die im Laufe der Neuzeit erwachsen ist und die heute die ganze Menschheit erfaßt hat. Wir fühlen uns nicht mehr wohl in unserer Haut, in unserem Haus, — im steinernen Haus, im wirtschaftlichen Haus, im politischen, wissenschaftlichen und kirchlichen Haus. So suchen wir nach den Ursachen. Sie aber liegen im Grunde in uns selbst, in unserer eigenen Haltung, oder wie man heute sagt, in unserem Verhaltensmuster. Unsere Verhältnisse sind unser eigenes Werk. In weiterer Sicht sind sie das Ergebnis einer vieltausendjährigen menschlichen Entwicklung auf dem Lebenswege des Kosmos. Studieren wir daher die Gegenwart auf dem Wege des Lebens. Bedenken wir hierbei stets: Wir sind frei und daher verpflichtet, die Verhältnisse zum Besseren zu wandeln, insbesondere in der heutigen Weltenwende. Das Haus der ersten Kultur der ganzen Menschheit ist heute zu begründen.

WICHTIGER HINWEIS: Für Leser, die wenig Zeit haben oder die erst später an der wissenschaftlichen Begründung interessiert sind: LESEN SIE DIAGONAL: 1. Die Einleitung. 2. Von den Hauskrankheiten jeweils nur die zu Beginn stehende Zusammenfassung und das, was speziell interessiert.

3. Das gesunde Haus im Einzelnen.
Wenn Sie selbst am Bau eines Eigenheimes interessiert sind, dann auch „Die letzte Konsequenz".
Für Wissenschaftler: Die Einleitung, alles zu den Grundlagenwissenschaften, die Begründung der einzelnen Hauskrankheiten sowie das letzte Kapitel.
Für Ärzte: Wer vielen Dauerpatienten und anderen Patienten endgültig helfen will, der möge alles lesen.
Für Juristen, Politiker und alle, die Verantwortung für viele tragen, das letzte Kapitel: „Menschenrechte und Menschenpflichten im Bauen und Wohnen. Das Kleine Einmaleins der Gerechtigkeit. Die zentrale Friedensordnung."
Ausführungen für jedermann sind in dieser Drucktype gesetzt, *wissenschaftliche Ausführungen in dieser Type.*

Im Oktober 1974

VORWORT ZUR SIEBTEN UND ACHTEN AUFLAGE

Das Interesse am nächsten und lebenswichtigsten Umweltschutz steigt in der ganzen Welt erfreulich schnell an. Fernsehen, Radio, Zeitungen und Zeitschriften beschreiben todkranke moderne Bauten wie Krankenhäuser, Massensilos usf., die teils auch schon gesprengt werden. Sie weisen auf den „Tod aus der Wand" hin, wie durch noch immer vorgeschriebene Imprägniergifte. „Seveso ist überall."
Zugleich entwickelt sich auch das Bewußtsein der Menschenrechte als Lebensrechte, wie zum Lebens- und Umweltschutz. Der Mensch hat das Menschenrecht und die Menschenpflicht, allseits frei gut (sozial) zu leben. Also hat der Mensch Menschenrecht und Menschenpflicht, gesund zu leben, wie gesund zu bauen, einzurichten und zu wohnen. Daraus folgt, daß krank bauen eine Verletzung des Menschenrechtes und deshalb strafbar ist.
Wache und verantwortungsbewußte Menschen wenden sich daher immer mehr von dem „Selbstmordprogramm" samt Selbstmordbauprogramm und dem „krebsigen Wachstum" (Club von Rom) darin ab und dem Lebensprogramm der neuen Menschheit zu. Eine „planetarische Kultur" wird heute geboren mit einer „Neuen Gesellschaft" und Wirtschaft in einem „Neuen Zeitalter". Ihre Grundlage ist das Lebensprogramm, angefangen bei dem richtigen und ganzen Menschenrecht. Einen grundlegenden Beitrag zu dieser ersten Menschheitskultur soll das vorliegende Werk bieten. Sein Inhalt war durch alle Auflagen hindurch keiner Korrektur bedürftig!

Konstanz, 1979/80

VORWORT ZUR ZEHNTEN AUFLAGE

Durch das Buch „Das gesunde Haus" ist das vom Autor in seinem Sinn geprägte Wort **„Baubiologie"**, sowie diese Wissenschaft und Praxis bis heute weltweit bekannt geworden. In den meisten Hochschulen Deutschlands wird Baubiologie heute gelehrt. Das Buch gilt als „Bibel der Baubiologie". Das darf der Autor nach den Jahren des Schweigens und dann Bekämpfens mit Freude feststellen.

Obwohl seit dem Erscheinen des vorliegenden Buches schon weit über 1000 deutschsprachige selbständige Druckwerke über Baubiologie erschienen sind, ist es noch immer das einzige, in dem Baubiologie ganzheitlich gelehrt wird, nämlich aus einem einzigen Grundprinzip heraus alle Teilbereiche alleinheitlich zu verstehen. Dieses Grundprinzip ist von dem Autor erstmalig erkannt und geprägt worden in dem Satz: **Das Haus ist die dritte Haut.** Aus dieser Qualität heraus sind alle Hausfunktionen als Hautfunktionen einheitlich qualitativ zu verstehen.

Auch wird mehr und mehr erkannt: **Ökologie** – von oikos = das Haus – besagt Haushaltungslehre und zwar mit den realen Lebensqualitäten. Ökologie ist daher ein Teil der Bau- und Wohnbiologie! Denn auch dieser Globus ist ein Haus, das wir bebauen und in dem wir wohnen. Wer Ökologie ganzheitlich und prinzipienklar erlernen will, der findet diese Wissenschaft im vorliegenden Buch! Für **Umweltschutz** gibt es jetzt eigene Ministerien. Die nächste bei weitem lebenswichtigste Umwelt ist die der vier Wände um uns. Hier kann man den Umweltschutz, der zuerst Eigenweltschutz ist, als Mitweltschutz musterhaft ganzheitlich erlernen. Vor allem führt das vorliegende Buch über den doch zweitrangigen Schutzgedanken zu dem erstrangigen Verhalten, nämlich **die Umwelt gut zu entwickeln**, d. h. die Erde „zu bebauen und zu bewahren" (Gen. 2,15)! Was der Grundauftrag Gottes ist!

Erstmalig wird auch das **Umweltrecht** überzeugend vollständig dargelegt, nämlich aus dem Menschenrecht als sicheres Rechtswissen entwickelt. Soweit bekannt, existiert in der Welt bis jetzt weder ein klar formuliertes Menschenrecht, noch ein im Menschenrecht gegründetes klar formuliertes Umweltrecht!

Das vorliegende Buch wurde daher von dem Rektor einer Schule als **„Lebensbuch"** bezeichnet. Wer es studiert, der lernt, wieder realistisch lebensqualifiziert zu denken und dann lebenserfolgreich zu handeln. Was vielen heute noch an Einsicht fehlt, die sich als Naturwissenschaftler, Biologen, gar als Baubiologen bezeichnen und die am Ende der Neuzeit noch immer mechanistisch, quantistisch denken und handeln. Was nach C. F. von Weizsäcker ein „schuldhafter" „Irrweg" ist, der zur Ruinierung des Lebens führt. Von welchem „Irrweg" daher eine „Umkehr" erforderlich ist, zuerst in den Schulen. Denn sonst irrt man geistlos und ziellos in der Welt herum. Diese Umkehr zur echten Bau- und Wohnbiologie samt Ökologie erweist sich daher daran, daß man gut und böse/schlecht überall unterscheiden kann, Qualität und Unqualität. Denn nur dann kann man den Weg zum wahren, zum objektiv guten Leben finden und gehen und helfen, das **Angesicht des Hauses Erde zu erneuern**, zuerst an seinem eigenen Haus.

Konstanz, im März 1992.

DAS GESUNDE HAUS
Einleitung

Die vier Wände um uns bilden unsere nächste Umwelt! —
Wer hat das schon bedacht?
Weitaus die meiste Zeit seines Lebens verbringt der Mensch im Haus und nicht in der ferneren Umwelt. Bei vielen Menschen sind das fünfundneunzig Prozent und mehr! Denn wer hält sich auch nur eine Stunde — das sind keine fünf Prozent! — täglich in der freien Natur auf? Also nicht auf Asphaltstraßen zwischen Häuserwänden! —
Wie lebenswichtig muß also die Welt für uns sein, die von den vier Wänden umschlossen wird! —
Unsere nächste Umwelt ist gleich schwer krank wie unsere fernere Umwelt! Würde es nicht dem Naturgesetz widersprechen, wenn es anders wäre! Denn derselbe Mensch formt beides. Wie der moderne Zivilisationsmensch seine fernere Umwelt vergiftet und anderweitig ruiniert, so zugleich und gar zuerst seine nächste Umwelt! —
Erschwerend kommt hinzu, daß die lebendige Natur in Wald und Feld viele Fehler ausgleichen kann. Was aber könnten Betonwände ausgleichen? —
Ist es dann nicht — über neunzig Prozent! — lebenswichtiger, zuerst unsere nächste Umwelt zu untersuchen und zu sanieren, ehe man in die Ferne schweift?
Die vielen Schädigungen unserer Gesundheit durch die fernere Umwelt sind durch Radio, Fernsehen, Tageszeitungen und die vielen Aktionen der Umweltschutzbewegung schon in der ganzen Welt bekannt geworden. Und die Regierungen bemühen sich sehr um die lebensnotwendigen Verbesserungen. Doch der weit lebenswichtigere Umweltschutz in unseren vier Wänden ist noch vielen Menschen unbekannt. — —
Der Mensch neigt dazu, das Gute und auch das Böse, sein Glück und sein Unglück zuerst in der Ferne zu suchen und besonders bei den anderen. Doch das Gute liegt so nah und auch das Böse-Schlechte. Geht nicht beides vom eigenen Herzen aus? Vom eigenen Denken und Handeln? In jedem Fall liegt es zuerst im Bereich des eigenen Hauses. —
Zu den harten Tatsachen: Welcher Mensch schläft noch gut? Über fünfzig Prozent der Zivilisationsmenschheit klagt über Schlafstörungen. Doch die andere Hälfte schläft bis auf wenige Prozent ebenfalls nicht gut. Das ist ihr nicht bewußt. Ein großer Teil beispielsweise liegt in einem bleiernen Totenschlaf. Von ihm erhebt man sich ebenso wenig erholt wie von dem bewußt schlechten Schlaf.
Wer denn wacht zwischen vier und fünf Uhr früh frisch und quicklebendig auf? Wie es uns viele Tiere in den gesunden Nestern zeigen! Und wie auch wir in einer Berghütte erleben können, wenn wir uns von den ungesunden modernen Häusern gründlich erholt haben.

Wer also wacht so frisch auf? Ob es in unseren Städten einer von hundert ist? Bei den gesunden Naturvölkern wie den Hunsas ist solches Erwachen selbstverständlich. —
Ein chronisch schlechter Schlaf aber hat gewaltige Folgen für unser Wohlbefinden und unsere Gesundheit. Denn im Schlaf regeneriert sich unser Organismus. Im entspannten gesunden Schlaf wird die volle Vitalität wiederhergestellt. Bei unvollständiger Wiederherstellung wird der Mangel von Nacht zu Nacht und also von Tag zu Tag größer. Also wird unsere Vitalität immer mangelhafter. Die Lebenskraft wird schwächer. Das Lebensniveau sinkt. Der Lebenskreis wird enger. Die Intensität nimmt ab. Vieles schöne Erleben entschwindet gänzlich. Die natürliche Aktivität geht verloren. —
Da jedoch die Leistung des vitalen, gesunden Menschen erwartet und gefordert wird, natürlicherweise auch von sich selbst, so wird der Organismus überfordert. Nur verkrampft und mangelhaft kann er dann diese Leistung noch erbringen, gequält, ohne Lebensfreude. Streß ist eine viel zu schwache, die Ursachen nicht erkennende Bezeichnung für diese Situation.
Die Fehlbilanz an Leben führt zu ständigem Unfrische- und Unwohlgefühl, zu Überreizung und früher Ermüdung, zu Kopfschmerzen und anderen Beschwerden. Dies wiederum verleitet zur Kaffee- und Teesüchtigkeit mit Schlaf- und Wecktabletten und auch oft zum ständigen Gebrauch von Schmerztabletten. So vergiftet der Mensch seine Eigenwelt. Seine Lebenskraft und Widerstandskraft erlahmt dann noch mehr. Das ist ein Teufelskreis! —
Die vielen Mängel führen auch zu Fehlfunktionen, nämlich durch die Überreizung. Ein eigener Tablettentyp ist für diese heute überall anzutreffende Zivilisationskrankheit geschaffen worden, nämlich die Aufputschtablette mit Dämpfungswirkung für die Überreizung. Sie macht gewaltige Umsätze.
Diese der Neurasthenie nahe stehende Erkrankung zeigt sich als chronische Störung und Schwächung an allen vier großen Organsystemen des Organismus, am Nerven-Sinnes-System, am Herz-Kreislaufsystem samt Lungen- und Nierenfunktion, am Stoffwechselsystem und am Absonderungssystem samt Urogenitalsystem. Das aber führt zu vielerlei Leiden und zu früher Invalidität. Zumindest begünstigt und verstärkt es die Tendenzen zum Herztod und zum Krebs.
Ist daher der allernächste Umweltschutz der Schlafschutz? —
Doch der ungesunde Schlaf ist nur eine der vielen Hauskrankheiten. Andere wirken auch am Tage direkt auf alle vier Organsysteme. Davon ist später zu reden.
Wie kann das alles bewiesen werden? Denn diese Behauptungen erscheinen manchem noch unerhört.
Das kann dreifach bewiesen werden: Erstens, die gesund wohnenden Urvölker kennen die Hauskrankheiten alle nicht, vom ungesunden Schlaf angefangen.
Zweitens, die Zivilisationsvölker haben trotz aller Anstrengungen die Ur-

sachen der oben genannten Leiden noch nicht gefunden, auch die Lebensreformer und anderen nicht, welche die reine Natur in Nahrung und Lebensweise so sehr schätzen. Wie viele Mühen und Kosten wenden sie an ein gesundes, vitaminreiches Essen usf. Doch bei Millionen Menschen lebenslang vergebens. Von vielen Beschwerden können sie nicht frei werden, die sich bei näherer Erforschung als Hauskrankheiten erweisen. Sie sind ebenso wichtig wie die Ernährungskrankheiten. Wenn bei Heilung des kranken Hauses oder bei Umzug in ein gesundes Haus die chronischen Störungen endgültig verschwinden, was schon zahllos viele erlebt haben, dann ist ein zweiter Beweis erbracht.

Drittens, auch der Zivilisationsmensch, der auf gesunde Kost noch geringen Wert legt oder gar keinen, wird von den Hauskrankheiten frei, wenn er in ein gesundes Haus umzieht. Aber kein Mensch wird von ihnen frei, wenn er in einem kranken Haus wohnen bleibt, mag er anderweitig auch noch so viel für seine Gesundheit tun. Das beweist das Schicksal von hunderttausenden von Lebensreformern und von anderen Dauerpatienten. Der nächste und lebenswichtigste Umweltschutz wurde bisher übersehen.

Über siebenhundert Ärzte kamen vor einigen Jahren in Paris zusammen, um die Ursache der Urplage der Zivilisation zu finden, nämlich der chronischen Schlafstörung mit ihren vielen schweren Folgen. Die Ursache wurde eingestanden nicht gefunden. Denn die nächste Umwelt stand damals noch nicht im Bewußtseinsfeld der Schulmedizin. Noch nicht einmal der fernere Umweltschutz war damals schon ein öffentlich anerkanntes Thema.

Aber die Ursachen der meisten chronischen Schlafstörungen sind nicht wenigen Ärzten schon seit langem bekannt. Diese aber gelten weithin noch als Außenseiter. Als sie jahrzehntelang allgemein für den Umweltschutz kämpften, wurden sie verlacht. Wer ehrt sie heute? — Manchmal wird eine Vorgeschichte zu verdrängen gesucht. Denn die Lehren und unbestreitbaren Heilerfolge dieser „Außenseiter" passen nicht in das derzeit noch herrschende mechanizistisch-materialistische Weltbild. Erst als vor wenigen Jahren wie in einer Atomexplosion der Umweltschutz plötzlich Weltthema wurde, da wurden wenigstens in diesem Bereich die bisherigen Outsider über Nacht zu Insidern. — Wenn die Zeit gekommen ist, dann wird sich auch der nächste und lebenswichtigste Umweltschutz im Bewußtsein der Zivilisationsmenschheit ausbreiten, vielleicht ebenso plötzlich. —

Mag die Gleichung zwischen der Unordnung in der nächsten und weiteren Umwelt noch so logisch sein, wir fragen näher nach Beweisen. Millionen Menschen können auf diese Urfrage mit eigenen Erfahrungen antworten. Denn wer hätte einen sehr einfachen Beweis noch nicht am eigenen Leibe erlebt: Wer in seinem Leben einmal das Glück hatte, in ein gesundes, also nicht krank zivilisiertes Haus zu kommen, sei es auch nur für einige Wochen wie in ein einfaches, schlichtes Ferienhaus, der kann, oft nach einer Umstellungszeit von wenigen Tagen, plötzlich tief und erholsam schlafen. Die

Vegetative Dystonie weicht. Die Herz-Kreislaufstörungen schwinden. Anstelle der Reizbarkeit und Verkrampfung stellt sich eine entspannte Gelöstheit ein. Die morgendlichen Kopfschmerzen sind plötzlich weg. Der Stoffwechsel funktioniert besser. Man kann die Schlafmittel weglassen. Und auch der morgendliche Bohnenkaffee ist nicht mehr notwendig. Die vorsorglich mitgeführten Schmerztabletten bleiben in der Packung. — Welcher ältere Mensch hat nicht wenigstens einmal und sei es auch nur ansatzweise dieses Glück erlebt, wenn er mit seinem Urlaubsdomizil das Rechte getroffen hatte? Könnte und sollte man daraus nicht erhebliche Konsequenzen ziehen? Denn nach der Rückkehr fing zuhause das alte Elend nach wenigen Tagen und Wochen wieder an. Aber man machte sich nicht viele Gedanken. Man schob es auf die Arbeit, die Stadt und das Fehlen der Sonne, der Berge oder des Meeres. War das nicht ein folgenschwerer Irrtum! —

Weshalb wird der moderne Mensch so auffällig zum Terrassen- und Gartenbewohner? Weshalb sucht er oft schon krampfhaft die Natur in seine vier Wände einzubeziehen? Weshalb die Flucht aus dem modernen Haus wie in der Campingbewegung? Und weshalb steigt der Mensch heute so oft in seinen Wagen?

Wird der Zivilisationsmensch nicht überhaupt hausflüchtig? Zwei mal Urlaub im Jahr genügen vielen schon nicht mehr. Und man sucht in einer Zweitwohnung, was man dumpf in der ersten Wohnung vermißt. Aber wie oft gerät man vom Regen in die Traufe! —

Ein Doppelbeispiel dazu: Noch ohne das Grundwissen um das gesunde Bauen, aber wohl aus gutem Form- und Materialgefühl hatten Architekten gesunde Ferienhäuser gebaut. Sie berichteten dem Verfasser nach Vorträgen spontan, daß ihre Besitzer nicht mehr in das komfortable moderne Stadthaus zurückkehren wollten, so auffällig wohler lebten und schliefen sie in dem einfachen Ziegel-Holzhaus.

Andere dagegen hätten sich in einem herrlichen Luftkurort aufwendige Stahlbetonbauten gewünscht, denen keine technische Raffinesse fehlte. Aber sie mieden ihn alsbald und wohnten lieber und offensichtlich gesünder trotz Lärm und rauchiger Stadtluft in ihrem alten Ziegelhaus. — Wer ist frei in seinem Denken und Handeln? Also nicht durch Tabus, Ideologien, Modernismus und Vorurteile gebunden. Und wer ist sich seiner Verantwortung für die Seinen bewußt! —

Was mag im Einzelnen die Ursache zu solchen Erfahrungen sein? Das soll an vier Hauptbeispielen erläutert werden.

1. Dr. Beck, Chefarzt eines Kinderkrankenhauses, hatte mit dem EKG in vielfach wiederholten Untersuchungen festgestellt, daß Kinder an einem bestimmten Schlafplatz Herzrhythmusstörungen bekamen, an anderen Plätzen dagegen nicht. Wenn das Bett weggerückt wurde oder wenn das Feld des Schlafplatzes entstört wurde, so schwanden die schweren Herzstörungen binnen Sekunden ([1]). (Näheres im Kapitel über die geopathischen Krankheiten).

2. Wie viele Menschen leiden seit Jahren praktisch unheilbar an Herz- und Kreislaufstörungen, gar mit allnächtlichen Herzschmerzen, an Vegetativer Dystonie, an verkrampftem, nicht erholsamem Schlaf, weil neben dem Kopf-am Bett ein Radio steht, oder über dem Kopf eine metallgefaßte Leselampe hängt, gar als Leuchtstoffröhre, oder weil um das Bett in der Wand eine ständig unter Spannung stehende Leitung läuft. Entfernt man das Gerät oder legt man die Leitung nachts tot wie durch einen abendlichen Gang zum Sicherungskasten mit Lösen der entsprechenden Sicherungen, so kann man endlich seit Jahren wieder entspannt und ruhig durchschlafen, erholsam, ohne Schlaf- und Schmerztablette. Und die Herz-Kreislaufbeschwerden sind wie weggezaubert. Oder von der Vegetativen Dystonie ist nichts mehr zu spüren! — Das ist eine hundertfache ärztliche Erfahrung! Und diese Hilfe kostet so viel wie nichts, außer Nachdenken und einem Handgriff. (Näheres im Kapitel über die Elektrokrankheiten. Außerdem vgl. das Kapitel über die geopathischen Krankheiten).

3. In Schweizer Zeitungen und sinngemäß gleichlautend in vielen europäischen Publikationsorganen war unter der Doppelüberschrift „Gefährliche Lampenschirme und Wandanstriche — Moderne Baumaterialien vergiften Lebensmittel" Folgendes zu lesen: „G.P. Genf. Außerordentlich erschreckende Feststellungen hat die Genfer Lebensmittelkontrollstelle gemacht. Die Plastikfarben, Plastikdeckenverkleidungen, Beleuchtungskörper usw., wie sie laufend in modernen Bauten verwendet werden, enthalten sehr gesundheitsschädliche Stoffe. Diese Stoffe werden ausgeschieden und übertragen sich auf alle Gegenstände in den Räumen, insbesondere auf Nahrungsmittel. Die Nahrungsmittel werden somit regelrecht vergiftet, die ausgeschiedenen Stoffe stehen auf der Liste der verbotenen Stoffe in der Eidgenössischen Lebensmittelverordnung. — Die Angehörigen der Genfer Überwachungsstelle haben die Wirkung am eigenen Leib gespürt. Als sie im Januar 1971 in die neu errichteten Laboratorien der Genfer Lebensmittelkontrollstelle gezogen waren, stellten sie als erstes fest, daß die empfindlichen Apparate regelmäßig unwahrscheinlich hohe Werte von schädlichen Stoffen anzeigten. Zuerst glaubte man, daß die Apparate durch den Umzug kaputt gegangen seien. Sie wurden wieder im alten Laboratorium installiert. Dort fielen die Analysen jedoch wieder normal aus. Als man sie wieder in die neuen Räume brachte, zeigten sie wieder überhohe Anteile gesundheitsschädlicher Stoffe an. Nun dämmerte es den Chemikern. Die Schadstoffe mußten sich im neuen Gebäude befinden. Über 500 Analysen wurden unternommen.

Es stellte sich heraus, daß die „schädlichen Ausdünstungen" aus zahlreichen Plastikstoffen kamen, aus Farbe an den Decken, aus einer plastifizierten Deckenverkleidung, aus Beleuchtungskörpern, aus Plastik usw.

Es wurde versucht, das Übel mittels einer großen Belüftungsaktion auszuschalten, aber es half nichts. Dann wurden die schädlichen Plastikstoffe abmontiert, aber auch das half nichts. Der schädliche Stoff war bereits in an-

dere Materialien im Raum eingedrungen. Die empfindlichen Lebensmittelkontrollgeräte konnten noch immer nicht verwendet werden. Mehr als ein Jahr danach hat man es aufgegeben, in den betreffenden Räumen Lebensmittelanalysen durchzuführen.
Und der Genfer Kantonschemiker konnte nichts dagegen tun, denn das gleiche Produkt ist zwar in der Lebensmittelchemie im Besonderen in Schädlingsbekämpfungsmitteln verboten, aber nicht in Baumaterialien. Die Wirkung ist jedoch die gleiche. Aus den Baumaterialien entweicht das Produkt, um sich an den Lebensmitteln festzusetzen.
Charles Berner ist überzeugt, daß das PCB in vielen Baumaterialien verwendet wird und meint, daß die Angelegenheit von seiten der Gesetzgeber genauestens ins Auge gefaßt werden muß" (1).
Auf „alle Gegenstände in den Räumen" wirkte das Gift ein, also nicht nur auf Lebensmittel, Kleider, Genußmittel, sondern auch unmittelbar auf lebendige Menschen selbst! Daher erkrankten mehrere Angestellte der Lebensmittelkontrollstelle u.a. an Ekzemen, an Augenleiden, Unwohlsein und anderem, was bis zur zeitweiligen Arbeitsunfähigkeit führte. Nur dank der Analysen des Amtes wurde die Ursache von alledem erkannt. Millionen anderer Menschen wissen die Ursachen auch dieser ihrer Hauskrankheiten noch immer nicht! — „Regelrecht vergiftet" wird also der moderne Mensch von seiner „normalen" modernen Wohnung! Denn das neue Haus des Genfer Lebensmitteluntersuchungsamtes war ganz „normal modern" gebaut worden. Es war kein böswilliger Sabotage-Anschlag auf das Eidgenössische Untersuchungsamt verübt worden dergestalt, daß man das neue Haus mit extrem vielen modernen Kunststoffgegenständen ausgestattet hätte, daß man die Wände dreifach gestrichen hätte mit Kunststoff-Dispersionfarben usf.
Wer hätte inzwischen Konsequenzen als Privater gezogen oder „von seiten der Gesetzgeber"? Vielleicht ist hier der Verfasser noch nicht genügend informiert. — (Näheres im Kapitel über die Chemiekrankheiten).
4. Trotz schwerer Verbote schliefen im letzten Krieg an der Atlantikküste Tausende von Soldaten nicht in den Betonbunkern, sondern außerhalb in Bretterverschlägen. Wenn sie nämlich in den Bunkern schliefen, so fühlten sie sich derart unwohl und schwach, daß sie zur geordneten Bedienung der Waffen nicht fähig waren.
Dasselbe hatte die französische Heeresleitung mit der Besatzung der Betonbunker der Maginotlinie zu ihrem Entsetzen erlebt. Diese Besatzung mußte deshalb sogar schon in Friedenszeiten extrem oft ausgewechselt werden. Und auch dann war noch in kurzer Zeit ca. die Hälfte der Besatzung dauerkrank -betonkrank, bunkerkrank- und also nicht arbeitsfähig, nicht einsatzfähig. Und wie weit wäre die andere Hälfte noch zu einer geordneten Bedienung der Waffen fähig gewesen! —
Sollte dies nur für meterdicke Betonmauern gelten, für dreißig Zentimeter Beton aber nicht mehr? Betrug die Dicke des Betons in den bis 60 m unter

Tage reichenden Bunkern nicht oft weit unter einem Meter! —
Die Angestellten der EWG in Brüssel veranstalteten alsbald nach dem Bezug ihres Mammutbetonbaues einen öffentlichen Protestumzug auf den Strassen, weil sie in dem Betonklima dieses Riesenkastens derart viele und starke Beschwerden erleiden mußten, von Kopfschmerzen, früher Ermüdung und Elendsgefühl angefangen, daß sie es nicht mehr weiter duldeten und dem Bauherren und den Architekten Verletzung der Menschenrechte auf ein gesundes Leben vorwarfen, insbesondere auf ein gesundes Arbeitsklima ([1]).
Schon vor über hundert Jahren waren sich alle damaligen namhaften Physiker einig, daß ein Lebewesen im Nullfeld eines metallenen Käfigs, des sogen. Faradayschen Käfigs, ca. 45% seiner Vitalität verliert, dies also schon in einer Generation ([2]). Diese Untersuchungen sind bis zur Gegenwart oft wiederholt worden. Das Ergebnis war stets dasselbe, nämlich ein Verlust an Lebensqualität und teils auch an Quantität von nahezu der Hälfte.
Ein Betonbau ist üblicherweise ein Stahlbetonbau. Das heißt, der Bau besteht aus einem mit Beton verkleideten Stahlkäfig. Dies ist ein Faradayscher Käfig. Da die nächste Generation im Käfig eine erheblich geschwächte und gestörte Konstitution auf die Welt bringt, so erklärte schon 1927 Pech in Montpellier, Prof. für physikalische Medizin, daß die Menschen im Nullfeld wie in Eisenbetonkäfigen durchschnittlich in der dritten Generation aussterben. — —
Doch ist die Ursache der bei mehreren Generationen nach Pech und anderen tödlichen Wirkung des Stahlbetons nur dessen Käfig? Kommt nicht auch anderes infrage wie der mit Zement bereitete Beton selbst? Zement ist ein Material, das seine Identität vollständig verloren hat!
Der Kräuterpfarrer Künzle schreibt in seinem weltberühmten Büchlein „Chrut und Uchrut" (Auflage über eine Million): „Hütet euch vor Zementböden. Es ist jetzt Mode. Diese Zementböden sind für 90% der Personen, die dort stehen und gehen müssen, die Quelle fortgesetzter Leiden in Hals, Zähnen, Kopf . . . , verursachen ungeheuer viel Krämpfe, Rheumatismen, Hexenschuß, Ischias . . . Frauen . . . bekommen oft fürchterliche Schmerzen . . . Die Gesundheitskommissionen sollten hierauf sehen!" (Sperrdruck im Original) ([3]).
A. Libik gab im Deutschen Fernsehen einen Bericht über den „Verlust der Identität der Menschen in Betonbauten", also über die fundamentale Selbstentfremdung in Beton ([4]).
Hellpach, Vorstand eines Heidelberger Universitätsinstitutes, schreibt in seinem berühmten Buch „Geopsyche" von der „stickigeren Luft" in „Betonbauten" ([5]). Stickig heißt das Leben erstickend! Also Übereinstimmung mit Pech und Tausenden von „namhaften Physikern", mit Biologen, praktischen Ärzten und ungezählten einzelnen Opfern des modernen Bauens. (Näheres im Kapitel über die Betonkrankheiten und in dem Kapitel über die Hauskrankheit Asozialismus).

Zusammengefaßt: Wir haben vorstehend vier erschreckende Beispiele zitiert, aus dem Bereich der Geopathie, der Elektrik, der Chemie und des Betons. Mit elektrischem Strom ist heute jedes zivilisierte Haus ausgerüstet. Die Chemie der Kunststoffe finden wir hundertfach in jedem modernen Haus. Und über 90% der modernen Großbauten an Wohn- und Bürohäusern sind in Stahlbeton ausgeführt wie typisch die Zentrale der E(W)G. Mit Zement jedoch wird heute auch fast jedes gemauerte Haus im Mörtel und Verputz gesegnet, besonders intensiv in den Betondecken.
Wir haben hier also Haupt-Zivilisationskrankheiten des modernen Hauses vor uns. Welches Haus und also welcher Zivilisationsmensch würde nicht unter ihnen leiden? — —
Das Fazit: Immer mehr Menschen erkennen dies mit Schrecken. Plötzlich erfahren sie, warum sie seit Jahren und Jahrzehnten unter so vielen Beschwerden leiden und warum sie ständig vergeblich zu Medizinern oder Ärzten gehen. Sie erkennen, daß unsere nächste Umwelt zumindest ebenso schwer krank ist wie unsere fernere Umwelt. Das „Selbstmordprogramm" ist nicht auf einen ferneren Teil unserer Umwelt beschränkt. Wer leben will, der fragt dann: Was ist das ABC vom gesunden Bauen, Einrichten und Wohnen? In unserer „Wissenschaftskatastrophe" (A. M. K. Müller) und „Selbstmordgesellschaft" (Taylor) scheint der gesunde Menschenverstand und das gesunde Menschengefühl auch im Bauen und Einrichten weithin abhanden gekommen zu sein. Also müssen wir uns selber um dieses Grundwissen des Kulturmenschen bemühen.
Dieses Grundwissen soll folgend allgemeinverständlich dargestellt werden, zuerst kurz in der Theorie, dann ausführlich in der Praxis mit vielen Anleitungen zum Selberhandeln. —
Der Mensch will heute den Krieg beenden, — den Krieg mit dem Menschen und auch den Krieg mit der Natur. Beide Kriege werden mit der Physik und der Chemie geführt, mit ihrer Technik. Beide haben die Menschheit an äußerste Grenzen geführt, an Grenzen der Politik und an Grenzen des wirtschaftlichen Wachstumes. Auch die Bauwirtschaft scheint mehrfach an Grenzen ihres Wachstumes zu stoßen. — Nun beginnt der Mensch, gründlich den Frieden zu suchen. Er sucht ihn in seiner Umwelt mit dem Menschen und mit der Natur. Diesem vollständigen Frieden soll das vorliegende Buch im Zusammenhang mit anderen Büchern dienen.

I

ZUR GRUNDLAGENWISSENSCHAFT

Einleitung

Wenn wir etwas gründlich studieren wollen und sollen, so benötigen wir die Grundlagenwissenschaft. Sie sollte auf der Universität im Studium generale gelehrt werden. Denn sie ist das Fundament aller Wissenschaften. Doch wie steht es heute um die Wissenschaft überhaupt?

Die Wissenschaft ist im Untergang der abendländischen und morgenländischen Kultur in eine Krise auf Leben und Tod geraten. Das zeigen nicht nur die Zustände an den Hochschulen. Man spricht schon von einer „Wissenschaftskatastrophe“ (A.M.K. Müller). Was wäre von der Wissenschaft, die doch ein Teil der Kultur ist, auch anderes zu erwarten, wenn die ganze Kultur untergeht! —

Aber wir stehen zugleich im Übergang zu einer neuen Kultur. Also geht auch die Wissenschaft durch eine fundamentale Erneuerung. Dieser Weg führt zunächst durch die Grundlagenwissenschaft oder Urwissenschaft. Zu ihr streben in der heutigen Krise alle verantwortungsbewußten Wissenschaftler. Insofern wird die schwere Krise von vielen positiv als Heilkrise erlebt und bewertet, dies auch hier.

Jede neue Kultur beginnt in ihrer Wissenschaft mit der Grundwissenschaft. Insbesondere heute, im Übergang zur ersten Menschheitskultur, d. h. zur ersten einheitlichen Kultur der ganzen Menschheit, sind die Grundlagen aller Wissenschaften fundamentaler als je zu erforschen. Wir sind heute genötigt, zu den allgemeinsten Urgründen aller Wissenschaften hinab zu steigen bzw. hinauf ([1]).

In der Richtung auf dieses Ziel soll folgend aus der ersten Wissenschaft, welche gemeinsam mit dem Glauben, d. h. mit der Religion, alle Kulturen begründete und die Paracelsus auf seine Art vielfach gelehrt und höchst erfolgreich praktiziert hat, das Wesentlichste vorgetragen werden, was die Naturwissenschaft und insbesondere die Bauwissenschaft angeht. Diese Grundlagen sind in zwei Teile gegliedert, in einen allgemeinen Teil, der alle Naturwissenschaft betrifft, und einen speziellen Teil, der die Grundlagen der Baubiologie behandelt.

Wer Paracelsus, das verpflichtende Vorbild deutscher und auch anderer Ärzte kennt, der wird das folgende Buch schnell verstehen. Wer Paracelsus noch nicht objektiv kennt, dem wird heutzutage vieles ebenso hart ankommen wie das Studium von Paracelsus. Dieses Studium kann er sich sehr erleichtern durch das vorliegende Buch. Denn in den folgenden Grundlagen und weiterhin wird Paracelsus in die Sprache unserer Zeit übersetzt und systematisch vorgetragen.

Die Grundlagenwissenschaft — insbesondere als immerwährende Naturwis-

senschaft (Scientia perennis naturalis), die in allen Kulturen gelehrt wird, jedoch mehr oder weniger abgeschlossen — strebt zu der Erkenntnis, erstens was die reale Einheit überhaupt ist, zweitens was ihre Qualität ist, ihre Lebensqualität, und drittens in welcher statisch-dynamischen Ordnung die lebensqualifizierten realen Einheiten zueinander stehen. Diese drei Urfragen seien gemäß den uralten Lehren in heutigen Denkformen zu beantworten versucht.

Alle Geistes- und Naturwissenschaften der Hochkulturen lehren übereinstimmend, daß die reale Einheit — z. B. ein Atom, ein Kristall, eine Pflanze, ein Tier, ein Mensch usf. Die Sprache ist hier schon ein-deutig! — erstens aus dem eigentlichen Prinzip (Kern) dieser Einheit besteht und zweitens — in subjektiver Sicht in der Raumzeitwelt — aus ihrem eher vielheitlichen materiellen Haus, dem Körper. Einmütig wird weiter gelehrt: Das reale Prinzip der objektiven Einheit baut den eigenen, aus vielen Teilen bestehenden Körper auf, erhält ihn, wandelt ihn ständig um und läßt ihn zu Staub zerfallen, wenn es sich im Tode aus dem Körperhaus zurück zieht ([1]).

Das Prinzip der realen Einheit und also die eigentliche reale Einheit selbst wird von den Hochkulturen „Geist“ und „Seele“ genannt, von Platon „Idee“. Von Aristoteles, dem „Vater der abendländischen Wissenschaft“, wie sein Ehrentitel lautet, wird diese erste Realität in mehr naturaler Sicht „Entelechie“ genannt, von Paracelsus „Ens“, „Archäus“ oder Körperbaumeister. Im Menschen wird die erste und fundamentale einheitliche Realität das „Selbst“ oder „Ich“ genannt, die „Person“ usf.

Bei der zerspalteten und daher zerspaltenden Denkweise in der Endzeit der Kultur, bei dieser einheitswidrigen, unobjektiven, lebensfremden Denk- und Sprechweise der Zerfallzeit wird zwar sprachlich ständig von einem (!) Atom, von einem (!) Kristall, von einer (!) Pflanze, von einem (!) Tier und von einem (!) Menschen gesprochen. Aber in dem Bewußtsein wird die Einheit, dieses Erste, Wesentlichste und Fundamentale ständig ausgeblendet, sodaß subjektiv bewußt stets nur zerspaltete Teile gesehen und gedacht werden, Teilchen! Beispielsweise werden, wenn man heutzutage von einem (!) Atom spricht, im subjektiven Bewußtsein fast stets nur Atomteile „gesehen“ bzw. gedacht. Die Einheit des Atoms wird im Bewußtsein nicht mehr wahrgenommen, nicht begriffen, nicht verstanden, nicht gedacht, sondern ausgeblendet. Dasselbe gilt für den einen Menschen und alle Einheiten in der Naturwissenschaft! — Auf der Einheit jedoch gründet die ganze Existenz der jeweiligen Realität. Aus der Einheit geht der ganze Sinn, die Lebensqualität und Ordnung der jeweiligen Realität hervor, ihr ganzes Sein und Leben! —

Bei dieser zerspalteten Bewußtseinshaltung wird daher im Grunde überhaupt nichts mehr gesehen, begriffen und verstanden! Denn sehen heißt, eine Einheit sehen! Begreifen heißt, eine Einheit begreifen! Verstehen heißt, eine Einheit verstehen! —

Was lehrt die eine immerwährende Wissenschaft im Verein mit der heutigen Physik weiter?

Die reale Einheit

Die immerwährende Wissenschaft und auch die heutige Physik lehrt: Die eigentliche reale Einheit ist von übermaterieller Beschaffenheit. Die Materie ist nur ein besonderes Wirkprodukt dieser Einheit. Denn die reale Einheit selbst existiert in physikalischer Sicht erstens fundamental als Feld (in der abendländischen Kultur als Sphäre bezeichnet und analog auch in anderen Kulturen), zweitens als radiale Feldbewegung, Strahlung genannt, drittens als kreisende Feldbewegung, Strom oder Strömung genannt. Strahlung und Strömung werden in den alten Wissenschaften auch als „Influenzen" bezeichnet.

Mehr als diese drei allgemeinsten Wirk- und Seinsformen der realen Einheit existieren in physikalischer Sicht nicht! —

Im Atom haben wir musterhaft erstens das Atomfeld, zweitens die Atomstrahlung als radiale Feldbewegung und drittens die spiralig wirbelig kreisenden Elektronenströme. Nichts weiter ist zu finden! Diese drei nicht materiellen Größen bilden vereint das ganze Atom! Daher wird das Atom auch schon als Einheit einer Wellenmechanik erklärt. Und aus Atomen besteht doch alle Materie. —

Im Menschen beispielsweise entwickelt und unterhält nach paracelsischer und anderer Lehre der übermaterielle Archäus (Die aristotelische Körperbau-Entelechie) ein also übermaterielles Leibfeld. In diesem Feld wird von den Bildekräften des Archäus der ganze Körper aufgebaut. Primär existiert also die einheitliche Entelechie, sekundär der vielheitliche materielle Körper.

Die Grenzen des Leibfeldes kann man mit rein elektrotechnischen radarähnlichen, schon serienmäßig hergestellten Instrumenten leicht in seinen Konturen messen. Die Feststellung dieser Feldkonturen wird teilweise auch zur Diagnose von Gesundheit, Krankheit und Heilung benutzt ([1]). Denn diese drei Existenzformen eristieren zuerst im Feld, ehe sie sich körperlich auswirken. Nach paracelsischen und neueren Anschauungen sind sie daher zuerst im Feld zu diagnostizieren und auch zu behandeln.

In dem Feld des menschlichen Körpers und auch jedes anderen Körpers existiert ein Komplex von Strahlungen, wie die Wärmestrahlung, und ebenso eine komplexe Ganzheit von Strömungen, wie der Kreislauf der Nervenströme, des Blutes, der Lymphe usf. Die Feld-Strahlungs-Strömungs-Ganzheit einer realen Einheit existiert gleichzeitig in verschiedenen Seinsebenen. Eine solche vorrangige, höhere Ganzheit der realen Einheit wird neuerdings auch als „Vitalkörper" oder „bioplasmatischer Körper" bezeichnet ([2]). Para-

celsus spricht hier vom „inneren Leib", Elementarkörper usf. Seine lebensqualifizierten Kräfte werden als „Lebenskräfte", „Lebensenergien", „Bildekräfte" usf. bezeichnet ([1]). Denn die reale Einheit hat Mächte bzw. Potenzen (qualifizierte Potentialdifferenzen, als Felddifferenzen erkennbar), aus denen sie in Gestalt von Aktionen (Feldänderungen) Kräfte hervorgehen läßt, welche gestalten, insbesondere die eigene Gestalt bilden. Macht, Kraft und Gestalt (Potenz, Virtus und Act) sind nach alter Lehre eine unzertrennliche Dreieinheit, dies ebenso wie die Dreieinheit Feld, Strahlung und Strömung.

Die Materie

Das Feld kann mit seinen Strahlungen und Strömungen auch zeitlich und räumlich begrenzt sein. Diese Grenze nennt man Körper, Korpuskel, Leib, korpuskulare Materie oder einfach Materie (materia sekunda), auch Erde und Stoff. Die reale Einheit existiert somit zweitens oder genauer gerechnet viertens nach Feld, Strahlung und Strömung auch als Materie, als materielle Gestalt. Diese Gestalt ist in Raum und Zeit das Haus, der Leib, der Körper, den die reale Einheit als Bewohner bewohnt.

Die reale Einheit lebt bzw. existiert somit in der Dreieinheit von Feld, Strahlung und Strömung. Sie lebt in nichts anderem. Sie existiert wesentlich in nichts anderem. Denn es existiert nichts anderes. Die körperliche Materie ist nur eine besondere bildhafte, nämlich grenzbildende Erscheinungsform dieser Dreieinheit.

Dies alles ist besonders deutlich am Atom zu sehen und zwar geistig naturwissenschaftlich zu sehen. Seine sogenannte Materie wird zunächst durch die Außengrenze der im Atomfeld wirbelig kreisenden Elektronenströme gebildet. Die Elektronen selbst sind unmateriell, wie heute jedermann weiß. Die Materie ist also schon hier und zuerst hier nur ein Bild, ein begrenztes Bild, eine Erscheinung und zwar die Erscheinung einer Begrenzung. Insbesondere ist die Materie hier ein subjektives Bild. Denn objektiv kreisen nur Elektronen. Objektiv existiert keine Bildfläche. —

In physikalischer Sicht ist das subjektive Bild überdies ein Hohlbild, nämlich ein Scheinbild nicht nur in der Fläche, sondern auch in der Räumlichkeit, in der starren Gestalthaftigkeit. Denn das Atom ist ein relativ riesenhafter Hohlraum! Ist das Atom auch hier, nicht nur an der trügerischen Scheingrenze der Scheinfläche ein umgrenzter privater Freiraum für das Leben der Lebensqualitäten der Atomentelechie?

Wer somit genauer auf die Materie hinsehen kann, insbesondere als Physiker, der läßt sich nicht mehr durch die äußere subjektiv bildhafte und subjektiv korpuskulare Erscheinung blenden, durch Maya wie die Inder sagen, sondern der sieht die Felder, Strahlen und Ströme. Denn er weiß, anderes existiert nicht. Der Atomphysiker sieht sie geistig, insbesondere auch als Schlußfol-

gerung von Erfahrungen. Objektiv existiert wie schon gesagt die bildhafte Grenze nicht im Geringsten als etwas für sich, sondern objektiv existieren als äußere „materielle" Wirkung nur die Elektronenströme. Und Elektronen sind Ladungseinheiten, sind Wellenknoten von Radial- und Peripherwellen im Atomfeld, sind also Feldänderungen, Potentialänderungen. Auch sie haben keine eigene räumliche Gestalt, sondern nur eine Wirkung, die subjektiv als räumlich bezeichnet wird, als korpuskular. Diese dreifach urstrukturierten unmateriellen Wellenknoten, Elektronen genannt, bilden also durch ihre Bewegung die oder eine räumliche Grenze des Atomfeldes und somit das subjektiv Räumliche, das subjektiv Korpuskulare des Atoms, seine eigentliche Materie. —

Das Feld selbst und alle seine in ihm stille stehenden oder wandernden Feldknoten und Wellenknoten sind nicht materiell! Sie sind übermateriell! Jedes Schulkind weiß das heute. Radio- und Fernsehsender schicken keine materiellen Steinchen aus. Also ergibt sich, daß das ganze Atom durch und durch eine nichtmaterielle Feldeinheit ist, nicht im Geringsten etwas anderes! —

Doch halt! Der Atomkern! Ist nicht wenigstens er ein Steinchen? —

Der Atomkern ist derzeit die letzte Zuflucht für viele, um doch noch ein demokritisches Steinchen als Kern ihrer Weltanschauung retten zu können. Dieses Steinchen soll dann die Quelle alles Lebens sein, zuerst die Ursache aller Felder und ihr Erhalter. Dieses Steinchen soll der deus (Gott) sein, der ex machina (aus der Maschine des Atoms) alles erschafft und belebt! Um dieses Steinchen soll sich dann alles drehen, die ganze Welt und Menschheit! —

Aber auch dieser allerletzte Götzendienst wird von der heutigen Atomphysik mehr und mehr als subjektiver ideologischer Überbau, als Aberglaube entlarvt. Von der Logik ist er schon seit jeher entlarvt worden! Denn der Atomkern läßt immer deutlicher eine ähnliche Feldstruktur wie das ganze Atom und wie alle seine übrigen Teile erkennen. Der Kern ist also ebenso wenig ein Steinchen wie das ganze Atom! —

Was für das Feld, den Atomkern und die Elektronen gilt, das gilt auch für alle übrigen „Bausteine" des Atoms! —

Das wirklichkeitsgerechte Weltbild

Wer dies erkennt und sich die ganze Situation und ihre Konsequenzen bewußt macht, der kann genötigt sein, sein ganzes Weltbild neu zu erarbeiten. Denn der dumpf bewußte letzte subjektive Halt des mechanizistisch-materialistischen Weltbildes wird ihm genommen. Das Erste und im Grunde Einzige an physikalischer Realität ist kein Stein, keine Materie, sondern das übermaterielle Feld und die ebenso unmaterielle Feldänderung! — Daher ist die Physik heute eine Feldphysik geworden. Und alle großen Physiker suchen heute nach der „Weltformel" der „Allgemeinen Feldphysik". Die Masse, das eigentliche Materielle wird von den Physikern nur noch subjektiv ideell als Massenpunkt im Feld gedacht. Der Punkt hat keine Ausdehnung, also keine Materie. —

Die nächste Frage geht dann dahin, welche reale Einheit das Feld aufbaut und erhält? Logisch und kausalgesetzlich muß sie von gleicher Art wie das Feld sein, also übermateriell. Und das nennt man geistig! Der Geist ist es also, der Leben ist und lebendig macht! Der Geist ist es allein, der wirklich existiert! Die Materie im endneuzeitlichen Sinne ist nur ein subjektiver ideologischer Überbau! —

Daher ist die Materie, das „Fleisch", zu nichts nütze, nichts wert! —

Und selbst wenn jemand noch wähnen wollte, im Kern des Atoms und also der gesamten Materie steckt doch ein Steinchen, von dem alles ausgeht, an Feldwirkung und Leben, also Tier, Mensch und Gott! — Aber wie? Das wäre doch das größte aller Wunder! — Auch müßte dann dieser Mensch sich exakterweise vorstellen, daß dieses Steinchen fast unendlich winzig ist im Verhältnis zum Volumen des ganzen Atoms, nämlich wie ein Stecknadelkopf im Verhältnis zu einem hausgroßen Ballon. Praktisch die gesamte wirksame (!) Hausgröße des Atoms besteht also aus dem Feld, aus einer übermateriellen, nichtmateriellen Größe. Das winzige Steinchen im Kern hätte statistisch raummäßig noch nicht ein Milliardstel an Bedeutung!

Und welch ein weiteres Wunder, welch eine „Durchbrechung" des Kausalgesetzes, des Naturgesetzes, des Gleichungsgesetzes, also welche Brechung der Logik, daß von einem Steinchen unsteinige Kraftlinien ausgehen wie die Feldkräfte! —

Sollte er das Steinchen als Ursache doch nicht besser ganz aus seinem Bewußtsein streichen und realistischerweise nur noch als eine besondere Auswirkung, richtiger subjektive Erscheinung gelten lassen! —

Materialist sein heißt — im klassischen Sinne der Steintheorie Demokrits — glauben, daß alle Existenz und Wirkung nur aus korpuskularer bzw. steiniger Materie, nur mit Materie und nur in Materie möglich und wirklich ist. Dieser allein konsequente Materialismus ist also durch die Atomphysik seit dem vergangenen Jahrhundert total als Aberglaube bewiesen worden.

Da es von allergrößter Wichtigkeit ist, am Anfang seiner Weltanschauung nicht auf dem Kopfe zu stehen — denn dann würde man alles total verkehrt sehen, Ursache und Wirkung ständig verwechseln und also ständig total verkehrte Schlüsse ziehen bzw. Deutungen versuchen und total verkehrt handeln, wie etwa als Selbstmordgesellschaft in Politik und Wirtschaft —, so sei diese Urgrundlage aller naturwissenschaftlichen Grundlagen noch etwas näher beleuchtet. Zunächst zum Begriff des Feldes, dann wieder zum Atom.

Der Begriff des Feldes

Das objektive, das reale Feld ist ein Urbild der Einheit und darüber hinaus die physikalische Urrealität der Einheit. Wo kein Feld, da keine Einheit!

Aber man kann in der konventionellen Sprache auch Chaotisches, Vieles, was objektiv ohne Einheit ist, subjektivistisch bzw. unobjektiv als „ein Feld" bezeichnen, somit als Einheit. Diese Bezeichnung ist beispielsweise in folgender, heute sehr üblicher Definition enthalten: „Felder nennt man räumliche Verteilungen physikalischer Größen" (¹). Das ist ein zu weiter und darin irrealer, nämlich realitätswidriger, unobjektiver, selbstwidersprüchlicher, einheitswidriger Sprachgebrauch. Denn die Einheit Feld wird nur als „Verteilung" von vielen Größen definiert, somit als Vielheit.

Ein selbstwidersprüchlicher Sprachgebrauch entfremdet nicht nur von der wirklichen Natur, von der Physis selbst, sondern von allem! Denn objektiv gründet alles in der Einheit; und es bewegt sich alles objektiv in der Einheit! —

Solch fundamentale Denk- und Sprachunordnung, solcher „Mißbrauch der Sprache" (Josef Pieper) kann verheerende Folgen haben. Auch die Anschauungen von Strahlungen und Strömungen beispielsweise werden dann fundamental naturfremd und irreal, nämlich einheitsfremd und chaotisch, urwidersprüchlich. Auch hier kann dann das Teilchendenken, das ganzheitsfremde und daher objektiv stets ganzheitsfeindliche, lebensfeindliche, einheitsfeindliche „partikulare" Denken, das objektiv antikommune, antisoziale Parteidenken herrschen. Bücher wie „Der Teil und das Ganze" (²) und „Die Einheit der Natur" (³) zeigen dann die mühsamen, zuweilen gequält wirkenden Versuche zu einer Umkehr an den Grenzen solchen wissenschaftlichen Wachstumes. —

Soweit die Anschauungen von Feld, Strahlung und Strömung objektiv selbstwidersprüchlich naturfremd, lebensfremd werden, müssen dies auch die Anschauungen von der begrenzten Feld-Strahlungs-Strömungs-Einheit werden, nämlich von dem Körper, von der Materie. — Also wird dann alle Anschauung von der Natur urwidersprüchlich, chaotisch, pluralistisch, etwa statistisch. —

Auf diesem Wege kann eine subjektiv sich stolz erhebende Naturwissenschaft objektiv zu einer extremen Unnaturwissenschaft werden, zu einer Torheit vor Gott und dem Leben. Sie produziert dann hauptsächlich Unnatur, von der Technokratie über die Atombombe und die chemischen Spaltprodukte bis zu den praktisch stets degenerativen Mutationen und bis zu der Vergiftung von Boden, Pflanze, Tier und Mensch. Sie ruiniert die Umwelt und Eigenwelt, vom Denken angefangen. —

Fast alle Teilwissenschaften haben in den letzten Jahrzehnten den Begriff des Feldes auch für sich als Grundbegriff anerkannt und entsprechend verwandt, beispielsweise in der Psychologie, Soziologie und Biologie. Je nachdem wie der Begriff Feld verwandt wird, gilt auch für diese Wissenschaften das vorstehend Gesagte. Verwenden sie ihn nicht tatsächlich ebenfalls weithin zerspalten, pluralistisch, chaotisch, wie etwa in der Psychologie und Soziologie im Begriff der Gruppe und des Gruppenfeldes! —

Das Atom als einheitlicher Feldwirbel

Nochmals zu der ersten harten Feldrealität, dem Atom. Das Atom besteht aus einem (!) zentral-radial-peripheren Feldwirbel! Denn alles wirbelt in ihm, auch um sich selbst, teilweise als Spin bezeichnet. So haben schon die Inder vor Jahrtausenden das Atom erkannt! Und so haben sie objektiv auch das Sonnensystem und den ganzen Kosmos erkannt, nicht nur die Galaxien, die musterhaft die Wirbelgestalt zeigen. Zudem haben sie jeden kleinen Feldwirbel als Teil eines größeren Feldwirbels gesehen. Nach vielen Nebenwegen hat erst in der Gegenwart die Astrophysik sich wieder auf den Weg zu dieser einheitlichen Welt-Anschauung begeben, beispielsweise im Begriff von einem den ganzen Kosmos durchziehenden und begründeten, pulsierenden und anderweitig rhytmisch — wirbelig? — sich ändernden Magnetfeld. Vorgearbeitet hat bei dieser Wiedervereinheitlichung des Weltbildes die zentral-radial-periphere Entstehungstheorie des Kosmos aus einem Urzentrum heraus. — Von welcher Art denn nur kann dieses Urzentrum gewesen sein und ist es noch? Sollte vielleicht der ganze Kosmos aus einem Steinchen entstanden sein! — Noch große Gelehrte der Neuzeit hatten diese Weltanschauung vom Feldwirbel, wie im Atom oder Sonnensystem ([1]). Erst seit Newton wurde diese ganzheitliche, somit einheitliche lebensgemäße Einsicht verdrängt. Und es begann die Jagd nach den Teilchen. Das ist eine doppelt illusionäre Jagd! Denn der Teil bzw. die Teilheit kann ohne das Ganze und also ohne die Einheit garnicht begriffen werden, also garnicht erkannt werden, weil er eine Funktion der Ganzheit und also der Einheit ist! — —

Man kehrt in der Welt heute wieder zur Einheit zurück, wenn auch zuerst in der fernsten Umwelt zur größten Einheit. Auch in den sozial-kommunen Bewegungen „sieht" man zuerst nur die große „kollektive" Einheit, ebenfalls eine pluralistische „Einheit". — Was sieht man denn da wirklich? Oder was fiktioniert sich da der Materialist als ideologischen Überbau? Denn materiell erscheint das Kollektiv doch garnicht als Einheit! Die realsten nächsten Einheiten, die körperlich einheitlichen Menschen werden noch weitgehend ausgeblendet. Wie illusionär also ist das moderne Sehen? — Überall? —

Das Atom ist ein einheitlicher zentral-radial-peripherer Feldwirbel! Wie der Kosmos! Wie musterhaft jede Galaxie! Wie jedes Sternsystem! Wenn man auf die subjektiv bildhaften Grenzen dieses Wirbels schaut, des ganzen Atom-Wirbels oder eines ganzen Teilwirbels darin oder daraus, dann spricht man von Stern, Korpuskel, Körper, Materie, Stoff, Teil, Teilchen usf. Dies desto mehr, je mehr der Wirbel individualistisch selbständig agiert bzw. reagiert.

Die Bezeichnung Korpuskel bzw. Körper, Materie für einen Konzentrationspunkt (Massenpunkt) des Feldes oder eine wirbelige Feldänderung, die zugleich eine Selbstfeldung ist, ist nur dann sachlich gerechtfertigt in einer objektiven Wissenschaft, wenn sie als subjektiver ideenartiger Überbau verstanden wird, als Hilfsvorstellung, die nur im eigenen Bewußtsein existiert.

Sie ist also nur dann gerechtfertigt, wenn man weiß, was im Atom objektiv an realen immateriellen Feldkräften wie Wellenformen, Wellenknoten, Ladungsbahnen, Potentialänderungen usf. mit der subjektiv bildhaften Bezeichnung „Korpuskel“ gemeint ist. Das Korpuskel ist stets nur die subjektive Erscheinungsform einer objektiven Feldstruktur und sei es auch einer das Atom verlassenden Feld-Wellen-Einheit. Das individualistische Denken, welches das Teilchen nur für sich sieht, ist auch hier ein irreales, lebensfremdes, lebenswidriges Denken! —

Die Physiker sagen oft, wenn man im Atombereich einen Teil von der einen Seite (von oben-innen?) betrachtet, dann erscheint er als Welle, somit als eine Feldform. Wenn man ihn von der anderen Seite (von außen-unten?) betrachtet, dann erscheint er als Korpuskel, d. h. als Steinchen. In dem Begriff „erscheinen“ wird deutlich auf das Subjektive hingewiesen. — Hinter diesen zwei subjektiven Betrachtungsformen steht jedoch nur ein- und dieselbe Realität, also eine einzige objektive Realität. Uraufgabe der Wissenschaft ist, zu objektivieren, d. h. das Subjektive dem Objektiven anzugleichen. Überschaut man alles, so kann nur die erste Betrachtung objektiv sein. Die zweite ist dann subjektiv, illusionär, eine selbst „konstruierte Fiktion“, also Maya. —

Die verhängnisvolle Kette von Illusionen, mit vielfältiger Schleierbildung im eigenen Bewußtsein, beginnt also dann, wenn man das Bild der rasenden Elektronenwirbel (ca. 2 000 km/sec.!) als etwas Starres im demokritischen, im vulgärmaterialistischen Sinne vorstellt, eben als Steinchen. Dasselbe gilt für jedes Atomteilchen! Dann beginnt die Tyrannei der „Partei“ über die Ganzheit des Atoms! Dann beginnt der Mechanizismus und sein Individualismus, auch „Kapitalismus“! Der Mechanizismus ist in der Endzeit der allermeist übliche Materialismus! Er ist der Aberglaube alles Aberglaubens. —

Im Untergang einer Kultur werden Wissenschaft, Politik und Wirtschaft nahezu vollständig von diesem fürchterlichen Massenaberglauben beherrscht. Wer dann diesem Aberglauben nicht frönt, der gilt als unwissenschaftlich, als nicht realistisch usf. Genau umgekehrt verhält es sich jedoch in Wirklichkeit! — Aber das dämmert den Abergläubischen meist erst dann, wenn ihr Aberglaube in seinem wuchernden Wachstum und seiner Intoleranz gegen alles Leben, gegen alle Qualität zu einer Katastrophe in Wissenschaft, Politik, Wirtschaft und anderwärts geführt hat. Vielleicht erst dann, wenn diese Denkbombe als materielle Bombe alles beherrscht und gar zerstört hat. —

Die Einheit des Kristalles, der Pflanze, des Tieres und des Menschen

Da alle Individuen in ihrem Körper aus Atomen bestehen, so muß für sie alle dasselbe gelten. Somit ist jedes eine Individuum — Kristall, Pflanze, Tier, Mensch usf. — im Grunde eine (!) Feldeinheit, also eine immaterielle

Einheit und nichts anderes! Die Korpuskularität jedes Individuums ist nur ein Bild, ein subjektives Zeitraumbild, ein ideologischer Überbau, — von den Indern seit Jahrtausenden Maya genannt, vom Apostel Paulus als Sehen durch einen — zerbrochenen! — Spiegel bezeichnet (1. Cor. 13,12). Materie ist also das Bild von Bildekräften. —
Alle Physik ist somit Feldphysik (Sphärenphysik, Magnetismusphysik). Das wird seit uralten Zeiten behauptet. Und die Physik der letzten Jahrzehnte behauptet es erneut und beweist dies auch. Die Chemie ist nur ein Sonderfall der Physik. Auch diese neuere Erkenntnis lehrt die immerwährende Naturwissenschaft schon seit vielen Jahrtausenden. —

Die Naturwissenschaft der Kulturen

Die Naturwissenschaft seit Jahrtausenden? — Existiert die Naturwissenschaft und überhaupt die Wissenschaft denn nicht erst seit „unserer Zeit"? —
Es würde einen hohen Grad von Naivität, von Inkonsequenz, von Enge des Horizontes und von subjektivistischer Begrenzung auf das allzu sehr geliebte und stolze eigene Ich beweisen, wenn man meinen würde, Wissenschaft würde erst mit der Existenz der eigenen Person oder der ihr eigenen Mentalität beginnen. Ob man dann die Wissenschaft erst bei der eigenen Geburt beginnen läßt oder schon bei Marx und Darwin oder schon bei Lavoisier und Galilei, und ob man gnädig auch schon den Griechen einige intelligente Gedanken zubilligt, das kommt alles auf dasselbe hinaus. Dann hätten die vorhergehenden Hochkulturen wie die ägyptische, die chaldäische, die persische und die indische keine Wissenschaft, insbesondere keine Naturwissenschaft gehabt! Ihre Leistungen, auf denen — von den Arabern auf das Abendland übertragen (¹) — heute die ganze Kulturmenschheit aufbaut, von der Logik und Mathematik angefangen, hätten sie dann wohl nur aus dem Gefühl und Unterbewußtsein geschaffen. Die Pyramiden wurden dann vielleicht aus Instinkt gebaut? — Kann der Hochmut auch zur Geisteskrankheit führen? — Diese Krankheit, Eitelkeit und Torheit ist in Europa und Nordamerika im 20. Jahrhundert weit verbreitet. Weshalb denn wendet sich heute die ganze übrige Menschheit von dieser „Zivilisation" und „Wissenschaft" ab? Weil sie eine „Selbstmord"-Zivilisation und „Katastrophenwissenschaft" ist? — Die ganze nachdenkende Menschheit bemüht sich heute, sich wieder den echten Wissenschaften der eigenen Kultur zuzuwenden, vor allem der Wissenschaft der Lebensqualitäten. Wer in Europa oder USA würde noch oder schon wieder eine Wissenschaft der Qualitäten beherrschen? —
Es ist im 20. Jahrhundert weithin üblich geworden, sich so zu verhalten, als ob es erst seit ca. 300 Jahren eine Wissenschaft gäbe, mit besonderem Stolz oft als „exakte Wissenschaft" bezeichnet. — Vor ca. 300 Jahren begann sich der große Aberglaube, der qualitäts„freie" Quantismus mit seinem Mechanizismus schnell auszubreiten und die Herrschaft zu ergreifen! —

Die Lebensqualität

Wenden auch wir uns der Grundwissenschaft der Hochkulturen wieder zu. Nachdem wir nun klar erkannt haben, daß eine reale Einheit genau besehen eine immaterielle Größe ist, eine geistige Größe, wie es alle Hochkulturen lehren, so wenden wir uns jetzt der nächsten Grunderkenntnis der immerwährenden Naturwissenschaft zu, nämlich daß die reale Einheit eine Qualität ist. Die reale Einheit, die reale Feldform ist eine objektive, einheitliche Lebensqualität! Denn alles, was ist, wird entweder als Qualität oder als Quantität begriffen. Als was sonst wäre ein Etwas noch denkbar? Wie aber steht es um die Quantität?

Die Quantität ist eine „konstruierte Fiktion"!

Die Wissenschaft des untergehenden Abendlandes, also die „Wissenschaftskatastrophe" ist stolz auf ihre Wert„freiheit", also auf ihre Wertlosigkeit! Nämlich auf ihre Freiheit von jeglicher Qualität. Leben aber ist Sache der Qualität. Personwürdiges, kultiviertes und natürliches Leben ist Leben in Qualitäten. Das ist erstens eine Urerfahrung des gesunden Menschengefühles. Zweitens ergibt sich dies auch logisch im gesunden Menschenverstand, nämlich daraus, daß die Quantität an sich eine völlig tote und nur subjektive Sache ist. Die Quantität ist nach dem Urteil eines unserer größten Mathematiker nur eine „konstruierte Fiktion" (Bertrand Russell) ([1]).

Daß die Quantität nur etwas Subjektives und Irreales ist, nur ein „ideologischer Überbau", das ist zwar nicht spielend leicht zu verstehen. Aber jeder sorgfältig und gründlich Nachdenkende kann zweifelsfrei sicher erkennen, daß das, was er in seinem Kopfe zusammen zählt, als solche Zahl nur in seinem Kopfe existiert, nicht in der Wirklichkeit vor seinen Augen. Bertrand Russell hat das mit höchster wissenschaftlicher Autorität auf diesem Fachgebiet präzise ausgesprochen. Doch ist das nicht eine simple Selbstverständlichkeit! —

Logisch folgt daraus: Wenn die Quantität etwas Irreales ist, so kann die Realität nur in der Qualität bestehen! — Realitäten sind also Qualitäten! Die realen Einheiten sind reale Qualitäten! Nichts anderes können sie sein und sind sie!

Wertfreiheit, Qualitätsfreiheit ist also „Freiheit" von der Wirklichkeit, „Freiheit" von der Realität und Objektivität, „Freiheit" vom wirklichen Leben! — Was „frei" ist vom Leben, das nennt man tot! Was „frei" ist von der Wirklichkeit, das nennt man illusionär, oder wie Bertrand Russell sagt, fiktionär! —

Was folgt daraus unabweisbar für die wert„freie" Wissenschaft? —

Was folgt daraus für die gesamte Geistes- und Naturwissenschaft? Was für die nach der Wissenschaft sich richtende Politik und Wirtschaft? —

Das wird in der heutigen Grundlagenwissenschaft langsam erkannt. Und auch deshalb beginnt man, von einer „Wissenschaftskatastrophe" zu sprechen, folgend von einer Katastrophe der Technokratie, in der Umwelt wie in der Eigenwelt. Auch soweit die Politik auf Quantitäten gegründet wird wie des Wachstumes — heute schon als „Wachstumsfetischismus" und Vergötzung der leeren Quantität bezeichnet, — nämlich ohne zu fragen von was, und ohne entsprechend zu werten, muß sie ebenfalls eine Katastrophe sein. — Jeder Quantismus ist im Leben eine Katastrophe! —

Die endzeitliche Wissenschaft ist nach ihrem eigenen vielfältigen Urteil und wie jedermann an ihren Erzeugnissen eindeutig erkennen kann, in denen die Qualitätsfrage wie die Sinnfrage stets sorgfältig ausgeblendet wird, eine Wissenschaft der Quantitäten. Leere Zahlen, Mengen von raumzeitlichen Veränderungen beherrschen alles. Das Gehäuse jedes Individuums und die Veränderung der Individuen wird stets sinnleer nur quantitativ beschrieben, typisch in der Astronomie, Astrophysik, Atomphysik usf. Das Individuum selbst, die Einheit selbst wird ständig beharrlich ausgeblendet aus dem Bewußtsein. Auch die Atome des DNS-Moleküls, der gegenwärtig so viel gerühmten „Urschrift des Lebens" werden nur in Quantitäten definiert, also ohne irgend einen Sinn und Wert! Was wäre eine Schrift ohne Sinn? — Somit ist die Wissenschaft am Ende der Neuzeit eine Wissenschaft der „konstruierten Fiktionen", also eine wirklichkeitsfremde, objektfremde, lebensfremde Wissenschaft! —

Wir gelangen zu erschreckenden, aber unabweisbaren Erkenntnissen:

Die Wissenschaft des untergehenden Abendlandes sieht in ihrem quantistisch-mechanizistischen Materialismus den ganzen Kosmos, die gesamte Physik und Chemie und alle Naturreiche subjektiv in einem Schleiergewebe von Fiktionen! Darin ist sie prinzipiell vollständig lebensfremd. Wer aber lebensfremd handelt, der kann nicht vermeiden, daß er praktisch lebensfeindlich handelt, daß er in der Eigenwelt, außer dem Denken auch im Wollen und Fühlen sowie in der nächsten und ferneren Umwelt das Leben ruiniert und vergiftet. —

All das wird langsam gesehen und verstanden. Die „Freiheit" vom Wert und Leben ist eine Katastrophe, eine tödliche Katastrophe. Sie ist eine Katastrophe für alles, zuerst für das gesamte Bewußtsein, darin für das Denken, Fühlen und Wollen. Sie ist eine Katastrophe in Kirche, Schule und Staat, in Kunst und jeglicher Kultur, ebenso eine Katastrophe im Umgang mit aller Natur. —

Stalin hat als eine Grundlehre des Dialektischen Materialismus (Diamat) erklärt, daß aus der Quantität Qualität entsteht (¹). Ist das nicht totaler und katastrophaler Unsinn? Daß aus einem subjektiven Überbau die objektive Realität entstehe, ist das nicht ärgster Unsinn? —

Welche Folgen müssen sich aus dem entsprechenden Handeln ergeben? —

Die Urwahrheit von der Qualität und Quantität ist auch von anderen Seiten her zu erkennen, so beispielsweise: Quantitäten (Mengen) kann es real nur von etwas geben, was selbst keine Quantität ist! Andernfalls verbleibt man in den subjektiven Überbauten im eigenen Kopfe. Denn auch die Quantität Eins, bei der alle Analysen von Quantitäten enden, ist nur eine subjektive Konstruktion, eine „leere Zahl", keine Realität. Oder man endet bei der Null. Und das wäre eindeutig! —

Die Realität, die reale Einheit kann nur eine Qualität sein. Nur von Qualitäten, von qualifizierten und somit realen Einheiten kann man im Anfang im eigenen Kopfe eine Quantität zusammenzählen. — (Nach diesem Anfang kann man sich in seinem eigenen Kopfe beliebig subjektiv weiter tummeln, den Anfang dann ausblendend. Daraus können viele Jahrzehnte einer endzeitlichen Wissenschaft bestehen! —).

Also nur Ganzheiten, nur qualifizierte Einheiten existieren real. Summen bzw. Mengen wie Statistiken sind und bleiben Fiktionen.

Aus dieser objektiven und realistischen Logik und Mathematik ergeben sich weitere folgenschwere Konsequenzen für die objektive Physik:

Die Fiktion des Teiles

Auch Teile ohne Ganzheiten sind Fiktionen! — Die alleinige Suche nach Teilen ist irreal und muß in alle Ewigkeit ohne wesentliches und sinnvolles Ergebnis bleiben! Denn der Teil ist nur als Relation und Funktion des Ganzen begreifbar, verstehbar und somit auch objektiv erkennbar. Das Glied ist nur als Funktion des ganzen Körpers objektiv verstehbar. (Die Mitfunktion ist nur als Sonderfall der Selbstfunktion realistisch objektiv begreifbar).

Wer daher nur oder einseitig Teilchen sucht, der „sieht" und sucht die Geteiltheit — auch des Sinnes! — die Zerspaltenheit, das Widersachersein, das Irreale, den leeren Schein! Er sucht die Geteiltheit und also objektiv nicht die Einheit. Nicht die reale Einheit! Also nicht die Realität! — Die Geteiltheit an sich, das Teilchen kann er nur als „konstruierte Fiktion" sehen, nicht objektiv. Denn zur objektiven Erkenntnis eines Teiles ist die vorausgehende und grundlegende (!) Erkenntnis der Ganzheit, also der Einheit erforderlich. Die Erkenntnis der Einheit im Anfang ist eine notwendige Sinnbedingung aller weiteren Erkenntnisse. — Wird dies nicht auch an der Sackgasse deutlich, in welche die endlose Teilchensuche im Atom schon längst geraten ist! —

Wie viel Milliarden werden auch hier objektiv sinn„frei" vertan! Ihr Nutzen ist Zerstörung, also Schaden! Dies sowohl im Denken als auch in der Natur! —

Die Quintessenz dieser Darlegungen: Man kann die Zwei (den Teil, die Vielheit) nur in dem Maß begreifen, in dem man zuvor die Eins (Einheit) begriffen hat. —

Soweit jemand die Eins nicht begriffen hat, kann er sich nur in Illusionen von

der Zwei bewegen. —
Kann man das vernünftigerweise anzweifeln? —
Über diese erste Mathematik (Urmathematik) meditiere man gründlich, sofern die vorhergehenden Seiten noch irgend einen Zweifel nicht überwinden konnten. —
Lautet also das Thema der Gegenwart nicht „Das Ganze und sein Teil"! — (Die ganze Einheit und ihr Teil) — Wer mit dem Teil beginnt, der beginnt mit der Illusion! Wo nur kann er enden, wenn er auf diesem Wege bleibt! — Zudem ist die Materie das Teilbare an sich. Also wird die Suche nach Teilen in alle Ewigkeit neue Teilchen finden. Aber kein einziges Teilchen kann man objektiv begreifen. Und je weiter man teilt, desto mehr entfernt man sich von dem Ausgangspunkt der realistischen Begreifbarkeit. —
Und das spüren die großen Physiker. Deshalb suchen sie zurück zu gehen zu den Quellen, aus denen und in denen die Begriffe der abendländischen Mentalität gebildet wurden (¹).
Sollten die anderen Wissenschaften dem nicht folgen? —

Zur rechten Unterscheidung von Qualität und Quantität
Zur rechten Ordnung der Wertfreiheit.

Um der Objektivität und also Ganzheit des Gegenstandes, insbesondere der ganzen Wissenschaft willen muß zwischenhinein bemerkt und anerkannt werden, daß hinter dem Streben zur Wertfreiheit auch ein berechtigtes Motiv steht, nämlich Wissen und Glauben zu unterscheiden. Denn die Qualität ist in der zwischenmenschlichen Übermittlung — nicht aber in der persönlichen Erfahrung! — praktisch immer auch mit Glauben verbunden. Man glaubt zunächst, das Qualitative, welches etwas Irrationales ist, im gehörten oder gelesenen Wort oder im gesehenen Bild recht verstanden zu haben. Nur in der exakten Unterscheidung von Qualität und Quantität, von einem vieldeutigen und einem eindeutigen Begriff läßt sich eine exakte Wissenschaft bilden. Diese ist das raumzeitliche, sicher allgemeingültige Fundament aller höheren Wissenschaft, aller Lebenswissenschaft. Diese ist Vernunftwissenschaft. Quantitätswissenschaft ist nur Verstandeswissenschaft.
Doch mag es hier eben auf die Unterscheidung ankommen. Die keinesfalls notwendige Trennung von der Qualität, die im Bewußtsein vollzogen wird durch Ausblendung und also Ignorierung der Qualität, diese Trennung geht viel zu weit und ist eine höchst folgenschwere Fehlhandlung. Auch ist sie ein riesiger Irrtum. Denn sie kann nur subjektiv vollzogen werden, nicht in der Sache, die objektiv stets ausschließlich aus Qualitäten besteht. Das abgespaltene qualitätsfreie Wissen wird daher in seiner Abstraktion zu einer „konstruierten Fiktion", also zu einem bloßen Nichts. Je weiter man sich von der Qualität und also vom Leben trennt, von der Realität, desto mehr Wis-

sen erlangt man von immer weniger. Bei Vollendung der Trennung, die im 20. Jahrhundert vollzogen wurde, erlangte man eine erdrückende Überfülle an Wissen von garnichts, von Nullwertigkeiten für das Leben! — Diese Müllmengen an Informationen erdrücken den Geist, der das Leben ist, und treiben ihn aus.

Die „Wissenschaftskatastrophe"

Besteht nicht aus solchem Wissen das weitaus Meiste, was an den Hochschulen Europas und Amerikas im 20. Jahrhundert gelehrt wird? Welchen Sinn hätte sonst die Rede vom „Fachidioten"? Und von der „Wissenschaftskatastrophe"? Ist sie nicht eine Katastrophe in den Lebensqualitäten des Wissens? Und welchen Sinn hätte der Aufstand der Studenten gegen den — siebenhundertjährigen? — „Muff unter den Talaren"? — Solange nicht hier reformiert wird, dreht sich alles Reformieren um eine substanzlose Sache! Alles Reformieren dreht sich dann darum, ob, wie, wann und wo man die substanzlosen, wert„freien" Fiktionen anders verwalten, erforschen, aufrecht erhalten und lehren will. Diese subjektiv gut gemeinten Bemühungen sind zwar subjektiv ehrenwert. Aber auf dem Sandmeer der Trugbilder von der Natur und dem Leben kann kein Haus gebaut werden außer einem neuen Kartenhaus. Sieht nicht deshalb Picht die Gefahr einer „schlichten Pleite"? —
Was lehrt uns angesichts der Zivilisationskatastrophe die Weltgeschichte der Kulturmenschheit? Das Wissen von den Lebensqualitäten, von ihren Ordnungen und von den wahren Wegen ihrer Veränderungen, ihrer Entwicklungen, das ist das Grund- und Hauptwissen der Lebenswissenschaften in den Hochkulturen! Alles andere Wissen, alle andere Wissenschaft ist nebensächlich. Alles andere Wissen kann nur die Funktion eines Hilfsarbeiters haben. Er ist in allem qualifiziert zu führen. —

Was sind Lebensqualitäten?

Doch was sind Lebensqualitäten überhaupt? Seit den Büchern „Der teuflische Regelkreis" (¹) und „Die Grenzen des Wachstumes" (²) sprechen alle Menschen bis in die hohe Politik und Wirtschaft von den Lebensqualitäten. Und sie meinen es weithin ernst, in guter Absicht. Denn der erwachte Zivilisationsmensch hat erkannt, daß der Mechanizismus mit seinem Quantismus und dieser Technokratie tödlich ist für alles Leben in Seele und Leib, ebenso wie die Wertfreiheit in Wissenschaft, Politik und Wirtschaft tödlich ist, auch in Recht und Gesellschaft. Zwei zusammenhängende fundamentale Konsequenzen daraus sind die Rufe „Zurück zur Natur" und „Zurück zur Qualität". Beide Rufe sind seit vielen Jahrzehnten in der Zivilisationsmenschheit zu hören, zuletzt als „Zurück zur Lebensqualität". Doch was ist das überhaupt, eine Lebensqualität?

Objektive und subjektive, reale und illusionäre Lebensqualitäten sind zu unterscheiden. Auch in einer total verkünstelten Welt kann der Mensch sich einbilden, Lebensqualitäten zu sehen, zu erleben. Preist er sie nicht tatsächlich auch dort! — So ist die Verwirrung heute groß. Versuchen wir daher, die Qualität zuerst in ihrem allgemeinen abstrahierten Sinn zu erfassen, dies als Gleichung zu der objektiven Realität, und dann diese Realität selbst. Der Begriff Qualität ist zwar ein Urbegriff, den man wie die Einheit nur umschreiben und nicht zerlegen kann, ohne ihn zu verlieren. Aber die Umwanderung hilft, ihn besser zu verstehen.

Gehen wir wieder von den Hochreligionskulturen aus und insbesondere von Paracelsus. Denn im Thema dieses Buches geht es um Gesundheit, Krankheit und Heilung. Und da ist der Arzt zuständig, kein anderer. Paracelsus aber ist verpflichtendes Vorbild zumindest für die deutschen Ärzte. Die Paracelsus-Medaille ist die höchste ärztliche Auszeichnung!

Der Inbegriff aller Qualität ist in dem Wort „gut" („Gut") enthalten. Paracelsus erklärt und behandelt es stets als Urselbstverständlichkeit, daß alles grundlegend und vollständig, wesentlich, sinnvoll und realistisch nach gut und schlecht zu unterscheiden ist. Von guten und schlechten Bäumen und ihren gleichen Früchten ist schon seit zweitausend Jahren ununterbrochen die Rede im „vollkommenen Gesetz der Freiheit" (Jak. 1,25). Denn Leben ist etwas Gutes, ist eine harmonische Funktion. Die disharmonische Funktion, also die Degeneration des Guten, die Entartung des Lebens nennt man böse, schlecht, Krankheit und Sterben. Die individuelle Realität der disharmonischen Funktion nennt man Leiche, Gift, Übel usf. — Aber daß ein Gift, — ein „schlechter Baum" bzw. eine „schlechte Frucht" — real existiert, das zeigt an, daß auch noch Gutes, natürliches Leben in ihm ist, sei es auch unter der Asche, der Schlackenhülle verborgen. Denn die totale Degeneration, die totale Verschlechterung, der totale Tod besteht in der Auflösung in nichts. — Die Disharmonie an sich, die „Disharmonie selbst" ist nicht existenzfähig. Denn sie besteht nur in der Zerstörung von Harmonischem, Gutem, Lebendigem, insbesondere in der Widereinandersetzung von Gutem. Die totale Zerstörung ist das (zweite) Nichts.

Die Widereinandersetzung ist eine Realität und zwar wie ein „schlechter Baum" und eine „schlechte Frucht". (Was Augustinus nicht deutlich genug sah). Mangelhaftes Sehen am Anfang dieser Welt kann das Unrecht, die Sünde, den Fluch und Flecken subjektiv entwirklichen. Und auch das kann katastrophale Folgen haben! —

Das Gute ist objektiv die reale Allgemeinform der Qualität, also die allgemeinste erste und oberste Realität, die Realität aller Realitäten wie als das höchste Gut (Summum bonum). Subjektiv ist das Gute der Generalnenner aller besonderen und einzelnen Qualitäten. Jedes einzelne Gute ist eine qualifizierte, einheitliche Harmonieform, eine harmonische Funktionsform der übereinen „Urenergie". Paracelsus verwendet den Begriff „Virtutes" für die realen einheitlichen Lebensenergien, die das eigentliche Reale hinter dem subjektiven Schein der Materie sind. Er spricht vom „Ens" als der wirkkräftigen Realität. Die Materie an sich wirkt niemals. Sie verdrängt nur Raum bzw. andere Einheiten und hat Schwergewicht und Starre. Sie ist das Urbild der Unkommunität, der Lebenswidrigkeit.

Die Scheidung von Gut und Gift

Paracelsus erklärt weiter von den Dingen in dieser materiellen Raumzeitwelt: „Wer wagt da zu widersprechen, daß nicht in allen guten Dingen auch ein Gift liege. Das muß ein jeder zugeben. Wenn sich das nun so verhält, so lautet meine Frage: Muß man nicht das Gift vom Guten scheiden und das Gute nehmen und das Böse nicht? Ja das muß man . . . . . Nun hat da der Arzt" (bei der Bereitung des Heilmittels, gleich so bei der Heilung des Patienten) „auf nichts anderes zu achten, als daß das Gift hinweg genommen werde . . . . . Denn der Arzt soll nicht Gifte, sondern Arcana brauchen" ([1]). (Der Mensch soll ein Arzt für diese ganze Welt sein, also entsprechend an ihr handeln.) Andernfalls, wenn hauptsächlich Gifte gebraucht werden: „ich aber sah, daß dabei nichts anderes herauskommt als töten, sterben, würgen, verkrüppeln, lähmen, verderben . ." (Im Paragranum).

Die „Arcana" sind die guten Lebensqualitäten in der vom Gift geschiedenen und also gereinigten Form, zugleich in konzentrierter und höher entwickelter Form. „Was die Augen sehen ist nur die Schlacke; innen aber unter der Schlacke liegt das Arcanum", das Ens, die Quintessenz, die Lebensenergie, sagt Paracelsus im Buch von den irrenden Ärzten. Die „Schlacke" ist das Begrenzte, das Starre, das Tote, das Unkommune an der Materie, die Maya. Was Paracelsus hier vorträgt, das ist die Urlehre der Hochreligionen und Hochkulturen, also der gesamten Kulturmenschheit! Sie gilt personal, also für das Gute und Böse im Menschen, gleich wie natural, also für das Gute und Schlechte in allen natürlichen Gegenständen, nicht nur in den vegetabilen Bäumen und ihren Früchten. Im zitierten Text ist deutlich auch diese Gleichung zwischen Person und Natur zu sehen, da Paracelsus das Gift sowohl „schlecht" als auch „böse" nennt. An einer anderen Stelle sagt er sinngleich im Hinblick auf die Krankheit und die Arbeit der Arznei, daß „das Falsche" zu scheiden sei „von dem Gerechten". —

Jede reale Einheit ist in ihrem Grunde gut, nämlich von ihrer Geburt aus der Ureinheit her. Die Einheit selbst ist urgut. Sie ist das erste Gut! Die Uneinheit ist das erste Ungute! Auch schafft Gott (Der doch nicht erdenmenschengleich zu verstehen ist!), der Ureine, der Urgute, Der alles aus Licht geschaffen hat, nichts Ungutes, Finsteres. Was Er schafft, das ist ursachengesetzlich, urlogisch Ihm gleich. — Also ist es vollständig gut! — Das einheitlich Gute der realen Einheit ist ihr Wesen, ihre Substanz. Eine andere Substanz hat sie nicht! —

Also besteht die Substanz jeder realen Einheit aus einer Qualität. Diese ist eine Lebensqualität. Jede Qualität ist Lebensqualität oder Fiktion. Wenn eine geborene, wenn eine zweite reale Einheit aus ihrer —zweiten!— Freiheit jedoch einen abspaltenden, stolzen, egoistischen Weg geht, also unfrei-ungut agiert, sich somit fehl entwickelt bzw. verwickelt, sich selbst verstimmt, andere mit, dann wird von ihr selbst ein Teil von ihrem Gut in ein Gift umgewandelt. Das verstimmte, verwickelte Agieren ist das Gift. In diesem wird die Lebensqualität der realen Einheit von dieser selbst teilweise in eine Unqualität umgewandelt. Diese ist im Wesen tot und wirkt daher tötend, die Kommunität des wahren freien Lebens zerspaltend. Sie wird sichtbar als Schlacke", als „Tartarus", als „Gift".

Paracelsus lehrt somit wie jede Hochreligion und Hochkultur, daß in allen Dingen dieser Welt einerseits —im Kern— das gute, wahre, lichte Wesen, andererseits — in der „Schale", Hülle — auch verschlechtertes, finsteres Eigenwesen als Unwesen enthalten ist, daß also überall in Zeit und Raum Harmonisches und Disharmonisches gemischt ist, Gut und Gift, Qualität (Lebensqualität) und Unqualität, Licht und Finsternis, Freiheit und Unfreiheit.

Wer ein Ding aus dieser Welt roh gebraucht, ungereinigt, also mit seinem „Corrosiv", mit seiner „Schlacke", seinem „Gift", der muß auch dessen ungute Nebenwirkungen erdulden. Wenn das Ungute, das Gift viel ist, dann ist seine Wirkung Hauptwirkung. Und diese ist in der objektiven Wirklichkeit niemals etwas anderes als Krankheit, Elend und Leid, zuletzt als der Tod. —

Das Wesen der Reizung

Nur wenn man ein Gift so verwenden kann, daß es die guten Lebenskräfte zur Aktivität und also Abwehr reizt, somit herausfordert, und daß das Gift ohne Schadwirkung wieder aus dem Lebensfeld ausgeschieden wird, dann kann man auch vermittels des Giftes Gutes bewirken. Aber das Gift selbst wirkt immer giftig, also ungut. Das Reizen an sich ist etwas Ungutes! Ordnet nicht auch Gott die Werke des Widersachers in einem weiteren und höheren Plan gut ein! —

Kultur und Heilung

Kultur besteht prinzipiell darin, das Gift zu scheiden und zu entfernen, das Unkraut aus dem Weinberg auszureissen und am Ende zu verbrennen, das degenerierte Gut in Leib und Seele radikal zu überwinden und das wahre Gut zu regenerieren. Dies im Hinblick auf das Wohnen formuliert: Kultur wie Religion besteht darin, das Gute, das auch das wahrhaft Lebendige und Reine (= Koschere) ist, das wahrhaft Schöne, auszulesen und aus ihm, mit ihm und in ihm zu leben. Denn im Schlechten, Toten und Unreinen kann man nur sterben.

Zugleich und wesenhaft erstrangig soll aus der Macht des Guten, der Harmonie, das Ungute wieder in ein Gutes gewandelt werden. Das Unlebendige soll wieder lebendig werden und das Unreine wieder rein (koscher). Zusammengefaßt soll das Kranke wieder gesund werden, von seiner Krankheit erlöst werden, regeneriert werden, renaturiert, reintegriert. Aus der Macht der Lebensqualität soll die Unqualität wieder requalifiziert werden in eine Lebensqualität.
Das Gute, Gesunde ist eins mit dem Freien. Das Ungute, Kranke ist daher etwas Unfreies. Welcher Kranke würde das nicht fühlen! Daraus folgt:
Aus der Freiheit soll man allseits frei, also auf freien Wegen, mit freien Methoden und Mitteln das Ungute-Unfreie befreien und verbessern, also heilen. Nur auf dem freien Wege kann man die Freiheit erlangen und das Leben! Das wahre Leben in der Alleinheit aller Lebendigen. Mit der Unfreiheit kann man so wenig die Freiheit erlangen wie mit dem Gift das Gute, wie mit der Lüge die Wahrheit, wie mit dem Unrecht das Recht, wie mit der Bosheit den Himmel, wie mit dem Teufel das Paradies. Oder wer könnte mit schwarzer Farbe weiß malen! —
Das Leben ist freies Leben. Die Unfreiheit ist der Tod!
Das Leben ist qualifiziertes Leben. Unqualifiziertes Leben ist der Tod! —

Die fundamentale endzeitliche Geistesverwirrung

Doch hier wendet der Mensch aus seiner endzeitlichen Mentalität nicht selten ein: Ohne Gift kann der Mensch doch garnicht gut leben, weder in der Landwirtschaft noch im Essen und Trinken, weder in der Medizin noch im Bauen und Wohnen. Ohne Gift kann doch garkein Gut erlangt werden. (Ohne Sünde kein Verdienst. Ohne Unrecht kein Recht). Die echte Medizin besteht doch aus Gift. —
Das ist die Logik des „Menschen ohne Ich" (Bodamer). Das ist die Logik des Existentialisten, der sich nach seinen eigenen Worten in die Finsternis hinausgeworfen fühlt. Das ist die Logik des Frustrierten, im wirklichen menschlichen Leben Gescheiterten. Das ist die Logik des relativistischen und abergläubischen Menschen, dessen Sinn und Verstand verwirrt sind. Das ist Antilogik in Urform! Luziferische Logik! Denn Gifte wirken giftig und nicht gut! Unrecht wirkt unrecht und nicht recht. Das sagt doch schon der gesunde Menschenverstand. Das sagt das Kausalgesetz. Gut und Gift sind urfeindliche Gegensätze wie Gut und Böse-Schlecht, wie Freiheit und Unfreiheit, wie Kreis und Quadrat. Wie man durch unfreie Maßnahmen nicht befreien kann, durch Disharmonie nicht Harmonie schaffen kann, durch Unrecht nicht Recht schaffen kann, mit schwarzer Farbe nicht weiß malen kann, so kann man (direkt) durch Gift nichts gut machen, insbesondere nichts heilen.
Auch die Reizwirkung durch ein Gift ist selbstverständlich eine Giftwirkung! Sie ist nur so gering dosiert und derart angeordnet, daß die Ordnungskräfte

des Organismus sie überwinden können und mit ihrer geweckten Aktivität dann auch noch andere Unordnung überwinden.

Mit dem Gift direkt heilen zu wollen, das ist die Teufel-Beelzebub-Methode. Sie ist ein fürchterlicher Selbstbetrug und Mitbetrug. —

Das „Selbstmordprogramm" (Taylor) der Zivilisationsmenschheit in Landwirtschaft und Industrie, in Essen und Trinken, in Kleiden und Wohnen, in der Lebensweise, Medizin und Hygiene besteht darin, Gifte anstelle des Gut zu verwenden, mit dem Finger Luzifers zu arbeiten und nicht mit dem Finger Christi, mit der Finsternis und nicht mit dem Licht, mit der Macht der Unordnung und nicht mit der Macht der Ordnung, mit dem Unsinn (etwa als trial and error, welches sinn„freie" Experimentieren auch Paracelsus als menschenunwürdig und wissenschaftsunwürdig verwirft) anstatt mit dem Sinn, mit dem Zufall anstatt mit der Ordnung, mit der Gewalt („Kampf ums Dasein") der Natur und Person gegenüber anstatt mit der Freiheit. —

Der Mediziner, das ist der Medizinmann der Zivilisation, arbeitet mit Giften anstatt mit dem Gut. Mit dem Gut zu arbeiten ist jedoch logisch und ist Urpflicht und Wesen des Arztes nach den Worten von Paracelsus. Das Selbst-Mordprogramm ist daher weithin ein Selbst-Giftmordprogramm. Gegen was hauptsächlich geht die Umweltschutzbewegung vor! — Nach Taylor liegt also nicht nur ein Selbstvernichtungsprogramm vor, sondern ein Mordprogramm, also ein Programm der Kinder Kains, — sei es auch weithin durch Fahrlässigkeit oder Faulheit im Nachdenken. —

Die moderne Medizin wäre die Hauptursache der Verkrankung des Volkes geworden, hat ein anerkannter führender Arzt Deutschlands erklärt! (1).

Die Giftwirkung durch die ungleiche Dosis

Ein historischer, autoritärer Einwand kann hier erhoben werden: Hat nicht Paracelsus, dieser große Lehrer gesagt, daß die Dosis Gift mache? — Dieser Einwand wird von denen erhoben, die Paracelsus nie gelesen oder nicht verstanden haben und meist ihren Sinn von ihrer Kultur und Religion abgewandt haben. Dann reißen sie Sätze aus ihrem Zusammenhang und legen sie diametral wider Sinn und Zusammenhang aus.

Was Paracelsus zum Gut und Gift fundamental gesagt hat, das ist oben teilweise zitiert worden. Es dürfte genügend eindeutig sein. Er lehrt dann weiter klar, daß zweitens, also in zweiter Rangordnung auch eine ungleiche Dosis ungut wirkt, also eine Giftwirkung hat. Denn Ungleichheit, d. i. Disharmonie, hat Giftwirkung. Das Gut ist eine Gleichheit, also eine Harmonie. Beispielsweise ist frisches kalt gepreßtes Leinöl etwas Gutes. Aber einen Liter auf einmal zu trinken, das bekommt auch dem Gesündesten übel. Die Dosiswirkung ändert also nichts daran, daß das Gute in sich selbst etwas Gutes ist und bleibt, etwas durch und durch Harmonisches, eine Lebensqualität, und daß das echte Gift in sich selbst Gift ist und bleibt, also etwas Unhar-

monisches, Uneinheitliches, Zerspaltetes. Daher wirkt das echte Gift allezeit und überall auf vielerlei Art lebensfeindlich, in jeder Dosis, wie als Reizwirkung. Reiz ist Angriff! Gift bewirkt direkt, also unmittelbar immer und überall kausalgesetzlich seinesgleichen, also Unwohl, Störung, Aufreizung, Irritierung, somit prinzipiell Krankheit. Gift zerstört das Leben. Und wenn etwas das Leben nicht zerstört, so ist es kein Gift.
Gift ruiniert immer und überall das Leben, in jeder Dosis, wie auch die kleinste Dosis Unrecht etwas Ungerechtes ist, also Böses ist und bleibt, das immer nur böse wirken kann. Niemals und nirgends kann das Ungerechte etwas Gutes, Harmonisches sein und bewirken.
Die Dosis ändert also an dem Unguten, an dem Ungerechten, Bösartigen des dosierten Giftes nicht das Geringste. Es ist nur ein besonderes Verfahren, ein problematisches und gefährliches Verfahren, das unter bestimmten Voraussetzungen und Bedingungen anwendbar ist, mit schwach dosierten Giften die Abwehrfähigkeit zu provozieren und so mittelbar zu stärken. Wenn man einen Menschen häufig im Kleinen unrecht behandelt, so wirft ihn das nicht um. Aber er lernt, sein Recht zu erkennen und zu verteidigen. Das jedoch macht das Unrecht nicht zu Recht! —

Das echte Gift

Vom echten Gift ist hier also die Rede, vom echten Unkraut, das im Anfang vielleicht der böse Feind gesät hat, wie es im Gesetz der vollkommenen Freiheit heißt (Matth. 13,25). Denn subjektiv irrtümlich kann man auch ein bitterschmeckendes Heilmittel als Gift bezeichnen oder ein heilsames Fieber oder im Garten des Bösen ein subjektiv lästiges Heilkraut. —

Zur Geschichte der qualifizierten Naturwissenschaft

Auch im echten Osten — der Marxismus und der mechanizistische Materialismus ist nach dem Urteil führender Vertreter des alten Ostens wie R. Rhadakrishnan ([1]*) sowie historisch und sachlich zweifelsfrei etwas typisch Westliches — wird die oben von Paracelsus zitierte Urlehre der Scientia naturalis perennis noch heute klar gelehrt. In dem Buch von Yogananda, einem führenden Vertreter des heutigen geistigen Indiens ist zu lesen: „Auf Erden ist alles aus Gut und Schlecht, wie aus Zucker und Sand gemischt. Gleiche dem Weisen, der nur den Zucker sammelt und den Sand liegen läßt“ (*[2]*). Unter dem „Zucker“ ist der „Honig“ und „Nektar“ zu verstehen, von dem auch die Bibel spricht, ebenso wie vom Sand, vom Staub. Paracelsus spricht vom Gut, von der Quintessenz und dem Arcanum. Der „Sand“ ist nach ihm der „Tartarus“, das „Fleisch“, die Materia an sich, die nichts nützen kann. Im Besonderen ist der Tartarus bei Paracelsus ein weniger aktives Gift. In ihm steht*

das Tote im Vordergrund.
„Ein guter Baum bringt gute Früchte. Ein schlechter Baum bringt schlechte Früchte“ (Matth. 7,17). Früchte sind Wirkungen, mathematophysikalisch gesehen Gleichungen. — In diesem fundamentalen Wort wird außerdem noch darauf hingewiesen, daß die realen Einheiten in dieser Welt überwiegend gut und überwiegend schlecht sein können, wie Weizen und Unkraut, und daß die Einheiten rechtmäßig nach dem in ihnen Überwiegenden bezeichnet werden, nämlich nach ihrer Tendenz, nach ihrem Streben.

Die zeitliche und ewige Gesundheit

Da sich alles in diesem Buche um Gesundheit, Krankheit und Heilung dreht, wenn auch nur im vierten Urbereich unseres Lebens, im Haus, so sei der Vollständigkeit halber noch die alte Lehre hinzugefügt: Gesundheit besteht in der Zeitraumwelt darin, daß in der zeiträumlichen Einheit zwischen ihrem Gut und ihrem Gift ein Gleichgewicht besteht, in dem das Gute führt, somit in der Grundordnung des Guten. Auch das Gleichgewicht ist etwas Gutes, nämlich eine Urform der Harmonie, der Freiheit, der Richtigkeit. Gutheit und Gesundheit ist also im Grunde stets identisch. Die Krankheit ist stets etwas Schlechtes, ein Prozeß unter Führung des Schlechten, ein disqualifizierender Prozeß, der Ungleichheit schafft und mehrt. Der Heilprozeß dagegen erwächst aus der Macht des Guten, insbesondere der Gleichung und schafft daher wieder die gleichgewichtige Ordnung.
Die Krankheit als Störung des Gleichgewichtes besteht daher in dieser Welt fast stets in einem Mindern des Guten, des „Honigs“, der Lebensqualitäten, und in einem Mehren des Giftes, des Schlechten, der Unqualitäten, des Sandes, des Tartarus wie der aufgenommenen Stoffwechselschlacken und der selbst im Körper erzeugten Gifte.
Genau besehen existieren also zwei Urarten der Gesundheit, die ewige, vollkommene, absolute Gesundheit, in der keinerlei Gift ist, keinerlei Disharmonie, und die raumzeitliche, relative Gesundheit des kosmischen Gleichgewichtes.

Das System der Lebensqualitäten

Wir haben eine neue Lebensqualität kennen gelernt, die zeitliche Gesundheit. In dieser Lebensqualität ist sogar eine Unqualität enthalten. Bedenken wir daher kurz, welche objektiven Lebensqualitäten überhaupt existieren. Können sie in einem vollständigen Ordnungssystem erfaßt werden?
Wir haben objektiv personale, kulturale und naturale Lebensqualitäten zu unterscheiden. In den personalen Lebensqualitäten ist der Logos, der Sinn, der Geist offenbar. In den kulturalen ist er halb offenbar. In den naturalen Lebensqualitäten ist der Sinn verdeckt. Erst die Arbeit des objektivierenden

Wissenschaftlers entdeckt ihn, insbesondere durch den gesunden Menschenverstand und das gesunde Menschengefühl.
In welcher Ordnung stehen diese drei Urarten von Lebensqualitäten? Alles Gute steht in einer Gleichung. Um die Erkenntnis der Gleichungen zwischen Lebensqualitäten sich bemühen, darin besteht das Wesentliche der Wissenschaft einer Kultur, der objektiven Wissenschaft, der qualifizierten Wissenschaft! Die Sinngleichungen werden Analogien genannt. —
Folgend eine dieser Gleichungen: Wie weit man im personalen Bereich, der Ethik, Gesellschaft und Wirtschaft umfaßt, wie weit man also im ersten bewußten Bereich gewissenhaft gut und böse unterscheidet im Denken, Wollen und Fühlen, so weit —nicht weiter!— kann man in einem Folgebereich wie in der Natur gut und schlecht unterscheiden, Qualität und Unqualität.
Daraus haben alle kultivierten Schulen bzw. Lehrer entscheidende Konsequenzen gezogen. —

Theologische Wurzeln des modernen Aberglaubens

Jedoch kann ein Aberglaube an der zweiten Unterscheidung hindern. Beispielsweise hatte Luther eine realistische objektive Grunderkenntnis, wie sehr viel an der Natur dieser Welt disqualifiziert sei. Daraus zogen viele seiner Anhänger den unlogischen Schluß, sich überhaupt nicht mehr um die Erkenntnis und praktische Scheidung der Lebensqualitäten und Unqualitäten zu bemühen. — Und Katholiken behaupteten im Übereifer der Gegenreformation ebenso unlogisch, alle Dinge dieser Welt seien gut. —
Beides ist Aberglaube! Denn dieser Glaube widerspricht erstens eindeutig den allbekannten Tatsachen, die jede Hausfrau schon in der Küche praktiziert — wehe, wenn sie Gut und Gift nicht unterscheiden und scheiden würde! — und zweitens widerspricht dieser Aberglaube eindeutig dem oben zitierten Text des Evangeliums und vielen weiteren gleichlautenden Texten.
Als Konsequenz dieses Aberglaubens bauen viele Konfessionen Kirchen aus luziferischem Baumaterial, in denen das Nullfeld an Leben herrscht, das Totfeld. Sind das nicht steingewordene Zeugnisse wider das Leben, wider die Wahrheit und wider den Weg des Lebens! —
Notwendig erfordert all dieser Aberglaube Schriftgelehrte, welche die Auslegungskunst beherrschen, aus „schlecht" ein „gut" zu machen. Hiermit erklären sie jedoch die gesamte Bibel als Unsinn! Wandte solche Auslegungskunst nicht schon die Schlange im Paradiese an? „Mitnichten werdet ihr des Todes sterben" (Gen. 3,4). —
Die nominalistischen, subjektivistischen, relativistischen und modernistischen theologischen Wurzeln des seelischen wie leiblichen Selbstmordprogrammes sind sehr studierenswert! (Vgl. auch Dogma 221 f. im Neuner-Roos-Rahner).
Diese weitere Durchleuchtung der Religion und Kultur der Menschheit ist notwendig, um ganzheitlich Grundlagenforschung zu treiben. Denn unge-

sehen stehen am Rande des wissenschaftlichen und glaubensschaftlichen Bewußtseins und oft auch am Ausgang seiner Wege zahlreiche Tabus (Urvorurteile), welche wie irreführende Wegweiser das Denken und Handeln ständig fehl leiten. Wenn man sie nicht hell beleuchtet und hierdurch beherrschen und korrigieren lernt, kreist das Denken unaufhörlich weiter auf seinen Irrwegen.

Wesentlichste und lebenswichtigste Lebensqualitäten

Nach diesem Rundgang durch die Urstrukturen des Bewußtseins des Kulturmenschen und des Zivilisationsmenschen fragen wir erneut: Was ist denn nun die Realität einer Lebensqualität? Was ist die Realität des Gut und des Giftes?

Wir sahen oben, es existiert in Wirklichkeit überhaupt nichts anderes als die reale Qualität und ihre Degeneration, die Unqualität. Denn Quantitäten sind selbst „konstruierte Fiktionen" und bleiben es. Dem haben wir unsere einzelnen naturwissenschaftlichen Vorstellungen anzupassen. In physikalischer Sicht existiert jede Realität urallgemein als Feldqualität, als Strahlungsqualität und als Stromqualität. Und aus dieser Dreieinheit entwickeln sich alle besonderen physikalischen Qualitäten, etwa die räumlichen Formqualitäten, die Zeitqualitäten, die Farbqualitäten usf.

Chemisch existiert jede naturale Qualität ebenfalls dreieinheitlich, nämlich als einzelne Salzqualität, als einzelne Säurequalität und als einzelne Basenqualität. Sal, Sulfur und Merkur hat es Paracelsus generalisierend genannt. (Es existiert auch hier nichts Viertes!) Also folgt: Erst wenn wir die einzelne Qualität erkennen, dann erkennen wir objektiv und wirklich Salz, Säure und Base, Feld, Strahl und Strom. Soweit wir diese Qualitäten wert„frei" nicht sehen, sind wir seh„frei", d. h. blind für die Realität, blind für das Wesentliche, blind für das Leben! —

Es ist tatsächlich eine fast total blinde, irreale Logik, Mathematik, Physik, Chemie und Technik möglich (sogar eine Philosophie!), welche die wirklichen Dinge nur aus selbst „konstruierten Fiktionen" heraus behandelt und die alles Wesentliche der Dinge aus dem eigenen, vollständig verkünstelten Bewußtseinsraum ausblendet. Sie „sieht" beispielsweise die Optik nur als qualitätsfreie Wellenlehre. Der Streit zwischen Goethe und Newton über die Farbenlehre dürfte einem Leser dieser Darlegungen vermutlich bekannt sein. Goethe war hier Realist, Newton Fiktionalist. — Gleich so konstruiert sich diese lebensfremde Wissenschaft eine qualitätsfreie Wärmelehre, Elektrizitätslehre, Atomphysik, Astronomie, Biologie, Psychologie, Soziologie usf. Das Ergebnis kann nur die „Wissenschaftskatastrophe" sein mit all ihren Folgeerscheinungen wie in der Technokratiekatastrophe die Ruinierung der Natur in der Eigenwelt und der Umwelt. —

Wer daher die Physik, Chemie, Biologie usf. der Hochkulturen in der Scientia naturalis perennis studieren will, wer das Grundverhalten und die Lebenspraxis der Kulturen wirklich verstehen will, zuerst seiner eigenen Kultur, der muß heutzutage meist vollständig umdenken, umfühlen und umwollen. Denn er muß erst wesentlich werden in seinem Denken, Fühlen und Wollen und also von vorne anfangen. Er muß allen Quantismus, allen Fiktionalismus abschütteln und also lernen, die Dinge zu sehen, wie sie im Leben wirklich sind, nämlich als reale Lebensqualitäten. Das lehren in allen Kulturen die Meister des Lebens.

Aber wo sind solche Meister des Lebens noch zu finden? Da muß man erst zu einer Erkenntnis der „Todsünden" (! K. Lorenz) der Zivilisation gelangen und noch ein gutes Stück Weges weiter wandern, ehe einem die Augen genügend aufgehen. Doch leicht wird das, wenn man seinen Vater und seine Mutter ehrt, seine Religion und Kultur. Denn die Ehrfurcht vor den oberen Lebensqualitäten ist mit der Demut der sicherste Weg, auch die unteren Lebensqualitäten lebendig zu erfahren — in ihrer Wahrheit, in ihrem Sinn. Technische Methoden helfen im Leben winzig wenig und auch nur bedingt, nämlich unter der Voraussetzung der Demut und Ehrfurcht ([1]).

Ohne die Ehrfurcht könne man nicht philosophieren, sagt C. F. von Weizsäcker ([2]). Ohne die Ehrfurcht welche eine der höchsten, allgemeinsten und lebenswichtigsten Lebensqualitäten ist, von der sehr vieles besondere und einzelne Lebensqualitäten abhängig sind, ist keinerlei echte Wissenschaft und keinerlei wahres, freudvolles und friedliches Leben möglich! — So denken alle großen Gelehrten! —

Ohne Erfurcht kann man also auch keinerlei wesentliche Naturwissenschaft treiben! Man kann ohne diese fundamentale Lebensqualität eine Wahrheit weder erforschen bzw. studieren, noch wahren, noch lehren! — Intelligenzbestien kann man ohne Ehrfurcht trainieren und manipulieren, auch Fachidioten. —

Zusammenfassung

Es existiert also nichts anderes als die lebensqualifizierte Einheit, die in dieser Welt auch teilweise disqualifiziert ist. Sie existiert in Vielheit, also plural. Die Friedensordnung der Pluralität ist nur aus der Einheit erkennbar. —

Die Realität der Einheit ist durch die Einheit der Qualität gegeben.

Jede echte und also wahre Erklärung ist somit eine qualitative, einheitliche und ganzheitliche Erklärung. Was keine qualitative, keine einheitliche, keine ganzheitliche Erklärung ist, das ist keine wahre und wesentliche, keine objektive, lebensgemäße Erklärung, sondern das ist etwas Fiktionäres.

Jedes wesentliche Verstehen ist ein Verstehen von Qualitäten. Wo keine Qualität verstanden wird, da wird im Grunde nichts verstanden, — nur eine Nichtigkeit.

Das innere Wesen der Qualität ist der Sinn. Das Wesen des Bios ist der Logos. Wo also kein Sinn verstanden wird, da wird etwas Sinnloses „verstanden". Wo kein Sinn erklärt wird, da wird etwas Sinnloses „erklärt!" —

Die Ordnung des Kosmos
Die Gleichung der Einheiten

Gehen wir zur dritten eingangs gestellten Urfrage über: In welchem statisch-dynamischen kosmischen Verhältnis stehen alle realen lebensqualifizierten Einheiten zueinander? Das heißt im Grunde: Was sind die Prinzipien, Gesetze und Typen der Relationen und Funktionen, also der Lebensprozesse der realen Einheiten? — Dies noch gründlicher formuliert: Was sind die Kategorien, Axiome und Archetypen alles Selbander und folglich Miteinander? (Alles Selbstseins und alles Mitseins! Aller Selbstbestimmung und aller Mitbestimmung!) Was ist die „zentrale Ordnung" (C. F. von Weizsäcker) alles Existierenden?
Diese Frage geht weit über die Urfrage nach der qualitativen Ordnung der allgemeinen naturalen Feldlehre hinaus. Denn hiermit hätte man die allgemeine Seinsordnung aller personalen, kulturalen und naturalen Qualitäten (Einheiten) als Feldordnung erfaßt.
Kann man vor diesem Urthema anders als ehrfürchtig und demütig stehen? Könnte man es sonst überhaupt verstehen? — Die immerwährende Wissenschaft, die Pythagoras gelehrt und in Ägypten und Chaldäa studiert hat, an den dortigen höchsten Schulen, sie behandelt dieses Urthema entsprechend. —
Im Aspekt der Freiheit ist anderwärts versucht worden, diese Urfrage der Menschheit personwissenschaftlich zu beantworten gemäß den alten Lehren und diese weiter entwickelnd (Vgl. das letzte Kapitel).
Versuchen wir folgend, dieses Urthema auf naturwissenschaftlichem Gebiet zu erarbeiten. Doch betrachten wir nur die Gesetze, da diese leichter zu erfassen sind als die Prinzipien und Typen.

Die Freiheitsgesetze und Gutheitsgesetze der Entwicklung

Welche Gesetze beherrschen den Kosmos und alles, was je war, was ist und was je sein kann und wird?
Die immerwährende Wissenschaft geht davon aus, daß im Urgrund alles eins ist und daß alle Einheiten aus der überpersonalen Ureinheit heraus bewußt frei entwickelt wurden. Denn Bewußtsein kann nur von Bewußtsein kommen, Sinn nur von Sinn, Geist nur von Geist. Das ist urselbstverständlich. Ebenso kann Einheit nur von Einheit kommen! —
Mit der Entwicklung von allem aus der Ureinheit stimmt überein die Er-

fahrung der Allgültigkeit der —echten— Naturgesetze und die Erfahrung ihrer harmonischen Alleinheit untereinander. Kein Naturgesetz widerspricht einem anderen Naturgesetz. Wenn der ganze Kosmos aus einem einzigen und also einheitlichen Urzentrum entstanden ist, wie heute allgemein angenommen wird, so müssen auch alle Prinzipien, Gesetze und Typen in ihm eine einheitliche Ganzheit bilden. —

Das Urgesetz der Entwicklung ist die Freiheitsordnung und Gutheitsordnung. Beide kann man im Aspekt der Urmathematik („Mathesis universalis" nach Leibniz) erkennen. Die Freiheitsordnung ist die alleinheitliche systematische Ordnung, welche alle Möglichkeiten für allseits freies — somit gerechtes und friedliches — Handeln umfaßt und definiert. Ihr einziges Prinzip ist die Freiheit. In ihr existiert also kein Zwang, kein Muß.

Die Gutheitsordnung ist eine Ordnung der allgemeinen, besonderen und einzelnen Gutheiten bzw. „Tugenden", „Virtutes" nach Paracelsus.

Die Dynamik der entfaltenden Differenzierung aus der Ureinheit ist frei und gut.

Die entfaltende Differenzierung wird je nach Aspekt auch Schöpfung, freie Emanation, Zeugung, Geburt, Evolution, Generierung, Deduktion usf. genannt.

Das Gesetz der Gleichung und Integration

In dieser Entwicklungsordnung besteht statisch und dynamisch zwischen allen realen Einheiten („Monaden" nach Leibniz) eine Gleichheit und also Gleichung, — eine echte und somit polare Gleichung. Denn wie der eine Baum, so allgemein alle seine Zweige und Früchte. Wie das eine Urzentrum des Kosmos, so alle Teile des Kosmos. —

Die allgemeine Gleichung besteht nach alter Lehre sowohl zwischen Baum und Früchten als auch zwischen den Früchten untereinander, somit schon hier in zwei Dimensionen. Sie besteht selbstverständlich in allen Dimensionen.

Daraus ergibt sich eine Allpolarität, eine Allgleichheit, eine Allintegration. Sie ist die dritte und allumfassende Urkonsequenz aus der Einheit. Sie wird auch Alleinheit, Ganzheit, Allkommunität, Allgemeinschaft genannt. Sie ist das Bauprinzip aller wahren ganzen Existenz, das Urgesetz des Himmels, der Uranfang und das Entwicklungsziel des zwischenzeitlich gestörten Kosmos.

Die Allordnung der Relationen und Funktionen der realen Einheiten ist, wie schon Pythagoras und Platon lehren, als vielleicht letzter Universalist Leibniz in seiner „Mathesis universalis", mathematologisch erfaßbar. Freilich reicht dazu die armselige Mengenmathematik nicht aus. Doch ist die Urmathematik einfach, sogar ureinfach. —

Somit beherrscht das Urprinzip der Einheitlichkeit alles, was ist, was je war und was je sein kann und wird. Das ist erstens urselbstverständlich, zweitens urlogisch, drittens mathematologisch, viertens physiklogisch, fünftens biologisch, sechstens psychologisch usf. Das ist ethisch, soziologisch und ökonomisch.

Die Gleichung in der Kosmologie

Die immerwährende Wissenschaft (Scientia perennis) lehrt weiter wie durch Paracelsus, daß jede reale Einheit eine viel-alleinheitliche Ganzheit ist und zwar ein Kosmos. In jedem Menschen spiegelt sich die ganze Welt, der ganze Kosmos und noch viel mehr. Wie könnte man sonst den Kosmos denken und fühlen! Wie über ihn hinaus denken! In einer Abwandlung eines berühmten Wortes von Goethe kann man sagen, wäre nicht das Auge kosmoshaft, wie könnt den Kosmos es je begreifen! Alles Begreifen bzw. Verstehen ist eine Gleichung. —

Paracelsus lehrt weiterhin, daß jede größere Einheit im Verhältnis zu den in sie integral eingeordneten Einheiten ein Makrokosmos ist. Jede Teil-Einheit ist in dieser Sicht ein Mikrokosmos. Dieses Verhältnis ist also absolut und relativ zugleich. Jeder Kosmos, jede Einheit ist nach oben hin ein Mikrokosmos und nach unten hin ein Makrokosmos. Paracelsus spricht fast unaufhörlich und in allen Lebensbereichen von der „kleinen Welt" (minor mundus) und ihrem durch „Magneten" (Magnetfelder) und „Influenzen" wirkkräftigen qualitativen Ordnungsverhältnis zur „großen Welt" (major mundus). Und auch er weist darauf hin, daß dieses Verhältnis mathematologisch erfaßbar ist. Der eine Mensch ist in seinen Potenzen besonders für die mathematologische Erfassung der Seinsordnung geeignet, der andere mehr für die urlogische wie der Philosoph oder für die physikalische oder die psychologische, die ethiklogische, wie zuerst der Theologe und der Jurist, die soziologische, die ökologische, die kunstlogische oder die biologische. Das sind alles nur „Gewänder" (Descartes, C. F. von Weizsäcker) für die eine „zentrale Ordnung", die alleine Ordnung aller Ordnungen. Diese zu erkennen, sollte sich jeder zuhöchst bemühen, nicht nur der Gelehrte. —

Diese Gedanken oder Erkenntnisse sind Hauptgedanken in der Grundlagenforschung der Hochkulturen! —

Jede reale Einheit und somit Lebensqualität ist daher ein Kosmos, soziologisch gesehen eine Familie, ein objektives Kollektiv, eine Gemeinschaft von Teilqualitäten, von Teileinheiten, eine Ganzheit. Daß man im Teil zuerst dessen Einheit sieht und nicht nur das Teilhafte, das Vielheitliche, darauf kommt es an, wenn man die Dinge sehen will wie sie sind.

Also ist jede reale Einheit außer der alles begründenden, erfassenden und umfassenden Ureinheit eine Teileinheit im Verhältnis zur Ureinheit. Also kann man jede reale Einheit in dieser Welt nur so weit wahrhaft erkennen in ihrem wahren Wesen, in ihrem guten Sein, wie weit man die Ureinheit erkennt, von der sie ein Teil ist. Wo also hat die Ehrfurcht zu beginnen! (Spr. d. W. 1,7).

Da jede Einheit in sich eine ganze Vieleinheit ist, also eine Ganzheit, so ist auch jeder Teil eine Ganzheit. Und das ist er primär. Nur sekundär ist er ein Teil.
Wenn jeder Teil sich als ein einheitlicher Komplex von kleineren Teileinheiten erweist, so fragt man, wo diese hierarchisch-organische Ineinanderordnung endet? Existiert überhaupt ein kleinster Teil? Oder schließt sich hier in einer höheren Dimension ein Kreis zur Ureinheit hin. Werden auch hier die Letzten die ersten sein? Alte Lehren weisen in diese Richtung. —
Auch die modernen Physiker sind in ihrer Grundlagenforschung aufgrund ihrer exakten Erfahrungen zu solchen Erwägungen gekommen. C. F. von Weizsäcker spricht von „Uren" als einfachsten Strukturen oder Einheiten. Und er meint, daß ein Atomteilchen noch weit über eine Trilliarde „Ure" enthält (¹). Führt dies nicht zu dem alten leibnizischen und indischen Grundgedanken zurück, daß jede „Monade" ein Spiegel des Kosmos ist!
Vom Speculum justitiae und sedes sapientiae ist in alten Urkunden die Rede. —
Frau Spiegel ist eine Allgleicherin. Unser Spiegel aber sei zerbrochen, lehrt der Apostel Paulus. Er soll wieder heil werden. —

Die Urgesetze (Axiome) der Lebensqualitäten
Die Urgesetze der Gutheitsordnung

Jetzt kommen wir erst zu den für unser Hauptthema entscheidenden Fragen. In welchem Ordnungsverhältnis stehen erstens die verschiedenen Gut-Qualitäten, also Lebensqualitäten zueinander und zweitens die Gut- und Schlecht-Qualitäten? Das heißt: Wie stehen die gesunden Einheiten zueinander? Und wie verhalten sich Gesundheit und Krankheit zueinander? Daraus ergeben sich die Lebensgesetze, wie die Krankheit zur Gesundheit zu wenden ist. Welche Lebenswege, welche Entwicklungen, Verwicklungen und Wiederauswicklungen, welche biologisch-physikalisch-chemischen Prozesse sind zwischen Gutem und Schlechtem naturgesetzlich?
Wir fragen also nach den Naturgesetzen der Qualität, nicht nach quantitativen Verhältnissen. Mögen auch die quantitativen Betrachtungen Richtigkeiten im Verhältnis zur Wirklichkeit erfassen. Nicht aber erfassen sie die Wahrheit und das Leben. Sie sehen überall nur das Totengerippe, im Makrokosmos und in jedem Mikrokosmos, und in jedem Prozeß, auf jedem Weg, in jeder Entwicklung.
Alle möglichen Verhältnisse im Sein - statisch als Relationen, dynamisch als Funktionen - werden von den Seinsgesetzen urgeordnet, zuerst von den höchst allgemeinen Urgesetzen, den Axiomen.

Gesetz und Regel

Zunächst zum Begriff des Gesetzes. Denn in der steten, heute besonders schnellen Wandlung der Begriffe, über die ganze Bücher geschrieben wurden, ist es notwendig geworden, auf den absoluten, unveränderlich festen Ursinn eines Wortes zurückzugehen, wenn man feste Grundlagen für eine Wissenschaft und für jedes objektiv vernünftige Handeln sucht. Die großen Philosophen wie Aristoteles, Leibniz oder Kant haben als Fundament ihres Denkens und allen Seins stets zu den Kategorientafeln gestrebt ([1]*). Hier hat das Denken in der Grundlagenforschung einen Grundgehalt.*

Das Gesetz - im Sinne des nicht von einer Person gemachten, sondern des vorgegebenen Seinsgesetzes wie des Naturgesetzes, der lex aeterna nach Thomas, des dharma der Inder - ist strikt und vollständig von der Regel zu unterscheiden. Das Gesetz ist (als gedankliche Erfassung) das objektive Prinzip von Verhältnissen, nämlich warum sie, wie das Einmaleins, nur so und nicht anders sein können. Gesetze sind „Formeln für bestimmte Gleichförmigkeiten“ ([2]*). Die Regel dagegen ist eine individuelle subjektive Konstruktion zwischen subjektiv erfahrenen Bildern. Gesetze sind etwas Sachgerechtes, Sinnvolles. An Regeln dagegen ist alles möglich, auch das Unrecht und der Unsinn. Wie oft ist Unsinn und Unrecht die Regel! (Vgl. die Majorität der Dummheit). Man denke beispielsweise an das Sprichwort „Statistiken lügen“. Eine Statistik ist eine Regel. —*

Es ist ein markantes Zeichen der Wissenschaftskatastrophe, wenn Gesetz und Regel nicht unterschieden wird. Oder wenn gar versucht wird, aus Regeln Gesetze abzuleiten! —

Deduktion und Induktion

Aus Regeln Gesetze abzuleiten, beruht auf einem irrtümlichen Verständnis der Induktion. Das induktive Verfahren - aus einer Vielheit von Einzelheiten auf die Einheit des Besonderen und aus einer Vielheit von Besonderheiten auf die Einheit des Allgemeinen zu schließen - ist nur ein problematisches, unsicheres Hinweisverfahren. Es führt daher nur zu Vermutungen, zu Hypothesen, nicht zu einer Gewißheit. Es zeigt nur Möglichkeiten, sogar nur subjektive Denkmöglichkeiten wie als Wahrscheinlichkeiten, nämlich so viel man subjektiv Glauben in eine Hypothese setzt. Das induktive Verfahren ist also kein Beweisverfahren, sondern nur ein untergeordnetes Hilfsverfahren zu einer Erkenntnis. Es führt nicht evident und stringent zur Erkenntnis höherer Einheiten wie von Archetypen, Gesetzen und Prinzipien. Das dennoch anzunehmen, zeigt Unlogik, zeigt einen Denkmangel. Die sogenannte Verallgemeinerung ist also nur eine subjektive Vermutung. Mit Strengheit und Exaktheit im Sinne logischer Konsequenz hat die Induktion nichts zu tun. Sie kann also nur zu subjektiven Regeln führen, nicht zu objektiven Gesetzen.

In einer Endzeit werden viele der subjektivistischen und relativistischen Regeln oder Normen irrtümlich als Gesetze bezeichnet, sogar als Naturgesetze. Aus solchen Irrtümern folgt alsbald unvermeidlich die unsinnige Rede von der -zumindest teilweisen- Ungültigkeit eines Naturgesetzes oder im Extremfall gar „der Naturgesetze". (Dann wären zuerst die Naturgesetze der Logik ungültig. Und also wäre alles Unsinn, was da jemand behauptet und folgert! Jeder Subjektivismus und Relativismus hebt sich daher selbst auf und vernichtet sich selbst). Beispielsweise sind das Fallgesetz, die Lichtgeschwindigkeit, das Wirkungsquantum und andere „Konstanten" keine Naturprinzipien, keine Naturgesetze und keine Archetypen. Sie sind nur relative Normen, Veränderliche. Nur ein Teil des Fallgesetzes ist Gesetz.

Gesetze der Qualitäten und Quantitäten

Was sind nun die Urgesetze der Qualitäten?
Zunächst: Diese Urgesetze stimmen mit den echten nur quantitativ bzw. „formal", nicht „material" erfaßten Seinsgesetzen - Seinsgesetze sind Persongesetze, Kulturgesetze und Naturgesetze - selbstverständlich vollständig überein. Das folgt ebenso aus dem Wesen des Gesetzes wie aus der Alleinheit des Seins. Aber der Inhalt der Qualitätsgesetze ist unendlich reicher als der der Quantitätsgesetze. Sie sind eben qualitativ. Sie sind Lebensgesetze und nicht Gesetze des Toten. Formalgesetze haben etwas Totes an sich.
Die Lebensgesetze sind die Gesetze der Lebensqualitäten, also der Qualitäten. Die Gesetze der Lebensqualitäten sind die Gesetze des Lebens. Andere eigentliche Lebensgesetze existieren nicht.
Um Lebensgesetze erkennen und verstehen zu lernen, muß der moderne Wissenschaftler vollständig umdenken lernen, genauer das Wesentliche, das Qualitative zum Quantitativen hinzudenken lernen, den Sinn zum Sinnlosen hinzu. Dazu muß er selber wesentlich sein oder werden, d. h. sein eigenes Wesen, sein eines Selbst erleben, insbesondere erkennen. Denn Lebensgesetze, also Qualitätsgesetze haben eine gänzlich andere Dimension und Struktur als die toten Gesetze der Quantitäten. Denn sie sind Sinngesetze. Doch ist das am Anfang garnicht leicht zu erkennen. Denn am Anfang sind Qualität und Quantität noch ungeschieden eins. - Doch dann muß man sich um das Begreifen des Unterschiedes bemühen. Andernfalls bleibt man - nach Paracelsus - wie ein Ochs vor dem Scheunentor stehen. Hinter dem Tor liegt der Weizen. —

Das Gesetz aller Gesetze

Das Gesetz aller Gesetze, das Axiom aller Axiome ist das Axiom der Gleichheit oder Gleichung, je nachdem ob man statisch oder dynamisch betrachtet. Logisch denken ist Gleichen. Rechnen ist Gleichen. Und die ganze Physik

einschließlich der Chemie ist Gleichen. Das zeigen all die Formeln in diesen Gebieten. Dasselbe gilt für die Psychologie und Biologie. Es existieren keine anderen und richtigen Funktionen als Gleichungsfunktionen. Und das sind Polarfunktionen. In ihnen wird das Qualitative deutlich erkennbar.
Die Gleichungsgesetze von Lebensqualitäten, von denen einige wichtigste unten genannt werden und aus denen alle anderen folgen, sind die Lebensgesetze aller Lebensgesetze. Sie beherrschen alles qualifizierte Mit-ein-ander. Die drei allgemeinsten Gleichungsgesetze, welche die Grundlage aller weiteren Gesetze sind, in ausnahmslos allen Seinsbereichen bzw. Lebensbereichen, sind das Gesetz der Selbstgleichung (Selbstentwicklung, Identifikationsgesetz), der Mitgleichung (Mitentwicklung, Äqualifikationsgesetz, das urtypische Gleichungsgesetz) und der Allgleichung (Integrationsgesetz, Kommungesetz). Man kann im pythagoreisch-platonischen Sinne auch vom Gesetz der Eins, der Zwei und der Drei sprechen, genauer vom Gesetz der Einsfunktion, der Zweifunktion und der Dreifunktion.
Wie viel Abstraktion! So mag ein gutwilliger Leser denken. Aber er sorge sich nicht. Die konsequente konkrete Praxis daraus wird noch viele hundert Seiten füllen. Und dann mag er zurück nachschlagen. Man muß nun einmal ordnungsgemäß erst das Allgemeine ganz erfassen, ehe man an das Besondere und Einzelne geht. Und die Grundlage unseres Lebens ist nicht klein. —
Sogleich eine allgemeine Anwendung: Wenn man logisch oder mathematisch (oder physikalisch) nicht gleicht, so denkt oder rechnet (oder handelt) man nicht richtig, sondern falsch. Richtig sein, gerichtet sein ist gleich sein. Keine Erfahrung oder Statistik kann an dieser Urselbstverständlichkeit und Konsequenz das Geringste ändern!
Manche wollen daran heute etwas ändern. Sie sind wie vom bösen Geist besessen. Sie sagen schlankweg: Das Richtige ist auch falsch. Das Rechte ist auch unrecht. (Das Gute ist auch schlecht. Das Schlechte bzw. Böse ist auch gut. Das Freie ist auch unfrei. Das Gerade ist auch krumm). - Wer solche Worte in seinem Munde führt, der darf sich nicht beklagen, wenn er als Falscher behandelt wird (als Krummer. Vgl. Peer Gynt). - Die Wissenschaft des objektiv Exakten, also des objektiv Richtigen scheidet ihn ebenso aus sich aus wie die Gesellschaft der Freien. Richtiger gesagt: Er scheidet sich selbst aus aller Ordnung und allem Leben aus. - Er richtet sich selbst aus seinem Munde.
Mit der typischen moder-nen Geisteshaltung, die bestrebt ist, alle Werte „umzuwerten", alles auf den Kopf zu stellen, Ursache und Wirkung umzufunktionieren, mit diesem Urmuster des Fehlverhaltens muß man sich auch und zuerst in der Grundlagenforschung auseinandersetzen. Versuchen wir daher, ein weiteres Fundamentalthema klar zu sehen:

Gesetz und Erfahrung

Wir haben oben den Begriff des Gesetzes und dessen Verhältnis zur Regel zu klären versucht sowie das Wesen der Induktion. Hiermit hängt eng zusammen das Verhältnis von Gesetz und Erfahrung.

„Die Naturgesetze haben ihre einzige Rechtfertigung in der Erfahrung" lautet ein seit Galilei als gültig behandeltes Dogma. Auf ihm will die gesamte endzeitliche Wissenschaft gründen. - Doch diesem Dogma wird von Einstein, von C. F. von Weizsäcker und der gesamten kultivierten Geisteswelt der Menschheit die Selbstverständlichkeit gegenübergestellt: „Die Erfahrung hat ihre einzige Rechtfertigung in den Naturgesetzen" (allgemeiner „in den Urgesetzen") (1). Das hat also nicht erst Leibniz in seiner Prinzipienlehre von den Denkgesetzen bzw. Bewußtseinsgesetzen gelehrt, sondern schon Pythagoras, Platon und Aristoteles. Denn sie lehrten, nur mit dem „Auge des Geistes", nur von innen-oben kann das Gesetz als Gesetz erkannt werden, als Denk- und Seinsnotwendigkeit sowie zuerst das Prinzip als Prinzip. Das „blöde Auge" im materiellen Kopf, also die raumzeitliche Erfahrung könne zur Erkenntnis von Prinzipien und ihrer Konsequenzen, der Gesetze, nichts helfen. Die Gewißheit, ein echtes Gesetz erkannt zu haben, kann nur der Geist aus sich selbst erlangen.

Ein Urbeispiel hierzu ist das Einmaleins. Keinerlei äußere Erfahrung lehrt das Einmaleins! In ihm aber gründet die gesamte Mathematik! Und in der Mathematik gründet die gesamte Physik! — Und was in der materiellen Welt würde nicht in der Physik gründen? —

Das ist mehrmals durchzudenken. Denn die Konsequenzen sind gewaltig.

Große Physiker wie Einstein erklären zusätzlich, man könne nur erkennen, also sinnvoll erfahren, was man schon zuvor im Bewußtsein habe (2). Man muß also zuerst eine Eingebung oder platonische Urerinnerung haben, etwas vermuten oder glauben, eine Hypothese haben. Andernfalls experimentiert bzw. „forscht" man blind, wie ein blindes Huhn in „trial and error". Und das ist menschenunwürdig, also auch wissenschaftsunwürdig. —

Blinde Hühner gehen zugrunde! Blindheit ist eine Katastrophe! —

Unter anderem folgt aus dem Einmaleins und seiner Erkenntnis, daß ausnahmslos alle Gesetze, auch die Naturgesetze, Formen des Geistes sind, also Gesetze des Geistes sind, somit Sinn-Gesetze. Mit Statistik bzw. äußeren raumzeitlichen Erfahrungen hat daher die Gesetzlichkeit nichts, aber auch garnichts zu tun. Das Einmaleins wird nicht richtig oder falsch, wenn es richtig oder falsch gerechnet wird. Und es wird nicht gewisser oder ungewisser, wenn viele oder wenige es rechnen. Würde jemand daran zweifeln können?

Obendrein wird das Einmaleins gemäß jeder größeren Erfahrungsstatistik teilweise falsch gerechnet. Die bloße Erfahrung dieser Welt - mit ihrem induktiven Verfahren - führt daher stets am Einmaleins vorbei! Sie führt an der Wahrheit vorbei! - Und der Geist ist es, der erkennt, daß die Erfahrungsstatistiken über das Rechnen falsch sind, daß sie „lügen". Wer sich nur auf die Erfahrung verläßt, auf die Statistik, der kann das gar nicht erkennen, der kann also niemals zum Einmaleins, niemals zur Mathematik, niemals zur Wissenschaft, niemals zur Wahrheit gelangen! — Der „sensorielle" Mensch (Sorokin), der Nurpragmatiker, der typische Galileiker, der Sinnenmensch, der Positivist ist daher rettungslos der Unwissenschaft und der Unfreiheit ausgeliefert. Ist er unfrei? —

Die Gesetze sind Formeln der Freiheit

Alle Gesetze sind recht verstanden Formeln des Ein-mal-eins! Nämlich Formeln der Relationen und Funktionen der realen Einheiten! — Und das Ein-mal-eins ist das Gesetz der Achtung der Freiheit der Einheit, nämlich der Achtung der Einheitlichkeit. Ist es das Gesetz der Ehrfurcht vor der Einheit? — Also sind alle Gesetze objektiv Formeln der Freiheit. Und nur diese Formeln sind Formeln der Einheit. — Die Einheit ist urgut. —
Daher ist es ein Riesenirrtum, subjektiv Gesetz und Freiheit gegeneinander zu setzen. (Das Urgesetz, die lex aeterna, das Seinsgesetz ist hier gemeint, nicht das von einer Person gesetzte Gesetz).
Ein echtes Gesetz als Ergebnis einer Erfahrung zu bezeichnen, das kann daher nur in dem Sinn richtig sein, daß die Erkenntnis des Gesetzes — nicht das Gesetz selbst — das Ergebnis einer objektiven inneren Urerfahrung ist (im Sinne von Platon und Leibniz), nämlich der Erfahrung der Selbstverständlichkeit eines Prinzipes. Eine Sinneserfahrung kann nur das Auge des Geistes auf eine Selbstverständlichkeit aufmerksam machen, also mittelbar auf sie hinweisen.
Die Rede, daß das Gesetz Ergebnis einer Erfahrung sei, zählt praktisch meist zur Wissenschaftskatastrophe, nämlich zur subjektiven Herabzerrung eines objektiven und absoluten Gesetzes in den individuellen und relativen Bereich einer Sinneserfahrung und ihrer Regel. Kant hat den gesamten Bereich der Sinneserfahrung als nicht zur exakten Wissenschaft gehörig erklärt! —
Wer Sinneserfahrungen als alleinige Quelle von Regeln und Gesetzen bezeichnen will — denn auch die Regel wie eine statistische, demokratische oder demoskopische Regel erhält erst wissenschaftliche und allgemein menschliche Würde, wenn sie in Ordnungsbezug zum Gesetz gestellt wird! — der ist leicht zu bekehren, soweit er noch gleichend bzw. richtig denken kann. Es ist nur erforderlich, ihm seine Menschenrechte bzw. Grundrechte aufgrund irgend welcher Regeln wie statischer Mehrheitserfahrungen abzuerkennen. Man denke auch an eine Majorität der Dummheit bzw. Unwissenheit oder Schlechtigkeit. Dann beginnt er plötzlich von unveränderlichen und absoluten Menschenrechten und solcher Gerechtigkeit zu reden, von solchen Gesetzen, etwa im Naturrecht, usf. Dann bedarf es plötzlich keiner äußeren

Erfahrung und Statistik mehr! Keines Mehrheitsbeschlusses! Sondern das absolute Prinzip Freiheit wird dann als von allen menschlichen Meinungen und Handlungen unabhängiges Herz der Menschenrechte und ihrer Gesetze erkannt und anerkannt. Und das ist urrichtig! —
Das aber gilt für alle echten Gesetze! —
Zudem: Wo wäre das Urprinzip Freiheit, welches das einzige Prinzip des ganzen Einmaleins ist, sofern man es urgründlich betrachtet, wo wäre das Prinzip Freiheit aus einer Sinneserfahrung zu entnehmen? Die Geschichte lehrt, das diejenigen, die sich vorzüglich auf Sinneserfahrungen und eine solche Naturwissenschaft berufen, typisch als sogenannte Positivisten, sehr häufig, wenn nicht in der Regel Gegner der Willensfreiheit und also der Freiheit überhaupt sind! Jedoch sind sie selbstverständlich und also urselbstwidersprüchlich niemals Gegner ihrer eigenen Denkfreiheit und aller sonstigen Freiheiten ihrer eigenen Person! — Hier beanspruchen sie sogar eine „Überfreiheit" im Denken und Handeln, nämlich gegen die Einheit von Personen und Sachen. —
Wenn ein solcher Mensch aus seinem eigenen bedingungslosen Anspruch auf die Freiheit die Konsequenz ziehen würde, so könnte er zur echten Wissenschaft aufsteigen, zuerst zum rechten Verständnis der Mathematik, und allgemein zu einer menschenwürdigen Haltung.

Das qualitativ verstandene Kausalgesetz

Vom Gesetz aller Gesetze war oben die Rede, vom Gleichungsgesetz der Einheit, also von der Gleichung der Freiheit. Die Zwei besteht aus zwei mal Eins. Nur zwei ganze Einheiten bilden eine Zwei! Nicht mehr! Nicht weniger! In der Zwei ist Eins gleich Eins. —
In der Naturwissenschaft wird das Kausalgesetz als das universelle Grundgesetz aller Naturwissenschaft betrachtet. Das Kausalgesetz ist eine physikalische Form des Gleichungsgesetzes. Das Kausalgesetz ist also eine physikalische Erscheinungsform des Denkgesetzes aller Denkgesetze und des Seinsgesetzes aller Seinsgesetze! —
In der immerwährenden Naturwissenschaft der Hochkulturen ist das Kausalgesetz seit Jahrtausenden bestens bekannt. Es wird jedoch seinsgerecht, also einheitsgerecht, somit lebensgerecht zuerst auf Qualitäten angewandt, nicht auf Quantitäten. „Causa aequat effectum — Die Ursache gleicht die Folge", diese mittelalterliche und also noch sehr junge Formulierung des Kausalgesetzes besagt erstrangig, daß die Qualität der Wirkung gleich ist der Qualität der Ursache. Es besteht also eine Gleichung zwischen Vater und Sohn, zwischen der ersten und der zweiten Einheit, zwischen Potenz und Act, zwischen der einheitlichen Ganzheit und ihrem Teil, zwischen dem Baum und seinen Früchten. Diese letzte Gleichung beispielsweise ist eine schon mehrtausendjährige Fassung des qualitativ verstandenen Kausalgesetzes!—

Hinsichtlich der Quantität ist die Gleichheit zwischen Potenz und Akt, zwischen Ursache und Wirkung ebenso selbstverständlich. Aber sie ist nebensächlich. Die endzeitliche Naturwissenschaft sieht nur auf die Nebensache, nicht auf die Hauptsache. Die Hauptsache wird überall ausgeblendet. —
Einige noch weitere Jahrtausende ältere axiomatische Fassungen der Gleichheit zwischen Ursache und Wirkung, zwischen dem Ersten und dem Zweiten sind die schon im alten Ägypten bekannten Axiome:

Wie innen so außen. Wie oben so unten.

In diesen Axiomen ist sehr viel ausgesagt! —
Zur näheren Erläuterung mag das Gesetz dienen: „Causa praecedit effectum. — Die Ursache geht der Wirkung vor(an)" (Duns Scotus). Auch das ist nicht nur quantitativ wie zeitlich oder räumlich zu verstehen, sondern zuerst qualitativ, also hierarchisch, rangmäßig, also mathematologisch, wie die Eins der Zwei vorangeht und vorsteht, über ihr steht und ihr ständiger Seinsgrund ist. —
Dies gilt analog für oben zu unten und für innen zu außen. —
Das Reich des wahren Lebens soll in uns liegen, nicht außer uns! Auch über uns soll es liegen, nicht unter uns. — Also in uns und zugleich über uns! Das ist nur qualitativ zu verstehen. —
Dies zum Axiom aller Axiome, dem Gleichungsaxiom. Dieses Urgesetz aller Gesetze gilt für alles, also für alle Qualitäten, für alle Lebenseinheiten, für alle Gesetze zwischen ihnen.

Die Lebensgesetze zwischen gut und schlecht, gesund und krank

Die Hauptfrage in dieser Welt richtet sich auf die Relation und Funktion zwischen gut und schlecht, zwischen Licht und Finsternis, zwischen Freiheit und Unfreiheit, Recht und Unrecht, Gut und Böse, Gut und Gift, zwischen Lebensqualität und Unqualität, zwischen Gesundheit und Krankheit. Denn die „Rechtfertigung", die vollständige Wiederrechtmachung alles Unrechten und Krankhaften in Person und Natur ist das Urproblem und die Uraufgabe des Menschen in der Raumzeitwelt. Wir sollen die noch immer weithin kranke, chaotische, wüste und leere Erde bebauen, nämlich wieder ordnen, wieder gesund und lebendig machen, füllen mit Leben und seiner Freude. Wir sollen die ganze „Erde" bzw. Welt (minor et major mundus) regenerieren und reintegrieren, zuerst die „Erde" unserer eigenen Natur. Sind nicht noch genug Wüsten und Leeren da! Gott, die Ureinheit aller Einheit will unsere Mitarbeit, unsere gleichend folgende allseits freie, insbesondere befreiende Mitbestimmung! Omnia est instaurare. —
Da Gott die Urquelle von allem ist, oder andersherum gesehen: Da die Urquelle, die Ureinheit und Urkommunität von allem als Gott bezeichnet wird, so muß das Urbild der Einheit — das Bild Gottes — in uns und allem wieder-

hergestellt werden. Das ist Uraufgabe der Ethik, der Kirche, der Wissenschaft, des Staates, aller Wirtschaft und aller Kultur, auch aller irdischen Natur. Das Ergebnis muß ursachengesetzlich bzw. mathematologisch höchste Kommunität aller Einheiten sein, somit höchste Lebensfülle, höchste Freude, also größtes Glück, dies in größtem Frieden. Denn in was anderem könnte dies alles gründen als in der Einheit! —

Auch das ist Grundlagenforschung! Zu derartigen Forschungsergebnissen sind noch alle großen Gelehrten der Weltgeschichte gelangt. Es wird hier nur versucht, sie in der Sprache unserer Zeit zu formulieren. —

Schauen wir noch einmal kurz zurück: Wir haben das Urgesetz der Gleichung erkannt. Und wir haben erkannt, daß dieses Gesetz alle Relationen beherrschen muß, also die Relationen zwischen allen guten Einheiten, d. h. zwischen allen Lebensqualitäten, und zwischen allen schlechten Einheiten, also zwischen allen Unqualitäten, und drittens zwischen gut und schlecht. Diese dritte Relation interessiert besonders, wenn man Gesundheit, Krankheit und Heilung betrachtet.

Was also sind die Axiome zwischen gut und schlecht?

Sie sind wie alles aus der mathematologischen, also aus der hierarchisch-organischen Ordnung der Gut-Axiome zu entwickeln, die stets parallel zu den Frei-Axiomen. Denn aus der allgemeinen Urqualität gut folgen alle besonderen und einzelnen Gut-Qualitäten, also Lebensqualitäten, also Realitäten. Aus dem höchsten und allgemeinsten Gut folgt alles Gute. Ebenso folgen aus der allgemeinen Freiheit alle besonderen und einzelnen Freiheiten. (Vgl. Die Urmathematik).

Aus gut folgen zunächst noch zwei sehr allgemeine Qualitäten, nämlich lebendig und rein. Das objektiv Gute ist stets auch das Lebendige und das Reine. In späteren Kapiteln werden noch viele weitere Qualitäten und Qualitätsgesetze bzw. Lebensgesetze genannt werden. Bleiben wir hier in den Grundlagen bei wenigen, aber archetypischen Qualitäten, um das Wesentliche ihrer Gesetze für alle Verhältnisse darstellen zu können.

Aus dem Urgesetz aller Gesetze, dem Gleichungsaxion ergeben sich die drei qualitativen Axiome:

Gutes wirkt gut.

Lebendiges wirkt lebendig.

Reines wirkt rein.

Durch Disqualifizierungen ergibt sich für die Unqualitäten:

Schlechtes wirkt schlecht.

Totes wirkt tödlich.

Unreines wirkt unrein.

Wenn Gutes und Schlechtes zusammentreffen, so kommt es naturgesetzlich unvermeidlich zum Kampf. In ihm siegt das Stärkere, das Überwiegende, insbesondere das dreifach Stärkere. Doch das ist nicht nur raumzeitlich zu verstehen! — Dann ergeben sich folgende Axiome:

Gutes verbessert.
Lebendiges belebt.
Reines reinigt.
Dies alles zusammengefaßt:
Gesundes heilt.
Das heißt: Die Lebensqualität heilt. Das Gut heilt.
Aber zuvor steht, jedoch nur raumzeitlich, auf der Gegenseite:
Schlechtes verschlechtert.
Totes ertötet.
Unreines verunreinigt.
Dies zusammengefaßt:
Das Kranke macht krank.
Das heißt: Die Unqualität, das Gift macht krank.
Mit anderen Worten: Eine Disharmonie wirkt disharmonierend.
Die Meinung also, daß etwas Giftiges, Unqualifiziertes — aus sich selbst, aus seinem Wesen, also direkt — heilen könne, diese Meinung zeigt fundamentale Unlogik und physikalische wie biologische und ökonomische Kurzsichtigkeit. Der Einsatz eines negativen Faktors ergibt in der Rechnung stets ein entsprechendes Minus.
Das ist Qualitätslogik, wesenhafte Logik, Sinnlogik, Logoslogik, Mathematologik im Sinne der Mathesis universalis. Die wesenhafte Logik wird in einer Endzeit nur von wenigen begriffen. Denn in der Endzeit, in der Wissenschaftskatastrophe gilt wie ein Axiom, daß nur die wert„freie", also wertlose Wissenschaft wertvoll ist. Und die werthaltige und somit objektiv wertvolle Wissenschaft — die Ganzheitswissenschaft, die echte Lebenswissenschaft bzw. Biologie, die Wissenschaft der Qualitäten — gilt als wertlos, als unwissenschaftlich. Den Toten ist das Leben wertlos. —

Zusammenfassung

Die reale Einheit ist primär eine übermaterielle Größe. Sie ist eine Lebensqualität. Etwas anderes kann sie nicht sein. Denn etwas anderes existiert nicht. Quantitäten sind nur subjektive Gedanken, „konstruierte Fiktionen" (B. Russell).
Reale Einheiten existieren somit in physikalischer Sicht als Feldqualitäten, Strahlungsqualitäten (qualifizierte radiale Feldänderungen) und Strömungsqualitäten (qualifizierte periphere Feldänderungen). Nie und nirgends anders. Denn anderes existiert nicht. Ein Feld, eine Strahlung oder einen Strom qualitätsfrei zu denken, das ist eine totenblasse, lebensfremde, seinsfremde subjektive Konstruktion! —
Korpuskulare Materie ist nur eine bildhafte raumzeitliche Zerspaltungs- und Begrenzungsform der Felder einschließlich ihrer radialen und peripheren Feldänderungen. Die Materie als etwas Selbständiges außerhalb der sinnhaft

qualifizierten und in der Zeitraumwelt teilweise disqualifizierten immateriellen Lebensfelder, Lebensstrahlen und Lebensströme vorzustellen, das ist ein fiktionärer ideologischer Überbau. —
Auch wenn die Lebensqualitäten raumzeitlich begrenzt sind, sodaß man von einer qualifizierten Materie spricht, von einer Materie, welche Träger und Hülle der Lebensqualitäten sei, so ist dies nur eine subjektive und relative bildhafte Sprache. Objektiv existieren ausschließlich die aus Lebensqualitäten bestehenden Felder, Strahlen und Ströme. Auch in chemischer Sicht existieren objektiv ausschließlich Lebensqualitäten, hier in Gestalt von Salzqualitäten, Säurequalitäten und Basenqualitäten.
Die Begrenztheit, die man Materie nennt, fügt der Lebensqualität nichts hinzu. Im Gegenteil, sie nimmt etwas, nämlich an Freiheit in der Auswirkung und folgend an Ineinanderwirkung. Die Materie ist also das, was Kommunität wegnimmt, was die Kommunität stört und mindert. Und in der Kommunität besteht nicht nur die Fülle des Lebens, sondern das Leben überhaupt. —
Es existieren somit auch in Gestalt der Materie objektiv wirklich nichts anderes als Feldqualitäten, Strahlungsqualitäten und Strömungsqualitäten und ihre Veränderungen, das heraklitische Fließen. Demokrit ist der Maya erlegen, auch Descartes in seiner res extensa, folgend Newton und Kant.
Nach ihm erlagen dieser Fiktion sehr viele.
Die Masse — als „quantitas materiae", — der Grundbegriff der modernen Physik, ist als Quantitätsbegriff nur eine „konstruierte Fiktion". Die Masse ist — über das Coulombsche Gesetz — auch die Grundlage der gesamten wertfreien Elektrizitätslehre! Die Masse wird zeiträumlich definiert, also nach Kant und Älteren über Formen subjektiver Anschauung, also ebenfalls über subjektive Konstruktionen, durch ideologische Überbauten. —
Was wäre an der endzeitlichen Naturwissenschaft wirklich objektiv? —
Naturwissenschaft, insbesondere Materiewissenschaft bzw. Hauswissenschaft ist also Feldwissenschaft und zwar qualitativ-quantitative Feldwissenschaft. Quantitäten haben nur einen Sinn, wenn sie bewußt Quantitäten von Qualitäten sind und wenn sie Ausdruck von Qualitätsverhältnissen sind, die in einer Harmonie, also in einer qualitativen Ordnung zu den gezählten Qualitäten stehen! —
Das Feld ist nicht materiell. Was nicht materiell ist, das nennt man geistig. Echte, objektive Naturwissenschaft ist also ein —vierter?— Sonderbereich der Geisteswissenschaft! Unter Geist darf man sich jedoch nicht subjektivistisch einen ideologischen Überbau vorstellen, einen flatus vocis, eine Einbildung wie bei der korpuskularen Materie, oder eine Quantität, sondern man hat sich streng physikalisch eine feldwirksame reale Einheit vorzustellen, eine feldende und zugleich strahlende und strömende reale Einheit. Eine andere Realität existiert nicht. Eine andere Einheit existiert nicht.
Natur ist also Geist! Und nur eine Sonderform des Geistes, nämlich die Er-

scheinung seiner raumzeitlichen Zerspaltung und Begrenzung, das ist Materie! —

In allen Hochkulturen haben sich die Denker überlegt, was das Urwesen dieser Beschränkung sei, die man Materie nennt. Denn darin liegt doch eine oder die Unfreiheit, die Zerspaltung der allkommunen Einheit aller Lebensfelder und also aller feldenden Teileinheiten der großen Ur- und All-Einheit. Diese Unfreiheit wird von sehr vielen Menschen zu allen Zeiten und in allen Völkern empfunden. Schon die Physik lehrt, daß Felder, Strahlen und Ströme prinzipiell frei sind, also unbegrenzt sind. Woher also die Begrenzung? — Die Antwort lautet in allen Hochreligionen und Hochkulturen, daß Grenzen mit ihren Zerspaltungen die Folge von Widersprüchen zu der Gutheit und Freiheit der Einheiten sind. Sie sind also Folge von unguten und unfreien Aktionen. Das sind Aktionen, welche die Einheitlichkeit der realen Einheiten mißachten, also ihre Freiheit und Gutheit. —

Grenzen in Raum und Zeit sind also das Ergebnis der Zerspaltungen der ursprünglichen allkommunen Einheit aller realen Einheiten als Teileinheiten der Ureinheit. Das Begrenzte und Zerspaltene nennt man Körper, Stoff, Materie. Korpuskulare Materie ist also in der Sicht der Grundwissenschaft der Hochkulturen ein Spaltprodukt.

Sogar Raum und Zeit selbst sind nach den Indern, nach Thomas von Aquin und vielen anderen ein allgemeines Ergebnis der Zerspaltung. Sie sind die allgemeinste Form von Maya. Denn Raum und Zeit sind die allgemeinsten Bildformen der Zerspaltung des grenzenlosen alleinen Lebens. —

Oben wurde als übereinstimmend mit der Erfahrungswissenschaft erklärt: Natur ist im Grunde unmateriell, ist Geist. Ebenso: Die Qualität ist im Grunde eine Sinnform, also Geist. Was sagt dazu Paracelsus? Er sagt, was viele heutige Physiker und Ärzte sagen, alle Einheiten der Raumzeitwelt würden psychosomatisch existieren, also mit der Oberseite als Seele, als Bewußtseinseinheit, und mit der Unterseite als Leib, in dieser Welt auch als Materie. Die realen Einheiten würden somit als Einheit von Geist bzw. Entelechie und Materie existieren, als Einheit von Form und Stoff.

Da die Bezeichnungen Geist und Materie heute beide naturwissenschaftlich suspekt geworden sind und vielleicht auch objektiv beide irgendwie unzureichend geworden sind, denn unsere Vorstellungen sind an beiden irre geworden, so könnte man eigentlich eine neue Bezeichnung für die reale Einheit wählen. Sie sollte das Wesentliche beider Erscheinungsformen, von Geist bzw. Seele und Materie, von Form und Stoff einheitlich besagen. Denn Oberseite und Unterseite sind doch eben nur zwei Seiten ein und desselben Dinges. Schon die neueren Bezeichnungen Strukturen, Ure, Elementarformen usf. weisen in diese Richtung. Sollte man wieder von Substanz oder einfach von der realen Einheit sprechen? —

Wenn man die reale Einheit von oben betrachtet, dann ist sie als etwas Geistiges eine Sinneinheit, eine Sinnqualität, eine Logos-Einheit (Mikro-Lo-

gos). Also hat sie irgendwie bewußtes Sein, somit Bewußt-Sein. Denn Sinn existiert nur im bewußten Sein, das heißt als Bewußtsein. Wo kein Bewußtsein, da ist der Sinn selbst nicht gegenwärtig, sondern allenfalls nur seine Folge. Das eigentliche Wesen der naturalen — wie kulturalen und personalen — Qualität muß dann in der Sinnform liegen. Spricht deshalb Platon von den „Ideen" (geistigen Archetypen) als den obersten und realsten Einheiten im Kosmos und von ihrem „idealen" Sein? —

Wenn man die reale Einheit von unten und außen betrachtet, dann ist sie eine Natur, ein Mikrokosmos.

Daraus ergäbe sich: Der Mikrologos (als selbstbewußte Einheit, als eine Sinnform, als Person) baut den Mikrokosmos (als bildhafte Leibform, als Natur) auf, erhält ihn und baut ihn ständig um. Meister Eckehart sagt, daß alles aus Funken des feurig-lichten göttlichen Bewußtseins entstanden sei, geboren sei. — Zu Makrologos und Makrokosmos vgl. Joh. 1,1-5.

Auch die heutige Physik, wie bei C. F. von Weizsäcker, beginnt wieder, das Fundament der Natur im Geist zu sehen (¹). Diesen sieht sie realistisch als feldmächtige Sinnform, als feldende Sinnstruktur, somit im Grunde als eine Bewußtseinseinheit. Schon Ernst Haeckel, ein führender Materialist der Jahrhundertwende, hat in seinem reifen Werk „Kristallseelen" den Einheiten der Materie Gedächtnis zuerkannt (²). Und Gedächtnis ist eine Art Bewußtsein. Es mag viele Arten und Formen des Bewußtseins geben, weit mehr als das gegenwärtige menschliche Bewußtsein zu denken vermag. —

Auch im Dialektischen Materialismus steht neuerdings wieder das Problem offen, also frei zur Erforschung, ob Materie nicht im Grunde eine Form des Bewußtseins sei. In den früheren Jahrhunderten ist der Begriff der Materie weit umfangreicher behandelt worden als in der Gegenwart. Thomas von Aquin etwa bezeichnet als „erste Materie" (materia prima) die Potenz zum Dasein. Leibniz nennt den Begriff der raumzeitlichen Materie eine „verworrene Vorstellung". — Die heutigen Physiker gar sagen, der alte Begriff der Materie sei durch die Physik „entmaterialisiert" worden. Wer hier für die geistige bzw. wissenschaftliche Entwicklung offen ist, der könnte von einem neuen „Materialismus" sprechen, mit dem alle Gelehrten der Kulturen einverstanden sein würden. —

Der Materialist, typisch der Mechanizist, hat konsequenterweise noch im vergangenen Jahrhundert die Fernwirkung, also die materielose Wirkung als „absurd" bezeichnet. Denn sie schlägt allem Materialismus ins Gesicht. Sie widerspricht der präzisen Definition des Materialismus, daß alle Existenz und Wirkung nur aus Materie, nur mit Materie und nur in Materie möglich und wirklich ist. Also dürfte nichts existieren und wirken, was nicht —korpuskular!— materiell ist. — Dem aber widerspricht die gesamte Wissenschaft, nicht nur die Physik. Wer dann dennoch eine materielose Wirkung anerkennt, eine Feldwirkung, eine elektrische, magnetische, gravitatorische usf., der gerät als Materialist in einen schreienden Selbstwiderspruch. Wer sich dann nicht konsequent entscheidet, der denkt und lebt schizophren und abergläubisch. Entscheidet er sich für den Materialismus, so entscheidet er sich gegen die gesamte Wissenschaft und wird in dieser undiskutabel, zuerst in der Physik. Denn er hat sich für einen fiktionierten Aberglauben entschieden. Entscheidet er sich für die Wissenschaft, so darf er sich nicht mehr Materialist (im Sinne des korpuskularen, des vulgären Materialismus) nennen. Sondern dann ist er ein Immaterialist, ein Anhänger der Feldphysik. — Aber wie schon gesagt, auch die durch und durch immaterielle Feldlehre kann man im höheren Sinne als eine Art von Materialismus erfassen, als einen geistigen Materialismus, als einen sinnvollen Materialismus, als einen lebensgerechten Materialismus, nämlich als einen Bewußtseins-Materialismus. —

Nach einer uralten, schon im alten Indien vertretenen Lehre besteht die raumzeitliche Materie (materia sekunda) aus gleichsam zu Eis erstarrten Gedanken, Gefühlen und Willenseinheiten teilweise disqualifizierter Art. (Materie bestände demnach aus unfreien, daher begrenzten bzw. privatisierten Selbst-, Mit- und Allbestimmungen. Vgl. Das letzte Kapitel). Daraus läßt sich gut verstehen, daß Paracelsus gleich dem Brauch wohl aller Kulturen das Gift wechselnd „schlecht“ und „böse“ nennt.

Daraus wiederum ergäbe sich, daß die qualitative Entwicklung des Bewußtseins, etwa als ethisches, gesellschaftliches und wirtschaftliches Bewußtsein, die ureigentliche, urreale, urobjektive Entwicklung wäre! —

Die oberste und allgemeinste Bewußtseinseinheit nennt man in der ganzen Weltgeschichte Gott. Man hänge nicht an dieser, von Menschen vielfältig disqualifizierten äußeren Bezeichnung, sondern man konzentriere sich auf diese Realität selbst. Sich gegen diese selbstbewußte Ureinheit von allem zu wenden, das wäre dann der zentralste und gröbste Antikommunismus, der wirksamste Antisozialismus und Antiobjektivismus. Und das würde zum größten Subjektivismus und Irrealismus führen. Allein diese Ureinheit nur zu ignorieren, den Wert aller Werte, das wäre schon die größte Unwissenschaftlichkeit und Dummheit, auch die größte Lebensfeindlichkeit und Unwirtschaftlichkeit. —

Diese erste und oberste Einheit ist also die Qualität aller Qualitäten, die Einheit aller Einheiten, das Leben alles Lebens, die Entwicklung aller Entwicklung, die Natur aller Natur. —

Wenn die Entwicklung des Bewußtseins Wesen und Grund aller echten Entwicklung ist, dann ergäbe sich die pythagoreische und leibnizische Mathematologik oder Logomathematik („Mathesis universalis“) nicht nur als Wissenschaft aller Wissenschaften, sondern zuerst als urgesetzliche Wirkmacht aller Entwicklung. „Gott geometrisiert“ lautet ein altes Wort. Er mathematisiert also. Er rechnet das Leben. Er lebt als Rechner, — recht verstanden.

Aus der qualifizierten logomathematischen Erfassung aller Wirklichkeit ergäbe sich das Grundlegende für die Urstrukturen alles Existierenden wie in der Atomforschung, der Verhaltensforschung, weiter für die gesamte Informationslehre, die Zeichenlehre (Signaturenlehre), den Strukturalismus, die Deutungslehre, die Semiotik bzw. Semantik, die Emblematik, die Lehre der Symbole und Allegorien, die Gestaltlehre oder Typenlehre, die Psychologie, die Soziologie, für die Theologie, die Philosophie, ja für die ganze Religion, Kultur und Natur. Es ergäbe sich eine universale qualitative Gleichungslehre, eine „Mathesis universalis" für alle Wissenschaften und alle Techniken, auch für alle Wirtschaftsformen.

Das griechische Stammwort von Mathematik besagt „reine Wissenschaft" und eigentlich „Wissenschaft überhaupt". Die heutige Pysik hat sich schon in Mathematik aufgelöst. Die Logik ist auf diesem Wege. Also könnten wir aus der universalen Mathematik den Geist (Sinn) und die Natur des Hauses zugleich verstehen. Und jede raumzeitliche Einheit ist ein Haus. — (Dies alles ist weit besser und umfangreicher zu verstehen, wenn das letzte Kapitel dieses Buches gelesen ist).

Doch wenden wir uns folgend nur der Natur des Hauses und seinen Lebensqualitäten zu. Wir schauen nicht auf die möglicherweise dahinter und darüber stehenden leitenden ursächlichen bewußten Sinneinheiten. Auch wenn alle Völker der Erde alles als sinnvoll belebt betrachten und praktisch behandeln, zuerst in der freien Natur, so kann man doch auch relativ unabhängig von dem geistigen Sinn eine Naturwissenschaft der naturalen Qualitäten betreiben. Wer tiefer in die realen Einheiten eindringen und sie samt ihrer Ordnung gründlicher verstehen will, nämlich in echter Geisteswissenschaft als Bewußtseinseinheiten, der muß sich der Urwissenschaft, nämlich der Urlogik, Urmathematik und Urphysik zuwenden, wie sie im Abendland von Pythagoras über Paracelsus bis Leibniz erforscht und teilweise öffentlich gelehrt wurde, ja teilweise noch bis in unsere Tage gelehrt wird oder wieder gelehrt wird. —

ZUR KRISE DER WISSENSCHAFT

In diesem und im vergangenen Jahrhundert haben in steigender Sorge viele Gelehrte daran gearbeitet, das Wesen der Krise unserer Zeit deutlich bewußt zu machen. Einige haben sie auch als lebensnotwendige Heilkrise gedeutet. Es ist also nicht nur der „Untergang des Abendlandes" und „Untergang des Morgenlandes" am „Ende der Neuzeit" zu sehen, sondern auch der Beginn der ersten Menschheitskultur. Sie vereinigt auf allgemeinmenschliche Art die ganze Menschheit in der einen ganzen Welt. Daher bedarf sie der höchst allgemeinen Grundlagen, insbesondere in der Wissenschaft, aber auch im Recht, in der Politik, in der Kirche, in der Wirtschaft usf. Ohne Erkenntnis der zentralen Ordnung können wir nicht zur einen Menschheit in Frieden gelangen.

Die Erkenntnis der höchst allgemeinen Grundlagen, zu denen hier der Weg in der „Mathesis universalis" gewiesen wird, verlangt auch eine abschließende geistige Überwindung der gesamten Wissenschaftskatastrophe. Das erfordert, deren Unwesen höchst deutlich und höchst konzentriert zusammenzufassen. Nur dann wird die echte Wissenschaft vollständig befreit von aller Scheinwissenschaft. Also wird die Wissenschaft frei, um den Weg zur Wahrheit und zum Leben gehen zu können.

Wer hat das Unwesen, das Krankhafte unserer Endzeit wesenhaft und meisterhaft aufgedeckt? Insbesondere das Unwesen in der endzeitlichen Wissenschaft?

Zu diesen großen Gelehrten des Lebens (!) zählen:

Berdjajew, Bergson, Gustave le Bon, Martin Buber, Jacob Burckhardt, Conrad-Martius, Donoso Cortes, Christopher Dawson, F. W. Foerster, Gandhi, Guardini, René Guénon, Th. Haecker, D. v. Hildebrand, Huizinga, Husserl, Manfred Kyber, S. de Madariaga, de Man, Gabriel Marcel, Maritain, Lahiri Mahasaya, Omkarananda, Ortega y Gasset, Picht, Josef Pieper, Rhadakrishnan, Röpke, Hans Seldmayr, Solowjeff, Solschenizyn, Sorokin, O. Spengler, Toynbee, C. F. von Weizsäcker, Wiechert, Yogananda, Sédir, Intermediarius usf. Von vielen anderen aus Wissenschaft und Kunst, von großen geistlichen Personen, von Heiligen und Päpsten, von Führern der Religionen, von großen Hindus und Buddhisten, von Sufis und Zenmeistern nicht zu reden.

Was wären die höchsten Konzentrate aus den Zeitkritiken dieser großen Lehrer?

Die „Prinzipien" und „Gesetze" (Axiome) des am Ende der Neuzeit herrschenden Uraberglaubens sind die Vorstellungen, daß das Untere das Obere schaffe, das Äußere das Innere, daß die Gerade auch ungerade (krumm) sei, daß chaotisches Herumschütteln der Materiebrocken unter Druck und Hitze die Quelle alles Lebens sei, daß die Steine — die Materieteilchen wie die Genmoleküle — aus sich selber das Haus aufbauen und danach die Baupläne und Bewohner erzeugen, daß aus der Quantität die Qualität entstehe, daß aus der Unordnung durch Unordnung Ordnung entstehe, daß aus der Vielheit Einheit, aus der Summe Ganzheit werden könne, daß aus Unsinn — durch Unsinn wie durch Zufall bzw. durch Mutation — Sinn entstehe, aus Geistlosigkeit Geist, daß das Wert„freie", also das Wertlose wertvoll sei und daß das Wertvolle wertlos sei für den modernen Menschen und seinen Fortschritt, daß aus dem Toten das Leben geboren werde, daß durch Zerstörung Aufbau, durch Disharmonie Harmonie werde, daß der Krieg — wie im „Kampf ums Dasein" — Frieden schaffe, daß durch das Böse bzw. das Gift Gutes werde, daß durch die Lüge die Wahrheit wachse, daß durch die Unfreiheit die Freiheit komme usf.

Dies alles verletzt das Kausalgesetz, das Urgesetz der Gleichung zwischen Ursache und Wirkung, zwischen Grund und Folge. Die Gleichung aber ist das Urgesetz alles sinnvollen Denkens, aller Logik, das Urgesetz alles Ver-

stehens und aller Verständigung, aller Kommunikation. Außerhalb des gleichenden Denkens existiert nur der Unsinn. Denn unsinnig denken ist ungleich denken. Vorstehend sind also Urprinzipien allen modernen Unsinns genannt! —

Herrscht dieser vielfältige Unsinn nicht an vielen Orten? —

Das äußerste Konzentrat der „Wissenschaftskatastrophe" und also Katastrophenwissenschaft ist wohl in dem Satz enthalten: „Der Sinn ist . . ein . . spezieller Fall des Unsinns" ([1]). Wer noch über einen Funken gesunden Menschenverstandes verfügt, der hält diesen Satz zuerst für eine irrsinnige oder witzige Bemerkung. Aber er ist offenbar ernst gemeint! — Entspricht er nicht dem statistischen Denken, welches die moderne Wissenschaft beherrscht! — Erklärt in diesem Satz die endneuzeitliche positivistische Wissenschaft nicht vollständig eindeutig, wie sie im Allgemeinen und also zur Gänze sich selbst beurteilt, definiert, bewertet? —

Unsinn sein heißt ohne Sinn sein. Sinn ist identisch mit Leben, Qualität und Wert. Ist nicht wert„frei" sein ebenfalls erklärtes Grundprinzip der endneuzeitlichen Schulwissenschaft! — Über die Sinnlosigkeit und die Wertlosigkeit des Treibens besteht also vielseitige Übereinstimmung in der Wissenschaftskatastrophe! —

Der Kern des mechanizistisch-materialistischen Aberglaubens wird durch die Frage offenbar: Wer hätte je ein Haus gesehen, dessen Steine sich selbst zum Haus aufgebaut haben und gar noch ihre Bewohner erzeugt haben? —

Haben nicht noch immer die Bewohner das Haus erbaut? Und ist das Haus nach dem Auszug der Bewohner nicht noch immer zerfallen? —

Wer solch eine Urfrage ignoriert und der Antwort ausweicht, der ignoriert das Erstwesentliche alles irdischen Lebens, insbesondere alles materiellen Lebens. Der ignoriert eine Urwahrheit! Ist er dann nicht ein Ignorant? Was wäre von solch einem fundamentalen Ignoranten zu erwarten? —

Daß die Steine sich selber zum Hause zusammenfügen und noch zudem danach den Bauplan zeichnen und die Bewohner samt Baumeister erzeugen, das ist der Aberglaube des mechanizistischen Materialismus, des Vulgärmaterialismus! Das ist der Aberglaube alles Aberglaubens! —

Unter Haus ist jedes Haus zu verstehen, also der menschliche, tierische, pflanzliche und kristallene Körper, das Molekül, das Atom usf.

Dieser schrecklichste Unsinn, daß die Steine durch chaotisches Herumschütteln (Wer schüttelt denn?) aus sich selber das Haus erschaffen und die Bewohner erzeugen bzw. daß chaotisches Herumschütteln der Steine dies bewirke, dieser Urunsinn beherrscht die Endzeit der abendländischen Kultur, insbesondere ihre letzte Wissenschaft, speziell ihre letzte Physik, Chemie und Biologie sowie diese Politik und Wirtschaft. Dieser Uraberglaube wird am „Ende der Neuzeit" (Guardini) in der Wissenschaftskatastrophe allein noch als wissenschaftlich anerkannt. Was ihm widerspricht, das wird als unwissenschaftlich diskriminiert! —

Mit diesem Aberglauben ist der höchstgradige Unsinn identisch, daß der Sinn ein spezieller Fall des Unsinns sei. Bei dieser fürchterlichen Geistesverwirrung und Geistesentleerung, bei dieser totalen Sinnlosigkeit denken Ärzte an Weiteres. Sie stellen die Frage der Zurechnungsfähigkeit. Denn das ist die Rechenfähigkeit in Sinneseinheiten. Rechnen ist daher etwas Sinnvolles, nicht etwas Unsinniges! —

Kann man mit einem Zahlen-Unsinn zurechnen? —

In diesem „Wissenschaftsaberglauben" der Erzeugung des Sinnes durch unsinniges Herumschütteln der Steine ermordet der Geist, der Sinn sich selbst. Und er entehrt sich selbst! An seiner Stelle krönt er den Ungeist, den Unsinn höchstselbst! —

Dieser Uraberglaube alles Aberglaubens ist auch der Kern des „Selbstmordprogrammes" der „Selbstmordgesellschaft" (Taylor) und zwar in Staat, Schule und Kirche und in der Selbstmordwirtschaft, auch in der Selbstmordbauwirtschaft. Dieser Aberglaube ist tödlich für alles Leben. Er ruiniert die Eigenwelt, vom Denken, Wollen und Fühlen angefangen, die nächste Umwelt und die fernere Umwelt. Er ruiniert Kirche und Schule, Staat und Familie. Er zerstört gründlich den gesunden Menschenverstand und das gesunde Menschengefühl, somit auch das gesunde Wollen. Diesem hundertfältigen Aberglauben, daß jeder besondere Bereich der Wirklichkeit und ihrer Wissenschaft „ein spezieller Fall des Unsinns" sei, steht die eine Geistes- und Naturwissenschaft der Hochkulturen gegenüber, insbesondere die allgemeine Biologie oder Biophysik. Sie ist ein Teil der Geisteswissenschaft und also der Wissenschaft überhaupt. Denn könnte man Wissen auch außerhalb des Geistes haben? Einige mögen das wähnen. —

Aus dieser deutlichsten und höchst konzentrierten Selbstdefinition der positivistischen, quantistisch-materialistischen Wissenschaft mit „Unsinn" und „Wertfreiheit" folgt ebenso höchst konzentriert, daß wahre, objektive, realistische, wertvolle Wissenschaft im Sinn gründet. Auch folgt: Wert ist Sinn! Und: Sinn ist Wert!— Wahre Wissenschaft ist Sinnwissenschaft! Ist also Logos-Wissenschaft! — Das haben schon Pythagoras und Platon gelehrt.

Wissenschaft ist objektiv ein Sinnsystem, eine Sinn- und Sinnvermittlungs- und also Informationsganzheit, ein System von Qualitätsformen. Dies gilt nicht nur für die Philosophie und Logik, sondern auch für die Mathematik — eine rein deduktive Geisteswissenschaft! — und für die Physik, somit für alle Wissenschaft. Wissenschaft ist in jedem Sinne eine Einheit, ein einheitliches System von Bewußtseinseinheiten, also von Sinneinheiten! Denn Bewußtsein ohne Sinn ist kein Bewußtsein! — Echte Wissenschaft ist also stets Geisteswissenschaft! Alle Sonderformen der Wissenschaft können daher nur besondere Teile der allgemeinen Geisteswissenschaft sein, der Wissenschaft des allgemeinen Sinnes, — der allgemeinen Einheiten. Oder sie sind Kartenhäuser von selbst fiktionierten Illusionen und Müllberge von substanzlosen Informationen, unter denen der Geist erdrückt und begraben wird. —

Aus der wahren Wissenschaft heraus, insbesondere aus ihrer Naturwissenschaft hat Paracelsus seine glänzenden Erfolge erzielt. Gemäß den Gesetzen dieser Wissenschaft hat auch Jesus Christus geheilt. Denn gegen die wahren Naturgesetze, welche die Gesetze der Wahrheit und des Lebens selbst sind, funktioniert und existiert nichts außer dem leeren Schein! —
Gemäß dieser wahren, objektiven und realistischen Biologie, der von Paracelsus gelehrten Biologie der Lebensqualitäten, wird folgend die biologische Bauordnungslehre dargestellt. Sie umfaßt die fundamentalen elementaren Lebensbedingungen des Menschen und aller Lebewesen in dieser Welt. Sie umfaßt das gesamte biologische, also objektiv lebensgemäße Einmaleins der Umweltordnung.
Die biologische Bauordnungslehre wird also nicht gemäß einer qualitätsfremden, lebensfremden, abergläubischen, mechanizistischen, scheinwissenschaftlichen Biologie — und ihrem „Labyrinth der irrenden Ärzte" (Paracelsus) — darzustellen versucht, also nicht gemäß einer Biologie, die vom Bios nichts weiß und über den Logos lacht, die somit ein Spott ihrer selbst ist. —
Wir können die Wirklichkeit nicht erkennen wie sie ist, und wir können den Notleidenden nicht helfen, solange wir nicht zur Urwissenschaft aller Hochkulturen zurückkehren wie zur allgemeinen Feld-, Strahlungs- und Strömungsphysik der Lebensqualitäten. Diese Urwissenschaft ist ein Weg, der — mit mathematologischer Exaktheit und Gewißheit — zur Wahrheit und zum Leben führt.

ZUR ÜBERWINDUNG DER KRISE DER WISSENSCHAFT

Seit Jahrzehnten ist die Situation bei den führenden Wissenschaftlern durch ein großes Erwachen gekennzeichnet. Zwar glaubt Picht „Die Kluft zwischen dem Bewußtsein der modernen Forschung und dem öffentlichen Bewußtsein läßt sich . . nicht mehr überbrücken". Aber gerade diese Kluft — zum gesunden Menschenverstand hin? — hat viele Wissenschaftler aufgeschreckt. Auch die Arbeitsweise und die Produkte der Wissenschaft haben Schrecken verbreitet, wie Wagner schreibt ([1]). Mit großer Mühe, fast schon mit Qual versuchen daher Physiker wie Heitler, Heisenberg und C. F. von Weizsäcker, diese Kluft wieder zu überbrücken und die Wissenschaften wieder mit den Realitäten des Lebens und der Tradition der Kulturen zu verbinden ([2]). Andere wie A. M. K. Müller bemühen sich mit großem Aufwand, aus der „partikularistischen" Scheinwelt wieder auszubrechen und all die Tabus der Ausblendungen bewußt zu machen ([3]). Härteste geisteswissenschaftliche Kritik an den Naturwissenschaften kommt meist aus den eigenen Reihen wie von dem Astrophysiker Thüring ([4]).
Es wäre ein langes und sehr erfreuliches Kapitel, den Aufbruch der Naturwissenschaften aus dem Aberglauben des mechanizistischen Materialismus

und der Sinnlosigkeit darzustellen. Schon die Ordnungslehre von Driesch, Bavinks Werk über die Naturwissenschaft auf dem Wege zur Religion und viele andere Werke bis hin zu den aufrüttelnden Äußerungen C. F. von Weizsäckers geben viele Hoffnung. Aufgabe der Wissenschaft sei zuhöchst, die Herrlichkeiten Gottes darzustellen, erklärte Carl Friedrich von Weizsäcker nüchtern. Wenn also I. I. Rabi, Nobelpreisträger und Vorsitzender der amerikanischen Atomenergiekommission hart fragt „Wie kommt die Wissenschaft zur Vernunft", also wieder zur Vernunft, so kann man darauf antworten, daß in den eigenen Reihen harte Anstrengungen unternommen werden, aus dem Reich der „konstruierten Fiktionen" wieder zur lebendigen Wahrheit zurückzukehren, von dem Wertlosen wieder zum Wertvollen, von dem Toten wieder zu dem Lebendigen, von der partikularistischen Zerspaltung wieder zur einen Ganzheit, — zuerst zur Ganzheit aller objektiven Wissenschaft.

Das folgende Buch soll ebenfalls einen Beitrag zu dieser Selbstbesinnung und Neubegründung leisten. In ihr hat die Geisteswissenschaft zu führen. Die Naturwissenschaft soll aus dem Hause dieser Welt zum Hause Gottes führen. Sie soll auf ihre Art im Kosmos den Weg zeigen und selbst vorbildlich gehen, der die Wahrheit und das Leben ist.

DAS HAUS IN DER GRUNDLAGENWISSENSCHAFT

Zur allgemeinen Psychologie, Biologie, Physiologie, Physik und Chemie des gesunden Hauses, des kranken Hauses und seiner Heilung.

Wenden wir uns dem zweiten Teil der Grundlagenforschung zu, der Urordnung des Hauses. Dazu erst eine kurze Vorbetrachtung.

Die Funktion des Hauses in der Ganzheit der Gesundheit

Die siebenfache Ordnung des gesunden Lebens

Das Haus soll der Gesundheit des Menschen dienen, der ganzen, der psychosomatischen Gesundheit. Denn ohne Haus wird der Mensch krank und stirbt. Das Haus soll der personalen, kulturalen und naturalen Gesundheit dienen, somit zuunterst und also in gewisser Hinsicht fundamental der naturalen Gesundheit. Da man einen Teil nur als Teil der Ganzheit erkennen kann, wie im vorhergehenden Kapitel ausgeführt wurde, so ist zunächst die ganze Ordnung der Gesundheit zu erkennen. Diese ist vorhergehend als das harmonische Leben aus, mit und in Lebensqualitäten beschrieben worden, als das gute, wahre und reine bzw. schöne Leben. Erst wenn die ganze Ordnung der Gesundheit erkannt ist, möglichst systematisch biologisch, dann kann ein Teil der Gesundheit vollständig und richtig erkannt werden, beispielsweise die Hausgesundheit des Menschen. Und auch dieser Teil kann nur zusammen mit allen anderen Teilen in der Ganzheit aller Teile wesentlich beschrieben und verstanden werden. Dies gilt analog für alle Erkenntnisse. Die immerwährende Wissenschaft geht stets von der ersten Einheit und ersten Ganzheit aus, der Einheit aller Einheiten, der Ganzheit aller Ganzheiten.

Ebenso gilt biologisch: Nur soweit die Ordnung der Gesundheit erkannt ist, kann eine Krankheit systematisch geheilt werden. Die Pythagoreer waren Urmathematiker und zugleich Ärzte. Denn die qualifizierte Mathematik führt logisch unabweisbar zur Urpflicht, zu heilen, zu ordnen, zu befrieden und zur ganzen Heilordnung selbst.

Das Leben ist wie ein Strom, der durch die ringförmige Kette aller Teile einer Ganzheit fließt. Alle Organe sind gliedartige Teile der ganzen Lebenskette, des ganzen Schwingungskreises des Lebens. Das schwächste Glied der Kette begrenzt die Stärke des Lebensstromes, der durch die ganze Kette fließt. Das schwächste Glied begrenzt also die Vitalität des Ganzen. Auch begrenzt das schwächste Glied die Tragkraft und Widerstandsfähigkeit der Kette.

Auch das Haus ist einer Lebenskette zu vergleichen. Es ist ein einziger ganzheitlicher Schwingungskreis des Lebens! —

Also ist auf eine gleichmäßige Erkenntnis und Ausbildung aller Glieder der Lebenskette zu achten. Welches sind daher alle Glieder der ganzen Gesundheit? Welches sind alle miteinander und ineinander funktionierenden Teile der ganzen Gesundheit?

Die alten Meister lehren, daß der Lebenskreis der Ganzheit und also jeder Ganzheit in mehrere Elementarstrukturen geordnet ist, fundamental stets in der dreialleinheitlichen Urstruktur, dann in sekundären Urstrukturen. Von diesen ist in der Zeitraumwelt die fünffache und die siebenfache Urstruktur besonders lebenswichtig.

Nach einer uralten, schon vorchristlichen Ordnung besteht die ganze Gesundheit des Menschen — und analog jedes Lebewesens! — in sieben Gliedbereichen des gesunden Lebens, nämlich im gesunden Essen, im gesunden Trinken, im gesunden Kleiden, im gesunden Wohnen, in der gesunden Lebensweise, in der gesunden Heilweise und in der gesunden Hygiene. Dies ergibt sich aus den sieben Werken der Barmherzigkeit, nämlich: Die Hungrigen speisen. Die Durstigen tränken. Die Nackten kleiden. Die Fremden beherbergen. Die Gefangenen befreien. Die Kranken besuchen. Die Toten begraben.

Diese sieben Urbereiche des gesunden Lebens sind nicht nur leiblich zu verstehen, sondern auch seelisch und drittens geistig-geistlich. Sie bilden nicht nur eine naturale Grundordnung, sondern auch eine kulturale und eine personale Grundordnung. Insgesamt bilden sie die vollständige siebenfache Grundordnung des gesunden Lebens.

Was wäre in diesem dreifach siebenfachen Ursystem des Lebens nicht erfaßt! —

Wie es im „vollkommenen Gesetz der Freiheit" (Jak. 1,25) heißt, wird der

Mensch nach seinem irdischen Leben gerichtet, ob, wo und wie er in dieser dreialleinheitlichen siebenfachen Ordnung barmherzig gewesen ist (Matth. 25,31 f.). Doch schon auf dieser Erde wird das Leben des Menschen in seiner leiblichen Gesundheit danach gerichtet, ob, wo und wie er die Lebensqualitäten der sieben Urbereiche des Lebens in dem leiblichen Schwingungskreis achtet. —

Weiterhin ergibt sich aus der Ganzheit des Lebens, daß man in allen sieben Gliedern eines Schwingungskreises auf das gleiche Qualitätsniveau achten soll. Es lohnt sich nicht, innerhalb einer Ebene wie der leiblichen Ebene für einen einzelnen Bereich des Schwingungskreises mehr aufzuwenden als für die anderen sechs. Denn alles, was die Tragkraft und Verarbeitungskraft des schwächsten Gliedes übersteigt, das ist nutzlos. Es besteht nur eine geringe Bandbreite in der besseren oder schlechteren Funktion eines Glied- bzw. Organbereiches. Wenn z. B. die Niere oder das Herz schlecht ist, so hilft ein gutes anderes Organ dem Menschen nur wenig. Dasselbe gilt auch für die sieben Bereiche. Alles gesunde Essen oder gesunde Kleiden oder alle gesunde Heilweise kann ein krankes Haus nicht ausgleichen. Das ist bisher die Tragik vieler Menschen, die sich um ein gesundes Leben bemühen.

Bei näherer Betrachtung der inneren Ordnung der sieben Urbereiche des gesunden Lebens ergibt sich, daß das gesunde Haus bzw. das gesunde Wohnen in der Mitte steht. Auch zeigt sich, daß alle anderen sechs Urformen des gesunden Lebens im Hause gelebt werden. Denn zu über 90 % seiner Lebenszeit hält sich der Normalmensch im Hause auf. Im Hause also ißt er, trinkt er und kleidet er sich. Im Hause führt er sein Leben. Im Hause wird er geheilt. Und das Haus ist der erste Raum aller Hygiene.

Wie sehr also wird das Haus mit seinem Feld die anderen sechs Urbereiche des Lebens beeinflussen! —

Das Haus ist zugleich Mitte, Zentrum, Fundament und Rahmen aller Formen menschlichen Lebens.

Doch auch eine andere Ordnung der Gesundheit ist urwesentlich, nämlich die der mathematologischen Reihen- und Rangfolge. Essen, Trinken und Kleiden stehen an erster, zweiter und dritter Stelle vor dem Haus, das an vierter Stelle steht. Ohne gesundes Essen, gesundes Trinken und gesundes Kleiden nützt auch gesundes Wohnen nichts. Essen und Trinken gehen durch die innere Haut. Die Kleidung ist die zweite äußere Haut. Das Haus ist die dritte äußere Haut. Das Innere rangiert vor dem Äußeren. Nur soweit man gesund ißt, trinkt und sich kleidet, kann ein gesundes Haus ausgenutzt werden.

Nach dem Haus folgen noch drei weitere Urbereiche des gesunden Lebens. Sie sind nachrangig. Das heißt, nur soweit das Haus gesund ist, kann eine gesunde Lebensweise, eine gesunde Heilweise und eine gesunde Hygiene unserem Leben einen wesentlichen gesundheitlichen Nutzen bringen.

Noch vieles mehr ergibt sich: Beispielsweise ist bei jeder Krankheit die Vor-

aussetzung einer Heilung, daß Essen, Trinken, Kleiden, Wohnen und Lebensweise untersucht und nötigenfalls geordnet werden. Die alten Ärzte wie die hippokratischen Ärzte nannten in diesem weiten Sinne die Diät die Vorbedingung jeder Heilung im engeren Sinne. Die meisten Krankheiten heilen schon, wenn diese allgemeine Diät des Lebens wieder eingehalten wird. „Makrobiotik" nannte Hufeland diese Sicht der Gesundheitskunde und Heilkunde.

Wer in einem kranken Hause, wie in einem luftlosen und lichtlosen Hinterhaus lebt oder vegetiert, der kann auch durch noch so gute und viele Heilmittel nicht gesunden. — Daß Luft und Licht lebensnotwendig sind, das ist inzwischen erkannt worden. Daß aber noch eine Reihe anderer moderner Zivilisationskrankheiten des Hauses existiert, das ist weithin noch nicht erkannt worden. Und das ist die Tragik von Millionen Menschen, die sich mit viel Mühe und viel Geld um ihre Gesundheit bemühen. Wohl über hundert Milliarden DM werden jährlich in der Welt auf diese Art nutzlos für gesundheitliche Zwecke ausgegeben. —

Nachdem wir die Ganzheit der Gesundheit erkannt haben, können wir uns folgend der Hausgesundheit zuwenden.

Die Hausgesundheit

Was denken die Hochreligionen und Hochkulturen vom Haus? Als ein nicht geringes Mysterium wird hier das Haus behandelt, als ein Geheimnis der Alleinheit, nämlich der Integration des Lebensreiches einer Person in das Reich des Lebens der Gemeinschaft. In der Lauretanischen Litanei wird die Urmutter — Sophia-Maria — bezeichnet als goldenes Haus, Turm, Arche des Bundes, ehrwürdiges Gefäß, Sitz der Weisheit und Spiegel der Gerechtigkeit. Erfahrene Menschen behaupten, daß hier gewaltig inhaltsreiche Aussagen gemacht werden. Auch wird das Haus Gottes zugleich als Stadt Gottes bezeichnet, als Jeru-Salem (Stadt des Friedens) und als Braut. Also wieder eine Identifizierung von Natur und Person!

In der Kulturgeschichte wird das Haus oft als Lebewesen von personaler Art angesprochen, speziell als mütterliches Lebewesen. Dem entspricht die innige Beziehung der Frau zum Haus.

Oft wird die Gemeinschaft, die Familie als Haus bezeichnet. Wie auch heute noch die Kulturvölker eine ausgezeichnete Familie ein Haus nennen, sei es eine königliche Familie, etwa das Haus Hohenstaufen oder das Haus Habsburg, oder eine Familie der Wirtschaft, etwa das Haus Bosch.

Das Haus Gottes, also die ganze wahre, die gute Schöpfung ist kausalgesetzlich dem Wesen Gottes gleich. Wie der Schöpfer, so sein Werk, hier also das überkosmische und dann auch das lichte kosmische Werk des göttlichen Architekten. Welch hohe Würde ergibt sich hieraus für den Beruf des menschlichen Architekten! —

Welche Musterbeispiele für das irdische Haus bieten Religion und Kultur? — Nur ein Beispiel sei genannt: Die Casa santa, jenes Haus, in dem nach der Überlieferung die Hl. Familie mehrere Jahrzehnte gelebt haben soll, jetzt in Loreto bei Ancona/Italien. Dieses Haus ist aus Ziegeln, Kalk, Holz und einigen wenigen Natursteinen gebaut, sehr schlicht, lang, rechteckig, ursprünglich mit einem Giebeldach.

Aber wenn auch mit Ziegeln und Holz, bringt der Verfasser hier nicht Mystik? Mystik der Architektur? — Nun, in den Religionen und Kulturen wird die Mystik als Krone der Ordnungsbestrebungen des Menschen und seiner Erkenntnis gewertet, dagegen der scharf zu unterscheidende Mystizismus als pathologisch. Der erste Gegenstand der Mystik aber ist die Architektur der Schöpfung, ihre Bauordnung. Einer der ersten Baulehrer war hier Dionys Areopagita ([1]*).*

Was würde aus dieser höchsten Baulehre folgen?

Da alle Hochreligionen von der Dreieinheit Gottes sprechen — auch in der jüdischen Esoterik ist die Dreieinheit als Kether, Chochma und Binah Urgrund aller Bauordnung des Universums! —, so wäre das ideale Haus des Menschen dreieinheitlich gegliedert.

Ist nun nicht tatsächlich die Urstruktur der menschlichen Person und Natur dreieinheitlich? Ist das Bewußtsein nicht dreieinheitlich in Denken, Wollen und Fühlen gegliedert? Ist der natürliche Leib, das Haus der Seele, nicht in die drei Etagen des Kopfes, der Brust und des Leibes gegliedert? Mit drei kugelförmigen Höhlen? Ist nicht die Natur unserer Umwelt in Mineralreich, Pflanzenreich und Tierreich gegliedert? Ist in der Geometrie, auf der alles Bauen gründet, nicht alle Harmonie auf der Eins-Zwei-Dreiordnung des Kreises und des goldenen Schnittes gegründet? Wird dieser nicht mit Hilfe des Punktes, des Radius und des Kreises ermittelt? Sind dies nicht die drei Urformen alles Geformten? Und lehren dies nicht schon die größten Philosophen? ([2]*). „Gott geometrisiert" lautet ein altes Weisheitswort.*

Ob nicht an der Mystik mehr dran ist als man heutzutage anfangs zu denken geneigt ist? —

Doch wir wollen naturwissenschaftlich exakt vorgehen. Die allgemeine Biologie, Physik und Chemie des Hauses interessiert uns hauptsächlich.

Das Haus soll dem Leben des Menschen dienen. Also muß es lebensgerecht gebaut sein. Nur der lebensgerechte Bau ist hausgerecht, ist körpergerecht. Der Bau darf die Gesetze des Lebens nicht verletzen. Das Leben im Haus bestimmt also sachgerechterweise den Bau des Hauses. Das Haus soll als relativ fixe Form der Lebensfunktionen von diesen selbst erbaut werden! Wie in der Natur! Die Bildekräfte des Lebens und also der Lebensqualitäten bilden die Gestalt wie den Kristall, den pflanzlichen Körper oder den tierischen Körper. Das ist eine biologische Leitlinie der Architektur.

Was ist daher das ABC des Hauslebens? Was ist das ABC des gesunden Lebens in unserer nächsten Umwelt?

Doch zuerst: Was ist der augenblickliche wissenschaftliche Stand in dem Thema Hausbiologie und Haus- oder Wohnungsmedizin? Wie steht es in den heutigen medizinischen Bemühungen um unsere nächste Umwelt?
In einem Artikel des „Deutschen Ärzteblattes“ vom 30.8.73 „Umweltmedizin als gesundheitspolitische Aufgabe“ untersucht Prof. Blaha die gegenwärtige Situation. Schon im ersten Satz erklärt er: „Der Versuch, den Problemenkreis Medizin und Umwelt zu umgreifen, ist nahezu aussichtslos.“ Warum? Er sagt, heutzutage stände „das quantitative Problem zweifelsohne im Vordergrund“, d. h. das einseitige fiktionäre lebensfremde Denken. In der Heilkunde aber und in allem Leben „geht es zunächst . . . um das Qualitative.“ Hier sei „ein Umdenken von der Quantität zur Qualität“ erforderlich, demgemäß auch „ein Aufgreifen des . . aus der Entwicklungsgeschichte als tragfähig Erachteten, ein Wiederaufgreifen des . . Abgesicherten, des dem Menschen Dienlichen“. Gegenwärtig aber hat das Umdenken von der Quantität zur Qualität in der Schulmedizin kaum erst begonnen. (Nur Ärzte, die teilweise noch als Außenseiter gelten wie in der biologischen Heilkunde, sie denken qualitativ! Sind sie die Insider, die eigentlichen Ärzte?). Da das quantitative, also lebensfremde, qualitätsfremde, heilfremde Denken gegenwärtig „zweifelsohne“ noch herrsche, insbesondere in der Schulmedizin, so befänden wir uns noch in einem „ausweglosen Dilemma Umwelt und Gesundheit“. —
Mit anderen Worten: Von der gegenwärtigen noch fast total quantitativ und also mechanizistisch denkenden Wissenschaft, insbesondere von dieser Biologie und Medizin ist „zweifelsohne“ keinerlei wesentliche Erkenntnis zu den Fragen nach der Qualität des Lebens, somit nach dem eigentlichen Leben überhaupt zu erwarten, also auch keinerlei wesentliche Erkenntnis zu dem Problemenkreis Gesundheit, Krankheit und Heilung der menschlichen Eigenwelt und Umwelt! —
Denn das Wesentliche ist Qualität. Das für das Leben Wesentliche ist die Lebensqualität. —
Diese Bekenntnisse und Konsequenzen sind sorgfältig zu studieren! Sie zeigen zweifelsohne die Medizinkatastrophe, wie sie wirklich ist, die Katastrophe der quantitativ und mechanizistisch denkenden Giftmedizin. Von ihr sagt Prof. Hoff, ein führender Internist, daß sie die Hauptursache der Verkrankung des Volkes sei! (1).
Auch andere Äußerungen maßgebender Vertreter der gegenwärtigen — und auch kommenden? — Medizin bestätigen diese Situation. „Höhere Lebensqualität — was heißt das?“ fragt Prof. Schipperges in einem Artikel „Gesundheits-Vorsorge . . . “ im Deutschen Ärzteblatt v. 14.6.73. Und er antwortet: „Der Begriff . . . höhere Qualität . . . setzt voraus, daß man weiß, was besser, höher, was gut und gesund oder gar heil sei. Daß zur Bestimmung

von Werten das naturwissenschaftliche Modell denkbar ungeeignet ist, sollte uns" klar sein. — Mit dem „naturwissenschaftlichen Modell" ist das lebensfremde mechanizistische Denken gemeint, wie es von Galilei, Descartes, Kant, Newton eingeführt wurde und seit der einseitig verstandenen Quantentheorie und Relativitätstheorie (darin der Subjektivitätstheorie) Physik und Chemie beherrscht, weithin auch Biologie und Medizin, die Soziologie, die Wirtschaft, das gesamte Bauen und Wohnen usf.

Ziehen wir die Konsequenzen. Denn wir wollen leben, zuerst überleben. Und wir haben erkannt, daß das Leben wesentlich Organik ist, nicht Mechanik, wesentlich Qualität, nicht Quantität, daß das Leben etwas Wertvolles ist und nicht etwas Wertloses, Wert„freies", Totes, Sinnloses.

Eine Schlußbemerkung: Es wird vorstehend keine Person und kein Stand der bösen Absicht beschuldigt und also in seiner Ehre angegriffen. Sondern es wird nur von Irrtümern gesprochen, allerdings von erheblichen, von säkularen Irrtümern. Es wird also die gute Absicht eines jeden ehrenvoll anerkannt.

Greifen wir daher das „dem Menschlichen Dienliche" wieder auf, das durch wahre Logik und Erfahrung „Abgesicherte", wie es Paracelsus lehrt, dieses erste Vorbild der europäischen Ärzte. Greifen wir das „Abgesicherte" der gesamten Kulturgeschichte der Menschheit auf. Denn soweit wir das nicht tun, ist unsere Situation „aussichtlos"! — Soweit wir anders überlegen und handeln, quantistisch, mechanizistisch, sind unsere Bestrebungen „denkbar ungeeignet". Und wir bleiben dann in einem „ausweglosen Dilemma", eben in der „Wissenschaftskatastrophe" bzw. Medizinkatastrophe ohne Sicht und ohne Weg. Sie führt auch zu einer gesundheitlichen, politischen und wirtschaftlichen Katastrophe, überall in Eigenwelt und Umwelt, wie an den „Grenzen des Wachstumes". —

Obwohl das doch wesentlich ärztliche Problem des Umweltschutzes seit Jahrzehnten von vielen Ärzten als lebensbedrohlich bezeichnet und behandelt wurde und obwohl seit mehreren Jahren die gesamte zivilisierte Welt davon spricht, beginnt die mechanizistische Medizin nur zögernd jetzt erst das Problem überhaupt zur Kenntnis zu nehmen! — Mehr werden die Mediziner auch weiterhin nicht tun können! —

Die wahre Heilkunde dagegen gründet in allen Kulturen seit jeher in der Lebensordnung von Eigenwelt und Umwelt, von Mikrokosmos und Makrokosmos. Denn sie heilt durch ihre Ärzte die kranken Lebensqualitäten des Mikrokosmos mit den gesunden Lebensqualitäten, wie den „Quintessenzen" des Makrokosmos, mit seinem Gut. —

Doch werten wir die obigen Bekenntnisse der Wissenschaftskatastrophe und insbesondere der Medizinkatastrophe zuerst positiv. Denn solche Veröffentlichungen zeigen, daß auch im Bereich der Schulmedizin viele die objektive Situation zu sehen beginnen und guten Willens sind, „umzudenken", also umzukehren, die Sackgasse des quantischen Aberglaubens zu verlassen und „wie-

der aufzugreifen", „was gut und gesund", „gar heil" ist, was also objektiv eine Lebensqualität ist. Denn das Gute ist die allgemeinste Form der Lebensqualität. Qualifiziert sein, das heißt gut sein, heil sein, gesund sein. Greifen wir also auf, was Paracelsus als System der wahren Heilkunde lehrt. Verlassen wir sogleich das wert„freie" und also wertlose subjektivistische gedankliche Chaos, das in der Wissenschaftskatastrophe immer deutlicher wird, insbesondere in der endneuzeitlichen Schulmedizin und Schulbiologie, und wenden wir uns den Grundlagen des gesunden Hauslebens zu.

Zur Geschichte der Wissenschaft vom Hausleben (Ökologie, Environtologie, Makro-Mikro-Kosmologie)

Was existiert schon in der Geschichte an Literatur über das gesunde Haus, also über das elementare Wissensgebiet des gesunden Bauens, Einrichtens und Wohnens? Die indische und chinesisch-japanische, die persische, chaldäische und ägyptische Lit. über dieses Thema ist bei uns nicht bekannt, auch die arabische nicht. Im abendländischen Kulturkreis scheint eine systematische und ganzheitliche Bearbeitung dieses Themas bisher überhaupt nicht zu existieren. Offenbar wurde bis heute nur im Rahmen von Versuchen, die Gesamtordnung des gesunden Lebens darzulegen, das Gebiet des gesunden Hauses in einzelnen Aspekten und Teilen behandelt. Dies wohl zuerst im Corpus Hippokraticum der von Hippokrates gegründeten Ärzteschule. Die Römer, sonst großartige Kompilatoren, scheinen auf diesem Gebiete nichts gesammelt zu haben. Bei Vitruv sind nur wenige Hinweise zu finden. Im Mittelalter, das in seiner universellen Geisteshaltung die Überblicke über die Gesamtheit des Seins sehr liebte und wohl auch begründete, damals noch als Speculum (Spiegel) und Summa, noch nicht als Universitas (Ganzheit), haben wir bei Hildegard von Bingen Anweisungen zu einem makrokosmisch-mikrokosmisch gesunden Leben. Auch Albertus Magnus lehrt uns einiges. In den Mönchsorden finden wir über viele Jahrhunderte hinweg in Regulae und Canones gefaßte Ordnungen eines seelisch-leiblich gesunden Lebens, mit Hinweisen auf das Haus bzw. die Zelle und den Garten. In ihnen ist öfters von der Bau- und Hausordnung die Rede. Die Bauorden haben offensichtlich ein großes Wissen besessen, das über Zirkel, Lineal und Kelle weit hinausging. Doch fehlen schriftliche Unterlagen.

Paracelsus behandelt wohl erstmals systematisch und ausführlich die Hauskrankheiten und prägt in spezieller Form auch diesen Begriff als „Bergkrankheiten". In seiner Kosmologie erläutert er ständig die Lebensordnung zwischen Makrokosmos und Mikrokosmos Mensch, also die größte und erste Ordnung des Hauslebens, die allgemeinste Umweltschutzordnung bzw. Ökologie. In der Neuzeit geht das lebensgemäße, das qualitative und gemeinschaftsbezogene Denken der abendländischen Hochkultur langsam immer mehr verloren. Letzte Vertreter des lebensgerechten Denkens wie Hufeland schreiben Bücher wie die Makrobiotik, die Kunst, das menschliche Leben zu verlängern. Hier finden wir schon mehr, insbesondere über das so lebenswichtige Regenerationshaus, das Bett. Schon in Abwehr des Mechanizismus schreibt Kneipp Bücher wie „So sollt ihr leben". Auch er sagt allerlei zum gesunden Kleiden, Bauen und Wohnen, wie zu feuchten Mauern, zum gesunden Lüften und Heizen ohne „künstliche Wärme". Aber Hufeland und Kneipp hatten noch nicht mit den Elektrokrankheiten, den Chemiekrankheiten, den Betonkrankheiten und der durch die Zivilisation abnorm verstärkten Geopathie zu tun. Das sind alles erst fortschrittliche Errungenschaften des 20. Jahrhunderts. Nach Kneipp kommt daher eine Reihe von Gesundheitsbüchern, die meist schon stärker von dem lebens„freien" Mechanizismus und Chemismus angekränkelt sind und seinem Individualismus, sodaß ihnen der im Grunde soziale, ganzheitliche und naturgemäße Blick auf die Umwelt mangelt.

In unserem Jahrhundert hat die neu erwachte Gesundheitsbewegung als allgemeine Lebens-Reformbewegung zahlreiche Einzeldarstellungen und auch praktische Zusammenfassungen des gesunden Lebens gebracht. Von reformärztlicher Seite kamen die Biologisch-medizinischen Taschenbücher heraus, die immer wieder die gesunde Lebensordnung betonten. Naturärzte und eine praktische Erfahrungsheilkunde haben im Einzelnen oft auf das gesunde Wohnen hingewiesen. Doch an den Grundlagen fehlte es auch hier. Und so konnte die bedenkliche Zersplitterung auch in diesen Kreisen nicht überwunden werden.

Außerhalb dieser objektiv biologisch und lebensqualifiziert orientierten Kreise erschienen in vielen Ländern eine Reihe wissenschaftlicher und nur technischer Werke über die Bau-, Arbeits- und Wohnhygiene. In ihnen wurde fast alles Wesentliche, nämlich das Qualitative des Lebens ausgeblendet. Daher gerät man vom Regen in die Traufe, wenn man nach ihnen zu handeln versucht. —

Aus solchen Traufen heraus erwuchs die Umweltschutzbewegung. Seit ihrem Beginn haben wohl viele angefangen, das Gesamtgebiet des Umweltschutzes zu bearbeiten. Hier tauchen die neuen Begriffe Ökologie und Environtologie immer häufiger auf. Beispielsweise versuchte man, „eine vollständige, systematische und abgeschlossene Übersicht" über „Mensch und Umwelt" zu geben. Solange jedoch noch nicht „von der Quantität zur Qualität" umgedacht (Blaha. Deutsches Ärzteblatt) ist und zwar vollständig und systematisch, so lange müssen all diese Versuche entsprechend weit mißlingen und immer wieder in den lebensfremden Technokratismus und Materialismus geraten bzw. in ihm verbleiben.

Nachdem der Verfasser „Das gesunde Haus" in mehreren Auflagen als Vortragsmanuskript herausgebracht hatte, begannen verschiedene Versuche, das gesunde Bauen und Wohnen in der von ihm vorgeschlagenen Einteilung und Gesamtheit ganzheitlich darzustellen. Sie bringen allerlei Gutes im Einzel-

nen. Jedoch ohne Einsicht in die Lebensqualitäten überhaupt und in ihre seit Jahrtausenden gelehrte biologische Grundordnung wird man am Wesentlichen stets vorbei gehen und beispielsweise physikalische und chemische Gifte als gesund behaupten, d. h. als ungiftig. Doch eben hier hat der Umweltschutz seinen Hebel angesetzt. Hauptsächlich gegen diese urselbstwidersprüchliche Auffassung und Praxis geht die Umweltschutzbewegung vor. In diesem Sinne arbeitet auch der Verfasser.

So bleibt das vorliegende Buch wohl vorerst noch das Einzige, das objektiv wissenschaftlich, bio-logisch, systematisch und ganzheitlich die Ordnung des Lebens im Hause darzustellen versucht. Und das ist die Ordnung des nächsten und lebenswichtigsten Umweltschutzes! —

Die allkommune Lebensordnung

Nach uralter Lehre der gesamten religiösen und kultivierten Menschheit, wie auch nach neuerer sozial-politischer und wirtschaftlicher Lehre, der schon mehr als die Hälfte der Menschheit anhängt, sollen alle Lebewesen in allen Lebensqualitäten („Virtutes“, „Tugenden“ bei Paracelsus) all-einig leben, integriert, also frei allkommun. „Daß alle eins sind, . . vollkommen eins sind“ betet Jesus Christus im Hohen Gebet (Joh. 17,21;23). Karl Marx erklärt als Zentral- und Generalziel der gesamten sozial-kommunen Bewegung die freie „Assoziation, worin die freie Entwicklung eines jeden die Bedingung der freien Entwicklung aller ist“ (Kommunistisches Manifest von 1848). Dieses Urziel der allseits freien Gesellung samt dem Recht zu allseits freien Aktionen und der allseits freien Wirtschaft gilt nicht nur für den Menschen, sondern für alle lebendigen Einheiten. Das wird seit altersher gelehrt. Denn der Mensch lebt nicht isoliert von der Natur, sondern hat selbst eine Natur, die ein Mitglied der größeren Natur ist. Und nicht nur die Natur der Wälder und Felder ist lebendig, der Pflanzen und der Tiere, sondern nach uralter Lehre auch die Feld-, Strahlungs- und Strömungsnatur der ganzen Erde, jedes Planeten, des ganzen Sonnensystemes, jeder Galaxie und des ganzen Kosmos. Denn aus dessen Feldern, Strahlen und Strömen lebt der Mensch und seine Umwelt natural wie zuerst von der Wärme und dem Licht der Sonne. Leben aber kann urlogischerweise nur von Leben kommen, Qualität nur von Qualität! Aus Totem kommt nur der Tod! Das sind Urselbstverständlichkeiten, Urgleichungen des gesunden Menschenverstandes! —

Man lese daher den Kardinalsatz von Marx konsequenterweise wie folgt: „. . . worin die freie Entwicklung einer jeden realen Einheit die Bedingung der freien Entwicklung aller realen Einheiten“ und also der Alleinheit, der Allkommunität ist. Das Einmaleins der freien Entwicklung der menschlichen Einheiten, der Personen, ist heute mathematisch exakt und physikalisch auf Millimeter und Sekunde exakt in Recht, Gesellschaft und Wirtschaft entwickelt worden ([1]). Wir entwickeln folgend von Seite zu Seite in unserem

Bewußtsein nur das Einmaleins der Lebensqualitäten der Natur, des Hauses, d. h. allgemein der Materie und somit jedes Körpers, bei dem eigenen Körper angefangen. — Beide Einmaleins, das der Person und das der Natur, stehen zueinander in einer Gleichung. Denn sie sind im Grunde dasselbe Ein-mal-eins, nämlich die „Mathesis universalis" (Leibniz) der allseits freien und guten Aktionen in der guten und „freien Entwicklung aller" realen Einheiten (= „Monaden").

Die vedische Urreligion, der Buddhismus, der Hinduismus, der Taoismus und der Islam lehren alle dasselbe Ziel der Alleinheit aller. Alle Verhaltensforschung, alle Sozialgesetzgebung sieht wie jede große Religion und Kultur das große Ziel alles Lebens in dem integrierten gemeinschaftlichen Leben. Was anderes wäre das eigentliche Ziel des Sozialismus und Kommunismus! Die UNO nennt in ihrer Deklaration der Menschenrechte die ganze Menschheit wiederholt eine Familie. In der mathematologischen Soziologie ergibt sich für ausnahmslos alle möglichen und wirklichen Personen, daß sich das Ich nur durch das Du im Wir vollständig entwickeln kann ([1]).

Dieses Einmaldrei gilt recht verstanden für die naturalen Icheinheiten der Tiere, Pflanzen und Kristalle (Moleküle, Atome) gleich wie für die personalen Icheinheiten des Menschen und aller anderen Personen. Die Entwicklung verläuft durch die naturalen und personalen Lebensqualitäten, bei Paracelsus mit natural-personalem Sinn auch „Tugenden" bzw. „Virtutes" genannt. (Die Gutordnung der Entwicklung deckt sich mit der Freiordnung der Entwicklung, deren Prinzipien, Gesetze und Formeln im letzten Kapitel dieses Buches zu einem kleinen Teile vorgerechnet werden).

Das Haus im Einmaleins des Lebens

Aus dem Ein-mal-eins der realen Einheiten ergibt sich insbesondere, daß das Haus dem integrierten allseits freien Leben in der Alleinheit aller Lebewesen zu dienen hat und besonders dem befreienden Leben auf dem Wege zu dieser Allkommunität. Das Haus darf die Alleinheit des guten Lebens zwischen dem Hausbewohner und dem Kosmos nicht behindern.

Hinzu kommt, daß der Mensch und jede andere Einheit in Zeit und Raum nicht aus sich selbst leben kann, sondern der Lebensqualitäten und also Lebensenergien des Makrokosmos bedarf. (Nicht qualifizierte Energien existieren nur als subjektiv konstruierte Fiktion!) Diese Lebensqualitäten existieren mit ihren qualifizierten Energien erstens als Lebensfelder, zweitens als Lebensstrahlen, drittens als Lebensströme — als Lebens-Bildekräfte — wie beispielsweise der Wärme und des Lichtes. Nur viertens existieren sie auch in grob materialisierter Form wie als körperliche Nahrungsmittel. —

Wärme, Luft und Licht benötigt der Mensch ununterbrochen den ganzen Tag. Die körperliche bzw. materielle Nahrung kann er wochenlang entbehren. Ohne Wärme ist er sogar augenblicklich tot. Ohne Luft stirbt er in Minuten.

Daraus ergibt sich, daß die feineren, höheren Lebensqualitäten in den Feldern, Strahlen und Strömen einen Lebensvorrang vor den gröberen Lebensqualitäten haben, welche in die sichtbaren materiellen Gehäuse eingesperrt sind bzw. welche grob begrenzt sind und als relativ starre Körper erscheinen.

Da der Mensch nach der Lehre der Hochkulturen ein Mikrokosmos ist und daher nur in vollständiger und dauernder Gleichung zum Makrokosmos vollständig wohl, „gut, gesund und heil" (Schipperges) frei leben kann und sich allseits frei entwickeln kann, so bedarf der Mensch all der Lebensqualitäten in den kosmischen Feldern, Strahlen und Strömen, nicht nur der Lebensqualitäten in den materiellen Lebensmitteln. Der Mensch lebt nicht vom Brot allein! —

Der Magen kann zeitweilig arbeiten und zeitweilig über Stunden und Tage leer bleiben. Solches Fasten — auch durch viele Wochen hindurch — kann die Qualität der menschlichen Leistung sogar erheblich erhöhen. Dagegen ist das Lebensfeld des menschlichen Mikrokosmos mit seinen Strahlen und Strömen wie der Wärmestrahlung und den Blut- und Lymphströmen ununterbrochen tätig. Also bedarf das Lebensfeld des Menschen ununterbrochen der harmonischen Gleichschwingung mit dem makrokosmischen Lebensfeld, mit dessen qualifizierten Lebensstrahlen und Lebensströmen und in diesen.

Wir erinnern uns aus dem vorangegangenen Kapitel: Etwas anderes als gute oder schlechte Qualitäten in Gestalt von solchen Feldern, Strahlen und Strömen existiert gar nicht! Qualitätslose Felder, Strahlen und Ströme sind lebensfremde und wirklichkeitsfremde Fiktionen! —

Eine Zwischenbemerkung: Der Kosmos wird unaufhörlich von einem milliardenfachen Leben durchpulst und von einem gewaltigen Odem durchatmet. Die Dynamik des Lebens ist sein wahres Wesen! Nicht die Statik des Todes! Was die neuere Physik uns langsam zu entschleiern beginnt. Das was unsere zwei „blöden Augen" im materiellen Kopf sehen, das Starre, Tote, das ist jammervoll wenig und extrem einseitig. Wir sehen nur das Äußerste und Unterste vom Kosmos, vielleicht ein Millionstel seines wahren Wesens und Lebens. — In der großen Täuschung sehen wir etwas überwiegend Statisches, obwohl der Kosmos durch und durch Dynamik ist, intensivste und gewaltigste Lebensdynamik — ([1]).

Aus dieser wahren, objektiven, wirklichkeitsgerechten und somit objektiv wissenschaftlichen Biologie und weiteren Naturwissenschaft von Paracelsus bzw. der Scientia perennis naturalis folgt weiter, daß das Haus durchlässig, nämlich „atmungsfähig" sein muß für den beständigen Lebenswechsel und Lebensaustausch zwischen Mikrokosmos und Makrokosmos, insbesondere zwischen Mensch und Umwelt. Das Haus darf die ständige „Influenz" der Lebensströme aus dem Kosmos zum Menschen hin nicht absperren. Denn dann würde das Lebensfeld des Hauses zu einem Totfeld. Sein Einheitsfeld würde zu einem Nullfeld, in dem nichts an Leben zu finden ist.

Auch darf das Haus die ständige „Konkordanz" (= Harmonie) der lebensqualifizierten „Influenzen" nicht stören, nicht in eine Diskordanz wandeln. Denn eine Disharmonie der Einstrahlung und Einströmung, eine Disharmonie der durchstrahlenden und durchströmenden Influenzen macht krank. Krankheit ist wesentlich Disharmonie. Und die Absperrung läßt das Lebewesen hungern bzw. verhungern, sodaß es lebensschwach und müde wird. Beides, Mangel und Fehler führt zu einem unwohlen Vegetieren im Haus und zur frühen Invalidität. Und es führt mit zu allen Krankheiten, welche eine Folge der Widerstandslosigkeit, der mangelnden Lebensqualität und der mangelnden Herrschaft über die eigenen Teileinheiten sind. Typisch hierfür ist der Krebs.

Rudolf Steiner erklärt: „Unsere Wände sind . . . nicht . . . abgeschlossen, sondern . . . wie durchlässig . . . ins Unendliche hinaus. Die Wände . . . sind so gebildet, daß sie sich gleichsam selber auslöschen, daß man mit der Natur und mit der ganzen Welt im Zusammenhang bleibt". (Aus „Die Aufgabe der Geisteswissenschaft und deren Bau in Dornach", den Holzbau betreffend. Vortrag vom 11.1.1916).

Jeder Körper ist eine relativ fixe Funktion der einen Urenergie, insbesondere ihrer verschiedenen Teilenergien. Jedes Organ ist die Gestalt der Organfunktion. Also muß das Organ, das wir Haus nennen, eine leibhaftige Gleichung zwischen dem Makrokosmos und dem Mikrokosmos Mensch sein sowie „mit der ganzen Welt" der Personen, Kulturen und Naturen, die um das Haus herum lebt. Also muß das Haus selbst ein Kosmos sein.

Der Philosoph Bollnow erklärt: „Jeder Hausbau ist die Gründung eines Kosmos . ." (1).

Heinrich Lützeler beginnt und endet sein Werk „Vom Sinn der Bauformen" mit den Worten: „Wer baut, will ordnen. Er schafft eine Ordnung von Räumen in Haus, Straße und Stadt und schafft darin eine Ordnung für Leben" (2).

Das Haus -eine Stadt ist ein größeres Haus- hat also die Uraufgabe, die Eigenwelt der Bewohner in die lebendige Umwelt zu integrieren. Das Haus als nächste Umwelt soll helfen, die Eigenwelt der Bewohner in die weitere Umwelt einzuordnen. Wie das?

Das Haus als Hüllenorganismus

Bei dem ersten Anblick zeigt sich das Haus als eine Hülle. Bei tieferer Einsicht zeigt es sich als ein Hüllenorganismus, als Hüllenkosmos. Denn wenn der menschliche Organismus ein Mikrokosmos ist, wie die Naturwissenschaft aller Kulturen lehrt, so ist logischerweise auch der Makrokosmos ein Organismus! — Das Haus in der Mitte zwischen beiden muß daher ebenfalls ein Organismus sein, wenn auch ein Hüllenorganismmus, eine Art sekundärer Organismus. Das Haus muß durch und durch organisch funktionieren, also durch und durch lebensqualitativ funktionieren.

Man muß die Lebensqualitäten des Kosmos, der „großen Welt" in ihren „Astra" studieren, wie Paracelsus oft und ausführlich erklärt, um den Makrokosmos als Organismus zu verstehen. Man muß also weit mehr gründlich wissenschaftlich studieren als der armselige, geist- und leblose, weil qualitätslose, wert„freie" Mechanizismus vom Kosmos lehrt, etwa in der endneuzeitlichen Astronomie oder Astrophysik, Astrochemie usf. Dasselbe gilt für die paracelsische Meteorologie im Verhältnis zur mechanizistischen Meteorologie, für die paracelsische, lebensqualifizierte Landwirtschaft im Unterschied zur mechanizistischen Landtechnik und ihrer Giftchemie, auch für die Optik, Elektrophysik, Atomphysik usf.

Wer die immerwährende wahre Naturwissenschaft studieren will, aus der alle Kulturen lebten, wirklich naturgemäß und menschenwürdig lebten, der hat es als heutiger Akademiker noch schwer. Die Paracelsisten weisen schon im 16. und 17. Jahrhundert darauf hin, daß durch das mechanische Denken, das in den Schulen aufkomme, das gesunde, qualifizierte organische Denken denaturiert wird. Wir sehen heute noch viel deutlicher, daß durch den Aberglauben, daß Wertfreies real existiere, eine gesamte Weltanschauung fiktioniert wird, mag sie auch nur aus einem unzusammenhängenden Chaos von einzelnen Daten bestehen. Daraus entspringt gemäß heute üblichen Bezeichnungen der „Fachidiot".

Die Wahrheit kann hart sein! Paracelsus hat bekanntlich stets sehr deutlich formuliert. Und diese Klarheit hat wesentlich seinen Weltruhm begründet. Ihm zu folgen verpflichtet zur selben Deutlichkeit. —

Wer angesichts der Wissenschaftskatastrophe und anderer gleicher Katastrophen den Kopf -weiter- in den Sand stecken will, der kann in Kürze darin ersticken.

Solche Zwischenbetrachtungen sind notwendig, um die doch psychosomatische Ganzheit (Psyche = Seele, Soma = Leib, Körper) des gesunden menschenwürdigen Lebens im Kosmos zu zeigen, um die Einheit allen Lebens immer wieder vor das Bewußtsein zu stellen. Die Wahrheit ist Einheit, ist Ganzheit! Die Unwahrheit zeigt sich an der pluralistischen Zerspaltung und Zersplitterung, wie in jeder endzeitlichen Wissenschaft, so auch in der endzeitlichen Politik und Wirtschaft. Nur weil schon sehr viele diese Situation sehen und zu überwinden trachten, kann und darf dies jetzt alles so deutlich ausgesprochen werden.

Die Biologie der Hülle
Die Biologie der Grenzfunktion

Wir stehen vor einem Kardinalproblem. Es hieß oben: Das Haus — also jeder Körper! — muß, da es als eine Hülle in der Mitte zwischen Lebewesen und Umwelt steht, durch und durch organisch funktionieren. Was ist daher die organische, die lebensqualitative Funktion der Hülle? Das ist im Buche der Natur im Lichte der Natur zu studieren, in der echten und also geistigen Naturwissenschaft. (Man kann dies auch rein geisteswissenschaftlich mathematologisch entwickelnd erkennen, also nur im Lichte des Geistes, sogar höchst gründlich).

Die natürliche lebendige Hülle des Menschen und jedes Lebewesens ist die Haut. Daher hat die Hülle, die man Kleidung nennt, die fundamentale Aufgabe, als zweite Haut zu fungieren. Die Kleidung ist die zweite Haut! —

Aus dieser sehr einfachen und deshalb fundamentalen und universalen Erkenntnis ergibt sich die gesamte biologische Kleidungslehre bzw. Textillehre und eine entsprechende gesunde, menschenwürdige und kultivierte Textilwirtschaft.

Für das Haus ergibt sich daraus:

Das Haus ist die dritte Haut

Das Haus hat die allgemeine Aufgabe, als dritte Haut zu amtieren, als Hautorganismus zu funktionieren.

Im Lichte der Natur, also bio-logisch gedacht fragen wir weiter: Was ist die lebensqualifizierte Grundordnung der Hautfunktion?

Die Hautfunktion und also die Haut ist eine Lebensqualität! Da jede Einheit des Lebens eine vielgliedrige, dreieinheitliche Ganzheit ist und zwar eine polare Ganzheit, zuerst ein Dipol, dann ein Tripol, so fragen wir nach den polaren Gliedfunktionen der Hautfunktion.

Eine Zwischenbemerkung: Die Haut ist das Grenzorgan des Leibes, eben das Hüllenorgan. Das Wesen der Hautfunktion ist also die Grenzfunktion. —

Der Leser möge beachten, daß die Materie allgemein aus nichts anderem als aus einer besonderen Grenzfunktion des Feldes samt seinen Strahlen und Strömen besteht. Die Biologie der Grenzfunktion umfaßt somit das Wesen des Hauses und der Materie zugleich, somit die gesamte Biologie der Raumzeitwelt! —

Durch einen Spiegel erkennen wir jetzt, sagt der Apostel Paulus. Doch später von Angesicht zu Angesicht (1. Cor. 13,12). Ist in dem Spiegel die Urordnung der Grenzfunktion enthalten? Ist der Acker, die Heilerde, der Humus ein Spiegel für Himmel und Erde? — So spricht Paracelsus von der Gebärmutter der großen und kleinen Welt, der „matrix major et minor mundi". Das zu erkennen zähle zu der Grundwissenschaft der „philosophischen Anatomie", also zur Urbiologie des Kosmos. —

„Von Angesicht zu Angesicht", heißt das nicht, durch alle Natur hindurch die Person und den personalen Sinn erkennen, die personale Lebensqualität? — (Vgl. Dante, Divina Comedia. Die Wandlung der Anschauung vom Falter zum Engel).

Die vierfache Ordnung der Hautfunktion

Was ist also die bio-logische Ordnung der Grenzfunktion, der Hautfunktion?

In dieser Welt ist die Grenzfunktion der Natur vielfach polar, nämlich einerseits als Wechselfunktion, d. h. als Passierfunktion zwischen zwei Welten wie Eigenwelt und Umwelt, andererseits als Sperrfunktion nach der einen oder anderen Richtung oder nach beiden Richtungen.

Über der Wechsel- und Sperrfunktion steht die Fühl- und Erkenntnisfunktion, die Unterscheidungsfunktion mit ihrer biologischen Wertung nach gut und schlecht und nach individuell passend und unpassend. Beides sind Gleichungsfunktionen.

Über der Fühl- und Erkenntnisfunktion steht die Steuerfunktion der Haut. Denn die Haut vermag mit ständigem integriertem Bezug auf die Ganzheit und also Gesundheit des Organismus wirksam auszuwählen und zu steuern, auch zu kontrollieren, was sie nach dieser oder jener Richtung passieren lassen will und passieren läßt — oder was sie wann, wo und wie nicht passieren läßt. — Das Tor und die Zollstelle sind Urbilder der Grenzfunktion zwischen zwei Reichen des Lebens.

Wenn wir die Wechsel- und Sperrfunktion nach der allgemeinsten Lebensqualität, dem Guten, und der allgemeinsten Unqualität, dem Schlechten begreifen, so begreifen wir die allgemeinste und wesentlichste Ordnung der Hautfunktion. Somit der Grenzfunktion. Somit der Hüllenfunktion. Somit der Materiefunktion. —

Die Leibeshaut einschließlich der Schleimhaut in Mund, Nase, Lunge, Magen, Darm usf. und einschließlich aller Sinnesorgane übt ständig eine zweifach polare, also vierfach grundgegliederte Grenzfunktion aus, nämlich: Erstens läßt sie gute Lebensqualitäten aus der Umwelt ein und gute aus der Eigenwelt in die Umwelt hinaus, dies ebenso geordnet. Zweitens bewahrt sie das gute Leben. Drittens wehrt sie das Schlechte (Giftige, Schädigende) ab, das von der Außenwelt einzudringen sucht. Viertens entgiftet sie das Schlechte der eigenen Innenwelt und scheidet es durch die Haut hindurch aus.

Diese vierfache Ordnung der lebensqualifizierten Funktion der Haut ist gründlichen Studiums wert. Hier wurzelt alles, was Lebensqualität und Haut bzw. Haus angeht. Hier gründet das physiologische System der Lebensqualität in der Raumzeitwelt. Suchen wir es genauer zu erfassen:

1. Das im Lebewesen als realisierte, materialisierte Grenzfunktion gewachsene Grenzorgan Haut hat die eingeborene ganzheitliche Urfähigkeit, erstens gute Lebensqualitäten aus der Umwelt aufzunehmen und zu assimilieren, nämlich überhaupt harmonischen Kontakt mit ihnen zu haben und sie in das eigene Wesen zu wandeln, also in das eigene Leben. Die gute Haut nimmt alle guten — nicht die schlechten! — Feldkräfte, Strahlungskräfte und Strömungskräfte auf und auch solche Kräfte in enger begrenzter, also mehr materialisierter Form. Die gute, also gesunde Haut nimmt diese gesunden Mächte, Kräfte und Gestalten durch die gesunden Sinnesorgane, durch die gesunde äußere Körperhaut am ganzen Körper und durch die gesunden Schleimhäute des Kopfes, der Brust und des Bauches auf und wandelt diese Lebensquali-

täten in das individuell qualifizierte eigene Leben. Zweitens entläßt sie gute Lebensqualitäten geordnet in die Umwelt.
Hier eine wesentliche Zwischenbemerkung: Die lebensqualifizierten Feld-, Strahlungs- und Strömungs- Mächte und -Kräfte werden von echten Biologen, von lebensnahen Menschen öfters auch Bildekräfte oder Gestaltkräfte, Lebenskräfte, Tonkräfte usf. genannt. Bildekraft beispielsweise besagt, daß eine Kraft ein Bild, also etwas Einheitliches, Ganzheitliches, etwas in seinen Potentialen (Potenzen) ordnungsgemäß Differenziertes bewirken kann, eine Gestalt formen kann. Eine disqualifizierte, darin tote, nur noch mechanisch wirkende Kraft kann das nicht. Sie wirkt aus sich bildlos, gestaltlos, formlos, leblos. Sie bewirkt also Formlosigkeit, Leblosigkeit, somit Tödlichkeit.
Für den mechanizistischen Denker ist der Begriff Bildekraft oder Lebenskraft unbegreiflich. Daher mußten diese Begriffe im 19. Jahrhundert aus der wert-„frei", also wertlos werdenden, somit lebensfremd und lebensfeindlich werdenden, vom Leben „befreiten" subjektivistischen und fiktionalistischen Wissenschaft ausgeschieden werden. Für den lebendigen Menschen jedoch, für den objektiv wissenschaftlichen Menschen ist Lebenskraft wie Bildekraft ein Grundbegriff wie Lebensqualität. Beide Begriffe sind untrennbar! Die Dynamik der objektiven Lebensqualitäten besteht in Lebenskräften! Wer daher von Lebensqualitäten spricht und nicht zugleich von Lebenskräften bzw. Bildekräften, der beweist selbst, daß er noch einen unentwickelten und weithin fiktiven, subjektivistischen, illusionären und lebensfremden Begriff von Lebensqualität hat. Er wird erfahrungsgemäß Unqualitäten als Lebensqualitäten bezeichnen und die eigentlichen Lebensqualitäten noch kaum oder gar nicht erkennen.
Wieder zum Hauptthema, zur ersten der vier Grundfunktionen der gesunden und somit eigentlichen Haut. Denn die kranke Haut funktioniert als Unhaut, hautwidrig. Sie funktioniert in allen vier Urfunktionen entgegengesetzt. Das Urwesen der Haut ist etwas Gesundes. Der Himmel, der Kosmos und jedes Ding hat seine Haut, wie nicht erst Hildegard von Bingen oder Jakob Böhme lehrt ([1]). Selbst Steine bilden ihre Patina. Sie als Haut zu begreifen heißt die Patina wesentlich zu begreifen. Disqualifiziertes Material dagegen bildet eine Unhaut. Das ist etwas Schmutziges, der Schmutz selbst. Das hat Alwin Seifert vom Beton deutlich erklärt ([2]). Und weiß das nicht jeder vom „Grauschleier" der Kunststoffe! —
Die qualitative Wandlungsarbeit der Haut bei Menschen und Tieren, bei Pflanzen und Kristallen, bei Atomen und kleineren Einheiten, diese qualitative Wandlungsarbeit ist fundamental für das Leben und also die Existenz der realen Einheit. Denn durch diese Wandlungsarbeit und mit ihr existiert die reale Einheit überhaupt, nämlich als Mit-Glied der Alleinheit allen Seins. In dieser Wandlung ist das Leben der realen Einheit konzentriert, ihre Wahrheit, ihr Wesen, ihr Weg des Lebens! — Wandern heißt, einen Weg des Lebens gehen! —

Die von einem Lebewesen gewandelte Lebensqualität, typisch die eingewandelte Qualität, hat ein anderes Wesen erhalten, eine andere Grundqualität, nämlich die des assimilierenden Lebewesens. Das heißt, die Grundstruktur der Lebensqualität, ihrer Felder, Strahlen und Ströme und ihrer materiellen Gestaltung wird anders, qualitativ anders. Die eingewandelte Lebensqualität bzw. Substanz erhält durch die Wandlung das Wesen des einwandelnden Lebewesens. (Das ebenfalls eine Lebensqualität, also eine Substanz ist). Die eingewandelte Lebensqualität erhält also das allgemeine Wesen des Kristalles, der Pflanze, des Tieres oder des Menschen und insbesondere des jeweiligen individuellen Lebewesens. Auf dem Wege des kosmischen Lebens wird nach Paracelsus das vorher Elementische dann kristallinisch bzw. mineralisch oder vegetabilisch oder animalisch oder menschlich.
Die heutigen kriminalistischen und anderen Diagnoseverfahren nähern sich immer mehr dem Ziel, die individuelle und also im Kosmos einmalige qualitative Beschaffenheit eines Lebewesens an irgend einem Teil von ihm wie einem Haar oder Schweißtropfen oder Blutstropfen usf. mit Sicherheit festzustellen.
2. In der zweiten Grundfunktion der Haut werden die neu eingewandelten Lebensqualitäten des Lebewesens von der Haut bewahrt. Die Haut bewahrt an der Grenze des Lebensbereiches die Wärme, das Blut, die Lymphe, das Fleisch und alles Eigene des Lebewesens. Die Bewahrung läßt sich an der Bewahrung der Feld-, Strahlungs- und Strömungsstrukturen, an der Wahrung der inneren und äußeren Formen des Lebens erkennen.
3. In der dritten Grundfunktion der Haut werden degenerierte, entartete, also disqualifizierte, zu Gift gewordene Lebensqualitäten von dem Hautorgan abgewehrt, wenn sie von außen kommen. Die Haut des Bergkristalles wehrt bei dessen Wachstum das Unreine ab, um rein zu bleiben für das Licht und in dem wahren Licht, das überall allezeit leuchtet. So auch wehrt die Basthaut der Leinpflanze und die Wollhaut des Schafes das Unreine, Giftige ab, ebenso die Haut des gesunden Menschen, zuerst des gutwilligen, gut denkenden und gut fühlenden Menschen.
Die Abwehr umfaßt die Bildung von Abwehrbildekräften, von Spezialfeldern, Spezialstrahlen und Spezialströmen mit Spezialgrenzen. Diese Abwehrpotenzen können auch eigene materielle Form annehmen wie im Bienenstock die Kampfbienen und im Ameisenstaat die Kampfameisen oder im menschlichen Staat die Kriegerkaste. Im animalischen Bereich treten sie als Kampf- und „Freßzellen" unter den weißen Blutkörperchen auf, als Blutpolizei, auch als Bakterien, Viren, Antitoxine usf.
Die eigentliche Abwehrarbeit wird jedoch stets in den Lebensfeldern, Lebensstrahlen und Lebensströmen, mit ihnen und durch sie geleistet, daher nicht nur in dem inneren, sondern auch schon in einem äußeren Feld-, Strahlungs- und Strömungsbereich des Körpers. Dieser äußere Eigenbereich bzw. Lebensbereich kann als sogenannte Aura über einen Meter über die materielle Haut

hinaus reichen. Auch Alpha- und Betastrahlen bewegen sich in diesem Bereich. Schon in ihm wird abgewehrt oder auch als erste Grundfunktion assimiliert. Das kennt fast jeder Mensch als Gefühl der Unsympathie oder Sympathie, als Gefühl des Abstoßens oder des Anziehens gegenüber einem anderen Menschen oder irgend einem Gegenstand, der in sein Lebensfeld eintritt, ohne daß er berührt wird. Daraus ergeben sich umfangreiche, später eingehend zu erörternde Konsequenzen für die Kleidung, für den Bettplatz, jeden Daueraufenthaltsplatz und also für das gesamte Feld eines Zimmers und des ganzen Hauses.

In der mehr materiellen und chemischen Sicht wissen wir heute, daß zumindest bei Infektionskrankheiten die Abwehrkräfte und ihre Abwehrstoffe in der Unterhaut gebildet werden. Sie werden besonders gut, kräftig und zahlreich gebildet, wenn die Haut hautgerecht gepflegt wird, belüftet und besonnt. Dazu rechnet auch ein lebensqualifiziertes Kleidungs- und Bettklima, weiter das gesunde Hausklima und das noch weitere Umweltklima. Deshalb spricht man von einem Heilklima.

Prießnitz und Kneipp haben den Ärzten wieder gezeigt, wie gewaltig groß die Heilmächte und Heilkräfte der Haut sind, wenn man sie mit Wasser und Luft, mit Wärme und Kühle, mit Dampf und Licht, mit Leinen und Wolle lebensgerecht bearbeitet. (Aber die innere Haut muß polar gleich gesund behandelt werden, vom gesunden Essen angefangen!) Die materiell Forschenden haben dann die Heilgestalten und Heilkräfte auch in den speziellen Stoffen wie den Antitoxinen gefunden und am Titer gemessen. Doch in der Heilkunde kommt es weit mehr auf die Kenntnis der Heilmächte und Heilkräfte an, der heilenden Lebens- und Bildekräfte. Denn diese und keine anderen sind es, die sich jeweils die benötigten Heilstoffe bilden, soweit man ihre Bildearbeit nicht allzu sehr durch störende Felder, Strahlen und Ströme behindert wie in einem ungesunden Haus, in einem ungesunden Bett, gar in einer technokratischen „Intensiv"station, durch Giftmedizinen usf. Wenn man die Heilmächte und Heilkräfte, die Befreiungs-Mächte und -Kräfte nicht arbeiten läßt wie durch Anwendung von Giften bei der gewaltsamen Herabsetzung eines Heilfiebers, dann bilden sich auch keine Heilstoffe. Und der Kranke benötigt Monate zur Rekonvaleszenz anstatt Tage. —

Der Materialist sieht nur Heilstoffe und weiß nicht, woher sie kommen, was sie eigentlich sind, wie sie arbeiten und wohin. Nichts Wesentliches weiß er von ihnen. Denn sie kommen aus Lebensqualitäten und arbeiten lebensqualifiziert, also im Lebensfeld zwischen gut und schlecht. Wer von gut und schlecht und also von der Lebensqualität nichts weiß, der weiß im Grunde gar nichts von Gesundheit, Krankheit und Heilung. —

Lernen wir besonders hier in der dritten Grundfunktion von der Hautwand für die Hauswand. Denn die positive Abwehr, die Entgiftung ist eine Hauptfunktion bei der Veredelung des Hausklimas wie des Körperklimas, also bei der Gesundung, Gesunderhaltung und Verbesserung unseres Lebens, bei der

Qualifizierung und also Kultivierung unseres Lebens. Gesundheit ist Glück. Ungesundheit ist Unglück.
In einer Abwandlung eines Wortes von Schopenhauer „Gesundheit ist nicht alles. Aber ohne Gesundheit ist alles nichts“ soll Göderitz, ein Städtebauer unserer Zeit formuliert haben „Gesundes Bauen ist nicht alles. Aber ohne gesundes Bauen ist alles nichts“. Man kann sagen, daß das gesunde Bauen einerseits negativ in der Giftfreiheit gegründet ist, also in der Vermeidung von Giften und in der Entgiftung, andererseits positiv in der Fülle an Lebensqualitäten, die das gesunde Haus zu bieten hat.
4. Viertens rechnet zur Entgiftung auch die körperinnere Entgiftung durch Überwindung (Neutralisierung), Lösung und Ausscheidung der Stoffwechselgifte, richtiger der Lebenswechselgifte. Denn durch die Nahrung und anderweitig, durch Schleimhaut und Oberhaut kommen Gifte in den Körper, da die Abwehrkräfte eines raumzeitlichen Organismus mehr oder weniger ungenügend sind, mangelhaft und fehlerhaft wie alles in dieser Welt. Außerdem werden von den teilweise mangelhaft und fehlerhaft arbeitenden eigenen Organfunktionen auch Gifte selbst gebildet, Homotoxine. Sie sind alle ausscheidungspflichtig, wie der medizinische Ausdruck lautet. Das Schlechte und Böse, das Gift jeder Art ist prinzipiell ausscheidungspflichtig aus dem Lebensfeld, aus dem guten Feld, aus dem guten Haus! Aus der ganzen guten und wahren Heilkunde ist es ausscheidungspflichtig, aus jedem Haus! —
Das Schlechte fällt durch sich selbst aus dem Reich des Guten aus, also heraus; und es wird zugleich heraus getrieben in die Peripherie wie als Satz oder Schaum. Denn alles Gute hat eine Selbstreinigungskraft. Das Gift materialisiert sich bei der Ausscheidung großenteils zu Tartarus. Und dieser verhält sich stets exzentrisch. Das Gute dagegen bleibt zentrisch in der Mitte, auf dem goldenen Mittelweg und also in Lösung.
Der Leser kann an diesen Beispielen die Urbiologie oder Biologia universalis mit ihrer Physiologia universalis lernen. Sie ist eins mit der Physika und Chemika universalis. Und alles ist eins in der Mathesis universalis (Leibniz) und Logika universalis der Scientia perennis. Diese wahre Grundlagenwissenschaft betont ständig die Einheit des Seins und der Gesetze hinter allen „Gewändern“ (Descartes, C. F. von Weizsäcker) in Gestalt der Teilwissenschaften, auch der Staaten, Schulen und Kirchen, der Wirtschaften und aller Kulturen und Naturen. —
Das Amt der Haut ist also höchst lebenswichtig. Nicht nur Kneipp und Prießnitz wußten das, sondern jeder zu Sonne, Licht, Luft und Wasser (auch als lichter Schnee) strebende Mensch fühlt das instinktiv. Die biologische Heilkunst beachtet die Urfunktion der Haut ebenso instinktiv und auch bewußt wie die biologische Küchenkunst, Landbaukunst und Hausbaukunst. Sie alle sind nahe verwandt und hinter ihren Gewändern identisch als Lebenskunst, insbesondere als Hüllenkunst.

Die Entwicklung der Hautfunktiönsqualitäten

In der Entwicklung der Lebewesen mußte seit Urzeiten vom Einzeller her der Organismus an der Grenze des eigenen Lebensbereiches, an der Grenze seiner Hausmauer bzw. Hautmauer mit der Abwehrfähigkeit zugleich die Reparaturfähigkeit ausbilden. Sie zeigt sich besonders in der Entgiftungsfähigkeit. Alle Hautmaterialien im mineralischen, vegetabilischen und animalischen Bereich haben daher diese für das qualifizierte Leben so wichtige Urfähigkeit. Deshalb kann und muß man das Hautorgan das große Heilorgan des Organismus nennen.

Wer also ein heiles und heilwirksames Haus haben will, das seine Gesundheit mächtig unterstützt und im Krankheitsfalle seine Wiedergesundung mächtig fördert, der baut es aus Hautmaterialien, aus möglichst hoch qualifizierten Hautmaterialien der drei Naturreiche!

Das moderne Haus

Das normale Haus wurde bis zum 19. Jahrhundert zu nahezu 100 % aus solchen Materialien gebaut. Am Ende der Neuzeit jedoch wurde das Selbstmordbauprogramm „entwickelt" und fortschrittlich praktiziert. Die Hautmaterialien wurden, soweit sie überhaupt noch verwandt wurden, disqualifiziert, in ihren Lebenqualitäten ruiniert. Und es wurden in steigendem Anteil Nichthautmaterialien verwandt. Beides zusammen nennt Schröder-Speck „Hartbaustoffe". Aus ihnen, aus Tiefengestein, Zement, Metall, Glas und hinzu aus Kunststoffen besteht das moder-ne Haus zu über 90 %! —

Die Atmungsfähigkeit

Die Urfunktion der lebendigen Hülle wird mit einem neuen, im Grunde uralten Wort „Atmungsfähigkeit" genannt. Was heißt atmen? In der Mystik und Theologie heißt es, daß aus dem Odem Gottes alles geworden sei! Der Inhalt oder Geist des Odems sei das Wort, der Logos. Die lebensgesetzlich aufeinander folgenden Teil-Schöpfungen seien ein Aus- und Einatmen Gottes, ein Emanieren und Immanieren. Darin ist manus, die Hand, enthalten, somit das freie Bewußtsein! Wie im Wort. —

Am „Ende der Neuzeit" (Guardini) treten wir in „Das Zeitalter des Lebendigen" (A. Seifert) ein, zugleich in die erste Menschheitskultur. Dann wollen wir alles urgründlich verstehen. Was also heißt in dieser Sicht Atmungsfähigkeit?

Unter Atmungsfähigkeit ist die gesamte lebensqualifizierte Grenzfunktion zu verstehen, die gesamte Hautfunktion! Sie hat also nicht nur mit der Luftatmung zu tun, sondern alle vier Urqualitäten und vier Elemente bzw. Aggregatzustände sind daran beteiligt. Beispielsweise scheidet die Außenhaut des menschlichen Körpers am Tag über einen halben Liter Flüssigkeit aus, die Innenhaut gleicherweise. Und was für ein totes, disqualifiziertes giftiges Wasser wird da üblicherweise ausgeschieden! Einige Tropfen Schweiß oder Atemluftkondensat von einem kranken oder böswilligen Menschen bringen eine Maus in wenigen Minuten um, wenn man ihr dieses Gift einspritzt. Und all diese Gifte, auch in Gasform, sollen unsere zweite und dritte Haut lebensgerecht verarbeiten. Sie sollen die erste Haut und also unsere Gesundheit unterstützen! Auf der anderen Seite, der positiven Seite stehen die vielen Lebensqualitäten, welche in Feld-, Strahlungs- und Strömungsformen aus dem Makrokosmos kommen und durch die Luft, durch die Atmos-Sphäre zum menschlichen Körper gelangen sollen, zu den Bewohnern des Hauses. Das alles zusammen zählt zur Atmungsfähigkeit! Wie umfangreich ist nun die Lebensarbeit der Atmung in der dritten Haut? Denn diese bewirkt hauptsächlich die natürliche Klimatisierung. Werden da nur fünf oder zehn Faktoren (Parameter) gleichzeitig geregelt?

Milliardenfach ist der Lebenshaushalt geordnet! Denn Milliarden qualifizierter (!) Informationen wirken durch die Chromosomen hindurch! Milliardenfach sind die Lebensfunktionen des Mikrokosmos gegliedert, gleich wie der Makrokosmos in Milliarden „Astra" (Paracelsus), also Lebensqualitäten gegliedert ist, mit unzählig verschiedenen lebensqualifizierten Feldern, Strahlungen und Strömungen. Sogar in jeder Sekunde laufen auf jedem Quadratzentimeter Haut Millionen verschiedener chemischer bzw. physikalischer und also biologischer, lebensqualifizierter Prozesse ab! 10^{40} (!) verschiedene „Ure", also verschiedene Urformen, Urstrukturen, Urinformationen trägt jedes Atomteilchen, sagt C. F. von Weizsäcker. Urinformationen sind Urqualitäten! Sie alle wirken verschieden, physikalisch, chemisch, biologisch verschieden! — ([1]). Jede reale Einheit ist anders qualifiziert, weil sie einen anderen Feldort im qualifizierten Sein hat, dies gleich wie sie durch ihren anderen Feldort in Raum und Zeit auch anders quantitativ beschaffen ist. Also geht von ihr ein qualitativ-quantitativ anderes Feld, eine andere Strahlung, eine andere Strömung aus. Und ihre Materie hat eine qualitativ-quantitativ andere Struktur. In einem südafrikanischen Bergwerk wurden 2 000 m unter der Erdoberfläche von einer einzigen Strahlenart noch 2 Millionen „Einschläge" auf einen Quadratzentimeter pro Sekunde gezählt! Über tausend verschiedene Strahlenarten sind der heutigen Physik schon bekannt. Wenn man qualitativ unterscheidet und alle Strahlenarten erkennen könnte, dann wären es viele Milliarden. (Hätte nicht jedes Ur seine eigene Strahlung?) Wer könnte die Differenzierung der Lebensfunktionen der Haut dann noch in Zahlen fassen!

Unbegreiflich vielfältig ist also die Haut- oder Atmungsfunktion, die Klimatisierungsfunktion auch der zweiten und dritten Haut in jedem Augenblick. Ein naivster Irrtum ist es daher, bei einigen wenigen, an den Fingern abzuzählenden Faktoren, gar nur mechanizistischer Art, von Hautfunktion,

Atmungsfähigkeit und Klimatisierung zu sprechen! Welche Lebensblindheit und welche Unkenntnis auch der Physik und Chemie gehört dazu! Und welcher mechanizistische Aberglaube?

Die Herkunft des Hautmaterials

Wenn wir nun eine lebensgemäße, naturgerechte, körpergerechte Hülle suchen, insbesondere eine hautgerechte, sei es als Material für die Kleidung oder das Haus, so benötigen wir eine Substanz, die fähig ist, in all den Milliarden und Abermilliarden Qualitätseinheiten, die in jeder Sekunde jeden Raum durchwirken, Gutes und Schlechtes, Lebendiges und Totes, Reines und Unreines, mit einem Wort Gesundes und Krankes zu unterscheiden und auswählend ganzheitlich zu behandeln in Sperrung und Passage, sei es nur in dieser oder nur in jener Richtung. Dies mit allen Wandlungs-, Entgiftungs-, Speicherungs- und Pufferungsarbeiten in Assimilation und Dissimilation. Denn Felder, Strahlen und Ströme sind es, die in mehr oder weniger räumlich konzentrierten Formen assimilieren und dissimilieren (einwandelnd einbauen und auswandelnd ausbauen)! Nichts anderes assimiliert und dissimiliert!

Wo nur kann Material mit diesen wunderbaren, unzählbar gegliederten, ehrfürchtig im Lichte der Natur zu studierenden Urfunktionen gefunden werden? Wähnt jemand, daß man solches Material für Kleidung und Haus künstlich machen, fabrizieren könnte! — Ungezählte Milliarden an Forschungsausgaben haben es nicht vermocht, auch nur die elendeste Zelle des armseligsten Grashalmes künstlich zu schaffen! Warum nicht? Weil man keine Qualität auf einem quantitativen bzw. mechanischen Wege schaffen kann. Für den Logiker ist das eine simple Urselbstverständlichkeit. Die Abergläubischen aber mühen sich ihr Leben lang vergeblich. Und sie geben Hunderte von Milliarden DM und Dollars für solche Sinnlosigkeiten und Unmöglichkeiten aus, auch heute noch und wohl noch einige Zeit weiterhin! —

So gelang es bisher nicht und wird in alle Ewigkeit nicht gelingen, auch nur eine einzige Zellhülle für eine lebensgerechte Kleidung oder das kleinste Teilchen für eine lebensgerechte Hauswand zu synthetisieren. —

Was ergibt sich daraus? Nur aus der lebensqualitativ gewachsenen Natur und nur auf natürlichem Wege kann Material gewonnen werden, das zu natürlichen Funktionen fähig ist wie etwa zu echten Nahrungsmitteln, zu belebenden Getränken, zu echten Heilmitteln und also auch zu einer naturgerechten, lebensqualifizierten Kleidung und zu einem solchen Haus. Daraus ergibt sich die Urerkenntnis: Nur was die lebendige Natur als Haut geschaffen hat, das kann lebensgemäß als Haut fungieren. Und das muß auch naturgesetzlich diese Fähigkeiten und Eigenschaften haben. Es bleibt ihm keine andere Wahl und Möglichkeit denn als Haut zu fungieren!

Daraus ergibt sich das Axiom:

Nur Hautmaterial erfüllt Hautfunktionen

Über diese Urerkenntnis der bio-logischen Textillehre und der bio-logischen Baulehre könnte man meditieren, ehe man weiter geht. —
Hier ist ein Urbeispiel, wie man lebensqualifiziert denkt, lebensgesetzlich! Ein Urbeispiel, wie man im „Buche der Natur" lesen kann und soll.
Wenn wir das Hautmaterial für die naturgerechten und kultivierten Hüllen in der Natur zu suchen haben, so fragen wir im Lichte der Natur in echter naturwissenschaftlicher Geisteswissenschaft, in echter Bio-Logik weiter, wo im Buche der Natur das Hautmaterial zu suchen ist?
Nach der Jahrtausende alten Makro-Mikrokosmos-Lehre der Kulturen ist der Ort eines gesuchten natürlichen Materiales naturgesetzlich geordnet und gemäß der kosmischen Morphologie und Signaturenlehre zu finden. Die großen echten Naturforscher, die echten Wissenschaftler und erfolgreichen Praktiker der Lebensqualitäten wie Paracelsus geben viele Anleitungen dazu. In unserer Zeit hat Rudolf Steiner viele Anleitungen dazu gegeben wie in der biologisch-dynamischen Landwirtschaft.
Nun ist wohl nichts einfacher als Haut zu finden. Sie ist an der Grenze der Lebewesen zu suchen, eben im Hautbereich. Denn nur dort kann von der lebendigen Natur Haut geboren, lebensqualifiziert geschaffen werden, an allen anderen Stellen nicht. Nur an der Grenze der realen Einheit wächst Haut. Und dort wächst sie naturgesetzlich immer. Also bildet jede reale Einheit in der mineralischen, pflanzlichen und tierischen Welt an ihrer Grenze eine Haut. Erkennen wir dies folgend in allen drei Urbereichen der Natur.

Die mineralische Haut

Mineralien bestehen aus Kristallen. Kristalle sind Lebewesen. Auch Kristalle leben, aber eben auf kristallinische Art, nicht auf die Art der Pflanzen, Tiere oder Menschen. Sie leben ähnlich den Viren. Auch diese kristallisieren; aber sie leben zweifellos. Alle Kristalle werden geboren, wachsen in stetiger Selbstbestimmung (!) ihrer Gestalt, ernähren sich selbst (!), können erkranken und wieder gesunden, altern, werden schwach und sterben, zu Staub zerfallend. Dies stets als selbsteinheitlicher Prozeß! Als ganzheitlicher Prozeß!
Bei den Metallen, die ebenfalls aus Kristallen bestehen, wenn auch aus halbgestarren „flüssigen" Kristallen, werden diese biologischen Begriffe der Gesundheit, Krankheit, Alterung usf. seit jeher und besonders heute angewandt, nicht nur in der Metallurgie. Metallkrankheiten wie die Zinnpest sind nicht wenige bekannt. Vom Wachsen der Kristalle, von Ermüdung und Alterung sprechen alle Metallfachleute. Sollten sie nicht wissen, was sie da reden? Eine Ausblendung des Wesentlichen sogar aus der eigenen Sprache? — Das wäre schlimm. Der lebendige Mensch, der seine Sprache selber versteht, weiß jedenfalls, was er redet. —

Wer also lebendige Augen hat, wer im Lichte der Natur bzw. des Geistes sehen kann, wer das Leben sehen kann, der sieht auch das Leben der Kristalle. Wer jedoch mit Mechanikeraugen sieht, der sieht immer nur Mechanik, überall, auch bei dem Menschen, wie etwa als Informationstechnik. Für ihn ist auch der Mensch im Grunde nur eine Maschine, wie Lamettrie gesagt hat und wie es der mechanizistische Materialismus praktiziert. Auch die gesamte Technokratie, bei Corbusier etwa in der „Wohnmaschine". Den Wohnorganismus erkennen lautet die Aufgabe! —

Lebensqualitäten mit ihren Lebensfunktionen muß man erst sehen lernen, wie der Maler Farben sehen lernen muß und der Musiker Töne hören muß, Tonqualitäten wie die Farbqualitäten. Wenn das „Auge des Geistes" blind wird, von dem Aristoteles und Platon so betont sprechen, auch Paracelsus, dann wird der Mensch blind für Sinnqualitäten und gleich für Lebensqualitäten naturaler Art, eben für das Leben. Dann „sieht" er überall nur noch Mechanik. —

Jeder Kristall hat seine Haut. Wenn ein Kristall-Lebewesen sein Wesen wandelt, in der Mineralogie Paramorphose genannt, in der Botanik und Zoologie Metamorphose genannt, dann bleibt bei dem Kristall wie bei den Pflanzen und Tieren die äußere Haut stehen. Unter ihr löst sich der alte Kristall auf und bildet eine neue Form, auch in einer neuen Kristallordnung. Er kann hierbei die alte Haut durchstoßen, etwa wenn ein neuer pyramidenförmiger Kristall die alte Würfelform nach oben durchbricht und sich von der Erde zum Himmel wendet. —

Wenn die Para-Metamorphose beendet ist, wird die alte Haut abgestoßen. Sie zerfällt wie eine abgestreifte Schlangenhaut und wie eine Kokon. — In größeren Mineraliensammlungen kann man solche Paramorphosen noch mit der alten leeren Haut sehen.

Aus Kristallen besteht die ganze mineralische Erde! —

Was ist das elementisch-mineralische Haut-Urmaterial der Mutter Erde? Nach Goethe und allen Kulturen ist die ganze Erde der Leib eines Lebewesens, eines Organismus. Also hat die Erde eine Haut. Woraus besteht sie?

Der Geologe und Mineraloge spricht von der Erdrinde, wie man von der Rinde der Pflanzen spricht. Das ist beachtenswert! Denn auch Rinde ist ein rein biologischer Begriff, ein organischer, kein mechanischer Begriff! —

Die oberste Erdrinde besteht aus Lehm-Ton. Erstaulicherweise heißt es in der Mythologie oder Theologie mehrerer Hochreligionen, daß der irdische Urmensch aus -„rotem"- Ton gebildet worden sei. Dann sei ihm der Odem Gottes eingehaucht worden. Solche Tradition ist u. a. im Christentum, im Judentum, im Islam, sogar im Buddhismus und im hinduistisch-vedischen Religionskreis zu finden. — Es ist sicherlich nicht der grobe Ton gemeint, sondern seine Quintessenz, seine Lebenqualität, seine Wesensform. Doch was mag das besagen? —

Die lehmig-tonige Erde, die „gute Erde" Chinas wird in der Volksheilkunde seit jeher als Heilerde gerühmt und erfolgreich gebraucht, wie in unserer Zeit beispielsweise in den Felkekuren. Denn sie hat vorzügliche Entgiftungseigenschaften. Sie wird auf der äußeren Haut in Form von Umschlägen und Bädern und auf der inneren Haut durch Einnehmen gebraucht, in beiden Fällen zuerst zur Entgiftung.

Diese Entgiftungsfähigkeit behält die Heilerde auch in gebrannter Form, wie als Ziegel. Sogar verbessert ist dann die Entgiftungsfähigkeit! —

Im weiteren Bereich wird von den Mineralogen die ganze Sialschicht (Si = Silizium; Al = Aluminium) als Erdrinde bezeichnet. Denn sie besteht hauptsächlich aus Silizium- und Aluminium-Verbindungen. Die Heilerde besteht praktisch ausschließlich aus wäßrigen Silizium-Aluminium-Verbindungen. Sie ist vielleicht der Archetypus der Erdrinde. —

Ob daher der Erdenmensch sein Haus nicht aus der guten Erde, aus der Heilerde bauen sollte? Aus dem Baumaterial Adams? — Sapienti sat! —

Die pflanzliche Haut

Die Pflanze wächst im Hautbereich der Mutter Erde, also in und auf der Erdrinde. Pflanzen, von den Gräsern bis zu den Bäumen wachsen wie Haare auf der Erdhaut, wie ein Fell. Sie haben also in dieser Relation schon insgesamt allgemein eine Hautfunktion. Dies wird biologisch bestätigt dadurch, daß die Pflanzen aus einer Hautschicht, dem Kambium gebildet werden, insbesondere aus dem Bast. Der Bast ist die Haut der Pflanze. Aus ihm wird alles Holz gebildet. Goethe, der große Botaniker, sah die Urpflanze im Blatt. Das Blatt ist ein reines und typisches Hautorgan. Es besteht ausschließlich aus Haut.

Somit ergibt sich, daß die Pflanze im Allgemeinen ein Hautlebewesen ist und daß der Bast, aus dem Bastfasern wie urtypisch das Leinen gewonnen werden, auch noch im Besonderen Hautfunktionen erfüllt. Tatsächlich haben Kneipp und Prießnitz mit Leinenwickeln sensationelle Heilerfolge erzielt. Kneipp rühmt in seinem Grundwerk „So sollt ihr leben“, wer Leinenunterwäsche trage, der würde sich nicht erkälten und auch allgemein weitgehend von Infektionskrankheiten verschont bleiben! — Wird das Heilorgan Haut durch das reine, höchst lebensqualifizierte Leinen ständig entsprechend qualifiziert? —

Leinsamen ist ein vorzügliches Mittel zur Pflege der inneren Haut, der Darmhaut, und zugleich der äußeren Haut. Aus Leinöl werden die besten Hautpflegemittel des Holzes gewonnen, nämlich als Anstrich von der Imprägnierung bis zum Lack. —

Viele Bastfasern und andere Holzfasern wie Kokosfasern und sonstige Palmfasern, Sisalfasern usf. haben vorzügliche Hautfunktionseigenschaften und werden daher mit biologischen Vorteilen für das Hausklima und die Gesundheit der Bewohner in der Wand verwandt, etwa zur Wärmedämmung, zur Schalldämmung und dergleichen.

Als Baumaterial ist das Holz das universelle, höchst qualifiziert atmungsfähige Hautwandmaterial. Holz macht frisch.

Die animalische Haut

Auch die Tiere leben im Hautbereich der Mutter Erde und haben daher allgemein Hautfunktionseigenschaften. Im Besonderen hat die tierische Haut die Hautfunktionseigenschaften ausgebildet, gleich wie die pflanzliche Haut, jedoch nochmals um eine Stufe intensiver, als noch vitaler. Aus der tierischen Haut werden Leder, Felle, Pelze, Wolle und auch Seide gewonnen. Die Seidenraupe spinnt den Kokonfaden aus Hautdrüsen. Der Kokon hat Kleidungs- und Hausfunktion zugleich. Wolle und Seide können die vier Urfunktionen der Haut vorzüglich, kräftig und höchst vital ausüben.

Als Wolle bezeichnet man im Grunde jedes tierische Haar, urtypisch das Haar des Schafes. Aber auch Bergziegen wie Kaschmirziegen, Lama, auch Schafkamel oder Kamelschaf genannt, insbesondere das Guanako und Vicuna, dann das Kamel selbst, das Angorakaninchen, das Wildkaninchen, das die besten Huthaare liefert, das Pferd, welches das Roßhaar liefert, schließlich Kuhhaare und andere Haare zählen im Grunde zu dem weiten Bereich der Wolle und Wollieferanten. Einzelne Wollen entfalten erhebliche Entgiftungs-, Schutz- und Heilwirkungen, dies nicht nur, wenn sie der Mensch trägt, sondern auch als Mitglieder der Hauswände, wie etwa als Bespannung, als Wandteppich usf.

Die biologische Textillehre
Die Biologie der zweiten Haut

Da wir stets die Ganzheit des menschlichen Lebens in unserem Blickfeld behalten wollen, so wollen wir aus der biologischen Grundlehre von der Hautfunktion nicht nur die Konsequenzen für die dritte Haut, die Hauswand ziehen, sondern zunächst für die zweite Haut, die Kleidung. Dies auch deshalb, weil die drei Häute oder Wände eng biologisch zusammenarbeiten müssen, um die ständige Lebensgleichung mit allen Lebenswechseln zwischen mikrokosmischer Eigenwelt und makrokosmischer Umwelt leisten zu können.

Aus der biologischen Hautlehre ergibt sich für die zweite Haut, die Kleidung, daß das hautgerechte kultivierte Kleidungsmaterial im Hautbereich der Tiere und Pflanzen zu suchen ist. Tatsächlich besteht die zweite Haut, die Kleidung in ausnahmslos allen Hochkulturen aus den edlen Hautfasern, nämlich aus Leinen, Wolle und Seide, dann aus Leder, Fellen bzw. Pelzen, sowie aus Nessel und anderen Bastfasern. Jeweils gegen das Ende einer Kultur kommen weniger edle Fasern auf wie der Baumwolle, die im Gegensatz zum Leinen eine Giftpflanze ist. Aber man kann sie biologisch entgiften.

Die Kulturwissenschaft bestätigt also die vom apriorischen, streng biologi-

schen Grunde her gewonnene, somit streng deduktiv und daher rein wissenschaftlich, nämlich geisteswissenschaftlich gewonnene Kleidungs- und Haustheorie. Nach den Anforderungen Kants ist ausschließlich die strenge geistige Deduktion die rein wissenschaftliche Entwicklung einer Logie.
Die nach streng logischen Kriterien und nach der Heisenbergschen Unbestimmtheitsrelation niemals exakte Erfahrungswissenschaft bestätigt die biologische Hüllentheorie oder Hauttheorie.
Nach der oben entwickelten biologisch-dynamischen bzw. biologisch-organischen Theorie müssen die lebensqualifizierten Hautfasern die höchste Entgiftungsfähigkeit haben. Das kann man experimentell erfahrungswissenschaftlich leicht nach-prüfen (Also nach der Theorie!), indem man beispielsweise in Colikulturen Hautfasern oder Nichthautfasern gibt und dann Gifte wie Blausäure- oder Quecksilberverbindungen hinzu gibt. Während die von Hautfasern „freien" Kulturen längst abgestorben sind, leben die Coli in den entgiftenden hauthaltigen Kulturen munter weiter. Ja man kann die Vergiftung noch unglaubhaft erhöhen, bis die Coli endlich absterben. — Hoch aktive gesunde Hautfasern wie reine Schurwollfasern haben eine unglaubhaft große Entgiftungsfähigkeit! Gleich so fördern sie unsere Gesundheit! — Diese vom Verfasser erstmalig angegebene Versuchsanordnung hat exakt und vollständig die rein wissenschaftlich, nämlich rein biologisch-theoretisch vorausgesagten Ergebnisse bestätigt. Solche fundamentalen erfahrungswissenschaftlichen Bestätigungen der reinen Lebenswissenschaft wiegen sehr schwer. Ihre Konsequenzen sind für die gesamte Textillehre und Baulehre gültig, für die gesamte Kleidung und das gesamte Haus, — für unsere erste, zweite, dritte (und vierte) Haut.
Die genannte Versuchsanordnung ist auch für Bau- und Einrichtungsmaterialien gültig und brauchbar. Denn man benötigt exakte, jederzeit nachvollziehbare Prüfmethoden für die realen Lebensqualitäten, insbesondere für die Hautlebensqualitäten und also Hauslebensqualitäten von allen Bau-, Einrichtungs- und Pflege-Materialien. Die gesamte Klimatologie und insbesondere die wissenschaftliche Lehre und wirtschaftliche Praxis der Klimatisierung gründet ebenfalls in der Hauttheorie und ihren qualifizierten Untersuchungsmethoden. Qualitäts„freie" Untersuchungen sind wert„frei", also wertlos für das Leben! —
Dies mag für die Übersicht und erste allgemeine Einsicht in die Materiallehre der Baubiologie genügen. Näheres im Kapitel über die Baumaterialien.

Zusammenfassung

Zusammengefaßt haben wir bio-logisch und also geistes-naturwissenschaftlich und zugleich in Kultur und Natur erfahrungswissenschaftlich erkannt, daß unsere dritte Haut wie unsere zweite Haut naturgesetzlich, lebensgesetzlich nur aus Hautmaterialien gestaltet werden kann und darf. Denn sie hat

milliardenfach lebensqualifizierte Hautfunktionen zu verrichten.
Das Haus soll biologisch-dynamisch bzw. biologisch-organisch gebaut werden. Also soll die dritte Haut aus mineralischem, vegetabilischem und animalischem Hautmaterial gebaut werden, dies in lebensgesetzlicher, also biologischer Schichtung und Ineinanderverarbeitung von außen nach innen.
Die pflanzliche Haut wie Bastfaser und Holz kann als pflanzliche Heilerde bezeichnet werden. Die Haut des Tieres kann als animalische Heilerde bezeichnet werden. Die Pflanze lebt aus der mineralischen Heilerde, das Tier aus der Pflanze. Daher wird das gesunde Haus naturgesetzlich, also lebensgesetzlich aus den drei Heilerden gebaut! —
Je vitaler ein Mensch sein Haus bauen will, desto mehr geht er zu Holz und Leder etc. über. Die meist gebauten Häuser der Weltgeschichte sind wohl die Lederzelte der Nomaden gewesen. Jedoch hat ein solches Haus auch einen starken animalischen bzw. tierischen Charakter. Mit steigender Kultur strebt der Mensch zum Holzhaus — die Arche Noah war aus Holz — und dann zum Steinhaus. Der Stein hat etwas Kühles, dafür um so mehr Geistiges. Die Hochkulturen wohnen im Steinhaus, das mit sehr viel Holz gebaut ist. Im Aufgang einer Kultur — wie heute! — wird das höchst lebendige und vitale Holzhaus aus vielen Gründen geschätzt. Auch die griechische Kulturperiode begann mit dem Holzhaus. — Und Josef war ein Zimmermann. Ihm diente Jesus Christus tatkräftig am Holz mitarbeitend dreißig Jahre. —

Die Hausform

Doch wäre bei dem Haus nur das Material wesentlich? Wäre die Form in biologischer Hinsicht unwesentlich? Der Kulturmensch achtet doch bei dem Haus zuerst auf die Form. Das Material erscheint ihm sekundär. Und der Zivilisationsmensch beachtet das Material oft überhaupt nicht. Wie viele Menschen wissen garnicht, aus welchem Material ihr Haus besteht! Wäre also die Form nur aesthetisch wesentlich und das Material nur bio-logisch wesentlich? —
Das anzunehmen wäre ein gewaltiger Irrtum! Schon mechanisch-physikalisch gesehen wirkt alles auf alles. Formen wie Hebel, Räder, Spulen und Linsen beherrschen die ganze Physik! Was anderes als die Form würde wirken? —
Wenn wir weiterhin wesentlich betrachten, dann erkennen wir, daß die realen Einheiten im Grunde aus wesenhaften Formen bestehen, aus Sinnformen, aus Qualitätsformen, aus Ordnungsformen des einen Lebens, der einen Urenergie. Das eigentlich Wesentliche an allen Dingen ist also die Form, die Strukturform oder Struktur, zuerst die qualitative, geistige Struktur oder Form. In der Philosophie spricht man hier von Wesensformen. Daher läßt Platon den Pythagoreer Timäos erklären, daß der ganze Kosmos aus — zuerst harmonischen — Dreiecken bestände. Hier sind platonische, richtiger pythagoreische Wesensformen gemeint, Zahlenlogon-Ideen.

Die Wesensformen existieren als Einheiten zuerst personal, in naturaler Sicht entelechial, wie Aristoteles erklärt, und differenziert in physikalischer Sicht erstens als Feld, zweitens als Strahlung, drittens als Strömung und dies alles drei in begrenzter, in raumzeitlicher Form viertens als Materie.

Wir hätten also bei streng logischer, mathematischer und physikalischer Entwicklung, also bei streng wissenschaftlicher Entwicklung der Hausordnung (Körperordnung, Einheitsordnung, Organismusordnung), insbesondere der Hausphysiologie und Hausanatomie (Paracelsus spricht oft von der philosophischen Anatomie) nicht bei der Materie, sondern bei den Formen beginnen sollen, bei den Urstrukturen des Seins, bei den Sinnstrukturen. Dann wären wir gemäß der Scientia perennis rein reduktiv, rein logisch, mathematisch und physikalisch vorgegangen, ohne uns auf das sehr unsichere, unexakte, nur bedingt wissenschaftliche Gebiet der Sinneserfahrungen zu begeben. Aber auf dem Entwicklungsweg des Verstehens kann und soll man auch Kreise gehen, nicht nur Radien! —

Wenden wir uns den Formen zu.

Es existieren harmonische und disharmonische Formen, somit gute und böseschlechte Formen, freie und unfreie. Es existieren personale, kulturale und naturale Formen. Es existieren Wesensformen, nämlich Qualitätsformen, und raumzeitliche Formen, nämlich äußere Formen. Es existieren Bewußtseinsformen und naturale Formen. Es existieren Feldformen, Strahlungsformen und Strömungsformen sowie dies alles drei in zeiträumlich begrenzter Gestalt als Materieform.

Formen wirken! Nichts anderes wirkt! Das ungeformte Feld wirkt nicht. Wie könnte es auch wirken! — Zudem ist es ein Unding. Denn das Existierende (Ek-sistierende) ist das Differenzierte. Und differenziert ist es durch Formen. Das Ungeformte ist nicht differenziert. Es ist ungeschieden in der übereinen Urheit und daher auch nicht zu unterscheiden. (Die übereine Urheit nennt Dionys Areopagita die Urgottheit. Die Inder nennen sie Parabrahman. Bei ihr beginnen alle großen Seher wie Jakob Böhme. Denn sie allein liegt vor allem Anfang). Fragen wir nach der Ordnung aller Formen. Der Kosmos der harmonischen Formen wird in der hohen mittelalterlichen Architektur zuerst mit dem Fundamentalbegriff „ad triangulum“ zusammengefaßt. Das heißt, das sind Formen, die sämtlich im Grunde in einer dreieinheitlichen, somit alleinheitlichen Urharmonie bestehen. Denn jede reale Einheit ist allgemein dreieinheitlich, ist also eine Gemeinschaft, ein Organismus. Von der Urharmonie der Dreieinheitsordnung hat Pythagoras die gesamte personale und naturale Lebensordnung mathematologisch abgeleitet bzw. entwickelt. Platon und Aristoteles versuchen noch, diese Urordnung zu beschreiben ([1]).

Die das Leben disqualifizierenden, somit krank machenden, disharmonischen Formen werden in der „Erzkunst aller Künste“ d. i. in der Architektur unter dem Leitwort „ad quadratum“ zusammengefaßt. Italienische und deut-

sche Architekten sollen sich bei der Erbauung des Mailänder Doms zuvor zwölf Jahre lang gestritten haben, da die Italiener „ad triangulum" bauen wollten, die Deutschen jedoch „ad quadratum". Doch wollten die Deutschen im Grunde über das Quadrat hinaus. Sie wollten zur Kreisung des Quadrates, zur Triangulierung des Quadrates. Denn nach dem wahren Sinn des pythagoreischen Lehrsatzes kann die Disharmonie des Quadratkreuzes geheilt werden aus der Urharmonie der Dreieinheitsform, wenn man von ihr über die Vierform den Weg zur Fünfform geht. Deshalb ist in Lehrbüchern der Architektur teils heute noch zu lesen, daß ein Raum in dem Maßverhältnis 3 (Höhe), 4 (Breite) und 5 (Länge) urharmonisch ist und daher sehr harmonierend wirkt.

Aus der Dreieinheitsordnung, geometrisch auch als Urordnung von Punkt, Radius und Kreis, werden alle harmonischen Formen entwickelt, typisch beispielsweise die Urharmonie des goldenen Schnittes. Aus der Quadratunordnung werden alle unharmonischen und also unharmonisch wirkenden, das Leben disqualifizierenden Formen entwickelt. —

Die Erfahrung bestätigt die uralten Lehren. Legt man einen Gegenstand zentral in eine harmonische Pyramidenform aus Holz, Keramik, Glas, Pappe usf., so werden dessen Lebensqualitäten durch die Dreieinheitsform der Pyramide bewahrt und sogar verbessert. Legt man dagegen irgend einen kristallinischen, metallischen, pflanzlichen oder tierischen Gegenstand in eine Kubusform, so werden dessen Lebensqualitäten disqualifiziert. In einer Würfelform verdirbt eine Traube bald, schimmelt und stinkt, während die gleiche Traube in einer Pyramidenform lange frisch erhalten bleibt ([1]*).*

Also hat ein gesundes Haus einen Giebel, nämlich „ad triangulum" gebaut, in einem harmonischen Dreieck. Diese Harmonieform qualifiziert das Hausleben in allen darunter liegenden Räumen, verbessert deren Klima, auch wenn diese Räume teilweise viereckig sind. Der Giebel beherrscht sie biologisch-dynamisch. Auch das Fenster — diese leuchtende Wand, diese lichte Haut — die Tür, der Schrank, alle Sitz- und Liegemöbel sollen in einem harmonischen Formen-System gestaltet sein.

Im alten Griechenland hat man werdende Mütter nur mit harmonischen Formen und solchen Tönen umgeben. Noch heute wissen die Kulturmenschen, daß man Kinder mit edlen, harmonischen Formen und Farben, auch Materialien umgeben soll. Der Einfluß der Kinderstube beherrscht das ganze Leben. Wie wäre das zu erklären? Nun, jeder Elektriker weiß, was eine Spulenform wirkt. Und jeder Optiker weiß, was eine Linse etwa als Brille wirkt. Was könnte er weiter erklären? Bloß erfahrungswissenschaftlich weiß er im Grunde nicht mehr als die Tatsache, daß Formen wirken. Erst die Theorie, wie oben dargelegt, bringt den Sinn und also die echte Erklärung.

Jeder Leser weiß, daß Formen wirken wie die der Buchstaben. Das Warum dieser Wirkung führt genau betrachtet tief in die Urmathematik und Urphysik und würde hier viel zu weit führen. Es mag genügen, daß wenige Buch-

staben gewaltige Wirkungen haben können und daß Spulenformen und Linsenformen wirken. Die ganze Elektrotechnik hängt an der Spule. Auch Modeformen wirken. Kunstformen wirken in der Gebärde, in der Malerei, in der Struktur, in der Skulptur, also in der Architektur. Über das Wie der Wirkung sollte man nicht vorschnelle billige Behauptungen aufstellen, die das eigentliche Problem mehr verdrängen und verdecken als erhellen. Das Problem ist urgewaltig. Die größten Geister der Weltgeschichte haben ihm höchste Aufmerksamkeit und jahrelange Studien gewidmet.

Der Kulturmensch ist ein Mensch der Formen, der geordneten Formen, der harmonischen Formen. Sie wirken einerseits über das Bewußtsein, andererseits auch ohne das subjektive Bewußtsein, wie die Trauben, die Spule und die Linse zeigen. Und die jahrelange, ja lebenslange Wirkung einer so großen Form wie der des Daches und des ganzen Hauses ist sehr groß. —

Formen wirken im Raum durch Punkte, Radien, und Kurven, insbesondere durch Winkel. Als harmonische Winkel gelten seit Urzeiten in allen Kulturen die Dreiteilungswinkel des Kreises, also 120, 60 und 30 Grad. Als disharmonische Winkel gelten seit jeher die Vierteilungswinkel, also 90 und 45 Grad, auch 180 Grad. Der Fünfteilungswinkel, 72 Grad, gilt als harmonisch, jedoch mit einem kritischen Untergrund, eben aus der Vierunordnung her, die er zu überwinden hat.

Die gleichmäßig schwingende Kurve ist harmonisch.

Ein Winkel wirkt noch stark bis zu 3 % Abweichung, gerechnet auf den Winkel. Bei über 3 % fällt die Wirkung plötzlich steil ab. Ein sehr exakter Winkel wirkt jedoch erheblich stärker als im Orbis von 3 %. Weshalb wurden die ägyptischen Pyramiden auf Bogenminuten und auch Bogensekunden genau gebaut? —

Die echte Kunst lehrt seit jeher die harmonischen Formen von den disharmonischen unterscheiden. So sind noch viele gute und schlechte Winkel und andere Maße bekannt. Sie sind anderwärts zu studieren. Hier soll nur die Aufmerksamkeit darauf gelenkt werden, daß Formen auch große biologische Wirkungen haben, nicht nur physikalisch-technische oder nur künstlerische oder personale wie rechtliche oder nur wirtschaftliche Wirkungen. Weshalb auch sollten sie diese nicht haben? Das wäre deutlich wider die Einheit der Natur und wider das Naturgesetz!

Wer also gesund leben will, insbesondere gesund wohnen will, der wohnt in einem Haus mit einem harmonischen Giebel. Er wohnt in keinem würfelförmigen Kasten.—

Alle „Influenzen", die durch den Kosmos ziehen und also das Haus durchfluten, werden entweder durch harmonische Formen des Hauses verbessert, lebensqualifiziert, oder durch disharmonische Formen disqualifiziert, also verschlechtert in Richtung auf Krankheit und Tod.

Beispielsweise hat man seit Urzeiten versucht, auch Fenster und Türen mit einem harmonischen Dach zu krönen und also von der Quadratform zu er-

lösen. Man hat die Fenster und Türen romanisch oder gotisch nach oben gewandt und geöffnet für alles, was von oben kommt. Oder man hat, wie in der anthroposophischen Architektur, die Vierung oben harmonierend abgeschnitten und in die Fünf- und Sechsform verwandelt. Die Geschichte der Kunst beweist, von den ältesten indischen und chinesischen Stupas und Pagoden angefangen, daß viele Möglichkeiten bestehen, mit harmonischen Bauformen und Einrichtungsformen harmonierend und also lebens-qualifizierend auf die Lebens-, Ton- und Bildekräfte des Hausfeldes einzuwirken. H. Sedlmayr hat in seiner Anschauungslehre versucht, auf die geistigen Sinnformen und also ersten Wirkformen in aller Kunst aufmerksam zu machen. Und er hat den Zusammenbruch all dieser belebenden Wesensformen in der endzeitlichen Kunst beispielhaft deutlich gemacht ([1]). Im „brutalen" Bauen der Selbstmordgesellschaft ist alles Wesentliche von den Lebensqualitäten der Harmonien und den Unqualitäten der Disharmonien mißachtet und vergessen worden. Unsere Aufgabe zu Beginn der Weltkultur ist, auch hier das alte Wissen wieder zu erwerben. Doch soll es heute noch weit gründlicher und systematischer als je zuvor verstanden werden. —

Das kranke Haus

Was ist das allgemeine (Un)Wesen des kranken Hauses?
Soweit ein Haus nicht mit Lebensqualitäten gebaut, eingerichtet und lebensqualifiziert bewohnt wird, nicht mit lebensqualifizierten Formen und nicht mit lebensqualifizierten Materien, wird es ein krankes Haus. Kranke Häuser machen ihre Bewohner krank. Das ist logisch, insbesondere bio-logisch. Und das ist eine uralte Erfahrungstatsache der Menschheit.
Wie oben von Paracelsus her erklärt wurde, besteht Krankheit in einer Disqualifizierung der Felder, Strahlen und Ströme und ihrer Begrenzungsformen, d. h. ihrer Materien. Insbesondere besteht Krankheit in einer Störung des Gleichgewichtes zwischen den Lebensqualitäten und ihren Unqualitäten.
Alle Funktionen des Hauses (des Hausorganismus!) können erkranken. Soweit Form und Material krank sind, ist auch nur eine kranke Atmung möglich. Auch die Wärmefunktion wie in der Heizung kann erkranken, die Elektrofunktionen können vielfältig krankhaft sein, die Sanitärfunktionen, die Lichtfunktionen bei Tag und bei künstlichem Licht, alle Funktionen des Hauses können disqualifiziert sein, disharmonisch, lebenswidrig, insbesondere hauswidrig. Und ob sie das sind oder nicht, das kann nur der Arzt im Verein mit dem echten Biologen feststellen. Und der Bewohner kann es an seiner eigenen Erkrankung feststellen, wenn sie nur in einem bestimmten Haus erfolgt und das regelmäßig, wenn er in diesem Haus wohnt.
Die Diagnose der Hauskrankheit ist also leicht zu stellen. Denn sie ist an ein Haus, genauer an ein Hausfeld gebunden. Streng wissenschaftlich hat

man daher von Feldkrankheiten zu sprechen. Da alle Krankheiten Feldkrankheiten sind, so sind Hauskrankheiten Hausfeldkrankheiten.

Die Hauskrankheit ist feldgebunden (Standort und Feld)

Man kann das Hausfeld auch mit Standort bezeichnen. Aber dieser Name besagt viel zu wenig und ist auch leicht mißverständlich. Wenn nämlich wie üblich der räumliche Ort verstanden wird, ist die Bezeichnung wissenschaftlich unzulänglich bzw. falsch. Denn der räumliche Ort macht nicht krank, sondern das Feld, das an ihm herrscht. Dieses Feld kann am selben Ort auch wechseln, beispielsweise entstört werden. Dann gesundet das Hausfeld und sein Bewohner. Aber der Standort bleibt. Die Krankheit ist also nicht räumlich standortgebunden, sondern sie ist feldgebunden; mit dem Feld ist sie auch an Strahlung und Strömung gebunden. All das kann am selben Standort in sein Gegenteil gewandelt werden. Man kann am selben Ort ein tödliches Wüstenklima in ein paradiesisches Lebensklima wandeln.

Vielerlei verschiedene Hauskrankheiten existieren. Doch haben sie einige Gemeinsamkeiten, die in der Feld-, Strahlungs- und Strömungswirkung begründet sind. Alle Krankheiten, die aus den weiten, den nicht materialisierten Feldern kommen, scheinen weithin zu wirken und also allgemein alle vier Ursysteme des menschlichen Organismus zu treffen. Das heißt, sie schädigen sowohl das Nerven-Sinnessystem als auch das Herz-Kreislaufsystem, das Stoffwechselsystem und das Absonderungssystem mit dem Urogenitalsystem. Aus dieser Allgemeinwirkung kristallisieren sich dann noch die Sonderwirkungen heraus. (Vgl. das Kapitel „Die Hauskrankheiten").

Zusammengefaßt sind Haus und Bewohner gleichsinnig krank. Wie das Haus so der Bewohner. Dieser Satz gilt ebenso wie der Satz: Wie der Bewohner so das Haus. Man vergleiche zur zweiten Haut die Sätze: Kleider machen Leute. Wie du kommst gegangen, so wirst du empfangen. Wie das Äußere so das Innere. Wie das Herz so die Hand.

In einem gesunden Leib wohnt ein gesunder Geist. (Mens sana in corpore sano). Das ist ein uralter Satz. Daraus folgt: Ein kranker Geist baut sich einen kranken Leib, also ein krankes Haus.

Das Ende der Neuzeit ist so krank, daß das Aktionsprogramm dieser Zeit weithin als Selbstmordprogramm anerkannt wird, dies in der Familie, in Staat, Schule und Kirche gleichermaßen, besonders in der Wirtschaft, in der Kultur und in der Natur. Und das wird auch schon von vielen ausgesprochen. In dem totkranken Haus der Menschheit ist eine fundamentale, eine radikale (d.h. wurzelhafte, gründliche) Reform erforderlich. Diese Grunderkenntnis wird schon so stürmisch und subjektiv in viele revolutionäre Aktionen umgesetzt, daß die Menschheit auch noch von der Seite der revolutionären Reformer in Lebensgefahr gerät. Dies, weil viele Reformer in derselben mechanizistisch-materialistischen Ebene bleiben, sodaß sie das Übel nur anders verteilen oder anders kombinieren, und nicht sich zum Reich der Qualitäten erheben, zum Reich des Lebens, zu seiner Freiheits- und Gutheitsordnung. Denn nur aus dieser Ordnung kann das kranke Haus der Menschheit geheilt werden, das personale rechtliche, gesellschaftliche und wirtschaftliche Haus und gleich so — nicht anders! — das Haus aus vier Wänden.

Die Heilung des kranken Hauses

Die Heilung des kranken Hauses, d. h. allgemein des Körpers, des Organismus, der Materie, der Erde, — d. h. die Bebauung der „leeren Wüste" besteht in der Requalifizierung der disqualifizierten Felder, Strahlen und Ströme und zugleich auch ihrer begrenzten Gestalten, ihrer Materien. — Soweit — als Endziel! — die vollkommene Ordnung der Lebensqualitäten und also die absolute Gesundheit des Hauses noch nicht hergestellt werden kann, ist die relative Ordnung und also relative Gesundheit anzustreben. Sie besteht in der Wiederherstellung des Gleichgewichtes zwischen den Lebensqualitäten der Felder, Strahlen und Ströme und deren Unqualitäten, also der Feldgifte, Strahlungsgifte und Strömungsgifte. (Andere Gifte, andere Disharmonien bzw. Unqualitäten können garnicht existieren). Dieses Gleichgewicht besteht nur dann, wenn die guten Feld-, Strahlungs- und Stromqualitäten die Führung haben. Denn aus ihnen kommt das Gleichungsprinzip. Diese ist ein gutes Prinzip, eine Ordnungsform. Die Disharmonie besteht in Ungleichheiten.

Die Wiederherstellung der Gesundheit des Hauses — hier zunächst universell als irdischer Körper verstanden — besteht allermeist einerseits in der Überwindung bzw. Neutralisierung, Lösung und Ausscheidung der zu vielen Unqualitäten, soweit sie nicht in Lebensqualitäten rückgewandelt werden können, andererseits in der Kräftigung der zu schwachen Lebensqualitäten des Hauses bzw. Organismus, insbesondere durch Ernährung mit gleichen Lebensqualitäten, die aus der lebendigen Umwelt gewonnen werden, aus dem Makrokosmos. Paracelsus sagt, daß die Nahrungsmittel Heilmittel sein sollen. Das gilt auch umgekehrt: Die echten Heilmittel sind Nahrungsmittel für die geschwächten Lebensqualitäten des Körpers.

Dies ist die Hauptform der Heilung eines kranken Hauses bzw. Körpers. Denn die allermeisten Krankheiten bestehen in einem zu viel an Gift und einem zu wenig an Gut. Dies zu viel an Unqualitäten und zu wenig an Lebensqualitäten ist auch bei allen anderen Krankheiten beteiligt; denn dies ist ein Wurzelübel der Raumzeitwelt. Nur bei den bloßen Mangelkrankheiten steht das zu wenig an Lebensqualitäten einseitig im Vordergrund.

Das Gesagte gilt für alle Krankheiten aller Körper, aller Organismen, also keineswegs nur für die Hauskrankheiten im engeren Sinne. Die Medicina perennis gilt in ihren Prinzipien, Gesetzen und Typen einheitlich für den ganzen Kosmos, also identisch für jeden Mikrokosmos, somit für alle Ele-

mente, Kristalle, Pflanzen, Tiere, Menschen, für jedes Möbel und Zimmer, für jedes Haus, für jede Stadt, jedes Land, für jede Gesellschaft und jede Wirtschaft usf. So hat Paracelsus gelehrt. Und so wurde die wahre Heilkunde in jeder Hochkultur gelehrt, auch wenn dies bisher nicht vor jedermann ausgesprochen wurde.

Der Arzt heilt in jeder Kultur mit dem „Gut". Nur in der Agonie einer Kultur wird diametral entgegengesetzt mit dem Gift mediziniert. So auch im Hausbau und Hausleben, etwa wenn Gifte wie Fluor oder Chlor in das Trinkwasser eingegeben werden oder wenn in der technokratischen Klimatisierung die letzten Lebensqualitäten ruiniert werden und zentnerweise Gifte wie in Gestalt nicht neutraler Kunststoffe eingebaut werden.

Näheres dazu in den einzelnen Kapiteln. Hier sollen nur die allgemeinsten Grundlagen der wahren, allezeit und überall gültigen, objektiv wissenschaftlichen Hausbiologie, Hauspathologie und Haustherapie (Hausheilkunde, Wohnungsmedizin) übersichtlich dargelegt werden und in ihrer Einheit mit der medicina perennis gezeigt werden. Auch soll die objektive Haus- und Körper-Gesundheitskunde und -Heilkunde abgegrenzt werden von aller qualitätsfreien und also lebens„freien", lebensfremden und lebenswidrigen Scheinwissenschaft subjektivistischer und mechanizistisch-materialistischer Art.

Objektiv geheilt wird also ein krankes Haus prinzipiell nicht anders wie ein Mensch, ein Tier oder eine Pflanze objektiv geheilt wird. Aus dieser Gleichung folgt ebenso: Soweit ein krankes Haus geheilt wird, wird auch der hauskranke Bewohner geheilt.

II

DIE PRAXIS

Eine Übersicht

Nach den allgemeinen Grundlagen, nach der „philosophischen Anatomie" (Paracelsus) und Physiologie bzw. Biologie des Hauses folgt die Praxis. Diese beginnt mit dem Elementaren. Das wäre zunächst die Gesundheitslehre des Hauses. Um jedoch den Umfang des Buches zu verringern, wird bis auf das vorletzte Kapitel, welches das ideal gesunde Haus beschreiben soll, ständig Gesundheit, Krankheit und Heilung zusammen behandelt.

Da die Materie in der materiellen Welt eine so große Rolle spielt, beginnt die Darstellung nach einer allgemeinen Übersicht über die elementare Ordnung mit dem Baumaterial, mit Farbe, Anstrich und Klima. Dann geht die Darstellung mehr zu den typischen Hauskrankheiten über, die in der Unqualität selbst liegen, in den Fehlfunktionen der vier Unqualitäten und der vier Elemente usf.

Nach dieser mehr allgemeinen Pathologie des Hauses folgt die besondere Pathologie in Gestalt der Geopathie, der Elektrokrankheiten, der Chemiekrankheiten, der Betonkrankheit und der Haushaltskrankheiten.

Aus alledem wird dann die Nutzanwendung gezogen mit einer Übersicht über das ideal gesunde Haus im Ganzen und in all seinen Teilen.

In einem weiteren Hauptkapitel folgen Konsequenzen aus der gesamten heutigen Situation und mehrere Hinweise zum besten Verhalten bei einem Hausbau und einer Wohnungssuche.

Das besonders beachtenswerte Schlußkapitel behandelt das Einmaleins der richtigen Menschenrechte und Menschenpflichten im Allgemeinen und besonders in unserer nächsten Umwelt.

DIE URORDNUNG DER NATUR ZUM EINMALEINS DER LEBENSQUALITÄTEN

Alle echte Bildung, alle wahre Kultur, alles objektive Wissen beginnt mit der Kenntnis der Ordnung der Lebensqualitäten und ihrer Disqualifizierungen, also mit dem Wissen und Glauben von Gut und Böse-Schlecht. Im Reiche der Person und gleich so im Reiche der Natur ist diese Kenntnis zu erwerben. Lebensqualitäten kennen und wollen, das heißt mündig sein.

Erkennen kann man durch Glauben und Wissen. Durch Denken, Wollen und Fühlen kann man erkennen, zusammen durch Handeln.

Nach der Lehre der Urlogiker, der Urmathematiker und Urphysiker wie Pythagoras ist die Ordnung der Lebensqualitäten mathematisch erfaßbar, von der Eins angefangen.

Die erste aller Lebensqualitäten ist die Einheit der Qualität, die Gutheit, das Gute höchstselbst.
Die zweite Lebensqualität ist die Zweieinheit, erkennbar als Polarität von Plus und Minus an der Einheit des Magneten, auch als Yang und Yin, als Vater und Sohn usf.
Die dritte allgemeinste Lebensqualität ist die Dreieinheit. Paracelsus lehrt sie in chemischer Sicht als Sal, Sulfur und Mercur. Dem entspricht Salz, Säure und Base. Jedoch die Gutheit des Salzes, der Säure und Base ist hier gemeint, etwa das Salz des Salzes, welches das körperliche Salz salzig macht. Die Schlechtheit, die Disqualifizierung des Salzes zeigt sich als das tote, schale Salz. Es macht das Leben bzw. das Klima fundamental schal.
Doch ist, wie besonders der Paracelsus-Schüler Jakob Böhme lehrt, Sal, Sulfur und Mercur zuerst im höheren Sinne zu verstehen, so als Dreieinheit von Leben, Klang und Licht.
Aus den ersten drei Urqualitäten entsteht nach uralter Lehre der Hochkulturen alles. So etwa sagt Laotse im Tao Te King: „Der Sinn erzeugt die Eins. Die Eins erzeugt die Zwei. Die Zwei erzeugt die Drei. Die Drei erzeugt alle Dinge“ (1). So auch lehren Inder und Perser, Chaldäer und Ägypter. Von ihnen hat Pythagoras gelernt und es an Platon und Aristoteles weitergegeben und an das ganze Abendland. Heute soll es vielleicht die ganze Menschheit lernen, um ihre Einheit zu finden. —
Die Vierordnung der Lebensqualitäten wird in der immerwährenden Naturwissenschaft ausführlicher und besonders öffentlich behandelt. Einige Jahrhunderte vor Christus lehrte beispielsweise der pythagoreisch beeinflußte Empedokles, daß vier Urqualitäten alles irdische Leben bestimmen, nämlich warm, trocken, feucht und kühl.
Diesen vier Urlebensqualitäten stehen die vier schalen Degenerationsformen gegenüber, die Unqualitäten, die Gifte der Qualitäten. Das sind: Hitzig, dürr, naß und kalt. Man achte sorgfältig auf die Worte! Man erwäge sie in seinem Herzen. Denn nach alter Lehre wird lebensgerecht gedacht, was im Herzen gedacht wird. — Dann vergleiche man den Sinn dieser Worte mit den eigenen Erfahrungen. Denn nach Paracelsus kann man aus dem Buche der Natur, aus dem Buche des Lebens mehr lernen als aus tausend papierenen Büchern.
Alle guten und also echten Lebensqualitäten harmonieren miteinander und treten daher gemeinschaftlich auf. Eine lebendige Wollfaser ist warm, trokken, kühl und feucht zugleich, ebenso ein lebensgerecht gebrannter Ziegel aus gutem Ton und ein gutes Holz.
Die Unqualitäten dagegen sind prinzipiell und primär zu allem feindlich, zum Guten und zum Schlechten. Sekundär gesellen sie sich untereinander, ziehen also das Schlechte dem Guten vor. Denn gleich und gleich gesellt sich gern. Auch in negativer Hinsicht ist die Qualität erstrangig! —
Wo also Hitze ist, da ist weniger Nässe und Kälte, jedoch Dürre. Und dort

flieht die Wärme, die Trockne, die Feuchte und die Kühle. Jede Qualität wird von der Hitze vertrieben, wenn diese stärker ist.

Empedokles lehrt weiter, daß jeweils zwei Urqualitäten sich zu einem der vier Urelemente vereinigen. Diese nennen wir heutzutage mit einem totenblassen, geistfernen, sinn„freien", weil qualitätsfreien Begriff Aggregatzustände. Unter einem solchen „Element" der Alten ist eine qualifizierte und also qualifizierende Hauptfunktion der irdischen Natur zu verstehen. Sie bewirkt einen Hauptzustand, in dem die reale Einheit jeweils besondere Qualitäten entwickeln kann sowie auch durch den Wechsel vom einen in den anderen Hauptzustand wie vom flüssigen in den gasförmigen. — Von den vier Strömen des Paradieses spricht die Hl. Schrift, auch von anderen personalen Vierordnungen wie den vier lebenden Wesen. —

Nach dieser Urlehre ergeben „warm" und „trocken" das Element „Feuer" Wir sprechen in der Physik seit ca. 1927 von dem vierten Aggregatzustand, dem plasmatischen. Das ist eine Annäherung an das Element Feuer. — Warm und feucht ergibt das Element Luft, also die Gasförmigkeit. Feucht und kühl ergibt das Element Wasser, also den Grundzustand der Flüssigkeit. Kühl und trocken ergibt das Element Erde, also den Grundzustand der Starre.—

Von den nächst folgenden Grundordnungen lehrt Paracelsus besonders eindringlich die fünfte. So spricht er sehr oft von der Quinta essentia, der fünften Essenz, der fünften Urlebensqualität. In ihr ist das Gut der vier Elemente relativ rein vereinigt, fünfeinheitlich, in einem urdynamischen Zustand, der noch über dem feurig-plasmatischen liegt, eher als ätherisch oder allgemein elementalisch zu bezeichnen.

Sehr viel spricht Paracelsus weiter von der siebenfachen Urordnung der Natur, in welche die Dynamik des kosmischen Lebens konkret gegliedert sei. In der Natur der lebendigen Häuser, der Organismen zeige sie sich als Ordnung der sieben Organfunktionen, belebt von der fünffachen Essenz. Analoga, also konkrete Gleichordnungen seien die Siebenerordnungen der sieben Buntmetalle, der sieben Töne, der sieben Grundfarben, der sieben Grundplaneten im Makrokosmos wie Mikrokosmos (als „Astra") usf. Auch und zuerst die Zeit wird von der Siebenordnung beherrscht wie der sieben Schöpfungstage, analog den heutigen Wochentagen.

Noch weitere Urordnungen von Lebensqualitäten existieren, besonders in der Neuner-, Zehner- und Zwölferordnung. Sie sind alle mathematologisch erfaßbar in der „Mathesis universalis" (Leibniz), beispielsweise „more geometrico". Auch ihre wahre Entwicklung, ihre objektive erste Evolution ist streng urmathematisch zu verstehen, wie man von der Eins über die Zwei zur Drei „zählt", „rechnet", vom Ich über das Du zum Wir, vom Leben über den Klang zum Licht, von Brahma über Vishnu zu Shiva, vom Vater über den Sohn zum Geist usf. —

Dies möge hier als Einleitung genügen. Mancher Leser, der nur die moderne sinn„freie" qualitätslose Literatur kennt, wird fassungslos und konsterniert vor diesen Ausführungen stehen, — also vor der Behauptung, daß Lebensqualitäten wirklich existieren, nicht nur als subjektive Einbildung, und daß sie nicht chaotisch sinnlos, zerspalten existieren, sondern in der Einheit der Natur ganzheitlich geordnet! Doch ist das nicht viel logischer oder überhaupt logisch? Soll nicht auch der ganze Kosmos aus einem Urzentrum entstanden sein! Also nicht chaotisch, zufällig, pluralistisch, sondern aus der Einheit! Also muß die Einheit und die Ganzheit (= Alleinheit) sein Urgesetz sein! —

Alle großen Gelehrten der Hochkulturen, im Abendland etwa Pythagoras, Platon, Aristoteles, Albertus Magnus, Thomas von Aquin, Nikolaus von Cues, Paracelsus, Kepler, Leibniz usf. haben sich bemüht, die Einheit und also Ordnung des Kosmos zu erkennen und darin zu leben. Denn sie haben diese Ordnung nicht totenblaß, sondern als Ordnung des Lebens begriffen, somit der Lebensqualitäten oder wie bisher gesagt der Qualitäten. So spricht Paracelsus unaufhörlich von den „Tugenden" („Virtutes") der konkreten Einheiten, dies in der Natur wie in der Person. Ohne ihr Verständnis sei man total blind und dumm. Auch wenn man sonst ganze Berge (Müllberge?) von Informationen besitzt und unaufhörlich in ihnen herumwühlt wie ein Maulwurf, sagt Manfred Kyber in seinen Tiergeschichten.

Die Gelehrten der Kulturen haben also „Die Einheit der Natur" (C. F. von Weizsäcker) als Einheit der Qualität und als Ganzheit der Qualitäten begriffen, — nicht nur als „ideologischen Überbau", als subjektive Abstraktion, als „konstruierte Fiktion" (B. Russell). Sie haben die objektiven Realitäten in der „Qualenlehre" erforscht und erfolgreich in der lebensgerechten Behandlung der Natur praktiziert. Sie haben nicht Subjektivitäten konstruiert und mit ihnen nur Zerstörung produziert, von den Kampftheorien (wie ums Dasein) über die Bomben bis zu den gewalttätigen Mutationen und Revolutionen. —

Denn sicherlich existiert auch eine „Quantentheorie". C. F. von Weizsäcker nennt sie „in gewissem Sinne schon die einheitliche Physik" ([1]). „In gewissem Sinne", nämlich im Sinne der Sinnleere, im Sinne des Aspektes des Todes, der Zerspaltung, den leeren Zeit-Raum-Kategorien entsprechend. Im Chaos der Quanten die Einheit von alledem zu sehen, etwa als Generalnenner, das ist doch eine Leistung der einen Person, die sie aus ihrer platonischen Urerinnerung holt, aus ihrem Selbst. Denn die Quanten zeigen konkret das diametrale Gegenteil der Einheit! —

Die großen Gelehrten lieben die Mathematik! Die „Wissenschaft überhaupt". Jedoch als qualifizierte Mathematik. Wie sie in der Geometrie deutlicher wird. Auch heute strebt man wieder zu ihr, da man sich ihres höchst allgemeinen Ordnungswertes deutlicher bewußt wird. So ist „Die neue Mathematik", die modernerweise oft als Mengenlehre bezeichnet wird, objektiv weithin gar keine Mengen- bzw. Quantitätslehre, sondern Qualitätslehre, oft prächtige Ganzheits- und Analogielehre, — also Urmathematik!

Aber wer erkennt das schon? Weil die uralte wahre Mathematik in der „neuen Mathematik" noch so unklar gesehen wird, deshalb herrscht heute so viel Verwirrung.

Weil die unqualifizierte Mathematik und Physik zu einer immer größeren Zerspaltung und Verwirrung führt, deshalb suchen die großen Physiker wie C. F. von Weizsäcker wieder zu den Quellen der abendländischen Physik zurückzukehren. Sie wollen wieder Physis-Physiker werden, objektive und also qualifizierte Natur-Physiker. Dazu aber muß man die Welt der „konstruierten Fiktionen" übersteigen. Dazu muß also die Physik wieder wesentlich werden, — zuerst die Einheit erkennen, als Realität, und dann ihren Teil. —

Das alles wird von den großen Forschern unserer Zeit erspürt, insbesondere von den Geisteswissenschaftlern. Daher mühen sie sich, die Einheit selber oder näher zu erfassen, etwa in der einen Feldlehre und der Einheit des Kosmos, in der Einheit der Naturgesetze, in der einen Weltformel, in Begriff und Sache der Ganzheit usf. All das haben unsere Väter schon längst erkannt! Es ist daher viel mehr unser Verständnis zu erforschen und korrigierend wie erweiternd zu entwickeln als die äußere Natur. Unsere eigene innere Natur ist zuerst zu erforschen und der objektiven Welt und Weltwissenschaft der Kulturen anzugleichen! — Auch dies lehren uns die heutigen Physiker in ihren grundlagenwissenschaftlichen Darlegungen ([1]).

Das soll folgend geschehen.

Aber dem kann man entgegen halten: Haben die Alten nicht nur eine Summa entwickelt? Also noch keine Universitas, keine Ganzheit! So scheint es. In der bescheidenen Bezeichnung „Summa" wie bei Thomas ist jedoch die Ganzheit deutlich zu sehen. Folgend wird sie nur bei ihrem Namen genannt. Das ganze folgende Buch soll bis zum letzten Kapitel nur zusammenstellen, was der gesunde Menschenverstand ohnedies schon weiß, und in dieser Summa überall die urgesetzliche Ganzheit des Seins und Lebens zeigen, möglichst mit ihren Formeln.

Je mehr die verschiedensten Wissenschaftler heute erkennen, daß die Mengen bzw. Quanten nur „konstruierte Fiktionen" sind, desto mehr suchen sie, wie die Physiker-Philosophen, wieder die Urprobleme der Qualität zu erkennen, wie zwischen dem Ganzen und seinem Teil, zwischen der Einheit und der Gliedschaft, zwischen dem Selbstsein und dem Mitsein. Die „neue Mathematik" lehrt sie wie die uralte Mathematik! — Um diese Urerkenntnis hatten sich nämlich schon die alten Griechen jahrhundertelang mit höchstem Aufwand bemüht ([2]). Denn der lebensnahe Mensch hat in jeder Kultur erspürt, daß hier die zentralen Probleme unseres und alles Lebens liegen. Auch wir beginnen, uns ihnen wieder zuzuwenden, in der Politik und Wirtschaft etwa im Problem von Selbstbestimmung und Mitbestimmung, dies auch zwischen den Nationen, allgemein in und zwischen allen Gesellschaften, in und zwischen Staat, Schule und Kirche. Es kann kein anderer Weg von der Fiktion

zur Realität, vom Unwesentlichen zum Wesentlichen, von der Quantität wieder zur Qualität führen, von der Richtigkeit zur Wahrheit, vom Unfrieden zum Frieden.
Dieser Weg eint zudem Qualität und Quantität, Geist und Materie, also den Sinn mit Zeit und Raum. —

DAS BAUMATERIAL FÜR HAUS UND EINRICHTUNG

Folgend soll behandelt werden das mineralische, vegetabile und animalische Baumaterial.

Die mineralischen Baumaterialien

Da nur Hautmaterialien natürlicherweise und objektiv Hautfunktionen erfüllen können, so ist unter den Mineralien zuerst Haut, nämlich Erdrinde, und Nichthaut zu unterscheiden. Da weiter nur Gutes gut wirken kann, also lebensgerecht, so ist in den Hautmaterialien „Gut" und „Gift" zu unterscheiden.
Doch der Begriff der Erdrinde ist noch nicht biomineralogisch festgelegt, sondern wird z. Zt. aus einer eher quantenmineralogischen und statischmineralogischen Haltung heraus gebraucht. So unterscheidet man hier zuoberst die Schichtgesteine, auch Sedimentgesteine genannt. Unter ihnen liegen die Erstarrungsgesteine. Sie sind zweifellos auch sedimentären Ursprungs, jedoch vermutlich durch hohe Temperaturen und anderes atomar umgewandelt und umkristallisiert worden, sei es auch nur am Ort. Doch unterscheidet man von ihnen noch die eigentlichen zweiten Umwandlungsgesteine, insbesondere die Eruptivgesteine aus Vulkanen. Ihre Herkunft gilt schulwissenschaftlich teils noch als ungeklärt. Alles zusammen ergibt ungefähr 50 km Dicke. Diese noch feste Schicht bezeichnet man auch als Erdkruste, somit nicht mehr als Rinde, als Haut der Erde, obwohl sie nur den hundertsten Teil der Erddicke ausmacht.

Der Ton. Der Ziegel

Die oberste Erdhaut besteht aus Ton oder Ton-Lehm. (Vereinfacht ist Lehm gleich Ton plus Sand). Dieses Urmaterial wird allgemein von den Völkern der Erde als Heilerde gebraucht und als erstes Baumaterial. Dieses adamitische Baumaterial steht also am Anfang. Bis auf das Dach der Welt und nach Nepal findet man die einfachen und gesunden Bauten aus ungebranntem und gebranntem Ton-Lehm. Dort soll die Quelle der indoeuropäischen Kulturen liegen. Heilerde hat tatsächlich höchstwertige und universale Entgiftungseigenschaften und andere Hautfunktionseigenschaften. Die Weisen bauen daher ihr Haus aus Heilerde.

Die Heilerde, auch Tonerde genannt, wird von den Ärzten aller Kulturen gerühmt und zumindest unterstüzend bei praktisch allen Krankheiten erfolgreich angewandt, dies innerlich und äußerlich. In der abendländischen Kultur wird sie von Hippokrates, Galen, Dioskurides, Agricola und besonders von Paracelsus gepriesen und verordnet.
Was ist der Grund dieser überraschenden Wertschätzung der wohl demütigsten und weitest verbreiteten Materie? Das ist die höchst allgemeine Fähigkeit der Heilerde, Gifte zu binden und also den Menschen und seine Welt zu entgiften. Da jede Krankheit im Grunde in einem Gift besteht, wie Paracelsus eindringlich lehrt, so ist die universelle Verwendbarkeit der Heilerde verständlich.
Heilerde gehört zu dem Grundbestand einer guten Hausapotheke. Noch im ersten Weltkrieg mußte jeder russische Soldat ein Päckchen feinen weißen Tons mitführen, insbesondere weil sich dieser als universell wirksam bei den in Rußland vielfältigen und gefürchteten Darmerkrankungen wie der Cholera und dem Typhus erwiesen hatte.
Ein großes Buch würde nicht ausreichen, all die hervorragenden Lebensqualitäten der Heilerde, der „guten Erde" aufzuzählen und darzustellen. —
Wenn Heilerde selten wäre, so würde man für ein Haus aus ihr mit Gold und Edelsteinen bezahlen. So aber wird sie in reichem Maße gespendet. Die Unwissenden seien nicht würdig, mit den Schuhen über die Heilerde zu laufen, sagt Paracelsus. —
Welchen Schatz wir also in der Heilerde für unser Haus haben, das können nur wenige ermessen. Nehmen wir also die Lehre der großen Ärzte an und beachten wir zugleich, daß die ungebrannte und durch rechtes Brennen veredelte Heilerde das Baumaterial der Hochkulturen ist. —
Sehr gute Heilerde hat meist eine helle gelbliche und auch rötliche Farbe. Die „gute Erde" kann in getrockneter Form auch ungebrannt verwandt werden. Für Häuser bis zu sechs Stockwerken soll in Nordafrika wie in Mauretanien ungebrannter Ton verwandt worden sein. Und diese Häuser sollen teilweise schon über ein Jahrhundert stehen und ständig bewohnt werden! Doch die gute, lebensgesetzliche Brennung bei ca. 950 Grad verbessert die rohe Heilerde erheblich. Denn das Schlechte reagiert auf Feuer empfindlicher als das Gute. Weshalb man auch den Krebs mit Überwärmungsbädern behandelt. Bei der guten Brennung werden seit Urzeiten bis zur Gegenwart Rohr, Stroh, Sägemehl und andere pflanzliche Materialien zugesetzt. Das macht den Ziegel lufthaltig, was zur Wärmedämmung beiträgt. Doch mindestens ebenso lebenswichtig, wenn nicht weit wichtiger scheint die vegetabilisierende Wirkung zu sein. Sie qualifiziert die Atmungsfähigkeit. Das Brennen mit Kunststoffen, um eine Porosität zu erzielen, verschlechtert die Lebensqualitäten des Brenngutes.
Auch der hart gebrannte Ziegel, wie zur Frostbeständigkeit und als Vor-

mauerziegel, ist noch gut atmungsfähig, jedoch geringer im Ausmaß. Der außenseitig glasierte Klinker dagegen ist nur noch inseitig reflektiv atmungsfähig, nicht mehr für Luft durchatmungsfähig. Jedoch kann er noch mit fast allen qualifizierten Feldern, Strahlen und Strömen lebensqualifiziert arbeiten. Aber die volle Atmungsfähigkeit auch für Luft ist wesentlich und lebenswichtig. Daher soll glasiertes keramisches Material nur zu Zierzwecken, oder zu Böden, zu Wänden in Feuchträumen wie Bädern, WC usf. verwandt werden. Dort ist es das weitaus beste Wandmaterial. Nur noch der Marmor kommt ihm einigermaßen nahe. Aber er ist gebrauchstechnisch empfindlich.

Kalk, Sand und Gips
Mörtel und Verputz

Zum Mauern benötigt man Mörtel zwischen den Steinen und als Verputz. Mörtel besteht aus Kalk und Sand, idealerweise aus Quarzsand wie Meersand und aus Weißkalk. Fast alle Erdteile sind in der Erdgeschichte schon mit Meeren bedeckt gewesen, sodaß Meersand überall zu finden ist. Flußsand kann aus vielerlei bestehen, aus Meerwasserquarzsand, aus Süßwasserquarzsand, der ebenfalls gut ist, aus zerriebenem hartem Tiefengestein und teilweise auch aus zerriebenem hartem Kalkstein. Die beiden letzten Sorten sind biologisch weniger qualifiziert, von Ausnahmen für den Kalksand abgesehen.

Auch der Kalk ist ein Bestandteil der Erdrinde. Er wird aus dem Wasser geboren wie der Sand. Schwefelfreier Weißkalk, auch Luftkalk genannt, ist der Beste. Er wird am besten gewonnen durch Ablöschen des gebrannten Stückkalkes, gutes Sieben und Ablassen in eine Grube, in der er durch Reifen zu Speckkalk wird; er ist gelig elastisch und bindet sehr gut, auf Jahrzehnte und Jahrhunderte.

Für Mauer- und Fundamentwerk, das feucht steht oder sogar im Grundwasser, muß entweder Wasserkalk gewählt werden, der sieben Tage an der freien Luft vorhärten muß, oder hydraulischer Kalk, der fünf Tage Luft benötigt, oder hochhydraulischer Kalk, der drei Tage Luft benötigt, ehe er unter Wasser gesetzt werden darf.

Der Kalk hat hochgradige Entgiftungseigenschaften. Bei Seuchen wird mit Kalk desinfiziert. Der erfahrene Bauer kalkt jährlich einmal den Kuh-, Schweine- und Hühnerstall. Dann bleibt er frei von Ungeziefer. Und die Schwalben wohnen gerne darin. Diese sehr edlen und höchst nützlichen Tiere bauen übrigens ihr Nest aus Ton mit Speichel!

Lehm, insbesondere als Ziegel, bildet mit Kalk und Sand biologisch eine fast ideale tripolare Dreieinheit. In der Sandgegend ist die Lehmgrube für den Bauern eine Goldgrube und umgekehrt. Für den gesunden Humus ist Kalk lebenswichtig, ebenso Sand und Lehm. Was für die lebendige gute Erdhaut gilt, die Gebärmutter unserer Nahrung, das gilt auch für das gesunde

Haus. Die Ziegelmauer wird ziegelgerecht und zugleich hausgerecht, hautgerecht mit Quarzsandmörtel gemauert und verputzt. Also zementfrei! Dann hat die Mauer höchste Atmungsqualitäten mineralischer Art.
Der Gips (Kalziumsulfat) ist eine Schwester des Kalkes (Kalziumkarbonat). Der Schwefel darin kann biologisch leicht kritisch reagieren, so schon auf starke Bewohnung, aber auch auf Chemizide in der Luft, in dem Wandbelag wie in Tapeten usf. Gips soll daher nur in geringeren Mengen, wie zu einem Glattstrich, oder in größerer Menge nur in gesunden Häusern und nur in weniger dicht bewohnten Räumen angewandt werden. Gips soll nur als Naturgips gebraucht werden. Vor dem „Chemiegips", einem Abfallprodukt der Chemischen Industrie ist bei biologischen Ansprüchen zu warnen, nicht nur wegen seiner hohen Radioaktivität ([1]). Gips ist desto lebendiger, je weniger hoch er gebrannt wird, typisch als Stuckgips. Hohes Brennen über 200 Grad, sogar über 500 Grad erzeugt den toten Gips, was ebenfalls ein Fachausdruck der Gipser ist.

Der Sandstein

Der Sandstein ist ein natürlicher Kalksandstein. Und das ist eine gute Ehe. Insbesondere erscheint der Sandstein mehr tonig, mehr kieselig und hochgradig kalkig. Gut sind alle drei. Doch an Hautfunktionsqualität rangieren sie weit hinter dem Tonmaterial. Sandstein sollte daher in dauerbewohnten Räumen nicht in ganzen Wänden verwandt werden. Doch kann er zu vielen Teilen verwandt werden wie bei Fenstern, Türen, Schwellen, Ecksteinen, Treppen, Außenmauern, zu Zierzwecken usf. Für Gebäude, in denen man nicht schläft bzw. beständig wohnt wie Kirchen, Verwaltungsgebäude und technische Bauten kann Sandstein aller Art verwandt werden und anderes Schichtgestein. Für Fundamente, Treppen, Tore, Fenster usf. kann auch jeder andere, insbesondere härtere Naturstein verwandt werden.
Auch der Mensch kann Kalksandstein backen, bei 8-16 Atü Dampfdruck und bei 110-220 Grad Celsius. Diese Steine sind in biologischer Hinsicht in ihren Feldern noch unruhig. Ihr biologischer Wert liegt möglicherweise unter 50 % des Wertes der natürlichen Kalksandsteine. Dann kämen sie mehr für technische Bauten infrage.
Bims ist ein kugelförmiger hohler glasiger Auswurf aus den Vulkanen, den Furunkeln des Erdorganismus. Dieses nicht atmungsfähige Tiefengestein wird mit Zement umhüllt zu Bimssteinen verarbeitet. In biologischer Hinsicht ist er als sehr schlecht zu bewerten ([2]).
Zu Zement und Beton vergleiche im Kapitel Betonkrankheiten.

Die Verfahren

Der Ziegel und anderer Naturstein wird naturgerecht, insbesondere ziegel-

gerecht mit reinem Kalkmörtel vermauert und verputzt, im Putz teilweise mit Zusatz von Gips.
Ein altes, von Schröder-Speck angegebenes Verfahren besteht darin, den frisch abgelöschten Kalk, besonders als Stückkalk, sofort zu Mörtel zu verarbeiten und „warm zu vermauern". Kalk und Sand werden 1 : 3 gemischt und dann mit reinem Wasser angerührt, bis eine teigige, plastische, leicht formbare Masse entsteht.
Höchstwertiger, elastischer, wetterbeständiger und also haltbarer Verputz wird nach einem alten Verfahren hergestellt, indem man dem Kalk bei dem Ablöschen im Faß Tierfett und Tierblut wie Ochsenblut zusetzt, zusammen etwa 20 kg auf 1 cbm, und es unter Umrühren mit verkochen läßt. (Mit dem Opferblut wurden Türe und Haus gereinigt! Vgl. den Brief an die Hebräer 9,13 f). Manche rühren nach dem Kochen auch noch Tierhaare ein, wie von der Kuh, was die Haltbarkeit noch mehr erhöht. Ein solcher Außenputz kann bis 50 Jahre und länger halten. Nach 25 Jahren soll der gute Putz durch einen Anstrich bzw. eine Spritzung mit reiner, schwefelfreier Kalkmilch regeneriert werden. In Friesland wird Tierblut und Heringslake mit Häcksel und Stampflehm (nach Bielenberg) auch zur Herstellung eines vorzüglichen, sehr gesunden Bodenbelages verwandt. Er ist seit Jahrhunderten bewährt.

Das vegetabile Baumaterial

Das vegetabile Baumaterial ist das Holz. Was ist Holz?
Holz ist vegetabile Heilerde. Denn woraus wächst der Baum? — Holz ist aber auch kondensiertes Licht und kondensierte Wärme. Denn aus Sonnenwärme und Sonnenlicht bildet die Pflanze das Blattgrün, und durch dieses das Holz.
Das Holz ist von größter Bedeutung für unser Leben, wie der Ton. Jesus Christus ist als Zimmermann aufgewachsen und am Kreuzesholz für die Menschheit gestorben. Dieses Holz wurde nach christlicher Lehre zum neuen Baum des Lebens. Jede neue Kultur beginnt mit dem Holzhaus. Mit dem Holzfeuer beginnt die Kultur überhaupt. Und in der Natur lebt der Mensch vom Holz. Denn das Gerüst aller Vegetabilien besteht im weiteren Sinne aus Holz. Auch alle Tiere leben letztlich vom Holz wie etwa die Fische und Krebse von den Algen.
Zehn Millionen Kubikmeter Holz allein in Baumgestalt wachsen jährlich auf der Erde neu. Nimmt man alle anderen Vegetabilen wie Lebensmittel, alles Gras und alle Algen der Meere hinzu, so werden es schätzungsweise 30 Millionen Kubikmeter sein. Von den 10 Millionen Kubikmeter Baumholz werden derzeit nur ca. 4 Millionen genutzt! (Nach mündlicher Mitteilung von Prof. A. Schneider). Ungeheure Urwälder sind noch ungenutzt. —
Holz ist das gesündeste und vitalste Baumaterial. Leder, das noch vitaler ist,

kommt heute praktisch fast nur für die Inneneinrichtung etc. infrage sowie für die Kleidung, für Taschen, Koffer, mobile Häuser usf.
Wer nicht nur voll gesund, sondern auch höchst vital leben will, der soll so viel Holz wie nur möglich im Haus verwenden und auch als Haus. Nadelholz ist das vitalste Holz, das sulphurischste Holz. Aber für die Inneneinrichtung kommt auch viel Laubholz infrage, Nußholz, Eichenholz, Birkenholz, Lindenholz, Holz von Kirsche, Apfel, Birne, tropisches Holz usf.
Holz soll aus einem gesunden Wald, möglichst einem Mischwald stammen, der nicht mit Pestiziden und anderen Giften behandelt ist. Es soll nach paracelsischen Prinzipien im Winter geschlagen sein, möglichst bei abnehmendem Mond, nicht in den acht Tagen vor Vollmond, also nicht „grün", nicht „im Saft". Denn sonst ist es nicht widerstandsfähig, sondern anfällig für Schädlinge, nicht formstabil und bleibt nicht relativ rißfrei. Darüber hinaus ist solches Holz in seiner Atmungsfähigkeit gestört. Und das ist das Wesentlichste.
Auch nach dem Schlagen soll das Holz naturgerecht behandelt werden, also schnell natürlich getrocknet und trocken gelagert werden. Eine schnelle Trocknung soll erzielt werden, wenn der gefällte Stamm vier Wochen mit allen Ästen liegen gelassen wird. Das bei unter null Grad geschlagene Holz ist jedoch schon relativ trocken. Biologisch hoch qualifiziert wird Holz, wenn es nach dem Schlagen geflößt wird, insbesondere, wenn es ein Jahr in einer Mergelgrube gewässert bzw. fermentiert wird wie der Lehm vor dem Brennen in der Maukgrube. Auch kann und soll Holz nötigenfalls sofort nach dem Sägen mit einem natürlichen Holzschutzmittel behandelt werden durch Imprägnierung, wie in einem Tauchbad. Natürliche Holzschutzmittel werden besonders aus der trockenen Destillation des Holzes gewonnen wie Holzgeist, Holzessig, Holzöl usf. bis zum echten Holzteer. Auch Leinöl, echtes Terpentin, Holzasche usf. ergeben hervorragende Holzschutzmittel, insbesondere nach alten Vorschriften in Verbindung mit Heilkräuterextrakten. Alte Holzbrücken, dem Wetter mit Nässe also extrem ausgesetzt, halten Jahrhunderte, ebenso viele im Mittelalter hergestellten, biologisch oder gar nicht imprägnierten Holzhäuser. Und welche Lebensqualitäten haben sie in dieser Zeit gespendet, vor allem vermittelt! Wie vielen Generationen! Sie gelten seit Jahrhunderten als die gesündesten Häuser.
Ein gesundes Holz bedarf eigentlich keiner Imprägnierung gegen Schädlinge. Norweger, Schweden und Finnen haben ihre vielen Holzhäuser aus gesundem und gesund geschlagenem nordischen Holz bis in die siebziger Jahre dieses Jahrhunderts überhaupt nicht imprägniert gegen Schädlinge und keine schlechten Erfahrungen gemacht. Erst die überzivilisierten kranken Kontinentaleuropäer haben nach den Erfahrungen mit ihrem kranken und unbiologisch geschlagenem Holz eine Imprägnierung verlangt, „natürlich" zeitgemäß eine giftige. Die nordischen Völker haben das Holz nur allgemein zur Haltbarkeit mit Holzdestillationsprodukten behandelt.

Holz wird aus der Rinde der Pflanze gebildet, aus der Kambiumschicht, nach innen und nach außen. Holz ist also seiner Entwicklung nach ein Hautmaterial, ein Grenzmaterial. Auch wächst die Pflanze an der Grenze der Erde, in beide Richtungen sich ausbreitend. Holz ist daher allgemein vorzüglich atmungsfähig, also grenzfunktionsfähig im biologischen Sinn. Das geometrische Sinnbild der Pflanze ist ein X, dessen Schnittpunkt genau an der Grenze der Erdrinde liegt. Die Pflanze einigt in diesem Punkt mit Hilfe ihrer Blätter und Wurzeln Himmel und Erde! Daher nehmen die großen Ärzte der Hochkulturen ihre Heilmittel vorzüglich aus dem Pflanzenreich.
Holz ist sehr warm im qualitativen Sinne, also im Sinne der Lebensqualität. Es enthält „Feuer". Paracelsus erklärt am Holz die drei urkonstitutiven Bestandteile aller Dinge. Was brennt, sei der Sulphur. Was raucht, sei der Merkur. In der Asche sei das Sal. Und das Brennbare ist bekanntlich nicht wenig am Holz. Holz hat also Lebenswärme. Was mit dem mechanischen Thermometer nichts zu tun hat.
Durch seine großen Wärme- und also Lebensqualitäten macht Holz vital. Holz macht frisch. Der Ziegel hält frisch. Beide Heilerden arbeiten ideal zusammen.
Ein bekanntes amerikanisches Sprichwort sagt, wenn man in der Stadt nicht mehr gesund werden könne — Stadt als steinerne, insbesondere betonierte City zu verstehen — dann solle man aufs Land in ein Holzhaus ziehen. Dort würde man gesund!
An dieses Sprichwort halten sich sehr viele. 80 % der Amerikaner wohnen in einem Holzhaus! —
Wohl fast alle gesunden Urvölker wohnen in Holz. Auch in Rußland ist das Holzhaus sehr verbreitet. Welche Völker holen sich die meisten Medaillen auf der Olympiade!
Die hochwertigsten Behältnisse — das sind kleine Häuser — werden von den alten Kulturvölkern aus Hölzern wie Sandelholz, Zedernholz usf. gearbeitet. Inder, Chinesen und Japaner haben hier eine alte Tradition. Die kostbarsten Gewebe, Genußmittel — man denke auch an die Zigarrenkästchen! —, Räuchermaterialien, auch Heilmittel und kostbare Edelsteine werden in hölzernen Schatullen aufbewahrt, zuweilen mit Leder oder Naturseide ausgeschlagen, was ebenfalls zu beachten ist. Denn auch dies sind vorzügliche Hautmaterialien.
Wenn man eine Truhe aus Kampferholz hat oder wenn man eine Truhe aus anderem Holz mit dünnen Brettern aus Kampferholz auslegt, sei es auch nur lose, so kann man unbesorgt alle Wollsachen, Pelze und andere Materialien motten- und ungeziefersicher darin aufbewahren, ohne einen unangenehmen Geruch. Im Gegenteil, man kann auch andere angenehm riechende Materialien hinzu legen. Gute Gerüche werden in dieser Truhe bewahrt, sofern das Holz der Truhe nicht chemisch vergiftet ist wie mit Pestiziden. Vor dieser Pest, die hauptsächlich gegen pflanzliche Schädlinge, also Holz-

schädlinge angewandt wird und die Pflanzen und ihren Humus immer kränker macht, hat man sich überall zu hüten. Einige hundert Millionen Tonnen DDT, so schätzt man, sind schon auf der Welt verbreitet. Ist die Menschheit nicht eine Selbst-Giftmordgesellschaft? — Der Giftmord wird immer noch fortgesetzt und erweitert. —

Holz reagiert besonders stark auf Gerüche. Gutes und gesundes Holz riecht gut und hält alle guten Gerüche. Es verzehrt schnell schlechte Gerüche. Wenn in einem Holzhaus stark geraucht wird von einigen Personen über mehrere Stunden, so ist der Geruch bei normaler Lüftung schon innerhalb von vierundzwanzig Stunden nicht mehr zu spüren! In einem guten Steinhaus hält er sich länger. Aus Häusern, die aus schlechten Materialien erbaut sind, ist der schlechte Geruch garnicht mehr zu entfernen. (Vgl. hierzu auch Klima und Geruch).

Der Duft von Tannenholz wird mit Recht von allen Menschen mit noch unverdorbenen Sinnen geschätzt. Die Lebensqualität zeigt sich hier deutlichst. Deshalb arbeitet die moderne Industrie auch so viel mit Aromen. Tannenholz, Lärchenholz, Arvenholz usf. sind in reineren Gegenden wie bei Bergbauern sehr beliebt. —

An alledem kann man die hochwertigen und starken Atmungseigenschaften des Holzes erkennen. An viel Zahlen und Statistiken kann man sie nicht erkennen.

Holz als Baumaterial und Einrichtungsmaterial ist daher unersetzlich. Man kann nie zu viel Holz in seiner Wohnung haben. Sondern nur zu wenig.

Viele „modernen" Gemeinden mit großem Gemeindewald bauen ihre Schulen aus Beton, klagen dann über die nicht mehr lernfähigen, wilden und unkonzentrierten kranken Kinder mit Haltungsschäden usf., klagen über die teure Schule und zu manchen Zeiten auch noch darüber, daß sie keine Abnehmer für ihr Holz finden. —

Schröder-Speck, der ein prinzipiell grundlegendes Buch über „Baumethoden und Gesundheit" geschrieben hat (er war lange Jahre Leiter eines Zementwerkes und spricht also auch hier aus Erfahrung) sieht ein Hauptübel der ungesunden modernen Wohnverhältnisse im „Hartbau", typisch dem Betonbau, und stellt ihm immer wieder den Holzbau als ideal gesunden Bau gegenüber ([1]). Schröder-Speck vermißt im modernen Haus den „warmen Raum". Das ist der schon vom Baumaterial her urgemütliche Raum, in dem man sich vollständig wohl fühlt. Unter „Wärme" ist auch hier die erste und allgemeinste Lebensqualität zu verstehen. Sie zeigt sich u. a. daran, daß Holz eine hohe Wärmedämmung hat. Es wahrt die Wärme auch in mechanischer Hinsicht rund zehn mal besser als ein Hartbaumaterial wie typisch der Beton. Schon deshalb ist in einem Betonbau kein auch nur annähernd warmer Raum zu finden, dies auch dann nicht, wenn das mechanische Thermometer über 30 Grad C. zeigt.

Von bauhygienischer Seite, zuerst wohl eindringlich von Grandjean/Zürich

ist die Forderung erhoben worden, daß die Temperatur an der Oberfläche der Innenseite der Außenwand nicht mehr als zwei Grad von der Lufttemperatur des Raumes abweichen dürfe. Im anderen Fall wird die Ruhe des Zimmerfeldes gestört durch ständig kreisende Luftströmungen, besonders mit über 20 cm/Sek., noch mehr jedoch durch einen ständigen Wärmeabfluß durch die Wand nach draußen sowie durch die Kältestrahlung der Wand nach innen. Das Letztere kann nur der echte Biologe und Arzt verstehen, also der Fachmann in Lebensqualitäten.
Hartbaustoffe bei den üblichen dünnen Wänden können diese Forderung nie erfüllen, jedoch auch zu dünne Ziegelwände nicht. Bei den Betonwänden kommt es zu Temperaturdifferenzen bis zu 10 Grad und mehr! Weil dies sehr unangenehm ist und in allen Ländern zu Beschwerden der Bewohner geführt hat, dann auch aufgrund der großen Heizungskosten ist eine Welle des „Vollwärmeschutzes" über die Zivilisationsmenschheit gerauscht. Typischerweise klebte man dann auf die Innenwand poröse Kunststoffe. Nun aber mußte man feststellen, soweit man noch eine intakte Nase besaß, daß das Raumklima vollends verdorben war. Und einen „warmen Raum" im biologischen Sinne hatte man immer noch nicht.
Wer noch Gefühl und Instinkt besaß, der baute vor die Innenwand eine Schutzschicht aus Holz, vielleicht noch mit einer biologisch hochwertigen Wärmedämmschicht dahinter wie aus Cocosfaser oder Riedrohrplatten. Dieser kluge Bauherr konnte dann mit großer Befriedigung feststellen, daß das Raumklima erheblich gewonnen hatte. Ausgenommen, wenn er statt Vollholz ein kunststoffbeschichtetes, totes, vielleicht noch vergiftetes Material in Form von kunststoffverleimten Spanplatten mit natürlichem oder künstlichem Furnier verwandt hatte. Dann hatte er eine Reihe neuer Gifte in sein Haus eingebaut. Und der Arme glaubte doch, Holz zu bekommen. Aber auch Holz kann zu einer Leiche verarbeitet werden, zu einer giftig imprägnierten, giftig verklebten, verleimten und mit solchen Lacken eingesargten Leiche. Zusammengefaßt ist gesundes Holz in giftfreier Form, mit atmungsfähiger Oberfläche, also nicht kunststofflackiert, das gesündeste und vitalste Baumaterial und Einrichtungsmaterial. Besonders für Kinder, Kranke und alte Menschen ist es lebenswichtig. Ohne Ziegel und Holz verkümmert der Mensch.

Besondere Holzprodukte

Holz kann man zerteilen, grob als Holzwolle, mittel als Späne und Fasern, und fein als Holzschliff wie in Papier. Alle diese Teile kann man in Plattenform verarbeiten, als Sperrholz, Holzwolleplatten, Spanplatten, Faserplatten, Sägemehlplatten, Papiere usf. Hierzu ist ein Bindemittel erforderlich wie als Leim oder Kleber. Dieses Bindemittel kann lebensgerecht aus mineralischen, pflanzlichen und tierischen Stoffen hergestellt werden, wie aus

Bitumenklebern, Pflanzenleim, Knochenleim, Milchleim usf., idealerweise aus dem Holz selbst wie aus Lignin, das auch im Holz selber als Bindemittel fungiert. Bindemittel können auch lebenswidrig aus mineralischen, pflanzlichen und tierischen Stoffen hergestellt werden, besonders aus Kunststoffen; denn viele Gifte kleben wie Pech, etwa aus Formaldehyd und Phenol. Sie haben gleichsam eine extreme Anziehungskraft bzw. „Gravitationskraft". Sie binden mit „Ketten und Mauern", nicht frei.

Mit gesunden Bindemitteln verbundene Holzteile in Plattenform und anderer Form sind gesund. Mit giftigen Bindemitteln verbundene Holzteile sind ungesund. Maximaldosen besagen nur, daß bis dahin die Ungesundheit noch toleriert wird. (Vgl. Naturstoff, Kunststoff und Kulturstoff).

Holzteile in chaotischer Lagerung können jedoch niemals die Gesundheit des Vollholzes haben. Denn alle Teile sind in der Raumordnung des Kosmos gewachsen und kosmisch polarisiert. Sie funktionieren daher biologisch am besten, je geordneter sie mit anderen Holzteilen in derselben Richtung gelagert sind. Auch funktionieren in einem Stamm alle Schichten biologisch verschieden wie am tierischen Leib die verschiedenen Häute verschieden funktionieren. Die organische gewachsene Verbindung ist also die weitaus beste. Die Zerteilung und einförmige Verbindung von Holz dient technischen und wirtschaftlichen Zwecken, angefangen von den Verbundbalken und dem Sperrholz, teils auch aesthetischen Zwecken, nicht jedoch unmittelbar biologischen Zwecken. Zerteiltes und verklebtes Holz ist formstabil und kann billig hergestellt werden wie als Tischlerplatte, Spanplatte und Faserplatte. Diese letzteren können in sehr weichen Formen hergestellt werden, in denen wenig Bindemittel wie wenig Kunstharze enthalten sind, und auch in sehr harten, in denen viele Bindemittel enthalten sind, zuweilen mehr als Holz, sodaß man richtiger von Kunstharzplatten mit Holzbeimengung spricht.

Holz kann auch mit Metallen verbunden werden wie durch Verkleben, Aufspritzen usf. Dann steht biologisch meist die Metallwirkung im Vordergrund.

Holz kann auch mit natürlichen und verkünstelten mineralischen Stoffen fest verbunden werden. Der mit Stroh oder Sägemehl gebrannte Ziegel ist ein Musterbeispiel für eine sehr hochwertige Verbindung. Auf der anderen Seite stehen Holzzement, Holzbeton, Holzwollezementplatten, Holzasbestplatten usf. Im Einzelfall ist hier ein relativ neutrales Produkt möglich. —

Wer ein Holzverbundmaterial wählt und gesund leben will, der suche stets zu klären, mit was da sein Leben im Hause verbunden wird. Ein Leben lang wird er mit diesem Material zusammen hausen, mit seinem guten Geist oder seinem Ungeist. Über die Feldwirkung, die Strahlung und Strömung, insbesondere auch durch materielle Vermittlung in Gestalt von winzigen Teilchen wird jedes Material sein Wesen wirken, — ein Leben lang.

Lederzelte sind von den Nomaden in ungeheurer Zahl auf dieser Erde gebaut worden.

Das Bett, dieses kleine und lebenswichtigste Haus, wird in den kühleren Klimaten seit jeher im wichtigsten Teil aus animalischem Baumaterial gebaut, nämlich aus Wolle, teils auch noch aus Federn. In den Lederzelten dienten die Felle dazu. Und auch heute noch benutzen viele ein Schaffell.

Adam, der Mensch aus Erde, mußte ursachengesetzlich in seinem Falle aus dem in höheren Ebenen gelegenen Paradies ein Fell überziehen, vielleicht ein Affenfell, dem Affen Gottes entsprechend? — Ein Persianer war es wohl kaum (Gen. 3,21). Also stände ihm das animalische Baumaterial in seiner irdischen Konstitution am nächsten. —

Animalisches Material hat zweifellos eine große Vitalität, jedoch eben eine animalische Vitalität. Und diese geht dem Menschen „unter die Haut". Daher kommt es hier sehr auf gut und schlecht an. In einen Schaffellmantel kleidet sich fast jeder gern. Bei einem Wolfsfell würden nicht wenige schon zögern. Aber bei einem Schweinefell oder Affenfell würden viele Kulturmenschen nein sagen. Das mag erwägenswert sein.

Auch die Seide, dieses in den Kulturen bis heute so hoch geschätzte Baumaterial für die zweite Haut, hat ein zwiespältiges Wesen. Sie ist nicht zur Ehre der Altäre gelangt wie das Leinen. Aber biologisch reine weiße Seide ist sehr schätzenswert, ähnlich dem biologisch reinen Leder und solcher Wolle.

Schon Pflanzen kann der Mensch wandeln. Er kann sie in einer Metamorphose, einer Wesenswandlung durch einen Tod zu einer Neugeburt mit neuem, höherem und reinerem Leben führen, wie man durch eine Gärung bzw. Fermentation aus einem Saft einen Wein machen kann und aus einem einfachen Heilmittel ein hoch wirksames Heilmittel. Gleich so kann man jedes animalische Baumaterial wie Leder wandeln, wie durch eine recht geführte Gare, sodaß ein biologisch weit höher qualifiziertes, reineres Hautmaterial neu geboren wird. Aber man kann Leder auch durch verkünstelte giftige Teerstoffe garen und färben wie durch Anilin, die Urmutter so vieler giftiger Kunststoffe.

Also nicht nur im Rohmaterial muß man bei Animalien gut und schlecht sorgfältig unterscheiden, sondern besonders auch im Verarbeitungsverfahren. Wo und wie ist die Verwendung von animalischem Material hausgerecht? Hausgerecht und also hautfunktionsgerecht — das ist bio-logisch! — verbessert dieses Material an der Innenseite der Wand besonders wirksam das Wohnklima, dann in den Organen des Hauses wie den Sitz- und Ruhemöbeln. Eine seidene Tapete kann eine hoch kultivierte und zugleich vitale, gesunde Atmosphäre schaffen, jedoch auch die Gefahr eines Boudoirklimas mit sich bringen oder das vornehm Weibliche eines Damenzimmers, je nachdem wie man lebt. Auf Form und Farbe kommt es hier sehr an. Die Araber, welche das Erbe der älteren Kulturen in das Abendland übertragen und die Renaissance mitverursacht haben, schätzen besonders auch die feineren erotischen Wirkungen der Seide, die zur weltlichen Kultur hinüberführen. Kunststoffe vermögen das -noch- nicht, vielleicht im Gegenteil.

Ledermöbel vermitteln intensiv das Klima der Geborgenheit. Kulturmenschen schätzen daher im rollenden Haus so sehr das Leder, weil es als Gegenwirkung gegen die vielen Ablenkungen und Herausforderungen des Verkehrs in seiner schützenden Wirkung die Ganzheit der eigenen Lebensfunktionen wahrt und somit auch die Konzentration begünstigt. Es bewahrt sogar die Würde des Menschen. Ledermöbel wirken würdevoll, die entsprechende Form vorausgesetzt. Doch auch hier kommt es sehr und fundamental auf die Qualität und biologische Verarbeitung an. Lackleder und Knautschleder können auch anders wirken.

Leder wird in dem Bereich zwischen der zweiten und dritten Haut angewandt, als äußerste Kleidung des Menschen und als innerste Haut des Hauses. Bei der Rückwendung zu den Lebensqualitäten wird Leder auch in der Kleidung immer beliebter. Der Hausbau wird folgen, wie schon die steigende Neigung zu Ledermöbeln und Wollteppichen zeigt. Daher folgend das Wesentlichste zum Fachlichen der biologischen und unbiologischen Herstellung und Nachbearbeitung von Animalien, besonders von Leder. An ihm kann man für Wolle und Seide lernen.

Durch die Gare, von der man das Wort gerben ableitet, wird die tierische Haut zu Leder. Auf die biologischen Gerbverfahren kommt es also fundamental an, wenn wir ein lebensfreundliches, positiv atmungsfähiges Leder suchen, welches das Kleidungsklima und Raumklima verbessern soll.

Gerben kann man mit mineralischen, pflanzlichen, tierischen und künstlichen Stoffen. Bis in das vergangene Jahrhundert kannte man nur die ersten drei natürlichen bzw. biologischen Verfahren. Sie lieferten gutes Leder. In diesem Jahrhundert kam dann die Gerbung durch Synthetika auf, hauptsächlich durch Phenole, diese höchst giftigen Urbausteine unzähliger Kunststoffe. Durch diese Gifte wird das Leder negativ gewandelt, eben vergiftet, sodaß auch seine Atmung giftig wird, also auch das Kleidungs- und Raumklima. Wäre etwas anderes auch nur denkbar? Die luziferische Antilogik behauptet auch hier, daß man mit dem „Gift“ ein „Gut“ schaffen kann. Gegen diesen Uraberglauben hat Paracelsus sein Leben lang gekämpft.

Lernen wir daher ein wenig die guten biologischen Gerbverfahren kennen, um dieses Leder für unsere zweite und dritte Haut suchen und finden zu können.

Wir fangen hier oben an, bei den geschichtlich ältesten Gerbverfahren, den animalischen Gerbverfahren, die dem Leder am nächsten stehen. Sie wurden früher auch Sämischgerberei genannt oder Fett- oder Ölgerberei. Hierbei wird das Leder mit Tierfett oder Tran imprägniert und an der Luft gegerbt.

Das sämischgare Leder ist ungemein weich und von fast wolliger Beschaffenheit. Es ist höchst atmungsfähig. Es kann ohne Schaden gewaschen werden, wird daher teils auch Waschleder genannt. Diese große Reinigungsfähigkeit ist bio-logisch bemerkenswert. Auch Rauh- und Rauchleder, das wegen seiner Milde und Weichheit zu Damenstiefeln sehr beliebt ist, ist sämischgares Leder.
Das biologische Hauptgerbverfahren ist jedoch das pflanzliche Gerbverfahren, speziell die Lohgerberei. Gerbmaterialien sind hier die Häute besonderer Pflanzen, die Rinden besonders der Eiche, Fichte, Tanne, Akazie, Weide und auch das ganze Holz wie von Kastanien, Wurzeln, spezielle Pflanzenextrakte wie von Ratanhia, Sumach, Katechu, dann animalisch-vegetabile Bildungen wie Galläpfel usf. Die alte vorzügliche orientalische Gerberei arbeitete mit Galläpfeln, der Okzident dagegen vorzüglich mit Eichenlohe. Die biologischen und auch gebrauchspraktischen Vorzüge der Lohgerberei werden von keinem anderen Gerbverfahren übertroffen. Ein früher viel verwandtes höchstwertiges Verfahren ist auch die Kombination von Lohgerberei und Sämischgerberei.
Die Alaun- oder Weißgerberei steht in der Mitte zwischen vegetabiler und mineralischer Gerberei. Ihr Leder ist nicht so hochwertig wie mit den vorgenannten Verfahren, aber immer noch gut und zuweilen sehr gut. Beispielsweise werden in der Weißgerberei (wie zu Schuhfutter guter Schuhe) oder Glacégerberei Beizen verwandt als „Nahrung", die aus viel Mehl bzw. Kleie, viel Eidottern, ein wenig Kochsalz und etwas Alaun bestehen. Ein biologisch höherwertiges Verfahren ist auch die kombinierte Loh- und Alaungerbung, die Dongolagerbung.
Das unterste Verfahren ist die Mineralgerbung, typisch die Chromgerbung, die das Chromleder liefert. Hierbei „schrumpft" die Haut stark! Warum wohl? Die Atmungsfähigkeit ist dann qualitativ am geringsten. Zur Not kann man noch Chromleder benutzen bzw. mineralgegerbtes Leder.
Aber die Mineralgerbung bildet auch den Übergang zur Gerbung mit den noch weit giftigeren synthetischen Stoffen. Bloße, halbwegs giftfreie Mineralgerbung ist heute selten. In den zivilisierten Ländern ist die vegetabile Gerbung noch seltener. Wenn man gute Sämischgerbung und pflanzliche Gerbung haben will, muß man heute den Kreis der hoch zivilisierten Völker verlassen, da diese auch in der Gerbung und nachfolgenden Färbung mit dem Selbst-Mordprogramm führend sind. Die Lebensqualitäten der Häute werden auch hier fast systematisch gemordet. Im weniger zivilisationsverseuchten Orient und in anderen abgelegeneren Gebieten findet man heutzutage noch die biologisch hochwertigen Gerbverfahren, in Europa und Amerika nur noch bei wenigen alten oder neu heranwachsenden Liebhabern der Lebensqualitäten.
Biologisch kaum weniger wichtig ist nach der Gerbung das Färben des Leders. Beide Verfahren gehen auch ineinander über, besonders bei der modernen Giftgerbung. Je mehr die alten animalischen und vegetabilen Gerbver-

fahren verlassen wurden und man, wie um die Jahrhundertwende, schnell zur Mineralgerberei überging, desto mehr verließ man auch die alten Färbeverfahren mit animalischen und vegetabilen Farbstoffen und ging zur Mineralfärbung über und dann zur Gerbung und Färbung mit Synthetika. Die Teerfarben haften wie Pech und verändern sich am Licht wenig, da sie tot sind. Die lebendigen Farben dagegen arbeiten ständig vermittelnd zwischen Eigenwelt und Umwelt. Dann muß man Verständnis haben, daß sie sich im Laufe der Zeit verändern. Der Gewinn an Leben wiegt hundertfach eine Farbveränderung auf, die nur von geringer aesthetischer Bedeutung ist. Jeder muß sich selber entscheiden, was er wünscht, äußeren Schein, giftig meist, oder das lebendige Leben! Will er andere und sich selber mit diesem Schein täuschen, ein künstliches „Leben“ führen, in einer Welt künstlicher Paradiese? Oder will er sich wohl fühlen innen und außen und naturgerecht mit den Lebensqualitäten des Kosmos leben?

Dämmstoffe zur Wärme- und Schalldämmung

Gesunde Dämmstoffe werden aus mineralischen, pflanzlichen und tierischen Stoffen gewonnen, kranke aus verkünstelten Stoffen.
Biologisch beste Wärme- und Schalldämmstoffe sind Kork der Korkeiche in Form von schüttbarem Korkschrot und von Korkplatten, auch bituminiert, sofern sie nicht mit ungesunden Stoffen verbunden sind. Sodann Rohr aus Ried, auch als Rohrplatten oder Bauplatten, gut mit Garn oder weniger gut mit Draht verbunden, Kokosfasermatten auf giftfreiem Papier versteppt, alle tierischen Haare, auch als Filze. Gut sind auch alle anderen Stroharten und Holzwolle, bedingt Sägemehl, besser als Mischung von Holzwolle und Sägemehl (mit 3-5 Raumprozent gewöhnlichem Baukalk gemischt gegen Ungeziefer), alle pflanzlichen Fasern, etwa Hartfasern wie Seegras. Mineralisch dämmt Blähton, der wie Korkschrot schüttbar ist, etwa zwischen die Lagerhölzer des Unterbodens, und Kieselgur. Weniger gut ist Torf, auch weil er den Nachteil hat, bei Durchnässung faulig zu werden. Auch Sägemehl kann dazu neigen.
Sehr schlecht im biologischen Sinne sind fast alle atmungsunfähigen Kunststoffe (Plastics) wie als Schaumstoff. Sie sollten im Wohnhaus nirgends verwandt werden. Schlecht sind Schlackenwolle, Mineralwolle, Glaswolle, Schaumbeton bzw. Zellenbeton und alle toten Stoffe mit Luftzwischenräumen. Sie alle können keine Hautfunktionen erfüllen. In ihnen neigt die Luftfeuchtigkeit zur Kondensation und dann bei Frost zur Eisbildung, dagegen in festen Naturstoffen niemals und in fasrigen nur bei extremen Belastungen und nur vorübergehend. Die Naturfaser befreit sich selbst schnellstmöglich von Nässe und zu viel Feuchte. Die tote Faser und das tote Material kann dies nicht. Die sehr schlechten Stoffe vergiften oft die Hautfunktion des Hauses, also seine Atmung, sein Klima.

Auch die geknitterten Alufolien, die vorzüglich Hitze isolieren und auch Kälte, sind als Metallflächen in gesunden Wohnhäusern nicht verwendbar, es sei denn in geringeren Abmessungen wie bei technischen Geräten (Kühlschrank) und Rohren, die ohnedies aus Metall bestehen, bei einzelnen Kellerwänden wie im Kühlkeller usf.
Wenn die Wände zu dünn sind und wenn ein besonders behagliches Wohnklima gewünscht wird oder wenn man unter dem Dach wohnt oder über einer kalten Fundamentplatte oder in einem Rahmen-Fertighaus, dann benötigt man biologisch einwandfreie, möglichst hochwertige Dämmstoffe.

DAS GLAS

Das Glas, seit Jahrtausenden bekannt, ist ein seltsames Material. Es ist für feste Körper, Flüssigkeiten und Gase, also für die drei unteren Elemente vollständig atmungsunfähig, somit eine Sperrwand, die jedoch auch bewahrt. Teilweise atmungsfähig ist das Glas für das vierte Element, das Feuer. Aber spezialisiert atmungsfähig, also lebenswechselfähig ist das Glas im Reiche des Lichtes, sowohl für das sichtbare wie für das unsichtbare. Glas ist ein Lichtstoff.
Das Glas existiert in chemischer Sicht in zwei Hauptarten, nämlich auf Silikatbasis und auf Kohlenstoffbasis. In beiden Hauptarten existiert es in vielen Unterarten mit sehr verschiedenen Lebensqualitäten.
Ein sehr edles natürliches Silikatglas ist der Bergkristall. Ein höchst edles natürliches Kohlenstoffglas ist der Diamant. Er ist für Feuer und Licht höchst atmungsfähig.
Kunstvolle und künstliche Gläser stellt der Mensch in beiden Bereichen her. Das gewöhnliche Hausglas besteht aus 65-75 % Kieselsäure (Silikaten), aus 10-20 % Alkalien und 10-20 % gebranntem Kalk. Glas wird bei 1400-1600 Grad geschmolzen. Bei Gebrauchstemperatur ist Glas eine erstarrte Schmelze ohne Kristallbildung, also eine „feste Flüssigkeit". Mit der Bildung von Kristallen im Glas, Entglasung genannt, verliert das Glas seine gerade Durchsichtigkeit.
Das gewöhnliche Glas läßt fast alles — den beiden „blöden Augen" — sichtbare Licht durch, ca. sechzig Prozent der Wärmestrahlung und nur ca. zwanzig Prozent des ultravioletten Lichtes. Da in dem ultravioletten Licht besonders viel und heilwirksame Lebensqualitäten liegen, so ist die hier mangelhafte Atmungsfähigkeit im biologischen und gesundheitlichen Sinne ein großer Nachteil des gewöhnlichen Glases, beispielsweise schon für ein Krankenhaus oder das Gewächshaus einer Gärtnerei. Andererseits enthält das Ultraviolettlicht auch so aktive Strahlen, daß die meisten Farben unter ihm schnell verblassen, wie etwa in Teppichen, Gardinen, Hölzern usf. Hier ist also dieser Mangel praktisch.
Ein edles Silikatglas dagegen wie Quarzglas — das allerbeste wird aus ge-

mahlenem Bergkristall erschmolzen — läßt über 80 % des heilenden Lichtes oder der eigentlichen Lebensqualitäten hindurch. Die Zahl achtzig ist hier nur ein Anhaltspunkt, da die eigentliche Qualität des Glases und seine sogar qualifizierenden, das Licht also teilweise verbessernden Eigenschaften mit Mengenangaben nicht erfaßt werden können. Und auf die Qualitäten kommt es im Leben an. Die alten venezianischen und böhmischen Glashersteller hatten ein reiches Wissen von den verschiedenen Lebensqualitäten der verschiedenen Gläser. Heutzutage wissen die Glashersteller und Glasverarbeiter anscheinend so gut wie garnichts mehr davon. Und von wie hoher Wichtigkeit sind die Lebensqualitäten eines Glases allein für die Brillen und Haftschalen! Was weiß heute ein Augenmediziner und Optiker — noch oder wieder — von den qualifizierten Influenzen und den „Konkordanzen" zwischen den Lichtqualitäten des Makrokosmos und den Lichtqualitäten der Augen, eben dem Augen-Licht, von dem noch Goethe viel wußte. Wär nicht das Auge sonnenhaft, wie könnt die Sonn es je erblicken! — Welche lebenswichtige Funktion hat das Glas erst in den Krankenhäusern, Sanatorien und Erholungsheimen, in den Beleuchtungskörpern, in den Gläsern für Lebensmittel, Getränke, Heilmittel, Hygienika, für Scheinwerfer und Frontscheiben an Kraftfahrzeugen usf. Der Aberglaube des Mechanizismus hat all dieses Lebenswissen der früheren Jahrhunderte fast restlos ruiniert und ausgetrieben. Wer heute irgend ein Fach studiert, der ist für das Leben in diesem Fachbereich normalerweise ein Fachidiot geworden! Also ein unwissender Feind des Lebens! Wäre die Konsequenz, mit der das Selbstmordprogramm der Zivilisationsmenschheit auf allen Gebieten aufgestellt und durchgeführt wird, denn anders zu erklären? —

Glas ist nicht atmungsfähig außer für das Licht; und es leitet die Wärme schnell ab. Glas ist daher in den Wänden, also in Fenstern und Türen nur nach dem Lichtbedürfnis zu verwenden. Wo Licht im Hause erforderlich ist, objektiv für alle Menschen, die das Haus betreten, und individuell je nach dem Lichtbedürfnis der Bewohner, dort gehört Glas hin, anderwärts nicht. Also wie viel Licht, so viel Glas, nicht mehr und nicht weniger! Die atmende Wandfläche ist kostbar, besonders in Anbetracht des schlechten Klimas, das heutzutage in der weiteren Umwelt herrscht. Denn das Haus soll das Klima verbessern, veredeln. Wer hat das schon bedacht? Nicht nur personal und kulturell, sondern wesensgleich auch natural soll das Hausleben besser sein, qualifizierter und lebendiger als das Leben in der Natur! Dieses Leitbild wäre allein ein eigenes Kapitel wert! (Vgl. die Klimatisierung). Hinzu kommen bei extrem viel Glasflächen die Heizungskosten im Winter und die unangenehmen Hitzestauungen bei Sonnenschein im Sommer. Unsere Häuser sollen keine Glashäuser sein, unsere Wände keine Schaufensterscheiben. Denn dann geht die Geborgenheit verloren, die zu bieten eine Hauptaufgabe eines ordentlichen, menschenwürdigen und gesunden Hauses ist. Das gilt auch für einen Büroraum. Auch er soll menschlich sein, Geborgenheit und Wärme

vermitteln und nicht auf die Mechanik eines Zivilisationsroboters abgestimmt sein.
Da wir heute viel mehr Licht als früher benötigen, weil wir unser eigenes Lebensreich immer weiter in die Umwelt ausdehnen und in sie zu integrieren suchen sowie umgekehrt, weil die große lebendige Welt unser Haus zu durchdringen und höher zu beleben versucht, deshalb verwenden wir in kälteren Zonen Doppelscheiben. Um ein Beschlagen im Zwischenraum mit anschließendem Putzen zu ersparen, verwendet man heute das sogenannte Isolierglas bzw. Mehrscheibenglas. Es ist sicher, bequem und preiswert. Die Scheiben sind so verbunden, daß der Zwischenraum nicht beschlagen und verschmutzen kann.
Für das sonnigste Fenster in der Wohnung soll man jedoch ein sog. Verbundfenster wählen. Das ist ein Fenster, das an jedem Flügel zwei selbständig bewegliche Rahmen hat, die mit einer Angel verbunden sind, sodaß man jede der beiden Scheiben eines einzigen Flügels eigens aufklappen kann. Der Spalt zwischen beiden sich deckenden Flügeln soll nicht in das Zimmer hinein liegen und auch nicht im Fensterspalt, da dann der Zwischenraum zwischen beiden Fenstern im Winter beschlagen kann. Er soll nach außen zur freien Außenluft hin liegen, sodaß die Zimmerluft nicht an ihm vorbei streicht. Dann beschlägt das Glas nicht. Für die schließende Hauptscheibe nehme man dann Bioglas, d. h. biologisch hochwertiges Glas, das möglichst viel Ultraviolettlicht möglichst gut durchläßt. Auch das andere, nicht zu verachtende Licht wird dann qualifizierter durchgelassen. Wenn dann in der kühleren Jahreszeit die Sonne scheint wie im Winter — die Januar-, Februar-, März-, April- und Maisonne ist besonders hochwertig lebensqualifiziert —, dann kann ein Bewohner mit einer Stunde Ganzkörperbestrahlung, je eine halbe Stunde Vorder- und Rückenseite, eine solche Qualität und Menge an heilwirksamen Lebens- und Lichtwerten assimilieren, daß es mindestens für vier Wochen reicht. Dies im warmen Zimmer, ohne Erkältung! Wer denn hätte selbst im Gebirge die Gelegenheit zu solcher weitflächigen natürlichen Bestrahlung? Ein braunes Gesicht, aber der Körper vom Hals ab blaßweiß, das ist ein täuschender optischer Eindruck, also fast nichts für die Gesundheit.
Auch für Schwache und Kranke ist das Heilfenster oder Sonnenfenster der Wohnung Gold wert! Wenn noch ein anderes Zimmer günstig gelegen ist oder zur Ganzkörperbestrahlung in der kühleren Jahreszeit benutzt werden soll, dann schaffe man sich zwei solche Fenster an. Sehr bequem ist ein bioverglastes Solarium im Dachbereich. Dessen Fenster soll im Sommer leicht entfernbar oder einklappbar sein. Hervorragende Sanatorien haben Quarzglasfenster.
Man verwende normalerweise zweiteilige Drehkippflügelfenster. Einteilige Fenster sind unhandlich und stehen geöffnet zu weit in das Zimmer vor. Sie kommen nur als normalerweise geschlossen bleibende Hauptfenster ne-

ben einem öffnenden Flügelfenster in Betracht. Versenkbare oder seitlich in die Mauer einschiebbare Fenster sind sehr schön, aber teuer.
Wenn man nach der natürlichen Bestrahlung den inneren Flügel wieder schließt, der mit Normalglas verglast ist, dann wird von diesem das UV-Licht so weit absorbiert, daß Möbel und Teppiche nicht bleichen. Der Mensch jedoch wird hinter der Bioscheibe braun, naturbraun, nicht kosmetikbraun. Und er gesundet und nimmt neue, hoch wirksame Lebensqualitäten auf, welche die Körperhaut befähigen, Tag und Nacht Unqualitäten besser abzuwehren und den Organismus besser zu regenerieren. Eine übliche künstliche Höhensonne spendet nicht die Lebensqualitäten der Sonne, nicht den tausendsten Teil. Biologisch qualifizierte Höhensonnen müßten zu konstruieren sein.
Ein solches Heilfenster kann so viel wert sein wie ein Winterurlaub, wenn nicht mehr; es ist für eine Familie sicher mehr wert pro Jahr als tausend Mark Medikamente! Und wie viel Wohlbefinden spendet es!
Doch woher das Bioglas nehmen? Da müssen wir weiter auf das Glas eingehen, genauer auf die Glasbiologie. Diese wird heute normalerweise nur ein Nichtglasfachmann und Nichtoptiker verstehen.
Denn diesen Fachleuten wird heute in den Schulen der Aberglaube des Mechanizismus gelehrt, sodaß ihnen der gesunde Menschenverstand, insbesondere das Verständnis für Lebensqualitäten ausgetrieben wird. Dies seit Newton. Goethe hatte im Farbenstreit mit Newton noch die Lebensqualitäten des Lichtes verteidigt, für die er einen gesunden Menschenverstand und ein gesundes Menschengefühl besaß. Newton dagegen hatte sich schon gänzlich in dem Aberglauben alles Aberglaubens verloren, im Quantismus bzw. Mechanizismus. Und dieser Aberglaube beherrscht bis 1970 fast sämtliche Schulen. Hauptsächlich an wenigen Privatschulen wird noch das Wissen vom Leben gelehrt, das die kommende Menschheit retten kann.
Woher also Bioglas? Bioglas existiert bisher nur in Ansätzen, ausgenommen als Quarzglas. Das ist sehr gut. Es existieren in der Wirtschaft heute verschiedene andere Gläser, die 70-80 % Ultraviolett durchlassen, wie Acrylglas bzw. Plexiglas. Doch fehlen hier noch die biologischen Prüfungen, soweit dem Verfasser bekannt.
Hiermit wären wir wieder bei der Grundfrage nach den Arten der Gläser angelangt. Denn außer dem Silikatglas existiert auch das Kohlenstoffglas. Und besonders hier existieren Sorten, die viel UV-Licht durchlassen, was als ein wichtiger Hinweis auf mögliche biologische Qualitäten angesehen werden kann. Das Durchlassen des UV-Anteiles allein ist jedoch noch kein Beweis der Qualität. Denn das UV-Licht kann von schlechtem Glas denaturiert werden, gestört werden.
Anfangs war der Diamant als Muster höchstwertigen Glases genannt, das nicht aus Silikaten besteht. Die chem. Bezeichnung Kohlenstoff ist bei dem Diamanten biologisch nicht richtig. Denn mit Kohle hat das Material des

Diamanten gerade nichts mehr zu tun. Der Diamant ist ein diametraler Gegensatz zur Kohle! Ein echter Biologe begreift das sofort. Denn das ist eine Frage der Lebensqualitäten. Dies gilt analog für alle Kunststoffgläser. Das Problem in ihnen ist also, den „Kohlenstoff" zu qualifizieren.
Das deutsche Wort Glas soll aus der altdeutschen Bezeichnung für Bernstein stammen. Er besteht aus Naturharz und kommt auch in fast glasklaren Arten vor. Naturharz kann man entfärben und in Glasplatten formen! — Kunstharze und andere Chemikalien werden seit wenigen Jahren in großem Umfang für Fenster verwandt! Aus Erdgas und Erdöl kann man auch Naturharze bzw. biologisch hochwertige Kunststoffe oder Kulturstoffe gewinnen, weniger aus Karbid bzw. Azetylen. Hier wird uns die Wirtschaft wohl bald noch allerlei bescheren. Und das ist biologisch, insbesondere medizinisch zu prüfen.
Das Ziel ist, daß das Glas das gute Licht ungestört und ungemindert durchläßt, das schlechte Licht jedoch abwehrt oder in gutes umwandelt. Denn daß auch das Licht einen schlechten Anteil hat, wie alles, das ist an der Zerstörung von Gutem durch das Licht erkennbar. Deshalb werden für Heilmittel, Weine usf. besonders gefärbte Gläser verwandt. Sie wehren Ungutes ab. Doch noch lebenswichtiger ist, das Gute und das Schlechte des Lichtes zu verbessern. Alte sogen. Rubingläser und alte Kirchengläser zeigen nicht nur herrliche Farben, sondern sie vermögen das Licht zu qualifizieren, wie es vorbildlich der Edelstein tut. Jedes Glas sollte ein Edelstein sein! —

DAS METALL

Das Metall ist ähnlich wie das Glas eine „feste Flüssigkeit". Doch sind in ihm im Unterschied zum Glas schon viele winzige Kristalle in einer Art Vorform ausgebildet. Paracelsus spricht nicht wenig von den Metallen. Insbesondere schätzt er die sieben Grundmetalle oder Hauptmetalle Gold, Silber, Kupfer, Quecksilber, Eisen, Zinn und Blei. Sie alle — in der Wirtschaft auch als Buntmetalle bezeichnet — haben ihr Gut und ihr Gift, ihr Lebendiges und ihr Totes. Studieren wir daher die Metalle zunächst im Buche der Natur.
In der Natur kommen die Metalle praktisch fast nie als sogen. reines Metall vor, sondern fast stets teils als „Gut", teils als „Gift" zu wertende Sauerstoff- und Schwefelverbindungen etc. und zwar insbesondere als Kristalle, in einigen Fällen auch als amorphes Pulver. In dieser natürlichen Form sind die Metalle elektrotechnisch gesehen Halbleiter, d. h. biologisch Ordnungsleiter, lebensqualifizierte Leiter. Dagegen sind die technischen Nurmetalle Extremleiter (Voll-Leiter), also biologisch überwiegend ordnungslose Leiter, lebensfremde und teils lebenswidrige Leiter. Doch gilt das wie gesagt nur relativ. Immerhin sind es die Halbleiter gewesen, die der Elektrotechnik eine ungeahnte Entwicklung gebracht haben. Und auch diese steht erst am Anfang.

Ihre Biologie könnte noch weit größere Überraschungen bringen. —
Paracelsus sieht in den Grundmetallen Grundqualitäten des Lebens! Ihren Funktionen in der großen Welt entsprächen in der kleinen Welt, wie im menschlichen Körper, die Funktionen der sieben Organe, nämlich in der oben genannten Reihenfolge des Herzens, des Magens, der Niere, der Lunge, der Galle, der Leber und der Milz. Zugleich lehrt er, daß die sieben Grundmetalle auch den sieben Grundplaneten des Organismus des Sonnensystems entsprechen. Diesen Zusammenhang zwischen Himmel und Erde, der wohl in der Naturwissenschaft aller Kulturen gelehrt wird, hat man in neuerer Zeit durch exakte chemisch-physikalisch-astronomische Versuche bestätigen können. Pfeiffer und Kolisko haben gezeigt, daß Lösungen eines Metalles, die in Filtrierpapier — wie in der Chromatografie — metallspezifische lebensqualifizierte Strukturen („Signaturen" nach Paracelsus) bildeten, diese Strukturen verloren, solange ein Planet vom Mond bedeckt wurde, ca. 2 Stunden lang. Diese Strukturen bildeten sich in ungefähr einer Viertelstunde wieder, wenn der Planet dieses Metalles wieder am Mondrand sichtbar wurde und also wieder in radiale Verbindung zum Erdfeld trat. Lösungen von anderen Metallen blieben unbeeinflußt. Beispielsweise reagierte auf die Bedeckung vom Mars nur das Eisen, auf die Bedeckung der Venus nur das Kupfer usf., wie die Entsprechungen in den Kulturen gelehrt werden ([1]). Bestätigt dies nicht hart die Grundanschauung von Paracelsus, Kepler und der Kulturen, daß jedes Grundmetall eine spezielle lebensqualifizierte und also biologische Beziehung zu „seinem" Planeten hat! —
Paracelsus weist oft darauf hin, daß die innige Zusammenarbeit der lebensqualifizierten Bildekräfte zwischen oben und unten, zwischen Makrokosmos und Mikrokosmos ein Urbeispiel der lebensnotwendigen Zusammenarbeit zwischen Himmel und Erde sei. — Der Hausorganismus soll in diese konkordante Zusammenarbeit wie ein Heilmittel eingeordnet sein, also das Hausklima verbessernd. —
Bio-logisch ergibt sich hieraus viel. Denn das Leben des menschlichen Leibes besteht im Wesentlichen aus den sieben Organfunktionen und also den sieben Urlebensqualitäten — nach den dreigeordneten und viergeordneten Urlebensqualitäten —, wie auch der Organismus des Sonnensystemes im Wesentlichen aus den Planeten besteht.
Zumindest die sieben Grundmetalle haben daher Urfunktionen im Leben des Makrokosmos, und gleich im Mikrokosmos, im Menschen. Also haben sie eine gleiche fundamentale Bedeutung für das Haus des Menschen.
Wenn das Haus in der Gleichung zwischen Mensch und Makrokosmos stehen soll, insbesondere aber als Hülle der Erdhaut entsprechen soll, so wäre zuerst die Frage nach Art und Menge der Metalle zu stellen. Der Art nach erscheinen die Metalle in der Erdhaut mit winzigen Ausnahmen besonders für Gold und Silber nur in kristallinen Verbindungen.
Also soll ein Gleiches für das Haus gelten. Vom Nurmetall soll das Haus frei

bleiben. Somit ergibt sich für das Nurmetall der Kernsatz: Baue metallfrei. Wohne metallfrei!

Ungläubig mag der Leser erstaunen oder vielleicht erschrecken. Denn der moderne Mensch ist doch ein Metallmensch. Zivilisation ist doch nur mit Hilfe der Metalle möglich, insbesondere des Eisens! Sollen wir zurück in die Steinzeit gehen?

Keineswegs! Das Problem ist weit gründlicher zu durchdenken.

Zuerst ist objektiv bio-logisch, also im lebendigen „Lichte der Natur" (Paracelsus) die Hautwand des Hauses von seinen Organen wie Installationen und Einrichtungsgegenständen zu unterscheiden. In den Organen, also in dem Bereich, der von der Haut umhüllt wird, herrscht eine andere Lebensordnung als in der Haut. So auch lehrt die Geologie, daß im Inneren der Erde andere Verhältnisse herrschen als in der relativ dünnen Erdrinde, der Sial- und Sima-Schicht. Die aufgeschmolzenen Gesteine, auch plutonische Gesteine oder Tiefengesteine genannt, zeigen mit steigender Tiefe eine andere Zusammensetzung. Sie werden reicher an Metallen. Man vermutet sogar, daß der feurigflüssige Erdkern sehr hochprozentig aus Nur-Eisenmetallen besteht. Gewaltige Umwandlungsvorgänge, biologische Metamorphosen der Materie scheinen also in der Erde stattzufinden. Vielleicht werden täglich Milliarden Tonnen Materie in andere Elemente umgewandelt, was auf biologischem Wege möglicherweise eine spielend leichte Arbeit der Natur ist, was jedoch auf unbiologischem Wege vielleicht überhaupt nicht echt, nicht wesentlich möglich ist. —

Hieraus ergäbe sich, daß wir in der die Kulturwissenschaft und Naturwissenschaft wie die Personwissenschaft begründenden Urgleichung zwischen der Eigenwelt und Umwelt bleiben, wenn wir im Inneren des Hauses, in seinem Organbereich metallene Gegenstände verwenden. Nur die Hauswand muß strikt von den nurmetallenen Gegenständen frei bleiben, wie auch die Erdrinde von ihnen frei ist. Denn insbesondere mit großflächigen Nurmetallen im Haus beginnen wir ein Käfigfeld wie einen Faradayschen Käfig zu bauen. Er hat ein Käfigklima. Und das könnte ein Totfeld mit einem Sargklima sein, ein Nullfeld an Leben.

Doch im Lichte der Natur, im Lichte des Lebens sehen wir auch, daß das Haus des Erdenmenschen exakt — die Erde ist 6 000 km dick! — in der Grenzzone, also im Grenzfeld der Mutter Erde steht.

Daraus wiederum ergibt sich bio-logisch, daß das ganze Haus samt all seinen Organen fundamental durch die Grenzfunktion, die Hautfunktion bestimmt wird in seiner Konstitution. Dies ist schon eingangs ausgeführt worden. Das nun besagt, daß wir auch im Inneren des Hauses sehr sparsam mit Metallen umgehen sollen. Wir nähern uns also am ersten Ende dieser bio-logischen Gedankengänge wieder der Forderung: Baue metallfrei. Wohne metallfrei.

Wir haben in diesem Gedankengang ein Musterbeispiel, wie man bio-logisch denkt, also mikro-makrokosmisch, lebensgesetzlich zwischen Eigenwelt und

Umwelt, eben im Lichte der Natur, wie Paracelsus sagt, im Buche der Natur. Dieses objektive Einmaleins der Lebensqualitäten oder Lebensfunktionen ist dem Mechaniker, dem Mechanizisten unbegreiflich. Für ihn sind alle wesentlichen Gedanken von Paracelsus ein esoterisches Geschwafel, Worte ohne Sinn, ohne Wert. Daß er es jedoch selber ist, der mit seinem stolz gerühmten wertfreien und also vom Leben „befreiten" Denken sich jeden Zugang zu den Lebensgesetzen der Lebensqualitäten und zu diesen selbst verschließt, auf diese simple Selbsterkenntnis kommt er in seinem Stolz nicht. Für ihn bleibt nur das wertfreie, also das wertlose Denken ein wertvolles Denken! Ein wissenschaftliches Denken! — Paracelsus hat diese sich in jeder Hinsicht diametral selbst widersprechende Wissenschaft auf das heftigste als Scheinwissenschaft, als „Afterwissenschaft" bekämpft. Denn sie würde die Menschen, besonders die Patienten krank machen und morden. Nun, endet sie heute nicht mit einem ziemlich perfekten weltweiten Selbstmordprogramm? Ist die ziemlich totale Zersplitterung der heutigen Wissenschaften nicht eine sehr deutliche „Signatur" (Paracelsus) des inneren Zustandes, also der „Wissenschaftskatastrophe?" — Wo also wird geschwafelt? — Wo kommen die Fachidioten her? —

Der Leser kann hier fragen:

Wie dürften Akademiker heute so scharf sprechen? —

Es geht in der heutigen Katastrophe von Kirche, Wissenschaft (Schule), Politik und Wirtschaft um „Ende oder Wende". Und das hat Paracelsus schon kommen sehen. Wer daher heute objektiv zur Rettung beitragen will, zur Befreiung von dem geistigen wie naturalen Selbstmordprogramm, der muß radikal deutlich sprechen, gleich wie Paracelsus. Mit schönen Worten und Flickschusterei ist nichts mehr getan. Fühlen das nicht Millionen Menschen? In der Wissenschaft wie in der Politik und Wirtschaft? — Radikalität im guten Sinne, nämlich vollständige Konsequenz von der ersten Wurzel an, das ist die Forderung der Stunde!

Wer also den Selbstmord der zivilisierten Menschheit bis auf den Grund erkennt, der ist vor Gott und Mensch verpflichtet, deutlich zu sprechen. Ausserdem ist hier den Gedankengängen von Paracelsus zu folgen, da eingangs erklärt worden ist, das gesunde Haus gemäß den paracelsischen Grundgedanken zu beschreiben.

Rechnen wir daher in der Urgleichung, in der objektiven Bio-Logik und Bio-Physik weiter mit Lebensqualitäten. Gehen wir weiter in dem systematischen qualifizierten Denken über das Leben im Hause und mit dem Hause. Denn nur das kategoriale, prinzipienbewußte, das lebensgesetzliche Denken kann uns in der Wissenschaft vom Leben vorwärts bringen. Alles andere Denken mehrt die Müllberge am Ende der Neuzeit, am Ende der abendländischen Kultur. Zwar bemühen sich im Osten derzeit noch viele, den Müll der Neuzeit zu importieren. Aber noch mehr sind es wohl schon, in denen ein gesundes Mißtrauen gegenüber dem weißen Westen erwacht ist und die sich daher auf die objektiven Werte ihrer eigenen Kultur wieder zu besinnen beginnen. —

Zurück zu unserem Teilthema. Denn ganz nüchtern und sachlich, bei dem Nächsten und Kleinsten haben wir in der Natur zu beginnen, bei dem Ackerboden unter den Füßen und bei der Wand um unseren Stuhl.

In einem heutigen Haus benötigen wir Rohre für das Gebrauchswasser und oft auch für die Heizung sowie Metalle für noch viele einzelne Zwecke. Noch haben wir keine Halbleitermaterialien mit der Festigkeit und Elastizität der Nurmetalle. Wir hoffen und erwarten, daß die Entwicklung der Kunststoffe zu echten Kulturstoffen sehr umfangreich sein wird und uns ganz neue Generationen von lebensqualifizierten Materialien bescheren wird, insbesondere Kohlenstoff-Metall-Verbindungen. Aber noch müssen wir in vielen Installationen mit Nurmetallen umgehen. Das führt zu der Grundfrage nach dem lebensqualifizierten Charakter der einzelnen Metalle. Versuchen wir, uns die wesentlichsten Lebensqualitäten der Metalle gemäß den Lehren der Kulturmenschheit im System des Lebens bewußt zu machen.

Das G o l d, das Sonnenmetall nach Paracelsus, wird seit uralter Zeit als zentrales und fundamentales Metall gewertet, dessen lebenqualifizierte Harmonie relativ vollständig und allgemein ist. Gold ist so allgemein in seinen Lebensqualitäten wie das weiße bzw. weiß-goldene Sonnenlicht, von dem doch nicht nur die Pflanzen leben, allgemein ist im Verhältnis zu dem besonderen Licht der Spektralfarben. Und wie das Herz als Quelle des Lebens ein allgemeines Leben führt im Verhältnis zu den Sonderformen des Lebens in den anderen Organen! —

Dem Gold polar gegenüber steht das S i l b e r, das Metall des Mondes. Es ist passiv und vorzüglich spiegelnd wie das Gold aktiv und vorzüglich ausstrahlend ist. Silber ist kühl wie das Mondlicht, während das Gold warm ist wie das Sonnenlicht.

Beide Metalle gelten überall in der Welt, wo man noch ein gesundes Menschengefühl besitzt, als Edelmetalle im lebensqualifizierten Sinn. Tatsächlich sterben schlechte, also pathogene Bakterien in Gold- und Silbergefäßen schnell ab, ähnlich wie auf dem mit goldgelbem Leinöl hergestellten Linoleum. Innen vergoldete Konservendosen (nur für wenige Pfennige Gold ist dazu erforderlich) bewahren die Lebensmittel vorzüglich. Das ist ein wesentlicher biologischer Grund zur Herstellung goldener und silberner oder vergoldeter und versilberter Hausgeräte, auch Schmuckstücke. Denn die Abwehr der krankhaften Bakterien — es existieren auch gesunde, lebensnotwendige Bakterien! — ist nur ein winziger Teil der lebensqualifizierten entgiftenden Feld-, Strahlungs- und Strömungswirkungen, die von den Edelmetallen und anderen edlen Materialien ausgehen! Ihre biologische Gesamtwirkung ist tausendfach höher und weiter. —

Das K u p f e r steht in einer dreieinen Ordnung mit Gold und Silber, dies auch im physikalisch-chemischen System der Elemente. Doch das biologische

System der Elemente wird noch viel mehr und wesentlichere Strukturen aufweisen. Auch Kupfer, das Metall der Venus, hat noch gute, liebliche Eigenschaften in vielerlei Hinsicht. In der Küche und bei der Bereitung der Heilmittel ist es früher viel verwandt worden. Doch muß man es recht behandeln. Die Haut, die es bildet, soll man unverletzt lassen. Und Widriges darf man ihm nicht zumuten, während Gold und Silber sehr viel harmonisch vertragen. Kupfer, Silber und Gold haben eine hervorragende Leitfähigkeit, auch für den elektrischen Strom. Sie erzeugen also keine Disharmonie durch irgend eine Widerfunktion. Kupfer gilt daher mit Gold und Silber als derart lebensfreundlich, daß Hausgeräte in Kupfer überall geschätzt werden, wo man noch über ein gesundes Menschengefühl verfügt. Und auch kupferne elektrische Leitungen gelten, sofern sie frei von elektrischen Spannungen und Schwingungen disharmonischer Art sind, nicht als lebensfeindlich.
Dem Kupfer polar gegenüber steht das Eisen, das Metall des Mars, des Kriegsgottes. Es ist aktiv und aggressiv, eben kriegerisch. Eisen in größerer Menge wie bei einem Heizkörper wird von vielen Menschen innerhalb eines Kreises mit vier Meter Radius um einen Ruheplatz wie das Bett schon schlecht vertragen. Es stört den Schlaf. Im Bett wie als Bettgestell, als federnde Matratzenunterlage oder als Drahtspirale in der Matratze wirkt es noch viel schlechter! Mit eisernen Rohren soll man im Haus sehr zurückhaltend sein. Nach Möglichkeit soll man Kupferrohre verwenden. Und selbst diese soll man vom Wohnteil des Hauses, vom Schlaf- und Wohnraum und einem geistig-seelischen Arbeitsraum normalerweise fernhalten, also auf den Kraftteil des Hauses konzentrieren, auf Küche, Bad und WC und auf das Zentrum des Hauses. Soweit Warmwasserumlaufheizungen verwendet werden, soll man diese zentral im Haus anordnen mit also kürzesten Verbindungswegen. Dann wird die eiserne Umarmung vermieden, die andernfalls um das ganze Haus und besonders auch um den Schlafraum reicht. Dessen Außenwände und Decken sollen völlig frei von Metallen und Kunststoffen (Voll-Leitern und Nicht-Leitern) aller Art sein, damit hier in der nächtlichen Regenerationszeit die „Konkordanzen“ der neu belebenden makrokosmischen „Influenzen“ nicht gestört werden, vor allem aber diese nicht abgesperrt werden. Metallfreiheit des Hauses besagt in erster Linie Eisenfreiheit. — Auch der elektrische Widerstand des Eisens ist um das rund Zehnfache größer als bei Gold, Silber und Kupfer.
Das Zinn, ein weit edleres, höher stehendes Metall arbeitet mit dem Eisen zusammen wie die Leber mit der Galle und wie am Himmel Jupiter und Mars aufeinander folgen in ihren Feldern. Wie der Jupiter groß und der Mars klein ist, so ist auch im Mikrokosmos die Leber groß und die Galle klein. Paracelsus spricht unaufhörlich in diesen Analogien, um die „Astra“, die Lebensprinzipien, und ihre „Arcana“, die konzentrierten Lebensenergien, in ihrem lebensgesetzlichen System dem Schüler verständlich zu machen. Wie könnte man auch sonst die Lebensordnung des Makrokosmos und Mikro-

kosmos verstehen. Zinn hat höhere Lebenseigenschaften als Kupfer. Deshalb wurde es auch früher viel zu Geschirren benutzt und zu kunstvollen Geräten. Aber es ist weich, wie der Planet Jupiter. Und das begrenzt seine technische Verwendungsmöglichkeit. Für Gefäße, die Heilmittel, Kosmetika usf. enthalten, ist Zinn biologisch gut brauchbar.

Das Quecksilber, dem der Sonne so nahe stehenden und so schnell laufenden, beweglichen, heißen Planeten Merkur zugeordnet, hat wie die Sonne viele zentrale Funktionen. Es ist vielseitig verwendungsfähig, wie besonders in der Heilkunde. Doch muß man dann wissen, ihm „sein Corrossiv zu nehmen"; denn dies ist ebenso giftig wie sein „Gut" heilwirksam ist. Für den heutigen Hausbau kommt das Quecksilber weniger in Betracht, es sei denn bei Spiegeln und in der Vorarbeit bei Kunststoffen wie PVC.

Als letztes Metall in der Tonleiter des Lebens folgt das Blei, dieses saturnische Metall. Es ist für den Grundbau in der feuchten und finsteren Erde gut brauchbar und speziell für Abwasserführungen. Auch das Blei hat ein starkes Corrossiv und ein starkes Gut. In seinem Gut ist es Gold und Silber gleichwertig. Aber das Gut ist inwendig verborgen, hinter der großen Schwelle. Man verachte also das niedrige Blei nicht. Wenn es jedoch disharmonisch behandelt wird, unbiologisch, dann kann es sehr giftig wirken, als „großes Unglück", besonders als Bleistaub. Mit Blei und Quecksilber ist also sehr vorsichtig umzugehen, dann aber auch mit dem gröberen Eisen.

Eine objektive „Legierung" bringt neue Lebensqualitäten; denn es liegt dann nicht nur eine Mischung, sondern eine Ehe, eine spezifische Miteinandergleichung, eine Vieleinheit vor, — nicht nur eine Summe, sondern eine neue Ganzheit. Hier liegt ein eigenes großes biologisches Metallreich.

Eine edle Verbindung von Zinn mit Kupfer (mindestens 75 % Kupfer) ist die Bronze. Sie ist viel fester und widerstandsfähiger als jedes einzelne der beiden Bestandteile. Aber die Technik ist in der Biologie uninteressant. Wichtig ist hier stets die edle Lebensqualität. Bronzegeräte haben schätzenswerte Feld-, Strahlungs- und Strömungsqualitäten, wenn auch weniger als Gold und Silber.

Noch viele gute Verbindungen der sieben Grundmetalle existieren, teils auch in Legierungen mit anderen Metallen, beispielsweise das Neusilber, auch Argentan, Alpakka oder — versilbert — Chinasilber genannt. (Aus 45-75 % Kupfer, 8-45 % Zink und 8-28 % Nickel, einem Eisenmetall bestehend). Es wird für Tafel- und Küchengeräte, ärztliche und feinmechanische Geräte gebraucht. Die biologische Qualität dieser Verbindungen bzw. Legierungen ist sehr verschieden. Hochwertige Bronze (mit viel Kupfer und ca. 10 % Zinn) und hochwertiges Neusilber (Kupfer zu Zink zu Nickel wie 8 zu 3,5 zu 3-4) stehen anderen biologisch hochwertigen Legierungen mit auch noch anderen Zusätzen gegenüber.

Aber wir haben doch noch Aluminium und Magnesium. Die Erdrinde ist doch eine Sial-Sima-Schicht (Si = Silizium, Al = Aluminium;

Ma = Magnesium). Also müßte das Aluminium doch ein ganz besonderes Metall sein, sodann das Magnesium. Das ist richtig. Doch ist das heute übliche Aluminium eine „unzeitige Geburt". Es bedarf wohl mancher biologischer Prozesse, um sein Gut herauszukehren bzw. zu entwickeln und sein Korrosiv zu überwinden. Hier wird uns die Zukunft wohl noch viel bringen. Und das gilt auch für das Magnesium. Vorerst sind die tausenderlei Aluminiumlegierungen ziemlich unterschiedlich in ihren Lebensqualitäten, problematisch und noch nicht systematisch biologisch untersucht. Es können also gute darunter sein.

Ein heutzutage viel zu Baumaterialien verwandter Stoff ist der Asbest. Er besteht mineralogisch aus mancherlei, hauptsächlich aus Magnesiumsilikat. Nach neueren Untersuchungen scheint verschiedener Asbest in Staubform sehr giftig zu wirken, wie sogenannter afrikanischer, sodaß bei solchen Baumaterialien vor einer gründlichen Abklärung und ev. Änderung so mancher Produktion große Vorsicht geraten ist ([1]).

Mit dieser sehr kleinen Übersicht über die biologische Metallurgie müssen wir uns bei dem Umfang unseres Themas hier begnügen. Ergänzt sei noch, daß im biologischen System der Elemente Familien existieren wie im physikalisch-chemischen System Verwandtschaftsbeziehungen. So spricht man von Eisenmetallen, die zumindest Eisen, Kobalt und Nickel umfassen; zum Gold wird auch das Platin gerechnet, zur weiteren Verwandtschaft auch Osmium, Iridium usf. Die Verwandtschaften sind vielfältig.

Eine fundamentale Position hat auch das Antimon. Es hat ein allgemein menschliches Wesen, sodaß man es auch „das Metall des Menschen" nennt. Aber im Haus aus vier Wänden kommt es nur für besondere Fälle in Betracht.

Gehen wir wieder zum allgemeinen Gebrauch der Metalle im Haus über. Nurmetalle soll man im Wohnhaus (!) also nirgends großflächig oder in großer Menge verwenden und sei es auch als ein Kupferdach. Kirchen und einige andere Häuser kann man ruhig mit ihm decken. Denn es ist höchst haltbar. Aber ein Dach, unter dem man gesund schlafen oder auch hochqualifiziert arbeiten will, soll man für den radialen Lebenswechsel des Kosmos mit der Erde metallfrei halten.

Es kommt alles auf den Generalrat hinaus: Wohne metallfrei. Und wenn Metalle, dann möglichst edle Metalle, möglichst kompakt, nicht großflächig und nicht an empfindlichen Orten bzw. Brennpunkten des Hausfeldes postiert. Weniger edle Metalle, besonders Eisenmetalle möglichst biologisch abgeschirmt. Schon ein Leinöllack hat eine biologische Abschirmwirkung, noch weit mehr aber eine kupferne Ummantelung oder eine Versilberung oder Vergoldung der Außenfläche. Weiß man das eigentlich nicht schon seit Jahrtausenden? Zumindest instinktiv?

Daß man Metallmöbel meiden soll, das bedarf wohl kaum mehr der Erwähnung.

Was aber dann mit den vielen, hauptsächlich eisernen Büromaschinen? Das Manuskript auch dieses Buches wird wohl auf einer elektrischen Schreibmaschine geschrieben sein. Und die Buchungsmaschinen, die Rechenmaschinen usf.? — Man sehe sich eine moderne Rechenmaschine mit vielen und hoch komplizierten Funktionen, eingespeicherten Formeln usf. an. Man kann sie in die Westentasche stecken. Und ihr Verbrauch an elektrischer Energie vermag den Zähler nicht mehr zu bewegen. So klein ist er. Ob dies nicht ein Symbol der künftigen Entwicklung von Büro- und Haushaltsmaschinen sein kann? Solch ein Gerät ist, wenn biologisch abgeschirmt, im Leben des Hausfeldes und also für das Hausklima belanglos. Die noch großen und schweren Geräte dagegen gehören nicht in die Nähe eines Ruheplatzes und eines hoch qualifizierten Arbeitsplatzes! Ihre biologische Aktivität ist übrigens nach bisherigen Erfahrungen sehr verschieden. Von Geräten fast gleicher Funktion und Konstruktion stören die einen das Hausfeld stark, die anderen fast garnicht. Auch hier wird ein biologisches Prüfinstitut eine dankenswerte Aufgabe haben. Für die technischen Funktionen eines Gerätes ist es nämlich fast stets belanglos, aus welchen — harmonischen oder disharmonischen! — Materialien die nur mechanisch wirksamen Materialien bestehen. Diese aber machen oft weit über 50 % der Masse des Gerätes aus, bei einer elektrischen Schreibmaschine beispielsweise über 95 %, bei einer anderen fast 100 %.
Die Biotechnik auf dem Grunde der (objektiven) Biophysik ist heute noch fast vollständig unbekannt. Die Biophysik aber hat im kultivierten zivilisierten Leben zu herrschen wie die (objektive) Biologie im gesamten menschlichen Leben. Und sie wird auch herrschen in der kommenden Menschheitskultur. Denn ohne sie existiert nur das Selbstmordprogramm, auch in Haushalt und Büro. Nur das Leben wird überleben. Die wandelnden Toten werden sich selbst begraben. Dann wird die Welt wieder frei werden für die Lebendigen.

DIE FARBE

Farbe ist Leben! Der Tod ist grau und leichenblaß! —
Im Anfang dieser Welt hieß es: Es werde Licht! Aus dem Licht ist in dieser Welt alles geworden. Farben sind Kinder des Lichtes.
Aus dem Licht und seiner Wärme leben die Pflanzen. Und von den Pflanzen leben großenteils die Tiere und Menschen.
Form und Farbe sind Geschwister. Formen haben Farbe, je nach ihrer Qualität. Und die Farben bilden die Formen mit. Form und Farbe arbeiten im Leben stets eng geschwisterlich zusammen.
Die Blüten offenbaren das Wesen und also die Lebensqualitäten der Pflanze in Form und Farbe. Was wäre eine Blüte ohne Farbe? Ein Nichts! Keine Blüte. Sie wäre ohne Wesen, ohne Leben, ohne Qualität.
Man verwehre einer Frau, Farben zu tragen. Sie könnte sich nicht mehr als Frau kleiden.

Die Fahne einer Nation besteht aus Farbe und Form, meist mehr aus der Farbe als aus der Form. Von schwarz-weiß-rot sprach man, nicht von Streifen. Dagegen sprechen Formenmenschen ausnahmsweise nur von Formen wie von Stars and stripes. (Die Sterne und Streifen der US-Flagge). In der Fahne oder Flagge wird das ganze Wesen der Nation gesehen, ihr Name und ihre Ehre. Welch große Wirkung hat hier die Farbe!
Man hat in Sanatorien Versuche mit farbigen Krankenzimmern gemacht. Die Wirkungen waren immer erstaunlich groß, jedoch gemischt zwischen gut und schlecht, da man in der Regel noch keine Qualitäten unterschied. Denn es existieren gute und schlechte Farben, lebendige und tote Farben, reine und unreine Farben. Sie zu unterscheiden, darauf kommt es im Leben an. Andernfalls wähnt man Unqualitäten als Qualitäten und umgekehrt. —
Ein lebendiges Blau beruhigte sehr. Rot regte an und auf. Ein weiches Grün wirkte erholsam, entspannend. Gelb regte die Intelligenz an, das Bewußtsein ([1]).
Ähnliches hat man in Arbeitsräumen versucht und ebenfalls mit gemischtem Erfolg praktiziert. Denn hier wurde die Lebensqualität der Farbe noch weniger beachtet ([2]).
Viele Krankheiten kann man an ihrer Farbe ebenso deutlich erkennen wie an ihrem Geruch bzw. Gestank. Wenn ein Mensch gelb wird oder rot anläuft oder blau wird oder grün oder totenbleich, das besagt dem Erfahrenen sehr viel. Medizinische Schnelldiagnostik wird heute in weitem Umfang mit Hilfe von chemischen Farbreaktionen getrieben.
Ein schmutziges Grau ist eine sehr ungesunde Farbe. Man findet sie oft bei Krebskranken. Sie ist auch eine Farbe großer Lebensschwäche und besonders Widerstandsschwäche. Man schaue beispielsweise gründlich, welche Farbe der Ziegel, das Holz oder der Zement zeigt; und man suche das Wesen zu erschauen.
Auch Heilmittel haben eine innige Beziehung zu den Farben.
Verkünstelte Stoffe wirken immer schmutzig. Sie haben einen „Grauschleier" an Schmutz, der sehr fest haftet. Denn gleich und gleich gesellt sich gern. Im Gegensatz dazu haftet Schmutz beispielsweise an lebendiger Wolle nur sehr oberflächlich und leicht. Im Altertum wurden daher Wollsachen nach einer kurzen nächtlichen Regenerationszeit an frischer Luft durch bloßes Ausklopfen gereinigt und viel seltener gewaschen als heutzutage. Aber heute ist der Schmutzanfall auch weit größer. Und der Schmutz ist viel schmutziger.
Gesunde, lebendige Baumaterialien haben eine frische, lebendige, reine Farbe, eine angenehme Farbe, die ein natürliches Wohlgefühl erzeugt.
Zusammengefaßt haben Farben eine intensive Wirkung auf das Leben in Seele und Leib, in der Person und in der Natur. Sie sind Ausdruck intensiver Prozesse. Sie haben wie die Formen eine starke qualifizierte biologische Wirkung und zwar durch Feld, Strahlung und Strömung, insbesondere viertens auch chemisch-materiell. Also ist nicht nur die Form, sondern auch

die Farbe des Hauses innen und außen zentral lebenswichtig für Gesundheit, Krankheit und Heilung des Hauses samt seinen Bewohnern.
Wenn die Farbe zentral lebenswichtig ist, dann ist auch hier wie überall in dieser Welt erstmaßgeblich die Unterscheidung zwischen „Gut" und „Gift" der Farben zu suchen, zwischen harmonischen und disharmonischen, zwischen guten und schlechten, gesunden und kranken Farben. Diese Unterscheidung ist vielfältig möglich, so nach dem Rohmaterial, nach dem Herstellungsverfahren, nach der Wirkung auf Seele und Leib, kulturgeschichtlich, nach Analogien bzw. Nachbarschaften usf.
Zuerst zu den guten, lebendigen und reinen Farben. Sie zeigen gute, lebendige und reine Feld-, Strahlungs- und Strömungswirkungen und solche materielle Gestaltungen. Da die guten, lebendigen Farben Kinder des guten, lebendigen Lichtes sind, so sind sie desto besser, lebendiger und reiner, aus desto größerer Höhe sie kommen. Je höher am Berg, desto leuchtender die Farben der Pflanzen. Gott läßt die Heilpflanzen auf den Höhen der Berge wachsen, heißt es bei Jesus Sirach.
Je höher, desto lichter, desto heiler und also auch heilsamer. —
Aus finsteren Tiefen der Erde kann man mit Kohlepech und Schwefel Farben künstlich bilden, also ohne Wachstum. Wie sind die gewachsenen und die künstlich fabrizierten Farben, die Kinder des Lichtes und die Kinder der Finsternis sicher zu unterscheiden? Beispielsweise das natürliche Rosenrot und das synthetische Anilinrot?
Lebensqualifizierte, somit gute Farben haben einen angenehmen, warmen, lebendigen, reinen, weichen, pastellartigen, ruhigen Ton. Sie erfrischen und beleben die Augen. Sie heilen. Denn Heiles macht heil. Gesundes macht gesund.
Unqualifizierte, schlechte, giftige Farben, besonders synthetische Farben, haben einen unangenehmen, kalten, toten, unreinen, harten, stechenden, aufreizenden, unruhigen Ton. Man muß auch hier wach und meditierend schauen, um das zu erkennen. Die giftigen Farben strapazieren und ermüden die Augen, verschlechtern ihr qualitatives Erkenntnisvermögen. Sie verderben also die Augen. Sie tun weh und machen krank. Denn Krankes macht krank. Alles Schlechte, alles Giftige ist krank.
Dasselbe Verhältnis finden wir zwischen Sonnenlicht und Karbidlicht. Man suche beides bald nacheinander beschaulich zu erleben. —
Das äußerste Ende des Künstlichen, der völlige Tod, der vollständige Verlust an Identität zeigt sich in einem schmutzigen Grau. Das ist der Zusammenbruch jeder Farbe. Auch alle künstlichen Farben enden hier. Alwin Seifert, der als aesthetischer Mitgestalter der deutschen Autobahnen hundert mal mehr Beton als ein normaler Architekt verarbeitet hat, erklärte: „Naturstein bekommt im Laufe der Zeit an der Oberfläche eine Farbe echten Alters, eine Patina; schalungsrauher Beton wird bloß dreckig" (¹).
Zwischen gut und schlecht, zwischen gesund und giftig bzw. krank bestehen

wie überall in der Zeitraumwelt so auch zwischen den Farben viele Übergänge und Mischungen. Es existieren schwere und leichte Gifte, schwache und starke Gut-Qualitäten. So auch existieren nicht nur die gewachsenen lichten reinen Farben der hohen Berge und die künstlichen Pech- und Schwefelfarben. Sondern herrliche Farben der Edelsteine werden auch in der Erdrinde gefunden. Die alten großen Maler haben sie in gemahlenem Zustande auch zu den leuchtenden und farbbeständigen Bildern gebraucht, übrigens mit Hühnereiweiß, echtem Leinöl, echtem Terpentin usf., also auch hier mit Lebensqualitäten!

Und schmutzige Farben wachsen auch über der Erde wie bei Giftpflanzen. Aus der guten Erde kann man unmittelbar gute, lebendige Farben gewinnen. Bei Anwendung biologischer Herstellungsverfahren kann man sie aus Erdöl und vielen Mineralien erzeugen. Auch aus Tieren kann man edle Farben gewinnen, wie das Altertum in einer ausgedehnten Industrie von Schnecken, Kerbtieren etc. zeigte. Zusammengefaßt kann man sowohl aus dem elementischen Bereich als auch aus Mineralien, Pflanzen und Tieren Farben gewinnen, gute und auch schlechte. Hier kommt es auf das Feingefühl für Lebensqualitäten, auf viel Wissen und Erfahrung an.

Beispielsweise bildet das Metall Chrom (griech. Chroma = Farbe) viele farbige Verbindungen. Die Gruppe der Chromfarben ist daraus erstanden. Sie eignen sich für mittlere biologische Ansprüche, besonders wenn es auf Farbbeständigkeit und harte mechanische Beanspruchung ankommt. Manche Metallfarben werden giftig genannt, typisch das Bleiweiß. Auch einige giftige Mineralfarben existieren. Doch ist im Einezelfall zu fragen, ob hier nur eine Dosiswirkung vorliegt oder eine Substanzwirkung wie bei Bleiweiß, Schweinfurter Grün usf. Pflanzenfarben sind viel seltener giftig, besonders nicht, wenn fertig verarbeitet. Entscheidend kommt es hier immer auf die Biologie der Herstellung und Verarbeitung an, auf die von Paracelsus geforderte Scheidung von „Gut" und „Gift", von der Lebensqualität und ihrem denaturierten „Corrosiv". Hinter starken Giften steht nach Paracelsus oft ein starkes Gut. Aber dann erfordert es große Kunst, das Gut rein zu gewinnen, etwa bei Bleiverbindungen. Doch haben sie dann große Lebensqualitäten und also große Heilwirkungen auf das Hausklima und seine Bewohner. Je besser die Farbe, desto heilsamer wirkt sie auf das Klima. Denn alles Gute heilt. Und davon profitieren die Bewohner ihr Leben lang. —

Die Hochkulturen zeigen einen Reichtum an guten, lebendigen und reinen, also leuchtenden Farben, gewonnen aus allen drei Naturreichen. Ihre Wirtschaft zeigt eine kunstvolle handwerkliche Farbenindustrie. — Die Zivilisation am Ende einer Kultur zeigt einen Überfluß an schlechten, toten und unreinen Farben, an Giftstoffen. Ihre Aggressivität wird in der Giftmedizin viel verwandt. Historisch geht aus der modernen Farbenindustrie die Industrie der modernen giftigen Medikamente hervor, für den Menschen gleich

wie in den Spritzmitteln für die weitere und nahe Umwelt. Und sie herrschen im Zeitalter des mechanizistischen Materialismus so sehr, daß sich viele Mediziner und Pharmazeuten ungiftige Medikamente garnicht mehr vorstellen können. Medikament ist bei ihnen gleich Gift. — Daß das Vergiften bzw. die Giftwirkung eine kranke Funktion ist und daß Gifte in der Natur etwas Krankes sind, das ist ihnen unbegreiflich geworden in ihrem wert„freien", sinnleeren, auf dem Kopf stehenden Weltbild.
Auch diese historische Entwicklung zeigt sehr deutlich, daß Farben starke biologische Wirkungen verursachen. Daraus soll man seine Konsequenzen ziehen für die Verwendung der guten, gesunden Farben in dem gesunden Haus. —
Gute Farben werden zuerst als Erdfarben verwandt, heute mehr als Mineralfarben bezeichnet. Diese natürlichen Farben sind sehr lichtecht und daher für den Außenputz und alles im Freien sehr geeignet, aber auch für den Innenputz, für Tapeten und alle Anstriche. Gute Pflanzenfarben sollen nicht auf mineralischem, meist kalkhaltigem Grund aufgetragen werden, da sie durch Kalk und andere Substanzen zersetzt werden. Pflanzliche und tierische Farben können sowohl auf pflanzlichem als auch auf tierischem Grund verwandt werden wie auf Holz, Leinen, Wolle, Seide.
Wer Farben hervorrufen will, auch im festen Material, oder Farben auftragen will, der muß tingieren und imprägnieren, teils auch beizen genannt, oder anstreichen. Beides sind große Künste und umfangreiche Gebiete. Imprägnieren setzt viel Gefühl und Wissen von den Lebensqualitäten voraus und ist daher heute eine sehr arme, wenig verstandene Kunst geworden. Desto mehr wird aufgestrichen. Imprägniertechnik, Farbtechnik und Anstrichtechnik werden heute vereint unter Anstrichtechnik behandelt. Von dem Wesen, der Kunst und Technik dieser Behandlung des kleinen und großen Gehäuses, besonders seiner Oberfläche, soll ein kleines praktisches Kapitel folgen.

DER ANSTRICH

Im gesunden Haus werden Anstriche benötigt aus personalen, kulturalen und naturalen Gründen. Der maßgebende naturale Grund, um etwas anzustreichen ist die Verbesserung der Oberfläche, also die Steigerung der Lebensqualität der Haut des Gegenstandes und somit der Selbst-Mitlebensfunktion des ganzen Gegenstandes. Die Hautfunktion soll in mehreren Richtungen verbessert werden, gesteigert oder vermindert, je nach der besonderen Lebensaufgabe des Gegenstandes. Die Oberfläche, welche auch die Angriffsfläche für alle von außen kommenden Unqualitäten ist, soll gestärkt, gefestigt und für alle Unqualitäten geschlossen werden.
Gefestigt werden sollen die Lebensqualitäten des Gegenstandes, nachdem sie möglichst hoch und gut entwickelt worden sind. Und stabilisiert werden sollen die Unqualitäten, nachdem sie möglichst neutralisiert worden sind,

sodaß ihre Aggressivität möglichst auf null reduziert wurde. Dagegen sollen die Lebensqualitäten des Gegenstandes aktiviert werden in ihren transformatorischen und katalythischen Fähigkeiten.

Der ganze Gegenstand soll u. a. auch mit Hilfe des Anstriches vom zweiten in das dritte Leben überführt werden, wie Paracelsus sagt.

Alle Anstrichtechnik ist daher im Grunde Anstrichbiologie! (Jede Technik, d. h. jedes Handwerk ist im guten Grunde eine Biologie, nämlich ein lebensqualifizierter Umgang mit lebensqualifizierten Einheiten. Jeder Umgang ist lebensqualifiziert oder unqualifiziert, somit tot und tötend. Jede reale Einheit ist eine Lebensqualität oder eine subjektiv konstruierte Fiktion). Wenn man dieses Wesentliche sieht, so kann man weitaus mehr erreichen! — Und auf der Anstrichbiologie gründet die Anstrichkultur. Eine antibiologische Kultur ist eine tote Zivilisation, ein Selbstvernichtungsprogramm. — Diese Zivilisation arbeitet mit entsprechenden Anstrichen.

Der auf das Wesentliche weisende Oberbegriff der Anstrichtechnik ist also die lebensqualifizierte Behandlung der Haut des Gegenstandes. Denn jeder Gegenstand, auch ein aufgeschnittenes Brett, entwickelt natürlicherweise an seiner Oberfläche die Grenzfunktion, also die Hautfunktion. Die Erfahrung lehrt, daß jeder auch von Menschenhand gebildete Gegenstand an seiner Oberfläche in wenigen Stunden eine Haut bildet. Bei Metallen spricht man beispielsweise von Patina, bei geringerer Einsicht von Oxydschicht. Da die Haut eine Verbindung erschwert und teilweise verhindert, so muß jeder Gegenstand vor einer guten Verbindung an seiner Oberfläche angefrischt werden, wie man sagt. Beispielsweise kratzt man den Gummi vom Autoschlauch an, ehe man das Loch verklebt. Sogar für Wundränder gilt dies, wenn die Wunde auch nur einen Tag alt ist und man sie chirurgisch gut schließen will. Das lernt jeder Arzt. Für Steine, Hölzer, Leder und auch Beton gilt dasselbe. — Das sind einfache Erfahrungen. Aber wie viel biologische Schlüsse kann man daraus ziehen, wenn man mit dem Auge des Geistes und also des Lebens schaut! Im Lichte der Natur.

Analysiert man die Lebensziele des Anstriches, so ergibt sich die vierfache Lebensfunktion der Haut. Diese kann man in zwei Grundfunktionen zusammenfassen, nämlich in das Verhalten zum Guten und das Verhalten zum Schlechten. Das gute Verhalten zum Guten besteht darin, das Gute anzunehmen, zu bewahren und zu entwickeln und mit ihm zu arbeiten, sodaß das Eigenwelt- und Umweltklima verbessert wird. Das gute Verhalten zum Schlechten besteht darin, das von innen kommende Schlechte auszuscheiden und zu neutralisieren und das von außen kommende Schlechte abzuweisen und zu neutralisieren, nach Möglichkeit über das Unschädlichmachen im Neutralisieren hinaus auch zum Guten zu wandeln. Das dürfte das biologische und also wahre Wesen des Korrosionsschutzes sein.

Die Kunst des Korrosionsschutzes besteht daher darin, die natürliche Hautbildung möglichst hoch qualifiziert zu entwickeln, zu verbessern und zu stärken, und auch ein biologisch passendes Kleid überzuziehen, also eine zweite Haut. Sie soll mit der ersten Haut biologisch eng zusammen arbeiten. Je besser, desto haltbarer. Je schlechter die Zusammenarbeit, desto schlechter der Anstrich. Denn die Arbeit, die Dynamik der Verbindung zwischen erster und zweiter Haut ist zu sehen! Eine tote Statik anzunehmen ist ein folgenschwerer Irrtum.

Das Anstrichmittel soll also lebensqualifiziert sein. Und seine Lebensqualitäten sollen mit denen des zu verbessernden und zu schützenden guten Gegenstandes harmonieren. Harmonieren ist Gleichen! Gemäß dem Urgesetz der Gleichung ergibt sich somit, daß Mineralien mit Mineralien optimal, vollständig und wesensgemäß geschützt werden, Vegetabilien mit Vegetabilien und Animalien mit Animalien. (Diese nächste Gleichung ist kein Einwand dagegen, daß auch noch höhere, allgemeinere Gleichungen existieren!) Also gehört auf einen guten Ziegel ein reiner Kalkverputz. Und jeder Stein wird durch ein lebensqualifiziertes Silikat in seiner Haut und Tiefe qualifiziert. Auf Holz gehört ein aus Pflanzen, insbesondere aus Holz gewonnener lebensqualifizierter Stoff. Auf Leder gehört Ledernahrung und Lederwachs, beides aus Leder bzw. Haut gewonnen. Auf Wolle gehört Wollextrakt, besonders mit Wollfett usf. Das Wort „auf“ bezieht sich nur auf die Technik des Auftrages, des Anstriches. Die Wirkung ist eine eingehende, eine imprägnierende, das Wesen wandelnde, verbessernde. Nach einem alten Satz wird ein jeder Körper am besten mit seinem eigenen Blut ernährt und konserviert! —

Paracelsus lehrt, daß wachsende und nicht mehr wachsende Gegenstände zu unterscheiden sind. Beide sind an ihrer Haut grundverschieden zu behandeln. Solange ein Gegenstand wachse — ein Stein etwa in der Bergfeuchte des Bergverbandes — stehe er im „mittleren Leben“. Wenn er aus diesem mittleren oder zweiten Leben genommen werde, solle er lebensgerecht in das „Endleben“ oder „dritte Leben“ überführt werden. Je besser diese Wandlung, desto besser werde er sich selbst wahren bzw. konservieren. Die Wandlung sei eine Metamorphose, ein Stirb und Werde mit einer Neugeburt.

Daraus ergeben sich umfangreiche Konsequenzen etwa für Zeit und Art des Holzeinschlages, der Lagerung und Weiterverarbeitung, für das Ernten von Heilmitteln und Nahrungsmitteln, für das Fermentieren von Tee und Wein, für die Behandlung des Leders und aller Naturtextilfasern, usf. Auch für die Korrosionsschutzmittel ergeben sich in der Herstellung und Anwendung viele Konsequenzen wie in der Fermentation, Destillation, im Anstrich- oder Auftragverfahren usf. Das zählt zum ABC der Biologie bzw. der biologischen Chemie und Physik. Die großen Biochemiker, die Gelehrten, Künstler und Handwerker der Scientia perennis beherrschten nachweislich die Kunst, Mineralien, Metalle, Hölzer und Animalien über Jahrtausende und also gebrauchspraktisch unbegrenzt korrosionsfest zu machen! — Die

Technik der Selbstvernichtungswirtschaft ist von dieser Kunst himmelweit entfernt. Denn dazu muß man in den Prinzipien und Gesetzen der Lebensqualitäten systematisch denken können. —
Was ergibt sich im Bereich der Anstrichbiotechnik aus dem Einmaleins der Lebensqualitäten als das Allerwichtigste für das gesunde Haus, das kranke Haus und seine Heilung? Wir erwägen zunächst generell: Alle Dinge wirken in dieser — peripheren! — Welt durch ihre Oberfläche, also durch ihr Haus hindurch, somit von der hüllenden Oberfläche wesentlich mitbestimmt. (Der Mensch lebt in dieser Welt durch die Sinnesorgane. Diese bilden sich aus der Haut und in ihr!). Also sind alle Oberflächen eines Raumes und aller Gegenstände in ihm von fundamentaler Bedeutung, dies allgemein biologisch, nicht nur physikalisch und chemisch katalythisch. Sie sind natural, kultural und personal lebenswichtig. Beispielsweise schreibt man auf Papier. Wäre eine Kultur oder Religion ohne Schrift möglich?

Die Bestandteile des Anstriches

Dazu eine Vorbemerkung: In diesem Kapitel wird gemäß altem Brauch die gesamte Oberflächenbehandlung systematisch zu skizzieren und im Wichtigsten praktisch darzulegen versucht. Daher wird das Verputzen bzw. die Gipserarbeit noch zusammen mit der sich erst spät trennenden Anstreicherarbeit behandelt unter dem Leitwort Anstrich.
Anstriche bestehen in der Regel aus Bindemittel, Pigment und Verdünnungsmittel. Oft wird ein sogen. Füllstoff zur Erleichterung und Verbesserung des Anstriches zugesetzt. Was ist zunächst unter diesen Ausgangsmaterialien zu suchen? Was ist noch angängig? Was ist schon hier zu meiden?
An Bindemitteln sind Kalk, Wasserglas (ein Silikat), lebensqualifizierte pflanzliche und tierische Leime, qualifizierte Öle wie hauptsächlich Leinöl, Naturharze und auch Naturwachse zu suchen. Zu meiden sind Zement, andere verkünstelte Stoffe, Kunstharze und höhergradig disqualifizierte pflanzliche und tierische Leime. Sie sind am schlechten Geruch erkennbar, der sich manchmal erst bei dem Anstrich entwickelt. Angängig sind halb qualifizierte mineralische, pflanzliche und tierische Leime und Kleber.
An Pigmenten (Farbstoffen) sind natürliche, gute mineralische Farben zu suchen, auch Erdfarben genannt. Angängig bis gut sind die kunstvollen Metallfarben, auch metallische Pigmente, natürliche organische Pigmente wie Ruß, Graphit usf. Zu meiden sind verkünstelte Teerfarben und andere verkünstelte synthetische Farben.
An Verdünnungsmitteln bzw. Lösungsmitteln sind alle natürlichen wie Wasser, natürlicher Alkohol usf. zu suchen und alle verkünstelten wie solche synthetischen Alkohole, Äther, Ester usf. zu meiden. Öle haben außer der Bindefunktion auch die Lösungs- oder Verdünnungsfunktion.
Die sogenannten Binder- oder Dispersionsanstriche bestehen derzeit aus

Kunststoffen, die sehr verkünstelt sein können. Durch ihre Disharmonie verschlechtern diese die Atmung oder machen sie ganz unmöglich. Und auf gutem Grund halten sie schlecht. Sie sind zu meiden.

Natürliche gute Ölanstriche sind die höchstwertigen Anstriche für praktisch alles, innen und außen, auf Stein, Metall, Holz usf. Auch die Sämischgerberei und die Mittel zur Pflege des Leders arbeiten mit Ölen bzw. Fetten und ihrer Weiterentwicklung, dem Wachs. Das biologisch souveräne Öl ist das Leinöl. Es beeinflußt das Hausklima höchstwertig, auch die Atmung und schützt bestens. Auch bei Heilmitteln und Nahrungsmitteln wird das Leinöl, höchst geschätzt. Als Zusatz zur schnelleren Trocknung eignen sich eine Reihe alter Verfahren und Stoffe. Vom Bleizusatz sehe man ab außer bei dem Rostschutzgrundanstrich mit Bleimennige. Er wird bleifrei überstrichen. Wer keinen Zusatz zur schnellen Trocknung wünscht, weil er nur einen von problematischer Qualität zur Hand hat, kann den Anstrich mit gutgekochtem Leinölfirnis nach dem ersten Trocknen mit Talkum einpudern und bürsten. Dann verliert er alle Klebrigkeit, die er bei feuchter Luft und besonders bei ungekochtem Leinöl haben kann.

Durch mehrstündiges Kochen von Leinöl entsteht der bessere und haltbarere Leinölfirnis, der vielfach anstelle des rohen und oft ranzigen Leinöls verwandt wird. Rechtes Kochen ist ein Übergang vom „zweiten Leben“ zum „dritten Leben“. Leinöl hat eine Ausnahmestellung unter den Anstrichen, da es aufgrund seiner sehr hohen Lebensqualitäten für Steine, Metall, Holz und auch Leder verwendbar ist. — Auch aus Erdöl wären hochwertige Anstrichöle zu gewinnen.

Den guten Ölanstrichen können alle guten Farben zugefügt werden, wie die Erdfarben. Giftige Farben wie die Teerfarben, etwa eine Anilinfarbe, bilden mit dem Leinöl giftige, sich unordentlich und häßlich verfärbende Verbindungen. Denn sie widerstreiten einander wie Finsternis und Licht. Noch im vergangenen Jahrhundert existierte eine reiche, naturgemäße, biologisch qualifizierte Anstrichkunst mit hunderten verschiedener Öle, Naturharze, Balsame, Gummiarten, Drogen, Pflanzenextrakte, tierischer Extrakte usf. Sie wird sicherlich in der kommenden Kultur wiedergeboren werden. —

Zu den Füllstoffen werden in der Regel chemisch neutrale Materien benutzt, wie hauptsächlich Steinmehle. Sie sind in der Regel auch biologisch neutral.

Die Anstrichverfahren

Nach dieser Skizzierung und Wertung der Ausgangsmaterialien beginnen wir praktisch bei dem Verputz der rohen Mauer. Nach uraltem Brauch wird eine rauhe Mauer aus gebrannter Heilerde mit ungebrannter Heilerde bzw. mit Lehm glatt gestrichen. Darauf kommt ein Anstrich mit reiner, schwefelfreier Weißkalkmilch, auch Kalkschlämme genannt. Dieser dünne Anstrich kann leicht abgescheuert werden. Dennoch ist er seit Jahrtausenden bei

Naturvölkern und Kulturvölkern beliebt. Abgescheuert wird auch der abgeschiedene Schmutz, dies auch durch Wischen, sodaß die Oberfläche immer frisch, rein und vital bleibt. Wenn der Anstrich so vom Leben verbraucht ist, kann er leicht und preiswert erneuert werden! —
In der zivilisierten Welt ist der haltbarere Verputz von ca. 1,5 cm Dicke üblich. Ein biologisch hochwertiger Verputz besteht aus schwefelfreiem reinem Weißkalk, reinem Quarzsand und reinem Wasser. Der Weißkalk wird optimal durch Ablöschen von gebranntem Stückkalk und Sieben gewonnen. (Vgl. Baumaterialien). Der Quarzsand soll frei von Lehm, Torf und anderen organischen Bestandteilen sein, also gewaschen sein. Bei dem Ablöschen kann zur Erzielung einer hohen Elastizität und einer weit festeren Oberfläche, auch größeren Haltbarkeit, passendes vegetabiles und animalisches Material zugesetzt werden, wie oben schon genannt.
Fertigputz gibt es käuflich. Hier ist wieder Vorsicht nötig. Denn selbst hinter der Bezeichnung „Edelputz" kann sich viel Hochofenschlacke verbergen, also in biologischer Hinsicht etwas graß Unedles. Wie dem Arzt in einer freien Gesellschaft nicht verboten werden kann und darf, im Anschluß an Paracelsus und die Tradition der Kulturen und gemäß eigener Erfahrung pflichtgemäß die sachlichen Materialien zu werten in gesundheitlicher Hinsicht, so kann und darf gleichgerechterweise auch dem Schlackenproduzenten nicht verboten werden, sein Material als edel zu befinden. Außerdem dürfte zusätzlich noch ein erheblicher Unterschied zwischen einer wissenschaftlichen Angabe und einer Angabe im eigenen wirtschaftlichen Interesse bestehen. —
Dem Putz können Farbstoffe zugesetzt werden und zwar besonders die lichtechten Mineralfarben bzw. Erdfarben im Außenputz. Dann werden optimal silikathaltige Verdünnungen und Bindemittel wie aus Wasserglas verwandt. Hier soll man sich auf alte Firmen mit großer Erfahrung verlassen.
Zementfreier Kalkputz mit Kalkfarben ist sehr gut atmungsfähig. Zu den Kalkfarbanstrichen kann im Innenputz und Außenputz Leinölfirnis zugesetzt werden, insbesondere auch um die Wetterfestigkeit zu erhöhen. Kalk desinfiziert bekanntlich. Er ist geradezu spezialisiert darauf, das Klima zu reinigen.
Eine Zementschlämme vermeide man vollständig. Zement verschlechtert die Atmung und also das Klima bis zu einer „erstickenden" Atmosphäre. Wasserglasanstriche sind sehr wetterbeständig. Sie verkieseln und desinfizieren. Sie wahren wie alle guten Anstriche die Atmungsfähigkeit, außen wie innen.
Die Silikonbehandlung, wie bei einem Außenputz, um ihn wasserabstoßend zu machen, ist biologisch noch unerprobt. Dasselbe gilt für viele andere Putzzusätze. Es ist ungeklärt, ob sie die Atmung verschlechtern. Und da erfahrungsgemäß über 90 % der heutigen Chemikalien auf eine den Lebensqualitäten fremde und daher praktisch unvermeidlich widrige Art gewonnen werden, so ist bei allen noch unerprobten neuen Mitteln die Wahrscheinlichkeit sehr groß, daß sie nicht lebensfreundlich sind.

Leimanstriche bestehen aus Kreide — das ist ein mineralischer, teils auch animalisierter und vegetabilisierter Kalk! — und einem vegetabilen oder animalischen Leim. Die Kreide ist etwas Gutes. Die Leime sind verschieden wertig. Man kann in Unkenntnis der Lebensqualitäten beispielsweise einen Cellulose-Leim produzieren, der erheblich stinkt und daher zu meiden ist. Aber es existieren auch edle pflanzliche und tierische Leime.

Aus guter Milch kann man guten Kaseinleim herstellen. Jedoch ist er zu meiden, wenn er lebenswidrig, also schlecht produziert wird, gar mit Formaldehyd, und dann stinkt. Aus Knochen kann man biologisch vorzüglichen Knochenleim herstellen.

Die Alten haben aus Weizenmehl einen biologisch höchst qualifizierten Leim hergestellt. Mehl und Wasser genügte. Er reinigt auf Jahre das Hausklima vorzüglich und ist daher für das Leben mehr wert als ein Butterbrot. Aber hoch qualifizierte Flächen muß man auch entsprechend kultiviert behandeln, also pflegen. Sie dürfen beispielsweise nicht feucht werden, so wenig wie Brot und Mehl in der Küche.

Die Lacke bilden eine Krone der Anstrichkunst. Chinesische und japanische Schleiflacke und Lasurlacke sind weltberühmt. Lacke bilden eine harte, feste elastische und bei lebensqualifizierten Lacken dennoch atmungsfähige Schutzschicht. Gute Lacke bestehen aus Naturharz, schlechte aus verkünsteltem Harz. Doch nicht alle Kunstharze sind verkünstelte Harze. Aus Erdgas und Erdöl kann man auch kunstvolle Harze bilden. Beste Naturharze sind u. a. die Kopalharze mit vielen Arten, der Schellack, der ein animalisierter vegetabiler Lack ist, und der aus dem Harz, Gummi, Balsam usf. anderer, meist tropischer Bäume gewonnene Lack. Nitrolacke sind biologisch höchst problematisch. So ist auch große Vorsicht geboten mit den verschiedensten Kunststofflacken wie Zweikomponentenlacken usf. Außerhalb des Haushaltes wie an Maschinen können sie relativ schadlos verwandt werden. So auch Zaponlack.

Bei Lacken ist das Lösungsmittel biologisch wichtig. Denn es verdunstet nicht nur, sondern wirkt auch nachhaltig auf den gelösten und sich verfestigenden Stoff. Fast nur das gewöhnliche Wasser ist harmlos. Gute Lösungsmittel sind dünnflüssige natürliche Öle wie echtes Leinöl und echtes Terpentinöl. Mit Leinölfirnis ergibt sich ein guter Öllack. Vorsicht vor dem synthetischen Ersatz-Terpentin und dem Leinölersatz. Beispielsweise existiert für Teakholz echtes Teakholzöl und minderwertiger Ersatz. Die billigen „Ersatzstoffe“ haben sich überall eingeschlichen. Mit ihnen werden die guten Naturstoffe oft „gestreckt“ oder deutlicher gesagt verfälscht. Sie werden nicht nur in ökonomischer Hinsicht verfälscht, sondern vor allem in biologischer Hinsicht. Weiter sind echte natürliche Alkohole gut. Schlecht, leer an Lebensqualitäten sind fast alle synthetischen Alkohole, viele Ester, Äther, Azetate usf. Sie sind wie der Methylalkohol für den Menschen oft sehr giftig. Methylalkohol schädigt das Nervensystem und besonders die Augen

bis zur Erblindung. Verblendet nicht alles Synthetische? Ist es selbst aus einer Verblendung erstanden? Oder bisher zumindest weithin? —
Gute Farben können zugefügt werden, wenn kein Klarlack erwünscht ist. Durch Klarlack kann beispielsweise die natürliche Maserung des Holzes Lebendigkeit bringen, unter Farben nicht mehr. Auch gegen gute Streichhilfen wie Füllstoffe aus Steinmehl ist nichts einzuwenden.
Das gefürchtete Vergrauen des Holzes wird durch gute Anstriche verhindert. Beizen sind Imprägnierungen, die viele und sehr verschiedene Zwecke erfüllen können. Sie dienen erstlich zur „Tingierung," zur Wandlung des mineralischen, vegetabilen oder animalischen Materiales, um einen besseren Zustand für das „Endleben" zu gewinnen. Sie dringen in die Tiefe und bereiten etwa das Holz vor für den folgenden mehr oberflächlich wirksamen Anstrich. Man kann das Holz durch Flämmen wie schon mit einer einfachen Lötlampe durch seinen eigenen Rauch und die entstehenden Destillationsprodukte sehr wirksam und gut beizen, zugleich auch haltbar in der Oberfläche behandeln. Und es sieht nach dem Bürsten mit einer Stahlbürste auch noch sehr gut aus. Vor allem bleibt das Holz hoch atmungsfähig. Beste Holzbeizen werden aus der trockenen Destillation des Holzes gewonnen, wobei sich Holzgeist, Holzessig, Holzöl, Holzteer bzw. Aschensalze ergeben. Sie sind allesamt vorzügliche Konservierungsmittel für das Holz, mit Leinöl und Heilkräutern zusammen die besten. Schädlinge meiden solches Holz. Sie sind also auch biologisch beste Vorbeugungsmittel gegen Schädlingsbefall. Am allerbesten wird jedes Holz mit dem destillierten „Blut" aus seiner eigenen Art verbessert, geschützt und atmungsfähiger gemacht! — Also z. B. Fichtenholz mit Destillationsprodukten aus Fichtenholz.
Eine andere vorzügliche Beize und Konservierung besteht darin, das Holz, nachdem es im Winter bei abnehmendem Mond geschlagen ist, ein Jahr in einer Mergelgrube oder Lehmgrube zu „wässern", ehe es zersägt wird. Diese Imprägnierung und Vergütung kann kein späterer Anstrich ersetzen. Schon das einfache, früher weithin übliche Flößen hilft viel. Aber dazu sind gesunde und reine Wasserläufe erforderlich. Das gebeizte trockene Holz (unter 20 % Feuchtigkeit) wird dann mit Leinölfarbe, Öllack oder Lack weiter behandelt. Oder es wird mit einem guten natürlichen Leim verleimt, der aus Pflanzen oder tierischen Bestandteilen wie Milch, Haut oder Knochen gut gewonnen werden kann, oft aber auch schlecht gewonnen wird.
Wer einen Anstrich erneuert, der entferne den alten Anstrich, insbesondere alte Tapeten. Denn die alte Oberfläche enthält viele neutralisierte Gifte und teils auch nicht neutralisierte Gifte, gleichsam die Stoffwechselschlacken der Hautfunktion und vor allem des Lebensraumes, aus dem sie sich niedergeschlagen haben. Dieser viele und nicht harmlose Schmutz soll in mehrjährigen Abständen entfernt werden. Also spätestens alle zehn Jahre neue Tapeten! Der Zeitabstand richtet sich nach der Qualität der alten Tapeten und nach der Qualität und Quantität der Bewohnung. Deshalb werden alte abwasch-

bare Anstriche von Menschen, die ein sauberes Raumklima wünschen, öfters auch tatsächlich abgewaschen. Doch im Allgemeinen Vorsicht vor dem abwaschbaren Anstrich. Er ist oft nicht atmungsfähig und unqualifiziert, sodaß er das Raumklima erheblich verschlechtert. Derartige Anstriche und Tapeten findet man viel in den modernen, hospitalismuskranken Krankenhäusern. Nur sehr hoch qualifizierte und sich selbst reinigende Oberflächen wie naturseidene Tapeten oder gute wollene Bespannungen bedürfen dieser Reinigung nicht. Hier genügt leichtes Abklopfen oder Absaugen. Alte Tapeten überkleben ist also unhygienisch. Soweit eine Oberfläche überaltert, krank, tot und schmutzig geworden ist, muß sie entfernt werden, wenn man wieder ein frisches, sauberes Klima in dem Raum erzielen will. Selbst die Bauern waschen öfters im Hühnerstall oder Kuhstall den alten Kalk ab, ehe sie neu weißeln.
Sehr hoch qualifizierte Gegenstände wie Sandelholz, Zedernholz, Rosenholz, Olivenholz, Teakholz usf. benötigen überhaupt keine Oberflächenbehandlung, dies ebenso wie das reinste Gold. Vielleicht ausgenommen eine Beize. Aber auch diese ist in der Regel nicht erforderlich, ebenso bei vielen nordischen Nadelhölzern, soweit sie innen gebraucht werden, etwa in einer Sauna. Aber harte, dicht gewachsene tropische Hölzer kann man auch als Balkongeländer viele Jahre völlig unbehandelt verwenden. In 2 000 m Höhe in den Alpen werden sogar Nadelhölzer außenseitig an Wohnhäusern wie Scheunen unbehandelt verbaut. Die dort sehr kräftige Sonne brennt sie schwarz und erzeugt eine Haut, unter der das andere Holz relativ geschützt bleibt, wie die Erfahrung lehrt. In chemisch und physikalisch schmutziger Tieflandluft kann das Holz jedoch schmutzig grau werden. Und eben dieses Vergrauen will man durch Qualifizierung der Oberfläche und auch Überkleiden verhindern.
Die Wachse, diese feinsten und höchst schätzenswerten Naturstoffe sind zuletzt zu besprechen. Pflanzen und Tiere entwickeln sie in ihrem Hautorgan als Hautschutzmittel und Hautpflegemittel. Auch bei Mineralien findet man sie wie das Erdwachs, das Ozokerit. Im Erdöl findet man Erdölwachs. Im Wollfett ist ebenfalls Wachs enthalten.
Mit den edlen kostbaren Wachsen kann man die Oberfläche von Steinen, Hölzern und Animalien wie Leder und Wolle behandeln. Eine Tischplatte oder einen Schrank kann man mit einer Mischung aus Bienenwachs, Wollwachs, Wollfett und — echtem! — Terpentin behandeln. Auch Baumbalsam, wie von der Kirsche, oder Perubalsam kann man zufügen und andere Materialien, um eine feste, nicht klebende Oberfläche zu erzielen. Man muß mühevoll lange einreiben. Aber man wird auch Jahrzehnte lang entschädigt. Das Holz wird lebendig und höchst qualifiziert atmungsfähig für das Raumklima. Doch wer stellt heute noch oder schon wieder so hoch kultivierte Ansprüche!
Manche Hölzer wie Sandelholz, Zedernholz, Rosenholz, sind hoch aktiv.

Und das wird in den Kulturen vielfältig für die Aufbewahrung von Heilmitteln, Genußmitteln, Gewürzen, Kosmetika usf. genutzt. Ebenso wie edle Steine, etwa Alabaster, in vielen Kulturen zur Aufbewahrung edler Ingredienzien geschätzt werden.

Zum Kampferholz und zur Mottenbekämpfung wurde schon im Kapitel über das Holz berichtet.

Der ganzheitliche Kampfergeruch ist angenehm, jedoch so schwach, daß man ihn kaum wahrnimmt. Vielerorts wird auch heute noch die bewährte Sitte geachtet, Leinensäckchen mit Lavendel, Rosmarin, Wacholder und anderen edlen Kräutern der Wäsche beizulegen, alljährlich neu. Und diese feinen Duftstoffe wirken nicht nur im Wäscheschrank, sondern sie qualifizieren ständig das Klima im ganzen Raum mit. Aber ein Wäscheschrank aus gesundem, giftfreien Holz ist vorauszusetzen! —

Zusammengefaßt: Nach vielen nicht erfreulichen Erfahrungen mit verkünstelten Stoffen ist bemerkenswerterweise auch im Anstrichhandwerk heute ein „Zurück zur Natur" zu beobachten. Das ist ein Zurück zur Lebensqualität. Beispielsweise werden von vielen Handwerkern wieder Anstriche mit natürlichen Ölen geschätzt. Man hat zu viel Schlechtes mit dem Unnatürlichen erleben müssen. Natürliche Bindemittel, Farben und Lösungsmittel sind oft auch haltbarer. Dispersionsanstriche blättern auch auf gutem Grund meist schnell ab. Die Domäne künstlicher Anstriche scheinen die Metallanstriche außerhalb des Hauses zu sein. Im Hause beginnt man wieder die gute, lebendige und reine Natur zu schätzen.

Viele Kunststoffanstriche enthalten beispielsweise Weichmacher, wie sogenannte PCB-Verbindungen. Diese sind derart giftig, daß viele Häuser schon unbewohnbar wurden. Auch das Genfer Lebensmitteluntersuchungsamt mußte nach vielen und nicht geringen Sanierungsversuchen, die sich ein Privatmann kaum leisten kann, das ganze Haus aufgeben! Die deutsche Bundespost verbietet schon solche Anstriche für Räume, in denen empfindliche technische Geräte stehen. Denn deren Kontakte werden zerfressen. Daß auch die Kontakte in dem Körper des Menschen zerfressen werden, das wird bei der heutigen Grundhaltung oft noch nicht gesehen. Die Maschinen erscheinen so vielen weit wichtiger, sodann die Unkosten. Daß jedoch auch bei den Menschen die Unkosten hoch liegen, weit höher als bei den Maschinen, das wird man bei entsprechender Änderung des Verhaltensschemas bzw. der Grundhaltung ebenfalls noch berechnen. —

Wer sich von der Gesellschaft der Zivilisationsroboter und ihrer Wirtschaft und also ihrem Selbstmordprogramm distanzieren will, weil er wirklich leben und zuerst überleben will, der halte sich in seinem Hause und bei seinen Einrichtungsgegenständen einfacherweise an die altbewährten Lebensqualitäten, die vorstehend genannt sind. Das Anstrichhandwerk fragt auch, wohin die vielen Reste von all den Kunststoffen gehen und all der Abfall, wenn alte Anstriche erneuert werden. Sie landen auf den Müllkippen. Nur die ganz Harmlosen oder deutlicher gesagt, kritisch zu erforschende Gruppen glauben immer erneut den Versicherungen interessierter Kreise, daß Gifte — auch dort — nicht giftig wirken. Und in das Grundwasser könne garantiert nichts kommen. Wenn doch, so seien das immer nur einzelne bedauerliche unglückliche Zufälle. Und all die Quecksilber-, Cadmium-, Arsen-, Blausäure-, Chlor-, Phenol- und tausenderlei anderen Gifte, die zur Herstellung von Giften benötigt werden, was alles zusammen dann in die Bäche, Seen und Ströme fließt sowie in das Grundwasser, die Nordsee- und Ostseefische bald ungenießbar macht, auch all dies sei ganz harmlos. Und für den Fortschritt müßte man doch auch Opfer bringen. Wenn die amerikanischen, russischen, indischen, chinesischen Seen und Weltmeere vergiftet sind und das Grundwasser, dann könnten wir doch Wasser künstlich reinigen und auch selber produzieren. Welchen Auftrieb gäbe das für „unsere" Wirtschaft! - - Ist das nicht die Ideologie der Selbstgiftmörder!

Man verwende keine Anstriche, deren Hersteller die Bestandteile nicht einzeln und vollständig angeben, wie dies bei Lebensmittelkonserven, Textilien und Medikamenten schon lange gesetzlich Pflicht ist, hier also für die innere und äußere Haut. Aber leider geht aus den Bestandteilen nur die Hälfte hervor, wenn nicht noch weniger. Denn das Herstellungsverfahren ist entscheidend wichtig. Man kann den Weg des Lebens und auch den Weg des Todes mit den Rohmaterialien gehen. Man kann ihre Qualitäten verbessern und verschlechtern. Also wird auch hier ein biologisch arbeitendes Prüfinstitut das letzte Wort haben, eventuell mit einer biologischen Gütemarke. Und man muß erproben, wem man vertrauen kann. Im Zweifelsfalle lieber so einfach wie möglich.

Zum Schluß sei nochmals mit einem Satz darauf hingewiesen, daß die Qualität der Oberflächen bzw. Haut-Grenzflächen in einem Wohnraum von entscheidender Bedeutung für das Raumklima ist. Daher können Anstriche zuweilen lebenswichtiger, klimawichtiger werden als die Materialien, die mit ihnen angestrichen wurden! —

NATURSTOFF, KUNSTSTOFF UND KULTURSTOFF
Natürlich und künstlich
Echt und unecht

„Ein Baugeschäft ist heute eine halbe Chemiefabrik"
Ausspruch eines bekannten Schweizer Baufachmannes im Jahre 1974

Was ist natürlich? Was ist unnatürlich?
Was ist kunstvoll und was ist künstlich?
Was ist echt und was unecht?
Das sind Urfragen, die über alle Wege, Methoden und Mittel des Lebens entscheiden. Das Baumaterial ist ein Mittel zum Hausleben.

Diese Urfragen bewegen nicht erst seit Rousseau oder der Renaissance den Menschen. Thomas von Aquin spricht immer wieder von der Natur als Maßstab des Rechtes, folglich vom Naturrecht. Was natürliches Menschenrecht ist, was im politischen und wirtschaftlichen Hause natürlich ist und was nicht, darüber ist die Menschheit im 20. Jahrhundert zwischen Ost und West in einen lebensgefährlichen Weltstreit geraten. Allein deshalb erscheint es ratsam, dieses Problem gründlich zu behandeln.

Schon die Griechen haben die Problematik um natürlich und unnatürlich diskutiert. Aber das „auserwählte Volk dieser Welt" hat eine verworrene naturalistische Antwort gegeben, vom späten Hellenismus abgesehen. Diese Antwort hat Sparta und Athen den Untergang gebracht. Ihr Generalnenner steht im Gegensatz zu der Antwort der vorchristlichen Juden, dem alten „auserwählten Volk Gottes", das seine Antwort zuerst dem Gesetze Gottes entnahm.

Wohl in allen Kulturen ist hier ein Grundproblem des menschlichen Lebens gesehen worden. Die Antwort der Hochkulturen ist einmütig und in den Worten von Paracelsus schon teilweise zitiert worden. Sie stimmt prinzipiell auch mit den Hochreligionen überein und der Erfahrung, die jede Hausfrau alltäglich macht und jeder objektive Naturforscher überall.

Um es kurz zu wiederholen: In allen Dingen dieser Welt ist „Gut" und „Gift". Das Gut ist im Prinzip das Natürliche, ist das Echte an sich, das Urgesunde. Das Gift ist im Prinzip das Verkünstelte, das Unechte an sich, das seine Identität verloren hat, das Urdegenerierte, das typisch Disqualifizierte, Primitivierte, Kranke. Im Uranfang ist alles natürlich, echt, gesund, gut. Denn es ist einig. Soweit jedoch in einem realen Gegenstand dieser Welt das Gift von dem Gut ausgeglichen und beherrscht wird, spricht man von diesem konkreten Gegenstand im zweiten relativen Sinne von natürlich, echt, gesund usf. Soweit dieses Gleichgewicht und die Herrschaft des Guten in ihm gestört ist, spricht man im zweiten, relativen Sinne von unnatürlich, unecht, krank, degeneriert, desintegriert, verkünstelt usf.

Im engeren Sinne wird als künstlich, unnatürlich, unecht, schlecht, somit giftig, unrein usf. bezeichnet, was der Mensch mit Hilfe seiner materiellen Hände disqualifiziert hat, wo er ein Gift gebildet und das Gleichgewicht gestört hat. Dieser disqualifizierende Prozeß wird als Verkünsteln bezeichnet, wie man in der Kultur von Verkitschen spricht. Die Stoffe, die das Ergebnis der disqualifizierenden Behandlung der Naturstoffe sind, müssen korrekterweise als Unnaturstoffe bezeichnet werden, allgemein als Giftstoffe.

Eine Gruppe von Stoffen, die in wert„frei" orientierter chemischer Naturanschauung von Menschenhand produziert ist, wird Kunststoff genannt. Durch die Reformbewegung und die Umweltschutzbewegung ist es weithin üblich geworden, die als Kunststoff bezeichneten Stoffe in die Gruppe der Unnaturstoffe und also Giftstoffe einzuordnen. Doch ist das richtig?

Eine andere, hauptsächlich wert„frei" orientierte Gruppe von Menschen, typisch aus endzeitlichen Chemikern und Zivilisationsmenschen aller Art bestehend, spricht jedoch im entgegengesetzten, verherrlichenden Sinne vom Kunststoff. Halb bewußt oder unterbewußt doch wertend wird hier die Kunst, das Herz der Kultur beansprucht. Kunst ist ein Sammelbegriff für alle verbessernden, qualifizierenden, veredelnden Maßnahmen und Prozesse. Das Wort Kunst besagt also genau das Gegenteil von Verkünsteln. Verkünsteln ist kunstlos, unkünstlerisch handeln! Kunstvoll zu handeln ist Urpflicht des Menschen! (Vgl. das letzte Kapitel).

Das deutsche Wort Kunststoff ist also in seinem Sprachsinn verwirrend. Ist verkünsteln oder kunstvoll in ihm enthalten? Oder beides? Forscht man nun klar bewußt, systematisch ordnungswissenschaftlich nach, wertwissenschaftlich, im Sinne von Paracelsus, so findet man unter den sogenannten Kunststoffen sowohl verkünstelte, degenerierte Stoffe als auch kunstvolle, somit veredelte Stoffe, außerdem eine Gruppe relativ neutraler Stoffe. Wird also hier die Sprache nicht verwirrend gebraucht, irrtümlich?

Manche, besonders wertfrei orientierte Menschen sehen allein schon in der methodischen Bearbeitung eines rohen Naturstoffes eine Kunst. Könnte es jedoch nicht auch eine Kunst des Teufels geben, etwa einer Intelligenzbestie? Andere legen Wert auf die subjektive gute und also ehrenwerte Absicht bei der Behandlung des Naturstoffes. Dieser ethische Gesichtspunkt ist sehr wichtig. Doch bei ehrenwerter Absicht kann aufgrund eines Irrtumes im Wert, wie er bei wertfreier Einstellung häufig ist, wenn nicht die Regel, objektiv eine verschlechternde Handlung vorliegen. Sie wird dann subjektiv irrtümlich als verbessernde oder gute Handlung bezeichnet.

Problemloser erscheint die englische Bezeichnung Plastics. Das Plastische ist etwas Formloses, Gestaltloses. Das ist eine typische Eigenschaft der Kunststoffe. Man verbindet sie mit wesenlos, seelenlos, tot. Was stirbt, was Lebensqualitäten verliert, das verliert auch seine Form, seine Selbständigkeit, sein Eigenwesen, somit seine Gestalt. Doch man muß hier vorsichtig sein. Denn das trifft nicht bei allem zu. Auch Wasser und ungebrannte Heilerde ist formlos, plastisch. Plastic ist also eine ähnliche zweischneidige Bezeichnung wie das Wort Kunststoff. Worte helfen hier somit nicht. Sondern die Sache selbst muß genau analysiert werden. Und dann muß die Bezeichnung systematisch wissenschaftlich definiert werden.

Da wir alle in einem naturgerechten und darüber hinaus kultivierten, auch zivilisierten Haus wohnen wollen und sollen, das unsere Gesundheit wahrt und stärkt, also nicht in einem naturwidrig gebauten, unkultivierten Haus, das unsere leibliche und seelische Gesundheit schädigt, so kehren wir in Anbetracht der gewaltigen Bedeutung der Kunststoffe und weit darüber hinaus des menschlichen Handelns an jedem Gegenstand des Hauses noch einmal zum Grundproblem zurück.

Die guten und die schlechten Bäume in dieser Welt sind alle im zweiten Sinne natürlich. Jedoch nur die guten Bäume sind im ersten Sinne, im Ursinne natürlich. Die schlechten Bäume sind nur hinsichtlich ihres relativen Gleichgewichtes, in dem sie in Zeit und Raum wachsen können, als natürlich zu bezeichnen. Aber hier beginnen wissenschaftliche Probleme.

Auch Weizen und Unkräuter, Heilpflanzen und Giftpflanzen sind im zweiten Sinne alle natürlich. Sogar Infektionskrankheiten können dann als natürlich bezeichnet werden. Oder? Hier beginnen die Probleme für jedermann. Denn was als natürlich bezeichnet wird, das wird oft auch als „rein natürlich", „rein", „echt", „gut" usf. bezeichnet. Wird jedoch der normale Mensch gefragt, ob er Gifte wie tödliche Pfeilgifte oder die Fäkalien von Mensch und Tier oder Krankheitsstoffe als „rein natürlich" oder „rein" bezeichnen will, als „gut" und „naturgemäß", so wird er zumindest unsicher. Und er beginnt, sich in seinen Bezeichnungen in Richtung auf die vollkommene Urnatur hin zu bewegen. Diese mag er am Anfang und Ende aller Erdenwege sehen oder nur am Ende als Zielprojektion wie bei Karl Marx in der idealen Idee vom wahren Menschen und seiner Gesellschaft und Wirtschaft. Dieses Ideal kann dann alles Handeln beherrschen.

Der normale Mensch verweigert in der Regel den Fäkalien, den Stoffwechselgiften eines Kranken, den vierwöchentlichen blutigen Absonderungen einer Frau usf. die Bezeichnung „rein", „rein natürlich", „gut" und manchmal auch schon die Bezeichnung „natürlich". Dann aber wird die ganze Problematik offenbar. Soll man etwa bei Schmutz in der Natur von „reinem Schmutz" oder gar „reiner Unreinheit" sprechen? Oder darf man das logischerweise nicht? Kann man von „natürlicher Unreinheit" und „natürlicher Schmutzigkeit", gar von „natürlicher Unnatur" sprechen? —

Der Leser wird schon bemerkt haben, daß diese Problematik erhebliche gesundheitliche, aesthetische und allgemein kulturelle Konsequenzen hat. Und hierbei sind die ethischen, kirchlichen, staatsgesetzlichen und wirtschaftlichen samt wirtschaftsrechtlichen Konsequenzen noch garnicht genannt. Was beispielsweise wäre eine in der ferneren und gleich in der näheren Umwelt zu verbietende Verkünstelung, Degeneration, Verschmutzung und also Verkrankung der Natur, somit des menschlichen Lebens? — Und nur in der Umwelt? Nicht auch und zuerst in der Eigenwelt? Das Menschenrecht bzw. richtige Naturrecht würde doch zweifelsfrei alle Bereiche erfassen und sogar begründen. Da Werte viel mit Glauben zu tun haben, bestände dann hier die Gefahr einer Glaubenstyrannei der Machthaber? Würde hier das Glaubensfreiheitsrecht im Privatrecht helfen? Würde es einerseits das private Leben, insbesondere die private Wirtschaft vor einer staatlichen Glaubentyrannei in der Defination von „Schmutz", „Degeneration", „Verkünstelung" usf. bewahren? (Vgl. das letzte Kapitel). Und würde es andererseits gleich gerecht

Wissenschaftler und jeden Privatmann, aber auch irgend eine Gesellschaft vor Prozeßdrohungen etc. einer vielleicht mächtigen Verkünstelungsindustrie bewahren? Nämlich gleichgerecht auch diesen helfend, daß die Glaubensfreiheit in der Bewertung geachtet bleibt?
Da sich diese ganze Problematik am Ende der Neuzeit insbesondere auf die Synthetika, auf die engeren Kunststoffe wie die Plastics konzentriert und da diese biologisch offensichtlich von sehr verschiedener Art und Wertigkeit sind, so wenden wir uns zunächst grundlagenwissenschaftlich der bisherigen chemischen Nomenklatur (= Bezeichnungsordnung) zu.

Der Kunststoff

Der bisherige endneuzeitliche Chemiker versteht unter einem Kunststoff eine makromolekulare (mit Hunderten bis Hunderttausenden von Atomen in einem Molekül) „organische" Verbindung, typisch eine Kohlenstoffverbindung. Hier ist zunächst zu klären, daß das, was in der Wissenschaftskatastrophe wert„frei", also lebensfrei, lebensfremd als „Organische Chemie" bezeichnet wird, im Sinne der objektiven, wertgerechten, lebensgerechten, etwa paracelsischen Chemie meist extrem antiorganische Chemie ist, also antibiologische Chemie, typisch Giftchemie. Auf den Giftcharakter ihrer Chemie weisen die Chemiker oft selbst hin. Es ist also auch hier maßgebend, daß man qualitativ denkt und sieht, daß man zwischen gut und schlecht unterscheidet, wenn man objektiv lebensgerecht, lebensqualitätsgerecht Chemie treiben und auch objektiv wissenschaftlich bezeichnen will. Wie könnte man sonst in das Chaos der Bezeichnungen und ihrer rechtlichen Konsequenzen Ordnung bringen, somit Sachgerechtigkeit! Sie ist die Basis der personalen Gerechtigkeit.
Ähnlich verhält es sich mit den Bezeichnungen „natürlich" und „rein" in der wert„freien", somit auch natur„freien" endzeitlichen Chemie. Für ihren Fachmann sind alle seine Werke natürlich „natürlich". Sämtliche Chemikalien einschließlich der Kunststoffe, hier einschließlich aller verkünstelten Stoffe sind für den endzeitlichen Chemiker nur Sonderformen des Natürlichen. Der Begriff „Verkünstelung" existiert für ihn im Grunde überhaupt nicht. Wo auch würde er ihn verwenden? — Er hat in seiner ungeheuerlich verengten qualitäts„freien" Weltanschauung, in seinen subjektiv „konstruierten Fiktionen" weder einen Maßstab noch einen Platz, Qualitäten und Unqualitäten zu unterscheiden. Beides sind für ihn nur Sonderformen von Quantitäten, wie auch Stalin im Diamat lehrt.
Das wird noch deutlicher bei der Bezeichnung „rein". Denn Reinheit ist eine fundamentale, höchst allgemeine Lebensqualität. Was daher der qualitäts„freie" Chemiker als „rein" bezeichnet", das ist im Sinne der qualifizierten Chemie von Paracelsus und der Hochkulturen meist grob unrein. Etwa ein „reiner Vitamin B 12-Extrakt", der aus Fäkalien oder Kohleteer gewonnen

wird. Dagegen was ein objektiv biologischer Chemiker als „rein" bezeichnet, etwa einen guten Wein, das ist im wert„freien" bzw. wertlosen quantenchemischen Sinne unrein. Denn der Quantenchemiker denkt nur an Mengen von Stoffen. Qualitätsbezeichnungen können nur im Munde eines qualitätsorientierten Menschen sinnvoll sein, nur im Rahmen und System einer Qualitätswissenschaft, einer objektiven Wissenschaft. Im Munde eines qualitäts„frei" denkenden Menschen sind Qualitätsbegriffe selbstverständlich qualitätsfrei, also sinnlos! — Hier sind sie nur „konstruierte Fiktionen", nur relativistische, subjektivistische Bezeichnungen, — flatus vocis des Nominalismus. —

Die Sinnentleerung der Weltanschauung, der Begriffe, Worte und folglich auch Handlungen, diese Chaotisierung und sophistische Verkehrung, diese totale Umwertung aller Werte ist im Untergang des Abendlandes sorgfältig auf allen Gebieten zu bedenken. Es muß doch seinen Grund haben, wenn den Vertretern dieser Zeit alles sinnlos und wertlos erscheint und sie schließlich nach dem Sinn des Lebens und all ihres eigenen Handelns schreien, nicht nur rufen. — Nur wer den Dingen und Verhältnissen auf den ersten Grund geht, kann zu unumstößlich sicheren Erkenntnissen gelangen, zu festen Maßstäben und zu einem sinnvollen, mit bleibenden Werten erfüllten glücklichen Leben. Das gilt für alle Bereiche unseres Lebens, also auch für die Chemie, Physik und Biologie. —

Behandeln wir den Kern der Sache auch historisch. Der Chemiker A. Bayer erkannte 1872, daß im sauren Milieu bei der Einwirkung von Phenol auf Formaldehyd harzähnliche Stoffe entstehen. Das war die Geburtsstunde der Kunstharze und allgemein der Kunststoffe bzw. Plastics. — Formaldehyd und Phenol sind beide extrem lebensfeindlich, also hoch giftig. Das gilt auch für viele später häufig verwandte Austauschstoffe wie das Anilin. Der Anilinkrebs der Anilinarbeiter ist weltberühmt geworden.

Eine Geburtsstunde besagt etwas. Nach dem Gesetz, nach dem wir angetreten, werden wir unsere Kreise vollenden, sagt Goethe in Übereinstimmung mit allen Kulturen. Fragen wir unseren gesunden Menschenverstand nach den hier infrage kommenden Lebensgesetzen.

Wenn zwei giftige Partner sich zusammentun, wird daraus eine umweltfreundliche Gesellschaft? Man denke an eine Partnerschaft von Verbrechern. Wenn sie sich ganz fest zusammenschließen, wenn sie ganz fest „abgebunden" werden, wie der Chemiker sagt, werden die Aktionen dieser beiden dann harmlos und lieblich werden? Sie könnten vorübergehend in der Quantität geringer werden. Aber umweltfreundlicher werden sie wohl kaum.

Das ist bio-logisch denken, höchst realistisch denken, in realistischen Gleichungen. Aber das wollen und können diejenigen nicht, die in „konstruierten Fichtionen" denken, — sophistisch nach Josef Pieper —, die allein in diesen ihren Realismus und ihre objektive Wissenschaft begründet sehen und ihre Lebensqualitäten.

Bio-logisch, zuhöchst daß die Worte selbst Leben sind, in dieser Art lesen wir ständig in der Hl. Schrift der Christen und in anderen heilig gehaltenen Schriften der Hochreligionen, insbesondere in Form von Gleichnissen in Lebensqualitäten. Anders sprach das Wort der Worte fast nie! —
Es ist zum Prinzipiellen genug gesagt. Zum Praktischen ist es jetzt zuerst eine Frage, wozu sich die konkreten Gesetzgeber, Richter und Verwalter, Kirchenmänner, Wissenschaftler, Staatsmänner und Private jeweils prinzipiell entscheiden. Wird beispielsweise weder der eine noch der andere behindert, der sein Wissen und seinen Glauben, teils sogar seinen Aberglauben von der Wahrheit und dem Leben und seinen Qualitäten öffentlich äußert? Wenn er sagt, was er für gut und für schlecht bewertet, für lebendig und tot, für rein und unrein, für schön und häßlich, was er als Lebensqualität erkennt und was als Todes-Unqualität? —
Wo sind gerechte Gesetzgeber, Richter und Verwalter? —
Von A. Bayer ausgehend haben sich die Bezeichnungen Kunststoff und Kunststoff-Industrie gebildet. Gegenüber steht der Naturstoff und die Naturstoff-Industrie bzw. Naturstoff-Wirtschaft. Diese umfaßt die gesunde, die lebensgerechte Be- und Verarbeitung von allen Nahrungsmitteln und weiter allen Getränken wie Wasser, Saft, Wein und Milch, von Naturfasern zu gesunden Textilien, von natürlichen Bau- und Einrichtungsmaterialien, von natürlichen Genußmitteln, Parfümen und Kosmetika, von natürlichen Heilmitteln und natürlichen Hygienika, wie Waschmitteln, Seifen, Bürsten und anderen Reinigungsmitteln. Die Naturstoff-Wirtschaft ist um das Vielfache größer als die Kunststoff-Wirtschaft! Man könnte fragen, welche lebenswichtiger wäre. —

Der Kulturstoff

Die Lebenswichtigkeit ist eine subjektive und objektive. Sie ist personal durch Motiv und Ziel bestimmt, natural durch die objektiven Lebensqualitäten. Das subjektive Motiv und Ziel vereint diese beiden Wirtschaftsgruppen. Denn soweit eine gute Absicht besteht, ist aller Ziel im Grunde, aus den rohen Naturstoffen mit echter Kunst Kulturstoffe herzustellen. Auch deshalb sind beide Wirtschaftsgruppen vielfältig verflochten. Beispielsweise wird die Naturstoff-Wirtschaft zu einer Kulturstoff-Wirtschaft, wenn sie aus Quellwässern Heilkonzentrate wie Heilsalze herstellt, wenn sie aus Weizen Brot bäckt, aus Milch Bioghurt herstellt, guten Käse und Sauerrahmbutter, aus Pflanzen reine Säfte, gute Weine, Tees und Heilmittel gewinnt, aus Wolle, Leinen und Seide giftfreie Textilien herstellt, aus gutem Ton hoch qualifizierte Ziegel, aus giftfreiem Holz Häuser und Einrichtungsgegenstände usf.
Wie aber kann ein Kunststoff ein Kulturstoff sein oder werden? Dieses Problem ist sehr groß, aber prinzipiell und systematisch gut zu lösen. In der Le-

benswissenschaft ist prinzipiell jede Frage nach der lebensgerechten, qualifizierten Behandlung der Natur zu beantworten. Die Analyse der Sache ergibt, daß im Verhältnis zur Naturstoff-Wirtschaft, die typisch von der Natur hoch entwickelte und differenzierte Naturstoffe bearbeitet, die Kunststoff-Wirtschaft von den einfachsten Bausteinen ausgeht, gleichsam den Urstoffen. Da sie also bei viel einfacheren Entwicklungsstufen ansetzt, so hat sie weit größere Entwicklungsmöglichkeiten, fast universelle Möglichkeiten. Das zeigte schon die bisherige Kunststoffchemie. Doch war ihre Entwicklung nicht großenteils eine Verwicklung? — Das große Problem und die urpflichtige Aufgabe ist, in echter Kunst naturgemäße Entwicklungswege zu gehen; dies systematisch, methodisch lebensgerecht, also objektiv wissenschaftlich und in jeder Hinsicht menschenwürdig. Die Erde soll vom Menschen neu aufgebaut werden, das Chaos geordnet und die Leere mit Leben erfüllt! — Ist dies die universale Konzeption der kultivierten Kunststoff-Wirtschaft? Gründet sie auf der Physik, Chemie und Biologie zugleich? — Vor allem auf der Wertordnung, auf den objektiven realen Lebensqualitäten? — Vermutlich stehen wir vor einer fast totalen Wandlung der Kunststoffe, nämlich vor einer fundamentalen Wandlung der Herstellungsprozesse. Schon bei den heutigen Kunststoffen ist ein wenn auch noch geringer Teil von ihnen in der Bilanz seiner Qualitäten und Unqualitäten objektiv als Kulturstoff zu bezeichnen. Er ist im Verhältnis zum rohen Naturstoff ein objektiv verbesserter Stoff. Beispielsweise kann man aus Erdöl, das doch der Erdrinde entstammt, hochwertige Heilmittel und andere lebensqualifizierte Stoffe gewinnen, aus Erdgas wollähnliche, sehr scheuerfeste und waschfeste Fasern erzeugen usf. Solche lebensqualifizierten Energieträger für unqualifizierte mechanische Antriebe zu verbrauchen, das ist viel zu schade und im Grunde kaum zu verantworten.

Daraus ergibt sich, daß durchaus nicht alle Kunststoffe als giftig und lebensfeindlich zu verwerfen sind für ein kultiviertes Heim. Sondern jeder einzelne Stoff ist zu prüfen. Gegenwärtig —1974— dürfte unter den sogenannten Kunststoffen und weit darüber hinaus unter allen Chemikalien die Zahl der wenigstens minimal lebensqualifizierten Stoffe noch längst nicht 10 % erreicht haben. Aber das Leben, das Naturrecht und die Kultur, in absehbarer Zeit auch das staatliche Gesetz verlangt prinzipiell, alle Kunststoffe als Kulturstoffe herzustellen, als qualifizierte, ungiftige Stoffe. Diese schaffen in Produktion und Verbrauch keine Abluft-, Abwasser- und andere Abfallprobleme und auch keine sonstigen Nebenwirkungen bzw. Vergiftungen. Je mehr ein Stoff verkünstelt wird, desto mehr giftige „Neben"- und Nachwirkungen hat er. Desto teurer wird er bei objektiver Rechnung. Je mehr ein Stoff kunstvoll behandelt wird und also Kulturstoff wird, desto weniger „Neben"wirkungen hat er und desto mehr überwiegt die gute Hauptwirkung. Echte, gute Heilmittel haben so wenig Nebenwirkungen wie Brot und Honig! Nämlich überhaupt keine! — Dasselbe soll für alles im gesunden Haus gelten! —

Um solche Stoffe herzustellen, darf man die Rohstoffe nicht wider ihre Lebensqualitäten behandeln. Man darf sie auch nicht zerspalten. Ihre Ganzheit muß stets gewahrt werden. Die Ganzheit wird auch dann gewahrt und sogar verbessert, wenn der Rohstoff vorübergehend in seine ganzheitlichen Teile gegliedert wird, geteilt und geschieden. Denn die Teile kann man leichter reinigen. Dann sind Teile wieder zu Besserem zu vereinigen. Dies stets in lebensgerechten Prozessen. Denn in jedem Prozeß wandeln sich Qualitäten. Und das benötigt seine Zeit und seinen Raum, — sein rechtes gesundes Haus.

Als Gegensatz zu den „kultivierten Kunststoffen" ergibt sich andererseits auch, daß vieles, was heutzutage von Naturliebhabern als Naturstoff, als natürlich bzw. rein gepriesen wird, in mehr oder weniger großem Umfange von Natur aus unqualifiziert, unrein ist, also im Ursinn unnatürlich ist, oder von Menschenhand verkünstelt und also disqualifiziert worden ist. Beides ist somit von qualitätsbewußten, objektiv kultivierten Menschen zu meiden. Beispielsweise werden Schlangen, Affen, Schweine und Ungeziefer in allen Kulturen als unreine Tiere bewertet, ebenso objektive Giftpflanzen (zu unterscheiden von den bei falscher Dosis nur dosisgiftig wirkenden Heilpflanzen) wie Schierling und Bilsenkraut. Und zu meiden ist eine vielfältig denaturierte, gar noch mit Pestiziden verseuchte Milch und jedes solche Milchprodukt, gleich so eine disqualifizierte Verpackung, weiter eine mit Giften imprägnierte und gefärbte Wolle oder Seide, ein solches Leder als Schuh-, Handschuh- oder Sitzleder, eine Holzplatte, die mit giftigen Stoffen imprägniert, verleimt oder lackiert ist, ein Tee in einer mit Giften imprägnierten Verpackung usf.

Wie ist bei alledem lebensgerecht zu rechnen? Wie sind Untersuchungen vorzunehmen, wie zu deuten bzw. zu erklären? Und welche Gesetze sind zu machen?

Beispielsweise wird bisher die Giftigkeit von einem Kunststoff, mit dem Holzfasern verarbeitet sind, auf eine problematische und auch qualitätsfremde Weise festzustellen und zu behandeln versucht. In dem Kunststoff kann Formaldehyd, Anilin, Phenol, Phenyl, Chlor oder dergleichen enthalten sein, mehr oder weniger fest gebunden. Nun wird festgestellt, daß die einzelnen Gesellen von der Bindung langsam befreit werden und beispielsweise in die Luft abdunsten. In einer wert„freien" Wissenschaft kann nun kein Unterschied zwischen verschiedenen Qualifizierungen eines Giftes gemacht werden. Phenol gilt gleich Phenol, obwohl es auch weniger giftige, vielleicht sogar gute, hochwertige Phenole gibt, wie aus Holz, wenn auch selten, und andererseits extrem giftige, wie aus Steinkohlenteer. Sie sind wohl so verschieden wie die Isotopen, deshalb wie gewöhnliches Wasser und schweres Wasser.

Doch hiervon noch abgesehen wird dann in problematischen Versuchen eine Konzentration ermittelt, durch die in kurzer Zeit (!) und also praktisch le-

bensfremd, hausfremd — denn im Hause lebt man sein Leben lang! — eine ernste gesundheitliche Schädigung hervorgerufen wird, beispielsweise 5 ppm (= parts pro million), d. h. hier 5 Teile Formaldehyd oder dergl. auf eine Million Teile Luft. Dann wird gesetzlich erklärt, daß die Verarbeitung des betreffenden Giftes oder Kunststoffes gestattet ist, solange die Konzentration von 5 ppm im Hausraum bzw. Arbeitsfeld, Lebensfeld, nicht überschritten wird.

Wie jedoch sieht es in der Wirklichkeit aus? Hier kommt der Zivilisationsmensch laufend mit vielen Zivilisationsgiften zusammen, sagen wir beispielsweise hundert. Es sind tatsächlich weit mehr. Wenn bei jedem Gift die Maximaldosis bei 5 ppm läge und normalerweise nur 1 ppm von jedem aufgenommen würde, so läge die wirkliche Giftdosis bei 100! Sie wäre also zwanzig mal höher als gesundheitlich noch maximal erträglich wäre, vorausgesetzt, daß die Grenze von 5 ppm auch bei Langzeiteinwirkung richtig wäre. Welchen praktischen Schutz bietet dann das Gesetz? Und wen soll es denn eigentlich schützen? Den wirklich lebenden Menschen? Oder einen anderen? Das Provokative der Frage soll auf das Wesentliche, auf die Wirklichkeit des Alltages hinweisen.

Denn nach dem bisherigen zerspaltenden Brauch bei Untersuchungen kann ein Geschäftsmann, der mit einer Giftgruppe ein besonders gutes Geschäft machen kann, durch Steuerung wissenschaftlicher Institute auch darauf hinwirken, daß noch weiter zerspalten wird. Dann werden statt einem Formaldehyd fünf verschiedene Gruppen analysiert. Von jeder Gruppe wird im Einzelversuch mehr oder weniger sachrichtig 5 ppm als Grenze festgesetzt. Wenn nun bei Beschwerden eines Menschen, der in Formaldehydplatten oder Phenolplatten oder Anilinplatten wohnt, die Gruppen einzeln untersucht werden und jede nur 4 ppm aufweist, so ist dann gesetzlich alles erlaubt! Tatsächlich aber nimmt der Mensch dann 20 ppm allein dieses Giftes auf! — Wenn also das Gesetz nur dividiert, nur zerspaltet, anstatt auch zu summieren und die Ganzheit des menschlichen Lebens zu sehen, dann geht es an eben diesem ganzen Leben und Menschen vorbei! —

Ob das Menschenrecht nicht verpflichtet, das Leben objektiv zu sehen, nicht nur in subjektiven Ausschnitten, sondern so ganz und wirklich wie es ist? — Dann wäre die Gesamtheit der üblich vorkommenden Giftstoffe in ihrem maximalen Grenzwert zu berechnen. Und von ihm aus wäre der Grenzwert der einzelnen üblichen Zivilisationsgifte festzusetzen! —

Oben war von der Langzeitwirkung der Gifte die Rede. Das ist die im Leben wirkliche Wirkform. Denn der Mensch lebt nicht nur kurzzeitig, nicht nur Tage oder Wochen. Und die Zivilisationsgifte wirken ebenfalls auf die Dauer der Zivilisation. Der Anilinkrebs wurde typischerweise erst 40 Jahre nach Beginn der Anilinarbeit und 20 Jahre nach Beendigung dieser Arbeit festgestellt. Wohl kein Anilinarbeiter bekam schon ein Jahr nach Beginn der Arbeit seinen Krebs. Und so lange laufen nicht einmal die üblichen Kurzzeit-

versuche. Also müßten Langzeitversuche gemacht werden. Wie lang ist ein Menschenleben? Reagiert der Mensch nicht empfindlicher als ein Tier und teilweise andersartig?
Doch hiervon noch ganz abgesehen. Die Langzeitwirkung der einzelnen Gifte, Kunststoffe, allgemein der Chemizide kann heute am Zivilisationsmenschen und Zivilisationstier nicht mehr untersucht werden. Denn in der Zivilisationswelt werden heute viele Tausende, ja Hunderttausende von Giften unkontrolliert verwandt. So ergeben sich Millionen und Milliarden verschiedener Summierungs- und Potenzierungs- bzw. Kombinierungswirkungen, darunter auch Verschleierungs- und Verschiebungswirkungen. Eine Analyse der einzelnen Langzeitwirkungen, wie man sie in der Anfangszeit der Kunststoffe bzw. Chemizide noch bei den Anilinarbeitern vornehmen konnte, wird dann praktisch völlig unmöglich. Von dem, was man heutzutage im Körper findet, kann man praktisch nicht mehr erfahren, mit was es wie zusammen gewirkt hat. Und darauf kommt es entscheidend an. Denn der Organismus ist keine in isolierten Teilen funktionierende Maschine, sondern eine Ganzheit, in der alles integral zusammenwirkt. Auch das ist bei allen Gesetzen zu bedenken, die der Wirklichkeit gerecht werden wollen. Andernfalls sind sie in der Wirklichkeit ungerecht! — Gerecht könnten sie nur in einer Welt sein, die aus formalistisch „konstruierten Fiktionen" besteht, also nur in einer eingebildeten Welt! Darf man derartige Gesetze machen? —
Wie ist dieses Urproblem der Zivilisation zu lösen? —
Die Weltgesundheitsorganisation (WHO) in der UNO hat erklärt, daß prinzipiell jede — künstliche! — Strahlung (Radioaktivität) zu vermeiden ist. Denn die Wirkungen summieren sich. Das ist heute allgemein bekannt. Daß alle verkünstelten Strahlungen, wie alles Verkünstelte, Unnatürliche Lebenskraft kostet, um die eigene Natur zu wahren und wiederherzustellen, das ist selbstverständlich. — Alle unguten Feld-, Strahlungs- und Strömungswirkungen summieren sich im Leben und kosten zum Ausgleich Lebensenergie, also Lebensfreude, Wohlbefinden, Gesundheit, Leistungsfähigkeit. Jede Dosis Gift ist also ein Gift im Leben, ein Gift des Lebens, somit ein Übel, ein Ungutes und daher zu meiden. Nur aus Unvernunft, Unwissenheit und Leidenschaft werden Gifte gebraucht. Nur toleriert werden die Gifte von vernünftigen Menschen und zwar in Achtung der Glaubensfreiheit und das Kreuz der anderen mittragend. Die vernünftigen, ordnungswilligen, gesundheitswilligen Menschen tolerieren nur die Gifte in ihrer Umwelt! — Wer also im eigenen Hause gesund leben will, der weiß aufgrund der prinzipiellen Wahrheit im Rat der Weltgesundheitsorganisation, was er zu tun und zu lassen hat. —
Der Mensch kann und soll alles kultivieren. Er darf nichts degenerieren, disqualifizieren. Er hat den Urauftrag erhalten, diese ins Chaos geratene Welt wieder aufzubauen, mit Gott bestimmend aus Leere und Wüste wieder ein Paradies zu schaffen. Omnia instaurare! Er darf keine neue Wüste des

Lebens schaffen! — Wäre nicht jedes solche Handeln eine Mitarbeit und also Mitbestimmung mit dem gefallenen Gegner Gottes, somit unfrei, unrecht und böse? —
Wir alle sollen gesund, frei und gut leben, — ganz gesund, ganz frei und ganz gut. —

KLIMA UND KLIMATISIERUNG

Laotse wurde einst gefragt, was das Wesen des Hauses sei.
Er antwortete: Der freie Raum. —

Im freien Raum des Hauses, in seinem Klima lebt der Mensch. Auch außerhalb des Hauses lebt er im Klima. In was anderem würde er leben? — Welch universale Bedeutung hat daher das Klima für das Leben! — Somit das Hausklima für das Hausleben! —
Wer gesund leben will, der strebt danach, in einem gesunden Klima zu wohnen. Und er wünscht sich darin ein gesundes, ein schönes Wetter. Paracelsus spricht (im zweiten Buch Paragranum) sogar im menschlichen Leibe von Klima und Wetter. Mit Blitz, Donner und Regen vergleicht er Gallen- und Darmkoliken. Hellpach spricht gleich so im Hause von Klima und Wetter.
Der biologische, medizinische und zugleich meteorologische Begriff des Klimas ist in den letzten Jahrzehnten so stürmisch und weit in die Baukunst eingedrungen, daß mehr und mehr das voll klimatisierte Haus als das ideale Haus gepriesen und gefordert wird. Dieses Ideal mag auch gut, wahr und recht sein. Doch wie wird es subjektiv gemeint und objektiv angestrebt? —
Als Ptolemäus das Haus der Erde in 24 Klimata einteilte, je nach dem Winkel der Erdhaut zur Erdachse, dem Rückgrat der Erde, was hatte er da gemeint? — Denn wohl er hat die abendländische Klimaforschung begründet. In den älteren Kulturen ist die Klimatologie als Teil der Meteorologie und Biologie ein großes Forschungs- und Lehrgebiet der Wissenschaften. Denn sämtliche Naturwissenschaften sind in der Klimatologie vereint. —
Alles Angenehme, Wohlige, Gute, Lebensgerechte eines Raumes wird in dem einen Begriff des guten Klimas zusammengefaßt. Gleich so sprechen Firmen von dem guten Arbeitsklima und preisen es als Quintessenz ihres gesamten Charakters an. Was also ist exakt wissenschaftlich das Klima im biologischen Sinne, im Sinne des Lebens und nicht im Sinne einer toten Mechanik?
In biophysikalischer Sicht: Das Klima ist die Ganzheit aller guten, somit lebensqualifizierten Felder, Strahlen und Ströme und hinzu die Gesamtheit aller schlechten Felder, Strahlen und Ströme. Mit anderen Worten: Das Klima eines Raumes ist die Ganzheit aller Lebensqualitäten und die Gesamtheit aller Unqualitäten in diesm Raume.
Wir erinnern uns aus dem Kapitel über die Grundlagenwissenschaft: Etwas anderes als Lebensqualitäten und Unqualitäten in Gestalt von Feldern,

Strahlen und Strömen sowie dies alles in begrenzter Form in Gestalt von Materie existiert objektiv garnicht. Biologisch konsequent und scharf formuliert lautet also die Definition: Das gute Klima besteht aus guten Lebensfeldern, Lebensstrahlen und Lebensströmen sowie guten lebendigen Materien. Das schlechte, das kranke Klima besteht aus kranken Feldern, kranken Strahlen und kranken Strömen sowie kranken Materien.

Gemäß dieser bio-logischen Definition besteht das Klima in Raum und Zeit stets aus einem Gemisch von Gutem und Schlechtem, von Lebensqualitäten und kranken, zum Tode führenden Unqualitäten, also nach Paracelsus aus Gut und Gift. Alles, was in einem Raume west und unwest, hat Anteil an dessen Klima. Jede Einheit in dem Raum beeinflußt dessen Klima je nach der Qualität ihrer Felder, insbesondere ihrer radialen und peripheren Feldänderungen, d. h. ihrer Strahlungen und Strömungen. Keine Einheit im Raum ist wirklich neutral. Was nicht für das gute Klima wirkt, das wirkt gegen das gute Klima! Was nicht gut ist, das ist schlecht! Was das Klima eines Hauses nicht sammelt und also einigt, harmoniert, qualifiziert, das zerstreut, chaotisiert, zerspaltet und disqualifiziert also das Klima! — Das Klima ist somit objektiv lebensgerecht nur von der Lebensqualität und ihrer Degeneration her zu verstehen! —

Die oben formulierte, universelle bio-logische Definition des Klimas, nämlich nach Lebensqualitäten, ist für das Leben maßgebend. Sie ist die einzig wahre Definition. Man kann zwar ihre Worte verändern; aber eine Veränderung des Sinnes würde gewiß Unwahrheit bzw. Irrtum ergeben. Die obige Definition ist somit maßgebend für die Hausbiologie, Hausphysik und Hauschemie, allgemein für die gesamte Baukunst, die Erzkunst aller Künste. Sie ist maßgebend für die Hauspathologie und Hausheilkunde (Wohnungsmedizin), und gleich so für die Meteorologie und Textilbiologie bzw. Kleidungslehre, insbesondere für jede Hausklimatisierung.

Soweit eine Definition des Klimas wert„frei" ist, ist sie wertlos für das Leben und fällt in den Bereich der „konstruierten Fiktionen" (B. Russell). Für wen außer den Lebendigen wäre das Klima von Belang?

Nicht lebensqualifizierte Eigenheiten des Klimas sind für das Leben unmaßgeblich, also noch weniger als nebensächlich. Die Bücher, die am Ende der Neuzeit über das Klima geschrieben werden, sind nur so weit objektiv verwertbar, soweit sie lebensqualifizierte Wertungen enthalten, wie sie u. a. Paracelsus lehrt und wie sie in der Gegenwart beispielsweise bei Hellpach gefunden werden ([1]). Doch wo sonst? — Soweit Schriften über das Klima nur mechanische Größen und solche Formeln enthalten, ohne deutlichen Bezug zu Qualitäten und somit zum objektiven Leben, sind sie wert„frei" und also wertlos. —

Gilt dasselbe nicht auch für die Klimatisierungsverfahren und -Geräte der Wirtschaft? Was könnten sie für das Leben leisten, soweit sie nicht lebensqualifiziert sind und in ihren Verfahren Lebensqualitäten lebensgerecht behandeln! Welches Klimagerät des 20. Jahrhunderts wäre nach den Lebensqualitäten konstruiert? —

Auch in der Klimaforschung und Klimawirtschaft muß der Aberglaube des wertfreien und also wertlosen Mechanizismus überwunden werden. — Denn auch in der Klimatologie herrscht anscheinend ein wissenschaftliches und wirtschaftliches Selbstmordprogramm. —

Das Klima im Hause der Lebendigen wird also von den Lebensqualitäten der in das Haus wirkenden Elemente, der Haus- und Einrichtungsformen sowie von den Haus- und Einrichtungsmaterialien und von der Bewohnungsart und den Bewohnern bestimmt! Von nichts anderem! Jedes Klima jedes Raumes, vom Weltenraum angefangen bis zum Raum des Bettes und der Schuhe ist die Bilanz aller Lebensqualitäten und Unqualitäten aller in diesem Raume wirkenden Einheiten! —

Denn Klima ist ein Begriff des Lebens und nicht des Todes, ein Begriff der Organik und nicht der Mechanik. Soweit mit toten Größen, mit toten Prozessen, Formen und Materien gearbeitet wird, kann selbstverständlich nur ein totes Klima geschaffen werden. Und soweit ein Klima anderweitig lebendig ist, kann es durch die Einwirkung des Toten nur getötet werden. — Denn Totes tötet! Ein solch lebensleeres Klima muß also zunächst müde machen und dann krank. —

Je besser, lebendiger und reiner die Lebensqualitäten eines Hauses und seiner Einrichtungsgegenstände, seiner Bewohner und deren Lebensformen, desto besser, lebendiger und reiner ist das Klima dieses Hauses. Je schlechter, toter und unreiner die Formen, Farben und Materialien eines Hauses samt aller Einrichtung, je schlechter, toter und unreiner die Bewohner in ihren Gedanken, Willensregungen und Gefühlen, in ihrem Essen, Trinken und Kleiden, in ihrer Lebensweise, Heilweise und Hygiene, desto schlechter ist das Klima des Hauses. — Das sind Grundgedanken von Paracelsus: Die Mechaniker mögen über sie lachen wie über alle Lebensqualitäten.

Alles Lüften, gar noch mit Maschinen, kann an einem solchen Klima nur winzig wenig ändern. So wenig wie die großen Belüftungsaktionen in dem modernen Genfer Lebensmitteluntersuchungsamt nachgewiesen etwas Wesentliches an dem Kunststoff-Giftklima ändern konnten. — (Siehe Einleitung).

Von unten her gerechnet ist also die Masse des Baumateriales erstlich verantwortlich für das Hausklima. Wer sein Haus aus Heilerde baut, der wird ein Heilklima haben. Wer sein Haus aus disqualifizierter, toter, unreiner Materie baut, die ihre Identität verloren hat, der wird auch selbst in seinem Hause seine Identität verlieren. Er wird selbstentfremdet werden wie sein Baumaterial. Er wird erkranken an Krankheiten, die besonders deutlich durch den Verlust der Identität gekennzeichnet sind. Das sind viele Stoffwechselkrankheiten, Herz-Kreislaufkrankheiten und am typischsten der Krebs. Die Krebszelle ist bio-logisch allgemein durch den totalen Verlust ihrer Identität gekennzeichnet! —

Das alles ist ursachengesetzlich unvermeidlich. Denn jedes Ding wirkt sein Wesen, seine Qualität oder seine Unqualität. Heilerde heilt. Unheile Erde schafft Unheil. —

Wie ist bei guten Bauformen und Baumaterialien samt Einrichtungen das gute Klima biophysikalisch zu verstehen? — Gutes zieht Gutes an, bewahrt es, entwickelt es und stößt Schlechtes ab, dieses auch entgiftend. Schlechtes dagegen zieht Schlechtes an, bewahrt es, „entwickelt" es bzw. verwickelt, degeneriert es noch weiter. Das Gute aber wird vom Schlechten abgestoßen. (Vgl. die Gesetze der Lebensqualitäten im Kapitel zur Grundlagenforschung).

Woher kommt das Gute und das Schlechte? Der Kosmos wird in milliardenfacher Fülle von Lebensfeldern, Lebensstrahlen und Lebensströmen durchwirkt und — gleichgewichtig! — auch von kranken, am Ende tödlich wirkenden disqualifizierten Feldern, Strahlen und Strömen. Jedes Feld auf dieser Erde sucht aus diesem gewaltigen Angebot mittels seiner eigenen Feldkraft das Seine heraus, hält es fest und assimiliert es. Weiterhin lehrt Paracelsus, daß alle diese „Meteoron"-„Influenzen" sich stufenweise materialisieren, zunächst in die Gestalt der vier Elemente (Aggregatzustände). Durch diese bestimmen die Lebens- und Todesmächte dann weiterhin das irdische Leben, zunächst das Klima unserer Umwelt, unserer größeren und kleineren Häuser. Hierbei wirkt alles Feste, Flüssige, Gasförmige und Feurige, jede Materie und jede Form physikalisch wie ein Transformator und chemisch wie ein Katalysator. All das wählt je nach seinem eigenen Wesen aus dem Angebot des Umweltklimas das Gute oder Schlechte aus, zieht es an, hält es fest, wandelt es in sein Wesen und gibt es auch wieder ab als Sekundärfeldung, Sekundärstrahlung, Sekundärströmung und sekundäre Materie. Das Abgegebene hat dann den Primärcharakter und „aufmoduliert" den Sekundärcharakter der letzten realen Einheit, die damit gearbeitet hat, gelebt hat.

Handeln nicht auch die Bewohner gleich so? Zuerst im Denken, Wollen und Fühlen? Und kommt nicht alles zuerst von den Bewohnern? Aus ihrem Herzen? —

Wo nun sind die Lebensqualitäten und Krankheits-Todes-Unqualitäten im größeren und kleineren Hause im Einzelnen zu finden?

Das ganze vorliegende Buch handelt vom Hausklima. Denn jede Gesundheit und Krankheit irgend einer realen Einheit und irgend einer Eigenschaft oder Fähigkeit von ihr kann als Klima definiert werden. Und jede Heilung ist die Heilung eines kranken Klimas!

Jedes Klima in jedem Haus ist also im Grunde psychosomatisch zu verstehen! Wie psychisch im Herzen, in der eigenen Familie und unter den Mitarbeitern, so somatisch auch in der Natur. Paracelsus lehrt wiederholt, daß von dem Charakter bzw. der Lebensweise der Bewohner einer Landschaft (also eines Hauses) auch das Klima und Wetter dieser Landschaft (dieses Hauses) abhängig sei. Wie oben so unten! Wie innen so außen! —

Hellpach hat in seinem Standardwerk „Geopsyche" (= Erdseele, Naturseele) die Polarität dazu gezeigt, nämlich wie die Landschaft bzw. das Haus die Bewohner formt, seelisch und leiblich ([1]). Er zeigte dies am Beispiel der Amerikaner. Die verschiedensten Völker und Rassen, die mit ihren verschiedenen Kopfformen nach Nordamerika einwandern, in dieses Haus unserer Erde, gebären dort Kinder mit langen und schmalen Köpfen, typisch amerikanischen Köpfen. Und gleich so werde die Mentalität dieser Kinder gewandelt! — Also welch gewaltigen Einfluß hat die Umwelt auf den Menschen, hat besonders das Haus auf seine Bewohner! Die gesamte seelische und leibliche Struktur der Bewohner wird durch das Klima des Hauses geändert! Daher sprach A. Libik vom „Verlust der Identität" in Betonbauten. Sie üben auch nach vielen anderen Feststellungen einen deutlich asozialisierenden Einfluß auf ihre Bewohner aus. Die seelische Gesundheit wird wie die leibliche degeneriert, zerstört! — In ihrem Klima verliert man seine Identität, sein wahres Eigenwesen. —

Doch das ist eine uralte Erfahrung. Schon die alten Griechen haben die werdenden Mütter in eine möglichst edle und harmonische Umgebung gebracht, in eine Ganzheit von objektiven naturalen, aesthetischen und personalen Lebensqualitäten. Alles Verkünstelte, Unechte, Unharmonische haben sie von der Mutter und der ganzen Familie fern zu halten versucht, um Leib und Seele höchst möglich zu qualifizieren. —

In der Klimatologie und Klimatisierung ist daher ebenso wie in der endzeitlichen Medizin ein „Umdenken von der Quantität zur Qualität" (Blaha) erforderlich, zur objektiven Lebensqualität, zur objektiven Realität. Der primitiv abergläubische quantistische Mechanizismus und sein Materialismus ist auch hier vollständig zu überwinden.

Überwiegend nach dem mechanizistischen Materialismus hat die moderne Klimatechnik bisher gearbeitet. Sie hat daher immer wieder Mißerfolge erlebt, bis zu einer Serie von Todesfällen wie in dem modernsten „bestens klimatisierten Krankenhaus Europas", in Hamburg. Die Kritik an der technokratischen Klimatisierung wächst daher von Tag zu Tag. Und verzweifelt wenden sich die Hersteller an die Mediziner und anderen Wissenschaftler, um kompetente Anweisungen zur lebensgerechten Herstellung zu erhalten. Doch muß das bei quantistischem Denken nicht auch hier „aussichtslos" sein, völlig aussichtlos? — Daher stoßen die Klimawirtschaftler mit ihren Technikern bei den Wissenschaftlern nur auf ein großes Schweigen. Denn Klima ist für den Quantismus ein völlig verworrenes Gebiet. Aus einem sinn„freien" Denken kann im Klima keinerlei Wert, Ordnung und Sinn gefunden werden, kein Gesetz, kein Grund, kein Halt, keine Ganzheit, nichts. —

Was ist daher das ABC des Klimas und der Klimatisierung?

Was ist Prinzip, Gesetz und Typus der Klimatisierung? Prinzip, Gesetz und Typus des Lebens?

Was ist die Ordnung der Wege, Methoden und Mittel der Klimatisierung? Das ist die Ordnung der Wege, Methoden und Mittel des Lebens!
Denn das Klima ist eine Funktion des Lebens und nicht des Todes, primär eine Funktion der Organik und nicht der Mechanik. Die Mechanik hat Sinn und Recht stets nur als Ausdruck und Hilfe der Organik. Andernfalls wirkt sie antiorganisch, also lebenszerstörend, tötend.
Paracelsus und Hellpach unterscheiden Klima und Wetter. Das Wetter ist eine aktuelle und sekundäre Funktion des Klimas. Dementsprechend ist eine primäre und sekundäre Klimatisierung zu unterscheiden. Und es gilt das logische, mathematische und biologische Gesetz, daß eine sekundäre Klimatisierung nur auf dem Grunde und im Rahmen der primären Klimatisierung möglich ist. Die sekundäre Klimatisierung kann man auch Wetterung nennen wie man im Bergwerk von der Bewetterung spricht. Das Verhältnis von primärer und sekundärer Klimatisierung ist somit das Verhältnis von Klima und Wetter.
Die primäre Klimatisierung des Hauses ist mehr statisch. Sie ist durch die Formen und Materialien einschließlich der Farben des Hauses samt all seinen Einrichtungsgegenständen gegeben. Sie besteht während der Existenzdauer von alledem.
Die sekundäre Klimatisierung oder Wetterung ist eine zeitweise, veränderliche, aktuelle, dynamische Klimatisierung. Sie wird durch die Art und Weise des Bewohnens, insbesondere durch zeitweise Maßnahmen der Bewohner erzielt.
Bei exakter Analyse der Klimatisierung existieren noch mehr Stufen als die der eben genannten einfachsten Einteilung. Diese Stufen folgen einander wie Eins, Zwei und Drei, wie das Allgemeine, Besondere und Einzelne. Für die erste und wesentlichste Einsicht in die Bio-Logik und Bio-Physik der Klimatisierung genügt jedoch die jedermann bekannte und besonders von Hellpach vertretene Gliederung in Klima und Wetter des Hauses, also in primäre und sekundäre Klimatisierung.
Die moderne technokratische Klimatisierung am Ende der Neuzeit besteht nur in sekundärer Klimatisierung ohne Wissen von der primären Klimatisierung und also auch ohne Rücksicht auf sie. Da die primäre Klimatisierung den Grund und Rahmen und somit die Möglichkeiten der erfolgreichen guten sekundären Klimatisierung bestimmt und begrenzt, so sind die zahllosen Mißerfolge der wert„freien“ mechanizistischen technokratischen Klimatisierung auch aus diesem Grunde verständlich. In diesem Buch wird hauptsächlich die primäre Klimatisierung, im Bereich der Hauskrankheiten und ihrer Heilung aber auch die sekundäre Klimatisierung behandelt. Wer also die lebensgerechte Klimawissenschaft und Klimatisierungspraxis studieren will, der möge das ganze vorliegende Buch studieren.

KLIMA UND GERUCH

Die moderne Klimaforschung ist ein noch sehr junges Kind der uralten Klimaforschung und Klimalehre, die in jüngerer Zeit Paracelsus dargelegt hat. Doch hat das Kind sich selbständig gemacht. Von seiner Herkunft weiß es fast nichts mehr. Oft verleugnet es seine Eltern. Oder hat es einen fremden Vater? — Auf seine neuzeitliche Art von vorne beginnend hat sich das Kind jahrelang bemüht, einen Maßstab zur Beurteilung des Klimas zu finden. Hunderterlei verschiedene Quantitäten und — teils nur nebenbewußt — auch Qualitäten wurden vorgeschlagen wie beispielsweise der CO- und CO_2-Gehalt der Luft, der SO_2-Gehalt usf. Denn das Klima wurde in einer erstaunlichen Verengung des Bewußtseins vorerst nur in der Luft gesucht. — Doch nicht nur die Luft füllt den Raum aus! (Es ist bemerkenswert, wie wenig die schon seit Jahrzehnten studierte allgemeine Feldphysik in den einzelnen Wissenschaften realisiert wird. In den Quantenwissenschaften lebt, forscht und lehrt alles aneinander vorbei. —). All diese quantitativen Angaben erwiesen sich als untauglich. Denn das Klima ist nun einmal eine Urform des Lebens. Und das Leben ist primär allein Qualität.

Nach langem Umherirren in katastrophal wertfreien bzw. wertlosen, zudem sehr engen Gedankengängen kam man endlich auf den Geruch. Nur hier war eine universelle, für alle Klimata sicher brauchbare Wertung zu finden. Und zwar eine reine, echte Wertung, eine qualitative Wertung. Von Quantität keine Spur mehr! Obendrein war das objektive, maßgebliche Instrument dazu ausschließlich das Subjekt Mensch! Eigentlich in allem ein Graus für die neuzeitliche exakte Wissenschaft. Aber es blieb nichts anderes übrig, wenn man endlich sachgerecht, nämlich lebensgerecht Klimaforschung treiben wollte.

Ob dieser Weg nicht symbolisch für den Weg der modernen Naturwissenschaft ist? —

Der Geruch mußte in einen guten und einen schlechten Geruch unterteilt werden, also in „Gut“ und „Gift“, wie Paracelsus gelehrt hatte. Von Amerika übrigens soll die Initiative zu dieser Entwicklung gekommen sein.

Erwarten nun die echten Biologen und Ärzte nicht mit Recht die Konsequenzen, nämlich daß man den Urmaßstab aller Kulturen, aller objektiven Lebenswissenschaften, die Lebensqualität, auch durchgehend für das Klima anwendet, nicht nur für seine Ganzheit, sondern auch für seine Teile! Wie anders könnten die verworrenen, wenn nicht teilweise katastrophalen Zustände in der praktischen Klimatisierung der Häuser, von Bauform und Baumaterial angefangen, überwunden werden!

Wenn man Gutes und Schlechtes riecht, so muß doch die Sache selbst, die man riecht, gut oder schlecht sein. Also folgt aus der neueren Entwicklung der Klimaforschung und Klimalehre das, was Paracelsus vom Klima und Haus gelehrt hat und was in diesem ganzen Buche dargelegt wird!

Alle Lebensqualitäten des Hauses, die durch ihre Felder, Strahlungen und Strömungen wirken, vereinigen sich und äußern sich u. a. im Geruch. Die Lebensqualität riecht gut. Die Unqualität riecht schlecht. Also riecht ein gesundes Haus gut. Ein ungesundes Haus riecht schlecht. Das eine Haus riecht frisch und erfrischend wie ein junger sehr gesunder Mensch. Das andere Haus riecht erstickend. —

Man sollte an allen Baumaterialien erst riechen, ehe man sie einbaut! Besonders soll man an den Bauhilfsstoffen, Imprägniermitteln, Anstrichen usf. riechen. Und man soll seiner Nase in einer Richtung fest vertrauen. Denn was schon die zivilisierte Nase schlecht findet, das ist gewiß schlecht. Was sie nicht beanstandet, das kann ebenfalls noch schlecht sein. Nur in dem, was gesunde und kultiviert lebende Menschen als gut riechend bezeichnen, kann man heutzutage einigermaßen sicher gehen.

Man bedenke zu dem scheinbar Geruchlosen, daß im Grunde alles riecht, wie die Hundenase zeigt. Aber die moderne Chemie hat raffinierte künstliche Stoffe, Chemizide geschaffen, welche die Natur dieser Welt nicht kennt, sodaß die Nase öfters versagen kann, auch bei Tieren. Sehr gefährliche und schädliche Chemizide bzw. Pestizide, wie sie zur Fliegenbekämpfung aufgehangen werden, sind subjektiv geruchlos.

Noch eine weitere Konsequenz ergibt sich daraus, daß die Klimawissenschaft, diese fundamentale und universale Lebenswissenschaft wieder die Lebensqualität zum obersten Maßstab gekrönt hat: Wann folgen dem die anderen Wissenschaften, die sich mit dem Leben befassen? Haben die anderen Wissenschaften schon erkannt, was sich da tut, wenn die Lebensqualität und also die Qualität überhaupt wieder in Prinzip, Gesetz und Typus der Wissenschaft als maßgebend anerkannt wird? Viele meinen, Lebensqualität, das sei doch nur ein Werbeslogan der Politiker und Wirtschaftler, vielleicht auch Geklapper der Umweltschützer, dieser Hysteriker. — Aber unversehens ist die Qualität wieder in das Zentrum des wissenschaftlichen Bewußtseins gedrungen. Von dort könnte sie wie ein Gärstoff alles wandeln auf dem Wege zur objektiven Wissenschaft der kommenden Menschheitskultur.

Die Klimawissenschaft wird so unmittelbar mit dem Leben konfrontiert wie kaum eine andere Wissenschaft. Wenn die anderen ebenfalls an die Grenzen ihres Wachstumes stoßen, wird es ihnen dann nicht ähnlich ergehen? —

Die Geruchsprobe als Klimaprobe

Wenn man den Lebenswert des Klimas einer Wohnung bzw. eines Hauses — und irgend eines Dinges! — feststellen will, so ergibt sich aus der modernen wie uralten Klimalehre ein sehr einfacher, überzeugender und relativ sicherer Versuch, den jedermann leicht durchführen kann. Man erzeugt nämlich einen spezifischen guten Geruch, der sich auch quantitativ leicht erfassen läßt, und mißt dann die Zeit, die er sich im unbewohnten Raum hält. Als interressante Gegenprobe kann man dasselbe mit einem schlechten Geruch tun. Wie dies praktisch?

Paracelsus lehrt im Paramirum: „Ohne Anwendung des Feuers kann man über die Qualitäten der Substanz noch keinerlei Aussage machen. Das Feuer erprobt alle Dinge". Also nehme man von einem Räucherstäbchen, wie sie einheitlich am Markt sind, einen Zentimeter für 10 Kubikmeter Raumluft und lasse es am Abend verglimmen. Wenn der gute Geruch sich nur bis zu einer Stunde hält, dann ist das Klima schlecht, wenn bis 24 Stunden, dann ist es mittelmäßig, wenn darüber, dann ist es gut bis sehr gut.

Die Gegenprobe: In einem Raum, der frei ist von Tabakgeruch, wird pro 10 Kubikmeter Raumluft eine normale Zigarette geraucht. Ist der Geruch bis in einer Stunde verzehrt, dann ist das Klima sehr gut bis gut, wenn binnen 24 Stunden, dann mittelmäßig, wenn länger andauernd, dann schlecht bis sehr schlecht.

Die Idee dazu ist noch jung. Die Versuchsanordnung bedarf daher noch der Verbesserung und Erprobung. Aber nach den bisherigen Versuchen und Erfahrungen dürfte die Skala zumindest roh lebensgerecht sein und auch das Räucherungsmittel. Daß die Fenster des Raumes in der Versuchszeit geschlossen bleiben müssen und auch die Türen bis auf ein gelegentliches Betreten sowie daß der Raum in dieser Zeit nicht bewohnt werden darf, das dürfte kaum der Erwähnung wert sein. Auch darf keine Flamme in dem Raum brennen. Und keine Maschine darf in ihm laufen. Man kann die Anforderungen zwar noch sehr steigern. Aber das Gesagte mag für die Praxis durchaus genügen.

Zu beachten ist für Sonderfälle noch, daß ungute Spezialitäten existieren, welche Nikotin desodorieren, und daß gut riechende Spezialitäten existieren, welche einen guten Geruch wandeln, vielleicht in einen noch besseren. In einem solchen Fall muß man das Objekt ändern, für ein Räuerstäbchen eine Menge Weihrauch oder Wacholder nehmen und für die Zigarette etwas, das für normale Nasen übel riecht und das man genau dosieren kann. Auch eine doppelte Gegenprobe und Parallelprobe kann man dann machen.

Bei einem unguten Ergebnis dieser Probe sei man mit dem Urteil über den ganzen Raum vorsichtig. Denn ein einzelner übler Körper kann einen ganzen Raum verderben. Nur das gute Ergebnis sagt viel, nämlich etwas Ganzheitliches.

Befassen wir uns folgend mit den besonderen Urformen des Hausklimas, seinen Erkrankungen und seinen Heilmöglichkeiten. Denn die systematische Entwicklung des Themas hat uns immer näher an die Hauskrankheiten heran geführt. Nicht nur in diesem Kapitel, sondern auch schon im Vorwort war von ihnen die Rede. Denn in der Zeitraumwelt sind sie überall gegenwärtig. Die folgenden Kapitel wären sämtlich vom Gesichtspunkt eines besonderen schlechten Klimas zu schreiben gewesen. Aber der allgemeinere und für den Menschen wesentlichere Gesichtspunkt ist der der Gesundheit und Krankheit. Er ist auch der wesentliche Gesichtspunkt aller Klimatologie.

III

DIE HAUSKRANKHEITEN UND IHRE HEILUNG

Paracelsus war vermutlich der erste Arzt, der in der abendländischen Kultur Hauskrankheiten beschrieb. Das sind Krankheiten, an denen das Haus krank ist, sodaß durch sie gleichartig auch der Bewohner erkrankt. In höherer Sicht ist jedoch zuerst der Erbauer und Bewohner krank. Durch ihn wird das Haus krank. —

Paracelsus lehrte, daß man Krankheiten nach ihrem Wesen und besonders nach ihrer Herkunft bezeichnen solle. So schrieb er drei Bücher „Über die Bergsucht und andere Bergkrankheiten". Das sind Krankheiten, welche die Arbeiter im Bergwerk, im Haus der Erde durch Störungen, insbesondere durch Gifte in diesem Hause erleiden. Einige von ihnen werden heute unter den Arbeitskrankheiten, den Gewerbekrankheiten aufgeführt, noch keine systematisch als Wohnkrankheiten! — Dementsprechend wurde in der ersten Auflage dieses Buches die Bezeichnung „Hauskrankheiten" und ihr vorhergehend „Baubiologie" im objektiven allgemeinen Sinne dieser Worte in die Literatur eingeführt. Mehrere Sonderbezeichnungen daraus wie die „Elektrokrankheiten" sind inzwischen auch schon von anderen Fachleuten aufgenommen worden.

Bei einem logisch-mathematischen Vorgehen erhebt sich zunächst die Grundfrage, nach welchem System man die Krankheiten des Hauses — d. h. allgemein des Organismus, der Erde, jedes Körpers! — einteilen soll und sachgerecht objektiv einteilen muß. Zeitlebens hat sich Paracelsus in immer neuen Ansätzen, Kapiteln und Büchern mit dem System aller Gesundheit und Krankheit befaßt. Denn in dieser Ganzheit liegt die objektive Wissenschaftlichkeit der Heilkunde begründet und der Schlüssel zur schnellsten, sichersten und erfolgreichsten Heilpraxis (aller realen Einheiten!). Man dürfe hier nicht subjektiv „fabulieren", „spekulieren", „imaginieren" sagt Paracelsus — „konstruierend fiktionieren" bzw. fiktiv konstruieren sagt B. Russell heute —, sondern man solle „im Lichte des Geistes" und „im Lichte der Natur" „im Buche der Natur" schauen wie es objektiv wirklich ist.

Wenn wir in diesem objektiven Lichte die Urordnung aller Krankheiten erschauen wollen, so gelangen wir zunächst zur Urordnung alles gesunden Existierens, zum System aller Systeme des Lebens. Der eine sieht es mehr pythagoreisch-platonisch als Zahlenlogon-Ordnung, wie Leibniz als „Mathesis universalis" aller „Monaden", d. h. der realen Einheiten und ihrer Aktionen, der andere mehr physikalisch als Mathematophysik. Diese universale zentrale Ordnung kann man ebenso als System der Sinneinheiten des Bewußtseins wie der Verhaltensformen und wie der Natureinheiten sehen. (Dieses System wird im letzten Kapitel in der personalen Ebene vorgerechnet). Das sind zwei Hauptformen der geisteswissenschaftlichen Einsicht.

Der Naturmensch sieht das System der Systeme, die Ordnung aller Ordnungen mehr als Alleinheit aller Lebensqualitäten. Paracelsus neigte der letzteren mehr naturwissenschaftlichen, biologischen und besonders medizinischen Schau zu. Doch betonte er im Labyrinthus medicorum und anderwärts, daß auch die mathematische Urordnung des Seins zu studieren sei, wenn man in den Grundlagen gründlicher gebildet sein wolle. Die mathematische Ordnung lehrt mehr die Freiheit und Richtigkeit der Relationen und Funktionen der Einheiten als die Qualitäten, mehr das exakte Rechnerische der Vernunft als die immer etwas vage Wahrnehmung des Gefühles. Die Einsicht in die Dreialleinheitsordnung des Kosmos, welche Platon — in dunklen Worten — den Pythagoreer Timäus vortragen läßt, kann jedoch die Einsicht in die Qualitätenordnung des Kosmos mathematologisch erheblich präzisieren. Obwohl folgend der Anschauungsweise von Paracelsus der Vorrang eingeräumt wird, bis auf das letzte Kapitel, wird im Hintergrund der Darlegungen ständig versucht, die Einheit beider großen Erkenntnisformen zu zeigen. Sie sind beide am Ende der Neuzeit in der Öffentlichkeit fast völlig unbekannt. —

Wenn man die bei Paracelsus in fast unübersehbar vielen Einzeldarstellungen verstreute lebensqualitative Krankheitslehre pythagoreisch zusammenfaßt, also mathematologisch und mathematophysikalisch (mathematobiologisch), so ergibt sich für alle Krankheiten, insbesondere alle Hauskrankheiten, folgendes System:

1. Der Ursprung ausnahmslos aller Krankheiten liegt im Verlassen der Einheit, also in der Selbstentfremdung, im Verlust der Identität, der Grundqualität der realen Einheit, folglich in der Zerspaltung. Dies hat Paracelsus naturwissenschaftlich mit der „Exaltierung" der Einheit, also mit ihrer Selbstüberhebung beschrieben. Was personal als Stolz bezeichnet wird. Aus dieser selbstwidersprüchlichen Grundhaltung, aus dieser Selbstzerspaltung ergibt sich die disharmonische Hüllenexistenz. Diese bezeichnet er als Gift, Tartarus, Schlacke, Schlechtes, Böses, Ungerechtes, Unfreies, als materia peccata, cruda usf. Finsternis, Starre, Schwere usf. folge daraus.

2. Aus dem Selbstwiderspruch folgt eine Ungleichheit, ein Ungleichgewicht in der Existenz der Einheit selbst und folglich zugleich auch in der Relation und Funktion mit allen anderen Einheiten der Umwelt. Die Ungleichheit ist das zweite Urprinzip aller Unordnung, wie die Gleichheit bzw. Gleichung das zweite Urprinzip aller Ordnung ist. (Aber recht zu verstehen, als Gleichheit in der Freiheit der Selbstentwicklung, als Gleichheit im Lebensrecht, und als polare Gleichung der Lebensqualitäten, niemals als raumzeitliche Uniformität!). Aus der Ungleichheit in der Urpartnerschaft in und zwischen den Einheiten folgt der Streit zwischen Kern und Schale, zwischen der Urnatur und dem „Fleisch" der irdischen Natur, zwischen Himmel und Erde, zwischen Licht und Finsternis, zwischen Ormuzd und Ahriman. Dies lehrt die zweite indo-europäische Kultur besonders intensiv, die persische Hochkultur. Wäh-

rend die erste, die indische, die Selbstentfremdung und die Rückkehr zum Selbst besonders intensiv lehrt und allen zu lehren hat. Vgl. „Erkenne dich selbst" noch in Griechenland. Denn auch in der Evolution der Kulturen im Haus der Erde ist keine andere Ordnung als die urmathematische, die urvitale möglich! —
Paracelsus lehrt die Ungleichheit als Urstreit zwischen „Gut" und „Gift". Zwischen dem Nektar des Lebens und dem Sand, zwischen dem Arcanum und der Schlacke. Aber auch als Ungleichheit zwischen an sich guten Lebensfunktionen wird dies gesehen wie zwischen Yang und Yin, dann als Dosiswirkung bei Paracelsus. Das Mitsein ist hier gestört wie in der Exaltation das Selbstsein gestört ist. Die Mitbestimmung, die Koexistenz wird dann ungut und unfrei, ungleich, einseitig. Die Wage des Lebens wird der Selbstsucht zugeneigt. Es entsteht aus dem polaren Gegensatz der feindliche Gegensatz, wie zwischen Überfluß und Mangel, leiblich zwischen Stauung und Leere.
3. Mit dem dritten Untersystem aller möglichen und wirklichen Systeme bzw. Ordnungen beginnt die konkrete Krankheitslehre. Das lehrten schon die Pythagoreer. Auch Paracelsus legt auf das Dreieinheitssystem, das Dreieckssystem bei Plato bzw. Timäus, den allergrößten Wert. Alle Krankheiten beständen in einer Exaltierung von Sal, Sulfur und Mercur. (Jakob Böhme beschreibt diese dreifache Exaltierung besonders eindringlich und auch über das Naturwissenschaftliche hinaus). Daraus ergibt sich eine Störung des tripolaren Gleichgewichtes, der Integration, der Alleinheit, der Wirordnung oder Gemeinschaftsordnung, der Kommunität sowohl in den realen Einheiten selbst, in ihrer Ganzheit, als auch zwischen ihnen in der Umwelt. Das Allgleichgewicht ist dann gestört wie in der kranken Duordnung das Mitgleichgewicht gestört ist und in der kranken Ichordnung das Selbstgleichgewicht. Es ist also alles psychisch und gleich somatisch (leiblich) zu verstehen. —
In unserer Sicht ist die Dreieinheit von Feldqualitäten, Strahlungsqualitäten und Strömungsqualitäten gestört, chemisch von Salz, Säure und Base wie in allen nicht lebensqualifizierten Stoffen, besonders den verkünstelten, den denaturierten Stoffen. Oder im obersten noch natural verstehbaren, aber zugleich auch personalen Aspekt gesehen ist die qualitative Dreieinheitsordnung von Leben, Klang (Ton) und Licht gestört. Tod (Sterben), Lärm und Finsternis folgt daraus. Wie beschreibt Dante das Infernum! — Aus dem Ungleichgewicht folgt allgemein die Exzentrizität, der Fall, die raumzeitliche Anziehung und Abstoßung, im Gegensatz zur freien und frei lassenden qualitativen Polarität.
Die drei oberen Elemente als bewegliche und also lebendige Elemente stehen in einer Analogie zu Sal, Sulfur und Merkur. Wenn diese exaltieren, wenn also unqualifizierte Salze, Säuren und Basen (Süßes) entwickelt (verwickelt!) werden, so entstände als Viertes ein ungutes Schales und Bitteres. Es entstände dann im Körper, in der äußeren Natur, in der Retorte usf. der Tar-

tarus in Gestalt einer Ausfällung, eines Niederschlages (man bedenke die Worte!), der unlöslich sei. Diese Starrheit der „Erde" sei ebenfalls eine Signatur der Disharmonie. Sie sei das Extrem der Uneinheit als Undurchdringlichkeit, als Privatismus würden wir heute sagen, als Grenzsperrung für das freie Leben (aber **auch für das unfreie!**).

Sal, Sulfur und Mercur, „Die drei machen den ganzen Menschen . . . Alles Gute und Böse, was den physischen Leib betrifft, hat in ihnen seine Wurzel. . . . in ihrer wechselseitigen Verbindung machen sie den lebendigen Menschen aus", den ganzen Mikrokosmos und Makrokosmos, sagt Paracelsus im Paramirum.

Die Salqualität, die Sulfurqualität und Mercurqualität haben so viele Unterarten wie reale Einheiten existieren, genauer wie viele „Astra" existieren, Personen bzw. Entelechien. Denn Paracelsus sieht die reale Einheit in ihrem objektiven Kern als „Astrum", als geistig-seelisches Wirkprinzip, als Feldprinzip, als Qualität der Sphäre. „Der Vater der abendländischen Wissenschaft", Aristoteles bezeichnet sie als Entelechien.

Paracelsus erklärt weiter, die „Konkordanz" (= harmonische Mit-ein-anderwirkung bzw. Mitbestimmung, insbesondere als Integration) der makrokosmischen „Astra" mit den ihnen wesensgleichen mikrokosmischen „Astra" — wie in Gestalt der Organe und Glieder — mache die Gesundheit aus. Wenn die Konkordanz der „Influenzen" zwischen der Umwelt und der Eigenwelt gestört werde, wenn die Diskordanz entstehe, eine Nullung der Qualitäten, dann entstehe Krankheit. Diese Lehre würden wir heute als astrosophische Heilkunde oder als Kosmobiologie und Kosmotherapie bezeichnen.

Viele Konsequenzen daraus sind vorhergehend schon als Materialkrankheiten, Formkrankheiten, Farbenkrankheiten usf. dargelegt worden. Unten sollen die Konsequenzen in Gestalt der typischen Zivilisationskrankheiten des Hauses folgen. Doch zuvor noch weiter in der allumfassenden mathematologischen Entwicklung des Ursystemes aller Gesundheit und Krankheit, folglich auch aller Heilung.

4. Die vierte Urordnung der physischen, allgemein der zeiträumlichen Welt, also die vierte Ordnung aller Gesundheit, Krankheit und Heilung aller realen Einheiten beschreibt Paracelsus besonders in der ersten und zweiten Säule der Heilkunde, in der „Philosophei" und „Astronomei": „So soll der Arzt ein deutlich Wissen vom Menschen in sich tragen, dem Spiegel der vier Elemente entnommen, denn diese führen ihm den ganzen Mikrokosmos vor Augen". Dem gleich soll also auch unser Haus sein, damit wir als Mikrokosmos in der ständigen integralen Gleichung mit dem Makrokosmos und in ihm leben können. Also führen die vier Elemente (qualifizierten Aggregatzustände) das ganze qualifizierte Haus vor Augen! —

„Ferner ist es notwendig, daß der Arzt die Gesundheit und Krankheit der Elemente kenne". Jedes Element besteht aus zwei Urqualitäten des Lebens, *das „Element Erde" beispielsweise aus „Kaltem und Trockenem" lehrt Paracelsus. Also können die vier Urqualitäten und die vier Elemente gesund oder krank sein, gut oder schlecht. Wenn man das nicht unterscheiden könne, was wolle man dann überhaupt noch Wesentliches von der Gesundheit und Krankheit auf Erden verstehen! — Auch von der Heilung! —*

Jedes Element ist mit seinen zwei Urqualitäten „in drei Dinge geteilt", in Sal, Sulfur und Mercur. Denn die Dreiordnung geht mathemato-logisch der Vierordnung vorher und bildet also den Kern des Vierten und alles weiter Folgenden. Daraus ergibt sich insbesondere die Zwölferordnung, die Ringfeld-Ordnung des ganzen großen und jedes kleinen Kosmos in zwölf sogenannte „Zeichen" bzw. Sphären, Zimmer, Feldräume, auch Himmelshäuser genannt. Diese zwölf Urfelder am äußeren und inneren „Firmament" (auch jedes Mikrokosmos, jedes Hauses) zu wissen, das zähle ebenfalls zum Grundwissen des rechten Arztes. Wenn das „Firmament im Menschen" krank sei aus der teilweise kranken Einsordnung, Zweiordnung, Dreiordnung oder Vierordnung heraus, wenn also die Konstitution des Menschen gestört ist, dann rechnet das Paracelsus zum „Ens naturale".

5. Die fünfte Urordnung der Welt hat Paracelsus in einer Reihe von Unter-Ordnungen gesehen, so in der „fünften Essenz", dann in den fünf Entia aller Krankheiten und in den fünf Urwegen aller Heilung. Jede Krankheit könne auf jedem der fünf Urwege geheilt werden, somit auf fünf urverschiedenen Methoden, mit fünf urverschiedenen Gruppen von Mitteln. — Unheilbare Krankheiten an sich existieren für Paracelsus selbstverständlich bzw. physiklogisch, biologisch nicht. Denn wenn die Natur etwas heil schaffen könne, so könne sie es auch heilen. „Alle Krankheiten sind heilbar außer dem Tod. Und auch der ist heilbar" lautet ein großes Wort von Paracelsus! — „Unheilbar" besagt nur, daß ein Arzt jetzt, hier und so nicht heilen könne. Die Ursache dazu könne im Patienten und im Arzt liegen, — lebensgesetzlich gleich in beiden.

Wie arm stehen wir heute vor solch einem Wort des großen Arztes! —

Wo ist denn auch ein Mensch, der wirklich ganz heil werden wolle? Meist wolle ein Kranker doch nur an einem Teil seines Mikrologos (Geist-Seele) und Mikrokosmos (Natur) gesund werden, an einem Teil, den er sich willkürlich eigenmächtig heraussuche. Im übrigen Bereich seiner Ganzheit wolle er meist garnicht heil werden. Das Ergebnis wird dann entsprechend sein, nämlich wenn die eigentliche Ursache der Krankheit bestehen bleibt. Doch Gottes Gnade gewähre oft auch eine relativ isolierte Heilung des Teiles. — Hieraus folgt für das Haus ebenfalls vieles. Auch die Haustherapie ist eine psychosomatische ganzheitliche Therapie! In Bewohner (Erbauer) und Haus zugleich! —

Weiterhin ist vor der Zwölferordnung des ganzen Körperhauses praktisch nur noch die Siebenordnung urwichtig. Sie ist eine reduzierte Neunerordnung. Das ist die Dreimaldreiordnung. —

Die siebenfache dynamische Urordnung dieser Welt ist schon bei den Metallen genannt worden. Gleich so sind die Kristalle, die alle Mineralien bilden, in sieben Kristallklassen urgeordnet, wie auch die neuere Mineralogie lehrt. Die sieben dynamischen Prinzipien im Mikrokosmos, von Paracelsus wechselnd planetarisch, metallisch, organisch oder durch typische Pflanzen als Heilmittel bezeichnet, können wie alles im Kosmos erkranken, also in ihrem Gut zu einem Schlechten disqualifiziert werden. Wenn man hier Paracelsus verstehen will, so muß man die Analogien, also die realen qualifizierten Gleichungen des Kosmos sicher beherrschen. Sonst gerät man hoffnungslos in Mißverständnisse, etwa wenn er mit der Sonne oder dem Gold im Menschen dessen Herz meint oder mit der Venus bzw. mit dem Kupfer die Niere. Aber eben das ist praktische und höchst erfolgreiche Mikrokosmologie, wenn man weiß, daß die Herzfunktion eine Gold- bzw. Sonnenfunktion ist, die Gallefunktion eine Mars- bzw. Eisenfunktion usf. „Tumb" sei der Arzt ohne Wissen von den Lebensqualitäten („Virtutes"). Er wisse im Grunde nicht ein noch aus. —

Ziehen wir also folgend die Konsequenzen, systematisch von einer Ordnung zur anderen schreitend. Doch da wir uns auf das Haus aus vier Wänden konzentrieren und insbesondere auf dessen Zivilisationskrankheiten, so kann nur ein kleiner Teil der paracelsischen kosmischen Biologie, Pathologie und Therapie dargelegt werden, welche die der Hochkulturen ist.

DIE HAUSKRANKHEITEN DURCH HITZE, KÄLTE, NÄSSE UND DÜRRE

Die Krankheiten der Wärme und Kühle, der Feuchte und Trockne

Zum Schutz vor Kälte und Nässe, Hitze und Dürre baut man sich ein Haus! Das ist die älteste und einfachste Lehre. Jedermann denkt, vor dieser vierfachen Unbill sollen die vier Wände schützen. Also beginnen wir mit dieser vierfachen Urordnung, der untersten Ordnung. Die dreifache Urordnung der Hauskrankheiten, nämlich in Leben, Klang und Licht, in Sal, Sulfur und Mercur soll zum Abschluß bei den Haushaltskrankheiten dargestellt werden. Diese alte, auch von Paracelsus nachdrücklich vertretene Grundlehre von den vier Urqualitäten alles irdischen Lebens führt geradewegs zu der auch von der heutigen Physik vertretenen Grundlehre von den vier Aggregatzuständen. Die große Frage nach den realen Lebensqualitäten wird hier fundamental konkret beantwortet. Der moderne Naturwissenschaftler muß bei diesen ersten Lebensqualitäten am härtesten umdenken und hinzudenken, nämlich zur sinnleeren Quantität die sinnvolle Qualität hinzudenken und den Aberglauben überwinden, daß mit der sinnleeren Quantität der Sinn der Natur des Lebens und das Leben überhaupt erfaßt sei, auch daß mit der Quantität die Realität selbst erfaßt sei.

Das eigene Erlebnis

Wie eingangs grundlagenwissenschaftlich erklärt, bestehen die Realitäten aus Qualitäten. Aber was hilft alle logische Erkenntnis, wenn man es noch nicht gefühlt hat! Also lernen wir an unseren eigenen Erlebnissen.

Wer hat noch keinen herrlich sonnigen Tag im Hochgebirge erlebt! Das mechanische Thermometer zeigte viele Grade unter Null. Aber es war warm. Man fühlte sich sehr wohl. Und wer hat vergleichsweise noch keinen neblig nassen, trüben Novembertag im Tiefland erlebt. Das mechanische Thermometer zeigte zehn Grade über Null. Aber es war kalt. Man fröstelte.

Wer ein solches Urerlebnis — Urphänomen nach Goethe — verstehen will, der muß zuerst schweigend und schauend nacherleben, miterleben, hier wie die Wärme in der Kälte wirkt. Mit seinem Herzen muß er das Wesen erfassen, ehe er mit dem Kopfe zu denken und zu reden beginnt. Andernfalls redet er sein Sinnesleben tot. Wie mit mechanizistischen Erklärungsversuchen. Die am Wesentlichen ständig vorbei gehen und nur „konstruierte Fiktionen" herum wirbeln!

Die alten Meister des Handwerkes klassifizieren und bewerten wohl in allen Kulturen die Materialien nach warm und kalt, dies gänzlich unabhängig davon, ob die Sonne brennt oder ein eiskalter Nordwind weht. Sie fühlen und denken qualitativ, absolut, realistisch und objektiv, nicht quantitativ konstruiert, nicht subjektivistisch und relativistisch. So nennen sie Holz warm, auch einen Ziegelstein. Ein Tiefengestein — aus der hitzigen Erdtiefe! — nennen sie kalt. Und einen künstlichen Stein nennen sie eiskalt, auch jedes andere verkünstelte, disqualifizierte Material. Denn das Lebensprinzip aller Lebensprinzipien ist die Wärme. Wo sie fehlt, wo sie durch lebenswidrige Prozesse ausgetrieben ist, da herrscht die Kälte. Was mit dem Thermometer nichts zu tun hat. —

Das sind einfachste und eindringlichste Beispiele der Realität der Lebensqualitäten. Wer diese einfachsten Lebensqualitäten mit seinem Denken nicht ergreifen kann, der wird auch keine andere Realität, keine andere Lebensqualität begreifen, sondern wird sich weiter nur in Illusionen bewegen, in „konstruierten Fiktionen", in der Maya des Denkens, Wollens und Fühlens, oft auch gleich der Motive und Ziele.

Dasselbe gilt für alle vier Urlebensqualitäten, seit altersher Urqualitäten genannt. Wäre etwas anderes auch nur denkbar? Denn Quantitäten sind und bleiben überall nur subjektiv „konstruierte Fiktionen" (B. Russell).

Die Disqualifizierung der vier Urlebensqualitäten

Die vier Urqualitäten alles irdischen Lebens kann man disqualifizieren. Denn jede Qualität kann man disqualifizieren. Schon die Bezeichnungen für die vier disqualifizierten Urlebensqualitäten besagen sehr viel. Allein mit der Hilfe dieser Worte kann man schon schauen und fühlen lernen. (Das lehnen die Mechanizisten oft prinzipiell ab. Sie wollen nur exakt rechnen. Aber gerade das können sie in Wahrheit am wenigsten!). Wärme ist etwas Gutes. Hitze ist etwas Schlechtes. Wie schon an Sonnenwärme und Ofenhitze unterschieden werden kann. Kühle ist etwas Angenehmes, Kälte etwas Unangenehmes. Dasselbe gilt für die Feuchte des Taues und die Nässe eines Novemberregens, für die trockene lebendige Haut (die zugleich auch feucht, kühl und warm ist) und die Dürre der Wüste. Man verweile bei diesen Urqualitäten des Lebens und Ur-Unqualitäten des Todes, besonders wenn man viele Klassen einer modernen Schule besucht hat. Denn die Türe, die den Zugang zu den Lebensqualitäten öffnet, soll nicht nur einen Spalt, sondern weit offen stehen für die weiteren Konsequenzen nach Paracelsus. Ohne realistisches objektives Verständnis für die ersten, urphänomenalen Lebensqualitäten bleibt die gesamte wissenschaftliche und kulturelle Literatur der Kulturen unverständlich! Daher die psychisch krankhafte und unqualifizierte Meinung, daß Wissenschaft erst seit dreihundert Jahren existiere! — Deshalb hat Goethe so heftig gegen die mechanizistische Scheinwelt Newtons gekämpft und Paracelsus gegen die Profitjäger und Erfolgsmenschen (Produktions- und Umsatzfanatiker), die Gut und Gift nicht mehr unterscheiden wollten. Denn was würde mehr die großen Geschäfte und Ideologien hindern! —

Wenden wir diese fundamentale Lebenswissenschaft auf das Haus an.

Die Grundordnung

Das gesunde Haus soll einerseits die guten Lebensqualitäten der Wärme und Kühle, der Feuchte und Trockne aufnehmen, erzeugen und bewahren, andererseits die degenerierten Formen dieser vier Urqualitäten, die Hitze und Kälte, die Nässe und Dürre nicht aufnehmen, nicht erzeugen und nicht bewahren.

Die vier Lebensqualitäten und Unqualitäten in jeder Einheit

Jede reale irdische Einheit ist auch ein Haus. Also existiert jedes Lebewesen und alles Lebendige auf Erden fundamental in seinem Gut vierfach, nämlich als Lebenswärme, Lebensfeuchte, Lebenskühle und Lebenstrockne. Das heißt: Alles Gute existiert in der Raumzeitwelt in der Vierordnung als lebendige Wärme, lebendige Feuchte, lebendige Trockne und lebendige Kühle.

Soweit eine reale Einheit disqualifiziert wird und also krank wird, zu Gift wird, soweit ein Lebewesen unnatürlich handelt oder etwas Lebendiges unnatürlich behandelt wird, soweit irgend ein Haus krank wird, existiert dieses Ungute darin zuerst als lebenswidrige Hitze, lebenswidrige Nässe, lebenswidrige Dürre und lebenswidrige Kälte. Das sind die vier fundamentalen Unqualitäten alles irdischen Lebens.

Wenn jede Disharmonie des raumzeitlichen Daseins sich in diesen vier Unqualitäten zeigt, so folgt, daß jede Hauskrankheit allgemeiner, besonderer und einzelner Art sich unter anderem in diesen vier Urformen eines kranken Hausklimas äußert. Mag auch das Schwergewicht einer Hauskrankheit und also Krankheit auf einem speziellen Gebiet liegen, die obigen vier Unqualitäten sind als Allgemeinfolgen stets beteiligt.

Dies gilt auch für die am Schluß beschriebenen drei Urkrankheiten in Leben, Klang und Licht des Hauses. (Also ist jede irdische Unguttheit bzw. Krankheit fundamental zwölffach gegliedert!).

Ein Musterbeispiel dazu: Ein Betonbau, gar mit Elektrospeicherheizung, aber auch mit Zentralheizung. Ist er nicht bekannt dafür, daß seine Wärme unnatürlich und tot wirkt, eben als Hitze, und daß eine gleich unnatürliche Trockenheit darin herrscht, eben als Dürre? Und wirkt der Beton nicht eiskalt für das Gefühl, etwa für die Füße, auch wenn sehr hitzig geheizt wird? Weshalb der Teppichboden? Weshalb der Vollwärmeschutz? Und zeigt die biologische Analyse des Betons nicht, daß in ihm eine Unmenge Wasser unbiologisch gebunden ist, sodaß er Erkrankungen an Rheuma hervorruft und fördert? — All das zeigt Holz nicht und auch ein recht gebrannter Ziegel nicht. Ergibt sich so bei qualitativer, ganzheitlicher, lebensgerechter Betrachtung nicht fast grotesk, daß Beton naß und dürr, hitzig und eiskalt zugleich erscheint? —

Wie viele fühlen einen verkünstelten Stoff allgemein als hitzig, dürr (staubtrocken) und kalt zugleich! Fühlen sie nicht objektiv richtig? Realistisch?

Die Folgen

Die Dürre der Raumluft in den ungesund gebauten Häusern wird medizinisch verantwortlich gemacht für zahlreiche Infektionen, nicht nur der Atemwege. Chronischer Schnupfen, chronische Halsentzündung, solche Bronchitis oder Neigung zu häufiger Entzündung werden sehr oft als Folgen eines dürren und hitzigen Raumklimas dargestellt. Das ist heute schon Allgemeinwissen. Die Spätfolgen chronischer Schleimhautentzündungen können jedoch noch erheblich größer sein. Und sind diese Entzündungen denn nicht nur ein äußeres Zeichen einer kranken Hitzigkeit des ganzen Organismus, — also einer fundamentalen Hauskrankheit?

Eilfertig kommen dann die Technokraten der Klimawirtschaft — Biologen sollten sie sein! — gelaufen mit ihren Verdunstungsgefäßen und der Nässung der großen Luftmasse, die sie mit den Mühlen ihrer Technik oft auch noch zermahlen und durch die gesamte Wohnmaschine treiben. Der Normalmensch muß dann zu Hause täglich Wasser tragen wie einstens die Kohle. Aber kann das denn echte Lebensqualitäten bringen? Oder ist es nur symptomatische

Flickschusterei mit genau so schlechten anderen Flecken? — Und mit weiteren anderen schlechten Folgen?

Das gesunde Klima

Als eine große Bibliothek gebaut werden sollte, mußte auf die gleichbleibende und vor allem gesunde Kondition der Raumluft und des anderen Raumklimas größter Wert gelegt werden. Nach langem Studium entschlossen sich die Erbauer zu massiven Ziegelwänden. Und sie waren fast aller Klimatisierungssorgen enthoben ([1]).
Erbauer und Bewohner von echten Holzhäusern, auch Ziegel-Holzhäusern sind zuweilen erstaunt, wenn sie auch noch am Hygrometer (Feuchtemesser), also nicht nur an ihrem Wohlbefinden ablesen, daß die Raumfeuchtigkeit sehr konstant ist und zwar in dem allgemein als gesund anerkannten Mittelbereich von 40 bis 60 %. Dies ohne die geringste und stets teure, auch noch wartungsbedürftige Klimaanlage, die man zudem noch extra anschaffen muß. Holz und Ziegel — Heilerde in jeder Form! Alle lebensqualifizierten Materialien — sind eben die weitaus besten, allein echten und natürlichen Klimaanlagen. Und sie arbeiten vollständig narrensicher und wartungsfrei, auf Lebenszeit, ja für viele Generationen. Und ohne Extraanschaffungskosten! Vor allem aber arbeiten sie lebensqualitativ und nicht künstlich mechanisch nur nachahmend, also lebensleer, qualitätsleer, mit einem Rattenschwanz nachfolgender weiterer Hauslebensprobleme, nämlich mit ihren „Nebenwirkungen". —

Das Hautklima

Die Wurzeln und Urformen der Hauskrankheiten, gleich des menschlichen Körperhauses, sind sehr studierenswert. So machen sich viele älter werdende Frauen und Männer, vor allem aber die Ärzte Gedanken über die Altersveränderungen der Haut(wand) und des mit ihr verbundenen Körpergewebes. Die Haut kann dürr schrumpfen und naß-feucht werden, hitzig rot oder kalt blaß; und entsprechende Neubildungen unharmonischer Art zeigen sich an ihr wie Zerspaltungen ihrer einheitlichen Glattheit. In jedem Fall verliert sie die Schönheit und die gesundheitliche und andere Leistungsfähigkeit im Allgemeinen und im Besonderen, auch an den Schleimhäuten, wie denen des Mundes und des Magens, etwa in den Geschmacksnervenzellen. Auch hier ist die dargelegte Grundnaturwissenschaft zur rechten Diagnose und Behandlung maßgeblich! —

Das vierfache Materialklima

Ein aufmerksamer Beobachter erkennt bald, daß ein Material, je mehr es von innen oder außen disqualifiziert wird, also aus eigenen oder fremden

Prozessen, desto kälter wirkt und bei einer sogenannten Erwärmung nicht warm, sondern hitzig wird. Auch kann es desto weniger seine Naturfeuchte halten, sondern wird desto schneller dürr. Je lebendiger und besser, also je qualifizierter ein Material ist oder wird, typisch Holz oder Wolle oder Leder, desto länger und materialgerechter bewahrt es gegen desto größere Angriffe und Differenzen zur Umwelt seine Feuchte und Trockene und wird desto weniger dürr oder naß. Wenn angenäßt, so trocknet es auch desto schneller. Wenn angedörrt, so baut es seine Naturfeuchte desto schneller aus der Umwelt heraus wieder auf. Erst das tote Holz oder Leder wird dürr wie Zunder oder es fault mit Nässe. Und es wärmt nicht mehr, atmet nicht mehr. Gesundes, eben lebendiges Holz ist hygroskopisch, wie man sagt, aber stets auch trocken. Gleich so ein lebendiges Salz wie beispielsweise das Kochsalz aus der Kreuznacher Heilquelle. Woher hätte es sonst sein Aroma, seine Würze, seine Salzkraft, seine Lebens- und Heilkraft? Das schale Salz dagegen bleibt stets staubtrocken, also richtiger dürr. Es ist kalt, lebenskalt, und wirkt im Körper auch noch hitzig, sodaß allgemein geraten wird, es zu meiden! — Und weiß nicht jeder: Je gesünder, je biologischer ein Salat oder anderes Gemüse gezogen wird, desto länger bleibt die Pflanze frisch. Je unbiologischer, desto schneller welkt sie. Desto schneller wird sie frühinvalide. — —

Beginnt der Lebensschutz unseres eigenen Lebens nicht bei Essen und Trinken, bei Kleiden und Wohnen? — Was ist unsere nächste Umwelt? —

Aber die Mechaniker

Hausbiologie (echte Haus-Physik!) ist nur in der Ganzheit mit der anderen Biologie voll verständlich. Und man muß es selber erleben, mit allen Sinnen. Mechaniker (Mechanizisten) dagegen reagieren auf bio-logische Gedankengänge mit einem irren Lachen. Für sie kann Paracelsus nur ein Scharlatan sein, ein Muster der Unwissenschaftlichkeit. Und wer ihn und seinesgleichen zitiert, etwa Thomas von Aquin, der muß es ebenfalls sein. So schreiben sie. Auch alle Ärzte, welche Paracelsus und die gleichnamige Medaille schätzen — somit auch die großen Arztverbände! — können nach der Meinung der Mechanizisten wie der Werber mancher Industrie doch nur Scharlatane sein. Denn wahre Heilkunde und Biologie kann nach ihrem Urteil (als Gralshüter der Wissenschaft), das also maßgeblich ist, nur aus Mechanik bestehen. — —

Gemäß der Grundlehre der Hochkulturen von den vier Urqualitäten alles irdischen Lebens haben wir vier Urlebensqualitäten des Hauses und folglich vier Urkrankheiten des Hauses und seiner Bewohner zu unterscheiden. Diese vier Urkrankheiten sind seit altersher bekannt, doch selten gründlich, aber heute fast unbekannt. Sie werden folgend wohl erstmals in der Weltgeschichte präzise systematisch ganzheitlich veröffentlicht. —

Da die Wärme die erste Lebensqualität und die Hitze die erste Unqualität ist, so sind unter den Hauskrankheiten, die gleichsam als Kardinalkrankheiten des Hauses und seiner Bewohner durch die vier Ur-Unqualitäten des Lebens hervorgerufen werden, praktisch zuerst die Heizungskrankheiten und ihre Heilung und Vermeidung zu behandeln. In physikalischer Sicht würde dies in der Biocalorologie gründen sowie in der objektiven Wärmelehre, der Pathologie und Therapie der Wärme.

ZUR GESUNDHEIT, KRANKHEIT UND HEILUNG DER HAUSWÄRME
(Zur Biocalorologie)

Wärme ist Leben. Der Tod ist kalt.

Die alten Gelehrten haben die Urqualität warm als erste Lebensqualität bezeichnet. Sie ist gleichsam das Allgemeinste in der Natur und also die Lebensqualität aller Lebensqualitäten. Sie ist Energie und Motor des Lebens zugleich. Leben ist allgemein Wärme. Die Kälte dagegen ist tödlich wie die Hitze.

Die Lebensqualität Wärme wird von der lebensqualifizierten und also guten und lebendigen Flamme erzeugt. Wo keine Flamme, da keine Wärme.

Die Flamme existiert zuerst und allgemein in höherer Form wie als bioplasmatische Flamme. Sie ist zuerst etwas Gutes, etwas aus sich und in sich Brennendes. Nur zweitens ist sie etwas Schlechtes, nämlich etwas Verbrennendes.

In der grobmateriellen Welt ist die Flamme auch für die zwei Augen sichtbar. Zur gesunden Erwärmung des grobmateriellen Hauses ist außerhalb des lebendigen animalischen, vegetabilen oder mineralischen Körpers die sichtbare Flamme in der Regel mit erforderlich. Das ist die Flamme der Sonne und die Flamme des Herdes.

Ob bei dem etwas theoretischen absoluten Nullpunkt (Null Grad Kelvin, d. i. 273,6 Grad Celsius) auch keine Wärme vorhanden ist, das ist sehr fraglich bzw. unwahrscheinlich. Aber u. a. ist dort wohl keine materielle Hitze vorhanden, keine Unordnungsform (Alogonform) der Wärme. Und das gibt wohl den Qualitäten freien Raum, freies Feld. Vielleicht deshalb dort die Supraleitung, die urnatürliche Leitung. Denn wie die Wärme die erste und mächtigste Lebensqualität ist, so ist die Hitze die erste und mächtigste Unqualität. —

Die mechanizistische Wärmelehre

Die exakte und wesensgerechte Definition der Hitze liefert die endneuzeitliche Physik mit ihrer subjektiven Definition der Wärme. Denn diese wird definiert als „die Bewegungsenergie der ungeordnet“ (Hervorhebung im Original!) „durcheinanderfliegenden (im Gas) und um feste Mittellagen schwingenden (im festen Körper) Moleküle“ (dtv-Lexikon 1971). — „Ungeordnet“ und „durcheinander“! Besagt das nichts? Der Diabolos gilt in den Kulturen als der Durcheinanderwerfer, der Durcheinandermischer, der Schaffer von Unordnung, nämlich durch das Wideragieren, durch den Widerspruch, durch das Gegenbestimmen, durch das Anti-Logos-Verhalten, das unfreie Verhalten. —

In dieser endzeitphysikalischen Definition der Wärme nach Avogadro ist objektiv real nicht das Geringste von der Wärme enthalten! — Und auch von der Hitze ist nur ein Teil erfaßt! —

„Was heute in unseren Schulen und Universitäten als Bildung gilt, ist hoffnungslos überaltert“. (Aus einem Inserat des Stifterverbandes der Wissenschaft). Ein milder Hinweis auf die „Wissenschaftskatastrophe“? Beginnt sie in der Physik mit der Wärmelehre?

Wie sagt Heidegger: „Das Bedenklichste in unserer bedenklichen Zeit ist, daß wir noch nicht denken“, — nämlich nicht das Sein der Qualitäten im Seienden! — Nur Quantitäten denken, das ist nicht wahrhaft denken, nicht objektiv rechnen. —

Die Wärmelehre ist die Basis der Dynamik der gesamten Physik, vielleicht die Basis der Physik selbst. Aber gerade die Wärmelehre ist in der modernen Feldphysik der größte Fremdkörper. Ob das jetzt verstehbar wird? —

Die objektive Wärmelehre

Jede Urlebensqualität und jede andere Lebensqualität erscheint physikalisch dreieinheitlich als Feld, Strahlung und Strömung. Also existiert die Wärme erstens als Feldwärme, somit als Feldqualität, d. h. als Wärmefeld, zweitens als Strahlungsqualität, drittens als Strömungsqualität. Das heißt, das Feld ist Wärme in Feldform, in Strahlungsform und in Strömungsform. — Der endneuzeitliche Physiker muß hier ganz neu zu denken beginnen. Das kann für ihn qualvoll mühsam sein. Denn mit den Denkstrukturen Avogadros, Browns und anderem Mechanizismus ist hier nichts anzufangen. Mit der Brown'schen Teilchenbewegung wird nur ein Teil der Hitze vierter Art begriffen! — Da der Physiker in der Regel weiß, daß Strahlung und Strömung ein — kausalgesetzlich gleiches — Feld voraussetzen, so kann er hier auch physiklogisch den Weg zur Feldwärme und also zur Realität der Wärmequalität selbst finden. Zum Selbstsein der Wärme!

Felder sind ohnedies „nur“ Qualitäten, Lebensqualitäten! Denn anderes existiert real nicht! Jedes Feld ist also in der Vierordnung dieser materiellen Welt zuerst eine Wärmequalität und teilweise auch eine Hitzequalität. Dasselbe gilt für ausnahmslos jede Strahlung und ausnahmslos jede Strömung! — In dieser Feldphysik hat Paracelsus gedacht und höchst erfolgreich geheilt — und haben alle Kulturen gedacht und gehandelt!

(Dasselbe gilt für die Felder, Strahlungen und Strömungen auch der anderen drei Urlebensqualitäten! —)

Trotzdem in dem Kapitel zur Grundlagenforschung schon vieles gesagt wurde, für manchen Physiker bzw. Naturwissenschaftler wird sich jetzt erst das Tor zu den Urwirklichkeiten des Lebens öffnen, zu den konkreten objektiven Realitäten, zu den Lebensqualitäten selbst. Denn aus ihnen allein besteht das Seiende und das Sein, das wir in dieser bedenklichen Welt heute so wenig bedenken. Die Mechanik und ihre Quantität ist doch nur eine jammervoll nebensächliche Unter- und Außenseite! — Etwas Wesenloses, Sinn„freies"! —

Die Lebensqualität Wärme eines Feldes, einer Strahlung, einer Strömung und viertens auch eines Körpers ist deutlich fühlbar, — wenn man nicht an dem Sinnentor zum Bewußtsein ein Ausblendfilter befestigt und nur mit den Denkmatritzen des Quantismus arbeitet. Lebensnah lebende und arbeitende Menschen, lebensfühlige und also umweltfühlige, insbesondere wetterfühlige Menschen unterscheiden seit jeher Materialien, die warm oder hitzig sind, kühl oder eiskalt. Mit der „einlinigen" Anzeige des Mechanikthermometers hat das nichts zu tun. Bei gleicher „mechanischer Temperatur" kann die „biologische Temperatur" der verschiedenen Materialien sehr verschieden sein und auch geändert werden. Und verschieden ist sie stets. Auch ein erhitzter toter Stein bleibt lebensqualitativ kalt, während Holz, Brot, Wolle, Öl usf. auch bei Frost warm bleibt. Wer es noch nicht glaubt, der fühle es nach. Er mache sich frei in seinem Bewußtsein und beachte genau, was ihm seine Sinne vermitteln! — Er nehme etwa solche Materialien aus dem Tiefkühlfach und fühle sie an! —

In der Hitze kann es an Lebenswärme sehr mangeln. Ein kalter sonniger Tag kann reich an Lebenswärme sein. Im Menschen und seinem Leben ist der Wesensunterschied deutlich zu fühlen. Und das Leben ist maßgebend! Der Mechanizist starrt wie gebannt auf seine Maschinen, Zeiger, Skalen und andere Eindimensionalitäten. Dieser eindimensionale Mensch blendet die qualitative Wirklichkeit des Lebens selbst ständig aus seinem Bewußtsein aus. In seinem Denken hält er sich ausschließlich in seiner subjektiv konstruierten fiktionierten Welt auf. Von der primären wirklichen Welt wendet er sich stets ab! Schon Physiker wie Heitler weisen darauf hin ([1]).

In der Lebensfreude oder bei besonderen Meditationen kann es einem Menschen im Herzen so warm aufsteigen, daß ihm der Schweiß von der Stirne tropft, auch im Winter, und daß eine Erkältung schnell überwunden wird, und daß man sich dann sehr wohl fühlt. Andererseits kann es ihn in einem technokratisch überheizten Raum derart frösteln, daß er objektiv krank wird. Um sehr echte Wärme und Kälte handelt es sich auch hier!

Wer hätte Derartiges noch nie erlebt? —

Der endneuzeitlich physikalisch ge- und verschulte Mensch ist hier geneigt, allerlei mechanizistische Einwände zu machen, solange er das Wesen der

Lebensqualität Wärme noch nicht in sein Bewußtsein aufnehmen konnte. Oder er redet von Suggestion, obwohl dies zur Tatsache (!) des Wärmegefühles samt Schweiß oder zur Tatsache der Erkrankung in dem Kältegefühl nicht das Geringste besagt. Es ist nur ein Wegreden, ein Ausradieren aller Realitäten aus dem Bewußtsein, welche die Sinne gemeldet haben, und ein Vorbeireden an ihnen. Es ist nur ein Vorbeireden an den Realitäten der Gesundheit und Krankheit, des Wärme- und Kältegefühles. In diesen aber lebt der Mensch und nicht in den totenblassen mechanizistischen Denkstrukturen Avogadros, Brown's, Newtons, Galileis usf.! Und auch alle anderen Lebewesen leben darin, noch ausschließlicher, noch eindeutiger!

Eine hoffnungslos überalterte mechanizistisch-technokratische Schulbildung kann dem Menschen sehr wirksam den Weg zur objektiven Erkenntnis der realen Lebensqualitäten versperren. Sie kann ihn untauglich für das Leben machen, frustrieren in jeder Hinsicht. Wer dann Physik studiert hat, dem kann der gesunde Menschenverstand für die Physis, für die objektive lebendige Natur gründlich ausgetrieben worden sein. Wer Biologie studiert hat, für den ist es hoffnungslos, noch eine Lebensqualität zu begreifen. Von der Chemie nicht zu reden. Ebenso wie der für das Recht verloren sein kann, der heutzutage Jura studiert hat, und wie der für die Heilkunde verloren sein kann, der Medizin studiert hat! —

Wer dann an die unüberschreitbaren Grenzen seines Irrweges gelangt ist und bis dahin noch nicht zu einem wandelnden Toten geworden ist, noch nicht zu einem total manipulierbaren Zivilisationsroboter, insbesondere Fachidioten, der bemüht sich dann mit dem Rest seines ihm noch verbliebenen Lebenswillens und gesunden Menschenverstandes um die Umkehr, um die objektive Einsicht in die Wirklichkeit, wie sie wirklich ist und ganz ist. Dann sucht er mit seiner „Wissenschaft wieder zur Vernunft" (Rabi, Picht) zu kommen. Um besonders diesem Menschen noch eine weitere Hilfe zur Erkenntnis zu bieten: Zur echten Lebensqualität Wärme gehört Leben, Vitalität, Behaglichkeit, Wohlgefühl, aktive Ruhe usf. Wenn man irgend ein verkünsteltes Material genau so leicht wie Holz, genau so lufthaltig, genau so reflektierend usf. gestaltet, etwa als Kunststoff oder Mineralwolle, so vermissen die noch lebendigen Sinne deutlich die wesentlichen und eigentlichen vitalen Eigenschaften der Wärme und deren Folgewirkungen. Und man erkennt dann langsam, daß man sein eigenes Leben und das der anderen mit dem Künstlichen betrügt. —

Je mehr ein Mensch endzeitlich schulisch gebildet, richtiger verbildet ist, desto schwieriger wird ihm die Erkenntnis der realen Lebensqualitäten. Und am Ende der Neuzeit drängen sich alle in die „Wissenschaftskatastrophe". Oder suchen sie gerade das Chaos zu überwinden? —

Gehen wir weiter. Die Lebensqualität Wärme wird hier beispielhaft für alle vier Urlebensqualitäten und auch für die drei Urlebensqualitäten Leben, Klang und Licht bzw. Sal, Sulfur und Mercur behandelt. Dies auch deshalb,

weil von der Lebenswärme alles andere ausgeht. Nach der Lehre derer, die behaupten, es erlebt zu haben, ist Gott (die Ureinheit und der Urgrund von allem) zuerst ein Feuerherd — der Liebe; dann erst ist Er Licht. Von einem leuchtenden „Glutofen" ist im zweitmeist gedruckten Buch der Weltgeschichte die Rede ([1]). Und im meist gedruckten Buch der Weltgeschichte zeigt sich Gott dem Moses und seinem Volk vielfältig als leuchtendes Feuer. (2. Mos. 3,13,21; 24,17; 4. Mos. 9,15; 5. Mos. 4,24. Ps. 18,9. Off. Joh. 2,18).
Meist gedruckt! Einem prinzipientreuen konsequenten Statistiker muß das viel besagen! — Auch jedem konsequenten Demokraten! —

Das Haus ein Wärmekörper

Konkret: Das ganze Haus soll primär ein einziger ganzer Wärmekörper sein! Und also ein Lebenskörper, ein lebenserfüllter Körper. Denn die Wärme ist die Urpotenz zu allen besonderen und einzelnen Lebensaktionen, wie der qualifizierten Wandatmung und also der ständigen Qualifizierung des Hausklimas! Das Haus soll ein qualifizierter Energiekörper sein und ist es im wahren Wesen stets. Haus heißt allgemein Körper, Organismus, Natur, Stoff, Materie, Erde usf.! —
Doch zunächst zum Haus aus vier Wänden. Sowohl vom Material und der Form her als auch im Winter von der Heizung her soll das gesunde Haus ein einziges allgemeines Wärmefeld sein, ein ganzer Wärmekörper. Darin sind besondere Räume verschieden temperiert analog wie im Leibe des Menschen (hier von 25 Grad bis 42 Grad, vom Fuß bis zur Leber). Aber kein Raum soll kalt und also tot sein wie in den vergangenen Jahrhunderten öfters ein wenig gelüftetes Schlafzimmer im Winter. Denn sonst wird dieser Raum ein krankes Glied des Hauskörpers und also eine Ursache von Erkrankungen der Bewohner. Hufeland und Kneipp wettern gegen solche Räume.
Mit der Wärme beginnt also das Hausleben. Das zeigt die Pflanzenwelt. Was würde im tiefen Frost noch wachsen! Licht dagegen kann genug vorhanden sein. Also auch die Pflanze lebt zuerst von den Wärmequalitäten, dann erst von den Lichtqualitäten! Gleich so benötigt der Mensch als Fundament seines Lebens, insbesondere seiner Nahrung die Wärmekalorien, — aber nicht die „leeren Kalorien", sondern die mit Lebensqualitäten, hier Wärmequalitäten erfüllten! Dann erst hilft dem Menschen die Ganzheit der Lichtqualitäten! —
Wir gehen aus den Grunderkenntnissen lebenslogisch konsequent immer mehr zu dem Konkreten, also zunächst zur Heizung.

Der Ofen

Der Ofen, in dem die Flamme brennt, ist der primäre Heizkörper. Er feldet, strahlt und strömt die Wärme aus. Die wesentliche Strahlung und Strömung bewegt sich im Wärmefeld des Ofens. Optimal ist eine Wärme, wenn Feldwärme, Strahlungswärme und Strömungswärme dreieinheitlich zusammenwirken. Jede Einseitigkeit bringt Disharmonie, bewirkt also die Entstehung von Hitze. —

Von erfahrenen Ofenbauern kann man hören, daß bei einem zu kleinen Kachelofen oder bei kalt strahlenden schlechten Hauswänden das kugelförmige Wärmefeld des Ofens klein bleibe und an einer unsichtbaren Grenze schon innerhalb des Zimmers enden könne. Vor dieser Feldgrenze sei es dann warm, hinter ihr kalt. Denn die Wärmestrahlung und Wärmeströmung scheine an dieser Grenze zu enden wie auch Wolken an unsichtbare Grenzen stoßen. Auch kalte Luftströmungen seien es nicht, welche maßgeblich diese doch kugelförmige Grenze des Wärmefeldes bilden würden. (Im Gegenteil, wie im Makrokosmos — vgl. Geopathie, die Erdgitter — so auch im kleinen Haus werden Strömungen stets primär von den Feldern gerichtet). Eher wirke das Kaltluftfeld der schlechten oder zu dünnen Hauswände.

Die heutigen Praktiker unter den von lebensfremden Theorien weniger beeinflußten Handwerkern lehren also noch immer dasselbe, was Paracelsus und die gesamte lebensqualifizierte Naturwissenschaft der Hochkulturen lehren! Ein moderner Physiker steht jedoch fassungslos vor den Begriffen Feldwärme, Wärmefeld und dieser Realität. —

Wie kann man den Bereich der Feldwärme des Ofens erweitern? Zuerst durch Verbesserung des Ofens, d. h. durch Qualifizierung seiner Flamme, seines Flammraumes, seiner Wandlungs- und Grenzmaterialien und vor allem seiner Form, zweitens durch Verbesserung der Zimmerwände und Einrichtung, immer verstanden als objektive Lebensqualifizierung in Form und Material, drittens durch Verstärkung der Flamme, viertens durch Vergrößerung des Ofens. Das wird wohl wie stets die qualitativ bestimmte Reihenfolge sein. Je qualifizierter das Brennmaterial, desto qualifizierter und also lebensgerechter, höherwertiger die Flamme. Die Sonne ist hoch lebensqualifiziert. (Die Sonne nur quantitativ als Hitzeball von nur quantitativ definierten Atomen bzw. Plasmen zu sehen, das zeigt ein schauerlich lebensfremdes, naturfremdes, mechanizistisches Weltbild!).

Mitbedingung für eine gute, lebensqualifizierte Flammerzeugung ist eine flammgerechte Verbrennungsart und ein wärmegerechter Ofen. Andernfalls wird die Flamme und ihre Wärme entsprechend krank und also die fundamentale Lebensqualität des gesamten Raumklimas. Die Sonne zeigt einen kugelförmigen Brennraum, richtiger Flammraum. Denn nur das V e r brennen zu sehen, das Schlechte, den Abbau, den Kampf, das zeigt ebenfalls eine lebensfremde typisch endzeitliche Betrachtung. Primär ist das gute E r - brennen, das Hervorquellen von Lebensqualitäten, von Lebensenergien, der Aufbau. Die Sonne ist wie das Herz zuerst ein Tor und ein Transformator, durch den höhere Lebenskräfte in unsere Lebensebene eintreten! —

Die Brennstoffe

Höchst qualifiziertes Brennmaterial auf der Erde ist Holz, gutes Erdöl und gutes Erdgas. Dann folgt die Kohle. Fast keine organische, also lebensqualifizierte Flamme scheint von dem Generatorstrom im elektrischen Heizkörper erzeugt zu werden, also auch keine lebensqualifizierte Wärme, sondern fast nur Hitze. Jedoch sekundär kann eine größere Menge echter, lebensqualifizierter Wärme durch die heilsame Rückwandlung der Hitze geschaffen werden wie durch die Wandlungswirkung von Erdöl. Ist das der Grund, weshalb elektrische Heizkörper, die als Wärme-Hitze-Überträger mit einer Ölfüllung arbeiten, eine wesentlich angenehmere Temperatur als andere elektrische Heizkörper schaffen?
Bei der lebensqualifizierten Verbrennung von gutem Erdöl, Erdgas usf. brennt eine qualifizierte Flamme in einem qualifizierten Brenner rein blau. In ihr wird alles Brennmaterial in Wärme umgewandelt, selbstverständlich wie überall mit einem Anteil Hitze. Dagegen brennen Gelbbrenner unvollständig und schlecht. Sie verbrennen bis zu 25 % mehr Öl, um dieselbe Anzahl von Wärme- bzw. Hitzekalorien zu erzeugen ([1]). Doch noch viel lebenswichtiger ist, daß sie hierbei im Gegensatz zu den Blaubrennern eine schlechte, also giftige Materie erzeugen, welche die Luft, somit alle Lebewesen der Umwelt und insbesondere die Atemwege giftig beeinflußt. Aus solchen Abgasen und denen von schlecht flammenden Benzin- und Ölmotoren, aus Industrieabgasen etc. bildet sich der berüchtigte Smog. An dickem Smog sind schon akut in wenigen Tagen Tausende von Menschen gestorben, wie in London und den USA. Doch die Langzeitwirkungen zuerst des weit dünneren Smogs sind vielleicht erheblich lebensbedrohlicher. Sterben nicht Raucher nach Jahrzehnten an Lungenkrebs! —
Gelbbrenner sollten daher verboten werden. Dies also nicht deshalb, weil sie bis 25 % mehr Energie verschwenden. Sondern weil sie durch ganze Städte hindurch und über ganze Länder hinweg die Luft hochgradig verschlechtern.

Der gesündeste Ofen

Der gesündeste, weil qualifizierteste Ofen ist der aus Heilerde, also der keramische Ofen wie typisch der Kachelofen. Kein anderer Wärmeerzeuger reicht lebensqualitativ an ihn heran. Es bestehen keine Bauschwierigkeiten für einfache, serienmäßig herzustellende und transportable Kachelöfen. Sie können vollautomatisch mit einem Gas- oder Ölbrenner betrieben werden. Sie benötigen eine gut feldende und abstrahlende Spezialkeramik. Ihr Kern ist aus Eisen, da dieses Metall dem Feuer und der verbrennenden Flamme am nächsten verwandt ist.
Es ist ein echter Kachelofen gemeint, also einer, der seine Wärme fast aus-

schließlich durch die Keramik — wie eine Hohlkeramik mit sehr großer Oberfläche — abgibt, dies bis auf die Türe aus Eisen und eventuell einen kupfernen Aufsatz oder Einsatz mit einem Wärmekämmerchen. Kupfer strahlt im Gegensatz zum Eisen eine liebliche Wärme ab, was Besitzer von Kaminen mit Kupferhaube zu schätzen wissen. Es ist also nicht gemeint der Selbstbetrug einer Tarnkachelwand, hinter der ein nackter kleiner Eisenofen steht, dessen zu hohe Außenwandtemperatur die Luft und ihren Staub verbrennt und der hinter der festen Wand nicht einmal recht zu reinigen ist; sodaß eine solche Heizung auch noch zur unhygienischen Brutstätte unangenehmer Gerüche wird.
Ein Kachelofen mit zwei Feuerungen, die eine für einen ständig installierten Gas- oder Ölbrenner, der vollautomatisch und temperaturgesteuert arbeitet, und eine für feste Brennstoffe dürfte das Optimum sein. Zu Weihnachten und an besonderen Feiertagen wird mit Holz gefeuert, auch in Notzeiten.

Zentral oder peripher?

Der Ofen, allgemein der Heizkörper soll zentral postiert werden, sowohl zentral im Raum als auch im Haus. Das hat mehrere Gründe, die unabhängig voneinander sind. Zuerst deshalb, weil sich das Wärmefeld kugelförmig um die Wärmequelle ausbreitet. Und dem folgen die Strahlungen und Strömungen. Auch sie sollen organisch hausgerecht funktionieren. Herd und Ofen sind seit Urzeiten Mittelpunkt des Hauses. Daher besteht das Ideal in einem kleineren Einfamilienhaus darin, einen großen, nicht zu schweren, daher schneller anheizbaren und regulierbaren Kachelofen zentral im Haus zu postieren. Er beheizt mehrere Räume zugleich, dies mit einer Regulierung der Wärmemenge für die einzelnen Räume.
Die periphere Position der Heizquelle an der Außenwand ist extrem widernatürlich, daher ungesund, und auch verschwenderisch. Denn die Wärme treibt die Unqualitäten vom Wärmezentrum weg, bei peripherer Position also in das Zimmer und Haus hinein anstatt hinaus. Die zentrale Postierung setzt jedoch eine genügend warme und wärmegedämmte Außenwand voraus, sowie daß der Raum nicht mit Schaufenstern versehen ist. Und große Fenster sind in der kalten Jahreszeit ab Einbruch der Dunkelheit vor großer Wärmeabstrahlung zu schützen, wie durch Doppelscheiben, Holzjalousien, auch gekammert wie bei neutralen Holzwerkstoffen, oder Sonnenblenden oder dichte Gardinen oder eine Kombination hiervon.
Auch ist es lebensfremd, zu meinen, man könne die Verschwendung bezahlen, von dieser Unethik noch abgesehen. Der große ständige Wärmefluß nach draußen bringt Unruhe in das Haus, auch eine kühlere Innenseite der Außenwand und Luftströmungen im Raum. Die lebenswichtigste naturale Ruhe im Haus geht von einer ruhigen Heizung aus, die wichtigste Unruhe von einer unruhigen Heizung, hier also abgesehen von den Bewohnern. Sie

wetteifert mit der Elektrounruhe, die von dem nicht spannungsfreien und magnetisch abstrahlenden elektrischen Hausnetz ausgeht und von den unbiologisch arbeitenden Elektrogeräten. Beide Unruhen kombinieren sich zu der Nervosität des zivilisationskranken Hauses.

Die Kombination mehrerer Heizarten

Kachelöfen benötigen einen Kamin. Und Nebenräume können sie nicht ausreichend für heutige Ansprüche beheizen. Daher benötigt das größere und zivilisiertere — ein zweischneidiger Begriff! — Haus eine zentrale Beheizung, wenn man nicht mehrere gasbeheizte oder ölbeheizte automatische Einzelöfen an den entsprechenden Kaminen postieren kann oder will, was eine lebendigere, gesündere und angenehmere Wärme ergibt. Und wenn man keine elektrische Heizung für Bad, WC etc. wünscht. Aber man will auch Heißwasser jederzeit in größerer Menge zur Verfügung haben. Das kann zwar auch ein Elektroboiler oder ein Gasdurchlauferhitzer spenden, dieser sogar frisch; aber alles in Einem hat man in der Zentralheizung. Wie ist diese biologisch zu beurteilen?

Die Zentralheizung

Die Flamme im Raum ist eine Fundamentalforderung für eine voll biologische und höchst angenehme Heizung. Der Zentralheizungskörper ist also ein Notbehelf! Aber erstens kann man ihn qualifizieren. Zweitens reicht seine Qualität für Nebenräume wie Bad, WC usf. und schwach oder garnicht oder selten beheizte Räume wie das Schlafzimmer aus. Drittens kann der Zentralheizkörper in einem hoch qualifizierten Raum wie dem Wohnraum oder Arbeitsraum nur für eine Grundheizung benutzt werden, während die hoch qualifizierte Wärme von einem Flammfeuer kommt wie einem gas-, öl- oder mit Feststoffen beheizten Ofen, insbesondere einem Kachelofen. Das ist eine kultivierte und bequeme Kombination.
Qualifizieren kann man den Zentralheizungskörper durch biologisch hochwertige keramisierte Metalle, ähnlich dem Email sowie durch reine, lebensqualifizierte warme, nicht hitzige Metalle. Weiterhin kann nur lebendiges Wasser die lebendige Wärme übertragen, totes Wasser nicht. Der Anteil an lebendigem Wasser ist im normalen Wasser sehr gering. Man könnte ihn erhöhen. Einfacher ist, ein dünnflüssiges Spezial-Heizungsöl in weiteren Rohren, besonders Kupferrohren zu verwenden. Das vermeidet auch jede Frostgefahr, was für nicht wenige Wohnungen und manche auch im tiefen Winter bei geöffnetem Fenster bewohnte Räume wie Schlafräume, WC etc. wichtig ist, auch für Zweitwohnungen. Auch kann man einen Heizkörper gänzlich keramisch verkleiden. Wenn keine kräftig feldende und abstrahlende Keramik verwendet wird, sondern eine sehr glatte Keramik, so verringert dies

die Heizleistung. Doch kann man dann den Heizkörper im Wohn- oder Arbeitsraum vergrößern.
Der wichtigste Grund für die hauszentrale und zimmerzentrale Postierung der Heizquelle ist bei einer Zentralheizung, daß keine hausgroßen Schwingungskreise entstehen, insbesondere keine eiserne Umarmung des Hausfeldes. Diese stört die Lebensqualitäten und ständigen Lebensprozesse des Hausfeldes im Lebensfeld des Kosmos stark.
Ein flammbeheizter Ofen im hoch qualifizierten Raum spendet so viele Wärmequalitäten, daß sogar eine Kombination mit einem Elektrospeicher möglich ist, der nicht mit einem Ventilator betrieben wird. Der bisherige gewöhnliche Elektrospeicher allein würde die Luft und weit darüber hinaus die gesamte Atmosphäre des Raumes erheblich disqualifizieren. Aber es ist erstaunlich, wie wirksam schon ein metallener, leicht emaillierter gewöhnlicher Ölofen bei schwächster Einstellung einen großen Raum, der allein mit einem bisherigen Elektrospeicher ein schlechtes Wärmeklima mit schlechtem Geruch aufweist, in seinem Wärmeklima weitgehend ins Angenehme wandeln und eigentlich überhaupt erst lebendig beheizen kann. Ein ganz anderer Zimmergeruch bildet sich dann.
Hinzu sei bemerkt, daß ein guter automatischer Ölofen, der seine Verbrennungsluft über die Ölzuleitung etc. hinweg bezieht, nicht nach Öl riecht. Er gilt heutzutage meist als Armeleuteofen. Doch lebendige Menschen werten ganz anders als Technokraten. Bei unruhigem Wetter oder ausnahmsweise bei schlechtem Kaminzug benötigt der Ölofen einen praktisch lautlosen Ventilator zum Einblasen der Zugluft. Er gehört zur Regelausstattung ölbeheizter Kachelöfen, muß aber nur selten eingeschaltet werden. Der Ölofen ist biocalorisch in seiner Konstruktion noch erheblich zu verbessern. Es führt eine stetige Entwicklungsreihe vom Kachelofen zum einfachen Ölofen, wobei der keramische Anteil ständig verringert wird.
(Zur Elektroheizung vgl. die Elektrokrankheiten).
Die Zentralheizungsrohre sollen also im Zentrum des Hauses verlaufen mit nur kurzen stichartigen Zuleitungen zu den auch im Zimmer zentral postierten Heizkörpern. Das verringert im gesunden Haus die Leitungen auf ein Fünftel bis ein Zehntel, auch die Installationskosten. Im Bad kann man jedoch den Heizkörper an der Außenwand postieren. Denn die große Lüftung sorgt hier mit dem Wasserdampf für genügenden Austausch. Dagegen ist in dem geheiligten Raum, in dem großen allnächtlichen Regenerationsraum unserer Gesundheit auf größtem Abstand der Betten von Heizkörpern und Rohren zu achten sowie daß die Außenwände gänzlich metallfrei sind, auch elektrofrei. Zumindest hier sollen die Rohre aus Kupfer sein und der Heizkörper nicht aus Eisen.
Heizkörper und Rohre dürfen nicht mit einem giftigen Lack gestrichen werden. Dieser beeinflußt die Raumluft katalytisch auf viele Jahre hin schlecht und zwar durch die erhöhte Temperatur besonders aktiv. Ein für

Heizungen spezieller Leinöllack soll genommen werden, sofern der Heizkörper nicht keramisiert ist.

Wenn verschiedene Metalle in einem Heizsystem verwandt werden, kann es durch galvanische Ströme zu einem Anfressen an den Verbindungsstellen kommen. Dann zur Vorsicht entweder Sollfreßstücke einbauen oder mit verlorener Anode oder mit Kathodenschutz sichern. Im gesunden Haus ist die Gefahr gering, im kranken Haus groß. Denn viele Faktoren sind beteiligt. Bei Ölumlauf scheint keine Gefahr zu bestehen.

Soll man mit der Umlaufpumpe heizen? Normalerweise keinesfalls. Denn sie bringt nicht nur mancherlei Unruhe und andere disharmonische Wirkungen. Man soll normalerweise mit Schwerkraftumlauf heizen und nur für den Fall extremer Winterkälte eine Pumpe einbauen. Sie wird bei Schwerkraftbetrieb durch eine kurze Umleitung umgangen.

Heizkörper mit eigenen Thermostaten sind sehr angenehm. Für Schwerkraftbetrieb benötigen sie Spezialthermostaten.

Der offene Kamin

Der offene Kamin, auch Cheminee genannt, ist ein Zentrum wohnlichen und geselligen kultivierten Lebens. Auch er soll zentral postiert sein und nicht an einer Außenwand. Auch soll er keine unbenutzbare Täuschung darstellen. Die neueren Konstruktionen brennen sicher rauchfrei. Die Brennfläche soll so niedrig wie möglich liegen, also am Boden. Denn sonst bildet sich unterhalb von ihr ein Kaltluftsee, der nicht nur kalte Füße macht oder beläßt. Warum ist die offene Feuerstelle so beliebt wie die brennende Bienenwachskerze? Weil beide Spender höchster Lebensqualitäten sind und diese in der offenen Flamme am freiesten und ganzheitlich ausfelden und ausstrahlen. Es existieren herrliche, reich bebilderte Kamin- und Kachelofenbücher ([1]). Auch und besonders in das Holzhaus gehört der Kamin. Die Feuerstelle muß mit einem metallenen Vorhang oder anderen Metallflächen dicht abschließbar sein. Dann kann das Feuer nach dem Zubettgehen in Ruhe ausbrennen. Denn Löschen schmutzt und ist unsicher. Vor jedem Kamin ein keramischer oder anderer steiniger Bodenbelag. Man studiere die verschiedenen Brennqualitäten und Flammenfarben der verschiedenen Hölzer. Eine kupferne Kaminhaube entlockt dem Kamin weit größere Heizwirkungen. Am Kachelofen oder Kamin werden in den Wohnstuben der Alpenvölker abends die oft durchnäßten Wollstrümpfe und Lederschuhe aufgehangen, hoch oben. Warum läuft es sich in ihnen anderntags so angenehm? Der ganze Mensch sogar fühlt sich dann merklich wohl. Mit den Füßen lebensgerecht Bodenkontakt zu halten und sie lebensgerecht warm zu halten, das hilft der Gesundheit viel, besonders den Frauen. Aber gesunde, atmungsfähige Strümpfe aus Hautfasern und solche Schuhe sind Voraussetzung.

Die Temperatur

Je toter die Zimmertemperatur, je weniger Wärme und je mehr Hitze sie enthält, desto höher wird geheizt. Wenn am offenen Kamin 16 Grad und weniger genügen, am Kachelofen 16-18 Grad, so wird die Temperatur bei der bisherigen Zentralheizung meist mindestens auf 20 Grad eingestellt. Je wesenskälter das Material der Wände und Einrichtungsgegenstände, desto weiter wird die Temperatur gesteigert bis 23 und auch 25 Grad.
Das Analoge finden wir in der Zivilisationsnahrung, besonders bei den Fetten, also ebenfalls der Heizung. Je mehr sie zivilisationstechnisch disqualifiziert werden, also Lebensqualitäten verlieren, desto mehr wird verzehrt, um den Mangel an Lebensqualitäten bei den „leeren Kalorien" auszugleichen. Was jedoch eine Selbsttäuschung ist. Denn Quantität kann nicht Qualität ersetzen. So ist im Laufe der letzten hundert Jahre bei den immer lebenswidriger technisierenden und also immer kränker werdenden Zivilisationsvölkern der Fettverzehr auf das Fünffache gesteigert worden. Auch für die anderen Nahrungsmittel und die Getränke gilt prinzipiell dasselbe. Und es gilt für das Haus aus vier Wänden. An lebendiger Wärme „leere Kalorien" felden und strahlen die unqualifizierte und also das Leben disqualifizierende Hitze aus! Wie im Leibe bei den Fetten! Woraus die Stoffwechselkrankheiten all dieser Häuser entstehen. —
Wieder einmal Bio-Logie! Sie vermittelt überall die echten und umfassenden ganzheitlichen Einsichten! —
Wie besonders Grandjean (ETH/Zürich) lehrt, darf die Innenwandtemperatur maximal nur zwei Grad unter der Raumlufttemperatur liegen. Andernfalls bilden sich disqualifizierte Luftströmungen mit mehr als 20 cm/sec. Geschwindigkeit im Raum. Und das wird als unangenehm, als „Ziehen" empfunden. Auch hierdurch wird die Lebensruhe des Raumes gestört und also der Bewohner. Man hat früher geglaubt, eine viel größere Differenz sei noch erträglich; und man hat überhaupt nicht darauf geachtet. Aber wie überall im Umgang mit Giften, in der Hygiene, in der Medizin und anderwärts, wenn man tiefer in die Biologie der Vorgänge eindringt und auch die Langzeitwirkungen erkennt und einrechnet, dann wird die noch als erträglich bezeichnete Dosis beständig verringert. Und schließlich erkennt man das Prinzip, das Naturgesetz, wie daß alles Disqualifizierte unser Leben disqualifiziert, also krank macht, in jeder Dosis, und somit Lebensenergie zur Abwehr kostet und Lebensfreude und Lebenszeit, — mit einem Wort Leben!
Zudem erklärt die neuere Kolonnenchemie, daß größere Temperatursprünge sehr komplexe und besonders negative lebenswidrige Kondensations- und Wandlungsprozesse hervorrufen. Je schlechter dann noch die Wandmaterialien sind, desto schlechtere Folgen sind für das Raumklima und das Wohlbefinden sowie alle Lebensprozesse zu erwarten.

Die Wände sollen aus gebrannter, ziegelgerecht vermauerter und verputzter, mit Luftkammern versehener Heilerde bestehen und genügend dick sein, wie anderwärts beschrieben, frei von Zement und phenolhaltigen oder anderweitig giftigen Kunstharzputzen, Anstrichen usf. Oder sie sollen aus dem vitalen Holz bestehen oder aus beidem. Und die Innenseiten der Aussenwände sollen besonders bedachtsam mit lebensqualifiziertem warmem Material ausgestattet sein, wenn sie nicht schon aus Holz bestehen. Denn fast nur die Außenwände liegen im Bereich der Temperaturdifferenz. Und hauptsächlich diese Wände haben unser Hausleben in das Leben des Kosmos beständig zu integrieren. Sie hauptsächlich haben beständig lebensgerecht zu atmen.

Die eigene Erfahrung

Wer den hier genannten biologischen Heizproblemen noch kritisch gegenüber steht, aber beispielhafte persönliche Erfahrungen sammeln will, der brate sich ein Spiegelei (oder einen Apfel) auf drei verschiedene Arten:
1. Auf einer Elektroplatte in der Eisenpfanne (ohne giftige Kunststoffauskleidung). 2. In derselben Pfanne auf Kohle- oder Gasfeuer. 3. In derselben Pfanne auf Holzfeuer. Mit der elektrisch erhitzten Speise kann er sich auf die Dauer den Magen und weiteren Stoffwechsel schädigen. Die Speise mit der lebendigen Wärme des Holzes aber wird ihn erlaben.
Und wenn er an einem kalten Wintertag etwas durchfroren nach Hause kommt, setze er sich zuerst an den mit heißem Wasser gefüllten Zentralheizungskörper und dann an den flammbeheizten Kachelofen oder umgekehrt. —
Danach wird er auch erkennen und erwägen, wie viel lebensqualifizierte Wärme ein Zentralheizungsofen im Keller ungenutzt staut. Oben an den Heizkörpern fehlt sie. Vielleicht baut er dann ein Warmluftrohr, das in Bad und Küche führt oder nutzt diese Wärme für einen Trockenraum, einen anliegenden Waschraum, eine anliegende Kellersauna, oder höher liegende Haus- oder Freisauna. Das Warmluftrohr soll aus innen glasierter Keramik bestehen und in voller Länge bequem zu reinigen sein.

Das Fazit

Das Eingangskapitel von der Grundlagenforschung sollte eine Vorarbeit leisten zur Neubegründung der lebensqualifizierten und also wahren Naturwissenschaft, welche die Kulturen übereinstimmend kennzeichnet, wie die in allen Kulturen übereinstimmende Gesundheitskunde und wahre Heilkunde (medicina perennis). Denn die immerwährende Naturwissenschaft ist heute, zu Beginn der Menschheitskultur neu, vom ersten Anfang an und systematisch ganzheitlich zu entwickeln. —

Das vorliegende winzige Kapitel über die biologische bzw. wahre Wärmelehre zeigt, wie schnell und leicht man aus der lebensgemäßen Physik Konsequenzen für das tägliche Leben ziehen kann und wie sehr auch diese mit den alltäglichen Erfahrungen der lebendigen Menschen übereinstimmen. Aus der quantistischen Physik kann man keine Konsequenzen für das Leben ziehen. Und man fällt aus einem Irrtum in den anderen. — Mit der Wärmelehre beginnt die wahre Physik, die bio-logische Physik. Denn die Wahrheit selbst ist das Leben selbst. —

DAS KRANKE KÜHLKLIMA UND SEINE HEILUNG

In den südlichen Ländern, besonders in den Subtropen und Tropen ist die Kühlung lebenswichtiger als die Heizung von Menschenhand. Aber auch im gemäßigten Klima ist die Kühlung lebensnotwendig, für den Menschen, die Speisen und noch vieles andere. Allgemein ist die lebendige Kühle für das Leben gleich wesentlich wie die lebendige Wärme.

Wer hätte noch nicht am Abend eines heißen Sommertages die Erfrischung und also Belebung durch die Abendkühle und Nachtkühle erlebt oder durch ein Bad in einem reinen kühlen Wasser oder durch einen frischen kühlen Trunk! Die Kühle ist es hier, die erfrischt und belebt, nicht die Kälte und nicht die Nässe! Denn die Kühle ist eine Lebensqualität. Sie wirkt konzentrierend und festigend, wie die Wärme auflösend und erweiternd wirkt. Beides benötigt man gleichgewichtig zum Leben. In den relativ kühlen Klimaten der Erde sind die Hochkulturen erwachsen, nicht am Äquator. Die sehr südliche ägyptische Hochkultur erlabte und stärkte sich an der Nachtkühle der Wüste wie auch die chaldäische Kultur. Eine große geistige Leistung ist ohne die Kühle des Bewußtseins ebenso wenig möglich wie ohne die Wärme, zuerst die des Herzens. Auch das Herz soll bei aller Wärme kühl bleiben, ebenso der Kopf. In einem hitzigen Herzen und in einem Hitzkopf geht die Vernunft und Selbstbeherrschung verloren, auch die Menschenwürde! Die Ordnung und Qualität des Lebens geht auch hier verloren! — Exakt wesensgleich, analog!

Woher kann man die natürliche Kühle beziehen? Könnte man sie selber fabrizieren? Die Antwort dürfte überflüssig sein. Wer es noch nicht glaubt, der vergleiche die Kälte eines modernen Kühlraumes mit der echten Kühle des Frühlings oder des Schnees. Wo verspürte er im Kühlraum, richtiger Kälteraum eine Erfrischung? Eine echte Frische? Und auf die Frischhaltung käme es doch eigentlich bei dem Kühlgut an! — Man kann den Vergleich auch zwischen einem modernen Kühlschrank und einem alten Eisschrank machen, der mit Natureis gekühlt wird. Schmecken Butter, Eier und Käse aus dem Eisschrank nicht deutlich besser? Und sind sie nicht bekömmlicher? —

Die lebendige Kühle muß aus der lebendigen Natur bezogen werden. Man kann sie bewahren, stundenlang und im Eis auch monatelang. Wenn sie jedoch alt wird, stirbt sie und wird zur Kälte. Diese ist ebenso lebensfeindlich wie die Kühle lebensfreundlich ist. Kälte ist Tod! Kühle ist Leben! — Woher kann man die lebendige Kühle beziehen? — Aus der kühlen Luft, besonders am Morgen und in der Nacht, aus kühlem frischen Wasser wie aus der Quelle, aus der kühlen Erde und mit ihrer Hilfe auch aus dem Leitungswasser. Wer hat im Hochsommer schon einmal die Brunnenstube eines Bergbauern besucht? Wie herrlich mundete alles, was dort eine Nacht lang gelagert worden war. —

Wo in den südlichen Ländern nachts die Temperatur erheblich sinkt und viel natürliche Kühle einströmt, wie im Bereich des Wüstenfeldes, dort kann diese Kühle nachts angesaugt und bequem mit Tonkörpern und einer entsprechenden Bautechnik für den heißen Tag gespeichert werden.

Wo dies nicht möglich ist und überdies für alle heißen Zonen gilt das Prinzip der natürlichen Klimatisierung, wie es bisher schon genannt wird ([1]). Vorzüglich durch grüne Laubbäume, dann durch reflektierend gestrichene und strahlungstechnisch wie luftströmungstechnisch richtig geformte Vorbauten kann die direkte Sonnenhitze hochgradig abgehalten werden. Dann kann, wie orientalische Kulturen lehren, durch große rauhe Tonflächen oder Flächen anderen Naturgesteines, an denen frisches, aus der Tiefe geholtes Wasser sehr langsam herab rieselt, und auch durch feinperlige Brunnenspiele die Raumtemperatur nachhaltig gesenkt und erfrischt werden. Hier ist kein großer, langsam laufender Ventilator erforderlich, der auch seine unangenehmen Seiten hat, wie schon in der mechanischen Bewegung. Wesentlich hilft hier mit, wie schon griechische, italienische und spanische Bauten zeigen, kühle Baumaterialien wie kühle Steine zu verwenden, etwa Marmor an den Wänden und am Boden. Auch existieren wesenskühle Pflanzen. Hier sind nicht Pflanzen gemeint, die viel verdunsten, wie schon alle blühende Pflanzen, sondern Pflanzen wie Lorbeer, Efeu, Wein usf. Efeu an einer heißen Südwand kann sehr viel zur Kühle des Hauses beitragen. Der Wein konsumiert die Wärme für seine Früchte.

Wenn man in diesem Wissen seinen gesunden lebensqualifizierten Menschenverstand gebraucht, dann öffnet man in der heißen Jahreszeit frühmorgens das ganze Haus stundenlang, daß die Morgenkühle einziehen kann. Und wenn nach einem Regen die Kühle in reicher Fülle umher strömt, öffnet man ebenfalls alle Fenster und Türen, daß alle qualifizierten Materialien die Kühle in sich speichern können, konzentrieren und mit ihrer Hilfe die Hitze-Unqualitäten abstoßen können. Diese Speicherung kann auf Tage wirken. Unqualifizierte Materialien wie viele Plastics können keine Kühle speichern und auch das Schlechte nicht abatmen. Je mehr solche Materialien man im Hause hat und entsprechende Formen, desto weniger hilft das Lüften. Denn solche Materialien speichern die Unqualitäten, die Kälte und die Hitze, auch die Dürre. Die Lebensqualitäten werden von ihnen abgestoßen. Auch denaturieren sie die Sinne der Bewohner zur Wahrnehmung der Lebensqualitäten. Je mehr solche Materialien und Formen das Hausklima beherrschen, desto mehr kommt die zwangsweise, die tyrannische, die allopathische Klimatisierung infrage. Sie gehört zur künstlichen Welt. —

Kühlräume und Kühlgeräte

Das Einmaleins der Urlebensqualitäten ist insbesondere auf die Kühlräume und Kühlgeräte anzuwenden, dies analog wie auf die Warmräume und die Heizung. Hier ist zunächst das allgemeinverständlich zu behandeln, was für jedermann wichtig ist, der gesund und behaglich wohnen will. Das ist der Kühlkeller, die Speisekammer und der Kühlschrank.

Der Kühlkeller

Ein gesundes Haus hat einen Keller. Und in einer gesunden Hauswirtschaft werden im Herbst Lebensmittel und Getränke für die kühle Jahreszeit eingelagert, dies hauptsächlich in einem Kühlkeller. Das ist optimalerweise ein nach Norden oder Osten gelegener Kellerraum, der möglichst tief liegt und an einer Hausecke. Am Hang ist es ein bergwärts gelegener Raum. Zwei seiner Wände schließen also an die natürliche Erde an. Die zwei anderen Wände sind besonders gut wärmegedämmt und zwar mit einem Material, in dem keine Feuchtigkeit kondensiert. Am besten sind hier wohl randseitig luftdicht verklebte Spezialplatten aus Aluknitterfolie geeignet. Die Decke ist ebenfalls durch eine solche Folie wärmegedämmt. Wenn jedoch darüber ein Wohnraum liegt oder noch höher ein Schlafraum, so wählt man besser nur eine untergehängte Decke, bei der einfache Luftkammern in Rohrplatten isolieren und die von unten mit Weißkalk verputzt wird. Der Boden ist ein bergfeuchter Naturboden. Er wird mit hart gebrannten breiten flachen, gehfähigen Ziegelsteinen belegt. Dieser Keller ist bestens geeignet, um in der gesamten kalten Jahreszeit eine sehr niedrige Temperatur wie um 3-4 Grad C zu halten, in der die natürliche Kühle herrscht. Diese hält die Äpfel, Birnen und anderen Früchte, die Kartoffeln, die Säfte, das Eingemachte und Getrocknete bis zum nächsten Sommer sehr frisch, bei vollem und sogar verbessertem Aroma. Wie gelangt man ohne großen Aufwand und ohne nennenswerte Betriebskosten zu einem so hochgradig gesunden Kühlkeller?
Ein einfaches, wohl bald käufliches Gerät ist dazu erforderlich, das man mit ein wenig Geschick selbst montieren kann. Es besteht aus einem Ventilator, der aus einem winzigen Computer-Köpfchen so gesteuert wird, daß er die an Kühle-Qualitäten reiche Außenluft in der kalten Jahreszeit immer dann in den Kühlkeller saugt, wenn die Außentemperatur unter der Kellertemperatur liegt; doch wenn drei bis vier Grad erreicht sind, was erfahrungsgemäß für eingelagerte Lebensmittel die beste Kühltemperatur ist, dann wird

er auf Erhaltung dieser Temperatur geschaltet. Der Ventilator saugt die warme Kellerluft durch ein eigenes Rohr ab, das möglichst weit weg von der Einsaugöffnung außen endet. Diese Öffnung, normalerweise ein Kellerfenster, ist mit einem großen Staubfilter versehen. Das Erdreich an den Außenwänden des Kellers speichert die eingesaugte Kühle, besonders für wärmere Tage. Durch hart gebrannte Vollziegel, die man einfacherweise an den beiden anderen Kellerwänden aufschichtet, kann man die Speicherfähigkeit für die Naturkühle weiter verbessern und vergrößern.

Die Speisekammer

Dasselbe Verfahren wird in einem über der Erde gelegenen Kühlraum angewandt, der normalerweise als Speisekammer bei der Küche nach Norden oder Osten liegt. Dieser Raum, hier Speisekühlkammer genannt, modernerweise etwas technokratisch Frischhaltezelle genannt, hat am Fußboden eine kellerfenstergroße vergitterte Öffnung nach außen und ganz oben eine kleine runde Öffnung, in der der lautlos laufende und biologisch konstruierte Ventilator sitzt, ein gleicher wie im Kühlkeller. Vor dem unteren Fenster sitzt innen der Staubfilter, der je nach Laufzeit des Ventilators und Verschmutzung der Außenluft in regelmäßigen mehrmonatlichen Abständen gewechselt wird, wie man auch den Einsatz am Staubsauger wechselt. Hinter dem Staubfilter kann noch ein Verdunstungskühler sitzen. Direkt hinter dem Filter sitzt ein einfaches Papierventil, das verhindert, daß am Tage die kühle Luft nach außen abfließt. Die Speisekammer ist nach allen Seiten gut wärmegedämmt, auch an der Decke und am Boden. Zur Kühlespeicherung kann man in ihr ebenfalls hart gebrannte Vollziegel an den Wänden aufschichten.

Diese Speisekammer ist in der kalten Jahreszeit ein natürlicher Kühlschrank, der mit Hilfe der kalten Außenluft die am Steuerschalter eingestellte Kühltemperatur bewahrt, etwa 6-8 Grad C, im unteren Teil nach Wunsch und bei entsprechender Konstruktion auch 3-4 Grad. Die Betriebskosten sind fast null. Also für wenig Geld viel Lebensqualität. Umgekehrt erhält man bei dem technokratisch mechanisch konstruierten Kühlschrank für viel Geld keine Lebensqualität! —

In den unteren Teil der Speisekammer kann man auch noch einen von vorn oder der Seite unmittelbar zugänglichen Kühlschrank einbauen, der mit Gas oder Elektrizität betrieben wird. Er kann in seinem Tiefkühlfach oder bei entsprechender Konstruktion im Winter auch zur Gänze als Tiefkühltruhe dienen. Im Sommer dient er als normaler Kühlschrank, da dann die Temperatur im Kühlraum bei mangelnder nächtlicher Abkühlung zu sehr ansteigen kann. Der Kühlschrank sollte derart eingebaut werden, daß sein wenig Wärme und möglichst nur Hitze ableitender Teil nicht die Kühlkammer aufheizt, sondern die Hitze unmittelbar nach außen abführt.

Kühlkeller und Speisekühlkammer sollten in einem gesunden Haus nicht fehlen. Denn hier kann jedermann optimal bei geringsten Kosten die natürliche Kühle der lebendigen Natur voll nutzen. Keine Mechanik kann dies leisten, auch nicht bei größten Kosten. In der gemäßigten Zone liegt ungefähr ein halbes Jahr lang die Nachttemperatur, besonders am Morgen, unter 10 Grad C. Wer sie nicht zu der fast kostenlosen und hoch lebensqualifizierten Kühlung nutzt, der gebraucht seinen gesunden Menschenverstand nicht.

Der biologische Kühlschrank

Die dritte Kühlhilfe für jedermann ist der biologische Kühlschrank. Aus seinen Prinzipien wird auch das biologische und also lebensqualifizierte Kühlgerät gebaut, das in großen Häusern und südlicheren Gegenden benötigt wird. Was sind diese Prinzipien?

Die natürliche Kühle existiert nicht nur als fließende elementische Lebensqualität, sondern auch in der festen Zustandsform, als Element Erde. Der biologische Kühlschrank verwertet daher in Form, Material, Energie, Funktion überall die qualifizierte Kühle und vermeidet alles, was in Form, Material, Energie, Funktion usf. nicht kühl oder gar kühlwidrig ist. Kühlwidrig sind beispielsweise all die hitzigen und kalten Kunststoffe und Eisen. Die meisten Kunststoffe entwickeln in der Kälte schlechte Gerüche. Diese Feld-, Strahlungs- und Strömungs-Unqualitäten disqualifizieren das Kühlgut. Sie nehmen ihm nicht nur die Frische und das Aroma, sondern machen das Kühlgut krank. Entsprechend wirkt es im Menschen bei dem Verzehr! —

Wesenskühle Materialien sind z. B. Silber und Blei. Der biologische Kühlschrank ist daher mit gutem Blei verarbeitet und innen versilbert. Auch Aluminium ist etwas kühl. Von allen hitzigen, kalten und sonstwie disqualifizierten Stoffen ist der gesunde Kühlschrank frei. Auch in seinen Maßen ist der gesunde Kühlschrank lebensqualifiziert.

Das Kühlgerät, das in einem Kühlschrank, in einem Kühlraum oder selbständig als festes oder transportables Gerät verwandt wird, verwendet je nach den örtlichen Einsatzbedingungen die natürlichen Kühlequalitäten der Luft, des Wassers und der Erde, wie dies die alten Kulturen lehren. Weiter verwendet es die Kühlequalitäten, die in einzelnen festen Mineralien und Metallen vorliegen. Und alle diese verwendet es in kühlen Formen. —

Wie ein lebensqualifizierter elektrischer Ofen hauptsächlich Hitze erzeugt, die durch sekundäre Maßnahmen wie warme Materialien teilweise in Wärme rückgewandelt wird, so erzeugt ein lebensqualifizierter Kühlschrank allerlei Kälte; aber auch diese wird sekundär durch lebensqualifizierte Materialien und Formen teilweise in Kühle rückgewandelt. Und wie in einer biologischen Heizung so viel wie möglich lebendige Wärme erzeugt wird, so wird bei einer biologischen Kühlung so viel wie möglich lebendige Kühle erzeugt.

Doch ist hier ein Unterschied. Die lebendige Wärme haben wir konzentriert in Holz, Erdöl, Erdgas usf.; die lebendige Kühle aber haben wir konzentriert nur im Tau und auf den hohen Bergen in Eis und Schnee. Diese Kühle ist nicht transportabel wie Holz und Öl. Wir müssen daher allnächtlich die nicht konzentrierte elementalische Kühle in den Morgenstunden einfangen und konzentrieren. Vielleicht werden noch Zusatzgeräte konstruiert, die im Kühlkeller oder in der Speisekühlkammer allnächtlich qualifizierte Kühle auf das Hundertfache konzentrieren, dies im flüssigen Zustand oder in festem als Eis. Mit dieser Kühle wird dann die Arbeit des Kühlschrankes ergänzt, wie man die etwas mechanische Warmwasserheizung in einem qualifizierten Wohnraum durch die qualifizierte Heizung eines mit Holz, Erdöl oder Erdgas betriebenen Kachelofens ergänzt und qualifiziert. — Richtiger umgekehrt! Denn die Qualität ist das Fundament. Die Qualität wird durch die weniger qualifizierte Heizung oder Kühlung ergänzt.
Im europäischen Kontinentalklima wird in östlichen Ländern zuweilen in einer langen winterlichen Frostperiode durch feinperliges Versprühen von Wasser über Gestellen ein zimmergroßer Eisblock erzeugt, der viel qualifizierte Kühle konzentriert in sich birgt. Er wird bei Einbruch der wärmeren Witterung meterdick mit Laub abgedeckt. Den ganzen Sommer über liefert er Eis, das ein köstlich frisch-kühles Klima spendet. Und soweit der Eisblock in Gehäuseform erzeugt wurde, hält er Lebensmittel und Getränke in sich herrlich frisch, ähnlich der Brunnenstube des Bergbauern an der Quelle. Wer einmal weiß, wo die lebensqualifizierte Kühle zu finden und wie sie zu behandeln ist, der nutzt sie auch in den heißen Klimaten wie in der Sahara-Wüste.
Die Kühle und die anderen drei Urqualitäten reinigen, erneuern, erfrischen und entwickeln das Leben. Sie konzentrieren und harmonieren alles Lebendige, bringen es in das Gleichgewicht und festigen es darin. — Die vier Unqualitäten verunreinigen und verwickeln das Leben. Sie verstimmen es und machen es unfrisch. Sie zerstreuen und disharmonieren alles Lebendige, bringen es aus dem Gleichgewicht in einen exzentrischen Zustand und erhalten es in dieser Disharmonie. Daher kann man mit allen Lebensqualitäten konservieren, besonders mit der Kühle. Alle Unqualitäten wirken entgegengesetzt. Sie verderben alles Lebendige.
Aus diesem ABC der Kühlung und Qualifizierung des Lebendigen ergeben sich die Prinzipien für Konstruktion und Betrieb von Kühlaggregaten. Sie nutzen im Flüssigen und Festen alle Kühlqualitäten. Diese sind beispielsweise in dem Wasser enthalten, das aus der Erde kommt. Durch Versprühen und anderweitige Behandlung dieses Wassers kann man seine Kühlequalitäten auf vieles anwenden.
Ein Beispiel, wie man sogar im hitzigen Klima Kühle gewinnen kann:
Wenn in den Zwanzigerjahren der Vater sonntags die Familie im Benz — er roch so herrlich nach gesundem Leder — ins Grüne fuhr, dann wurde

in der prallen Sommersonne außen am Wagen im Fahrtwind ein grober Leinensack befestigt, in den ein poröses Tongefäß mit Butter kam, dick mit Leinen umwickelt. Beifahrerpflicht war, in größeren Abständen etwas Wasser aufzugießen. Am Ziel, welch ein Wunder, fand man die vorher etwas weiche Butter steinhart. Und die Sonne hatte doch während der ganzen Fahrt auf diese Anlage gebrannt! —
Ob künftig Kraftfahrzeuge in der heißen Jahreszeit neben dem Treibstoff auch Kühlstoff tanken, nämlich einfach frisches Wasser für ihre spottbillige und herrlich wirksame Klimaanlage? Sie liefert echte, erfrischende Kühle; was die teuren Anlagen nicht bieten können! Sie vermag sogar noch verschmutzte Luft zu reinigen. Und wäre das in Industriegebieten nicht schon fast lebensnotwendig! Für die Lunge und für die Wäsche der Mitfahrer! —
Weil du arm bist, wirst du länger leben, vor allem gesünder und angenehmer, wenn du deinen gesunden Menschenverstand gebrauchst und ihn dir nicht von den Intelligenzlern verbilden und austreiben läßt. Die Armen haben an der Nordseite des Hauses einen Korb vor dem Fenster oder einen Schrank auf dem Balkon. Seine Lebensmittel sind in der kühlen Jahreszeit weit angenehmer im Geschmack und gesünder als die der bisherigen elektrischen Kühlschränke! —
In einwandfrei geführten Großküchen klagen viele über Magenbeschwerden, wenn oft Tiefkühlkost gegeben wird. Die Amerikaner, extreme Kühlschrankbenutzer, sind bekannt für ihre Magenbeschwerden. Dazu eine ärztliche Erfahrung: In mehreren Fällen wollte ein Diabetes auf biologische Therapie nicht heilen. Und normalerweise ist er biologisch leicht heilbar, nämlich zuerst durch Disziplin im Essen, wie magere Kriegsjahre viele Völker eindringlich gelehrt haben. Denn allein hierdurch wurden schon sehr viele Diabetiker gesund, 80-90 %! — Hier also half die Disziplin und die Mithilfe lebensqualifizierter Heilmittel nicht, bis endlich der regelmäßige Genuß sonst gut zubereiteter Tiefkühlkost eingestellt wurde. Da verschwand der Diabetes, sogar ohne weitere Heilmittel! — Anderwärts half, auch bei chronischen Magenbeschwerden, das Verbot der Benutzung des Elektroherdes, also — polar zur künstlichen Kälte — das Verbot der künstlichen Hitze! Der Gasherd kam wieder zu Ehren. —
Die Sinne sollen in den Urqualitäten des Lebens wieder wach und geübt werden. Die Technokratie und ihr Selbstmordprogramm muß überwunden werden, wenn die Menschheit überleben will. Schon die Schule hat hier eine große Aufgabe. Ein Reich voller Herrlichkeiten eröffnet sich dann dem Menschen wieder. —

Zur Feuchte und Trockne des Hauses

Nach dem Problem der Wärme und Hitze wurde das Problem der Kühle und Kälte behandelt. Was vorhergehend allgemein dargelegt wurde, das ist analog auch auf die Feuchte und Nässe sowie auf die Trockne und Dürre anzuwenden. Aus Platzmangel sollen dieses Polpaar und seine Gegensätze folgend nur kurz behandelt werden.

Auch von diesen Urlebensqualitäten ist die Urgesundheit des Hauses und die Hausgesundheit seiner Bewohner abhängig, zuerst die Urbehaglichkeit des Hauses, seine Vitalität, seine biologische Qualität insgesamt. Und durch die Disqualifizierungen der beiden Urqualitäten Feuchte und Trockne, nämlich durch die Nässe und Dürre wird ein Raum ebenso urunbehaglich, urunwohnlich für den Menschen und jedes andere Lebewesen wie durch die Hitze und Kälte. Weiß das nicht jedermann! Hat man das nicht schon oft gefühlt! Weshalb überhaupt baut man ein Haus? Doch um sich gegen die Unbill der Witterung zu schützen. So steht in zahllosen Büchern. In welchen Urunqualitäten die schlechte Witterung besteht, das schlechte Klima, sei es als primäres oder sekundäres Klima, das ist dann erster Aufmerksamkeit wert für alle, die gesund und behaglich wohnen wollen, die intensiv leben wollen und etwas hoch Qualifiziertes leisten wollen.

Die gesamte Klimatisierungstechnik ist wohl zuerst durch die immer kränker werdenden Häuser entstanden, nur zweitrangig durch die gesteigerten Ansprüche. Denn je verkünstelter die Materialien und Formen eines Hauses, je hauswidriger sie sind, desto klimawidriger sind sie auch. Und desto mehr disqualifizieren sie die vier Urqualitäten. Je hausungerechter das Haus erbaut wird, desto mehr zerfällt die Viereinheit der vier Urqualitäten in ihm und desto extremer schwankt sein Klima zerrissen und ohne Mittellage zwischen Hitze und Kälte, Nässe und Dürre hin und her.

Wie die vier Urqualitäten sich der Erfassung durch Thermometer, Hygrometer und alle anderen Mechaniken entziehen, so auch die vier Unqualitäten aller Krankheiten aller Häuser. Selbst den Sinnen sind sie zuweilen nicht direkt erreichbar. Beispielsweise ist eine Betonwand immer sehr naß im Grunde, weil sie viel unqualifiziertes Wasser unbiologisch gebunden enthält. (Ungefähr 40 % des Zementgewichtes sind an Wasser notwendig, damit der Beton erhärten kann. Darüber hinaus ist noch Anmachwasser, auch nicht wenig, erforderlich, damit man den Beton überhaupt verarbeiten kann. Das bleibt für längere Zeit fast alles drin!) Folglich kann eine Raumluft extrem dürr sein in modernen zentral oder elektrisch beheizten Räumen; aber die Wände felden und strahlen dennoch die Unqualität Nässe ab. Und das kann der Mensch deutlich spüren, richtiger leiden, etwa als Rheuma. Und als Notwehr dreht er dann den Wärmespender auf, der zivilisationskonform, zivilisationskonsequent leider oft nur ein Hitzespender ist.

In unqualifiziert erhitzten, wesenhaft kalten und nassen vier Wänden, unter Neonlicht, zwischen Metall- und Kunststoffmöbeln, auf üblichen Kunststoffteppichen, hinter Kunststoffgardinen, wie könnte da noch Wärme und Kühle existieren? Wie könnte da noch eine qualifizierte menschliche Leistung möglich sein, etwa eine geistige Leistung! Wie gar könnte in solcher

Umgebung ein behaglicher, wesenhaft gemütlicher, wohnlicher, seelisch warmer Raum existieren, eine gute „Atmosphäre"! Ein menschliches Klima! Ein angenehmer Arbeitsplatz! Fröstelt es darin nicht jeden, der noch einen Rest gesunder Sinnenhaftigkeit bewahrt hat?
In solch einer sterilen toten Welt mühen sich die Klimatechniker dann endlos vergebens ab, etwas objektiv Angenehmes zu schaffen! Hauptsächlich deshalb vergebens, weil sie mit denselben Lebenswidrigkeiten arbeiten, die sie überwinden wollen. (Ebenfalls eine Teufel-Beelzebub-Methode?) Die Leichenkälte der hochgradig verkünstelten toten Materialien, dieses Nullfeld kann durch keine noch so aufwendige technische Konditionierung — nur! — der Luft vertrieben oder gar zu Lebensqualitäten umfunktioniert werden! Welche Totenatmosphäre herrscht oft in neureichen Wohnungseinrichtungen! —
Direktoren jedoch müssen irgendwie lebenskundige, wirklichkeitsnahe Menschen sein. Die freie Wirtschaft kann sich mancherlei Intellektualismus nicht leisten. Was findet man daher in Direktionsräumen? — Mit Vorliebe Holz und nochmals Holz! Nicht nur im Parkett! Dann Leder. Und dann den echten Teppich. Aus Wolle ist er und bei höchsten Ansprüchen sogar aus reiner Naturseide! —
Hochwertige natürliche Materialien „temperieren" (ein alter Fachausdruck für die qualifizierende Funktion des Guten der vier Urlebensqualitäten und anderer Lebensqualitäten) und also klimatisieren auch unter erschwerten Bedingungen ihre Eigenwelt und ihre Umwelt. —
In einem gesunden Haus ist daher eine Befeuchtung oder gar Trocknung der Luft nur sehr selten erforderlich, eigentlich nie. Und auch an die Heizung werden von den dann hausgesunden Bewohnern natürlicherweise viel geringere Anforderungen gestellt! Weshalb man in vergangenen Jahrhunderten Öfen objektiv weniger benötigte! — In einem kranken Haus dagegen wie typisch in einem modernen Krankenhaus oder Bürohaus laboriert man - unwissentlich - an sämtlichen vier Urqualitäten unaufhörlich herum. Nie ist man zufrieden. Und nur durch ständige Abstumpfung aller Sinne und die Verwandlung in Zivilisationsroboter wird die allseitige Sterilität dieser Welt schließlich nicht mehr wahrgenommen. Doch eines Tages kann der Aufstand gegen all diese Unmenschlichkeit losbrechen. „Humane Arbeitsbedingungen" könnte ein Anfang sein. — Auch „Mitbestimmung"! —
Lebendige Feuchte und lebendige Trockne ist in allen gesunden, lebendigen Materialien enthalten. Wenn diese das Haus und die Einrichtung bilden, so holen sie sich aus der freien Atmosphäre ständig, was sie benötigen, um den täglichen Verzehr durch das Hausleben zu ersetzen. Denn der Mensch strapaziert das Haus und somit sein Klima. Er nutzt Gutes ab, also die Lebensqualitäten. Daher benötigt man frische Lebensrealitäten. Woher nur können sie kommen? — Das wurde schon bei den Wärmespendern und bei der natürlichen Kühle erläutert.

Also lebendiges reines Wasser in das Haus! Von der Küche aus wandert es in die Räume, wie auch von dem gebadeten bzw. geduschten Menschen und von der Naßreinigung her. Staubsaugen kann die Erfrischung und die qualifizierte Reinigung des Hausklimas durch reines Wasser nie ersetzen. Andere Flüssigkeiten können das noch weniger. Auch Parkett soll man öfters naß wischen. Wie angenehm kühl und frisch wirken in der warmen Jahreszeit befeuchtete Fliesen. Altes, totes, gar mit Chlor oder anderen Giftgasen oder flüssigen Giften vergiftetes Wasser kann dem kranken Klima nicht helfen, auch nicht mittelbar durch den Menschen, durch Reinigungen und anderes hindurch. Dann hilft nur vieles und langes Lüften. Aber auch das hilft nicht mehr, wenn die Welt das Hauses schon in Material und Einrichtung disqualifiziert ist. Denn Schlechtes zieht Gutes nicht an, — im Gegenteil! Also bleibt dann auch hier nur noch die Gewaltmethode, die „allopathische" Klimatisierungsmethode. Diese aber ist prinzipiell wesenswidrig gegenüber allem Guten und Lebendigen. — Ein Teufelskreis! (Wie in der endneuzeitlichen Medizin, Politik, Wirtschaft usf.!).
Die lebensgerechte Trocknung ist ein geringes Problem. Jede lebensqualifizierte Heizung löst es spielend, sofern die Außentemperatur niedrig ist. Bei warmer und heißer Feuchte und Nässe ist eine qualifizierte Kühlung erforderlich. Große Kühlflächen kondensieren mehr die Nässe und weniger die Feuchte, wenn sie nicht überlastet werden, da die Feuchte sich länger harmonisch allseitig verteilt erhält. Je schlechter etwas ist, desto eher fällt es aus, desto eher trennt es sich aus dem alleinen Leben heraus und bildet sein egoistisches Eigenleben. (Auch dies ist sehr wesentliche Bio-Logik!)
Solche Flächen muß man also nahe, im Raum selbst installieren. Die Luft durch lange enge Gänge zu weit entfernten Mühlen der Technik zu jagen, das ist Technokratie. — Auch vermeidet man disqualifizierende Nebenwirkungen, wenn man auf den Wegen der Lebensqualitäten scharfe, spitze und andere disharmonische Formen und Differenzen meidet. Die Luft ist wie das Wasser ein „sensibles Chaos" ([1]).
Das mag zu den vier Urlebensqualitäten und ihren Erkrankungen, ihren Wandlungen in „Gift" genügen. Für viele Leser werden das alles nur Selbstverständlichkeiten sein, die jetzt im Bewußtsein etwas klarer und logischer ganzheitlich geordnet werden, sodaß man nun sichere und für das gesunde, lebensgerechte Wohnen erfolgreiche Folgerungen daraus ziehen kann.
Für die stolzen Macher jedoch soll alles nur Mechanik bleiben. Die Organik ist für ihre Weltanschauung ein Sonderfall der Mechanik, wie der Sinn für sie nur ein Sonderfall des allgemeinen Unsinns ist ([2]). Dieses Allgemeine ist der Inhalt ihres Lebens, — bis sie an die Grenzen dieses Wachstumes stoßen, an das Ende all dieser Wege.
Zwischen gut und schlecht, lebendig und tot (organisch und mechanisch), zwischen rein und unrein, also zwischen Qualität und Unqualität unterscheiden zu können, das wird in den Kulturen und Religionen als Urkenn-

zeichen der wesentlichen Mündigkeit betrachtet, der Mündigkeit im Leben! (Vgl. 1. Cor. 12,10; 3. Mos. 11,47; Hebr. 5,14).

DIE HAUSKRANKHEITEN IN FEUER, LUFT, WASSER UND ERDE UND IHRE HEILUNG

Nach uralter Lehre bilden sich aus den vier Urqualitäten die vier Elemente. Wenn man sie nicht lebensqualitativ versteht, so ergeben sich groteske Mißverständnisse, wie sie am Ende der Neuzeit im Urteil über die Kulturen üblich sind. Sie sollten von jedem überwunden werden, der die Kulturen verstehen will wie sie sind.

Je zwei Urqualitäten bilden ein „Element", also einen „Aggregatzustand": Warm und trocken das „Feuer"; warm und feucht die „Luft"; feucht und kalt das „Wasser"; kalt und trocken die „Erde".

Der lebensqualifizierte Aggregatzustand ist von solch großer und fundamentaler Einheit, daß er in Gesundheit, Krankheit und Heilung eigens zu behandeln ist.

Folgend soll erstmals versucht werden, diese zweite vierfache Erkrankung des Hauses (= Haut, Grenzgegenstand, Hülle, Materie, Natur, Körper, Organismus!) und seines Klimas, also seines Biofeldes systematisch darzulegen. Doch ist nur eine Skizze möglich, um in der heutigen Mentalität diese Lebensordnung überhaupt erst einmal vor das Bewußtsein zu stellen.

Idealerweise sollte das ganze Gebiet in Prinzip, Gesetz und Typus, in Weg, Methode und Mittel geklärt werden. Wer diese Ordnung sucht, ist gehalten, die Einheit mit den anderen Kapiteln dieses Buches zu erarbeiten.

Beginnen wir nicht bei der „Erde" des Hauses, der relativ starren Materie. Denn das Leben beginnt im Feuer und geht von dort in der Zeitraumwelt über Licht und Luft in das Wasser und aus ihm in die Erde. Die Erde oder grobe Materie ist also das Letzte und nicht das Erste! Das lehrt auch die moderne Physik. Daher steht das Weltbild des Vulgärmaterialismus auf dem Kopf! Mit allen Konsequenzen! —

Doch von der Erde steigt nach alter Lehre das Leben im Kreislauf wieder aufwärts. In ihm werden die Qualitäten entwickelt. Ist das nicht die Entwicklung des Lebens in der Zeitraumwelt? —

Das kranke Feuerklima und seine Heilung

Da im Feuer das Leben beginnt, sich zu differenzieren, so sind Wärme, Feuer und Leben sehr schwer zu unterscheiden. Erst in den drei unteren Urqualitäten und Elementen sowie in Ton und Licht der Dreieinheit Leben, Ton (Klang) und Licht wird die Unterscheidung leichter und deutlicher.

Die erste und wesentlichste Klimatisierung und also Belebung des Hauses wird durch das Feuer erarbeitet, durch seine Wärme und Trockne. Das Feuer wirkt aus dem ganzen Kosmos, aus der Sonne und aus den Tiefen der Erde. Das Feuer wirkt durch jedes warme Material des Hauses. Erst zuletzt wirkt es von der eigenen Feuerstätte her, die etwas substanzlos, geist- und seelenlos Heizung genannt wird. Wie souverän beherrscht ein offenes Kaminfeuer den Raum! Auch im Freien sitzt alles im Kreise um das Feuer. Es beherrscht das Klima seelisch und leiblich. Doch welche Armseligkeiten macht die moderne Technik oft daraus! —

Wer hat nicht schon erlebt, wie die Sonne des Südens das Klima der dortigen Häuser beherrscht. Einige sonnendurchglühte August- oder Septembertage können die Oberherrschaft des Feuers über das Klima und also das Leben auch im Norden mitfühlen lassen.

Die Hochreligionen und Hochkulturen klimatisieren durch das Feuer vielfältig primär und sekundär, so in der geistlichen Klimatisierung vom Altarfeuer und Opferfeuer über den Weihrauch bis zu den verschiedensten Räucherungen. Auch die Ärzte der Kulturen verwenden oft Räucherungen, dies nicht nur bei Entseuchungen wie noch heute vielfältig üblich ist. Im Krankenzimmer wird von Beginn der Krankheit an dezent und passend geräuchert. Denn „Krankheit ist Gestank", wie wohl zuerst Prof. Jaeger, der Woll-Jäger formuliert hat. Doch auch Hufeland wies darauf hin. Und die Miasmenlehre in der Hygiene gebrauchte vielfältig das Feuer zur Reinigung der Atmosphäre. Auch das Fieberfeuer reinigt.

An seinem Wohnort und in seinem Haus sucht der Mensch heute in extremer Form das Feuer wie in der Südsonne. Er benötigt es auch wirklich angesichts der vielen zivilisatorischen Schädigungen des hausinneren und äußeren Klimas. Er ist oft geradezu feuersüchtig, nämlich sonnensüchtig. Nur die Schokoladenseite des Hauses, die Südseite gilt als wohnwürdig. Was ein Irrtum ist. Dennoch soll man sein Haus nicht auf einer relativ kalten Zone wie auf einem Nordhang bauen, wie schon Hippokrates und Vitruv lehren. Auch nicht mit kalten Steinen wie Tiefengestein oder gar künstlichem Stein und nicht mit zu dünnen Wänden. Der Mensch der nahen Zukunft wird den Geist, die Qualität des Feuers noch mehr benötigen und suchen als der Mensch der Vergangenheit. Vielerlei Feuerqualitäten haben schon die Paracelsisten unterschieden, nicht nur allgemein lebendiges und totes Feuer. In der Bodengare, im Misthaufen, im Gärfaß, im rechten Backofen, im guten Wein, im Olivenöl, im Holz, im Erdöl, in der Gasflamme, überall brennt ein Feuer. Auch im Herzen soll das Feuer — des Geistes! — ständig bewußt brennen. Unbewußt brennt es ohnedies, aber wie schwach oft. —

Wenden wir uns den feineren naturalen Feuerqualitäten zu. „Die tausend Wohlgerüche Arabiens" sind berühmt geworden, wie man mit feurigen, quintessentialischen „Aromen" das Hausklima reinigen kann, entgiften und veredeln. Das ganze Haus kann man mit solchen Lebensqualitäten hoch qualifizieren! Durchaus dezent, für manche kaum bemerkbar, aber sehr wirksam. Jedes Aroma, jedes Gewürz enthält ein Feuer, auch fast jedes echte

Parfüm. Frauen wissen, wie sehr dessen Feuer nicht nur das Kleidungsklima beherrschen kann, sondern auch das Körperklima, leiblich und seelisch. Wie armselig wirken dagegen die moder-nen chemischen Desodorantien! Auf diese verfällt man, wenn das lebendige Feuer der Seele und des Leibes erlischt. —

In allen kräftigen Heilmitteln und Kosmetika sind feurige, würzige Essenzen enthalten, wie in den lebendigen Speisen und Getränken.

Soweit ein Haus — auch als Organismus des Menschen — in seinem Lebensfeuer schwach und gestört ist, kann in den untergeordneten anderen Klimabereichen nicht viel geheilt werden. Denn das Feuer treibt den Motor von allem. Wird jedoch ein Haus von einem kräftigen lebendigen Feuer beherrscht, was kann dann noch in ihm krank werden oder bleiben! —

Das kranke Luftklima und seine Heilung

Die Luft der modernen Welt ist in Land, Stadt und Haus sehr krank. Überall wird die Forderung nach Reinhaltung der Luft erhoben. Und immer mehr Orte werben als Luftkurorte mit einer gesunden, also guten und über die Reinheit hinaus mit einer lebendigen Luft. Doch was ist schmutzig und was ist rein, so wird überall gefragt. Die nächste Frage wird sein, was lebendig und was tot ist; und dann, was gut und was schlecht ist. —

Die wert„freie“, also qualitätsfreie Wissenschaft suchte die Qualität der Luft mit zahlreichen Quantitäten zu erfassen, wobei die Qualität dessen, von dem Quantitäten gezählt wurden, jeweils ausgeblendet wurde. Das war von vornherein sinnwidrig. Also half es nichts, daß man noch so viel Partikel wie Schmutzpartikel, Jonen usf. zählte, daß man Kohlenmonoxyd, Schwefelwasserstoff und andere Schwefelverbindungen zählte. Man konnte auf diesem Wege keinen Maßstab für die Qualität der Luft finden. Hinzu kam noch, daß bisher äußerst mangelhafte, beschränkte und vage Begriffe vom Klima vorlagen. Niemand wußte im Grunde, was Klima denn definitorisch sein solle und objektiv sei. Klima wurde überwiegend mit Luftklima gleich gesetzt und dieses mit Quantitäten von Gegenständen, die man mit endneuzeitlicher Intuition auswählte. Irrweg über Irrweg. —

Die moderne Klimatisierung ist oft ausschließlich Luftklimatisierung. Hier wird ein kleiner Teil der sekundären Klimatisierung als ganze Klimatisierung gewähnt. Mit einer technokratischen Manie wird die Luft dann durch Apparate, Röhren und Flüssigkeiten aller Art gejagt. Bei diesen mannigfachen Drangsalen verliert sie auch den Rest ihres Lebens. Zwar wird ihr mancher grobkörperliche Schmutz genommen. Aber die Luftleiche wird mit noch viel wirksamerem chemischem Schmutz beladen, wie mit Chlor, dem ersten Giftgas der Kriegsführung, und anderen Pestiziden. So sind moderne Luftklimatisierungsanlagen oft kleine Mordprogramme an der Luft — und also auch an denen, die diese Leichenluft atmen müssen.

Was ist Luft? Ein Gemisch von Gasen! Doch was ist ein Gas? — Eine Luft? — Dies Geheimnis erscheint so groß wie das des Feuers, der Flüssigkeit und der festen Erde, so groß wie das des Lichtes und des elektrischen Stromes. Denn nur in den Qualitäten ist das Wesentliche zu erfassen, hier eben in der Qualität „Luft“ bzw. „Gas“. Mit „Aggregatzustand“ ist im Grunde garnichts begriffen und verstanden.

Konkret folgt daraus, daß auch Luft aus Lebensqualitäten und Unqualitäten besteht, aus nichts anderem, also aus Leben und Tod, aus Gut und Gift. Und es folgt daraus, daß man lebendige Luft nicht mechanisch oder chemisch machen kann, sondern daß lebendige Luft nur aus der lebendigen Natur entnommen werden kann, auch aufbewahrt, biologisch verbessert und konzentriert. Nur der lebenskluge Biotechniker kann mit behutsamen, qualitätsgerechten biomechanischen Maßnahmen bei der Führung und Behandlung der Luft behilflich sein. Soweit der Techniker nicht objektiv biologisch geschult ist, kann er hierbei nur untergeordnete Hilfsdienste leisten.

Was folgt daraus praktisch?

Wenn das Haus eine gute, gesunde, an Lebensqualitäten reiche Atmosphäre haben soll, dann muß das Hausfeld vor allem primär lebensqualifiziert sein wie in Formen, Materien, Farben usf. Soweit diese disqualifiziert sind, wird auch das Luftfeld des Hauses ständig disqualifiziert. Dann muß das Feuer des Hauses lebensqualifiziert sein sowie Ton und Licht des Hauses. Auch gegen deren primäre Unqualitäten kann das Luftfeld des Hauses nicht sekundär qualifiziert werden. Soweit diese hausinneren Bedingungen qualifiziert sind, ist reine, frische, lebendige Luft aus der Umwelt des Hauses erforderlich. Wenn aber das große Haus, das Land und die Stadt schlechte Luft hat, dann kann ein kleines Haus darin keine gute Luft haben. Auch die teuersten Apparate können daran wenig oder nichts ändern. Für die Lebensqualitäten der Luft existiert kein Ersatz.

Die an Lebensqualitäten reich beladene Luft findet man in einer gesunden Landschaft besonders früh morgens vor, sehr reich, wenn es getaut hat, und auch in der Abendkühle eines klaren Tages, auch über Schnee und reinem Wasser, in einer frischen See- und Bergbrise usf. Besonders rein und vital ist die Luft nach einem warmen Regen wie einem Früh- oder Spätregen oder einem Gewitterregen. Dann soll man alle Fenster öffnen und selber den lebendigen Odem in sich einziehen, den Gott so reichlich spendet.

In der Rangordnung der großen Lebensqualitäten folgt die Luft dem Licht unmittelbar. Die Luft ist ein Kind des Lichtes! — Die Inder sprechen von Prana, gleichsam dem Lebensgeist der Luft, den das Licht in die Luft einkörpert. Durch rechte konzentrierte Atemübungen könne man das Hundertfache an Prana, also an hoch qualifizierten Lebensbildekräften leicht in sich einziehen. — Das haben schon viele mehr als nur erwägenswert gefunden. Wie einfach sind einige voll bewußte und konzentrierte Aus- und Einatmungen! Wer die reine, lebendige Luft liebt, der beginnt, auch ihre Lebensqualitäten zu erkennen. Und er lernt, diese Lebensqualitäten im Hause und um das Haus zu schätzen. Dann lernt er, auch technisch mit der guten Luft luftgerecht, lebensgerecht umzugehen. Dann lernt er die biologische Luftklimatisierung.

Ein Beispiel: Wie lange soll man morgends oder abends oder nach einer Gesellschaft oder einem Essen lüften? In fünf Minuten sei der Luftkörper voll ausgewechselt, sagt der Mechaniker, und läßt die Fenster schließen. Wie lebensfremd! Wie luftfremd! Denn die lebendige Luft arbeitet in allen Grenzflächen im Raume, an der Haut jedes Gegenstandes. Sie hilft mit, neben der Wärme und dem Licht, das Lebensfeld der Gegenstände zu regenerieren, zu entgiften und neu mit Leben aufzuladen. Jede Haut atmet! Und zum Atmen braucht man Zeit, wie zum Keimen, Wachsen und Blühen. — Wer also eine gute Zimmerluft haben will, der lüftet ausreichend, mindestens eine Viertelstunde, und besonders zu den Stunden und Gelegenheiten, wenn die Luft der Umwelt rein und lebendig ist wie morgends, und immer, wenn es notwendig ist. Schlechte Luft ist ausscheidungspflichtig, wie alles Unreine.

Diese Qualifizierung als primäre Klimatisierung ist so wichtig, daß auch nicht die erstaunliche Feststellung verschwiegen werden soll, daß hoch qualifizierte Räume mit zementfreien Ziegelwänden, Kalkverputz, viel hochwertigem giftfreiem Holz am Boden, in den Möbeln usf., mit giftfreiem Leder, solcher Wolle und Seide, wenig bewohnt oder unbewohnt — wie in einem alten Schloß — über Wochen hinweg fast ungelüftet ein hervorragendes Klima bewahren können. Nachts jedoch soll man im Schlafzimmer das Fenster weit öffnen, nicht nur in einem Oberlicht. Im Atem werden mehr und gefährlichere Gifte ausgeschieden als durch die Niere! Wer daher bei geschlossenem oder ungenügend geöffnetem Fenster schläft, der trinkt gleichsam allnächtlich seinen eigenen Urin. —

Soll man in stärker bewohnten Räumen die Luft mit Ventilatoren durch die Räume jagen? Über solche Meisterleistungen des Mechanizismus werden noch Jahrhunderte nach uns die Köpfe schütteln. — Wie das Haus ein ruhender Wärmekörper sein soll, dessen Wärme nicht ständig durch zu dünne Wände und große Glasflächen unruhig und unbiologisch nach außen fließt, so soll das Haus und jeder Raum auch ein ruhender Luftkörper sein. Eine ständige Luftbewegung mit über 20 cm/sec. Geschwindigkeit ist nicht nur unangenehm, sondern ist krankhaft für Haus und Bewohner. „Es zieht“ lautet dann der Ruf. Doch wenn die Klimaanlage zieht, dann soll es nicht ziehen! Wenn die chemischen Desinfektionsmittel stinken, dann soll es nicht stinken. Der chemische Gestank gilt immer noch vielen Zivilisationsrobotern als Wohlgeruch, subjektiv als Lebensqualität.

Jede Unruhe im Haus und also in seinem Klima ist fundamental lebenswidrig. Ob sie von dem Wärmefluß, vom Luftfluß, vom Wasserfluß einer Umlaufpumpe oder von toten Lichtströmen kommt, das ist zweitwichtig. Alles schafft Unruhe. Und Unruhe ist ein Urfeind des Lebens. Kein Kristall,

keine Pflanze, kein Tier, kein Mensch kann in der Unruhe gesund leben und wachsen.
Wie Schnellmix und Wasserturbine die Lebensqualitäten der Flüssigkeiten chaotisieren und wie ein soeben weit transportierter guter Wein schlecht schmeckt und auch schlecht bekommt, so auch bekommt der Ventilator der Luft schlecht. Nur für die Abluft darf man ihn daher allenfalls verwenden, zur Beschleunigung einer gesunden Lufterneuerung, nicht für die Frischluft. Der ruhige Luftwechsel durch weit geöffnete Fenster ohne Metallrahmen ist lebensgerecht. Jede Hast disqualifiziert die Lebensqualitäten. Jede raumzeitliche Bewegung ohne entsprechende und ursächliche wesentliche Bewegung, also Veränderung von Lebensqualitäten wirkt disqualifizierend! Die stabilitas loci, ein Grundsatz der Benediktiner, die Ruhe in Zeit und Raum ist ein allgemeines Lebensgesetz.
Je enger eine Öffnung, desto stärker wirkt das Formfeld und Materialfeld der Öffnung. Ein Metallrahmen am Fenster, besonders ein Metallgitter und gar ein Maschennetz kann den Eintritt von Lebensqualitäten in den Raum sperren. Wie man aus der Abluft eines Schornsteines elektrisch und magnetisch Staub herausfiltern kann, insbesondere Jonen, so kann man auch aus der Frischluft die mit Leben beladenen Einheiten und Ströme durch eine Mechanik herausfiltern und abhalten. Dies gilt auch für das Licht und bestimmte Kunststoffgardinen. Außerdem kann ein schlechtes Raumklima, beispielsweise durch Kunststoffe elektrostatisch verspannt mit Tausenden von Volt, auf viele Meter schon vor dem Fenster den Eintritt von Lebensqualitäten durch das Fenster völlig sperren. Nur der tote Anteil der Luft kann dann hereinfließen. Umgekehrt zieht ein hoch qualifiziert ausgestatteter Raum durch das offene Fenster magnetisch die guten Lebensqualitäten der Luft und des Lichtes an, wie ein Mensch, der qualifiziert atmet, auch außerhalb einer speziellen Atemübung. Und wie einer, der gut denkt, will und fühlt, seinesgleichen anzieht. —
Wie kann man die Luft biologisch reinigen? Durch reines Wasser, reines Licht, reine Luft und reines Feuer! Durch Wärme und Trockne, durch Feuchte und Kühle! (Dasselbe gilt für die Reinigung des Wassers!) — Schon die alten Kulturen haben die Luft gereinigt, belebt und erfrischt durch Berühren der Luft mit großen Flächen frischen, reinen Wassers. Unfrisches, altes Wasser ist dazu unbrauchbar. Versprühen lebendigen Wassers reinigt die Luft wie ein Gewitterregen und ein Tau. Da die Luft ein Kind des Lichtes ist, so reinigt auch das Sonnenlicht die Luft. Lichtlose Luft hat einen muffigen, toten, unreinen Charakter. Schließlich reinigt die gute, lebendige Erde die Luft wie Ton-Lehm, Kalk und Quarzsand.. Auch hier sind große Flächen und Ruhe erforderlich. Denn der Umsatz der Lebensqualitäten benötigt wie jedes Wachstum Zeit und Raum, Lebenszeit und Lebensraum. In der Hast wächst nichts. Mit blosser Mechanik ist hier nichts zu begreifen und nichts zu erreichen. —

Mit der qualifizierten Reinigung der Luft bzw. des Wassers ist stets auch eine Belebung verbunden. Eine Reinigung von Staub sollte, außer in staubreichen Betrieben, normalerweise nicht vorgenommen werden. Denn eine staubreiche Luft ist eine schlechte Luft. Sie soll ins Freie abgesaugt werden und nicht wieder verwandt.
Die Frage nach der Reinigung von Jonen ist meist eine quantistische, qualitätslose Frage. Nach der Reinigung von Schlechtem ist zu fragen. Und das Schlechte wird in den qualifizierten Reinigungen erfaßt, ob es mehr oder weniger jonisiert ist oder nicht.
Diese ganze Biologie des Luftklimas ist einem Menschen mit gesundem Instinkt vertraut. Nur der moder-ne Mechanizismus ruiniert auch hier das gesunde lebensqualifizierte Denken. Was also hier gesagt wird, das kann man im Lichte der Natur sehen und fühlen. Wer jedoch viele Jahre lang alle Lebensqualitäten bzw. Qualitäten aus seinem Bewußtsein ausgeblendet hat, dessen Denken ist verblendet. Er kann nichts Wesentliches mehr sehen. Mühsam muß er wie ein Kind wieder von vorne anfangen, zu sehen wie die Dinge wirklich sind. Da aber kann den Erwachsenen sein eitles leeres Wissen sehr hindern. Denn wer ist fähig, auch nur vor sich selbst zu bekennen, daß er durch den Mechanizismus zu einem lebensblinden Fachidioten geworden ist. Wer dann durch seine Eitelkeit oder etablierte Position gebunden ist, der will gerne diskutierend streiten. Solche Diskussionen sind fruchtlos. Daher ist vor jedem Gespräch zu prüfen, ob und wie weit man selbst und der andere willens sind, die Wahrheit zu bekennen. Nur so weit ist ein Gespräch zu verantworten. Alles andere Reden bzw. Disputieren, Diskutieren (= Zerschneiden!) disqualifiziert den Menschen, sein Denken, Wollen und Fühlen! Insbesondere mehrt und erhärtet es die Eitelkeit und also die Verblendung, die Lebensdummheit. Nur im Ausmaß des subjektiv und objektiv guten Willens ist Reden und Schreiben zu verantworten. —
Diese Lebensordnung sei hier zitiert, weil nach alter Lehre die Luft das Gebiet des Geistes ist, der Sanguiniker. Sie bewegen sich gerne und leicht im Lebensreich der Gedanken, im Unterschied zu den Melancholikern, den Wassermenschen, den Cholerikern, den Feuermenschen, und den Phlegmatikern, den Erdmenschen.

Das kranke Wasserklima und seine Heilung

Aus dem Wasser werden nach der Mythologie vieler Völker alle lebendigen Gestalten, also alle realen Einheiten geboren, insbesondere in ihrer Körperlichkeit, in ihrer Natur. Mit der Hilfe des Wassers werden alle Lebensqualitäten konkretisiert. Das Wasser wirkt wie ein Spiegel und wie eine Gebärmutter. Dieses dritte Element der Alten hat im Leben die Elementarfunktion der Vollendung, der Ausbildung, der Gestaltung. Es existiert nicht nur ein grobkörperliches lebendiges und totes Wasser, sondern auch und zuerst ein bioplasmatisches Wasser. Es fließt also im Kosmos vielerlei lebendiges und totes Wasser umher, über und unter den Wolken. —

Nur das gute und lebendige Wasser, das nach Empedokles und Paracelsus aus den beiden Urlebensqualitäten der lebendigen Feuchte und der lebendigen Kühle entstanden ist, kann alle Hausfunktionen lebensgerecht erfüllen. Nur das lebendige Wasser kann das Klima qualifiziert reinigen und neu beleben, nämlich selektiv vom Schlechten reinigen, das Gute jedoch belassend. Die Reinigung ist eine seiner Hauptaufgaben. Sie preist der Hl. Franziskus, der große Arme, in seinem Sonnengesang. Lebendiges Wasser reinigt zuerst sich selber.

Das tote Wasser, aqua phlegmatica, kann nur abspülen, nicht reinigen. Und selbst abspülen kann es nur mangelhaft. Aber das hilft wenigstens, von unreiner Materie zu befreien. Und das reinigt mittelbar.

Der Tod ist eine besondere Form der Disqualifizierung, nämlich der Abwesenheit von Lebensqualitäten. Totes Wasser kann sich daher nicht selber reinigen und ist deshalb anfällig auf Vergiftungen aller Art, was man auch Verunreinigung oder Verschmutzung nennt.

Mit einer Chlorbrühe als Trinkwasser, die bei gesunden Menschen Ekel und Brechreiz hervorruft, müssen die Zivilisationsmenschen riesiger Industriebezirke vegetieren. Das Wasser der Ruhr im Rheinisch-westfälischen Industriebezirk soll von der Quelle bis zur Mündung sieben Mal des Kreis des menschlichen Gebrauches durchlaufen haben. Trinkt man dann nicht teilweise Urin? — Mit dem Wasser des Rheins, der seit der Mitte des 20. Jahrhunderts als fließende Kloake bewertet wird, versorgen riesige Wasserwerke ca. 20 Millionen Menschen. In vielen anderen Ländern herrschen ähnliche Verhältnisse.

Wie kostbar also ist das am Himmel von Sonne und Mond belebte Wasser, der Tau, der Regen und der Schnee, das reine Quellwasser und Grundwasser! An Tau kann die Erde mehr Wasser aufnehmen als durch den Regen, wie man am Einzugsgebiet der Rhone und ihrer Wasserführung einmal nachgemessen hat. Und wie an Quellen erkennbar ist, die dicht unter einem Gipfel entspringen.

Mit frischem, lebendigem Wasser kann man die Luft reinigen und qualifizieren, wie jeder Regen beweist. Und auch umgekehrt kann man mit frischer, lebendiger Luft das Wasser reinigen und qualifizieren, also verlebendigen, wie das Durchblasen des Wassers mit frischer Luft beweist. An Aquarien kann man das studieren. Bei Flüssen, die umzukippen drohen in sauerstoffwidrige, unreine Prozesse, hat man diesen Flußtod erfolgreich verhindert, indem man Luft feinstrahlig durch das Flußwasser gepumpt hat. Für Leitungswasser bzw. Trinkwasser gilt dasselbe.

Wenn das gute Wasser knapp wird, dann sollen Industriebetriebe, die häufig relativ sehr große Mengen für ihre Maschinen benötigen, sich mit dem technisch bzw. mechanisch reinen Wasser begnügen. Wenn jedoch die Menschen

sich selber nur als lebendige Maschinen betrachten, dann versorgen sie sich selbst und die anderen Maschinen mit demselben Wasser.
Daß das Wasser in den zivilisierten Nationen krank ist wie die Luft — die Zivilisation ist nach Spengler die Krankheit der Kultur —, das weiß heute jedermann. Was dann tun?
Aus der aggressiven, lebenszerstörenden Grundhaltung der Endzeit heraus wird dann das Wasser nach derselben Teufel-Beelzebub-Methode behandelt, mit der man in der Endzeit auch die kranke Erde, die kranken Pflanzen, Tiere und Menschen behandelt. Statt das Wasser biologisch mit hilfreichen Lebensqualitäten anzureichern, wird es zusätzlich vergiftet wie mit Giftgas, etwa Chlor, oder mit anderen Chemiziden. Man kann diese Methode auch die „Contergan-Methode“ nennen, weil die Gifte nicht nur die gegenwärtige Generation vergiften, sondern auch die kommenden Generationen schwer schädigen. Die wissenschaftlichen und wirtschaftlichen Vertreter der „Conterganchemie“ oder Giftchemie streben objektiv, teils unbewußt, normalerweise in guter Absicht dann an, daß gesetzlich nur noch ihre Gifte, die „Contergane“ zur medikamentösen Behandlung der Menschen, Tiere und Pflanzen, der Erde, des Wassers, der Luft usf. erlaubt werden und daß alles Gut, daß also alle Lebensqualitäten verboten werden. Zur Begründung wird angeführt, das Gut, das vom Volk sachrichtig auch als das Biologische bezeichnet wird, wirke nicht auf die Art der Gifte. Da man doch nur mit dem Gift heilen könne (da man doch nur mit dem Schlechten etwas gut machen könne) und da das Gut nicht auf die Art der Gifte wirke, was doch die einzig wissenschaftliche und mögliche Art des Wirkens sei, so müsse die Anwendung des Guten (der Lebensqualitäten, des Biologischen) für alle vier Elemente und alle Lebewesen verboten werden. — —
Ist dies nicht das höchste Extrem des Selbstmord- und Mitmordprogrammes, zugleich des Aberglaubens alles Aberglaubens? Auch das höchste Extrem der Verblendung, Eitelkeit und Profitsucht kann hinter solchen Bestrebungen stehen. —
Nach dieser Vergiftungs- oder Teufel-Beelzebub-Methode, die Paracelsus sein Leben lang als ärgste Verirrung und feindlichsten Gegensatz zur wahren Heilkunde und Gesundheit gebrandmarkt hat, wird dann auch das Trink- und Gebrauchswasser behandelt. Man vergiftet das Wasser mit Chlor, Fluor und anderen Chemiziden bzw. Pestiziden. Soweit schon Nitrate und andere Chemizide im Wasser sind, wie aus den giftigen künstlichen Düngemitteln, können sich dann besonders gefährliche Verbindungen bilden. —
Dieser Tragikomödie gleicht, wenn man dem häuslichen Reinigungswasser zum Zwecke der Reinigung Chemizide zusetzt, die noch weit giftiger und aggressiver sind als der zu entfernende Schmutz. Dann wird durch die subjektive Reinigung das Haus objektiv noch mehr verunreinigt als es vor der „Reinigung“ war. Dies gilt auch für viele Glasreiniger, Möbelreiniger, Bodenreiniger, Klimaanlagen usf. Dem Spülwasser in der Küche oder dem

letzten Spülgang in der Waschmaschine können dann solche Detergentien und Weichmacher zugesetzt werden, die einen höheren Giftstand bringen als er in dem ungewaschenen Geschirr und der ungewaschenen Wäsche vorliegt! Das Ganze kann als selbstmörderische Reinigung bezeichnet werden. Ihr stehen die biologischen Reinigungsverfahren, Wässer, Spülmittel, Seifen usf. gegenüber. Mit Wein wurden die Wunden des Samariters ausgewaschen. Das erwäge man besinnlich! —

Von den unreinen „Reinigungsverfahren" ist die Zivilisation zu reinigen, wie viele „Befreier" von ihrer gewalttätigen und durch Neid und Haß seelisch vergiftenden Befreiungsideologie oder Emanzipationsideologie zu befreien sind, wie viele Aufklärer über das Unwesen ihrer sinnentleerenden, verdrehenden und vernebelnden „Aufklärung" aufzuklären sind und viele Demokratisten über ihr selbstmörderisches, zum Krieg führendes Mehrheits-Macht„recht" und ihr als Freiheit deklariertes Einmischungs- und Beleidigungs„recht". All das kommt aus ein- und derselben Grundhaltung! —

Wie kann man das Wasserklima des Hauses heilen?

Soweit das Trinkwasser, Waschwasser und Wasser für Klimaanlagen nicht ständig frisch aus reinem Quellwasser oder solchem Grundwasser entnommen wird, kann man es biologisch reinigen durch Kiesel-, Quarzsand-, Ton-, Kalk- und besonders Holzkohlefilter. Man kann es reinigen allgemein durch lebendige, reine Erde, durch anderes reines Wasser, durch lebendige reine Luft und besonders gut auch durch das lebendige Feuer, wie altbekannt ist. Wasser von problematischer Qualität kocht man bekanntlich offen ab. Dies alles ist im System der Lebensqualitäten der Natur zu sehen.

Weitere Reinigungsmöglichkeiten sind durch die vier Urlebensqualitäten gegeben. Viele wissen, daß man Wasser durch Ausfrieren reinigen kann. Der Chemiker spricht von der fraktionierten Kristallisation. Wenn man hier das Wesen der Sache erkennt, so erkennt man, daß die Kühle reinigt. Ebenso reinigt die Trockne, die Feuchte und die Wärme! Nicht dagegen kann die Kälte, die Dürre, die Nässe und die Hitze reinigen! — Gleich so reinigen die vier lebendigen Elemente, nicht die toten. Und gleich so alle anderen lebensqualifizierten Elemente, Urstrukturen, Formen, Materien, Farben, Relationen, Funktionen usf.

Dies sind Prinzipien (Kategorien) zur Heilung des Wasserklimas, zugleich des Erd-, Luft- und Feuerklimas. Was sind die Gesetze (Axiome) dazu?

Das Gesunde muß mächtiger sein als das Kranke, das Heile mächtiger als das Unheile, das Gut mächtiger als das Gift, das Reine mächtiger als das Unreine. Denn das Mächtigere überwindet das weniger Mächtige und wandelt dieses um nach dem Wesen des Mächtigeren. Dreifach größer soll optimalerweise die Macht sein, folglich auch die Kraft. Die größere Macht liegt im Geist, in den Sinnformen, also in der Art des Geistes und seiner Intensität. So benötigen Heiltees eine Mindestkonzentration zur Wirkung, sofern sie geistig-qualitativ überhaupt mit dem Kranken „konkordieren", also ein

Simile sind, eine lebensqualifizierte Gleichung bilden. Auch liegt eine große Macht im Niveau der Wirkung. Höhere Potenzen sind mächtiger in gewisser Hinsicht. Nur viertrangig, nur irdisch-materiell liegt die größere Macht in der größeren Menge. Ohne Geist ist sie jedoch vollständig machtlos, — wie die Vier ohne die Eins bis Drei nichts ist.

Was sind Typen der Heilung des Hausklimas, insbesondere des Wasserklimas? Sie sind schon vielfältig in Weg, Methode und Mittel genannt worden. Doch bedenke man immer, daß alles vom Prinzip ausgeht. Auch alles Verständnis von Weg, Methode und Mittel der Heilung kann nur so groß sein wie das Verständnis des Prinzipes aller Heilung ist. Paracelsus hat es öfters ausführlich behandelt. Seine Quintessenz, daß nur das Gut die Krankheit bzw. das Gift heilen kann, ist oben zitiert worden.

Das Wasserklima breitet sich im ganzen Hause aus und beherrscht die Lebensqualitäten des Hauses zusammen mit dem Feuer-, Luft- und Erdklima. Schon der Leib des Menschen wird beschaffen sein wie das Wasser, das er täglich trinkt und mit dem er sich täglich wäscht. Der Leib des Menschen besteht zu über 90 % aus Wasser!

Und doch rechnet der Mensch nach alter Lehre zu den „trockenen", „luftigen" Lebewesen, nicht zu den Fischen. Bei über 90 % Wasserhaltigkeit trokken zu sein, das erfordert doch offensichtlich eine besondere Lebensqualität! Insbesondere auch des körpereigenen Wassers! Und dazu benötigt der Mensch im mineralischen und vegetabilen Bereich eine trockene, nur gering feuchte Umwelt. Ziegel enthalten normalerweise 3-5 % Wasser und zwar qualifiziertes Lehmwasser bzw. Mineralwasser, Kristallwasser. Holz enthält ca. 10-15 % holzqualifiziertes, ebenfalls lebendiges Wasser. Beton enthält noch viel mehr Wasser, aber gewöhnliches „nasses" Wasser. — Darin ist viel totes Wasser. —

Weiter kommt durch die Luft und durch die Wasserleitung das Wasser in das Haus und wird dort in seinen Lebensqualitäten verbraucht und als Abwasser wieder ausgeschieden, auch als Abluft. Denn nicht nur die Niere, auch die Lunge scheidet viel Wasser aus, mag dies auch durch die Dampfform bei der Lunge weniger deutlich erkannt werden. So scheiden Küche, Bad und Schlafzimmer wie das Wohnzimmer in Dampfform viel Wasser aus. Es soll nicht an wesenskalten und ungeheizten Wänden kondensieren und die Wände vergiften, sondern es soll möglichst schnell frei abgeatmet werden. Denn dieses Wasser ist ausscheidungspflichtig aus dem Haus, zuerst durch das Fenster. Abwasserleitungen, besonders vom WC her, werden im Volksmund treffend auch Giftadern genannt. Sie sollen auf dem kürzesten Wege das Haus verlassen und niemals unter einem Schlafraum oder Arbeitsraum hindurch führen. Nach vielen Berichten sollen Häuser, unter denen eine Kloake liegt oder gar unter denen große Kloakenkanäle hindurchlaufen, einen extrem hohen Krankenstand, eine entsprechende Krebssterblichkeit und allgemein eine frühe Sterblichkeit aufweisen. Daher sind auch Ställe in der

Nähe von Dung- und Jauchegruben ungesund für die Tiere! —
Man kann Abwässer biologisch reinigen und wandeln, wie man Mist und Jauche durch biologische Gareführung zu einem Heilmittel für den Acker wandeln kann. Aber wie man mit geilem Mist und geiler Jauche den ganzen Acker vergiften kann, die Pflanzen, das Vieh und den Menschen, was grob unhygienisch ist, so kann man mit nicht biologisch gewandelten Abwässern das ganze große Haus vergiften, das ganze Land. Denn die vergifteten Flüsse und Seen senden giftige Dünste aus, die weit über das ganze Land ziehen.
Ein Beispiel: Im rheinischen Weinbau waren vor zweihundert Jahren nur vier Schädlinge bekannt. Seitdem der Rhein wie der Main, die Elbe, die Seine, der Potomac usf. zur fließenden Kloake wurde und die chronischen Halskrankheiten für die Menschen im Rheintal typisch wurden, seitdem also die Dünste und Nebel dieser großen Kloake die umliegenden Häuser und Weinberge vergifteten, zählt man über vierhundert Schädlinge. Und fast jährlich kommen neue hinzu. — In jedem Sumpf siedeln sich Sumpftiere an. Sie entwickeln sich schnell in dem ihnen wesensgemäßen Klima. Saniert man den Sumpf, so sterben die Sumpftiere und Sumpfpflanzen aus. So auch im Leibe des Menschen und in allen Häusern. — Der Sumpf entsteht durch die Ansammlung von Stoffwechselgiften im Haus, im Körper. —
In der Endzeit bemühen sich die Zivilisationsvölker mit allen Kräften, ihr Haus, ihre Erde dürr und unfruchtbar zu machen wie mit naturwidrigen Meliorationen aller Art. Weil man nichts mehr von den Lebensqualitäten weiß, die Regen und Tau bringen, und nichts von der Zeit, die benötigt wird, diese Qualitäten der Erde, den Pflanzen, den Menschen und dem ganzen Klima mitzuteilen, darum sucht man blindlings das gute lebendige Wasser so schnell wie möglich zu entfernen. Danach beginnt man zu jammern, daß der Grundwasserspiegel so tief sinkt. Und mit weiteren vielen Millionen Aufwand sucht man dann das weggeschüttete gute, lebendige Wasser durch das relativ lebensarme Grundwasser zu ersetzen, das man mühselig hochpumpen und oft auch reinigen muß, oder gar durch das eigene Abwasser! — Ein Teufelskreis! Und noch mehr: Während die einen Völker, wie die USA, mit hunderten von Millionen Dollar sich schon lange bemühen, den technokratischen Wahnsinn durch umgekehrte Maßnahmen wieder gut zu machen, geben andere Völker wie in Europa noch jahrzehntelang hunderte von Millionen zu einer Entwässerung aus, die ihre Wasserwirtschaft, ihre Landwirtschaft und ihr Klima technokratisch weiter ruiniert ([1]). —
Wasser enthält Leben wie Luft und Feuer. Erst wenn man den gesunden Menschenverstand und das gesunde Menschengefühl für die Lebensqualitäten der vier Elemente wieder weckt und sich von dem mechanizistischen Aberglauben befreit, erst dann kann das Wasserklima der kleinen und großen Häuser wieder geheilt werden. Vorher kommt man über unganze, fehlerhafte und mangelhafte Einzelmaßnahmen nicht hinaus. Und was man hier

gut macht, das macht man anderwärts wieder schlecht und noch schlechter. Die Sinneswandlung ist es, die lebensnotwendig ist, die Wandlung des Grundverhaltensschemas! Der objektiv ganze gute Wille ist notwendig, der Wille zur Ordnung, zur Wahrheit und zum Leben. — Dann gehen die Augen auf! Und man sieht, was objektive Lebensqualitäten sind und was nicht!

Das kranke Erdklima und seine Heilung

Das vierte Element der Alten, die „Erde", ist einerseits der „Tartarus" der drei oberen Elemente, ihr Ausfall, der durch den großen Streit im Kosmos entsteht; andererseits ist in der „Erde" das Sal enthalten, das erste Prinzip der Dreieinheitsordnung. Das Sal ist löslich, eben als Salz. Die Erde ist unlöslich. Sie ist in ihrem inneren Widerspruch erstarrt. —

Mit dem Salz, mit dieser Naturwissenschaft beginnt die Lehre vom Gesetz der vollkommenen Freiheit! (Nach der Verkündigung der Urordnung der Selbst-, Mit- und Allwohl-Prinzipien! Matth. 5,13). In der Erde ist also stets ihr Gut und ihr Gift zu sehen. —

Das kranke Erdklima besteht aus dem disqualifizierten Feld der Erde mit all seinen disqualifizierten Strahlungen und Strömungen. Die Heilung des Erdklimas besteht in der Heilung der Erde. Dies gilt für jedes Haus, vom Erdball über jede Landschaft und Stadt bis zum kleinsten Haus. Das kranke Erdklima ist hitzig, dürr, naß oder kalt. Es ist durch krankes Feuer, kranke Luft und krankes Wasser gekennzeichnet.

Die Heilung des kranken Erdklimas eines Hauses besteht in der Heilung der kranken Materie des Hauses, am besten operativ in der radikalen Entfernung der kranken Materie. Die Heilung wird ergänzt durch lebendiges Feuer, lebendige Luft und lebendiges Wasser.

Die kranke Erde des Hauses besteht aus allen hausungerechten Materialien des Hauses samt seiner Einrichtung. Sie besteht aus Tiefengesteinen und aus verkünstelten Materialien wie Zementsteinen, solchen Kunststoffen, Chemikalien usf. Das ist in den vorhergehenden Kapiteln ausführlich dargelegt und wird in den folgenden Kapiteln noch im Einzelnen beschrieben.

Ein Musterbeispiel für die Degeneration und höchstgradige Verkrankung der Erde des Hauses: Im Deutschen Ärzteblatt war — ohne wertenden Kommentar, somit als Empfehlung? — zu lesen, daß neuerdings in den USA aus getrockneten menschlichen Fäkalien Hausmauern errichtet würden ([1]). Ein weiterer Fortschritt im modernen Hausbau! Denn Fäkalien fallen viele an. —

Entspricht dieses Selbstmordbauprogramm dem endzeitlichen medizinischen Selbstmordprogramm? —

Zum Tartarus im Baustoff sei beispielhaft für eine sich schnell mehrende Fachliteratur zitiert aus „Strahlenbelastung und Baustoffe": „Die höchsten Mittelwerte" an Radioaktivität wurden „im Saarland und in Rheinland-

Pfalz festgestellt. Die Ursache ist in der dort weit verbreiteten Verwendung von Schlackensteinen bzw. Bimssteinen zu suchen". Die Betonsteine werden mit Schlackenzement etc. verarbeitet. „Der höchste Radiumgehalt wird bei bestimmten Gipssorten festgestellt, die als Abfallprodukt" anfallen, „Chemiegips" genannt. „Rotschlamm, ein Abfallprodukt der Aluminiumindustrie", oft zu „Ziegeln" verarbeitet, zeigte ebenfalls extrem hohe Strahlenwerte ([1]). — Was alles besagt dies? —

Dem Tartarusklima oder Höllenklima der kranken toten Erde, der „Abfall"-Erde steht das Heilklima der Heilerde gegenüber. Die mineralische, pflanzliche und animalische Heilerde heilt das Erdklima des Hauses und bewahrt es heil, sofern sie selbst bei aller Verarbeitung heil geblieben ist, lebensqualifiziert. Wie die ausscheidungspflichtigen Stoffwechselgifte bzw. Abfallgifte das Körperhaus vergiften, so heilt das Gut der guten Erde das Erdklima des Hauses. Mit Giften kann man ein Höllenhaus bauen, eine Kloake in vielerlei Gestalt. Mit Heilem baut man ein Heilhaus. —

Jedes Atom und Molekül der guten, lebensqualifizierten Erde arbeitet in dem milliardenfach gegliederten kosmischen Leben als qualifizierter Transformator und Katalysator der von außen und innen einwirkenden Lebensqualitäten und Unqualitäten. Dies gemäß den eingangs genannten Lebensgesetzen. Etwas anderes tut und läßt ein Atom überhaupt nicht! — Je mehr also die Atome einer Erde lebensqualifiziert sind in ihren Feldern, Strahlen und Strömen, desto mehr verbessern sie primär und sekundär wirkend (selbst- und mitwirkend) ständig das Hausklima. Je mehr sie disqualifiziert sind, desto mehr disqualifizieren sie ständig primär ihre Umwelt und sekundär durch die Disqualifizierung aller auf sie einwirkenden Felder, Strahlen und Ströme.

Hinzu kommt der Stoffwechsel der realen Einheit und also jedes Hauses. Jede Einheit, jeder Körper, jede Haut stößt beständig disqualifizierte Lebenswechselprodukte ab. In etwas materieller Sicht nennt man sie Stoffwechselprodukte, in einer hohen Sicht Atemwechselprodukte, allgemein urrichtig Lebenswechselprodukte. Kein Körper, keine reale Einheit existiert in dieser Welt ohne diesen beständigen Lebenswechsel mit seinen unteren und auch oberen Produkten. Die oberen bleiben mehr in der Ganzheit der realen Einheit, können jedoch auch als Früchte herausgehen und abgesondert werden. Also existiert kein Körper, der nicht primär im Strome des Odems Gottes lebt, der Himmel und Erde erfüllt. Auf unserer Erde, d. h. in der Zeitraumwelt kommt jedoch noch ein Gegenstrom hinzu. Und aus diesem entstehen die ausscheidungspflichtigen Stoffe. In diesen zwei Strömen lebt jede raumzeitliche Einheit, zur Entscheidung aufgerufen, lehrt Paracelsus. Und hier läge die Uraufgabe des Menschen. —

Die allgemeine Stoffwechsellehre qualitativ zu betrachten, kann gar viel helfen. Bedenken wir: Jeder Stoff, jede Erde, jede Materie wechselt beständig ihre Qualitäten, entwickelt und verwickelt sie, sogar mit unvorstellbarer

Geschwindigkeit, im Atom mit 2 000 km in der Sekunde. Was anderes als Qualitäten könnte da gewandelt werden! — (Die Unqualitäten einbegriffen).
Selbst-, mit- und allbestimmend werden die Qualitäten, die Lebensenergien, die Lebenskräfte, Tonkräfte und Bildekräfte gewandelt. —
Aus dem Kampffeld dieser beiden — chemisch wie physikalisch und psychisch zu verstehenden — Prozesse, des Lebensprozesses und des Todesprozesses werden also wie oben gesagt die Stoffwechselprodukte ausgeschieden. Das Ausscheidungsprodukt dieser Disharmonie ist der echte Schmutz, das objektiv Unreine, Giftige, Kranke, eben das Stoffwechselgift. Zu unterscheiden vom subjektiven Schmutz, etwa der Ackererde an den Schuhen, der Heilerde.
Dieses Feldwechsel-, Strahlungswechsel- und Stromwechselprodukt entsteht in allen Feldern, also nicht nur im Innenfeld jeder Materie, sondern auch im Außenfeld. Also auch in der Erdhülle. Erde rieselt beständig zur Erde herab! (Mit anderem zusammen durchschnittlich 1 mm im Jahr, also 1 m im Jahrtausend, wie die Archäologen wissen und die Geologen). Auch das Haus aus vier Wänden bildet ständig diesen Schmutz. Jede Materie bildet ihn desto mehr, je schmutziger sie in ihrem Wesen ist; desto weniger, je reiner sie ist. Daher ist der Beton immer schmutzig, wie A. Seifert sagt. Und die verkünstelten Stoffe haben immer einen „Grauschleier". Die Edelsteine nicht! Jede ungesunde Haut hat einen „Grauschleier". Die gesunde nicht. Denn eine gesunde Haut stößt die Lebenswechselprodukte nach außen ab und trennt sich von ihnen, sodaß sie abfallen oder leicht abzuwischen sind. Eine gesunde Wolle beispielsweise arbeitet die Lebenswechselprodukte, die in ihr bei dem Tragen entstehen, an die Oberfläche und lagert sie dort mit von außen kommendem Schmutz ab, dies derart, daß alles leicht abzuklopfen ist, sofern kein sehr schmutziger und daher stark klebender Schmutz wie von Chemiziden beteiligt ist. Daher wurden in weniger schmutzigen Zeiten wie im Altertum Wollen viel durch Aushängen und Abklopfen gereinigt. Das ist heutzutage in der zivilisierten Welt nicht mehr möglich. Hier verschmutzen ja schon viele Seifen den Menschen und die Wäsche. —
Aus all den Gründen bleiben gesunde Wollen und Seiden lange sauber. So auch gesunde Wände, Tapeten, Möbel, Böden und gesunde Haustextilien, auch gesunde, also wesensreine Kleidung. Dennoch, etwas Stoffwechselprodukte entstehen überall. Eine ordentliche Hausfrau hat das sicher im Gefühl. Sie arbeitet daher gern mit reinem Wasser. Möbel wischt sie mit ihm ab und Böden auf. Und auch mit einem guten Staubsauger geht sie gerne um. Er sollte einen biologisch einwandfreien, nämlich wesenssauberen Papierbeutel als Sammler haben. Oder man nimmt einen langen Schlauch und stellt den Saubsauger ans Fenster. Denn die Abluft des Saugers würde unter dem Mikroskop Schrecken erregen. Zumindest lüftet man mit allen Fenstern, während man saugt.

Absaugkanäle und Abfallkanäle im Haus wie Müllschluckkanäle, Wäschekanäle usf. sind problematisch, wenn sie nicht in ihrer ganzen Länge gut zu reinigen sind. Was praktisch nie möglich ist. Der Schmutz in ihnen wird dann potenziert. Und sein Schmutzfeld wirkt in das ganze Haus. —
Die Hausreinigung als Erdreinigung ist eine sekundäre Klimatisierung. Wie dargelegt ist auch sie begrenzt durch die primäre Klimatisierung, nämlich durch die wesenhaften Klimaqualitäten oder Unqualitäten der Erden, aus denen das Haus samt Einrichtung besteht. Wo die Erde des Hauses disqualifiziert ist, da hilft alles erdige Reinigen so wenig wie das Abbürsten und Abwaschen einem vergifteten Menschen helfen kann. Es kommt also alles zuerst darauf an, daß man sein Haus aus den drei Heilerden baut und einrichtet, in harmonischen Formen, giftfrei, daß man es gut belebt, durchtönt und durchlichtet, daß man es gut wärmt und kühlt, feuchtet und trocknet, daß man es gut befeuert, belüftet und bewässert. —

Überleitung

Gemäß der Ordnung der einen Natur wären jetzt die Hauskrankheiten in der Fünferordnung und Siebenerordnung zu behandeln. Aber dem Leser ist schon viel an Paracelsica und Grundlagenwissenschaft zugemutet worden. Und der Raum ist begrenzt. Also folgen sogleich die engeren Zivilisationskrankheiten des Hauses, zunächst die Hauskrankheit, die so alt und verbreitet wie der Kosmos ist, die jedoch durch die kulturwidrige Zivilisation erheblich verstärkt und kompliziert worden ist, die Geopathie.

GEOPATISCHE KRANKHEITEN
(„Erdstrahlen")

Zusammenfassung

Der Erdball hat bekanntlich ein eigenes mächtiges Feld von mannigfaltiger Art. Dieses Erdfeld zeigt sich bei lebensqualifizierter Betrachtung, welche für das Leben maßgeblich ist, als vielfältig gestört, d. h. disharmoniert. Aus jeder Feldstörung folgen Störstrahlungen und Störströmungen. Da Leben und Gesundheit Harmonie ist, so folgt aus der Disharmonie der Störungen Krankheit und Tod, — wie zugleich für Haus und Bewohner. Was typisch ein Erdbeben zeigt!
Die Bereiche des gestörten Erdfeldes sind mit vielen elektrotechnischen und auch anderen Methoden tausendfach gemessen worden. Man benannte sie früher fast nur als „Erdstrahlen". Auch der Mensch selbst, der ein hoch empfindliches Instrument ist, das Urinstrument aller Instrumente, kann die Störbereiche mit Hilfe eines kleinen, höchst einfachen und daher universellen Zusatzinstrumentes, Rute genannt, erkennen, unterscheiden und messen.

Doch die moderne Technik hat heute wohl über hundert verschiedene Arten „technischer Wünschelruten“ geschaffen, die offenbar nach genau denselben Naturgesetzen arbeiten und sogar schon serienmäßig hergestellt werden. Mit dieser Technik erkundet man heute in der ganzen Welt — wie in alten Zeiten! — unterirdische Lagerstätten von Mineralien, Metallen, Gräbern, alten Bauten, einzelnen Gegenständen usf., dies sogar vom Flugzeug aus! Die modernen Prospektoren arbeiten also im Grunde genau so wie ihre beamteten Vorgänger, die Rutengänger in den Bergwerken, in den Armeen, in den Wirtschaftsunternehmen usf. gearbeitet haben und heute noch weithin erfolgreich arbeiten.
Die Bereiche der Feldstörungen werden heute wissenschaftlich als „geopathische“ (= erdkranke) Zonen und als „Störzonen“ bezeichnet. Ursachengesetzlich stören sie gleichartig die Felder, Strahlungen und Strömungen von Menschen, Tieren und anderen Lebewesen, die sich in den Störzonen aufhalten. Das führt bei längerer Dauer der Einwirkung zu Erkrankungen. Da man sich in den festen Häusern länger aufhält, so werden die geopathischen Erkrankungen vorzüglich bei Häusern und ihren Bewohnern festgestellt.
Welche geopathische Krankheiten existieren? — Alle Krankheiten des Menschen können entweder geopathisch — also durch Erde, durch Materie! — verursacht oder zumindest geopathisch verschlimmert werden, oft erheblich. Bei schweren und besonders chronischen Krankheiten und allen langwierigen und fortschreitenden Krankheiten wie etwa Krebs sind geopathische Störzonen nach Tausenden von Feststellungen in der Regel stark beteiligt.
Was können und sollen wir gegen die Urkrankheiten der Erde tun?
Gegen die Feld-, Strahlungs- und Strömungskrankheiten der Erde helfen die drei Urmethoden Meiden, Kämpfen mit Entstören und Isolieren mit Abschirmen. Die Technik dieser drei Verfahren ist prinzipiell dieselbe, welche die Elektrotechnik seit langem erfolgreich anwendet. Und für die Feldphysik sind diese drei Urverfahren urlogisch.
Das Meiden ist prinzipiell und besonders heutzutage die weitaus beste Methode. Denn im zivilisierten Haus, besonders im Mehrfamilienhaus, können noch andere, teils nicht kontrollierbare, teils unbeeinflußbare Störungen hinzu kommen, welche mitwirkend verhindern, daß die geopathische Störzone vollständig entstört wird. Nur in einfacheren, relativ gesunden Einfamilienhäusern, in Ställen usf. kann man relativ sicher entstören. Das wurde schon vieltausendfach bewiesen in der über zehntausendjährigen Geschichte der Menschheit, so an der folgenden Genesung zuvor dauerkranker, nicht heilbarer Tiere, an der dann erhöhten Milchleistung, Eierlegeleistung, am verringerten Futterverbrauch usf., an der Heilung von ebenso chronisch hauskranken Menschen, die vorher auf kein Heilverfahren ansprachen, bei kranken Pflanzen usf. Drittens kann man bekanntlich, wie die Elektrotechnik lehrt, mit Isolationen und Abschirmungen störende Einflüsse fernhalten, ableiten und neutralisieren.

Die geopathischen Erkrankungen der realen Einheiten Haus, Mensch, Tier, Pflanze, Kristall usf. sind nach ihren Ursachen in fünf Gruppen einzuteilen. Die Ursachen sind: 1. Die sogen. Erdgitterzonen. (Die Kubatur des Erdkugelfeldes). 2. Die Verwerfungen. 3. Die Strömungen. 4. Die Lagerstätten. 5. Noch unbekannte Störfelder.
Die Erdgitterzonen (Globalgitterzonen) umspannen den ganzen Erdball. Sie sind leicht zu meiden und außerhalb des Hauses nicht schwer zu entstören. Größere Verwerfungen sind sehr selten und besonders an ihren Rändern zu meiden. Strömungen wie besonders unterirdische Wasserläufe sind am besten aufzugraben und um das Haus herum abzuleiten oder zu entstören oder abzuschirmen. Lagerstätten und andere Störfaktoren erscheinen derzeit quantitativ unbedeutend.
Fast jeder Mensch kann nach entsprechendem Lernen und Üben solche Störungen mit verschiedenen Geräten selbst feststellen. Wenn bei mehrmaligem Ortswechsel bzw. Feldwechsel aus dem Hause und zurück gesundheitliche Beschwerden sich regelmäßig bessern und wieder verschlechtern, dann ist nach den Grundsätzen der Erfahrungswissenschaft eine Hauskrankheit bewiesen, jedoch noch nicht eine geopathische Verursachung. Diese kann erst durch Unterscheidung von anderen Hauskrankheiten praktisch sicher erkannt werden.

Einleitung

Seit zehntausenden von Jahren weiß der Naturmensch und Kulturmensch in allen Erdteilen, wie schon altsteinzeitliche afrikanische und andere Felszeichnungen (vor ca. 15 000 Jahren) beweisen, daß unsere Mutter Erde in bestimmten Feldbereichen disharmonisch ist, also gestört ist sowie daß dies leicht erkennbar ist. Und der uralte Rat lautet, daß man sich in solchen Bereichen nicht lange und besonders nicht ausruhend aufhalten soll.
In der Literatur der letzten hundert Jahre sind sehr oft Bettplätze beschrieben worden, die nachweislich über Störzonen bzw. in diesen stehen und in denen mehrere Generationen hintereinander an derselben Krankheit erkrankt und beispielsweise an Krebs gestorben sind ([1]). Dr. Beck, Chefarzt der Kinderklinik Bayreuth, konnte am EKG-Film demonstrieren, daß Kinder bei der Einnahme eines bestimmten Ruheortes bzw. Bettplatzes nach kurzer Zeit regelmäßig Herzrhythmusstörungen zeigten und daß diese schon Sekunden nach Verlassen dieses Platzes oder nach dessen Entstörung schwanden ([2]). Hunderte von ausgewiesenen Ärzten haben Gleichartiges veröffentlicht ([3]). Tausende von ausgewiesenen Fachleuten des Lebens und der Technik, Professoren, Doktoren und Diplom-Ingenieure, Architekten und andere Fachleute haben sich mit der wissenschaftlichen und technischen Seite dieser Störungen befaßt und diese auch oft erfolgreich verändert. Wäre naturgesetzlich etwas anderes zu erwarten! Die ganze Angelegenheit ist prinzipiell

und praktisch sehr natürlich und klar physikalisch und biologisch. Es wirken hier keine anderen Naturgesetze als in der gesamten übrigen Wissenschaft und Technik. Nur ziemlich engstirnige Menschen, erfahrungsgemäß häufig mechanizistische Materialisten, können schwer begreifen, was für die gesamte Kulturmenschheit eine altvertraute Angelegenheit ist.

Jeder Geologe und Meteorologe, jeder Kapitän und Pilot weiß beispielsweise von Störungen des Erdmagnetismus. Auf enger umgrenzten Störzonen zu bauen, das verbietet das in der Menschheitsgeschichte wohl am längsten gültige Gesetz, nämlich ein viertausend Jahre gültiges chinesisches Gesetz. Die Chinesen stellten die Störzonen mit Geräten fest, die wir, erst spät nachentdeckt, Elektroskope nennen. Sie zeigen eine durch entsprechende Felder, Strahlen und Strömungen erzeugte Jonisation einer irdischen Zone an. Diese Jonisation mit ihrer Erniedrigung bzw. Nullung von allerlei Feldqualitäten und mit den großen Potentialsprüngen an den Rändern der Störzone wird erfahrungsgemäß als pathologisch beurteilt.

Solche wörtlich fundamentalen Störzonen wirken sich allgemein auf alles aus. Häuser werden in solchen Zonen rissig. Das Mauerwerk wird zerspalten. Die Wände werden durch extreme Kapillarwirkung oft meterhoch feucht. Schimmel kann sich dort bilden. Unangenehme Gerüche treten stets in solchen Bereichen auf, oft auch ohne Schimmel. Lebensmittel, Getränke, Heilmittel, Genußmittel, Kosmetika usf., alle Lebensqualitäten werden in den Störzonen verschlechtert. Gärprozesse und andere Lebensprozesse mißlingen in ihnen oft, verschieden je nach Wetterlage. Obstbäume auf solchen Zonen wachsen langsam, mißgebildet wie mit Drehwuchs — bei Nadelhölzern Mehrgipfligkeit (Zwieselwuchs) —, treiben Wasserschossen, werden öfters krebsig und bringen wenig und schlechte Früchte, oft garkeine. Alles Lebendige wird an solchen Plätzen leicht, häufig und schnell schlecht. Pflanzen keimen schlecht, in geringer Menge und kränkeln. Stalltiere an solchen Zonen geben weniger Milch, nehmen nicht auf, verkalben, erkranken öfters und langwierig, verbrauchen mehr Futter und sterben früh ([1]). Wie könnte es dem Menschen anders ergehen! Das qualitative Naturgesetz, daß eine Disharmonie disharmonisch wirkt, daß Krankes krank macht, das gilt auch für den Menschen. Er hat in seiner Freiheit nur den Vorteil, nicht an Wurzelplätze und Stallplätze gebunden zu sein, sondern alltäglich und auch ganz ausweichen und dagegen handeln zu können.

Die gestörten Felder, Strahlen und Ströme können mit vielerlei Methoden und Geräten magnetischer, elektrischer, optischer, akustischer, mechanischer und anderer Art als unterschiedlich zu ihrer Umwelt quantitativ gemessen und exakt eingegrenzt werden, oft millimetergenau. Alljährlich werden in der ganzen Welt solche Störzonen hunderttausendfach vermessen. Und über solche Erfahrungen existiert eine zumindest fünfstellige Literatursammlung in vielen Sprachen. Sie ist schon längst nicht mehr überschaubar.

Auch Paracelsus, der für Ärzte und dieses Buch maßgebend ist, hat als

Kenner dieses Gebietes mehrfach von ihm gesprochen und insbesondere darauf hingewiesen, die echten Erfahrungen von Selbsttäuschungen zu unterscheiden ([1]). Denn zwei Probleme sind hier wie in jeder Lebenswissenschaft exakt zu beachten: Erstens geht es hier wie in allem Leben wesentlich um Qualitäten und Unqualitäten, nicht oder nur nebensächlich um Quantitäten. Zweitens ist die Qualität der Auswirkung ("Influenz" bei Paracelsus) eines Feldes („Sphäre") mit seinen Strahlen und Strömen für die fünf Sinne nur mittelbar erfaßbar. Das vergrößert die Möglichkeit von Selbsttäuschungen bei den ohnehin schon schwierig zu erfassenden Qualitäten. Und überdies wirken die Qualitäten noch individuell anders, verschieden je nach Qualität des eigenen Sinnesorganes und Organismus. (Man kann hier von einer qualitativen Unbestimmtheitsrelation sprechen).
Aus all diesen Gründen und weil in der endzeitlichen Wissenschaft und Wirtschaft alle Qualitäten ausgeblendet wurden — sie wollte wert„frei" (wertlos also!) sein — kam in der mechanizistisch-materialistischen Periode, deren Höhepunkt ca. um 1900 lag, nicht nur die ganze alte Heilkunde der Hochkulturen, die qualitätsorientierte Heilkunde in Verruf, sondern auch dieses Gebiet. Wer von Qualitäten sprach, von Gott im Himmel bis zu den Erdstrahlen, der wurde belächelt und als unwissenschaftlich diskriminiert. Heute, an den Grenzen dieses lebenswidrigen Verhaltens beginnt eine umgekehrte Bewegung, wie im Umweltschutz. Nur lächelt man jetzt nicht, sondern man hat Mitleid. —
Auch manche Wissenschaftler haben in der Vergangenheit die Existenz der technisch so leicht und gleichzeitig auf vielerlei Art nachweisbaren Störzonen bezweifelt, ja sogar verlacht wie Edisons Behauptung, daß die Stimme vom Schallträger des Grammophons käme und nicht aus ihm. Wer aber heute noch lachen wollte, der stellt sich selbst nur das Zeugnis großer Unwissenheit aus. Jeder wirkliche Physiker weiß heute, daß jeder Gegenstand ein Feld um sich hat, nicht nur ein Gravitationsfeld, und daß er strahlt, nicht nur Wärme. Jede radiale Feldänderung wird Strahlung genannt. Und das Atomfeld ändert sich in jeder Sekunde vieltausendfach. Aus Atomen aber besteht auf der Erde jedes sichtbare Ding.
Von dem Leben und seiner Qualität her gesehen kann und muß man jede Wirkungsausbreitung gliedern in gute und schlechte, nämlich in harmonische und disharmonische, in qualifizierte und disqualifizierte, also in gesunde und kranke, nicht nur quantitativ in starke und schwache. Ein Ding, das kein Feld hat und nicht strahlt, existiert also nicht. Also sind alle Bereiche der Erde in relativ gesunde und relativ kranke zu unterscheiden. Ob man hierbei auf das Feld, auf die Strahlung oder die Strömung sieht, das ist eine zweitrangige Sache. Wo ein Feld ist, da ist stets auch Strahlung und Strömung. Und alle drei sind im Allgemeinen gleich lebensqualifiziert oder todesunqualifiziert, mehr gesund oder mehr krank.
Da unsere Kenntnisse über die Qualitäten von Feldern, Strahlen und Strömen

noch sehr winzig sind — offiziell sogar praktisch null! —, da wir sogar quantitativ vielleicht noch nicht einmal ein Promille der existierenden Felder und Strahlen wissen, so können wir aus der Theorie über gesundheitliche Wirkungen in diesen drei Urbereichen alles Existierenden noch garnichts sagen. Nur die Dilettanten sind stets allwissend. Je mehr einer wirklich weiß, desto mehr erkennt er, wie wenig er im Verhältnis zu dem wirklich Seienden weiß. Das haben die großen Gelehrten häufig ausgesprochen.

Aus dem Quantismus bzw. Mechanizismus der Endzeit folgt konsequent, daß sich die Techniker bzw. Mechaniker — auch zuweilen Physiker — nicht selten als Super- und Universalgelehrte betrachten, insbesondere als souveräne Oberstgutachter über alle ärztlichen Erfahrungen. Mit der Elle ihrer Mechanik wähnen sie, ausnahmslos alles Lebendige messen und auch bewerten zu können. Obwohl sie die Wert„freiheit" ständig im Munde führen, quillt ihr Mund über von ständigen Bewertungen, wie an Ausdeutungen für das Leben. Aber noch werden die Mediziner nicht an den Technikerschulen ausgebildet! Obwohl die Techniker schon viele Lebensbereiche usurpiert haben, wie etwa die Landwirtschaft. Ist nicht auch das ein Zeichen der Wissenschaftskatastrophe! —

Das Fazit: Wir haben uns im Bereich der Geopathologie an die praktischen Erfahrungen zu halten. Und über Erfahrungen mit gesunden und kranken Strahlungen, Feldwirkungen usf. entscheiden die Ärzte, welche einschlägige fachliche Kenntnisse besitzen und nicht Physiker oder gar irgendwelche Techniker bzw. Mechaniker.

Im Zeitalter des Mechanizismus, in der ersten Hälfte des 20. Jahrhunderts war die Situation so, daß ein Mensch, der von Erdstrahlen, Störzonen und Entstörverfahren wußte, sich in der Öffentlichkeit in einer Verteidigungsposition befand und besser schwieg. Heute finden wir eine Wendung in die entgegengesetzte Richtung. Wer heute über derlei noch lacht, der deklassiert sich selbst als ein Mensch, der noch dem (demokritischen) Aberglauben anhängt oder einem bigotten Glauben und der offenbar noch sehr unwissend ist im wirklichen Leben auf dieser Welt, zuerst in der Physik und in der Heilkunde der Hochkulturen. Man distanziert sich von ihm schon mehr oder weniger öffentlich. —

Genug zu diesem Thema. Wer sich gründlich wissenschaftlich informieren will, der sei auf die höchst reichhaltige Lit. verwiesen (¹).

Wie konnte dieses uralte, erprobte Kultur- und Naturwissen und -Können so in Verruf kommen? — Nun, am Ende der Neuzeit ist auch der Glaube an Gott bei vielen in Verruf gekommen! Andererseits aber teilweise zu Recht. Denn ca. 80 % aller Menschen sind befähigt, mit einem einfachen gabelförmigen Instrument, das man sich vom nächsten Busch oder Baum schneiden kann, empfindlich auf Störzonen zu reagieren. 15-20 % aller Westmenschen reagieren sogar ohne Training schon auf den ersten Versuch hin. Daher existieren verständlicherweise viele Dilettanten, auch Aufschneider, deren Angaben mit denen der unbestechlichen und auch anderweitig nicht beeinflußbaren technischen Meßinstrumente nicht übereinstimmen. Dagegen stimmen gute Rutengänger — eine alte Bezeichnung — in ihren Meßergebnissen mit den Ergebnissen der verschiedenen, unabhängig voneinander arbeitenden wissenschaftlich-technischen Meßgeräte überein. Ihnen kann und soll man trauen. Und wenn bei einem vorher gemuteten Wasserlauf dann bei dem Ausschachten für den Hausbau dieser Wasserlauf genau am vorher bezeichneten Ort und in der vorher angegebenen Tiefe zum Vorschein kommt, wer will dann noch von Scharlatanerie reden! Und wenn die eine gemutete Brunnenbohrung im sonst wasserlosen und vielfältig vergebens aufgegrabenen Gelände Erfolg hat und das bei demselben Könner immer wieder, wer will dann noch von Zufall reden! Der muß doch selber in seinem Denken krank sein! Vermutlich tabuisiert durch die Scheuklappen eines primitiven Vulgärmaterialismus. Der zwar Radio und Fernsehen für selbstverständlich hält, aber jeden als Dummkopf diskriminiert, der an ihm noch unbekannte Felder und Strahlen glaubt oder von ihnen weiß.

Man kann so vieles messen. In Störzonen ist die Luft mehr jonisiert, sind die elektrischen Widerstände im Erdboden verringert, finden wir andere Strahlenwerte mit dem Geiger-Müller-Zähler usf. usf. Wer das naturwissenschaftlich messen will, der benötigt viele Tage, dazu einen apparativen Aufwand, der finanziell in die Zehntausende geht, und dazu eine wissenschaftliche Ausbildung in Physik und möglichst auch Medizin. Wer kann das bezahlen? Und wer will das bezahlen, wenn ein guter Rutengänger in wenigen Minuten mit einer Apparatur, die nichts kostet, Ergebnisse erbringt, ebenfalls zentimetergenau, die zudem den entscheidenden Vorteil haben, daß sie auch lebensqualifiziert sind. Der tagelang arbeitende Wissenschaftler kann nur Quantitäten angeben. Und was hülfe einem, der nach Kalorien für seine tägliche Nahrung fragt, die Antwort, im Liter Benzin befänden sich 9 000 Kalorien! —

Die Technik kann also wohl den Verlauf einer Störzone genau feststellen und auch die quantitative Stärke. Aber über ihre Qualität vermag sie bis heute garnichts auszusagen. Auf die Qualität aber und ihren Gegensatz, die Unqualität kommt es in Gesundheitsfragen und Krankheitsfragen stets an.

Man kann also bei jedem Hausbau oder bei Verdacht auf geopathische Störzonen im bewohnten Haus geschulte Wissenschaftler und Techniker — moderne Prospektoren! — zu Rate ziehen, um den Untergrund und die andere Umwelt auf Störwirkungen zu untersuchen. Aber die Kosten und die praktischen Ergebnisse hiervon stehen in keinem vertretbaren Verhältnis zu dem, was ein guter Rutengänger findet und was er hierfür liquidiert. Man muß mit den zehn- bis hundertfachen nurtechnischen Kosten rechnen und noch mit weit mehr Kosten, wenn man dieselbe Sicherheit haben will wie bei einem guten Rutengänger.

Bei sehr tiefen Lagerstätten wie bei Heilquellen, die tiefer als hundert Meter vermutet werden, kann zudem die bisherige Wissenschaft und Technik nur höchst unsichere Vermutungen äußern. Auch Rutengänger sind dann weniger sicher. Aber ein Dutzend von ihnen unabhängig dasselbe Gebiet untersuchen zu lassen, das kostet noch nicht den tausendsten Teil einer — so oft vergeblichen! — Bohrung. Und wenn mehrere von 12 Fachleuten sich auf eine Stelle konzentrieren, dann kann man darauf etwas geben, wie etwa bei den erfolgreichen Bohrungen von Zurzach/Schweiz.

Auch liegt in der Wassersuche die Erfolgsquote bei einem guten Rutengänger in der Regel weit über 50 %, öfters nahe 100 %. Dagegen liegt die Erfolgsquote bei endzeitlich wissenschaftlichen und nurtechnischen Wassersuchern in der Regel bei 10-15 %, nicht selten unter 1 %. Was besagt, daß auch blinde Hühner Körner finden. Es soll ältere schulwissenschaftliche Geologen geben, die Quellenbohrungen beurteilen und selbst im Leben noch nie eine Quelle gefunden haben. Doch das hindert sie nicht, über erfolgreiche Rutengänger und deren Verfahren vernichtende und diskriminierende Urteile abzugeben! —

Nun von der Geobiologie und Geopathologie des Erdhauses zur Geopathologie des menschlichen Hauses. Welche geopathischen Störungen des Hausklimas und also Hausfeldes sind zu unterscheiden? Welche Krankheiten bewirken sie? Und wie verhält man sich am besten und sichersten bei diesen Störungen? Was ist wirtschaftlich zu bedenken? —

Nach den bisherigen Kenntnissen sind fünf Gruppen von geopathischen Störquellen der Hausgesundheit des Hauses und seiner Bewohner zu unterscheiden:

1. Die sogen. Erdgitterzonen. (Das Globalgitter oder Erdgitter. Die Kubatur der Erdkugel).
2. Die Verwerfungen mineralogisch-geologischer Art.
3. Die Strömungen unter- und überirdischer Art.
4. Die Lagerstätten natürlicher und kultureller Art.
5. Noch unbekannte Störfaktoren hauptsächlich nicht ortsfester und dynamischer Art, wie Klima- und Wetterstörungen.

Diese Einteilung ist ein Ergebnis bisheriger praktischer Erfahrungen. Sie ist problematisch und nur als Arbeitshypothese gedacht. Mit den ersten drei Störquellen dürften weit über 80 % aller geopathischen Störquellen erfaßt sein. Mit der ersten und dritten Störquelle dürften über 60-70 % erfaßt sein. Die Kubatur der Erdkugel scheint die weitaus meisten geopathischen Störzonen von einer Art zu umfassen, vielleicht über 50 %. Beantworten wir die obigen Fragen nach der Natur der Störquelle, nach den dadurch bedingten Krankheiten und nach den biotechnischen und ökonomischen Abwehrmaßnahmen der Reihe nach. Doch die drei großen Abwehrmaßnahmen Meiden, Kämpfen und Isolieren sollen nach Möglichkeit systematisch zusammengefaßt behandelt werden.

1. Die Erdgitterzonen

(Die Kubatur der Erdkugel. Das Globalgitter)

In geometrischer Sicht gilt die Quadratur des Kreises als die Urstörung aller Störungen, als die Urdisharmonie aller Disharmonien. (Mathematologisch nach Pythagoras und Platon ist das Urprinzip aller Disharmonie das Alogon in der Vierstruktur. Urlogisch gesehen ist es die subjektive Realität des Widerspruches).

Wie bei den Prinzipien der Architektur allen Seins beschrieben gelten seit alten Zeiten die Prinzipien „ad triangulum" — das Dreieinheitsprinzip — und das Prinzip „ad quadratum" als die beiden Bauprinzipien des Kosmos, wie Licht und Finsternis. Doch ist die zweidimensionale geometrische Sicht eine Vereinfachung. Die dreidimensionale, die stereometrische Sicht ist der Struktur des Kosmos mehr angemessen. Die alten Weisen gingen auch stets von der Kugelsphäre aus. Dann ergibt sich: Die Quadratur der dreieinigen Urharmonie des lebendigen Seins, die das Ganze und jeden Teil beherrscht, zeigt sich in dieser Welt als Kubatur der Erdkugel und des Feldes jeder realen Einheit in Zeit und Raum.

Daher finden wir im Erdfeld, nämlich auf der Erde, in ihr und um sie herum, in geometrischer Sicht ein „natürliches" Gitter von „Längen- und Breitengraden". Diese Gitterlinien oder Netzlinien finden wir in einem hierarchisch-organischen Aufbau, also in verschiedenen Qualitäten, Stärken, Gruppierungen und Durchmessern. In der Breite von Europa finden wir in jeweils ca. 4-5 m Entfernung einen Störstreifen, der wenige Zentimeter bis etwa 20 cm im Durchmesser aufweist und der von Nord nach Süd um die ganze Erde läuft, im Allgemeinen schnurgerade. Und im Abstand von ca. 5-6 m finden wir jeweils einen Störstreifen, der von Ost nach West um die ganze Erde läuft, ebenfalls allgemein schnurgerade.

Jeder siebte dieser „natürlichen Längen- und Breitengrade" ist um ein Mehrfaches stärker und breiter, also normalerweise im Abstand von etwa 28/35 bzw. 35/42 m. Er kann als Störzone zweiter Ordnung bezeichnet werden. Jede siebte Störzone zweiter Ordnung ist wiederum um ein Mehrfaches stärker und breiter, dies also bei 5 bzw. 6 m Grundabstand im Abstand von 7 x 35 bzw. 7 x 42 m, also im Abstand von ca. 250 bzw. 300 m. Sie ist als Störzone dritter Ordnung zu bezeichnen.

Diese Siebenerperiodik reicht noch weiter, vermutlich bis zur höchsten Ordnung, vielleicht der neunten Ordnung. Das wäre noch nachzumessen. Diese Siebenerperiodik ist wohl schon lange bekannt. Aber mancher entdeckt sie wieder neu.

Bei vielen Messungen in Europa ergaben sich viele Abweichungen von der Norm, wie sie auch in den Kraftlinien des Magnetfeldes der Erde seit langem bekannt sind. Die Abweichungen gingen bis zu 15 Grad von der Nord-Süd-

Richtung und der Ost-West-Richtung. Auch die Abstände waren verschieden, teils wie bei Fribourg/Schweiz bis auf 7,50 m vergrößert. Daher bestehen auch Zweifel, ob es sich bei den Ost-West-Streifen um echte Breitenkreise handelt oder um Großkreise, die durch zwei polare Punkte auf dem Äquator laufen.

Die Störstreifen zweiter und höherer Ordnung werden von darin unerfahrenen Rutengängern oft als Verwerfungen oder Wasseradern bezeichnet. Aber an ihrem endlosen und praktisch schnurgeraden Verlauf und in ihrem regelmäßigen Abstand zu den Störstreifen ersten Grades kann man sie leicht und völlig sicher als Erdgitterzonen erkennen.

Für geschulte Augen sind diese Störzonen auch zu sehen und zwar als rauchige, dämpfige Strömungen bioplasmatischer bzw. odischer Art, die leicht nach Süd geneigt sein können, wenn sie aus der festen Erde austreten.

Die Bildekräfte dieser Störzonen umfassen disharmonische Materialisationstendenzen. Sie sind zugleich Tore, Wege und Wirkbereiche für disharmonische Mächte und Kräfte der verschiedensten Art. —

Es soll Amerikanern mit überempfindlichen Filmen schon gelungen sein, diese Störzonen als ein Netzwerk auf der Erde aus der Luft zu fotografieren. Auch in der Luft selbst, besonders bei stiller Wetterlage und sensibler Wolkenbildung können diese Gitterzonen an den Wolken beobachtet werden. Dem Verfasser dieser Zeilen sind mehrere Augenzeugenberichte bekannt, darunter von einem Professor, der Festkörperphysik lehrt. Leider mißlangen Fotos, vermutlich mangels passendem Filter.

Diese Grundstruktur der bioplasmatischen Erdbildekräfte beherrscht biologisch, nämlich als Kubatur der ganzen Erdkugel, auch die Meere. Hier kommt es in dem leicht beweglichen Wasser zur Bildung sichtbarer und bequem meßbarer Strömungen. Deren Zonen zeigen die Quadratur des Kreises, genauer die Kubatur der Kugel sehr schön. Die Geophysiker beschreiben diese Zonen als „Wellenbewegungen in drei Dimensionen" und als quadratische „zelluläre Schwingungen" ([1]). Diese Schwingungen sind im Globalgitter zweiter Ordnung so energiereich, daß sie sogar größere Schiffe von 30 und mehr Meter Länge daran hindern können, aus der Ruhelage heraus eine solche Zone zu verlassen. Dies bezeichnen die Seeleute seit Jahrhunderten als „Totwasser". Alle Meervölker kennen diese Erscheinung. Aber erst die moderne Geophysik hat diese quadratischen Globalgitter bzw. kubischen Zonen auf dem Meer genauer untersucht und aufgeklärt.

Die Geophysiker haben neuerdings auch die vielfältig belegte Behauptung aufgestellt, daß sich die Erdrinde in regelmäßigen Abständen von mehreren tausend Kilometern beständig umwälze und daß dies ein Hauptgrund der Drifte der Kontinentalschollen sei, also unserer Erdteile. Auch hier also wäre die Erde in regelmäßige Zellen kubaturähnlicher Art gegliedert. An den Grenzen dieser Schollen kommt es zu starken geophysikalischen Störungen, auf dem Festland zu ständigen Geländeverschiebungen. Auch Erdbeben sollen nach Meinung der Geophysiker von solchen großen Störzonen ausgehen. Entsprechend kleinere Störungen werden dann von den kleineren Störzonen ausgehen. —

Was ergibt sich aus diesem „Erdgitter" für die Hauskrankheiten? Das Erdgitter scheint in den letzten Jahrzehnten durch die schnell fortschreitende technokratische Disharmonierung des Erdfeldes, insbesondere durch Sender und Hochspannungsleitungen, in seiner Disharmonie um ein Vielfaches stärker geworden zu sein. Anfangs unseres Jahrhunderts waren nur die Störzonen ab zweiter Ordnung aufwärts beachtenswert und zu meiden, insbesondere deren Kreuzungen. Solche Kreuzungen existieren in einem Rechteck von 35-40 m Seitenlänge vier Stück, nämlich in den vier Ecken. Jedoch sind heute durch die vielfältige physikalische und chemische Disharmonierung des Erdfeldes auch die Kreuzungen der Störzonen erster Ordnung zu meiden, zumindest von sensiblen Personen. Nicht wenige Menschen suchen heutzutage auch schon Störzonen erster Ordnung in ihrem ganzen Verlauf zu meiden für den Bettplatz und Arbeitsplatz. Die Hausuntersuchung außergewöhnlich gesunder Menschen hat mehrfach ergeben, daß ihre Betten seit Jahrzehnten an einem hervorragend gesunden störfreien Platz standen.

Das Erdgitter besitzt noch eine mehrfache Unterstruktur harmonischer und disharmonischer Art, also mit guten und schlechten Bereichen, gesunden und kranken. Die gesunde Grundstruktur ist lebensqualitativ durch die Siebenerperiode bestimmt, also durch die sieben Urqualitäten. Deren analoge Erscheinungsformen sind altbekannt, etwa als die sieben Buntmetalle, die sieben Farben, die sieben Töne, die sieben Kristallklassen, die sieben Organe, die sieben Planeten usf. — Das Zweiersystem in dieser Grundstruktur ist vielen Rutengängern bekannt als Plus- und Minuszonen, nämlich mit „aufladender" und „abladender" Wirkung. Die „aufladenden" Zonen bekämen Menschen mit niederem Blutdruck gut, die anderen denen mit zu hohem Blutdruck.

Die disharmonische Innenstruktur des Erdgitters zeigt sich beispielsweise in sogen. Halbdistanzlinien und in Diagonallinien. Beide Linien sind durch einen Potentialwechsel von plus zu minus bestimmt. Die Halbdistanzlinien haben nur eine sekundäre Bedeutung. Doch werden sie auch von den Geophysikern als Potentialwechsellinien bei den Zeichnungen des Erdgitters im Meer eingezeichnet ([1]).

Die Auffindung einer Halbdistanzlinie kann den weniger erfahrenen Rutengänger dazu verleiten, das Grundfeld des Erdgitters mit ca. 2-2,50 m Seitenlänge anzunehmen. Aber dann käme man, wenn man bis zu der nächst höheren Zonengruppe zählt, zu der Gruppe zweiter Ordnung, auf eine Vierzehnerperiodik, anschließend aber auf einer Siebenerperiodik. Die Vierzehnerperiodik existiert aber in der Natur nicht bzw. nur als Halbierung der Siebenerperiodik.

Die Halbdistanzlinie ist derart schwach in ihrer biologischen Wirkung, daß sie im Hause nicht beachtet werden muß.
Diagonallinien verlaufen von Nordost nach Südwest und von Nordwest nach Südost. Auch sie existieren hierarchisch-organisch gegliedert in mehreren Siebenerperioden erster, zweiter, dritter Ordnung usf. Sie bilden somit ein eigenes Erdgitter. Aber auch ihre Störintensität ist im Vergleich zu einem Gitter aus den „natürlichen Längen- und Breitengraden" gleicher Ordnung wesentlich schwächer, etwa nur ein Viertel. Daraus folgt, daß erst die Diagonalgitter zweiter Ordnung etwas zu beachten sind und ab der dritten Ordnung aufwärts alle Diagonalgitter.
Auch diese Störzonen werden von den älteren Rutengängern noch oft als „Wasseradern" oder „Verwerfungen" angesprochen. Doch ist diese Diagnose garnicht so falsch. Denn in allen Störzonen ist auch eine Strömung erkennbar. Und alles, was strömt, sei es auch odischer bzw. bioplasmatischer Art, wird nicht erst seit Heraklit mit dem „Element" Wasser bezeichnet. Einzelne Strömungen wechseln bei dem Wechsel von Tag und Nacht ihre Richtung. Zweitens kann man die gesamte Kubatur als eine Verwerfung des Kugelfeldes bezeichnen.
Manche Rutengänger behaupten, nur das Nord-Süd-Ost-West-System würde als Globalgitter existieren oder nur das Diagonalsystem. — Wer sich mental nur auf das eine System einstellt oder unbewußt nur an das eine herantappt, der wird nur dieses eine fühlen und denken, — wie bei einer einseitigen Ideologie. Wer aber sich beherrschen lernt und sein Denken frei halten kann, der wird lernen, seinen inneren Radioapparat abzustimmen. Dann wird er noch mehr Sender finden, viele. —
Es existiert an Feldern, Zonen etc. fast alles, was heute von mehreren übereinstimmend angegeben wird. Aber wie stark oder wie schwach ist es? Wie wichtig oder unwichtig im täglichen Leben für den normal empfindlichen Menschen? Das zu erkennen ist die Aufgabe und Kunst! —
Auf jedem Quadratzentimeter kann man hunderterlei verschiedene Felder bzw. Zonen feststellen. Es ist physikalisch selbstverständlich, daß sie existieren und noch viel mehr hinzu. Aber unterscheiden können, das ist wie überall die große Aufgabe. Weil viele nicht unterscheiden können, so sind ihre Angaben chaotisch, von der jeweiligen Stimmung und den jeweiligen Einflüssen abhängig, wechselhaft, unsicher und daher im Leben unbrauchbar.
Betrachten wir die Kubatur jedes Kugelfeldes jeder realen Einheit in Zeit und Raum näher. Durch die Kubatur der Erdkugel entsteht ein Raumsystem von planen Wänden. An jedem auf der Erdoberfläche feststellbaren Störstreifen des Erdgitters geht also eine bioplasmatische Wand relativ plan senkrecht hoch. Diese Wände sind in der Gruppe erster Ordnung ca. 20 cm dick, bei Tage etwas dünner, nachts doppelt so dick und dichter, weniger durchsichtig.

Da die Kubaturtendenz allseitig nach dem Vierersystem Wände bildet, so finden wir in ca. 5 m Höhe über dem flachen Erdboden eine waagerechte, deckenartige Störzone erster Ordnung, in ca. 35-40 m Höhe eine Störzone zweiter Ordnung usf. Diese horizontalen „Wände" erster bis fünfter Ordnung kann man bei Nebelbildung und Wolkenbildung oft sehr deutlich sehen, nämlich als waagerechte untere oder obere Begrenzung. Oft bilden sich Wolken von einer solchen „Decke" an. Oder sie stoßen bei ihrer Ausbreitung nach oben an eine solche Decke und können sie nicht überwinden. Diese Decken höherer Ordnung sind entsprechend mächtig und kräftig, jedoch wechselnd im Atem und Pulsschlag der Erde. Bei Smogbildung wie im Rheintal oder Rhonetal sind solche Decken als Inversionsgrenzen oft tagelang undurchdringlich für alle Luftströmungen. Ballonfahrern bzw. Luftschiffern sind solche Decken gut bekannt als mehr oder weniger mächtige Hindernisse bei ihrem Bemühen, durch eine solche Decke hindurch nach oben oder nach unten zu gelangen. Ihnen sind auch die senkrechten Wände höherer Ordnung gut bekannt; denn man treibt oft an ihnen entlang und kommt ebenso wenig über sie hinaus wie das Schiff des Wasserschiffers nicht aus dem Totwasser gelangen kann. Im Aufzug eines Hochhauses kann man die verschiedenen Decken bei dem Durchfahren mit Instrumenten feststellen. Der Körper des Menschen soll im Bett auch nicht in einer solchen waagerechten Störzone liegen.
Was bewirken diese geopathischen Störzonen an Menschen, Tieren, Pflanzen und Steinen, an Häusern, Lebensmitteln, Getränken, Heilmitteln, Genußmitteln usf. und an allen Lebensprozessen?
Störung bewirkt Störung! Disharmonie disharmoniert! Das ist logisch bzw. selbstverständlich. Das ist ursachengesetzlich. Die Kubatur des Kugelfeldes der realen Einheit ist wohl die allgemeinste Störung, die Urquelle aller anderen Störungen. Daher ist sie an erster Stelle zu behandeln. Die Auswirkung dieser Disharmonie scheint daher auch alle vier Sondersysteme des menschlichen Organismus zu disharmonieren, das Nerven-Sinnes-System, das Herz-Kreislauf-Lungen-Nieren-System, das Stoffwechselsystem und das Absonderungssystem, zu dem auch das Urogenitalsystem zählt.
Das Krankheitsbild ist daher im Allgemeinen universell und diffus. Dennoch existieren auch spezielle Krankheitsbilder. Diese sind einerseits durch die spezielle Unqualität der Störung bedingt, andererseits durch spezielle Schwächen, Dispositionen, Infektionen und spezielle Fehlfunktionen des betroffenen Bewohners bzw. Gegenstandes, also durch dessen mehr statische oder mehr dynamische Unqualitäten. Daher werden im Besonderen und Einzelnen praktisch alle Erkrankungen berichtet. Jedoch sind bestimmte Krankheitsformen typisch für geopathische Störungen des Erdgitters. Und sie treten sehr häufig auf. Diese typischen Störungen haben sogar einen Generalnenner. Das ist die allgemeine Devitalisierung, die Lebensschwäche, die Kraftlosigkeit, auch das Gefühl des Entzuges von Lebenskraft. Dies ist fast stets mit

Kälteempfindungen verbunden und häufig mit unangenehmen Feuchte- bzw. Nässeempfindungen. Man kann dies auch als Minusseite des Generalnenners bezeichnen. Die „Plus"-Seite ist dann die Reizung. Schwäche und Überreizung, nämlich als chronische Reizung, sind wohl das allgemeinste Kennzeichen. Beides führt im weiteren Verlauf zu Schmerzen.

Die typischen besonderen Kennzeichen sind erstens Schlafstörungen bewußter und unbewußter Art, nämlich als unterbrochener Schlaf mit Rückkehr des bewußtseins und als „bleischwerer" Totenschlaf. Von beidem erwacht man gleich unerholt und spät, oft nach unangenehmen Träumen. Zweitens werden sehr häufig Kältegefühle am Rücken und in den Füßen berichtet sowie Zugerscheinungen, auch unter der Bettdecke, und das Gefühl der Lähmung von Körperfunktionen. Drittens ist typisch die allgemeine Dysfunktion, d. h. die allgemeine Disharmonie. Ob man sie nun als Vegetative Dystonie, als Dyscardie, als Dysfunktion des Stoffwechsels usf. bezeichnet, wie es in der neueren Medizin üblich geworden ist, oder ob man kunstvoll konstruierte Wörter gebraucht, die irgend eine mechanische oder chemische Besonderheit einer Dysfunktion subjektiv in den Mittelpunkt rücken, das kommt praktisch alles auf dasselbe hinaus.

Wenn man nach Plus- und Minus einteilt, so findet man als ungesunde Plusfunktion eine dauergereizte, streßartige Beschleunigung und Irritierung der Lebensdynamik mit Verkrampfung und Nervosität und als ungesunde Minusfunktion eine Erlahmung und Erschlaffung des Lebens. Dies entspricht ungefähr einer chronischen Sympathikus- und Vagus-Reizung, chinesisch einer disharmonischen Yang- oder Yin-Überfunktion. Die Imker stellen Bienenstöcke gern auf die Pluszonen, da dann der Honigertrag erheblich größer wird. Jedoch ist die Frage nach der Qualität dieses Honigs zu stellen. Sie ist vermutlich nicht negativ zu beantworten. Ameisen lieben sogar Kreuzungen. Ameisen werden von Verständigen in der Natur sehr geschätzt. Wenn man eine solche Kreuzung mit einem Ameisenhaufen entstört, dann ziehen die Ameisen an einen anderen Platz.

Schwere langwierige Krankheiten, chronische Krankheiten mit langsamer Verschlechterungstendenz wie typisch der Krebs finden sich heute in der Regel auf schweren geopathischen Störzonen. Wer eine Krankheit mit diesem Verlauf bessern will, der hat stets den Bettplatz zu untersuchen und erforderlichenfalls zu verbessern.

2. Die Verwerfungen

In Bruchzonen der Erde, die bei Erdbeben zu plötzlichen Verschiebungen und Spalten führen, können Milliarden Tonnen Gestein aneinander reiben. Hier sind also ungeheure Energien disharmonisch tätig. Denn die Reibung ist keine Harmonie, sondern ein Urphänomen der Disharmonie. Die Reibung in den Bruchzonen erzeugt u. a. einen Feldbruch oder wird umgekehrt richtiger von einer disharmonischen Feldzone der Erde bewirkt. Dieser Feldstörung folgt ursachengesetzlich eine disharmonische Strahlung und Strömung. So sind über Verwerfungen schon harte disharmonische Strahlungen festgestellt worden wie Gammastrahlungen ([1]).

Solche Störzonen können in einer Breite von wenigen Zentimetern oder Metern bis zig Meter und Kilometer und in einer Länge von vielen hunderten und tausenden Kilometern auftreten. Sie haben einen regellos kurvigen und gezackten Lauf, also in scharfem Gegensatz zu dem sehr regelmäßigen Erdgitter. Auch ihre Breite schwankt stark im Verlauf.

Viele Verwerfungen, besonders die sehr großen sind heute den Geologen bekannt und sind in geologischen Karten verzeichnet. Nicht wenige lassen sich von jedermann mit dem bloßen Auge erkennen, beispielsweise die beiden Ränder des Rheinbruchgrabens. Hier ist die Störzone viele Kilometer breit. Durch die Auffüllung mit Schwemmaterial ist die Störintensität geringer. Obst auf solch breiten Verwerfungszonen hat ein schwaches Aroma, und ist wäßrig dick aufgeschwemmt und anfällig, während es auf den Höhen der Randberge in deutlichem Gegensatz kleiner, aromatisch und widerstandsfähig ist. Auch der Klimaunterschied ist dann auf wenige hundert Meter erheblich. Das Klima über Bruchzonen ist das schlechteste.

Über den relativ schmalen und starken Verwerfungen bis zu einer Breite von hundert Meter soll man keine Wohnhäuser bauen. Denn die Störintensität ist oft sehr groß, sodaß keine Abhilfe möglich ist.

Der Bereich der Formen, die geobiologisch als Verwerfung zu bezeichnen sind, ist riesengroß. Im Grunde zählt jede Kontaktzone verschiedener Gesteine dazu; denn das sind materiell bedingte Spannungszonen. Auch der Schlot eines erloschenen Vulkanes zählt dazu. Er ist auch nach Millionen Jahren noch ein Schornstein und Ventil für die bioplasmatischen Strömungen im Erdinneren. Seine biologische Wertigkeit ist die eines Furunkels. Solch aufschlußreiches lebensqualifiziertes Denken lernt man bei Paracelsus.

Bei dem Studium der Verwerfungen lernt man erneut, welch tiefen Sinn es hat, sein Haus auf einen Fels zu bauen, nämlich auf eine ruhige, spannungsfreie Zone der Erde, auf eine einheitliche Ruhezone.

3. Die Strömungen

Strömungen aller Art, auch gute, können das Hausleben stören, weil das Hausleben bei Tag und ganz besonders bei Nacht Ruhe benötigt. Das Klimafeld des ruhigen Felsens sollte das ganze Haus beherrschen. Das Haus selbst sollte ein Fels sein. Ein Haus soll daher nicht in einem Strömungsfeld liegen, weder im Feld einer Wasserströmung noch in dem einer Windströmung. Die Chinesen, die in den Erdwissenschaften wohl am besten von allen Völkern der Erde bewandert sind, behaupten, daß ein — ätherischer bzw. bioplasmatischer! — „Wind“ jede Strömung begleite, wenn nicht sogar verursache.

Denn der bioplasmatische Körper der Erde ist der Primärkörper. Der grobmaterielle, den zwei materiellen Augen sichtbare Körper ist nur der Sekundärkörper, nach Paracelsus sogar nur der Tertiärkörper nach dem elementalischen und zuoberst dem siderischen Körper. Und im Primärkörper wäre der Anfang aller körperlichen Wirkungen, insbesondere der naturalen Felder, Strahlungen und Strömungen! — Ohne diese Kenntnis ist nach Paracelsus weder die Gesundheit, noch die Krankheit noch gar die echte Heilung biophysikalisch verstehbar, — weder der Mikrokosmos noch der Makrokosmos! —

Da man alles Strömende, alles heraklitisch Fließende nach jahrtausende altem Sprachgebrauch als „Wasser" bezeichnet, dem Element Wasser entsprechend, dem dritten der vier alten Urelemente der kosmischen Natur, so sprechen die alten Rutengänger auch oft berechtigt von „Wasseradern", wo von H_2O nichts zu finden ist. Wer hier von der alten Naturwissenschaft und ihrer Sprachgeschichte nichts weiß, der lacht — über seine eigene Unwissenheit. Beispielsweise können Rutengänger in einem vor 30 Jahren zugeschütteten Bachbett eine „Wasserader" richtig feststellen, obwohl kein materielles Wasser mehr fließt; eine bioplasmatische Strömung kann noch immer vorhanden sein, wie in dem vor 20 Millionen Jahren erloschenen Vulkanschlot. Ob man dann von PSI-Kräften, von Od, Prana, Ätherkräften, Strahlungen, Bildekräften usf. spricht, das ist nebensächlich. Denn das sind alles nur subjektive Bezeichnungen. Auf die objektive Realität kommt es an. Und diese kann man mit vielerlei Instrumenten feststellen und messen, wie beispielsweise in dem Buch PSI vielfältig dargelegt wird.

So kann man sie auch am eigenen Körper feststellen, indem man sich allnächtlich in solch eine Strömung legt. Sensible Menschen behaupten dann, „es zieht". Und das behaupten sie nicht nur im dicht geschlossenen, gleichmäßig temperierten Zimmer zu fühlen, sondern auch unter der Bettdecke. Materielle Luft kann es dann also nicht mehr sein. Man sollte das übereinstimmende Urteil von Hunderttausenden unvoreingenommener Beobachter nicht ignorieren. Diese behaupten weiter, sie fühlen es kalt die Wirbelsäule entlang wehen oder fließen. Sie frieren, haben tatsächlich kalte Füße, leiden unter Verstopfung, Harnverhalten und Verkrampfung. Sie träumen viel und schlafen schlecht, stehen unerholt auf und sind bald wieder müde. Bei stärkeren Strömungen am Schlafplatz behaupten sie, nicht mehr zu leben, sondern nur noch zu vegetieren. Ohne Kaffee und andere Aufputschmittel würden sie überhaupt nicht mehr existieren können. Sie werden häufig krank und können nur im Krankenhaus bzw. bei einem Wechsel des Schlafplatzes (!) gesunden. Noch viele andere Leiden werden berichtet, je nach den schwachen Stellen der Konstitution des Armen, der an einen solchen Schlafplatz geraten ist, so Herz-Kreislaufstörungen, Vegetative Dystonie, Stoffwechselstörungen aller Art, Nierenkrankheiten usf. Doch der Generalnenner ist immer die Lebensschwäche und die allgemeine Störung des Wohlbefindens.

Strömungen können nun sehr häufig festgestellt werden, wenn man sich mental darauf passiv einstellt und somit in Gedanken und im Gefühl für sie empfänglich wird. Auch im Erdgitter strömt es, so zu bestimmten Tageszeiten aus der Erde heraus und zu anderen in sie hinein, auch von Nord nach Süd und von Ost nach West ([1]). Rutengänger können in der Regel leicht die gegenwärtige (!) Strömungsrichtung angeben.
Was dann tun? Das soll übersichtlich nach der Darstellung aller Störquellen besprochen werden.

4. Lagerstätten

In den alten Bergwerken wurden die gewünschten Mineralien vermutlich meist unter der Leitung erfahrener beamteter Rutengänger gesucht und abgebaut. Von Bergwerken wie in Freiberg/Sachsen sollen solche alten Lagezeichnungen ehedem noch nicht abgebauter Lagerstätten existieren, die mit der Rute richtig erkundet worden waren. Die modernen Prospektoren handeln im Wesentlichen nicht anders. Die Veränderung in ihrer Ausrüstung ist nebensächlich. Die Instrumente wurden im Bereich des Handfeldes nur ein wenig nach außen und unten erweitert. Das erschwerte sogar die Erkundung von Qualitäten.
Jede Materie existiert in einem entsprechenden Feld und also Klima. Das Feld ist die fundamentale Form des Klimas. Das Feld bzw. Klima der Materie wirkt das eigene Wesen. Salzfelder ergeben ein Salzklima wie im Salzkammergut. Es soll das gesündeste Klima Europas sein. Sandfelder ergeben ein Sandklima. Das Klima Berlins wird gerühmt. Es mache helle. Wasserfelder ergeben ein Wasserklima. Es wird überall an den Küsten gesucht und geschätzt. So beeinflussen auch unterirdische Lagerstätten das oberirdische Klima, dies je nach Größe und Tiefe der Lagerstätten, genauer je nach ihrer Lebensqualität oder Unqualität und je nach den Potential- oder richtiger Lebensdifferenzen zu dem Umliegenden. Obwohl man von dem Salz im Salzkammergut oberirdisch nichts sieht, beeinflußt es mächtig das Klima. A. Seifert berichtet, daß er bei nächtlichem Durchfahren einer Gegend auf Hunderte von Metern einen nicht einsehbaren Block Kalkgesteins nachweislich gespürt habe ([2]). Er litt konstitutionell unter Kalkeinfluß.
Das Thema der Lagerstätten ist daher in weiterer Sicht das Thema Geologie und Klima. Nur ein Sonderbereich von ihm umfaßt die Wirkung der unsichtbaren, von Rutengängern bzw. Prospektoren mit oder ohne größere Technik aufgespürten Lagerstätten.
Im Allgemeinen spielen bei geopathischen Erkrankungen die Lagerstätten eine geringe Rolle. Aber dieses medizinische Gebiet scheint in Europa noch wenig untersucht. Vermutlich besitzen hier östliche Völker ein großes Wissen. Chinesen berücksichtigen bei dem Bau von Häusern und Straßen nicht nur Himmelsrichtungen, Wasserläufe und Verwerfungen. Daher soll hier wenig-

stens die Aufmerksamkeit auf dieses Gebiet gelenkt werden. Auch deshalb, weil das so wichtige Thema Geologie und Klima von dieser Seite her weiter geklärt werden kann.

5. Unbekannte Störquellen

Erfahrenen Rutengängern sind Störzonen bekannt, die nicht in die vorgenannten vier Abteilungen einzuordnen sind. Es scheint, daß an einzelnen — vielen oder allen? — Orten ortsfeste Felder existieren können, die nicht zu typischen materiellen Ausgestaltungen führen und daher nur als Felder bestimmter Lebensqualität oder Unqualität zu diagnostizieren sind. Moderne Elektrospezialisten sprechen z. B. von elektrischen Raumladungen, die relativ ortsfest wie unsichtbare Wolken im Raum verharren, im Hause und ausser dem Hause, und auch mit Wahrung ihrer Selbständigkeit wandern können wie am Himmel die Wolken wandern und Tiefdruck- oder Hochdruckfelder. Die Alten sagen, man könne einen Ort segnen und auch verfluchen. Und beides könne über Generationen lang wirksam sein. An materiellen Zeichen sei das nicht zu erkennen, sondern nur an der entsprechenden Auswirkung wie beispielsweise an Gesundheit bzw. Harmonie oder Disharmonie bzw. Krankheit an Seele und Leib, als Friede an einem Ort oder als viel Streit dort. Die Meteorologie kennt das Beispiel, daß der Feldwirbel eines Tiefs- oder Hochs oder eines sogenannten Kaltlufttropfens tagelang und wochenlang stationär sein kann. Ein solches Feld kann so kräftig sein, daß es sich gegen viele andere meteorologische Angriffe erfolgreich behauptet. Mit einer Zufallsmechanik, mit einer bloßen Quantenphysik ist das alles unerklärbar. Vielleicht verhält es sich bei den unbekannten ortsfesten Störquellen ähnlich. (Als Kaltlufttropfen bezeichnet der Meteorologe die Erscheinung, daß ein relativ runder, plattenförmiger Luftkörper, der mehrere hundert Kilometer im Radius messen kann, mit einer wesentlich kälteren Temperatur als seine Umgebung seine Eigenart relativ beständig wahrt und als ganzer Körper große Strecken wandern kann).
Derzeit gelten solche Störquellen als sehr selten. Oder werden sie nur sehr selten diagnostiziert, weil man sehr selten an sie denkt? Nur die wandernden Wetterstörungen, insbesondere an ihren Grenzen bzw. Rändern, „Fronten" genannt, sind schon weithin bekannt und werden in der Medizin oft geachtet, insbesondere durch Unterlassen von Operationen, wenn die Störzonen mit ihren Rändern über das Krankenhaus ziehen.

DIE THERAPIE DER GEOPATHISCHEN ERKRANKUNGEN

Wie kann und soll man sich bei einer geopathischen Erkrankung und schon vorher bei einem Hausbau, bei einer Wohnungssuche und bei der Einrichtung einer Wohnung verhalten? — Es existiert eine allgemeine Ordnung des Ver-

haltens einer Störquelle gegenüber. Diese Ordnung gilt für alle Krankheitsursachen, also für alle fünf Entia nach Paracelsus. Sie gilt nicht nur für geopathische Störquellen, sondern auch für die folgend beschriebenen Zivilisationskrankheiten des Hauses. Daher sei diese Verhaltensordnung am Beispiel der geopathischen Störungen dargelegt.
Drei Urverhaltensformen bieten sich hier an. (Sie entsprechen, wie in den Grundlagen skizziert, der Einsform, Zweiform und Dreiform alles Existierens und daher auch Heilens). Das sind: Das Meiden, das Kämpfen und das Isolieren. Das Meiden ist die Grundform. Das Ziel des Kämpfens und Isolierens ist das Meiden.

1. Das Meiden

Die allgemeinste und beste Form des Verhaltens gegenüber jedem Übel ist das Meiden. Wo und wann auch immer man ein Übel meiden kann, soll man es tun. Das besagt bei geopathischen Störquellen, daß man genügend Abstand von ihnen halten soll. Theoretisch denkt man hier zuerst an den Abstand vom Störzentrum, auch an die Minderung der Störwirkung mit dem Quadrat der Entfernung. Praktisch jedoch ist zuerst der seitliche Abstand maßgebend, also tangential zur Erde. Der Grund hierfür ist, daß fast alle geopathischen Störungen, nur ausgenommen ein Teil der Gruppe fünf, von der Erdstrahlung radial nach außen bzw. oben verlängert und verlagert werden, auch auf sekundäre Störquellen projeziert werden. Das Erdgitter, die Verwerfungen, die Strömungen bilden sämtlich radial vom Erdmittelpunkt aus nach obenaußen eine in den Weltraum reichende Störzone aus. Sie ist also bei länglichen Störquellen wandartig. Und diese Wände sind zu meiden.
Klinckowström und Maltzahn haben im „Handbuch der Wünschelrute“ 1931 Fotos veröffentlicht, welche die Abbildung von Flußläufen in Wolkendecken darüber deutlich zeigen ([1]). „Eine Wolkendecke, . . . wenn sie sich gerade bildet, . . . In diesem Falle bilden sich fast alle vorhandenen Gewässer ab, vom kleinsten Bächlein bis zum Strom, vom Tümpel bis zum ausgedehnten Moor . . . immer senkrecht nach oben“. (S. 297).
Hier erhebt sich zuerst die Frage, wie weit die geopathischen Störungen fix oder beweglich sind. Das Erdgitter schwankt in seiner Lage im Jahreslauf der Sonne bei den Sonnenwenden und Tag- und Nachtgleichen, bei Neumond und Vollmond und bei Stürmen nach bisherigen Messungen plus-minus um ca. 20 cm in seiner Mittellinie. Im Verlauf einer Abenddämmerung verbreitert sich die ganze Störzone auf das Doppelte, wobei die Kernzone, die des Tages, eine ungefähr doppelte Störintensität erhält. Im Laufe der Morgendämmerung weicht die beiderseitige nächtliche Randzone wieder auf die Kernzone zurück.
Verwerfungen dagegen sind in ihrer Lage für die Dauer eines Menschenlebens fixiert.

Strömungen können im Einzelfall in Ort und Intensität relativ gleich bleiben. Öfters jedoch schwankt ihr Rand und sehr oft ihre Intensität. Bei allgemeiner Unruhe des Erdfeldes wie bei Sturm oder einem Tief ist die Intensität und Breite vieler oder aller geopathischen Störzonen vergrößert. Die Intensitätsunterschiede zwischen Tief und Hoch können im Verhältnis 10 zu 1 stehen. Vermutlich existieren noch erheblich größere Unterschiede, vielleicht analog den Spannungsänderungen des statischen Feldes der Erde, die von 50 V/m bis 20 000 V/m und mehr reichen. Auch existieren minutenlange Polumkehrungsprozesse bzw. Potentialwechsel, in denen viele Störungen nicht zu existieren scheinen und daher auch nicht feststellbar sind. Sonnenaufgang und Sonnenuntergang (auch Tattwa-Wechsel) werden hier genannt.

Die einfachste Erklärung für die Veränderung von Wasserströmungen sind Regenfälle und Trockenzeiten. Große Veränderungen ergeben sich oft, wenn die Horizonte von Grundwasserströmungen ansteigen und breiter werden. Dann können ganze Häuser, die in einer trockneren Periode störungsfrei sind, von einer solchen Strömung in einem grobsteinigen Untergrund betroffen werden. Als Faustregel gilt, je kleiner die Breite einer Strömung, desto ortsfester ist sie. Auch ihre Intensität schwankt dann meist geringer. Die Intensitätsschwankungen der Störwirkung einer Strömung können unabhängig von der Strömung selbst sein. Denn jede Strömung entfaltet in dem ganzheitlichen Verbund aller Strömungen großenteils auch eine sekundäre Störwirkung. Bei einem Sturm stört derselbe Wasserlauf wesentlich mehr als bei ruhiger Schönwetterlage, obwohl er überdies noch nach dem Regen bei dem schönen Wetter viel mehr Wasser führt. Die Materie also besagt wenig. Auf die bioplasmatischen Verhältnisse und deren Lebensqualitäten bzw. Harmonien oder Disharmonien kommt es an. Vor einem Gewitter, wenn die grobe Materie noch ruhig erscheint, ist die Disharmonie und Unruhe in der Natur und im Nervensystem am größten. Wenn das Gewitter tobt, kann schon die Entspannung und Ruhe kommen! Aus solchen Erfahrungen soll man verallgemeinernd lernen. In der grob materiellen Welt, der dritten Ebene des Kosmos, wirkt sich alles zuletzt aus. —

Lagerstätten sind in ihrer Störung höchst ortsfest. Nur ihre Intensität wechselt als Sekundärstörung wie als Sekundärstrahler.

Die unbekannten Störquellen sind teils sehr ortsfest, auch stabil oder instabil in ihrer Intensität, teils nicht ortsfest und mehr oder weniger leicht verdrängbar.

Diese allgemeinen Angaben genügen jedoch noch nicht zum Meiden. Denn nach der radialen Ausbreitungsrichtung von Störfeldern, Störstrahlungen und Störströmungen existieren noch zwei andere dominante Ausbreitungsrichtungen, die für viele Störzonen gelten, nicht für alle. Das ist zweitens die von Nord nach Süd verlaufende Urströmung, die auf der Nordhalbkugel der Erde viele Störfelder nach Süden verformt wie der Wind einen Wassertropfen oder Ballon verformt. Störstrahlungen und Störströmungen werden dann nach Süden „abgetrieben", wie wohl Schröder-Speck als Erster veröffentlichte. Die Verformung von kugelförmigen Feldern kann so stark werden, daß die Ausdehnung des Feldes nach Norden die Größe Eins hat und die Ausdehnung nach Süden vom Feldzentrum aus die Größe Drei bis Fünf. Erdgitter und Verwerfungen dagegen sind in den von ihnen ausgehenden „Influenzen" (Paracelsus) ziemlich stabil. Hier mag die „abtreibende" Wirkung nur wenige Zentimeter betragen. Dagegen zeichnet Schröder-Speck bei von Wasser ausgehenden Störwirkungen Ablenkungswinkel von 30 Grad nach Süden hin ([1]).

Die dritte und drittrangige dominante Ausbreitungsrichtung geht von Ost nach West. Sie ist in der Regel so gering, daß sie von den meisten Praktikern vernachlässigt wird.

Wenn man zu alledem die allnächtliche Verbreiterung und Verstärkung besonders der Erdgitter-Störzonen berücksichtigt, so hat man eine Grundorientierung für das Meiden.

Eine weitere allgemeine Orientierung zum Meiden ergibt sich aus der Möglichkeit, daß ein Ding zu einem sekundären Störer werden kann, nämlich zu einem Sekundärfelder, Sekundärstrahler und Sekundärströmer. (Die Feldwirkung wird hier als felden bezeichnet). Eine dieser drei Sekundärwirkungen kann vorherrschen. Ein Sekundärstörer kann eine Störwirkung zeitgleich und zeitlich nachgehend übertragen. Auch kann er eine konzentrierende Wirkung ausüben, etwa wie ein Magnet oder Focus, sodaß in seinem Bereich die Störung auf das Mehrfache anwachsen kann. Eine Liste häufig vorkommender Sekundärstörer wird im Kapitel über die Haushaltskrankheiten gebracht.

Alles in allem rechne man bei dem Meiden stets einen Sicherheitsabstand mit ein. So halte man mit einem Schlafplatz mindestens eine Flußbreite Abstand von einem oberirdischen und unterirdischen Flußufer. Oder man schläft in der Strömung. Dann soll man sich parallel legen, mit dem Kopf nach oben, wo die Strömung herkommt, nicht quer, sodaß der Strom vom Kopf nach den Füßen den Körper durchläuft. Oder man kämpft oder isoliert bzw. schirmt ab.

2. Das Kämpfen

Wenn man ein Übel nicht meiden kann, dann besteht in der Seinsordnung die nächste Möglichkeit darin, es zu bekämpfen. Kämpfen kann man erstens, um den Feind gänzlich und also an der Wurzel zu überwinden. Zweitens kann man einen Dauerkampf gegen die Auswirkungen des Feindes führen, wenn man ihn nicht gänzlich überwinden kann. Beide Arten des Kampfes führen zu einem Meiden des Übels, sei es primär oder sekundär.

Der erste Kampf erfordert die Erkenntnis und Beherrschung der Wurzel des Übels bzw. seines Zentrums. Wenn das ein ober- oder unterirdischer Wasserlauf ist, so kann er durch ein neues Bett oder durch Abgraben und Ableiten wie Drainieren um das Haus herum geleitet werden. Beispielsweise gelten Abwasserleitungen vom WC im Volksmund als „Giftadern". Sie sollen nicht eine längere Strecke unter dem Haus geführt werden, keinesfalls unter einem Ruheplatz, sondern stets auf dem kürzesten Weg aus dem Haus heraus; wenn um das Haus herum, dann möglichst in dem Mindestabstand von einem Meter von der Hausmauer. So schlecht wie eine Giftader ist eine unterirdische „Wasserader" nicht zu bewerten, sofern sie nicht von vagabundierenden elektrischen Strömungen begleitet wird, was gar nicht mehr so selten ist. Kann man sie wegen ihrer Tiefe nicht mehr aufgraben und um das Haus herum ableiten, so muß man zur zweiten Art des Kampfes übergehen, zum Entstörungs- oder Ausgleichskampf.

Die zweite Art des Kampfes kommt prinzipiell für alle geopathischen Störungen infrage, jedoch für die verschiedenen Störungen in verschiedener Art und mit verschiedenen Aussichten. Dennoch existiert auch hier ein technischer Generalnenner für das System der Entstörung. Und das ist derselbe Nenner, der auch in der Elektrowirtschaft für die Entstörung von Elektrogeräten gilt und überall in der Welt erfolgreich praktiziert wird, beispielsweise an den Zündkerzen des Wagens. Das Grundsystem ist ein Ausgleichssystem zwischen Feldwirkung, Strahlungswirkung und Strömungswirkung. Hauptelemente sind Spule und Kondensator, eventuell auch ein Widerstand. Man kann auch von einem konzentrischen System oder Focus-System mit Ausgleichsvorrichtungen sprechen, ganz allgemein von einem harmonischen und daher harmonisierenden System. Harmonische konzentrische Formen und lebensqualifizierte harmonische Materialien, von Edelsteinen und edlen Metallen angefangen, begründen das System. Die Formen sind primär geistige Formen, Sinnformen.

Diese Definition umfaßt möglicherweise die gesamte Entstörtheorie, also die gesamte Heiltheorie. Sie vermag daher Hinweise auf die Weiterentwicklung von Entstörverfahren und -geräten geben, sowohl in der Elektrotechnik als auch auf allen anderen Gebieten. Man vergleiche, was in dem Kapitel über die Grundlagen als das Allgemeinste und Wesentlichste vom gesunden und kranken Haus (bzw. Korpus, Materie, Erde, Natur) dargelegt ist. —

Für Fachleute sei kurz dargelegt:

Man kann also mit harmonischen Formen und Materien entstören, insbesondere mit Kreisformen, Kugelformen, Rollenformen, mit Feld- und Schwingungskreisen. Die Entstörung kann erstens und fundamental eine Feldentstörung — wie mit edlen Mineralien — sein, zweitens hauptsächlich eine Entstörung der Strahlung — wie mit Spulen —, drittens hauptsächlich eine Entstörung der Strömung — wie mit Abschirmungen —. Wo hauptsächlich ein Feld entstört wird, da wird zugleich auch die sich aus der Feldaktivität ergebende Strahlung und Strömung gleich umfänglich mit entstört. Wo hauptsächlich nur eine Strahlung entstört wird, da wird das gestörte Feld, aus dem die gestörte Strahlung hervor geht, nur nebensächlich und in geringerem Maße mit entstört. Die der Strahlung folgende Strömung wird in höherem Maße mit entstört, jedoch nicht in dem Ausmaß der Entstörung der Strahlung. Wo hauptsächlich nur eine Strömung entstört wird, da wird das der Störung zugrunde liegende Feld und seine Strahlung nur nebensächlich und teilweise mit entstört.

Daraus ergibt sich, daß die allgemeinste, wirksamste und beste Entstörung die Feldentstörung ist. Doch ist diese auch am schwierigsten. Leichter ist es, eine Strahlung zu entstören, noch leichter, eine Strömung zu entstören bzw. zu heilen.

Andererseits: Wo hauptsächlich eine Strahlung oder eine Strömung stört, da ist es optimal und kann genügen, nur die Strahlung bzw. nur die Strömung zu entstören. Die übrige Störung kann so gering sein, daß sie vernachlässigt werden kann. Auch kann sie als Nebenwirkung mit entstört werden.

Aus alledem ergibt sich insgesamt: D a s w e i t a u s b e s t e E n t s t ö r g e r ä t i s t d a s g e s u n d e H a u s ! Und das weitaus beste Entstörverfahren ist das hausgerechte Leben in und mit einem gesunden Haus. Auf dieses universelle und mächtigste Entstörgerät ist immer wieder hinzuweisen. Es gleicht der Widerstandsfähigkeit und Entgiftungs- bzw. Heilfähigkeit des voll gesunden vitalen Körpers.

Andererseits: D a s u n i v e r s e l l e u n d m ä c h t i g s t e S t ö r g e r ä t i s t e i n k r a n k e s H a u s ! Ein krankes Haus verstärkt geopathische Störungen erheblich und auch alle anderen Störungen! Gegen die Macht und Kraft dieses Störgerätes kommen andere Entstörverfahren nur wenig, nur begrenzt und nur symptomatisch wirkend auf! Je kränker also ein Haus insgesamt ist, desto aussichtsärmer sind alle kleineren Entstörverfahren. Das Haus selbst ist dann zuerst zu sanieren. Denn in seiner kranken Verfassung wirkt es als ein heutzutage meist mächtiger Sekundärstörer.

Daraus ergibt sich praktisch, daß ein sehr moder-nes und also sehr ungesundes Haus, beispielsweise ein Betonbau mit vielen Kunststoffen, gar als Mehrfamilienhaus, praktisch nicht entstörbar ist, wenn dieses Haus — auch noch — geopathisch belastet ist. Schon viele sind bei den Entstörungsversuchen an einem Haus mit vielen Eisenträgern oder mit der Armierung in den Betondecken gescheitert. Die Störung wird hier diffus verbreitert und kompliziert, sodaß sie schwierig oder gar nicht mehr faßbar ist. Die Situation ist ähnlich wie bei einem vielfach geimpften Menschen. Wenn er erkrankt, so ist nicht nur das Krankheitsbild in seinen Symptomen, sondern auch die Krankheit selbst so „verschmiert“, daß sie nur schwer oder gar nicht mehr spezifisch erkennbar und erfaßbar ist und auch nicht vollständig ausheilbar ist, es sei denn, es würde mit hohem Aufwand an Zeit, Mitteln und Mühe die ganze, durch Impfgifte und anderes verschmierte Grundsituation bereinigt. (Dies gilt nicht für alle Impfungen, doch im 20. Jahrh. für die meisten).

Weiter ergibt sich praktisch: Ein Haus ist desto besser entstörbar, je kleiner es ist, je natürlicher es gebaut ist und je natürlicher es eingerichtet ist und bewohnt wird. Das heißt, daß nur Einfamilienhäuser und am leichtesten Ställe sicher zu entstören sind. Schon bei Reihenhäusern können sich durch die unbekannten Situationen bei den nahen Nachbarn erhebliche Schwierigkeiten und nicht kontrollierbare, daher auch nicht beherrschbare Veränderungen und somit Unsicherheiten ergeben.

Wie nun vorgehen?

Zuerst ist die geopathische Störzone selbst nach Möglichkeit zu entstören, wie folgend noch in Beispielen angegeben wird. Soweit sie nicht entstörbar ist, ist sie zu meiden; oder es ist das dritte Verfahren anzuwenden, das Isolieren und Abschirmen, soweit das im Haus oder bei dem Bau möglich ist. Soweit jedoch ein Haus krank ist, elektrokrank, chemiekrank, kunststoffkrank, insbesondere haushaltskrank, kann es die geopathische Störung fixieren und an das Haus binden. Denn gleich und gleich gesellt sich gern bzw. wirkt „konkordant" (Paracelsus). In dem Ausmaß einer solchen Fixation muß zur Behebung der geopathischen Belastung auch das Haus selbst entstört werden! Das wird von vielen älteren Rutengängern, soweit sie sich mit Entstörungen befassen, oft übersehen.

Zu alledem ist eine exakte Diagnose erforderlich. Denn die Kardinalfrage lautet, ob überhaupt eine geopathische Belastung vorliegt oder eine andere Hauskrankheit oder — bei modernen Häusern weitaus am meisten! — welche Kombination von Hauskrankheiten vorliegt. Mit dem Universalinstrument Rute bzw. menschlicher Körper kann man sämtliche Hauskrankheiten erfassen. Aber man muß sie auch unterscheiden können. Und das ist eine nicht geringe Kunst.

Die geopathische Belastung ist wie bei jeder Krankheit zuerst durch die Vorgeschichte der Erkrankung, die Anamnese zu erkennen, zweitens durch die gegenwärtige Untersuchung, drittens ex juvantibus, d. h. durch vorzunehmende Heilversuche bzw. durch deren Erfolge. Haben ein oder mehrere Hausbewohner dieselben Beschwerden oder ähnliche erst bei der Bewohnung des Hauses erhalten? Oder erst bei Einnahme eines bestimmten Schlafplatzes oder Arbeitsplatzes? Verringern sich die Beschwerden bei einem Wechsel des Platzes bzw. des Hauses? Bringt ein solcher Wechsel regelmäßig Besserung und eine Rückkehr regelmäßig wieder Verschlechterung? — Dann ist sicher, daß eine Hauskrankheit vorliegt. Aber es ist noch nicht sicher, ob dann eine geopathische Hauskrankheit vorliegt. Diese ist erst durch nähere Untersuchung des Patienten und des Hauses zu ermitteln.

Am Menschen kann eine geopathische Belastung von einem darin ausgebildeten Arzt schnell festgestellt werden, indem der bioplasmatische Körper und zugleich der grobmaterielle Körper des Menschen in seinem elektrischen System bzw. Aspekt mit einem Spezialgerät (Elektropunkteur etc.) untersucht wird. Bei ernster Belastung dieses Systemes zeigen sich dann schnelle

„Abfälle" sehr vieler Potentiale. Das wird als geringe Kapazität an Lebenskraft und als geringe Widerstandsfähigkeit gedeutet. Fast nur bei einer bösartigen Erkrankung zeigen die elektrischen Potentiale des Körpers, die man an Akupunkturpunkten mißt, ein ähnliches Bild! Was bemerkenswert ist! — (¹).

Am Haus ist die geopathische Belastung festzustellen, indem zuerst das freie Gelände um das Haus untersucht wird und dann dort festgestellte Störzonen in das Haus hinein verfolgt werden. Dazu ist zuerst das Lösen aller Sicherungen bzw. die Ausschaltung am Hauptschalter erforderlich, möglichst allpolig, wenn die elektrische Zuleitung über einen Dachständer erfolgt. Denn Elektrostörungen des Hauses können geopathische Störzonen am wirksamsten verzerren und komplizieren. Vor allem aber können sie die exakte örtliche Festlegung von geopathischen Zonen im Hause sehr erschweren. Selten noch sind die Rutengänger, welche ihren eigenen Apparat, den Körper, selektiv qualitativ auf geopathische Belastungen abstimmen können, sodaß sie sich durch keine anderen Feldstörungen ablenken lassen. Hierzu sind mentale Übungen erforderlich, zuerst Konzentrationsübungen.

Nach Sicherung der Diagnose „Geopathische Störzone" ist deren besondere Art zu klären, also ob Erdgitter, Verwerfung, Strömung, Lagerstätte oder anderes. Die Differentialdiagnostik dazu ist oben angegeben.

Wie nun im Besonderen durch Kämpfen entstören?

Dazu eine kurze Beschreibung typischer Entstörungsverfahren und Entstörgeräte, wie sie auch schon vor Jahrtausenden in den alten Kulturen angewandt wurden und großenteils noch heute angewandt werden.

Einige Verfahren entstören die durch das ganze Haus laufende Störzone oder zugleich mehrere, und sogar noch andere, nicht geopathische Störzonen mehr oder weniger weit hinzu. Andere wirken nur auf alle oder auf einige geopathische Störzonen oder auf eine einzige Art oder sogar nur auf einen einzigen Hausraum, da sie mit diesem zusammen wirken. Die meisten wirken jedoch unabhängig von Hausräumen und entstören auch mehr oder weniger weit das Gelände um das Haus.

Es existieren Verfahren und Geräte, welche bei unrichtiger Anwendung leicht selbst zu erheblichen Störquellen werden können, insbesondere die mehr speziell wirksamen Geräte. Andere Verfahren und Geräte dagegen, die mehr universell wirken wie die Feldentstörungsgeräte, sind weniger empfindlich gegen unexakte Anwendung. Sie haben gleichsam eine große Bandbreite und müssen daher nicht millimetergenau oder zentimetergenau justiert werden. Je schwächer ein Gerät ist, desto exakter muß es richtig angewandt werden. Je stärker es ist, desto größer ist in der Regel seine Bandbreite und allgemeine Wirkbreite. Einige Geräte entwickeln in der Entstörungsarbeit stets ein eigenes Störfeld, das klein und schwach oder groß und stark sein kann, sodaß das Gerät einen entsprechenden Abstand von einem Ruheplatz haben muß. Einige wenige haben kein eigenes Störfeld. Die Störung ist hier oft

weniger durch eine Disharmonie, sondern mehr durch die Stärke der Wirkung gegeben. Daher können Minigeräte, wie sie gegen die Luft-, Auto- und Seekrankheit benutzt werden, auch auf der Haut getragen werden, während Großgeräte nicht nur den meist üblichen Abstand von 2-3 m von einem Ruhe- oder Arbeitsplatz benötigen, sondern 10 m und mehr. Es sollen Größtgeräte existiert haben, welche imstande gewesen seien, Wolken aufzulösen! — Logisch-physikalisch ist eine solche Wirkmöglichkeit aufgrund der bisher bekannten Tatsachen durchaus zu erwarten ([1]).
Einige Verfahren und Geräte, vorzüglich älterer Art, arbeiten — auch oder zuerst? — mit geschriebenen Worten und anderen qualifizierten Zeichen, wie Bildern, also mit sprachlogischen Sinnformen, manchen Talismanen und Amuletten ähnlich; die meisten modernen Geräte arbeiten jedoch fast nur mit naturalen Harmonieformen, wie in der Elektrotechnik üblich. Manche Entstörverfahren arbeiten ohne ein ständiges Gerät, nämlich hauptsächlich die primär wirksamen, während die sekundär wirksamen, nur Störauswirkungen ausgleichenden Verfahren stets mit ständig tätigen Geräten arbeiten. Die Energie, die zur Arbeit der Geräte notwendig ist, wird teils aus den kosmischen Schwingungen, insbesondere teils direkt aus den Störenergien entnommen. Diese werden dann in harmonische Formen transformiert. Einige wenige Geräte benutzen auch die Mithilfe des elektrischen Netzstromes, oder einer Batterie, wobei sie Energien im Milliampèrebereich oder mehr benötigen. Hauptsächlich arbeiten die Geräte nach dem Prinzip des Transformators, wie dies auch jeder Katalysator tut. Sie sind kosmische Transformatoren. Ist das nicht jedes Radio? —
Praktisch alle existierenden harmonischen Formen und Materialien werden zu Entstörverfahren und Entstörgeräten verwandt. Deren Zahl ist also unübersehbar groß. Wer nur ein wenig von den Prinzipien der Entstörung weiß, der kann jeden Tag ein neues Entstörverfahren oder -gerät konstruieren, doch von welcher Wirkungsgröße, -breite und -beständigkeit! Zu wirksameren Konstruktionen ist Grundlagenwissen und Spürsinn erforderlich, zumindest Intuition oder Inspiration, insbesondere Kenntnis der Lebensqualitäten und ihrer Ordnungen. Bei Paracelsus — etwa in seiner Abhandlung über „Archidoxis Magica" — und in Büchern über Amulette und Talismane findet man vielerlei Anweisungen über Entstörverfahren aller Art, die teilweise auch bei geopathischen Störungen als wirksam angegeben werden ([2]). Verständlicherweise findet man hier auch viel Unwirksames und Aberglauben. In dieser Welt ist alles gemischt. Doch so viel Aberglaube wie in der modernen endzeitlichen Literatur ist nur selten in historischen Büchern zu finden! —
Eine oder die Urform des Entstörungsgerätes für Strahlungen und Ströme ist der Schwingungskreis. Seit Ampère gründet darauf die gesamte Elektrotechnik. Seit Lakhovsky wird er, insbesondere als offener Kreis, von zahllosen Wissenschaftlern und Praktikern auch auf dem biologischen Gebiete

erforscht und vielfältig praktisch angewandt ([1]). Hier existiert eine schweigende Mehrheit, die von solchem Wissen zum Wohl der eigenen Familie Gebrauch macht und sich nicht dem Gelächter der abergläubischen Mechanizisten aussetzt!

Die einfachste Weiterentwicklung des Schwingungskreises ist die Spule. In ihr ist die Feldwirkung, wie man seit Ampère weiß, die Strahlung, nämlich als Induktionswirkung, und die Strömung harmonisch vereint. Die Harmonie ist von den Maßverhältnissen der Spule im Verhältnis zum Menschen, zur Erde, zum Haus und vom Material der Spule abhängig. Beispielsweise wirkt Eisen ganz anders als Kupfer; und noch weit besser wirkt Gold. Wer auch nur minimal wenig von Lebensqualitäten weiß, für den ist das selbstverständlich.

Es existieren viele Spulenkonstruktionen, da viele Menschen fühlen, daß die Urphänomene der Elektronik für alles Existierende gelten. (In Deutschland ist beispielsweise der Phylax von Dr. Wüst viel untersucht worden und die Deussing-Spule von Dr. Beck, beides Ärzte und Naturwissenschaftler. Dr. Hartmann hat eine einfache senkrecht stehende Spulenkombination viel geprüft. Der Nordsüd-Gleichrichter von H. Weber ist heute mit Abstand das beste Gerät, unkompliziert und unempfindlich in der Aufstellung. Je einfacher die Konstruktionen, desto universeller wirken sie. Das hat schon Lakhovsky hundertfach nachgewiesen, eigentlich schon Ampère. Nur hat Ampère wohl fast ausschließlich an die Raum-Zeit-Physik und Technik gedacht (nicht ganz!), Lakhovsky dagegen hauptsächlich an das Leben. Und das Leben ist primär. Die Technik ist nur eine Sonderform und heutzutage oft eine Degenerationsform des Lebens. Die echte Biologie ist also die Grundwissenschaft aller Technik ([2])!

Spulen wirken jedoch hauptsächlich auf Schwingungen, also auf Strahlungen, somit nur spezifisch. Allgemeiner wirken die Feldgeräte. Solche Konstruktionen sind weit seltener. Sie arbeiten beispielsweise mit harmonisch geformten Glasröhren, die mit Edelgas und spezifischen edlen Mineralien gefüllt sind und in harmonischer Anordnung gebaut und angewandt werden. Oder sie bestehen aus kugelförmigen Geräten, verwenden einen luftleeren oder luftarmen oder mit besonderen Gasen gefüllten Raum, auch Bienenwachs usf., also harmonische Formen und Materialien. Solche Geräte haben eine größere Bandbreite.

An raumzeitlichen Formen werden Kreise, Kugeln, Pyramiden, Zylinder, Kegel, Dreiecke usf. verwandt, wie sie auch bei neueren Erforschungen der PSI-Kräfte als wirksam befunden wurden ([3]). Es dürften gegenwärtig in der Welt viele Tausende verschiedener Konstruktionen benutzt werden, wohl über Tausend in Serienfertigung und mit Verkauf auf dem Markt! — Hierbei ist von den subjektiv nur technisch gedachten, objektiv aber ebenfalls und zuerst biologisch wirkenden Entstörgeräten noch abgesehen wie sie z. B. jeder moderne Benzinmotor in seinem Zündsystem laut gesetzlicher Anordnung besitzen muß.

Einige besondere Verfahren seien der Merkwürdigkeit halber genannt und auch, weil sie leicht von jedermann erprobt werden können. Der Schwingungskreis Ampères und Lakhovskys kann als Kupferband um das ganze Haus oder um das ganze Bett gezogen werden. Einige lassen ihn offen, andere schließen ihn. Wenn um das Haus, dann wenigstens 5-10 mm breit. (Die Fläche ist wichtig, nicht die Dicke!) Um das Bett gezogen oder am Körper, wie um das Handgelenk oder den Hals nach Lakhovsky wenigstens 2 mm breit. Bei dem Aufbrechen mittelalterlicher Klostermauern fand man in der Mauer Hohlräume oder Kästen, in denen Halbedelsteine, Bergkristalle bzw. reine Quarze lagen. Nach deren Entfernung war das vorher störungsfreie Innengelände gestört. Eine Gießerei auf solchem Gelände hatte danach Lunker, Fehlgüsse und andere Störungen zu verzeichnen. — Mit welch winzigem Aufwand waren hier große Unkosten vermieden worden! Diese wirtschaftliche Kalkulation gilt für die gesamte Entstörtechnik!
Ein anderes einfaches und sehr wirksames Verfahren besteht darin, einen alten kupfernen Waschkessel außerhalb des Hauses auf eine Störzone, besonders auf eine Kreuzung zu setzen, auch eingegraben, nicht abgedeckt, und ihn mit Leitungswasser zu füllen, das zwei- bis dreiwöchentlich vollständig erneuert wird.
Bauern stellen öfters eine Glas- oder Emailschüssel, auch eine Blechschüssel mit Wasser unter das Bett. Das ist nicht problemlos, da innerhalb des Körperfeldes des Menschen entstört wird. Auch soll dieses Wasser täglich erneuert werden. Bei einer Krankheit zieht es kranke Bildekräfte auf sich wie die offene Butter oder Zwiebel im Kühlschrank dessen schlechte Gerüche anzieht. —
Tibetaner und Inder kennen das Verfahren, in den — vier — Ecken eines Raumes brennende Kerzen aufzustellen. Sie harmonieren den Raum — nur diesen! — während der Brenndauer, teils auch nachher. Drei, sieben oder fünf brennende Bienenwachskerzen auf einem zentral postierten oder an einem anderen sensiblen Punkt postierten Altar können eine ganze Kirche entstören bzw. harmonieren.
Offene Wassergefäße — nicht aus Kunststoff! Sondern am besten Keramik oder Glas — kann man ebenfalls in die Ecken des Raumes stellen. Manche stellen auch noch Kupferdrahtspulen in das Wasser oder legen ein seltenes, edles Mineral bzw. einen solchen gut gewachsenen Kristall hinein. Oder sie umwickeln eine harmonisch geformte Wasserflasche mit einem Kupferband als offene Spule und verwenden die Flasche mit oder ohne Inhalt als Entstörgerät. Man kann nur staunen, was es nicht alles gibt zwischen Himmel und Erde und im Volkswissen. — Ob und wie weit eine solche Entstörung wirksam ist, das ist am sichersten bei dauernd im Stall oder Holzkäfig gehaltenen Tieren und am ruhig lebenden Menschen im Langzeitversuch auszuprobieren. In antiken Amphitheatern waren öfters, wenn nicht regelmäßig wassergefüllte Amphoren symmetrisch im Zuschauerrund verteilt. Sie sollen maß-

geblich an der oft hervorragenden Akustik beteiligt gewesen sein. Überhaupt ist die Akustik eines Raumes von geopathischen Störzonen sehr abhängig. Entstörungen, zuweilen einfach durch Spannen von Kupferdrähten, haben schon oft Wunder gewirkt ([1]). Endlich konnte man den Pfarrer oder Redner gut verstehen. Und der Kirchenchor und das Konzert klang plötzlich als ob ein neuer guter Chor singen würde oder eine weit bessere Kapelle spielen würde. — Da alle 30-40 m eine Erdgitterzone zweiter Ordnung läuft, so denken bei Schwierigkeiten mit der Akustik manche zuerst an diese Bereiche und handeln entsprechend. Fast jeder große Raum ist in seiner Akustik durch die in der Geopathie bekannten Methoden zu verbessern. — All das kann jedoch nicht oder nur teilweise die Verwendung unharmonischer Bauformen und unqualifizierter Bau- und Einrichtungsmaterialien ausgleichen. Die Tonkunst bzw. Musik ist nur aus der Lebensqualität in Form und Material verstehbar und mit ihr erlebbar. Man versuche doch einmal, eine quadratische Geige zu bauen! Sträuben sich da nicht jedem die Haare! —

Ein anderes Verfahren ist, in den „Brennpunkt“ bzw. Mittelpunkt eines Raumes einen in Form und Material hoch qualifizierten Gegenstand zu postieren. Aus dem entgegengesetzten Grund, nämlich um nicht zu stören, hatte der erfahrene Dr. Curry, der ein zweibändiges Werk über Bioklimatik geschrieben hat, in seiner Klinik angeordnet, daß keine elektrischen Beleuchtungskörper, besonders nicht solche mit Metallfassung, im Mittelpunkt eines Raumes hängen dürfen und auch nicht an einem anderen „sensiblen“ Platz. Eine Petroleumlampe oder Kerze darf dort brennen. — Oder sie soll dort brennen. —

Ein anderes weites Gebiet ist die Artverschiedenheit der geopathischen Störungen. Es wurden oben fünf verschiedene Gruppen unterschieden. Jedoch auch innerhalb einer Gruppe existieren oft sehr verschieden qualifizierte bzw. disqualifizierte Störzonen. Und wie die alte Heilkunde, insbesondere heute die Homöopathie lehrt, paßt der spezifische Schlüssel am besten und öffnet mit der geringsten Mühe das Tor zu neuem Leben. Also welches Entstörverfahren und -mittel zu welcher Störung?

Dieser Bereich ist heutzutage noch wenig bearbeitet. Viele wollen mit einem einzigen Mittel, gleichsam einer Panacee, alle Hausstörungen auf einmal entstören. Das heute meist betrübliche Ergebnis wird unten genannt. Daher einige Hinweise.

Erdgitterzonen werden ständig überall im Raum geboren. Ihre „Influenzen“ kommen daher primär nicht von unten, wenn auch sekundär einiges Disharmonische in diesen Zonen von unten kommt. Daher wird hier am besten im selben Niveau entstört. Und Feldentstörungsgeräte wirken hier am besten. Aber es kann auch unterhalb des gestörten Platzes entstört werden. Bei Strömungen materieller Art, also bei echten Wasseradern kommt der Einfluß von unten. Hier soll möglichst tief unten entstört werden. Und hier wirken auch Spulengeräte besonders gut, da es sich um aufsteigende Strahlungen und Strömungen handelt.

Bei Verwerfungen und Lagerstätten kann man erfolgreich ausgleichende polare Gegenmaterialien im Entstörverfahren und -gerät mit verwenden. Mit der Dannertrute kann man das störende Material in der Tiefe erkennen und auch das helfende polare Material. Einfacher gesagt: Man befestigt an der Spitze der Rute eine Materialprobe im Gewicht von wenigen Gramm. Dann reagiert die Rute spezifisch und zwar sowohl auf die Störquelle als auch auf einen entstörenden Gegenstand. Das ist für viele sicherer als die entsprechende nur mentale biologische bzw. psychosomatische Abstimmung.
Dies gilt auch für Erdgitterzonen. Jede dieser Störzonen ist einem der sieben Buntmetalle und einer der sieben Kristallklassen zugeordnet, auch einer der sieben Hauptfarben. Wenn man diese findet, wie durch Abzählen der Störzonen oder Probieren, so kommt man schneller und besser zum Ziel. Was man jeweils verwendet, das soll man möglichst biologisch rein und in harmonischer Raumform verwenden, auch innerhalb eines Gerätes in zentraler Position.
Genug an diesen kurzen und aus Raummangel wenigen Hinweisen. Sie sollen vor allem auf die Realität dieses Gebietes aufmerksam machen, seine Einheit mit der Feldphysik wie der Elektrophysik, Optik usf. zeigen und das Blickfeld weiten.
Von der gegenwärtigen Situation der Entstörtechnik in der zivilisierten Welt ist jedoch Betrübliches zu vermelden. Viele alte Entstörpraktiker haben nämlich das Entstören von größeren (!) Häusern im Laufe der Jahre nach immer zahlreicheren Enttäuschungen fast gänzlich aufgegeben. Und sie schimpfen oder resignieren oder fragen verwundert nach den Ursachen der so schnell steigenden Mißerfolge. Die Frage ist leicht zu beantworten. Das moderne zivilisierte Haus enthält so viele und so artverschiedene Störfaktoren primärer und sekundärer Art, daß eine einzige Entstörungmaßnahme, ohne die vielen Wurzeln des Übels anzugehen, unmöglich wird oder nur zu einem sehr empfindlichen labilen Gleichgewicht in einem Teilbereich führen kann. Bei der geringsten Veränderung der Einrichtung wie dem Verschieben eines größeren Metall- oder Kunststoffgegenstandes bricht es zusammen und schlägt überdies noch in eine zusätzliche Störung. Hartmann und andere klagen, daß man öfters jede Woche erneut ein Entstörgerät justieren müsse ([1]). Wer kann das bezahlen? Und welchen praktischen Wert hat dann noch das ganze Entstörverfahren? Denn wenn der Patient erneut klagt, so hat er jeweils wieder nächtelang in einem gestörten Feld gelegen. —
Eine heutzutage nicht seltene Reaktion der Praktiker ist, das Entstören mit Ausgleichsgeräten bzw. Kompensatoren aufzugeben und sich wieder auf das Meiden zurückzuziehen oder zum Abschirmen überzugehen. Aber auch hier erleiden sie viele Mißerfolge. Denn wohin soll man bei dem Meiden, wenn das gesamte Hausfeld gestört ist? — Hier hilft nur eines, nämlich sorgfältig alle Wurzeln des Übels zu erkunden und nach Möglichkeit jede einzelne Störquelle an ihrer eigenen Wurzel, also radikal zu sanieren. Das aber er-

fordert, die modernen Hauskrankheiten vollzählig zu kennen und nicht alle Schuld monoman nur auf „Erdstrahlen“ schieben zu wollen. Das gleicht denjenigen Medizinern, die überall nur eine Infektion sehen wollen. Mit solchem linearem, tabuisiert eingeengtem und abgeflachtem Denken kann man die Mannigfaltigkeit des Kosmos und seines Lebens nicht begreifen und beherrschen. — Wie man dem vielfältig kranken Zivilisationsmenschen heute bei einer gründlichen Hilfe zuerst Diät verschreiben muß, d. h. Ordnung seines gesamten Lebens, vom Essen angefangen, so muß man auch dem vielfältig zivilisationskranken Haus zuerst „Diät verschreiben“. —

Bevor jedoch die anderen Hauskrankheiten behandelt werden, ist noch Einiges zum dritten Entstörverfahren zu sagen, zum Isolieren, insbesondere zum Abschirmen.

3. Das Isolieren

Wenn man ein Übel nicht vollständig, nämlich in seinem ganzen Wirkbereich meiden kann, aber auch nicht im Kampf primär besiegen oder sekundär ausgleichen kann, dann ist drittens eine Kombination des Meidens und Kämpfens möglich, nämlich das Isolieren, insbesondere in seiner Sonderform des Abschirmens. Auch das Ziel dieses dritten Verfahrens ist das Meiden des Störeinflusses.

Isolieren kann man vorgehend oder zurückweichend, nämlich entweder die Störquelle oder das durch die Störung betroffene Objekt. Isolieren heißt, eine sperrende Grenze errichten. Unter Abschirmung wird der „örtliche Schutz gegen die Wirkungsausbreitung von Feldern, Strahlungen oder Strömungen“ verstanden (dtv-Lexikon 1971).

Bei biologischer Erkenntnis und Praxis wird bei der Abschirmung nicht nur passiv und nicht nur mechanisch ein Schirm aufgespannt, hinter dem man das Übel meidet, sondern es wird zugleich und sogar zuerst aktiv durch Form und Material des Schirmes mit den Disharmonien gekämpft. Das Ziel dieses heilenden Kampfes ist die Wandlung der Disharmonie in Harmonie, zumindest aber die Neutralisierung der Disharmonie. So unterscheidet Schröder-Speck, ein alter Schweizer Baupraktiker „Ablenkung“ und „Brechung“ der „Strahlen“ (Felder und Ströme). Er unterscheidet Substanzen, die vorwiegend oder ausschließlich nur ablenken wie z. B. Lagen aus Bitumen (= Erdölprodukt) oder aus Asphalt (= Bitumen plus Gesteinsmehl), und Substanzen, die eine erhebliche „brechende“, also neutralisierende, auflösende, verschluckende Wirkung haben wie z. B. Kork, jede Bastfaser, etwa Leinen oder Jute, und im Grunde jedes Holz ([1]).

Auch hat bei einem granitischen und viel Hartsilikate enthaltenden Untergrund der Kalkstein und die Heilerde eine neutralisierende Wirkung. Ebenso umgekehrt. Nach Mitteilung von Dr. Werner Kaufmann soll in einer sumpfigen Gegend bei Gießen/Deutschland ein Bauernhof samt Ställen auf einer

meterdick aufgeschütteten Quarzschicht errichtet worden sein. Auf diesem Hof wird der Tierarzt fast nie benötigt, dies im auffallenden Gegensatz zu den umliegenden, nicht auf Quarz errichteten Höfen, zu denen der Tierarzt häufig geholt werden muß. Aus dieser Erfahrung lassen sich viele gesundheitliche und wirtschaftliche Konsequenzen ziehen.
Auch mit bestimmten Metallen, bestimmten Legierungen und bestimmten folienartigen Schichtungen kann man hervorragende biologische Abschirmwirkungen erzielen. In nur mechanizistischer Sicht sind das teilweise wohl gehütete Geheimnisse der modernen Kriegstechnik wie im Flugzeug-, Panzer- und Ubootbau. Solche für biologische Entstörungszwecke hergestellten geschichteten Metallfolien sind auf dem Markt erhältlich. Sie werden bei aufsteigenden (!) Strahlungen und Strömungen unter das Bett gelegt. Jedoch ein von vielen als nicht klein erachteter Nachteil von all diesen Folien oder manchen ist, daß sie, wie die Praktiker sagen, sich im Laufe von Wochen oder Monaten „aufladen". Und in diesem Zustand sind sie unwirksam. Sie müssen dann mit fließendem Wasser „entladen", „entodet" usf. werden wie einfacherweise mit einem Gartenschlauch. Es soll auch genügen, wenn eine Ecke der Folie minutenlang (!) mit Wasser abgespült wird. Man denke an einen Kneippguß. —
Vielerlei Abschirmmaterialien werden angepriesen. Von manchen scharfen Kritikern wird behauptet, daß sie fast alle sofort oder zumindest nach Wochen „durchschlagen" werden von den Störwirkungen und zwar öfters endgültig, sodaß sie dann unbrauchbar werden. Hier könnte es sich jedoch auch um Störzonen handeln, die mit Isolierschichten nicht abgefangen werden können, da die Störungen nicht von einer Seite her kommen, sondern dort entstehen, wo sie wirken. Das sind die Erdgitterzonen. Gegen diese, nur gegen sie ist also jegliche Abschirmung sinnlos, abgesehen von dem geringen Störanteil, der von unten kommt. Kämpfendes Entstören dagegen ist hier möglich und zuerst das Meiden.
Die Abschirmtechnik erscheint auf den ersten Blick in der Elektrotechnik sehr einfach. Aber auch für diese gibt Wüst wie für geopathische Einflüsse besser bzw. biologisch wirksame Folienkombinationen an ([1]).
Bei Abschirmungen geopathischer Einflüsse gibt Schröder-Speck an, daß man die „abtreibende" Wirkung in Südrichtung beachten müsse. Wenn man etwa im Keller oder Parterre den Fußboden durchgehend abschirme, so „blase" an der Südseite des Hauses eine aus wäßrigem Untergrund kommende, von der Abschirmung abgelenkte Störstrahlung (und Strömung) verdichtet nach oben aus. Und dort liege doch meist ein Sonnenplatz. Dieser werde dann extrem gestört. Zur Abhilfe führt man durchgehend (!) (auch durch die Mauer!) die Asphaltschicht auch unter der Terrasse weiter bis an deren Südende. Dasselbe gilt für ein Zimmer und den anschließenden Balkon. Wenn man mit Asphaltbahnen arbeite, so müsse man sie mindestens 5 cm überlappen und noch besser verschweißen, d. h. heiß verkleben mit Bitumen.

Manche meinen, daß die Asphaltierung bzw. Bituminierung (3 cm dick) die bei weitem beste Abschirmmethode sei, insbesondere, wenn man sie in den Böden mit einer Lage Korkschrot, wie im schwimmenden Estrich, oder mit bituminierten Korkplatten kombiniere.
Ein guter Rat zum Abschluß: Man soll auf einem störfreien Platz bauen. Aber oft ist diese Forderung nicht voll zu erfüllen. Und im Grunde existieren auf jeder Fläche über 24 qm schon Störzonen. Was also tun? Schon vor der Grundsteinlegung das Gelände so gut wie möglich entstören! Was dann in diesem störungsfreien Gebiet an Kalk, Mörtel und Putz erstarrt oder sonst als Form gefügt und somit geboren wird, das wird in dieser entstörten Konstellation geboren. Und wie Goethe sagt, nach dem Gesetz, nach dem es angetreten, wird es sein Leben lang im Allgemeinen wirken! Paracelsus legt, wie in den Archidoxen ausgeführt, großen Wert auf das Formen zur rechten Stunde, d. h. in der rechten „Atmosphäre" und „Konstellation", im rechten „Firmament". Man baut dann Harmonie ein, wie man bei der Grundsteinlegung den Segen Gottes mit einbauen soll. —

Überschauende Betrachtung und Auswertung

Nach der Meinung vieler werde die Menschheit im 20. Jahrhundert relativ plötzlich schnell viel sensibler. Es sei, als ob sie mit ihrem Bewußtsein und Fühlen — dann auch mit dem Wollen — einen höheren Bereich des Kosmos betreten wolle oder solle. Nicht nur das schnell erwachende Umweltschutzdenken, -fühlen und -wollen sei ein Beispiel hierfür, sondern auch die Erweiterung von Wissenschaften und Technik in die Tiefen des Weltraumes. Das Betreten des Mondes sei ein Symbol für noch weit Größeres, das in jedem einzelnen Menschen im Kommen sei. Der Mensch wird umweltfühlig und umweltbewußt! Dies zuerst in der weiteren Umwelt, steigend aber auch mehr in der nächsten Umwelt, in den vier Wänden. Diese wachsende Umweltsensibilität stelle an den Hausbau neue Anforderungen. Denn der Mensch könne sich nicht mehr wohl fühlen in vielen Behausungen, in denen er sich vor 50 Jahren noch recht wohl fühlen konnte. Diese neuen Anforderungen seien biologischer Art. Das wachsende Image der Biologie sei ebenfalls ein erwägenswerter Hinweis auf die schon beginnende Bewußtseinswandlung, ebenso würden die sozial-kommunen Tendenzen genau dieser Erweiterung des Lebensraumes in den der Nachbarn und aller entsprechen. Die Selbstseins-, Mitseins- und Allseinsordnung solle nicht nur im personalen Bereich, sondern gleich so im naturalen Bereich erforscht und beachtet werden. Andernfalls könne der Mensch nicht mehr an Leib und Seele gesund, harmonisch, glücklich und friedlich leben.
Im naturalen Bereich beginne dies alles bei unserer Mutter Erde. Von ihrer Gesundheit hänge die Gesundheit des Menschen zuerst ab. Ihre Harmonie sei maßgebend für unser natürliches Wohlbefinden. Wenn wir unser Be-

wußtsein und Fühlen in die Biosphäre oder bioplasmatische Sphäre bzw. in das Reich der „PSI-Kräfte“ erheben, so also zuerst in unserer nächsten Umwelt und in unserem Verhältnis zur Erde. Denn deren „PSI-Kräfte“ seien die weitaus stärksten in der Natur. Deshalb sei auch die Geopathie und ihre Heilung ein Musterfall für die Pathologie und Therapie bei allen anderen Hauskrankheiten.

ZUR „GEOPATHIE DES HAUSES“

Nicht nur unsere Haus-Mutter Erde in Gestalt des Erdballes hat Störzonen, sondern auch unser eigenes privates kleines Haus entwickelt Störzonen durch die unqualifizierte Erde, die zu ihm verwandt wird, und durch die unqualifizierte Form dieses Baumateriales. Man müßte hier von Domopathie reden (Domus = das Haus). Alle quadratischen und scharfkantigen Formen wirken störend.

Curry, Hartmann und andere haben die „hauseigenen geopathischen Zonen“ beschrieben, insbesondere auch in ihren praktischen medizinischen Konsequenzen. Diese Feld-Zonen bestehen zuerst als Störstreifen neben den Mauern. Je dicker die Mauer und je lebenswidriger sie gebaut ist, desto breiter und schlechter, also störender der Begleitstreifen. Das Bett soll bei einer Betonmauer mindestens die Mauerdicke Abstand halten. Und vor allem soll der Kopf nicht in einer Mauerecke liegen. „In die Ecke stellen“ gilt in der Schule als Strafe. Wer oder was in die Ecke geschoben wird, das gilt aus dem Leben ausgeschieden. An Ecken stößt man sich. „Es fehlt an allen Ecken und Enden“. — Sprichwörter sagen viel! ([1]) —

Dagegen werden an Wänden aus Holz keine Störzonen festgestellt. Bei einer zementfrei vermörtelten Ziegelmauer aus gutem Ton dürfte sie sehr schwach sein. Mit dem Zement in Mörtel und Verputz wächst sie an Intensität und Ausdehnung. Ein Störpunkt ist der Mittelpunkt eines Zimmers mit vier Ecken, ausgenommen, wenn das Zimmer im 3-4-5-System (Höhe-Breite-Länge) oder im Goldenen Schnitt geformt ist.

Vielleicht haben viele Architekten aus diesem Grund instinktiv Rundhäuser, Turmhäuser etc. gebaut und fünf- oder sechseckige Grundrisse für das Haus oder ein besonderes Zimmer gewählt. Die Bienenzelle gilt als ein Muster der Harmonie. Oder in ebenerdigen und anderen Häusern wurde ein flacher Giebel in den Raum einbezogen, ähnlich einer Kirche und den Urformen des Hauses. Auch wurden durch den Stukkateur bzw. Gipser die oberen Wandecken des Raumes in Rundungen umgeformt. Und die Decke erhielt unterseitig eine harmonische Form wie durch einen Kreis oder ein Oval in Stuck. In der anthroposophischen Architektur werden viele Quadrate und Rechtecke außen, an Fenstern, Türen usf. in den unangenehmer wirkenden oberen Ecken abgeschrägt und zwar in einem harmonischen Winkel. Ebenfalls wird der romanische und gotische Türbogen von vielen — wieder —

geschätzt. Die Gotik zeigt viele sehr harmonische Lösungen. Der Zwiebelturm des Barock, den man aber auch auf der Hagia Sophia (!), in Rußland und an vielen islamischen Moscheen trifft, hat eine erhebliche harmonierende Wirkung, ebenso die „Zier"giebel in der chinesischen und indischen Architektur, etwa an Pagoden. Die Architektur wohl aller Hochkulturen ist reich an harmonischen Lösungen, die nicht nur die hauseigene Geopathie, sondern auch andere Störzonen im Haus harmonieren und die guten Felder noch mehr qualifizieren. Das Straßburger Münster ist ein weltbekanntes Beispiel. —

Der Mittelpunkt des Raumes ist eine mehrfach sensible Zone. Hier kann ein pyramidaler Kronleuchter aus Bronze mit Kerzen und Bleikristallglas oder anderem edlen Glas den Raum geradezu verklären. Dies auch dann, wenn die Kerzen nicht brennen. Andererseits kann ein disharmonisch geformtes eisernes Gestell gar mit Neonröhren, aber auch mit gewöhnlichen Glühlampen, etwa auch mit Kunststoffen und besonders in einem quadratischen Raum diesen in hohem Grade „unwirtlich" machen. Wenn gar noch eine geopathische Erdzone durch diese Hauszone läuft, dann „ist der Teufel los". Man fühlt sich extrem unbehaglich, auch wenn die Lampen nicht leuchten. Mit Spannteppichen, künstlicher Klimatisierung und derlei Technokratismus sucht man dann oft an der falschen Stelle etwas gut zu machen.

Meist sind diese Zonen schwach. Aber was jahraus jahrein wirkt, das summiert sich, im Negativen und auch im Positiven, in den Wänden des Hauses und in den Bewohnern.

Die moderne „brutale" Architektur weiß nichts mehr von alledem! Entsprechend wirken ihre Häuser und Räume „unwirtlich" (Mitscherlich), unbehaglich und unheimlich. Moderne Häuser und Räume haben nicht mehr einen behaglich heimelig bergenden Charakter, mit einer „Wohnstubenkraft" (Pestalozzi), sondern nicht selten einen deutlich ausstoßenden, abstoßenden und aggressiven Charakter. Das Feld des Menschen wird aggressiv bedrängt, sodaß der Mensch auch hier zu einer Abwehrhaltung bis zum Streß genötigt wird.

DIE ELEKTROKRANKHEITEN
Zur Bioelektrologie

Zusammenfassung

Die Elektrowissenschaft ist von Galvani biologisch konzipiert worden. Doch seit Volta ist sie ein Kind des Quantismus. Folglich wurde sie zu einem subjektiven ideologischen Überbau entwickelt, dem die realitätsgerechte Beziehung zu den elektrischen Lebensqualitäten fehlt.

Diese Ausblendung der Realitäten, diese Aussperrung der elektrischen Lebensqualitäten aus dem Bewußtsein beherrscht auch die moderne Elektrotechnik. Sie ist daher praktisch ohne Wissen von den elektromagnetischen Lebensfunktionen des Organismus und ohne Rücksicht auf sie entwickelt worden. Diese Elektrotechnik erzeugt daher in ihren Bereichen gleich wie die gesamte übrige Technokratie zahlreiche Disharmonien und zwar in Gestalt lebenswidriger, disharmonischer Felder, Strahlen und Ströme. Da alle Atome elektromagnetische Einheiten sind, nämlich Dipole, und da alle Körper aus Atomen bestehen, so reagieren alle Lebewesen auf elektromagnetische Disharmonien. Sie reagieren besonders stark bei gleichmäßiger längerer Einwirkung wie in der Nachtruhe und wenn die Störgrößen in einer engeren Gleichung zu den Größen der elektromagnetischen Funktionen des Organismus stehen. Dann kann es allnächtlich zu erheblichen Resonanzwirkungen kommen, dies wie bei den geopathischen Störungen. Viele einzelne Störungen sind an sich geringfügig. Jedoch in ihrer räumlichen Summen- und Kombinationswirkung mit anderen elektrischen Störungen des Körperfeldes und in ihrer zeitlichen Summen- und Kombinationswirkung, auch Langzeitwirkung genannt, sind die elektromagnetischen Störungen des Wohlbefindens und der Gesundheit erheblich und daher zu beachten und zu meiden. Denn viel wenig kann sehr viel werden. Von der Summen- und Kombinationswirkung mit den anderen Zivilisationskrankheiten des Hauses und den sonstigen Zivilisationskrankheiten des Menschen ist noch abgesehen. Diese zusammen ergeben oft tödlich viel, nämlich als verfrühter Tod, etwa als Herz-Kreislauftod. Und zumindest ergeben sie genügend zu einem freudlosen Leben ohne Wohlbefinden und zur Frühinvalidität. Die Elektrokrankheiten sind insgesamt ein wesentlicher Teil des „Selbstmordprogrammes" (Taylor) der modernen Zivilisationsgesellschaft.

Die elektrischen und magnetischen Störungen des Hausfeldes sind sehr wahrscheinlich die Hauptursache der Schlafstörungen des modernen Menschen. Diese allein schon können das Wohlgefühl des gesunden Lebens gänzlich und auf Lebenszeit, nämlich auf Wohnzeit rauben, das Lebensniveau erheblich senken und die Widerstandskraft gegen Erkrankungen stark einschränken. Insgesamt machen die elektromagnetischen Störungen des Hausfeldes und also Körperfeldes chronisch nervös und verursachen zumindest in leichterer Form die chronische Vegetative Dystonie und in späteren Jahren chronische Herz-Kreislaufstörungen. An diesen beiden Beschwerden leidet weit über die Hälfte der Zivilisationsmenschheit mehr oder weniger deutlich. In deren Gefolge werden Stoffwechselstörungen der verschiedensten Formen verursacht, Nierenfunktionsstörungen, Regelstörungen der Frau, Empfindungsstörungen und nervöse Funktionsstörungen vielerlei Art usf. Zusammengefaßt ist die Elektrokrankheit die erste und wichtigste zivilisationsbedingte Hauskrankheit des Menschen! —

Die Störungen des Körperfeldes gehen hauptsächlich als sogenannte Streuwechselfeldstrahlung von der gesamten elektrischen Hausinstallation aus, sofern diese unter Spannung steht wie bisher üblicherweise ständig Tag und

Nacht. Weiter gehen sie von arbeitenden und auch von nur unter Spannung stehenden Elektrogeräten aus wie der Tiefkühltruhe, dem Elektroboiler, dem Fernsehgerät, dem Nachtspeicherofen, der Bettlampe, dem elektrischen Wekker, der Leuchtstofflampe usf. Weiter gehen sie als elektrostatische Störungen von fast allen Kunststoffen im Hause aus und von den Metallkäfigen in den Betonbauten, den Halbkäfigen in den Betondecken und vielen metallenen Rohren. Die Störungen entstehen jedoch nicht nur im Hause selbst, sondern sie gehen auch von hausäußeren Quellen aus, wie von Fernseh- und Rundfunkstationen, von Transformatorenstationen, Hochspannungsleitungen, elektrischen Bahnen, nahen Erdkabeln und Freileitungen zum Haus, von vagabundierenden Strömen aus fast allen modernen Häusern usf. Von diesen Störungen wird jedoch nur ein Teil der Häuser ernstlich betroffen. Von den meist stärkeren innerhäuslichen Störungen werden jedoch alle zivilisierten Häuser und also alle Zivilisationsmenschen geschädigt.

Es ist technisch möglich und oft einfach, bequem und nicht teuer, ohne Verzicht auf irgend eine technische oder andere Annehmlichkeit, sich vor den meisten innerhäuslichen elektrischen und magnetischen Störungen des Wohlbefindens und der Gesundheit sicher zu schützen. Nur bei Miethäusern und in einigen Sonderfällen kann es schwieriger werden. Dagegen ist der Schutz vor den außerhäuslichen Störungen öfters schwierig.

Wie in der Geopathie bestehen drei Urmethoden des Schutzes: Das Meiden, das Kämpfen bzw. Entstören und das Isolieren mit dem Abschirmen. Das Beste ist auch hier das Meiden.

1. Meiden kann man alle innerhäuslichen Störungen hauptsächlich dadurch, daß man das Haus oder den eigenen Lebensbereich bei Nichtgebrauch des elektrischen Stromes — oft 20 Stunden und mehr von 24! — vollständig spannungsfrei und also frei macht von dem elektrischen Schwingungskreuzfeuer in den Räumen. Das ist technisch leicht möglich. Auch kann man am Bett und oft auch am Arbeitsplatz die Nähe störender Geräte meiden. Oder man ersetzt sie durch nicht störende, biologisch geprüfte Geräte.

2. Zweitens kann der ins Haus gelieferte, mit vielen Störungen beladene Netzstrom auf verschiedene Arten in einen nicht störenden Strom verwandelt und von Störungen gereinigt werden. Und man kann störende Geräte wie das Fernsehgerät an der Aussendung von Störungen hindern.

3. Drittens kann man elektrische Leitungen und Geräte, die während der Nacht im Schlaffeld oder am Tage im Arbeitsfeld des Menschen und allgemein im Hausfeld gebraucht werden, störfrei konstruieren oder biotechnisch isolieren und abschirmen gegen eingeschleppte und selbst erzeugte störende Feldwirkungen, Strahlungen und Ströme.

4. Gegen außerhäusliche Störquellen kann man verschiedenes tun, beispielsweise Wände gegen einfallende Strahlen bzw. Wellen abschirmen oder hohe Laubbäume ziehen, die ebenfalls abschirmen.

5. Bei Störungen durch Nullungen des Hausfeldes kann man ein Ersatzfeld schaffen.

Alles zusammengefaßt: So ernst und schwerwiegend meist die Elektrokrankheiten des modernen Hauses und Menschen sind, es ist möglich, in einem Einfamilienhaus weitgehend bis praktisch vollständig elektrostörfrei zu wohnen. Bei gutem Willen und Verständnis des Vermieters kann auch das Miethaus von dieser schwersten Zivilisationskrankheit befreit werden.

Die Elektrokrankheiten und ihre Heilung

Eine reale Einheit, beispielsweise ein Haus oder ein Mensch, ist elektrokrank, wenn das Feld dieser Einheit mit seinen Strahlungen und Strömen elektrisch oder elektromagnetisch disharmoniert ist. Diese Definition ist eine logische, physikalische und biologische Konsequenz aus der maßgebenden allgemeinen Definition, daß eine Krankheit einer realen Einheit vorliegt, wenn das Feld der realen Einheit disharmonisch ist.
Das einheitliche Urfeld der realen Einheit hat viele Sonderformen. Eine vermutlich weitgehend subjektive Sonderform ist das elektromagnetische und elektrische Feld. Trotz ihrer Subjektivität ist diese Definition für den Bereich der Zivilisationskrankheiten des Hauses und seiner Bewohner in ihrer Abgrenzung gut brauchbar, da sie die Herkunft der Störungen zivilisationstechnisch exakt definiert, zu einer technisch präzisen Diagnose führt und auch zu exakten Konsequenzen bei der Überwindung der Störungen, also bei ihrer Heilung.
Die Heilung von Elektrokrankheiten besteht wie bei der Heilung von anderen Krankheiten in Meiden, Kämpfen und Isolieren, insbesondere im Abschirmen.
Folgend werden daher behandelt:

I. Die elektrodynamischen Krankheiten und ihre Heilung.
   A) aus innerhäuslichen Störquellen.
   B) aus außerhäuslichen Störquellen.

II. Die elektrostatischen Krankheiten und ihre Heilung.
   Das Nullfeld des Metallkäfigs und des Kunststoffkäfigs.

III. Einzelne gesundheitsschädliche Verfahren und Geräte.

IV. Einzelne heilende Verfahren und Geräte.

V. Verfahren und Geräte zur Diagnose der Elektrokrankheiten des Hauses und seiner Bewohner.

I. Elektrodynamische Krankheiten und ihre Heilung

Elektrodynamische Störungen gehen von dem elektrodynamischen Feld, von solchen Strahlen und solchen Strömen aus.
Was ist ein elektrischer Strom? Das ist noch immer ein großes Geheimnis. Man spricht von der Wanderung der Elektronen als elektrischen und magnetischen Ladungseinheiten. Aber was ein Elektron ist, das ist ebenfalls

höchst problematisch. Der eine sieht es als relativ selbständige Einheit mit eigenem Drehimpuls (Spin), der andere „nur“ als Wellenknoten atomarer Feldänderungen, d. h. als Feldknoten. Dann wäre es die Folge weitgehend unbekannter unterelektronischer Prozesse, wie von Strahlen und Strömen unbekannter Art.
Die Elektronen bilden insbesondere in den Elektronenschalen die Haut des Atoms und also das Haus aller Materie. Vielleicht ist auch deshalb ihr Anteil an den Hauskrankheiten so groß.

Die elektrischen Lebensqualitäten und Unqualitäten

Da alle realen Einheiten aus Lebensqualitäten bestehen und aus nichts anderem bestehen können, denn außer den realen Qualitäten existiert objektiv nichts anderes, so haben wir im Bereich der Elektrizität zuerst gute und schlechte Elektronen, somit gute und schlechte Felder, Strahlen und Ströme zu unterscheiden. Wir haben also am Beginn unserer lebensgemäßen Strukturanalyse der Elektrizität zuerst gute und schlechte, lebensfreundliche und lebensfeindliche, gesunde und kranke elektromagnetische Größen zu unterscheiden. Wenn man nicht mit dieser fundamentalen, realistischen, lebensgemäßen und objektiven Feststellung beginnt, so bleibt das gesamte Gebiet der Elektrizität für das Thema Gesundheit und Krankheit im dichten Nebel! Und man hat weder Grund noch Halt! —
Es muß also zu Beginn des vorliegenden Themas das wert„freie“ und somit total subjektivistische, irreale, das total lebensfremde Betrachten der Elektrizität überwunden werden. Hier objektiv und realistisch zu denken, das ist für den heutigen Elektrofachmann sehr schwer, da er sich an seine wert„freien“ und also wertlosen, leblosen subjektivistischen ideologischen Überbauten schon sehr gewöhnt hat und wähnt, hier realistisch anzuschauen und das objektive Wesen der Sache zu erfassen.
Objektiv und qualitativ ursachengesetzlich ist jede elektrische Feld-, Strahlungs- und Stromgröße qualitativ verschieden und zwar je nach der Qualität der realen Einheit, die diese elektrische Größe erzeugt. Also folgt, daß jedes anders zusammengesetzte galvanische Element einen qualitativ anderen Strom liefert, je nachdem ob er von Kohle, Zink, Eisen, Cadmium, Nickel, Kupfer, Silber, Gold usf. ausgeht. Hierüber sind schon im vergangenen Jahrhundert Untersuchungen angestellt worden (¹). Ja sogar Galvani, der eigentliche Entdecker des elektrischen Stromes, hat verschiedene Qualitäten unterschieden! — Auch Dynamos bzw. Generatoren liefern verschiedenwertige Ströme je nach der objektiven Form-, Material- und Funktionsqualität des Generators. Was in der qualifizierten Theoretischen Physik eine Selbstverständlichkeit ist. Aber hier scheinen die Unterschiede lebenspraktisch (weit?) geringer zu sein, sodaß man im Verhältnis zu den sehr verschiedenartigen

Batterieströmen allgemein von dem Generatorstrom sprechen kann. Er wird von vielen als relativ wertarm bzw. wertneutral gesehen. Hiermit ist er jedoch keinesfalls lebensfreundlich; sondern er wirkt gegenüber dem Lebendigen wie etwas Totes.

Auch elektrostatische Ladungen müssen qualitätslogisch bzw. realitätslogisch, substanzlogisch, lebenslogisch als verschiedenwertig angesehen werden, dies je nach der Substanz, welche die Ladung erzeugt. Plastic, Glas, Schellak, Wolle, Seide erzeugen verschiedenwertige Ladungen, also schlechte, neutrale oder gute Ladungen. Bei elektrisch geladener Seide oder Wolle wie bei großer Lufttrockenheit im Gebirge fühlt sich der Träger ausgesprochen wohl. Bei geladener Plastic dagegen fühlt sich der Träger im Durchschnitt unwohl, auch nach vorübergehender Reizung bzw. Aufputschung, die subjektiv als angenehm bezeichnet werden kann. Bei stundenlanger oder kürzerer Dauer kommt es jedoch zu gesundheitlich negativen Reaktionen, wie unten noch ausführlich geschildert und zitiert werden wird. Die reale Ladung als wert-„frei" zu betrachten ist auch hier eine wertlose Betrachtung! Sie ist eine leblose, lebensfremde, realitäts„freie" Betrachtung, die zu dem subjektivistischen Welbild des Mechanizismus und Technokratismus gehört.

Es ist zu beachten, daß der elektrische Strom durch Galvani zuerst bei den Tieren, also bei Lebewesen und dann in ihnen entdeckt wurde. Seit Volta wurde der Strom das Opfer des Mechanizismus. Heute muß in der Elektrowissenschaft und -technik wieder der Weg zurück zum Lebewesen gefunden werden und also zur Lebensqualität, somit zum Denken Galvanis.

Zur Geschichte

Als Hans Christian Oerstedt 1820 die Ablenkung der Magnetnadel durch den elektrischen Strom entdeckte und André Maria Ampère 1821/22 seine Entdeckung veröffentlichte, daß gesetzmäßig im kreisförmig stromdurchflossenen Draht Magnetismus erzeugt würde, da wurde eine gewaltige Entdeckung gemacht. Sie erregte schon zu dieser Zeit großes Aufsehen. Doch auch diese Entdeckung wurde vorerst nur wert„frei" quantitativ gesehen und behandelt. Erst später wurde erkannt, daß jedes Atom als Dipol eine Art Magnetnadel ist. Sie ist im Körper der Lebewesen nach dem Leben gerichtet. Da jeder Körper aus Atomen besteht, so beeinflußt jede elektrische Größe den ganzen Körper jedes Lebewesens.

Lakhovsky wies dann darauf hin, daß auch jede Zelle des Organismus analog dem Atom eine gepolte magnet-elektrische Ganzheit ist und daher ebenfalls von den elektrischen Größen beeinflußt wird, insbesondere von den hochfrequenten Schwingungen.

Die Qualität der Wirkung

Bei den Schwingungen taucht ein neues Riesenproblem auf, nämlich das Problem der Gleichung, insbesondere der Qualitätsgleichung. Jede Wirkung ist eine Gleichung. Nur in Gleichungen (Mitbestimmungen!) kann gut, also lebensgerecht gewirkt werden! Das folgt auch aus dem Kausalgesetz. So ergibt sich hier die Frage nach den qualitativen und quantitativen Gleichungen zwischen Feldern, Strahlen und Strömen, insbesondere zwischen verschiedenen Wellen, nicht nur Wellenlängen. Wie weit können agierende reale Einheiten bei verschiedenen Wellen und Wellenlängen noch Wirkung aufeinander ausüben?

Auf diese fundamentale Frage ist zuerst zu antworten, daß im Allgemeinen alle Felder unbegrenzt sind und daher ineinander existieren. Daher reagieren im Allgemeinen alle Felder auf alle Felder und somit auf alle Wellenarten und Wellenlängen bzw. Frequenzen. In elektromagnetischer Sicht reagieren alle realen Einheiten im Kosmos auf alle Feldänderungen im Kosmos und darüber hinaus. Dies entspricht auch der uralten wie neuen Lehre, daß jede reale Einheit im Kosmos ein Spiegelbild bzw. Analogon des ganzen Kosmos sei, eben ein Mikrokosmos. Ein Mikrokosmos steht daher in allgemein vollständiger Gleichung zum Makrokosmos und reagiert daher auf alles im Makrokosmos.

Die Felder der raumzeitlichen Einheiten sind jedoch im Besonderen mehr oder weniger eng begrenzt und zwar qualitativ und quantitativ. Daher kann der allgemeine makrokosmische Einfluß — der auch alle technischen Größen der ganzen Welt umfaßt! — auf ein Lebewesen ganz oder teilweise so schwach sein, daß er das Lebewesen praktisch gar nicht oder objektiv nur teilweise oder subjektiv nicht berührt. Und andere Gründe können den Kontakt erschweren und verringern.

Die Physik lehrt weiterhin, daß bei Wellen eine Gleichung auch dann vorliegt und also eine Wirkung zu erwarten ist, wenn ein einfaches Vielfaches und ein einfacher Teiler — was man Oberwellen und Unterwellen nennt — von Wellen vorliegt. Es ist wohl ein als natürlich zu bezeichnender Vorgang, daß Frequenzen durch verschiedene, in der Natur vorkommende Anordnungen vervielfacht oder geteilt werden. Deren Multiplikator und Divisor folgt jedoch vermutlich nicht nur der Arithmetik, sondern auch dem geometrischen und harmonischen Mittel ([1]). Dann aber sind Vermehrungen und Verminderungen der sekundären Frequenzen und also der Gleichungen nicht mehr übersehbar. Aus Frequenzzahlen daher eine Wirkung ablesen zu wollen, etwa eine Resonanzwirkung, in alter Sprache Influenz — mit Konkordanz und Diskordanz — genannt, das ist schwierig. Bei den vielfachen Möglichkeiten stößt man daher in der Praxis immer wieder auf unerwartete und teils unerklärbare Überraschungen.

Dringen wir weiter in die Tiefe der Wirkproblematik ein, so stoßen wir alsbald auf das Urproblem Qualität und Quantität. Beispielsweise ist es noch schwieriger, aus Energievergleichen Schlüsse auf eine Wirkung ziehen zu wollen. Hier hat A. Preßmann/Moskau einen fundamentalen, weittragenden und interessanten Artikel veröffentlicht „Elektromagnetische Felder — Informationsträger in der lebenden Natur". In diesem Artikel wird, teils wohl unbeabsichtigt oder ungesehen, ein zentraler Hebel angesetzt, der den Mechanizismus in der gesamten Naturwissenschaft überwindet ([1]). In dem Vorwort zur deutschen Übersetzung heißt es: „Die Kenntnisse über den Einfluß der Umwelt auf Lebewesen sind in der letzten Zeit gewachsen. Durch verfeinerte Meßmethoden konnten besonders die Einwirkungen elektromagnetischer Felder nachgewiesen werden. Der unbedeutende Energieaustausch läßt darauf schließen, daß es sich um informatorische Wechselwirkungen handelt, bei denen im Wesentlichen nur die übertragene Informationsmenge von Bedeutung sein dürfte".

Mit der Erkenntnis, daß die Menge, also die Quantität der Energie unbedeutend und unwesentlich ist und daß die Information und also die Form, die Qualität wesentlich ist, wird der Mechanizismus und sein Quantismus überwunden. Doch in der Schlußfolgerung, daß „im wesentlichen nur (!) die übertragene Informationsmenge von Bedeutung sein dürfte" befindet sich Preßmann noch in einem fundamentalen Selbstwiderspruch und hat noch nicht die ganze Konsequenz gezogen, den Mechanizismus also noch nicht ganz überwunden. Denn es ist ein schwerer Widerspruch, wenn der Energieaustausch und also die Menge der Energie als unbedeutend erklärt wird, wenn also die Menge unbedeutend ist, unten jedoch wieder die Menge als „nur" bedeutsam erklärt wird, sei es auch eine Menge von Informationen. Die Menge ist ja nur ein subjektiver ideologischer Überbau, keine reale Einheit, also keine eine objektive Größe. Die Menge ist es also prinzipiell niemals, die objektiv wirkt! — Sondern es ist stets die Form und also recht verstanden die Information! — Dies gilt für das Reich der Natur, der Kultur und der Person gleichermaßen. Die richtig gründlich verstandene Physik ist allgültig und überall dieselbe.

Es ergibt sich somit, daß in der Kommunikation der Lebewesen und auch in allen anderen Einflüssen, die doch ebenfalls sämtlich Feldwirkungen sind, die Information und also der Sinn, die Qualität, ausschließlich nur bedeutsam und wesentlich für das Leben ist. (Die Quantität kann nur wichtig werden, nicht bedeutsam und nicht wesentlich!) Erst mit dieser Befreiung von dem Selbstwiderspruch erhält der Artikel eine prinzipielle durchgehende Konsequenz und ein großes Gewicht.

Mit anderen Worten wird hier die Lebensqualität und Unqualität, das Gute und das Schlechte, die Harmonie und Disharmonie als ausschließlich maßgebend für alles Lebendige erklärt! —

Rückschließend stellt sich dann auch die Frage, wie weit Wellenlängen und also Frequenzen nur Quantitäten und also unwesentlich für das Leben sind

und wie weit sie Qualitäten und somit wesentlich sind? Diese Grundfrage bleibt hier offen.
Zusammengefaßt ist die hier nur in einigen Aspekten behandelte grundlagenwissenschaftliche Problematik im Bereich der Elektrizität sehr groß. Wir wissen, daß wir in der theoretischen Elektrophysik und Elektrobiologie noch sehr vieles nicht wissen, vermutlich fast alles Wesentliche — das Qualitative! — nicht. Daher sind wir entscheidend auf praktische Erfahrungen angewiesen, ob, in welcher Art bzw. Qualität und wie weit bestimmte elektrische Zustände und Änderungen auf Lebewesen wirken, insbesondere hinsichtlich ihrer Gesundheit und Krankheit. Von diesen vorläufig maßgebenden praktischen Erfahrungen wird folgend hauptsächlich die Rede sein. Da es sich um lebensqualifizierte und also gesundheitliche Fragen handelt, so ist auch hier ausschließlich der lebensqualifizierte Biologe und Arzt zuständig, nicht etwa ein Physiker oder Techniker.

Die Quellen der Störungen

Im ersten Satz dieses Kapitels wurde festgestellt, daß elektrodynamische Störungen einer realen Einheit von dem disqualifizierten elektrodynamischen Feld-, Strahlungs- und Strömungswirkungen einer Einheit ausgehen, also von den Feldunqualitäten, Strahlungsunqualitäten und Strömungsunqualitäten. Im Hause spricht man beispielsweise viel von Streuwechselfeldstrahlungen. Sie gehen von allen unter Wechselstromspannung stehenden Leitungen und Geräten aus. Allgemein gehen solche Störungen von allen disharmonischen elektrischen Schwingungen im ganzen Kosmos aus, seien sie natürlich oder von Menschenhand erzeugt. Da nach Heraklit und gegenwärtiger physikalischer Kenntnis im Kosmos alles fließt, also in Bewegung ist, also in elektrischer Sicht schwingt, vibriert, so ist im Grunde die gesamte Elektrik eine Elektrodynamik. Die Statik in Raum und Zeit ist nur eine subjektive Modellvorstellung. Hier ist der Mensch und jedes Lebewesen nun gegen die natürlichen Störungen (Sphärics) angepaßt und gesunderweise ausreichend widerstandsfähig. Bei den zivilisatorischen Störungen (Technics) besteht jedoch wohl noch keine Anpassung. Dazu sind in der erdgeschichtlichen Entwicklung normalerweise ungeheure Zeiträume erforderlich. Zweihundert Jahre Elektrotechnik zählen hier noch so viel wie nichts. Selbst Mikroben, die halbstündlich eine neue Generation gebären, scheinen hier noch nicht nennenswert angepaßt zu sein. Oder? Eine chemische Anpassung erfolgt viel schneller. Also wenden wir uns den elektrotechnischen Störungen unseres Lebens zu.
Hier können die Quellen der Störungen im Hause liegen und außerhalb.

A. DIE INNERHÄUSLICH VERURSACHTEN HAUSKRANKHEITEN

Die innerhäuslichen elektrischen Störungen gehen vom elektrischen Hausnetz und von elektrischen Geräten aus, sofern die Wechselstromspannung des Hausnetzes oder des Kosmos darin schwingt. Zur Wirkung ist nicht notwendig, daß ein Arbeitsstrom darin fließt, daß also der Stromkreis geschlossen ist. Bei offenem Stromkreis, also wenn die Leitungen und die Geräte nur unter Spannung stehen, kann die Störwirkung noch stärker sein. Dies lehrt jeder Rundfunksender. Denn wenn man den Stromkreis in der Sendeantenne schließen würde, so würde diese weit schwächer senden. Sie öffnet sich dann weniger in die Umwelt, sondern bleibt mehr in sich geschlossen.

Die Lebensqualitäten der Frequenzen

In der zivilisierten Welt schwingt der Netzstrom mit 50 bis 60 Schwingungen in der Sekunde. Man sagt fachlich, seine Frequenz beträgt 50-60 Hertz. Hier ist zuerst die Schwingungszahl im Verhältnis zur Natur, insbesondere zum Lebewesen zu untersuchen und dann die Form der Schwingung, die man fachlich Modulation nennt.

Wohl seit Rohracher/Wien werden in der ganzen Welt Untersuchungen über die natürliche Mikrovibration angestellt ([1]). Denn Rohracher entdeckte, daß alle warmblütigen Lebewesen — des weiteren in einer feineren Schwingung vermutlich auch die gesamte kosmische Natur — ununterbrochen in einer Urschwingung vibrieren. Diese liegt bei warmblütigen Lebewesen „zwischen 7 und 14 Schwingungen pro Sekunde". Vielleicht kann man nach späteren ärztlichen Erfahrungen sagen, daß sie gesunderweise zwischen 10-12 Schwingungen, idealerweise ungefähr bei 12 Schwingungen liegt. Diese allgemeine Urschwingung zeigt sich im Besonderen wohl auf allen Existenzgebieten, also in allen Lebensbereichen. Das ist aufgrund der Ureinheit der Natur logisch. Diese Urvibration zeigt sich daher auf magnetischem, elektrischem und wohl auch anderem Gebiet, insbesondere zuletzt auch auf mechanischem Gebiet. Diese Urschwingung ist sehr mächtig und kräftig. Um nur die mechanische Schwingung zu unterdrücken, ist ein Gewicht von über 11-15 kg auf den Quadratzentimeter, etwa auf dem Arm erforderlich. Man erwäge das zur Unterdrückung notwendige Gewicht auf die ganze Körperfläche von über 1 qm! —

Wir haben hier sicherlich eine Urschwingung des Lebens vor uns, durch die wohl im ganzen Kosmos Lebensqualitäten (und auch Lebensenergien) erzeugt und übertragen werden. Denn bei dem Tode eines Lebewesens endet die elektrische und mechanische Selbstschwingung des Organismus, — diese allgemeine Selbstbestimmung. Die Unterdrückung dieser Urlebensschwingung stellt daher eine tödliche Gewalt dar. Die Störung von ihr macht krank. Be-

stimmte Krankheiten zeigen bestimmte Abweichungen von der Urschwingung, insbesondere in der Frequenz und in der Modulation. Ob wir jedoch mit Frequenz — samt Amplitude etc. — und Modulation an das Wesentliche der Lebensqualität einer Schwingung heran kommen, das ist ein offenes und großes Problem. Hinter dem, was wir als Modulation bezeichnen, könnte sehr viel stehen, etwa die Hauptqualität, also das Gute oder Schlechte einer Frequenz. Wie auch die Melodie im Lied wichtiger ist als der Rhythmus. — Aber auch Frequenzen können Gutes und Schlechtes, Gesundheit und Krankheit anzeigen. Bei der Frequenz 18 ist ein Organismus schon schwer krank ([1]). Er kann dann 41 Grad Fieber haben. Der Tod ist hier sehr nahe. Was zeigt uns nun die heutige moderne Zivilisationselektrik?
Die elektrische Bahn schwingt ungefähr mit einer Frequenz von 17. Der Netzstrom gar mit 50-60. Doch wäre 50-60 ein fünffaches Vielfaches der möglichen Idealfrequenz von 10-12. Aber daß dies harmonisch wäre, ist eine vorerst unbegründete Hypothese.

Die aufmodulierten Störungen

Doch nicht hier, sondern vielleicht auf anderem Gebiet liegt die große Gefahr. Der Wechselstrom des ländergroßen und kontinentgroßen elektrischen Verbundnetzes erhält durch jede Ein- und Ausschaltung irgend eines Gerätes eine disharmonische Zacke in seine an sich relativ harmonische dreieinheitliche Wellenform. Durch zweipolige Anschaltung der meisten Elektrogeräte wird die harmonische Dreiphasenform weiter verzerrt. Durch die Arbeit vieler Elektrogeräte, wie z. B. mit Thyristoren, wird sie noch erheblich mehr verzerrt, insbesondere mit spitzen Zacken versehen. Ein Fernsehgerät kann dem Netzstrom eine besonders ungesunde, lebenswidrige Zackenform aufmodulieren, die fachlich als „sägezahnförmig" bezeichnet wird.
Da an dem Netz der Überlandleitung viele Millionen Verbraucher hängen, so werden dem Netzstrom wohl in jeder Sekunde über tausend Zacken aufmoduliert. Alle Transformatoren übertragen diese scharfkantigen, oft sägenden Strukturen. Und die gesamte Hauselektrik strahlt all diese sägende, stechende und schneidende Schärfe durch die sogenannte Streuwechselfeldstrahlung nach bisherigem Brauch Tag und Nacht auf das gesamte Hausfeld aus und also auf alle Bewohner! — Liegt da die Frage nicht nahe, ob mit diesen vielfältig disharmonischen Schwingungen induktiv nicht auch unsere Nervenströme wie die sämtlichen Organströme beständig angestochen, angeschnitten und angesägt werden! —

Wie hilft man sich?

Daher wurde in den vorangehenden, unverändert schnell nachgedruckten vier Auflagen dieses Buches der Rat gegeben, allabendlich zumindest die-

jenige Sicherung zu lockern, die den Schlafbereich der Erwachsenen und der Kinder kontrolliert. Zu seiner Überraschung erhielt der Urheber dieses Rates allein auf diesen einzigen Ratschlag hin — das Buch enthält viele hunderte von praktischen Ratschlägen — eine Flut von Dankesschreiben. Nun könne man endlich ruhig und erholsam schlafen, so hieß es immer wieder. Auch das Kind bzw. die Kinder seien jetzt nachts ruhig. Und die Schulkinder wären jetzt endlich wie die Eltern morgends ausgeschlafen, hätten früh Appetit, wären nun konzentriert in der Schule und würden gut lernen. Auch die Erwachsenen hätten seitdem nachts und morgends keine Kopfschmerzen mehr, benötigten seit Jahren erstmals weder Schmerz- noch Schlaftabletten, würden nicht mehr unter Verkrampfungen, Stuhlverstopfung, Nervosität und ständiger Müdigkeit leiden. Die nächtlichen und vormittäglichen Herz- und Kreislaufbeschwerden seien wie weggeblasen. Und was habe man doch jahrelang bzw. jahrzehntelang schon für ein Geld ausgegeben! Was wüßten denn hier die Mediziner! Jetzt sei es ein richtig neues Leben! — Fast ein Wunder! —
Wie gesagt, nur das abendliche Lockern der Sicherung hatte dieses Wunder vollbracht. Wie ist es zu erklären? — Einige Hypothesen dazu:

Die Erklärung

a) Mit der Akustik-Feldsonde ist das tausendfältig gezackte und verzerrte Streuwechselfeld, das von der Hausnetzinstallation in das Hausfeld abgestrahlt wird, als unangenehmes, lärmendes Krachen hörbar, insbesondere bei einer Wandleitung in Bettnähe. Im Freien vor dem Haus ist es im Lautsprecher oder Kopfhörer still.
b) Wenn Leitungen rund um ein Zimmer liegen, so ergeben sich stehende Wellen mit Wellenkreuzungen. Es ergeben sich Wellenknoten, Interferenzerscheinungen, auch durch Spiegelungen wie an einem metallbelegten Wandspiegel. Kopf, Herz oder Sonnengeflecht (Plexus solaris) in solch einem Wellenkreuz kann die Organströme stören, dies von leichter bis zu schwerster Störung. Die Quadratur der Wellen im Körperfeld des Menschen kann zu ständigen Kopfschmerzen, zur Vegetativen Dystonie, zu Stoffwechselstörungen und zu Herz-Kreislaufstörungen bis zum Herzinfarkt führen. Kleinkinder und Tiere verlassen dann in der Nacht instinktiv einen solchen gestörten Platz, soweit ihnen das möglich ist. Die Kinder können am Morgen ganz seitlich oder verkehrt herum im Bett liegen. Moderne Erwachsene schlucken jedoch allabendlich lähmende Tabletten gegen die Schmerzen, gegen die Unruhe zum Schlafen, gegen die Verstopfung und am Morgen andere Tabletten wieder zum Wecken und am Tag zur Leistungssteigerung. Oder sie lassen sich entsprechende Spritzen geben. —
Wie lange kann solch ein ursachenwidriges Verhalten gut gehen? —
c) Die Zimmergröße ist ungefähr die Menschengröße. Hier besteht eine prak-

tisch exakte Gleichung zwischen den elektrischen Schwingungskreisen in den Wänden aller Zimmer und dem Körperfeld des Menschen mit seinen Eigenschwingungen.

Dies sind nur einige Erwägungen. Das meiste wissen wir theoretisch vermutlich noch nicht. Aber wir wissen viele praktische Auswirkungen. Was sollen und können wir dann zur Abhilfe tun? Die Antwort soll auch zugleich für die störende Elektrodynamik der Geräte gegeben werden. Also untersuchen wir zuvor auch noch diese.

Die elektrischen Hausgeräte

Die elektrischen Hausgeräte sind ein weiterer, nicht selten mächtiger Störfaktor. Dazu einige Erfahrungen, da auch hier Erfahrungen maßgebend sind aufgrund unserer noch sehr mangelhaften theoretischen Kenntnisse über die Biologie der Elektrizität.

Ärzten ist weithin bekannt, daß ein EKG-Gerät, das die Herzströme mißt und zur Herzdiagnose benutzt wird, durch ein nahe stehendes heutzutage normales Elektrogerät erheblich gestört werden kann, ebenso durch eine normale in der Wand hinter dem Gerät laufende elektrische Leitung, auch wenn diese nur unter Spannung steht. In langen Artikeln werden heute die vielen Störeinflüsse behandelt ([1]). Und die Hersteller der EKG-Geräte geben Anweisungen zur störfreien Aufstellung.

Wenn nun das EKG-Gerät, das im Bereich der Herzströme empfindlich ist, da es diese mißt, durch eine „normale" elektrische Leeitung oder ein „normales" Elektrogerät so nachhaltig gestört werden kann, daß die Herzstromkurve auf dem Oszillographen derart verwirrt und unlesbar wird, daß man keine Diagnose mehr stellen kann, weshalb sollte dann nicht auch der Herzstrom selbst bei einem nahe der Wand schlafenden Menschen ebenso nachhaltig gestört werden? Müßte nicht auch er für das Leben des Organismus verwirrt und also unbrauchbar werden? „Unlesbar" für die Organe? — Hinzu kommt, daß der Herzstrom eines Menschen, der nahe einer Wandleitung oder einem Elektrogerät schläft, nicht nur einmal drei Minuten lang, sondern allnächtlich sechs und mehr Stunden gestört wird und dies jahraus jahrein! Wer kann sich da noch über elektrisch verursachte Herz-Kreislaufstörungen, über Vegetative Dystonie, Kopfschmerzen usf. wundern! — Nicht einmal der Herzinfarkt ist dann noch verwunderlich! —

Und noch etwas kommt hinzu: Die Herzströme sind ungefähr hundert mal stärker als die Nervenströme, welche die anderen Organe steuern oder mitsteuern! Also müssen diese noch hundert mal stärker gestört werden! —

Sind das nicht erschreckende Verhältnisse in unserer nächsten Umwelt! Sie erklären die oben genannten Dankesbriefe noch deutlicher.
Dazu noch eine drastische Erfahrung: Vielen Ärzten ist schon bekannt — vielen auch noch nicht, denn die Fortschritte der Zivilisationsmedizin und Zivilisationselektrik sind stürmisch —, daß Kinder, die dicht südlich eines allnächtlich aufgeheizten Elektroboilers von mehr als 50 l schlafen, an vielen der folgenden Störungen bzw. Elektrokrankheiten leiden: Schlaflosigkeit, Unruhe, auch tagsüber, Rotieren im Bett während des Schlafes, nächtliches Aufschrecken, Angstträume, Verkrampfungen, einerseits des Muskelsystems wie des Kiefers mit Gebißschäden, folgend des gesamten Verdauungs„apparates", andererseits des Herz-Kreislauf- und Nervensystemes, Muskelfibrillieren, Bettnässen, chronische Müdigkeit, Blässe, Blutarmut, schwere Konzentrations- und Lernstörungen, Eßunlust, Reizbarkeit, Stoffwechselstörungen verschiedenster Art bis zu Drüsenstörungen, Schwäche, allgemeine leibliche und seelische Entwicklungsstörungen usf. Sorgenkinder werden das auf Jahre. Doch in jedem Urlaub beginnt das Kind aufzublühen. Heimgekehrt verfällt es in wenigen Tagen wieder. Die Eltern können verzweifeln. Tausende werden ausgegeben. Kliniken und Kapazitäten werden bemüht. Doch alles vergebens. Keine Tablette, keine Spritze und keine Kraftnahrung hilft, nicht die beste Reformkost mit noch so viel Vitaminen, Mineralien, Spurenelementen usf., auch kein Hormon, kein Kurmittel. Bis dann endlich einer kommt und sagt: Rückt doch das Bett ein wenig nach Osten oder Westen, zwei Meter oder besser mehr. Man tut es halt in Gottes Namen, weil man nichts anderes mehr weiß. Und? — — Es ist nicht zu fassen. Das Kind gesundet schnell. Alle Beschwerden verschwinden. Die Entwicklungsmängel werden aufgeholt. Und das alles ohne einen Pfennig Unkosten! Oder was ist das Know How wert? Das Wissen um das ABC des gesunden Lebens, hier im Umgang mit der Hauselektrik! —
Ist das nur ein sensationeller Einzelfall? Nein! Dieser Fall ist in den hoch elektrifizierten Städten die Regel, wenn auch teils in schwächerem Maß, teils jedoch in noch stärkerem Maß. Bis zu monatelanger Bettlägerigkeit mit Lähmungen lauten so manche Berichte. Erst wenn der Patient in das Krankenhaus kommt oder — stirbt, endet diese Zivilisationstragödie! Und die meisten „zivilisierten" Menschen sterben heute an Herz-Kreislaufstörungen! Menschen, die in nicht elektrifizierten Wohnungen leben, wie etwa Buschneger, sterben fast nie an Herz-Kreislaufstörungen! Und fast niemand von ihnen leidet an der Vegetativen Dystonie, an dieser fundamentalen chronischen Störung unseres selbständigen Nervensystemes bzw. Elektrizitätssystemes. Auf das Chronische der Beschwerden ist immer zu achten. Denn die modernen elektrischen Wandleitungen und Geräte senden ihre Störimpulse, ihre Technics chronisch, bis zum Lebensende!

Die Mediziner der ganzen Welt rätseln über die Ursachen der in der zivilisierten Welt seit einem knappen Jahrhundert (!) ungeheuerlich verbreiteten Herz-Kreislaufstörungen, der Vegetativen Dystonie und der Schlafstörungen, unter denen mehr als die Hälfte der Zivilisationsmenschheit bewußt leidet, andere unbewußt.

Vor einigen Jahren kamen in Paris über 700 Ärzte zusammen, um ein einziges Thema zu klären, das Zivilisationsübel Schlaflosigkeit. Eingestandenermaßen blieb die Ursache ungeklärt. Es war damals noch kein Arzt anwesend, der über die modernen Elektrokrankheiten informiert war. Die erste Veröffentlichung darüber erschien erst nach diesem Kongreß, in der 1. Auflage des vorliegenden Buches. —

Das chronisch schwer kranke Kind, das hinter dem Elektroboiler schläft bzw. schlafen soll, ist also keineswegs ein Einzelfall. Denn nicht nur die Elektroboiler stören. Eine Kühltruhe nördlich hinter der Schlafzimmerwand kann noch schlimmer wirken. Und ein Farbfernsehgerät, das nur unter Spannung steht, leistet Ähnliches, wenn es einen Meter neben dem Bett steht. Und schwere Schlafstörungen und Kopfschmerzen mit Verkrampfungen etc. kann sogar ein kleines metallenes Leselämpchen dicht über dem Kopf des Schläfers bewirken! Besonders intensiv eine Leuchtstofflampe. Auch ein Radio auf dem Nachttisch! Und schon ein metallener Rahmen am Kopf.

Ein Schweizer Arzt veröffentlichte in Ars medici, einer Schweizer Ärztezeitschrift, mehrere Statistiken mit dem Ergebnis, daß Arbeiter in elektrotechnischen Fabriken einen merklich höheren Krankenstand aufweisen als in anderen Fabriken ([1]).

Wenn ein Erfahrener Einzimmerwohnungen oder gar Altenheime sieht, kann ihn das Grausen überkommen. Das Radio rechts, das Fernsehgerät links neben dem Bett, darüber die Bettlampe, darum ein betonierter Stahlkäfig. Das ist ein chronisches Martyrium für die Armen. Nur mit schwersten Giften wie man sie tobenden Geisteskranken zur „Beruhigung" gibt, kann hier ein Mensch noch vegetieren! — Wenn er arm ist, wird er länger leben und besser. Denn dann hat der Altenheimbewohner kein privates Fernsehgerät, vor allem kein Farbfernsehgerät. Und er hat auch keinen elektrischen Wecker, der mit seinem Thyristor nicht nur den Elektrizitätswerken Kummer bereitet, sondern noch viel mehr Kummer dem armen ahnungslosen Zivilisationsbürger. Noch zehn andere Elektrogeräte können in einer Entfernung von weniger als 2-3 m neben dem Bett den Aufenthalt darin zur chronischen Qual machen, sodaß nur noch giftige, lähmende Tabletten und Drogen das Leben erträglich machen und daß man Amphetamine (Aufputschdrogen) nehmen muß, um noch ein Mindestmaß der geforderten und zu Recht erwarteten Leistung zu erbringen.

„45 000 Tonnen Aufputschpillen brachte die Pharmaindustrie bereits 1970 unter die amerikanische Bevölkerung, genug, um jeden US-Bürger, Säuglinge und Greise mitgezählt, täglich in den „Genuß" gesteigerter Reaktionsfähigkeit zu versetzen" ([2]). —

Überall warnen Ärzte vor der ungeheuerlich ansteigenden Tablettensucht. Diese Drogensucht ist für die Gesundheit weitaus gefährlicher als die Sucht nach den „harten Drogen". Aber die „weichen Drogen" sind die Einsteighilfen zu den harten Drogen! Auch den Genuß und Mißbrauch von Alkohol und Nikotin fördern sie. Das ist ein Teufelskreis! Was ruinieren die Elektrokrankheiten hier mittelbar die Volksgesundheit? —
Im Anfang dieser Forschungen wurden wie in der weiteren Umwelt die Chemiekrankheiten und die Betonkrankheiten für die schwersten Zivilisationskrankheiten des modernen Hauses gehalten. Durch immer erneute, nicht mehr zu zählende harte Erfahrungen mußte diese Annahme korrigiert werden, und es mußten die Elektrokrankheiten an die erste Stelle gesetzt werden! —
Die schnell steigende Sensibilität des Menschen für seine Umwelt wird an dieser Entwicklung beteiligt sein und in Zukunft die Probleme noch weit mehr verschärfen. Hinzu kommt die schnelle Mehrung in der Anwendung der Elektrogeräte, dies sowohl im Wohnhaus als auch am Arbeitsplatz.

Die Hilfen

Was können wir gegen die ständige, ja lebenslange schwere elektrische Verseuchung unseres Hausfeldes und also Körperfeldes tun?
Hier hilft uns die moderne Technik, insbesondere eben die Elektrotechnik sehr viel, wenn man sie qualifiziert verwendet, dies in großem Gegensatz zu der chemischen Vergiftung unserer nächsten und ferneren Umwelt. Denn die Verseuchung durch Gifte ist weit heimtückischer und schwierig unter Kontrolle zu bringen. Die innerhäusliche elektrische Verseuchung dagegen ist nahezu spielend unter Kontrolle zu bringen und zu überwinden.
Wir haben die drei Urmethoden Meiden, Kämpfen und Isolieren mit Abschirmen.

1. Das Meiden

Die fundamentale und weitaus wirksamste Methode, um frei von Elektrostörungen zu wohnen, ist das Meiden der sogen. Streuwechselfeldstrahlung. Diese geht von allen unter Spannung stehenden Leitungen und Geräten aus. Hier besteht eine Reihe von Möglichkeiten:

Abschalten (Spannungsfreimachen)

a) Die Grundform und beste Form des Meidens der Elektrostörungen des Hausfeldes besteht darin, das elektrische Hausnetz zu allen Zeiten und an allen Orten vom Versorgungsnetz vollständig zu trennen, solange kein Strom benötigt wird. Das sind oft mehr als 20 Stunden von 24 Stunden!

Ganz besonders ist es die Nachtzeit, auf die es entscheidend ankommt. Wenn die elektrischen Leitungen und Geräte spannungsfrei gemacht werden, dann schwingen sie nicht mehr und senden also keine Störungen mehr aus. Der Strom, der in allen unter Spannung stehenden Leitungen des Hauses ständig hin und her fließt, der sogen. „kapazitive Blindstrom", ist zwar haushaltsenergetisch gering; aber wir wissen nicht, wie erheblich er vielleicht für das Feld der Lebewesen ist, insbesondere in seinen Unqualitäten.

Man kann die Hausleitungen auf mehrere Arten spannungsfrei machen. Der Elektrofachmann nennt es „Totlegen" der Leitung. Das Leben im Hause kann dann auferstehen! Eine Methode ist das allabendliche Lösen der Sicherungen, zumindest derjenigen, die den nächsten Schlafbereich kontrollieren. Das ist unbequem. Aber in der Not tun dies schon viele.

Eine zweite, ebenfalls schon häufig angewandte Methode besteht darin, in der Hauszentrale ein Ausschalt- und Einschalt-Relais mit Fernsteuerung anzubringen. Dann wird eine Leitung an das Bett gelegt. Auch das ist unbequem, wird oft vergessen und führt zu vielen Unzuträglichkeiten. Was etwa tun Kinder und andere, wenn sie später zu Bett gehen oder nachts einmal Licht benötigen?

Die dritte und bei weitem beste Methode ist ein vollautomatisches Elektrogerät, welches den gesamten Bereich, auf den es geschaltet wird, Tag und Nacht ständig selbsttätig spannungsfrei hält, solange kein Verbraucher eingeschaltet wird. Das ist der Netzfreischalter. Er wird das Gerät der Zukunft sein. (Vgl. Kap. IV.1). Er ist für alle Altbauten und Neubauten zu verwenden.

Der Gleichstrom

b) Eine zweite Hauptmöglichkeit, das Schwingungskreuzfeuer in den Räumen des Hauses zu meiden, besteht darin, daß man bei dem Bau des Hauses — später ist es schwieriger und teurer — Lichtstromleitungen und Kraftstromleitungen getrennt verlegt und als Lichtstrom einen Gleichstrom verwendet. Denn 60-90 % der Hausleitungen werden nur für den Lichtstrom benötigt. Kraftstrom wird fast nur in Küche und Keller benötigt, bei Küchenmaschinen, der Waschmaschine, bei Kühlschrank und Kühltruhe, bei der Ölheizung usf. Wo er anderwärts im Hause benötigt wird wie zu Radio und Fernsehen mit einem Anschluß für Plattenspieler und Tonband, dorthin kann eine unten beschriebene Spezialleitung gezogen werden.

Der Gleichstrom ist ideal störungsfrei, wenn er von Akkumulatoren bezogen wird. Diese können entweder mit einer automatischen Ladeanlage geladen werden, die sich erforderlichenfalls immer dann einschaltet, wenn kein Strom entnommen wird. Bei sehr großer Stromentnahme kann automatisch oder mit Hand auch auf Pufferbetrieb oder sogar vorübergehend auf Netzbetrieb umgeschaltet werden. Dies setzt einen Akkustrom mit Netzspannung voraus. Aber man kann auch mit geringer Spannung wie von 24

oder 48 Volt arbeiten. Das verringert die Akkumulatorenkosten, bringt Sicherheit wie für Kinder und erbringt bei demselben Stromverbrauch 3-4 mal mehr Licht, da die Glühbirnen bei geringer Spannung so viel wirtschaftlicher arbeiten. Zu diesem Schwachstrom dürfen jedoch keine normalen Steckdosen verlegt werden. Das erfordert etwas Aufwand, wenn man Steh- und Tischlampen verwenden will. Oder man verwendet sie an einem Netzstecker, der über einen Netzfreischalter bedient wird. Der Akkumulatorenstrom benötigt keinen Netzfreischalter, da er störungsfrei ist.
Der von einem Gleichrichter bezogene ungefilterte Strom ist ähnlich stark wie der Netzstrom gestört. (Zu Biofilter vgl. IV.2).

Keine Schwingungskreise

c) Eine dritte Möglichkeit besteht darin, das Schwingungskreuzfeuer der unter Spannung stehenden Leitungen wenigstens teilweise zu vermeiden und in den besonders gefährlichen zimmergroßen bzw. menschengroßen Schwingungskreisen zu vermeiden. Dazu verlegt man bei dem Hausbau die festen Leitungen nur begrenzt, vor allem bedachtsam im Schlafraum und in den angrenzenden Räumen. Und man legt sie nur stichartig von einer Zentralleitung aus. Man vermeidet waagerechte, rund um ein Zimmer oder gar um das ganze Haus laufende Leitungskreise und auch senkrechte Schwingungskreise.
Es ist eine lebensfremde zivilisatorische Sucht, überall hin Steckdosen zu verlegen. Man könnte sie ja vielleicht einmal gebrauchen. Immer noch mehr Dosen und also Drähte ziehen, heißt die selbstmörderische Devise. Kreuz und quer werden dann die Leitungen überall gelegt. Nie sind es genug. Tag und Nacht steht dann dieser ganze Drahtverhau unter voller Spannung wie eine hundertfache Sendeantenne. Mit fünf Watt kann ein Kurzwellenamateur schon um die ganze Erde funken und noch allerlei bewegen, also 20 000 km weit. Aber auf wenige Dezimeter und Meter soll die vieltausendfach stärkere Leistung dieses geladenen Drahtverhaus den Nerven garnichts ausmachen! Ob das nicht schon eine katastrophale Gedankenlosigkeit ist? —
Die vorgenannten Möglichkeiten betrafen hauptsächlich das elektrische Hausnetz. Was ergibt sich aus dem Meiden für die Elektrogeräte?

Das störende Elektrogerät

d) Das Elektrogerät ist zuerst in seiner Störwirkung näher zu untersuchen. Die biologisch wichtigen Hauptbestandteile eines Elektrogerätes sind elektromagnetische Spulen, Kondensatoren, Widerstände und Transistoren bzw. Röhren. Die Spulen treten als Transformatoren, Drosseln usf. auf. Schon diese Teileinheiten arbeiten in dem Feld des Kosmos, der ständig von Millionen verschiedener Wellen durchflutet wird, als Empfänger bzw. Magnet,

als mehr oder wenig disharmonischer Wandler und als entsprechender Sender. Dies also auch dann, wenn das Gerät nicht an das Netz angeschlossen ist. Jedoch hundertfach und tausendfach stärker arbeitet das Gerät, wenn es unter Netzspannung steht, wenn es also nicht allpolig getrennt ist, nämlich wenn es nicht von der Phase und vom sogenannten „Null"-Leiter getrennnt ist. Heutzutage haben die meisten Elektrogeräte keinen allpoligen Schalter. Und wenn doch, dann kann noch über den geerdeten Nulleiter und die Schutzerde eine schwache Spannung in das Gerät verschleppt werden. Auch sie genügt zu einem lebensqualitativ kräftigen „kosmischen Betrieb" des Gerätes.
Ein unter Spannung stehendes und ein mit Wechselstrom arbeitendes Gerät baut um sich herum ein kugelförmiges Störfeld auf. Dieses mit der Feldsonde und anderen Elektrogeräten meßbare Störfeld wird im bisherigen elektrotechnischen Sinne als magnetisches und elektrisches Störfeld unterteilt. Aber es scheint auch noch eine biologische Feldgröße vorzuliegen, die nur teilweise sich ähnlich wie das elektrische und magnetische Feld verhält. Dieses biologische Störfeld kann in seinen Qualitäten bzw. Unqualitäten stark verändert werden, ohne daß an den elektrischen oder magnetischen Quantitäten des Störfeldes überhaupt eine Änderung feststellbar ist; oder es wird nur eine winzige Änderung festgestellt. Diese Erscheinung finden wir auch anderwärts. Ein Wein kann im Geschmack von gut zu schlecht umschlagen, wie auf einem Transport, ohne daß an der Quantität wie an seiner Energiemenge sich etwas ändert. Er kann sogar zu Essig werden, sich also qualitativ total wandeln, an seiner Energiemenge jedoch nur geringfügig. — Einen Liter Wein kann man gefahrlos trinken. Ein Liter Essig macht krank. Es kommt also entscheidend auf die Qualitäten der elektrischen Informationen an und auf die Änderung dieser Qualitäten bzw. Unqualitäten! —

Die Deformation des Störfeldes

Das Störfeld im biologischen bzw. qualitativen Bereich wird zudem durch mehrere makrokosmische Kräfte erheblich deformiert. So auch wird das magnetische und elektrische Erdfeld u. a. vom Sonnenfeld, von den Sonnenstrahlen und den Sonnenströmen erheblich deformiert ([1]). Das Magnetfeld der Erde ist sonnenseitig nur einen kleinen Bruchteil so groß wie auf der der Sonne abgewandten Seite. Aber es bestehen auch umgekehrte und andere Deformationen. Sie verzerren das Feld ähnlich wie der Luftwiderstand einen fallenden Wassertropfen aerodynamisch verzerrt.
Im Leben kommt es entscheidend auf die qualitativen Größen an, hier also auf die Unqualitäten des biologisch wirksamen Störfeldes. In qualitativer und zugleich quantitativer Hinsicht zeigt das Störfeld der Elektrogeräte eine „Südabtreibung" (Schröder-Speck), eine Verzerrung nach Süden im Verhältnis von 1 : 3 bis 1 : 5. Das heißt, wenn bei einem durchschnittlichen elek-

trischen Hausgerät das Hauptstörfeld nach Norden ca. 1-2 m reicht, dann reicht es nach Süden von ca. 3-6 m bis 5-10 m. Das Störfeld von großen Elektroboilern und Kühltruhen ist größer, bei den Kühltruhen je nach Füllungsgrad. Der elektrotechnische Umfang eines Gerätes steht nicht in einer Gleichung zu dem Umfang des Störfeldes. Winzige Geräte wie elektrische Wecker oder Leuchtstofflampen können sehr weit stören und räumlich große Geräte zuweilen nur auf geringe Entfernung.

Die Gliederung des Störfeldes

Die Grenze des Störfeldes kann scharf sein, mit einem plötzlichen hohen Abfall an Störintensität. Interessant ist, daß überhaupt eine solche Grenze besteht. Sie ist eine Haut! Die nähere Untersuchung lehrt, daß alle Felder in Zeit und Raum eine Grenze bzw. Haut bilden, zumindest in ihrem qualitativen, also biologischen Teil. Auch die Haut eines Festkörpers eines Lebewesens ist eine Feldgrenze!
Jede Feldgrenze ist sogar gliedartig gestuft. Wer bei der Feststellung der Feldgrenze nicht sorglich vorgeht, der kann eine Untergrenze („Unterwelle") oder Übergrenze („Oberwelle") für die Hauptgrenze halten. Bei Rutengängern kommt dieser Diagnosefehler in der Geopathie häufiger vor. Hier spricht man vom „Reaktionsabstand", auch von der Aura.
Die Feldgrenze am menschlichen Körper und auch an Geräten kann man mit Radarinstrumenten und anderen exakt messen. Aber mit technischen Geräten kann man zwar leicht elektrische und magnetische Quantitäten messen, etwa in der Geophysik die deformierte Form des Erdmagnetfeldes, nicht jedoch qualitative Größen bzw. den Grad von Unqualitäten oder Qualitäten. Die Aufklärung dieser ganzen Problematik läuft noch in den Kinderschuhen. Dennoch haben wir schon viele und fast ausreichende Erfahrungen, um im Haus elektrische Störfelder zu vermeiden.

Wie vermeidet man Störungen durch Geräte?

Folgende praktische Konsequenzen ergeben sich aus diesen vielen Versuchen, Messungen und Lebenserfahrungen. Von ihnen soll man persönlich über eine vierstellige Zahl verfügen, ehe man darüber zu reden oder zu schreiben beginnt. Bei der Erstaunlichkeit dieser Dinge reden viele schon weit früher, etwa wenn sie die in dem Buche PSI angegebenen Feldwirkungen feststellen, die in keines der seit 200 Jahren aufgestellten schulphysikalischen Systeme passen ([1]).
Meiden kann man die von Elektrogeräten ausgehenden primären Feldstörungen:
Erstens durch Ziehen des Netzsteckers oder am bequemsten durch den vollautomatisch arbeitenden Netzfreischalter.

Zweitens durch Vermeiden der Postierung eines Elektrogerätes im Körperfeld des Menschen, insbesondere im Schlafraum. Der Raum hinter den Wänden, an die das Bett angrenzt, ist einzurechnen. Jedoch bilden auch die Wände des Hauses Feldgrenzen. Daraus wiederum folgt, daß man besonders im Schlafzimmer netzgespeiste Geräte und auch Batteriegeräte wie Transistorradios meiden soll. Dies gilt speziell, wenn man nicht sehr gut schläft, nicht kurz und erholsam, sodaß man nicht zwischen 4 und 5 Uhr von selbst frisch und ausgeschlafen aufwacht. Eine Batterieuhr an der dem Bett gegenüberliegenden Wand erscheint nach bisherigen Erfahrungen unbedenklich, wenn sie nicht unglücklich in einer geopathischen oder anderen wie elektrischen Störzone postiert ist.
Drittens durch Vermeiden der Postierung eines Elektrogerätes in der Senkrechten unter und über einem Daueraufenthaltsplatz, insbesondere dem Bett. Die Senkrechte zählt vom Keller bis zum Dach, also vom Ölheizungsaggregat, vom Elektroboiler und der Waschmaschine etc. im Keller über den Elektroherd oder Nachtspeicherofen oder das TV-Gerät usf. in der Küche oder in einem anderen tieferliegenden Raum bis zur Dachantenne und dem Dachständer für die elektrische Freileitung. Bei stark störenden Geräten wie Fernsehgeräten, Kühltruhen, Nachtspeicheröfen, Elektroboilern kann die seitliche Abweichung von der Senkrechten 1-3 und mehr Meter betragen. Normal sensible Personen berichten auch dann noch oft von Schlafstörungen. Erst wenn der Netzstecker des Fernsehgerätes allabendlich gezogen wird oder wenn der Netzfreischalter diesen Stromkreis allnächtlich „tot legt“, erst dann kann der Schläfer aufleben und ruhig schlafen. Bei den fest angeschlossenen Geräten hilft nur die Außerdienststellung mit Trennung vom Netz wie durch allpoligen Schalter oder der entsprechend weite Wechsel des Schlafplatzes.

2. DAS KÄMPFEN
(Die sekundäre Elektrostörfreiheit. Der Biofilter)

Wer eine Störung des Lebens nicht meiden kann, der kann, darf und soll kämpfen. Einige Stunden am Tag benötigt jeder Haushalt den Wechselstrom, etwa für das Fernsehgerät oder das Radio, im Winter länger für das Licht, wenn kein Gleichstrom zur Verfügung steht. Nachtarbeiter und Leseratten benötigen ihn noch länger. Ebenso, je mehr Personen im Haushalt leben. Das Lebensfeld des Menschen bedarf in Büros und anderen Arbeitsräumen nicht minder der Freiheit von Elektrostörungen, denn derselbe Mensch lebt in ihnen. Wenn hier fast ständig Wechselstrom benötigt wird wie zu Schreibmaschinen, Rechenmaschinen, Buchungsmaschinen usf., dann ist das kämpfende Befreien besonders wichtig, um berufliche Elektrokrankheiten zu vermeiden. Wenn jedoch nicht ständig Wechselstrom benötigt wird wie in höher qualifizierten Bürobereichen, wo mehr Kopfarbeit geleistet wird, dann kommt auch hier zuerst der Netzfreischalter infrage.

Hinzu ist zu erwägen, daß ein Gleichstrom in einem Büro technisch und praktisch problemloser ist als in einem normalen Privathaushalt. Die Zukunft wird wohl wieder mehr Allstrom- und Gleichstromgeräte bringen, dies jetzt aus biologischen Gründen, sodaß man in Haushalt und Büro viele Maschinen mit ihnen betreiben kann. In den organischen Systemen der Lebewesen findet man überall Puffer, elektrisch und chemisch. Sie begründen die Selbständigkeit, auch als Unabhängigkeit von Störungen. Eine vom Netz mittelbar bediente Gleichstromanlage ist ebenfalls ein Puffersystem. Es macht von kleineren Stromabschaltungen unabhängig. Von großen Stromabschaltungen macht nur eine eigene Stromerzeugungsanlage unabhängig. Sie ist heute serienmäßig und schon relativ preiswert zu haben. Sie kann jeden gewünschten Strom liefern. Aber ihre Lärmfreiheit ist erstens in der Maschine problematisch, da sie über Diesel oder Benzinmotor läuft, und zweitens je nach dem zur Verfügung stehenden Aufstellungsraum. Die Wartungsfreiheit jedoch ist schon so gut wie bei Automobilen.
Soweit Wechselstrom benötigt wird, kommt die biologische Reinigung und Harmonisierung des mit Zacken, Sägen und anderen disharmonischen Modulationen etc. versehenen Wechselstromes infrage. Man kann Ober- und Unterwellen aussieben und wegfiltern. Doch dieses Gebiet ist noch wenig erforscht im biologischen Bereich. Schon technisch bestehen Schwierigkeiten, da Filter nur in relativ eng begrenzten Bereichen optimal arbeiten. Das muß jedoch für Biofilter nicht gelten. An deren Konstruktion wird zur Zeit, soweit bekannt, gearbeitet. Solche elektrotechnisch-biologischen Geräte sind, soweit bekannt, noch nicht auf dem Markt. Jedoch sind schon allerlei stromunabhängig wirkende Entstörgeräte auf dem Markt. Sie werden teilweise zugleich auch für Entstörungen auf geopathischem Gebiet verwandt. (Vgl. Kapitel IV). Bei diesen Geräten, welche meist nicht den Wechselstrom des Netzes für das ganze Haus harmonisieren, sondern die nur die entstandenen Unqualitäten eines Gerätes neutralisieren oder harmonisieren, bestehen noch viele biologische Probleme, auch hinsichtlich der Bedingungen für eine sichere Wirksamkeit.
Viele Elektrogeräte stören in ihrem Umkreis von meist 4-10 m Durchmesser — also Zimmergröße — die Gesundheit stärker als die Wandleitungen das ganze Zimmerfeld und seine Bewohner schädigen.
Wenn ein Radio oder ein elektrischer Wecker auf dem Nachttisch den Schlaf stört, dann entfernt man dies Gerät aus dem Schlaffeld. Wenn eine metallene Nachttischlampe oder Leselampe stört, dann wechselt man diese gegen eine hölzerne, biologisch konstruierte Lampe aus. Wenn ein störendes Gerät nicht aus dem Schlaffeld entfernt werden kann, dann soll man es mit einer Biofolie, einem weiterentwickelten Mumetall oder dergl. abschirmen. Steht es im Nachbarraum, so schirmt man die eigene Wand ab. An der Spitze aller Maßnahmen steht jedoch immer der Netzfreischalter. Mit ihm beginnt die Elektrogesundheit des Hauses.

3. DAS ISOLIEREN EINSCHLIESSLICH DEM ABSCHIRMEN

Wer nicht direkt meiden und nicht hauptsächlich kämpfen kann, der hat noch die Möglichkeit, zu isolieren. Logischerweise zählt zur Isolation dem Wortsinn gemäß auch die Abschirmung. Elektrotechnisch wird bisher beides getrennt und relativ selbständig behandelt. Der Elektrotechniker versteht unter Abschirmung die Verhinderung der Wirkungsausbreitung hauptsächlich von Feldern und Strahlungen, aber auch von Strömen. Unter Isolation versteht er die Verhinderung der Wirkungsausbreitung hauptsächlich von Strömen. Philologisch ist Isolieren der allgemeinere Begriff, jedoch auch elektrophysikalisch. Denn da der Strom das Produkt der Ausbreitung von Feldern und Strahlen ist, so ist jede Isolation auch eine Abschirmung für Felder und Strahlen, wenn auch meist geringeren Grades. Das ist zum gründlichen und besonders bioelektrischen Verständnis wichtig.

Bioelektrisch ist überall auf die Wirkungsausbreitung der Unqualitäten zu sehen. Quantitäten sind zweitrangig. Da Ströme das Ergebnis des Zusammenwirkens (Mitbestimmens!) von Feldern und Strahlen sind, so ist auch die Isolation einschließlich der Abschirmung das Ergebnis des Zusammenwirkens von Meiden und Kämpfen. Jedoch ist dies Dritte, die Isolation mit Abschirmung, so selbständig wie die Zahl Drei selbständig ist gegenüber Eins und Zwei. Dies zur Grundlagenwissenschaft.

Die einfache Isolation wird heutzutage nur gegen den Berührungskontakt vorgenommen. Sie ist heute allüblich. Und sie reicht zu diesem Zweck auch biologisch aus.

Die höherwertige Isolation in Gestalt der Abschirmung richtet sich in der heutigen Elektrotechnik gegen die elektrische, elektromagnetische und teils auch ferromagnetische Feldausbreitung. Da diese Feldformen die Träger vieler Störungen, vieler Unqualitäten sind, so wird durch die qualifizierte Abschirmung dieser Felder und zugleich ihrer radialen Feldbewegungen, d. i. ihrer Strahlungen, eine erhebliche Entstörung für die Umwelt bewirkt, also eine elektrische Entseuchung des Hausfeldes, eine Elektrohygiene.

Jedoch erfaßt die bisherige elektrotechnische Elektrik und Magnetik nicht alle Feldformen und also Ausbreitungen von Unqualitäten in die Umwelt. Das ist schon vielfältig nachgewiesen, wie im Buch PSI berichtet wird. Ausserdem werden die bisherigen Isolations- und Abschirmtechniken subjektiv nur nach Quantitäten gemessen. Lebensqualitäten und Unqualitäten der Feld-, Strahlungs- und Strömungsausbreitungen werden subjektiv aus dem Bewußtsein ausgeblendet und ignoriert, teilweise sogar in abergläubischer mechanizistischer Grundhaltung prinzipiell abgestritten. Auf die Qualitäten aber kommt es im Leben an, da Leben nur aus Qualität besteht. Die biologische Seite bleibt also in der bisherigen Elektrotechnik unbeachtet.

Das biologische Problem der Isolation und Abschirmung liegt also darin, erstens alle Felder, Strahlungen und Strömungen zu erfassen und in diesen

hauptsächlich die Unqualitäten zu erfassen. Große, mächtige Unqualitäten können mit geringen Energiemengen übertragen werden und kleine, schwache Unqualitäten mit großen Energiemengen. Da die Unabhängigkeit der Unqualität und also Störgröße von der Energiemenge die Regel ist, so geben Mengenmessungen nur schwache, unmaßgebliche Hinweise auf Störgrößen. Dies zu den theoretischen bio-elektronischen Grundlagen.
Ein Beispiel: Ein einziger Satz auf einem Papier von ein Gramm Gewicht kann in einer Gesellschaft gewaltige Wirkungen haben. Eine Sprengung mit der Bewegung von hunderttausend Tonnen Materie kann keinerlei Wirkung auf eine Gesellschaft haben. — Man denke auch an die Bücher von Karl Marx. An Druckerschwärze und Papier liegen sie nur im Kilobereich. Und das gibt es überall haufenweise. — Es kommt also im Leben bei jeder Wirkung (stets eine Information!) auf die Qualität und Unqualität der übermittelten Formen an, auf den Sinn, nicht auf irgendwelche Quantitäten! — Praktisch hat sich ergeben, daß hauptsächlich qualifizierte zeiträumliche Formen und qualifizierte wesensgeformte Materialien die Isolation und Abschirmung beherrschen. Biologisch wirksame Materialien bestehen aus einzelnen qualifizierten Stoffen, aus Gemischen und Ganzheiten, dies auch als Legierungen, und aus biologisch kombinierten Schichtungen, aus mehrfachen Häuten.
Die biologische Aufgabe der Isolation samt Abschirmung ist der Schutz. Dieser aber besteht nicht nur in einer passiven Sperrung, sondern erstrangig in der Aktivität, die Unqualitäten zu neutralisieren, etwa zu „schlucken", zu absorbieren, und sie vor allem zu heilen, nämlich wieder zu harmonisieren, wieder in Lebensqualitäten zurückverwandeln. Insofern soll jede Isolation und Abschirmung wie ein Biofilter wirken. Auch dieser soll hauptsächlich ein Wandler sein, der wieder harmoniert, der insbesondere ausgleicht, der allgemein von Unqualitäten befreit. Diese lebenswichtige, erstrangige und biologische Aufgabe wird in der mechanizistischen, quantistischen Elektrotechnik überhaupt nicht gesehen. In diesen Aufgabenbereichen aber liegen alle lebensgerechten, großen, eleganten, überzeugenden und sehr wirkungsvollen Lösungen. —
Die Entwicklung biologisch wirksamer Verfahren und Materialien zur Isolation und Abschirmung scheint bisher noch nicht systematisch betrieben worden zu sein. Dazu ist auch einige Kenntnis der Ordnung der Lebensqualitäten Voraussetzung. Doch solche Kenntnis ist im Einzelnen noch weithin in der Menschheit vorhanden in Gestalt vieler Erfahrungen, nämlich soweit der gesunde Menschenverstand und das gesunde Menschengefühl und das gesunde Wollen noch nicht durch die endzeitliche Zivilisation und ihre Aberglaubenswissenschaft verdorben sind. Aus solch gesunder Haltung heraus wurden schon verschiedene Wege, Methoden und Mittel zum biologischen Isolieren und Abschirmen gefunden. Wenn man sie in einem ersten Ansatz zu gliedern versucht, so ergeben sich folgende praktische Möglichkeiten:

Die biologischen Isolationen und Abschirmungen

a) Die biologischen Isolationen (Abschirmungen) sollen elektrisch, magnetisch und auch anderweitig feldwirksam sein, somit auch strahlungs- und stromwirksam. Verschiedene Wege werden hier beschritten und Methoden angewandt. Die Mittel bestehen aus lebensqualifizierten Einheiten und Ganzheiten wie als Legierungen und Schichtungen. Sie wirken löschend, neutralisierend und anderweitig wandelnd, harmonisierend. Soweit sie Radarstrahlen und andere löschen, sind sie wehrwichtige und teils sehr gehütete Geheimnisse. Viele Konstruktionen sind bekannt, einzelne wie Spezialfolien metallischer und anderer Art sind auf dem Markt käuflich. Beispielsweise hat das Mumetall auch eine gute biologische Abschirmwirkung. Hier sind noch viele Entwicklungen zu erwarten.

Die Kabeltypen

b) In der Kabeltechnik existieren verschiedene Isolationen und verschiedene Methoden und Mittel der elektrischen, der magnetischen und der kombinierten Abschirmung. Da über diese Feldformen viele Unqualitäten verbreitet werden, so ist hier die Abschirmung wichtig. Folgende Möglichkeiten sind hier bekannt ([1]):

ba) Das Koaxialkabel. Die im Haushalt meist üblichen, nicht dreiphasig betriebenen Geräte können zu vertretbaren Kosten mit bequem zu verwendenden Koaxialkabeln versorgt werden. Sie schirmen elektrisch und magnetisch ab mit hohem Wirkungsgrad. Allerdings sind besondere Anschlußarmaturen erforderlich, die derzeit für den Netzstrom wohl noch nicht auf dem Markt erhältlich sind, auch die entsprechenden Kabel noch nicht.

bb) Die nur elektrisch abgeschirmten Kabel. Hier sind in Mitteleuropa auf dem Markt die Kabeltypen NYRUZY und NHYM, teils auch NHYRUZY, das letztere mit einem mitlaufenden Bleidraht zur bequemen kontaktsicheren Durchschaltung bei der Erdung der Abschirmung. Denn auf die gute Erdung kommt es an und zwar ohne Verbindung mit dem „Null"-leiter (Mittelpunktsleiter) der Wechselstromleitung, wie dies leider vielerorts üblich ist. Doch diese Kabel sind mehr für Räume mit Hochfrequenzanlagen gedacht. Da jedoch der magnetische Anteil des Streuwechselfeldes biologisch wirksamer als der elektrische Anteil ist, so ist bei Dauerverbrauchern, Langzeitverbrauchern und in Haushalten mit höheren biologischen Ansprüchen ein Kabel erwünscht, das auch magnetisch abschirmt. Dies ist auch deshalb notwendig, da die in vielen Elektrogeräten eingebauten Motoren, Transformatoren, Drosseln usf. wie bei elektrischen Uhren, Weckern, Zählern, Leuchtstofflampen, Fernsehgeräten, Radios, Kühltruhen, Tonbandgeräten usf. auch bei geringem Verbrauch relativ starke magnetische Wechselfelder erzeugen, die sekundär auch über die Kabel verbreitet werden.

bc) Die kombinierte ferromagnetische und elektrische Abschirmung. Sie wurde bisher mit nackten, lackierten oder anderweitig umhüllten Weißblechrohren, mit starren oder halbstarren Stahlpanzerrohren oder mit flexiblen Stahlpanzerrohren oder mit eisenimprägnierten Kunststoffrohren ausgeführt. Ihre magnetische Abschirmung ist nicht schlecht, aber vermutlich doch ungenügend für höhere biologische Ansprüche.
Der große Nachteil fast aller dieser Rohre ist, daß in dem Haus zu den elektrischen Leitungen aus Kupfer, welches lebensqualitativ als harmlos und fast gut zu bezeichnen ist und das in den Leitungen in relativ geringer Menge verwandt wird, nun Rohre hinzu kommen, die aus Eisen bestehen und deren Menge im Gewicht relativ groß ist. Eisen aber ist lebensqualitativ ein aggressives, kritisches Material. Die Mordwaffen und Kriegswaffen werden aus Eisen hergestellt und nicht aus Kupfer, Silber oder Gold! — In der weit überwiegenden Zeit, in der das Haus durch den Netzfreischalter elektrostörfrei ist, wirken die umfangreichen Eisenrohre im Haus dann teils wie ein Faradayscher Käfig, teils wie störende Schwingungskreise, nämlich als Empfangs- und Sendeanlage für alle disqualifizierten natürlichen und künstlichen Wellen (Sphärics und Technics), welche ständig das Erdfeld durchschwirren bzw. durchkreuzen. Die eisernen Metallrohre widersprechen daher prinzipiell der Grundforderung auf Metallfreiheit, die an das gesunde Haus zu stellen ist. Und das ist zuallererst eine Forderung auf Eisenfreiheit und besonders auf Freiheit von ausgedehnten Formen, die Schwingungskreise sind. Schon die zentral verlegten Heizungsanlagen der Warmwasserheizung sind ein Übel, insbesondere wenn die Heizkörper nicht aus Aluminium und die Rohre nicht aus Kupfer sind, sondern wenn beides aus Eisen ist.
Mit eisernen Abschirmungsrohren, die zudem in Außenwänden verlegt werden, kommt also ein noch größerer Störfaktor ins Haus, auch wenn alle Rohre gut miteinander verbunden und vom Nulleiter getrennt geerdet sind. Daher wird von dieser Abschirmung abgeraten.
be) Die kombinierte Abschirmung durch Verseilung und Schutzmantel. Das nur elektrisch abgeschirmte Kabel (Möglichkeit bb) kann durch einfache Verseilung auch magnetisch abgeschirmt werden. Sie erbringt eine magnetische Abschirmung mit dem Faktor 5-10. Wenn bei den verseilten Kupferkabeln noch eine elektrische Abschirmung in Gestalt eines Kupfermantels vorgenommen wird, auch als winziges Kupfernetz, dann ergibt sich ein eisenfreies, rein aus Kupfer bestehendes magnetisch und elektrisch abgeschirmtes Kabel. Es ist trotz seiner Einfachheit als biologisch höher qualifiziert zu werten. Es wird hier das „einfache Biokabel" genannt.
Solange die biologische Isolation und Abschirmung und das Koaxialkabel für Netzstrom noch nicht ausgereift auf dem Markt erhältlich sind, ist für das Einfamilienhaus und für den Arbeitsplatz das einfache Biokabel zu wählen. In Verbindung mit dem Netzfreischalter genügt es für normale Ansprüche. Es kann überall angewandt werden, auch für die Dauerverbraucher,

die wie Kühlschrank, Kühltruhe, Ölheizung nicht an den Netzfreischalter angeschlossen werden, aber weit entfernt von den Betten und von einem Arbeitsplatz mit ruhiger Kopfarbeit stehen. Bei Arbeitsplätzen mit viel Ortsveränderung kommt es nicht zu Resonanzerscheinungen, die am Schlafplatz besonders gefürchtet sind. Von allen Orten mit ruhigem Aufenthalt, insbesondere vom Schlafplatz sollen Elektrogeräte fern gehalten werden. Normalerweise soll man alle Elektrogeräte südlich vom Daueraufenthaltsplatz postieren. Bei fest aufgestellten Geräten wie Boiler, Kühltruhe, Kühlschrank, Waschmaschine und Ölheizung soll man im Wohnhaus einen möglichst weit südlich und möglichst weit vom Schlafplatz entfernten Ort wählen.

Zur Biologie des Elektrogerätes

Wer gesund leben und also wohnen will, der kauft und benutzt biologisch konstruierte, daher störfreie, lebensgerecht, insbesondere hausgerecht arbeitende Elektrogeräte. Denn das Elektrogerät soll stets dem Leben dienen, insbesondere unmittelbar wie in den meisten Haushaltsgeräten (Kühlschrank, Kühltruhe, Heizgerät, Herd, Heißwassergerät, Lampe, Radio, Fernsehgerät, Tonbandgerät, Plattenspieler, Recorder, Ölbrenner usf.). Oder es soll mittelbar dem Leben dienen wie als irgend ein Motor. Also muß das Gerät prinzipiell lebensgerecht konstruiert sein, biologisch, insbesondere körpergerecht, organismusgerecht, human, hier hausgerecht. Auch die scheinbar nur mechanisch arbeitenden Geräte wie Schreibmaschine, elektrische Autoausrüstungen usf. haben einen großen Einfluß auf einen Menschen, der sich länger nahe bei ihnen in einer relativ fixen Position aufhält, wie es normal ist. Modernste teure Autos mit vielfältiger elektrischer Ausrüstung und bester Federung strapazieren Fahrer und Insassen öfters weit mehr als ältere billige Wagen mit schlechter Federung etc., jedoch ohne diese Elektrokrankheiten! — Und daß manche elektrische Schreibmaschinen sehr strapazieren und also ebenfalls die Gesundheit schädigen, obwohl sie in ihren mechanischen und sonstigen physiologischen Funktionen sehr bequem sind, und daß eine gleich bequeme Schreibmaschine oder Buchungsmaschine nicht strapaziert, das wissen schon viele Bürodamen. Konstrukteure wissen das oft noch nicht. —

Was also sind die Harmonieformeln, die Lebensformeln, die Qualitätsformeln für die lebensgerechte qualifizierte Konstruktion eines Elektrogerätes? Viele Bioformeln sind in den ersten Kapiteln genannt worden. Wie sie hier anwenden?

Um zu den Formeln des Lebens und ihrer rechten Anwendung zu gelangen, muß man heutzutage immer erneut bedenken, daß alle Quantitäten subjektive eigene Gedanken bzw. Überbauten sind, nicht objektive Realitäten. (Vgl. die Eingangskapitel zu den Grundlagen). Das ist klar vor das Bewußtsein zu stellen, um die eigene zivilisatorisch sterilisierte und verstimmte, sachselbstentfremdete Mentalität zu korrigieren und wieder zu verlebendigen.

Nur reale Qualitäten existieren als Wirklichkeit. Also besteht auch jedes Elektrogerät im Grunde aus nichts anderem als aus objektiven Lebensqualitäten in Formen und Materialien! —
Diese Erkenntnisse führen unvermeidlich zu einer Aera völlig neuer, derzeit ungeahnter Entwicklungen. (Vgl. die Kapitel von den Urqualitäten des Lebens, von den Formen, Metallen, Naturstoffen, Kunststoffen, Kulturstoffen etc.). Deren Geräte werden vielleicht nur noch wenig Ähnlichkeit mit den bisherigen Elektrogeräten und anderen Geräten haben. Sie werden einerseits wohl um den Faktor 100 einfacher und andererseits zugleich um den Faktor 10-100 wirkungsvoller und besser sein. —
Ein Beispiel: Schon die Verwendung der natürlichen Ordnungsleiter, bei Ausblendung der Ordnungen bzw. Qualitäten nurtechnisch „Halbleiter" genannt, hat den Energiebedarf vieler Geräte um den Faktor 10-100 herabgesetzt. Das ist jedoch nur ein winziger Anfang, ein Vorläufer der kommenden Entwicklung; denn noch ist wohl die Henne — qualitativ — blind, die dieses Korn gefunden hat? — Die Übertragungs- und Steuergeräte des menschlichen Organismus arbeiten mit Millivolt und weniger. Und sie steuern einen Zentner Lebendgewicht gleichzeitig in Millionen Einzelprozessen und das einheitlich-ganzheitlich und sehr präzise, Jahrzehnte lang. Nach unserer bisherigen Technik könnte das nicht einmal ein Computer von Großstadtgröße leisten.
Ganzheiten, Lebensqualitäten aufnehmen und diese ganzheitlich, lebensqualifiziert verarbeiten und abgeben, darin liegt wohl die Lösung! —
Doch von solchem Denken und Konstruieren sind wir als öffentliche Gesellschaft noch weit entfernt. Gehen wir daher bescheiden vor, mit dem nächsten Schritt:
Wie kann man ein Elektrogerät wenigstens biologisch störfrei konstruieren? Vielleicht können wir hierbei gleichzeitig etwas zur positiven Qualifizierung lernen. Zunächst: Man vermeidet die Erzeugung, Aufnahme und Weiterleitung von disqualifizierten Feldern, Strahlen und Strömen. Wo das nicht vermeidbar ist, da fängt man die Wirkungsausbreitung möglichst schon an der Quelle ab, am Eingang und spätestens in Gestalt einer allheitlich qualifiziert wirksamen Abschirmung rund herum. Mit einem Biofilter fängt man zugleich auch die Rückwirkung auf das Versorgungsnetz wie das Hausnetz ab, gleich wie am Eingang in das Haus.
Vor allem aber: Man beginnt in der Konstruktion ganz neu von vorn zu denken. Man wird dann auch Spulen, Trafos, Kondensatoren, Widerstände, Dioden, Transistoren, Heizelemente, Drosseln usf. neu biologisch entwickeln und mit ihnen allheitlich integriert das Gerät neu entwickeln, in lebensqualifizierten Anordnungen. Da die derzeitigen Elektrogeräte noch in vollständiger Unkenntnis der ihnen allein zugrunde liegenden Lebensqualitäten konstruiert werden und deren Leistungspotenzen nur winzig wenig, nur mechanisch nutzen, so sind sie noch sehr umständlich und kompliziert gebaut, ver-

brauchen viel Energie und stören das Leben vielfältig. Bei ihnen kann man vorerst nur auf das Entstören achten.
Ein biologisches Testinstitut wird zumindest in der Übergangszeit prüfen und eventuell eine Gütemarke ausgeben müssen.

B. DIE AUSSERHÄUSLICH VERURSACHTEN HAUSKRANKHEITEN

Die außerhalb des Hauses verursachten elektrodynamischen Störungen des Hausfeldes sind ebenfalls in natürliche und künstliche zu unterscheiden. Sie gelangen als Feldunqualitäten, Strahlungsunqualitäten und Strömungsunqualitäten in das Haus.
Die natürlichen elektrodynamischen Störungen entstehen im ganzen Kosmos, insbesondere im Sonnensystem wie zuerst in der Sonne, aber auch in den Planeten und im System der Planetenwirkungen, sodann auf der Erde selbst in allen Naturprozessen. Jede Erhitzung — nicht Erwärmung! —, jede Kältung — nicht Kühlung! —, jede Nässung — nicht Befeuchtung! —, und jede Dörrung — nicht Trocknung! — erzeugt auch im elektrodynamischen Bereich Disharmonien oder tritt gemeinschaftlich mit diesen auf. Das lehrt im Grossen ein Gewitter. Dasselbe geschieht auch in allen anderen Naturprozessen; denn in allen ist auch Disharmonie. Also treten alle gemeinschaftlich mit elektrodynamischen Störungen auf.
An die seit Jahrmillionen auf der Erde häufigen elektrodynamischen Störungen ist das irdische Lebewesen angepaßt. Ein gesunder Organismus kann im Bereich dieser normalen Störungen normalerweise gesund leben.
Die vom Menschen gemachten und also relativ unnatürlichen elektrodynamischen Störungen gehen von der Erdenmenschheit aus und durchwirken prinzipiell den gesamten Kosmos, in der materiellen Ebene jedoch praktisch wohl nur das Sonnensystem, insbesondere hauptsächlich das elektromagnetische Feld und Leben des ganzen Erdorganismus und seines Erdhauses. Sie verstärken auch induktiv und reaktiv die relativ natürlichen Störungen, dies teilweise bis auf das Vielfache. Dies wurde schon bei der Geopathie anhand der Globalgitter erläutert.
Die künstlichen elektrodynamischen Störungen des Hausfeldes sind in unserer Zeit in qualitativer Hinsicht noch ebenso wenig untersucht wie die relativ natürlichen Störungen. Die außerhäuslichen elektrischen Anlagen sind ihre Quellen. Doch das ist nur relativ auf ein bestimmtes Haus gesehen. Also können sie auch aus der elektrischen Anlage des Nachbarhauses stammen.
Im einzelnen gehen die elektrodynamischen Störungen aus von Sendern aller Art, von Hochspannungserzeugern und Umschaltwerken, von Hochspannungsleitungen, von den stadt- und landüblichen kleinen Transformatorenstationen, von den elektrischen Freileitungen zum Haus, von mobilen Häusern mit elektrischen Systemen wie elektrischen Bahnen und Kraftfahrzeugen

usf. Da fast alle diese Störungen sehr individuell beschaffen sind, auch da sie teilweise von der Elektrostatik und als Elektrostatik getarnt sind, so werden sie folgend jeweils in einzelnen Unterkapiteln behandelt, hauptsächlich in den Hauptkapiteln II und III. Da sie andererseits mit den innerhäuslichen Störungen eng verkoppelt sind, so sind sie teilweise auch schon im vorhergehenden Kapitel behandelt worden.

II. Die elektrostatischen Krankheiten und ihre Heilung

Der Erdkörper — nach der Anschauung aller Kulturvölker nicht nur ein kristallähnlicher Organismus! — hat allgemein sein Urfeld, sein Einheitsfeld wie jede reale Einheit. Die Realität der Einheit besteht fundamental in dem Einheitsfeld! —
In was sonst? —
Welche Konsequenzen folgen allein aus dieser höchst selbstverständlichen Erkenntnis! —
Auch für die Elektronik! —
Insbesondere zeigt der Erdkörper wie jeder Körper ein magnetisches, ein elektrisches, ein gravitatorisches Teilfeld und andere Teilfelder. Von diesen Teilfeldern oder Feldsektoren des Urfeldes, von diesen Zimmern des Urfeldhauses ist in jüngerer Zeit das elektrostatische Feld heller in das Bewußtsein von Wissenschaft und Wirtschaft gerückt. Jedoch wird gegenwärtig auch das „statische" magnetische Feld — vielleicht ein umfangreicherer Komplex! — und das elektromagnetische Feld der Erde intensiver erforscht (¹). Seit Galilei und Newton hatte das Gravitationsfeld das Bewußtsein beherrscht. Seit Planck und Einstein wird die ganze Physik wieder Feldphysik, wenn auch vorerst praktisch fast nur quantitativ, also mit Ausblendung alles Wesentlichen. Die Physik der Kulturen dagegen war seit jeher qualitative Feldphysik. Sie wurde früher als Sphärenphysik verstanden, vielleicht, nur vielleicht, mit zu geringer Beachtung der Quantität. —
Das elektrostatische Feld hat offenbar eine große Eigenständigkeit und Bedeutung im Leben. Auf der sogen. statischen elektrischen — und magnetischen! — Ladung des Elektrons gründet fast die gesamte Elektrophysik und Elektrotechnik.

Was ist Elektrostatik?

Doch was heißt Statik? Alle Statik ist die Statik (feste Grundordnung) der Dynamik des Lebens! Denn alle qualifizierte Dynamik ist Lebensdynamik! Was keine Lebensdynamik ist, das ist Todesdynamik, nur mechanische Dynamik, nämlich disqualifizierte Dynamik. Disqualifizierung des Lebens! Diese Dynamik ist in der Zivilisation sehr häufig und kennzeichnet sie typisch im Gegensatz zur Kultur. —

Hinter aller Statik steht die Urstatik. Ein Aspekt der Urstatik ist die Urmathematik, auch die Urlogik und Urphysik. — Das Einmaleins ist ein „Gewand" der Urstatik des Lebens.
Alle Statik in der Natur bzw. in der Physik ist Feldstatik. Das Feld ist primär etwas Ruhendes, Festes, Statisches. Außerhalb des Feldes existiert keine Statik physikalischer Art und überhaupt nichts.
Da alle Krankheiten im Grunde Feldkrankheiten sind, so sind sie Krankheiten aus disqualifizierter Statik. Daher ist die Erkenntnis des statischen Grundes der Krankheiten wesentlich.
Der geniale englische Physiker Michael Faraday hat die Bezeichnung Feld (Field) mit einem statischen Sinn geprägt, dies als physikalischer Ersatz für den alten qualifizierten und dynamischeren Begriff Sphäre. Als er 1831 die Induktion fand, bildete er den Begriff eines konzentrischen Feldes mit Kraftlinien bzw. Spannungslinien, Potentiallinien. —
Übrigens fand auch Faraday, daß im Metallgitterkäfig, mit dem man damals schon lange experimentierte, das Potential null vorliegt. Seitdem spricht man überall vom Nullfeld. Auch gehen viele heute vom Nullfeld aus anstatt qualifiziert und realistisch vom Einheitsfeld! Dies jedoch deshalb, weil in der endzeitlichen Physik Null und Eins nur quantitativ verstanden wird. Der Quantist geht von der Null aus. Die Null ist sein Grund und Halt, seine Substanz, sein Allgemeines. Der Qualist geht von der Eins und also der Einheit aus! Die Einheit ist sein Grund und Halt! —
Aus alledem ziehen wir hier zunächst die Konsequenz, daß die Statik als Nichtleben, als Nichtdynamik nur eine Illusion ist, nur eine Modellvorstellung, eine aspektive Vorstellung. Nur als dies hat sie ein Existenzrecht.
Beginnen wir sogleich, realistisch elektronisch anzuschauen und darin logisch konsequent zu denken.

Die Lebensqualität der Ladung

Wie eingangs gesagt hat jede Ladung — eine Feldwirkung! — ihre eigene Qualität und ist im Grunde garnichts anderes als Qualität! Die elektrostatische Ladung kann also beispielsweise eine elementische, mineralische, vegetabile und animalische Qualität haben! Sie kann vorzüglich eine Qualität der Wärme, der Kühle, der Feuchte und der Trockne haben — oder eine Unqualität von alledem! Wo auch sonst sollte die Realität dieser dynamischen Lebensqualitäten existieren! — Somit hat man grundlegend gute und schlechte, harmonische und disharmonische, gesunde und kranke Elektronen bzw. Ladungen (beides sehr subjektive Begriffe!) und also Feldgrößen zu unterscheiden! —
Hier beginnt das realistische elektrische Denken! Wert„frei", qualitäts„frei" denken, das ist selbstverständlich auch hier lebens„frei", also lebensfremd und lebenswidrig denken, das ist auch hier irreal denken, nämlich in wirklich-

keitsfremden, objektiv wertlosen subjektivistischen ideologischen Überbauten. Mit solchem quantistischen Denken sind daher auch die bisherigen theoretischen Untersuchungen und Deutungen über die Hauselektrostatik in ein Chaos geraten, wenn sie sich mit dem Verhältnis zum Leben befaßten. Nur wenige sichere, jedoch schon sehr gewichtige praktische Schlußfolgerungen aus Erfahrungen konnte man bisher auf das Leben ziehen.

Der Mensch lebt in den Lebensqualitäten, also in dem Guten des elektrischen, magnetischen und gravitatorischen Teilfeldes und der anderen Teilfelder des ureinheitlichen Erdfeldes und Kosmosfeldes. In dem Schlechten, in den Unqualitäten des Urfeldes und all seiner Teilfelder wird jedes Lebewesen krank und stirbt. Die Unqualität macht das Leben überall uneinheitlich. Das heißt, sie zerspaltet die Einheit, ruiniert die Identität, das wahre Selbst und nullt also dessen Leben in Raum und Zeit! —

Die guten Lebensqualitäten in dem elektrischen Erdfeld sind lebensnotwendig, auch wo sie hauptsächlich nur als Potentiale bzw. Potenzen existieren. Wir benötigen sie insbesondere lebensnotwendig im Haus, da wir in ihm über 90 % unserer Lebenszeit verbringen. Diese elektrischen Lebensqualitäten irgendwie zu stören oder zu mindern, etwa vom Hauslebensfeld abzuwehren wie abzuschirmen, das ist ein lebenswidriges Verhalten, das ist ungesund. Denn der Mensch lebt integriert in den Lebensqualitäten des Kosmos, aus ihnen und mit ihnen. —

Die qualitativ selektive Abschirmung

Ausschließlich nur die selektive Abschirmung des Schlechten, des Lebenswidrigen, der Unqualitäten ist lebensgerecht, ist daher Recht und Pflicht. Denn jede Abschirmung ist prinzipiell eine Zerspaltung des Lebens, eine Privatisierung. Nur gegen das Schlechte darf man sich abgrenzen, privatisieren. Die bisherigen lebensqualitätsfremden elektrotechnischen Abschirmungen schirmen in der Regel Gutes und Schlechtes unterschiedslos ab. Und sie disqualifizieren oft genug noch nach beiden Seiten, wie andere nurtechnische Maßnahmen; was etwa als Rauschen hörbar werden kann oder Klirren. Je mehr eine Abschirmung lebensqualifiziert ist, desto mehr schirmt sie selektiv nur das Schlechte ab und desto weniger das Gute. Desto ruhiger wird dann die elektrische „Atmosphäre“, desto reiner und harmonischer. — Das gilt auch für die Qualifizierung der anderen Teile. —

Hautmaterial schirmt gemäß seinem Urwesen prinzipiell selektiv das Schlechte ab und wandelt es sogar noch in das Gute. Nach dieser bioelektrostatischen Theorie ist auch für die hochwertige biologisch wirksame Abschirmung (und Isolation) elektrischer Felder, Strahlen und Ströme Hautmaterial (mit) zu verwenden. Was also wäre an Spezialkeramik, an Zellulose, an animalischen Leimen, Lacken, Imprägniermitteln verwendbar? — Doch bleiben wir zunächst bei der Gegenwart.

Die praktischen Erfahrungen

Nachdem Bewohner moderner Bauten immer lauter klagten, wie über chronische Müdigkeit, allgemeine Lebensschwäche und noch vieles mehr, da erkannten moderne Wissenschaftler wie Ärzte, Hygieniker, Biologen, Zoologen und auch Physiker, daß gewisse Bauten von etwas Elektrischem des Erdfeldes — anfangs „atmosphärische Elektrizität" genannt — extrem stark und ungesund abschirmten. Aber von was? Und wie? Daher begannen viele Forschungen. Sogar die Bauindustrie begann eigene Untersuchungen; sie wurden teils bald wieder eingestellt und mit Stillschweigen begraben. Doch einige, von der Industrie nicht gesteuerte, unabhängige Wissenschaftler untersuchten weiter und veröffentlichten auch die Ergebnisse. So beispielsweise in den Universitäten Saarbrücken und Graz. Die Resultate werden in dem Kapitel über die Betonkrankheiten ausführlich zitiert. Sie waren für Bauten mit Faradaykäfigen, also mit Stahlkäfigen vernichtend. Daher begann alsbald eine sorgfältig lancierte und zielbewußte Kritik an diesen Ergebnissen, insbesondere da auch von unabhängigen Wissenschaftlern ausgesprochen worden war, daß es hier noch an Grundlagenforschung mangele.
Was war der Generalnenner der Ergebnisse?

Die Erklärungen

Bei nur quantitativer Betrachtung, also bei Ausblendung aller Lebensqualitäten bzw. Realitäten und ausschließlicher Sicht auf die Quantitäten der elektrostatischen Potentiale und ihrer unmittelbaren, logisch unberechtigten Ausdeutung auf das Leben, also auf Qualitäten, kam es zu vielen widersprüchlichen Erklärungen. Denn so eindeutig und unbezweifelbar die Erfahrungen mit den das Leben nullenden Faradaykäfigen waren, man fand auch in Ziegel- und Holzbauten um 50 % und mehr quantitative (!) Erniedrigungen der elektrostatischen Felder. Sogar in einem Laubwald kann das Feld quantitativ um weit mehr als 50 % erniedrigt sein. Aber würde sich irgend ein Lebewesen im Laubwald chronisch müde und lebensgeschwächt fühlen wie in einem Stahlbetonkäfig? Genau das Gegenteil trifft zu! In dem „Nahezu-Nullfeld" des Wald-Hauses wird also das Leben nicht genullt, sondern sogar noch verbessert und gesteigert! —
Aus solchem Dilemma befreit nur das lebensgerechte Denken, das lebensqualifizierte Denken in echter Grundlagenforschung mit gesundem Menschenverstand. Die Lösung kann nur lauten: Es kommt auf die Lebensqualitäten der Felder an. Potentialmengen, Energiemengen, also Quantitäten sind auch hier unbedeutend für das Leben. Ein elektrisches Feld, das an Quantität nur 10 % der Ladungsmenge des Feldes auf freier Straße hat, kann das Doppelte der Lebensqualitäten des hundertprozentigen Straßenfeldes enthalten! Das ist logisch denkbar und praktisch möglich. Belegt wird dies durch die Er-

fahrungen im Waldfeld und in dem bewährt guten Klima von einigen zwischen Bergen gelegenen Luftkurorten, die eindeutig ein quantitativ erniedrigtes elektrostatisches Feld zeigen, etwa unten in Bad Gastein oder in Klosters oder Weggis.
Andererseits ergibt sich die theoretische Möglichkeit und physikalisch-biologische Erfahrung, daß ein hochgradig disqualifiziertes Material oder eine solche räumliche Form ein Feld qualitativ hochgradig nullen kann, es aber quantitativ nur gering nullt oder sogar auf das Vielfache steigert. Solche Beispiele haben wir bei den künstlichen elektrostatischen Ladungen durch Kunststoffe in modernen Räumen. Hier kann die Ladung quantitativ auf viele tausend Prozent ansteigen und qualitativ auf wenige Prozent abfallen oder in viele Prozent disqualifizierte Ladung verkehrt werden! — In solchen modernen Ladungen modert vielleicht das Leben, vermodert es! —
Also allein durch objektiv qualifiziertes Denken und Untersuchen kann man zu den echten, logischen und systematischen Lösungen gelangen, zu den objektiv wissenschaftlichen und auch lebensgerechten Lösungen, zu den realistischen Lösungen, die mit Erfahrungen im Leben übereinstimmen. Denn die Realitäten sind Qualitäten und nichts anderes. Diese Urerkenntnis kann man sich heutzutage nicht oft genug erneut bewußt machen.

Die Unqualität in der Nullung

Halten wir inne und bedenken wir das eben Gesagte. Wir haben zwei überraschende Denkschritte gemacht. Erstens haben wir den bisherigen endzeitlich-physikalischen Begriff der Nullung, der die Qualitäten und also die Realitäten ausblendet, zu einem qualitativen Begriff verwesentlicht, erhöht und erweitert. Zweitens haben wir folgerecht diesen nun qualifizierten Begriff nicht nur auf die Metalle, die Voll-Leiter angewandt, sondern auch auf die Nichtleiter, die Kunststoffe, allgemein auf alle disqualifizierten Stoffe und Formen, auf alle ex-zentrischen Leiter. Eine quadratische Spule ergibt eine disqualifizierte, somit disharmonische Induktion! — Ein unreines Glas verschlechtert das Licht! Solches Glas wirkt also nicht nur vermindernd. Was jeder weiß. — Ein disqualifiziertes Feld agiert und reagiert disqualifiziert und somit disqualifizierend! —
Die Nullung ist also in bio-logischer Sicht wesentlich eine Verschlechterung der Lebensqualität. Hierbei ist eine Minderung der Quantität nebensächlich, weil unwesentlich. Im Extremfall kann sie jedoch ebenfalls lebenswichtig werden.
Daraus ergeben sich gewaltige theoretische und praktische Konsequenzen, nicht nur für die gesamte Elektrotechnik, Atomtechnik usf., oder gar nur für die Abschirmtechnik. Sie ergeben sich für den Umgang mit allem Lebendigen, von Ackerbau und Viehzucht bis zur gesamten Technik. Welche Konsequenzen ergeben sich für das Haus?

Die Nullung im Haus

Der Nullungsprozeß des Hausfeldes vom Gesichtspunkt der Elektrostatik her existiert im modernen Haus in vielen Sonderformen und Teilformen. Die weitaus umfangreichste und wirksamste Nullung erfolgt durch den Stahlbeton in sämtlichen Wänden. Mehr teilweise Nullungen werden bewirkt durch Armierungen in Decken und Boden, sodann durch metallene Rohrleitungen, insbesondere ringförmig in den Außenwänden, durch metallene Heizkörper unter den Fenstern, durch metallene Tür- und Fensterrahmen, durch metallene Dachrinnen, insbesondere wenn ohne nichtmetallische Unterbrechung durchlaufend zum Erdboden, durch metallene Außenwand- und Innenwandverkleidungen, durch metallisierte Tapeten usf. Der Grad der metallischen Nullung kann im Einzelfall von jedermann spielend leicht festgestellt werden, indem er mit einem gewöhnlichen Transistorradio bei Einstellung auf einen schwachen Sender den Außenempfang — Antenne zum Fenster heraus halten — und den Innenempfang an verschiedenen Zimmerplätzen vergleicht. Man kann ihn auch am Wachstum empfindlicher Topfpflanzen feststellen, die man dort hält, wo sich der Mensch aufhält, also nicht auf der Fensterbank.

Bei einer geringen Erweiterung des Begriffes Nullung — die Erweiterung ist im Begriff der Null schon angelegt. Sie ist nur sinnlogisch, also qualitativ zu entwickeln — ist der Begriff also auch auf Nichtleiter anzuwenden, praktisch auf die Kunststoffe. Denn die Naturstoffe sind „Halb"-Leiter, d. h. biologisch Ordnungsleiter, Lebensleiter, Qualitätsleiter, lebensgerechte Leiter. Nur die Unnaturstoffe sind Extremleiter, exzentrische Leiter! (Auch aus dieser Einsicht ergeben sich gewaltige Konsequenzen!). Wenn also exzentrische Leiter — das Feld als Ordnungseinheit und Realitätseinheit ist zentrisch und Lebensgrund alles Lebens —, insbesondere Nichtleiter in Käfigform existieren, so nullen sie auf ihre Art das Innenfeld des Hauses nicht minder als die Voll-Leiter. Sie verzerren, verladen, disqualifizieren das Hausfeld vielleicht noch weit mehr.

Hinzu kommt, daß alle diese Nullungen, die sämtlich auch elektrostatisch wirksam sind, sich in ihren disqualifizierenden Auswirkungen summieren, kombinieren und potenzieren! Bei der biologischen Analyse einer modernen Hauswand kann man daher bis zu einer höheren zweistelligen Zahl von Nullungen durch die verschiedensten hausungerechten Materialien gelangen. —

Nun kann man hier sagen, wenn der Mensch in der Endzeit — der „Mensch ohne Ich" (Bodamer) — religiös, moralisch, personal und kulturell genullt ist, in seinem Denken, Fühlen und Wollen, so wird er sich ursachengleich auch nullende Häuser bauen. Er wird seine nächste Umwelt nullen gleich wie seine weitere Umwelt. Er wird unten gleich wie oben nullen, die Außenwelt gleich seiner Innenwelt! Der Mensch im Nullfeld ist also eine vielfältige Zeiter-

scheinung. — Das entbindet jedoch den Arzt und jeden verantwortungsbewußten Menschen nicht von der Urpflicht zur befreienden Hilfe! —
Je mehr also die Lebensqualitäten der Hausformen und Hausmaterialien genullt sind, desto mehr nullen sie die Lebensqualitäten des Hausfeldes und seiner Bewohner. Hier wirkt das eine mehr auf das elektrische Feld, das andere mehr auf das oder ein magnetisches Feld. Aber im Grunde wirkt alles alleinheitlich — in dem ureinheitlichen Biofeld, dem Lebensfeld — entweder qualifizierend oder disqualifizierend, gesund und daher gesundend oder krank und daher krank machend. Diese qualitative Sicht ist primär lebenswichtig. Ob die Lebensqualitäten oder Unqualitäten hauptsächlich elektrisch, magnetisch oder anderweitig erzeugt und übertragen werden, das kann ziemlich nebensächlich sein. — Wo also hat man zuerst zu forschen? —
Man kann mit Büchern voller quantitativer Formeln einen großen wissenschaftlich dünkenden Zauber veranstalten. Aber das kann ein scheinwissenschaftliches, scheinesoterisches, sinnleeres Geschwafel sein. Denn im Leben kommt es stets auf die Qualität an, auf das Gute, den Sinn, den Bios und den Logos! —
Je mehr also eine Hauswand (Hautwand) qualitativ „statisch" oder anderweitig genullt wird, sei es durch einen Stahlkäfig oder eine Metallfassade, sei es durch Zement oder einen Kunststoffverputz, desto mehr nullt sie qualitativ und somit wesentlich das Hausfeld, somit das Lebensfeld der Bewohner. Desto mehr wird das Haus zu einem lebensfeindlichen Käfig, zu einem Gefängnis, zu einem Verlies, zu einem Folterinstrument, — zu einem Krankenbett und Sarg! — Schweinezüchter und tierärztliche Hochschulen bezeichnen einen Betonstall schon weithin als „Schweinesarg". Hätte schon je ein Mensch den Laubwald als Sarg für die Lebewesen bezeichnet! —
Für die Vierbeiner werden diese Särge kaum noch gebaut. Aber . . . .
Das ist Lebenslogik, Bio-Logik, lebenspraktische und an harten Realitäten bewährte Logik. Das wissenschaftliche, technische und wirtschaftliche Denken ist in der Endzeit so katastrophal verbogen, durch die falschen Denkmatritzen so fürchterlich nach außen-unten in das Reich der toten Quantitäten irregeleitet, daß man immer wieder und von allen Seiten auf die Qualitätslogik hinweisen muß. Anders sind die Folgen des Trägheitsgesetzes im Denken nicht zu überwinden. Für ganze vier Evangelien hat der Arzt aller Ärzte, das Wort aller Worte gesorgt. Nicht nur ein Mal ist „das vollkommene Gesetz der Freiheit" (Jak. 1,25) beschrieben worden. —
Kehren wir zur engeren Elektrostatik zurück. Doch halt! Was wissen wir denn, wie alle Lebensqualitäten der Formen, Materialien, Farben und Funktionen des Hauses in die Elektrostatik eingehen? Schon wollen einige Forscher, die jahrzehntelang dieses Gebiet bearbeitet haben, der — quantitativen! — Elektrostatik des Hauses den Rücken kehren. Das Gebiet sei zu verworren, zu problematisch. Doch sie wissen nicht, wohin sie ihre Schritte lenken sollen. Ob endlich zu den Lebensqualitäten? —

Könnte beispielsweise die Erfahrung etwas Wesentliches besagen, daß Naturstoffe in der Regel eine schwach positive Ladung haben, Kunststoffe dagegen in der Regel eine — oft extrem starke — negative Ladung? —
Der Himmel, von dem alles Gute kommt, ist positiv geladen im Verhältnis zur materiellen Erde. —

50 % Lebensminderung

Dann mag es auch Zeit sein, zu den Quellen zurückzukehren. Denn schon vor zweihundert Jahren wurde das Gebiet der Elektrostatik von fast allen namhaften Physikern bearbeitet, damals jedoch noch in lebensnahen Versuchsanordnungen. Physik wurde damals noch überwiegend im Sinne der lebendigen Physis verstanden und noch nicht überwiegend im Sinne subjektiv konstruierter Fiktionen. Und in den lebensnahen Untersuchungen war das Ergebnis praktisch ausnahmslos all dieser Physiker sehr eindeutig. Nämlich ungefähr fünfzig Prozent Lebensminderung ergab sich schon für die erste Generation, die in einem Metallkäfig aufwuchs. (Vgl. „Die Betonkrankheiten"). Das ist wohl die umfangreichste exakte erfahrungswissenschaftliche Grundlage für die Bezeichnung „Sarg" bei gewissen Bauten.
Außer solchen erfahrungswissenschaftlichen Grundlagen existiert in der Wissenschaft der Gegenwart noch keine andere, nämlich theoretische und also prinzipielle Grundlage für die Erforschung des Lebens und also der Lebensqualitäten.

Das technokratische Klimatorium

Man hat in diesen Jahrzehnten, insbesondere in der UdSSR (Kiew) und in der BRD Versuche gemacht, für Kranke ein „Klimaktorium" zu bauen, das objektiv ein sehr umfangreiches und hochgradiges Nullfeld aufweist. Subjektiv wollte man eine Art Leerfeld für das Leben schaffen, ein vollständig freies Feld. Von ihm sollten die vielen natürlichen und künstlichen elektrischen Störungen der Atmosphäre dieser Welt (auch „Sphärics" und „Technics" genannt) abgeschirmt werden. Man dachte, in der Ruhe dieses Feldes könne die Natur des Kranken ungestört an der Heilung oder die Technik des Mediziners ungestört an der Reparatur arbeiten. Auch könne man in diesem Leerfeld die lebendige Atmosphäre mit ihren Lebensqualitäten und Unqualitäten gleichsam technisch gereinigt „natursimulieren". — Ob das nicht eine etwas technokratische Schwärmerei ist? Aus ziemlich vollständiger Lebensblindheit geboren? Was ist hiervon realitätswissenschaftlich, also qualitätswissenschaftlich, insbesondere biologisch und ärztlich zu halten?
Erfahrungsgemäß leiden viele Patienten sehr bei dem Durchzug von Wetterfronten und großen schnellen Wetteränderungen aller Art, nicht nur viele normalgesunde Menschen. Lebensgefährlich Erkrankte sterben auch oft in

solchen Zeiten wie an Thrombosen. Operationen gehen ungut aus, mit schweren Komplikationen usf. In vielen Krankenhäusern der Welt werden daher heute schon bei diesen wandernden Erdfeld- und Erdstrahlungsstörungen bzw. Wetterfeld- und Wetterstrahlungsstörungen im Erdfeld Operationen und andere kritisch eingreifende Maßnahmen unterlassen.
Viele haben versucht, die Ursachen zu finden. Daher hat man sich etwas technokratisch an das gehalten, was quantitativ auffällig und leicht zu messen war. So etwa, daß über hundert Blitze in jeder Sekunde das Erdfeld durchzucken und Störwellen verursachen. Daß Wellen im Radio-, Fernseh-, Radarbereich und weiteren Bereichen die Lebewesen bei heute noch als normal bezeichneten Stärken erheblich negativ beeinflussen können, darüber liegt schon eine breite Literatur vor ([1]*). Also sollte man die Sphärics und Technics vom Hause fern halten, lautete die prinzipiell wohl unzweifelbare Logik. Die Frage blieb jedoch offen, ob viele der bis heute untersuchten „natürlichen" Störungen im Erdfeld nicht vielleicht nur ein millionstel Teil der lebenswichtigen wirksamen Störungen ausmachen. Beispielsweise weshalb stört der Durchzug einer gewitterfreien und also blitzfreien Wetterfront? Kann man bei qualitätsfreiem und also lebensfremden Denken die Lebensverhältnisse hier je begreifen? —*
Die Idee, Kranke und allgemein wetterempfindliche Menschen vor Klima- und Wetterstörungen in einem „Klimaktorium" und einem prinzipiell gleich gebauten Wohnhaus zu schützen, ist zweifelsfrei sehr begrüßenswert. Die Frage ist jedoch, ob man den biologisch rechten Weg einschlägt, wenn man aus subjektiv konstruierten Fiktionen heraus ein Stahlbetonhaus durch noch viel mehr Eisen zu einem Superkäfig ausbaut und dies „Klimaktorium" nennt. Denn diese Abschirmung verhindert subjektiv teilweise das Eindringen schlechter Felder, Strahlen und Ströme. Aber sie verhindert auch das Eindringen der lebensqualifizierten Lebensfelder, Lebensstrahlen und Lebensströme aus dem Makrokosmos! Und was alles disqualifiziert diese Abschirmung in dem Käfig? Vielleicht disqualifiziert sie vom Guten sehr viel. Vom Schlechten aber schirmt sie vielleicht nur wenig ab, vom Guten viel mehr? Entsteht da aus den „konstruierten Fiktionen" heraus nicht objektiv ein Antiklimaktorium? —
Und gleicht ein solches Vorgehen nicht prinzipiell dem Ratschlag, bei Bedenken wegen Gift in der Nahrung das Essen aufzugeben! —

Das biologische Klimaktorium

Einige Tage Fasten als Enthaltsamkeit von materieller Nahrung wie vor und nach einer Operation, auch bei einer fieberhaften Erkrankung, das ist erfahrungsgemäß sehr heilsam, gründliche Reinigung zumindest der inneren und äußeren Haut vorausgesetzt. Das trifft prinzipiell für eine qualifizierte, also vorzüglich oder gar ausschließlich das Schlechte abhaltende Abschirmung zu. Aber wo findet man diese und noch hundert mal mehr? Das findet man im gesunden Haus! Im Haus aus mineralischer und vegetabiler Heilerde! Insbesondere im elektrostörfreien und metallfreien, also nicht wahllos total elektrostatisch abgeschirmten Haus! Denn da findet man die guten, gesunden Felder, Strahlen und Ströme, die das Schlechte nicht nur abschirmen, sondern ständig auch bekämpfen und in Gutes wandeln. —

Und wie viel Schlechtes geht auch vom Kranken im Hause aus! An Feldern, Strahlen und Strömen und an Materialien. Gegen dieses Schlechte hilft kein technokratisches Klimaktorium, im Gegenteil! Hier hilft nur ein gesundes Haus! —

Tatsächlich existieren aus der Kriegszeit und Nachkriegszeit von Militärärzten und anderen Ärzten Berichte, daß Patienten, die in den Notverhältnissen teilweise in Holzbaracken und zwischen rohen Ziegelwänden untergebracht werden mußten und nur teilweise in moderne Betonräume gelegt werden konnten, in den rohen Holz- und Ziegelbauten weit bessere Heilungsziffern aufwiesen als in den Betonbauten. Auch wollten Patienten teilweise nicht in die modernen, angeblich so hygienischen Betonräume umziehen, sondern in den angeblich so unhygienischen anderen Häusern bleiben. Da würden sie sich wohler fühlen, sagten sie. Wohl gemerkt, es handelte sich um Patienten, die von denselben Ärzten mit denselben Methoden und denselben Krankenschwestern behandelt wurden. —

Auf welche technokratischen Spielereien verfällt der Mediziner, der vorzüglich mit „konstruierten Fiktionen" arbeitet! — Hier zeigt sich der diametrale Gegensatz zwischen mechanischem und organischem Denken, zwischen quantistischem und qualifiziertem Denken, zwischen wert-„freiem", somit objektiv wertlosem und wertvollem Denken und Handeln! — Und es zeigt sich das Ergebnis des wertfreien, des lebensfreien Denkens. —

Wenn man von der Medizinkatastrophe zur Heilkunde von Paracelsus und aller Kulturen zurück kehrt, so lernt man, daß der Mensch als Mikrokosmos prinzipiell voll integriert in den Lebensfeldern, Lebensstrahlen und Lebensströmen bzw. „Influenzen" des Makrokosmos leben soll. Denn von ihnen allein wird er ernährt und am Leben erhalten, dies auch über das Brot. Aber bekanntlich lebt der Mensch nicht vom Brot allein. Wie schon jeder Atemzug lehren sollte. —

Das gesunde Haus hält ganzheitlich und lebensgerecht unter vielem anderem auch das schlechte, ungesunde Elektrostatische ab und läßt die gute, gesunde Elektrostatik ein und wahrt sie. Das Lebensprinzip aller kosmischen Hüllenfunktionen umfaßt auch alle Elektrostatik. Das ist biologisch selbstverständlich. Bloße Quantitätsmessungen der Hauselektrostatik besagen also für die Lebensqualitäten der Elektrostatik garnichts! — Auch das ist selbstverständlich, wenn man gelernt hat, Quantitäten und Qualitäten zu unterscheiden. Wie Elektronen von Anfang an existieren, so auch ein elektrostatisches Erdfeld. In dieses Feld sind die Lebewesen seit Milliarden Jahren entwicklungs-

geschichtlich integriert, auch der Mensch, seitdem er diese Erde mit seinem Affenfell betreten hat (Gen. 3,21). Da Gewitter schon vor Milliarden Jahren existierten, gar was für welche, so ist das irdische Leben auch an diese angepaßt. An das ständige moderne technische Gewitter jedoch, auch elektrische Verseuchung der Atmosphäre genannt, ist das Lebewesen nicht angepaßt. Vor dieser Schädigung ist das Leben zu schützen. Da aber soll man radikal handeln, ursachengerecht und also die Quelle der Störungen überwinden und nicht sich selber aus dem kosmischen naturgemeinschaftlichen Leben ausscheiden und individualistisch absondern.

Der Standpunkt, daß wir in Stahlbeton leben sollen, um uns vor den „natürlichen" und technischen elektrischen Störungen der Umwelt zu schützen, gleicht das nicht dem Vorschlag, daß wir nur noch mit Gasmasken und giftdichten Schutzanzügen herumlaufen sollten und alle Flüsse und Seen als Kloaken meiden sollten, vielleicht auch alle Straßen und Felder, alle Berge und Meere, um uns auch vor den anderen selbst gemachten Schädigungen aus unserer Umwelt zu schützen? — Die Technokratie kann auch Purzelbäume schlagen. — Der gesunde Menschenverstand wird uns wohl vor Augen stellen, daß es allein vernünftig ist und sachgerecht, einerseits die Ursache der Übel zu bekämpfen, also bei uns selbst, und andererseits uns gesunde Häuser zu bauen, um voll integriert in der Ganzheit des kosmischen Lebens wohnen zu können.

DIE HAUSEIGENE ELEKTROSTATIK

Wenden wir uns der zweiten Hälfte unseres Themas zu. Denn die Elektrostatik-Krankheit des Hauses kann man in zwei Hälften gliedern, in die seiner Umwelt und die seiner Eigenwelt. Beide elektrostatischen Welten sind einerseits natürlich, lebensqualifiziert, andererseits unnatürlich, disqualifiziert, insbesondere von Menschenhand. Beiderseits soll der Mensch in der guten, an Lebensqualitäten reichen und daher gesunden Elektrostatik leben. Und beiderseits soll alle disqualifizierte Elektrostatik gemieden, lebensgerecht bekämpft und möglichst in gute rückgewandelt werden. Denn das Haus soll ein Heilhaus sein, eine bessere und lebendigere Welt als die natürliche Umwelt.

Welche hausinnere lebensfeindliche Elektrostatik kennen wir schon?

Alle Formen, Materialien und Funktionen des Hauses wirken je nach ihrem Wesen teils qualifizierend, teils disqualifizierend auf die gesamte Hauselektrostatik. Denn jedes Elektron, jedes Ion, jedes Atom ist eine gute oder schlechte, gesunde oder kranke elektrostatische Größe. Also hat jeder Körper, jede materielle Einheit ihr elektrostatisches Gesamtfeld. Es kann naturgesetzlich nicht anders sein. Ob wir allerdings mit den bisherigen Instrumenten auch nur zehn Prozent der Quantitäten der hausinternen Elektrostatik erfassen, das ist eine große Frage. Und daß man mit Instrumenten, die auf

Quantitäten hin konstruiert sind, Qualitäten prinzipiell überhaupt nicht erfassen kann, es sei denn nebensächlich mittelbar in einigen Hinweisen, das weiß der gebildete, der echte Wissenschaftler.

Die künstliche Elektrostatik

Was sieht nun der Zivilisations-Mensch und -Wissenschaftler zuerst? Mit Leichtigkeit kann der Mensch durch Kunststoffe in Teppich, Gardinen und Möbeln oder in den Sitzen, Bespannungen etc. des Autos bis 10 000 Volt und mehr elektrostatische Ladung erzeugen, sogar ganz nebenbei in der täglichen Benutzung. Mancher denkt, was soll man sich angesichts solcher Machbarkeiten noch um die lumpigen ein- bis zweihundert Volt pro Meter in der freien Natur bekümmern. Wie herrlich weit hat es doch der Mensch gebracht! Er ist ein besserer Gott. Und eine bessere Natur! — Und sollte es ab und zu schmerzhaft in den Finger stechen, wenn man die Klinke des Zimmers oder die Wagentüre anfaßt, sollte auch der Kopf brummen, das Auge flackern und der Kreislauf Schwierigkeiten machen, der Schlaf miserabel sein usf., das zählt doch nicht bei diesem fortschrittlichen Wachstum um 10 000 %! Welcher heutige Politiker oder Wirtschaftler würde bei solcher Steigerungsrate nicht stolz auf seine Leistung sein! Und für den Fortschritt muß man doch Opfer bringen, mag zuletzt auch die ganze Welt zum Teufel gehen. Mit dem Tode ist ja alles aus. Bis dahin haben wir die Welt genossen. — Zunächst also produzieren wir tüchtig elektrostatische Ladungen, in der zweiten Haut, der Wäsche, und in der dritten Haut. Ganz falsch lieber Zeitgenosse, wenn Sie das als Not ansehen! Und wenn, dann machen wir eine Tugend daraus. Der Mensch muß geladen werden. Aktivität ist nötig. Auch als Aggressivität. Sie ist doch natürlich. —

Doch leider urteilte das Leben wieder einmal ganz anders als es fortschrittliche Elektromechaniker bei der Kunststoffwäsche, bei Kunststoff-Teppichen, -Möbeln und -Häusern prophezeit hatten. Die armen Opfer all dieses gewinnträchtigen Fortschrittes klagten, und das nicht wenig. Wenden wir uns daher den Realitäten zu:

Der „Telefonzelleneffekt“

Im Sprachgebrauch der neueren Fachliteratur bezeichnet man als „Telefonzelleneffekt“ die vielfältig leichtes bis schweres Unwohlsein auslösende, mit Kopfschmerzen, Gedankenverwirrung, Gedächtnisausfall, Sehstörungen, Leistungsabfall, Schwindel und Kreislaufstörungen einhergehende Schädigung unserer Gesundheit, die bei dem Aufenthalt in einer hoch modernen Telefonzelle häufig in Minutenschnelle eintritt. Da in unserer Zeit in der Regel ohne eine blasse Ahnung vom Leben gebaut wird, so können demokratischerweise auch Behörden nicht anders bauen, einige mehr selbständigere ausgenommen wie bei dem Denkmalschutz und Landschaftsschutz. Man hat diesen Nullungseffekt oder Störeffekt schon vielfältig untersucht und auch in anderen Räumen festgestellt. Aber je geringer die Abstände der elektrostatisch verladenen Kunststoffe um den Kopf sind und je quadratischer die Formen, vor allem, je disqualifizierter die Materialien der Telefonzellenwände auch in anderer Hinsicht sind, desto stärker die „Effekte" ([1]). Da die Post zu Recht Schadensersatzklagen kreislauflabiler Menschen fürchtet, baut sie fortschrittlich auch noch Klimaanlagen ein wie in der hoch zivilisierten Schweiz. Mit welcher Wirkung? — Die Ausstattung einer gesunden Telefonzelle würde nur einen Bruchteil dieses lebensfremden technokratischen Aufwandes kosten!

Der „Telefonzelleneffekt" in der Firma

Ein anderes, sehr lehrreiches Beispiel: Die Angestellten in einem alten renommierten Textilgeschäft fühlten sich seit jeher bis zum Arbeitsschluß relativ wohl. Schließlich zog auch hier die neue Zeit ein. Alles wurde hoch modern renoviert. Kunststoff-Zwischenwände, Kunststoff-Tapeten, Kunststoff-Teppiche, Kunststoff-Deckenverkleidungen usf., wo und wie nur möglich. Denn die moderne Kundin wünscht diesen Flair, diesen Duft der großen Welt. Doch die Chefin erschrak nach wenigen Wochen nicht schlecht. Eine Angestellte nach der anderen klagte und drohte schließlich die Kündigung an mit der Begründung, sie würde sich in den renovierten Räumen übel fühlen, teils bis zum Brechreiz. Alles würde funken. Schon nach ein bis drei Stunden sei man jetzt müde. Und man hätte keine Freude mehr an der Arbeit. Sie würde hier zur Quälerei usf. Allgemein wurden die Beschwerden des „Telefonzelleneffektes" geklagt. — Die Chefin mußte sich eingestehen, daß sie die gleichen Erfahrungen an sich selbst bisher nur deshalb aus dem Bewußtsein verdrängt hatte, um sich die Freude an dem schillernden neuen Glanz nicht selber zu verderben. —

Sofort wurden nun Klimafachleute bestellt. Der Erste kam. Die Funken! Alles klar. Die elektrostatische Aufladung. Nun wurden Decke, Wände und Teppiche besprüht, mit Antistatik-Spray. Viele husteten. Die Augen brannten. Und allmonatlich sollte diese Spritzerei wiederholt werden! — Man zwang sich zu einer guten Miene. Denn so etwas war doch hoch modern. Die fortschrittlichen Landwirte spritzten doch schon bis dreißig mal im Jahr ihre Gifte aus.

Aber es half praktisch nichts. Nur die Funken blieben weg und der Kopfdruck war etwas geringer, auch andersartig. —

Neue Klimaspezialisten kamen. Jetzt mußte die Chefin mehr blechen. Denn wenn es nicht so primitiv geht, dann mit dem gesamten Rüstzeug unserer Technik. Ozonisierungsapparate, Jonisierungsapparate, Verdampfer, Geruchsverzehrer, Geruchserzeuger und was alles noch aus diesem Arsenal. Es wurde immer mehr. Händeringend bat man die Angestellten, doch noch eine kleine Weile auszuharren. Aber als ein Apparat nach dem anderen kam, weil keiner die erhoffte Hilfe brachte — „Teufelszeug“ wurde es schon von einigen Angestellten genannt —, da begann schließlich doch der große Auszug. Nun wurde es lebensgefährlich für die Existenz der Chefin. Denn in der nicht allzu großen Stadt sprach sich einiges herum. Und das bei dem allgemeinen Personalmangel. —

Jetzt wurde so ein verschrobener Heilpraktiker konsultiert. Denn die offiziellen Fachleute — auch ein Fachmann eines Universitätsinstitutes war dabei gewesen — hatten gründlich versagt. Und tatsächlich nahte nun eine gewisse Hilfe. Die Kompagnie der bisherigen Apparatschiks wurde fast vollständig außer Gefecht gesetzt. Stattdessen wurde eine elektrostatische Gleichfeldanlage eingebaut. Nun wurde es wenigstens einigermaßen erträglich. Aber die Chefin war jetzt auf der Hut. Sie betrog sich nicht mehr selber, erkannte die Mangelhaftigkeit des Erfolges und suchte weiter Rat, wieder auf unkonventionellen Wegen und mit Hilfe des gesunden Menschenverstandes. So wurde sie schließlich vollends aufgeklärt. Denn wer sucht, der findet. Schamhaft wurde nun eines der modernen Glanzstücke nach dem anderen wieder gegen die Natur ausgewechselt. Die verkünstelten Stoffe verschwanden und Naturstoffe, besonders edle Kulturstoffe zogen ein. Weil das Geld etwas knapp geworden war, wurde einiges wie die Deckenverkleidung vorerst nur natürlich überstrichen, ganz schlicht mit Kalkmilch. Und oh Wunder, gerade das Einfachste und Preiswerteste half nicht wenig. —

Die Chefin, nun vollends wach geworden und selbständig denkend, zog noch weitere Konsequenzen daraus. Sie fragte vorsichtig ihre Kundinnen, ob sie sich denn in gewisser, hoch moderner Unterwäsche, Nachtwäsche etc. wirklich wohl fühlen würden? Ob das Künstliche in solch allernächster Umwelt kein Problem sei? — Teils erstaunte Mienen. Aber großenteils sofort zustimmende Gegenfragen. — Ob man es dann nicht versuchsweise mit edlen Naturstoffen versuchen wolle, mit reiner Naturseide, mit Leinen, mit hoch qualifizierten feinen Wollen? Zudem wären das seit jeher die klassischen Textilmaterialien der Hochkulturen und auch der Haute Couture. — Auch Spezialbaumwolle sei noch angängig. —

Die Geschichte hat ein happy end. Die Chefin wurde gefragte Spezialistin für naturgerechte — sogar heilgerechte — Kleidung, insbesondere bei hoch kultivierten Ansprüchen. Sie war konkurrenzlos. Jetzt hat sie zufriedenere Kundinnen als je zuvor. Und sie verdient auch mehr als jemals zuvor. Das Geschäft ist nicht mehr wiederzuerkennen. Die Angestellten fühlen sich pudelwohl an ihrem — humanen! — Arbeitsplatz und heimisch im guten Sinne des Wortes. Mit Überzeugung, Eifer und Freude sind sie jetzt an der Arbeit. — —

Mit dem „Telefonzelleneffekt“ oder Kunststoffeffekt bzw. Nichtleitereffekt, der heute meist nur als elektrostatischer Verladungseffekt gesehen wird, steht es wie mit vielen anderen Umweltschäden, sei es fern oder nah. Bis das Bewußtsein des Zivilisationsmenschen bereit ist, eine Kehrseite an den modernen, hoch gepriesenen Errungenschaften wirklich zu Kenntnis zu nehmen, vergeht oft längere Zeit. Man verdrängt als moderner Mensch so lange man kann. Denn die Kehrseite paßt nicht in das moderne Anschauungs- und Verhaltensschema. Und wenn man die größten Beschwerden erleiden muß, man versucht es zuerst mit der Mechanik, mit Spritzen und Tabletten, — etwa mit den Pestiziden. Man kann einen Teufel doch mit Beelzebub austreiben! — Erst zuletzt, wenn es an den Geldbeutel und das Leben geht, an den Kragen, erst dann bequemt man sich, sein Bewußtsein für Erwägungen über die wahren Ursachen zu öffnen und zu bedenken, ob man nun radikal handeln muß, ursachengerecht, lebensgerecht. —

Die „Verladung"

Von „Verladung" war eben die Rede. Das ist ein Begriff, der heute in immer weiteren Kreisen gebraucht wird und sich von einem quantistisch elektrostatischen Begriff immer mehr zu einem biologischen, lebensqualifizierten Begriff wandelt. Je mehr ein Raum mit verkünstelten, disqualifizierten Stoffen ausgestattet ist und je technokratischer, moderner und teurer seine Klimaanlage ist, desto mehr ist seine Atmosphäre „verladen", aber auch jeder Gegenstand in diesem Raum. Und der Mensch fühlt sich nicht nur verzerrt, nämlich in seinem Vitalkörper, der auf die disqualifizierten Ladungen bzw. Felder erheblich reagiert, gleichsam deformiert und einseitig hin- und her gezerrt, sondern auch bedrückt und wie am Ertrinken. Als ob er unter Luftmangel litte! —

Die „Depolarisierung"

Auch der Mensch ist ein Gegenstand in dem verladenen Raumfeld. Also ist auch er selber „verladen". Hier spricht man bei weiterer Analyse auch von „Depolarisierung". Denn die natürlichen Pole des Menschen wie rechts und links am Körper, oben und unten, vorne und hinten usf. können im Bereich der Lebensqualitäten unnatürlich und also krankhaft vertauscht werden. Bei einer Gesundung werden die natürlichen „bioplasmatischen" Polaritäten wiederhergestellt. Aber schon bei dem Unwohlbefinden wie bei dem „Telefonzelleneffekt" findet man die krankhafte Depolarisierung, auch bei vielen anderen Hauskrankheiten.

Die Folgen im Bunker

Die Erfahrungen mit der verladenen und disqualifizierten Atmosphäre wurden in ähnlicher milderer Form auch schon in Kriegsbunkern gemacht, besonders bei mehrtägigem Aufenthalt. Damals aber wurden noch fast keine

Kunststoffe im neueren Sinne verwandt. Woher also mußte hier die Disqualifizierung der Atmosphäre kommen?
Zum Glück werden Totalbunker im Frieden selten gebaut. Und wohl nie wohnt jemand ununterbrochen in solchem Grabesklima, es sei denn Ratten und anderes Ungeziefer, doch auch diese nur vorübergehend. Das übliche Stahlbetonhaus hat ja Fenster und sogar lebensnotwendig große Fenster. Also wird der Totenkäfig durchbrochen, sodaß seine Grabesatmosphäre Löcher erhält, Lücken, durch welche rettende Mächte und Kräfte in einem Mindestmaß zu Hilfe kommen können.
Aber was? Das statische Feld doch kaum, wie man leicht messen kann und wie tausendfältig gemessen worden ist. Aber es kann die im natürlichen Erdfeld, in seinen Sonnenstrahlen und Strömen biologisch qualifiziert aufgeladene und polarisierte Luft eindringen. Die hier vieles wissenden Inder sprechen von Prana. Denn seltsamerweise scheint die vom Sonnenlicht und der Sonnenwärme geladene Luft den Urmangel an Vitalität, den diese Räume vielfältig nachgewiesen zeigen, notdürftig ausgleichen zu können. Was auch die Kanarienvögel in ihren Metallkäfigen belegen. Auch fehlt da der Beton, dessen Abschirmwirkung bzw. Nullungswirkung, Verkrankungswirkung nach vielen Erfahrungen von anderer Art ist. Und vitalgestörte, vegetativ dystonische und kreislauflabile Menschen lehren uns das in solchen Bauten, nämlich, wenn sie die Fenster aufreißen, um einem drohenden Kollaps vorzubeugen. Dann rufen sie nämlich „Ich brauche Sauerstoff".
Verdutzt und nachdenklich hörten die Naturwissenschaftler diesen Ausruf. Denn sie wußten genau, Sauerstoff ist an Menge völlig genügend in einem normalen Wohnraum. Was also fehlt diesen Menschen objektiv und was hilft ihnen auch objektiv tatsächlich die frische Luft am geöffneten Fenster?
Auch die Angestellten vollklimatisierter Hotels mit hermetisch versiegelten Fenstern kennen diese Verhältnisse, wenn Gäste nachts einen Erstickungsanfall und Krämpfe bekommen. Sie schleppen dann niemanden zur Klimaanlage, um dort tiefe Atemzüge zu machen; denn das könnte den Tod bringen. Sondern sie schleppen die Opfer ihres Hauses an die frische Luft! —
Ist es die qualitativ „geladene", die lebensqualifizierte Luft, welche die Hilfe bringt? Ist es das berühmte Prana? Hatte die Klimaanlage diese Lebensqualität ruiniert? —
Die Ärzte beobachteten weiter: Auch das Sonnenlicht selbst schien eine rettende, ausgleichende Funktion zu haben. Das war einerseits zwischen der besonnten frischen Luft und der Nebelluft festzustellen, andererseits an Zimmern, in welche die Sonne schien oder regelmäßig geschienen hatte. Wo die Sonne hinkommt, braucht der Arzt nicht hin, lautet ein altes Sprichwort. Kann das Sonnenlicht auch ein Zimmer in seiner Materie lebensqualifiziert aufladen? Weshalb auch strebt der moderne Mensch in seinen Betonkäfigen nach großen Fenstern? Er ist doch geradezu fenstersüchtig geworden, auch besonders in den modern ausgestatteten Büros, „Appartments" und „Bunga-

lows". Und warum will er sie so häufig öffnen? Geradezu eine Revolution kann ausbrechen, wenn man versuchsweise im Büroraum das ständig offene Oberlicht schließen will. Und warum wird der moderne Eigenheimbesitzer so auffällig zum Terrassen- und Gartenbewohner? Weshalb wird in diesen Jahrzehnten die Sonnenseite — die „Schokoladenseite" des Hauses — so extrem beliebt? Weshalb das Camping? Und zwei mal Urlaub im Jahr genügen vielen objektiv nicht mehr. Kann der moderne Mensch seine vier Wände nicht mehr ertragen? Unsere Vorfahren hatten oft Jahrzehnte lang keinen Urlaub, der sie von zu Hause weg führte. Aber sie machten alltäglich mehr Wege an der frischen Luft auf nicht asphaltierten Straßen. Sicher mögen viele Gründe für die Hausflüchtigkeit des modernen Menschen vorliegen, ausgenommen wenn das „sprechende Bild" ihn in seinen magischen Bann zieht. Aber einer der wesentlichen Gründe scheint die „Verladung" der Atmosphäre zu sein, ihre „Unwirtlichkeit" (Mitscherlich), ihre Unheimeligkeit, ihre Unwohnlichkeit, ihre Inhumanität.

Diese Verladung hat sicherlich viel mit der Elektrostatik zu tun. Aber nur mit dem Fühlen und Denken der Lebensqualitäten und ihrer Betrachtung in der Ganzheit des Lebens ist das Problem objektiv lebensgerecht zu klären. Die biologische Magnetik spricht hier wohl gleichgewichtig mit. Denn das Elektron ist ebenso eine magnetische wie eine elektrische Größe, noch weit mehr der Atomkern. Die Magnetik scheint den primären Rang zu haben. Das Elektrische ist vielleicht nur etwas Drittes, dem Strom nach Feld und Strahlung entsprechend. Yang, Yin und Chi unterscheiden die Chinesen als die Urdreieinheit alles naturalen Lebens. Chi entspricht dem Strom sowie der Elektrik. —

Die Elektrostatik am Wohnort

Eine einfache Konsequenz zum Schluß: Wer einen Wohnort oder Bauplatz sucht, der suche einen Ort, insbesondere einen Hausplatz, an dem die Urlebensspannung zwischen Himmel und Erde gut, lebendig und rein ist, auch genügend groß, wie auf Höhen, an Hängen möglichst weit über dem Talgrund, auch auf Plätzen mit Freiraum im Umkreis. Das Haus soll nicht eingekesselt zwischen höheren Häusern stehen, sondern möglichst selber das höchste sein. Dies auch wenn man nicht in den oberen Stockwerken wohnt. Die eigene Höhe wirkt sich auf das ganze Haus aus. Frei heißt nicht nur frei von elektrischen Störungen wie „Frei"leitungen, sondern auch frei von disqualifizierten Gasen, Gewässern und Erden. Sie alle bilden entsprechende Ionen und also entsprechende Ladungen bzw. Verladungen.

Die objektiv freien, lebensqualifizierten, erhöhten Gebiete werden seit jeher zum Wohnen bevorzugt. Dort findet man die Luftkurorte, ausgenommen wenn ein nicht allzu enges Tal von einer Heilquelle beherrscht wird und dergleichen. — Wo dagegen die Urlebensspannung gestört ist, schlecht, tot

und unrein und auch gering, also insgesamt krank ist, wie in engen Tälern mit Abgasen und Abwässern der Industrie, fehlenden oder unbiologisch arbeitenden Kläranlagen usf., da kann sich weder der Mensch noch irgend ein edles Tier wohl fühlen. Sondern der Mensch fühlt sich avital und gedrückt wie bei niederem Blutdruck und seelisch-leiblicher Belastung. —
Und man vermeide in seinen Außen- und Innenwänden, vom Dach bis zum Keller, und in sämtlichen Einrichtungsgegenständen alle Formen und Materialien, welche das Lebensfeld des Hauses und also der Bewohner nullen, somit alles Verkünstelte und Unnatürliche. Dagegen suche man alles biologisch hoch Qualifizierte. Es ist und bleibt auch in seiner Elektrostatik hoch qualifiziert. Entsprechend muß es wirken.

Eine Quintessenz

„Anima forma corporis" heißt ein sehr wesentlicher alter naturwissenschaftlicher, insbesondere psychosomatischer Grundsatz, auch ein Grundsatz von Paracelsus. Das heißt, daß die Seele — das zentrale qualitativ wirksame Prinzip der realen Einheit, der „Archäus" — das Körperhaus baut und erhält, auch ständig repariert. Also suche man in Seele und Körper zugleich das intensivste Leben, die höchsten und größten Lebensqualitäten. Sie stehen der Nullung am fernsten. Und sie vermögen alles Genullte, alles Kranke und Tote am wirksamsten zu requalifizieren, also wieder lebendig und lebensgerecht zu machen. Sie qualifizieren alle Dinge magnetisch und elektrisch.

III. Einzelne gesundheitsschädliche Verfahren und Geräte

Da noch keine qualifizierte Elektrobiologie bzw. Bioelektronik als systematische Theorie existiert, also noch keine lebensgerechte Elektrowissenschaft — nur Hinweise zu ihr konnten in mehreren vorangehenden Kapiteln gegeben werden, — so sind wir maßgeblich auf die praktische Erfahrung angewiesen. Nur die Mechaniker wähnen sich in der Elektrizität allezeit schon allwissend.
Gesundheitsschädlich ist die Wirkungsausbreitung der Feldunqualitäten, der Strahlungsunqualitäten und der Strömungsunqualitäten sowie eine Ungleichung in den Mengen. Gesundheitsschäden werden in folgenden Verfahren und Geräten kurz für die Praxis behandelt:

1. Der galvanische Kontakt
2. Die elektrische Freileitung
3. Die Transformatorenstation
4. Der Dachständer
5. Der Elektroboiler, die Kühltruhe und der Nachtspeicher
6. Die Hilfsgeräte der Ölheizung

7. Das Fernsehgerät
8. Das Telefon
9. Die elektrische Bahn
10. Die Sender
11. Die Banderde und die Erdung des Nulleiters
12. Die vagabundierenden Ströme.

Soweit ein Heilverfahren spezifisch ist für die behandelte Störung, wird es sogleich genannt. Soweit ein Heilverfahren von allgemeiner Bedeutung ist, wird es im Kapitel IV dargelegt.

1. Der galvanische Kontakt

Der bekannteste und einfachste gesundheitliche Schaden wird bewirkt durch einen körperlichen Kontakt mit Gleich- oder Wechselstrom von über 40-70 Volt, galvanischer Kontakt genannt. Hiergegen hilft im Haus zuerst eine feste, alterungsbeständige Isolation, die auch nach 20 Jahren noch nicht brüchig wird und den Weg für vagabundierende Ströme frei gibt. Gegen versehentliches Berühren spannungsführender Leiter, sei es von Erwachsenen oder Kindern, hilft der Fehlerstromschutzschalter. Er schaltet im Bruchteil einer Sekunde schon bei Erreichen ungefährlicher Stromgrößen den Stromkreis ab. Er wird hinter dem Zähler installiert. In immer mehr Ländern wird er schon gesetzlich bei dem Bau von Häusern vorgeschrieben. Ein Gesundheitsschaden oder Todesfall durch Berühren stromführender Leitungen ist dann im Hause praktisch nicht mehr möglich.

2. Die elektrische Freileitung

Die elektrische Freileitung gibt dem elektrischen Strom die „Freiheit", in mehr oder weniger großem Umkreis das Leben zu schädigen. Somit handelt es sich objektiv hier um eine Unfreileitung ([1]). Die objektive Freileitung läßt dem Leben seine Freiheit, sodaß es nicht geschädigt wird.

Bei den derzeit üblichen „Frei"leitungen handelt es sich um Wechselstromleitungen. Da die Leiter der einzelnen „Teile" (Phasen) des Wechselstromes relativ große Abstände haben, so gehen von diesen „Frei"leitungen starke störende elektrische und magnetische Streuwechselfelder aus. Die Nähe von diesen Störleitungen ist daher zu meiden. Innerhalb dieser Störfelder mit ihren Störstrahlungen werden sämtliche Funktionssysteme des menschlichen und tierischen Organismus gestört, wie Nervensystem, Herz-Kreislaufsystem und Stoffwechselsystem. Auch der pflanzliche Organismus wird gestört.

Die Größe der Störung ist u. a. abhängig von der Spannung, die sich hauptsächlich elektrisch auswirkt, und von der Stromstärke, die sich hauptsächlich magnetisch auswirkt. Es sind daher mehrere Gruppen von Freileitungen zu unterscheiden: a) Die normale Starkstromleitung von 110 bis 220 Volt.

b) Die Hochspannungsleitung von 10 000 bis 20 000 Volt. Sie bedient die örtlichen Transformatorenstationen. Zuweilen existieren auch noch Leitungen von ca. 50 000 Volt. c) Die Hochspannungsleitung von ca. 100 000 bis 400 000 Volt. Das sind die großen Überlandleitungen mit den ein- bis vierfachen Isolatorenketten. An ihnen kann man ungefähr die Höhe der Spannung erkennen. Welchen Abstand soll man von diesen Unfreiheit bringenden und also Ungesundheit bringenden Leitungen halten?

Bei der ersten Gruppe dieser Störleitungen genügt es, daß sie nicht über das Haus führen. Der hauptsächliche seitliche Störeinfluß reicht ungefähr so weit, wie die Leitung üblicherweise hoch über dem Boden geführt wird, also hausweit. Die Befreiung der Atmosphäre von dieser elektrischen Verseuchung besteht einfacherweise im Erdkabel. Es wird üblicherweise ungefähr einen Meter tief gelegt. Dann stört es das Lebensfeld des Menschen praktisch nicht mehr. Glücklicherweise verstärkt sich auch ohne dieses deutliche Wissen von den Störwirkungen immer mehr die Tendenz zur Erdverkabelung der Leitungen.

Bei der zweiten und dritten Gruppe der Leitungen, die gesundheitsschädliche Streuwechselfelder ausstrahlen, bestimmen die jeweilige Himmelsrichtung, die Bodenformation und die örtlichen Verhältnisse stärker mit. Bei einschlägigen Tagungen wird immer wieder die Frage gestellt, welchen Abstand man mit dem Wohnhaus oder der Mietwohnung von diesen Produkten der Technokratie halten soll. Die Erfahrung lehrt, daß man hier nur in weiteren Grenzen ungefähre Durchschnittsangaben machen kann. Im Einzelfall kann man mit einer guten Akustik-Feldsonde den Abstand annähernd bestimmen. Die genaueste Bestimmung liefert noch immer eine biologische Messung wie beispielweise am einfachsten mit einem radiaesthetischen Instrument in der Hand des Menschen, der über genügende Erfahrung und Selbstkontrolle verfügt.

Bei einer in Ost-West-Richtung laufenden Leitung von ca. 300 000 Volt wird heute geraten, wenn das Haus südlich steht, ca. 1 km Abstand zu halten, wenn nördlich, ca. 250 m. Bei Verlauf in Nord-Süd-Richtung nach beiden Seiten ein Abstand von ca. 400-500 m. Bei trockenem Boden und wenn die eigene Position höher ist, verringern sich die Werte bis ca. 30 %, im anderen Fall umgekehrt bis über 100 %. Fließt ein Gewässer unter einer Hochspannungsleitung hindurch, so kann im Flußbereich auf viele Kilometer eine elektrische Begleitstörung festgestellt werden. Das ist physikalisch leicht verständlich, auch wenn der Fluß weniger Abwasser-Chemikalien mit sich führt.

Man dividiere die Voltzahl durch 1 000 und multipliziere sie bei hohen Spannungen mit 3, bei kleineren mit 4 bis 5; dann erhält man in Meter den ungefähren Südabstand. Für die anderen Abstände gilt dasselbe im obigen Verhältnis. Diese Abstände sind als Mindestabstände zu betrachten. Sensible Personen rechnen sicherer mit dem Doppelten. Im Zweifelsfall sollte man sich selbst sachbewußt mindestens 24 Stunden ununterbrochen in einem zu

prüfenden Abstand aufhalten, um die eigene Reaktion ermitteln zu können. Jedoch reagiert man auf freiem Feld erheblich andersartig als in einem gesunden oder kranken Haus, insbesondere in einem metall- oder kunststoffkranken Haus.
Vermutlich werden kommende Generationen von diesen Sorgen nicht mehr geplagt werden. Es wird wohl zunächst das bei Normaltemperatur supraleitende Erdkabel kommen, vielleicht sogar mit qualifizierten, harmonischen Strömen. Bei einem Erdkabel verringert sich die Störung auf wenige Prozent. Und dann wird die hauseigene bzw. geräteeigene und stadteigene Stromerzeugung mit Atombatterien kommen, sodaß alle Überland- und „Frei"-Leitungen verschwinden werden. Die Tendenz zur geräteeigenen Stromquelle ist heute schon zu beobachten. Die meisten heutigen Elektrokrankheiten werden dann Geschichte sein wie die großen Seuchenzüge der vergangenen Jahrtausende.

3. Die Transformatorenstation

Wie jedermann sehen kann, werden schon seit Jahrzehnten Transformatorenstationen nicht mehr in Wohnhäusern installiert, was nach der Jahrhundertwende garnicht selten war. Warum wohl? Verschämterweise spricht „man" nicht gerne darüber. Und man tut so, als ob man hier überhaupt nichts wüßte. Manche Mechaniker sind sogar wirklich ahnungslos, da auch derartige Umweltschutzgedanken bisher quanten-konsequent, mechanikkonsequent ausgeblendet und ignoriert wurden. Denn die Technokraten, zu denen die meisten Zivilisationsmenschen zählen, betrachten es als Majestätsbeleidigung, ihrem Idol bzw. Götzen Strom irgend etwas Negatives anzulasten. Und die Majestätsbeleidigung eines Zivilisationsidols wird ohne Überlegung primär emotional abgewehrt. Diese Erkenntnis ist grundwichtig für die gesamte Umweltschutzbewegung.
Schröder-Speck, ein erfahrener Schweizer Baupraktiker ließ Teilnehmer seines Kurses über Baumethoden und Gesundheit eine Trafostation mit der Rute und dann mit der Feldsonde umkreisen und fragte jeweils, welcher Reaktionsabstand oder Störabstand gemessen worden sei. Mit der Antwort ca. 30-50 m nach Norden und 120-150 m nach Süden war er zufrieden. Es handelte sich um eine übliche Station von 10-20 000 Volt.
Man kann in dem Streuwechselfeld einer Trafostation auch engere Feldstufen erkennen wie in jedem Störfeld. Auf welche Störstufe man selbst bei kürzerem oder längerem Aufenthalt reagiert, das hängt auch von der „Dicke" der eigenen Haut ab bzw. von der eigenen Sensibilität, von der eigenen Gesundheit oder Krankheit, von der eigenen Einstellung usf. Bei allen realen Einheiten sind hauptsächlich drei Feldstufen zu unterscheiden, also drei sogenannte Reaktionsabstände, nach Paracelsus Sal, Sulfur und Mercur entsprechend. Ein grober, primitiver Mensch, auch ein Salmensch, reagiert oft

nur auf die innerste Feldstufe bzw. Sphäre; ein hoch entwickelter sensibler Mensch reagiert auf alle drei Feldstufen! — Je kränker ein Mensch ist, desto umfangreicher reagiert er auf Feldstörungen seiner Umwelt. Noch kränker wird er dann und an der Heilung noch mehr gehindert.
Bei schlechtem Wetter bzw. Störwetter, bei disharmonischem Wetter und auch nachts sind viele Störfelder stärker und weiter. Die Gutfelder derselben Einheit dagegen sind dann meist schwächer und kleiner. Bei gutem Wetter bzw. harmonischem Wetter und tagsüber verhält es sich umgekehrt. Das ist leicht verständlich, wenn man qualitativ denken kann. Gute Gesellschaft fördert die guten Eigenschaften, schlechte Gesellschaft die schlechten. So fördert das lebendige Sonnenlicht das Gute und die Finsternis ihresgleichen. — Was vom Wetter gilt, das gilt für alle Umweltfaktoren.
Wenn man die Transformatorenstationen in die Erde bauen würde, so würden sie umweltfreundlich. Und dem stehen keine Hindernisse entgegen. Auch wäre dies sachkonsequent bei der allgemeinen gesunden Tendenz zur Erdverkabelung! —

4. Der Dachständer

In einem Dachständer kombinieren sich die Wirkungen der „Frei"leitung und der Trafostation. Denn über den Dachständer wird von Freileitung, Haus und Erde eine große Schleife bzw. ein Schwingungskreis gebildet. Aus teilweise unbekannten, teilweise vermuteten Gründen kann dieser Störschwingungskreis in einem Haus stark stören, im anderen — selten! — fast garnicht. Dennoch soll man stets vermeiden, in der Senkrechten unter dem Dachständer zu schlafen. Und man soll den Schlafraum so weit wie möglich seitlich von dem Dachständer und der Zuleitung zu ihm legen, also von dem dadurch gebildeten Schwingungskreis. Andererseits kann sich in der Ebene des Schwingungskreises auch eine Art Nullpotential bzw. Mittelpunktspotential bilden, in dem man dann relativ ungestört schlafen kann. Hier hilft nur ausprobieren. Zu viele sekundäre Störfaktoren können hier mitwirken.
Bei einem Neubau verlange man vom E-Werk die Erdverkabelung. Sie ist allermeist ohne Schwierigkeiten möglich. Gerechte Kosten soll man hier nicht scheuen. E-Werke sollten Kosten entsprechend ihrer Gemeinnützigkeit berechnen. Aber jedes Monopol ist verführerisch!—
Wenn aus irgendwelchen Gründen, auch Kostengründen dennoch eine Freileitung an das Haus geführt werden soll, dann nicht auf das Dach, sondern möglichst tief am Haus ankommend, um den Schwingungskreis klein zu halten, und ca. 1-2 m von einer Hausecke entfernt, nicht auf die Hausecke und nicht auf die Wandmitte. Die tiefe seitliche Zuleitung, wie sie bei älteren Häusern häufig zu sehen ist, stört nur einen Bruchteil von der Zuleitung über einen Dachständer. Auch nachträglich ist sie relativ billig, wenn das Haus eine Endstation der Zuleitung ist.

5. Der Elektroboiler, die Kühltruhe und der Nachtspeicher

Die Nachtstromverbraucher, die Dauerverbraucher und die Speichergeräte sind besonders aufmerksam zu beachten. Wenn Häuser auf Störquellen am Tage untersucht werden, also bei ausgeschalteten Nachtstromverbrauchern, so kann sich eine erheblich bessere Situation ergeben. Nachtstromverbraucher sind auch Großverbraucher, also mit entsprechend starken magnetischen Störfeldern entlang den Zuleitungen und in den Geräten.
Die oben genannten drei Geräte stören jedoch auch am Tage und zwar ständig, also auch im elektrisch mehr oder weniger ausgeschalteten Zustand. Denn alle drei speichern die harmonischen oder disharmonischen, die guten oder schlechten Wirkungen des Stromes. Ebenfalls tun dies der Kühlschrank und das Bügeleisen, das Heizkissen und im Grunde alle Elektrogeräte. Eine gefüllte Kühltruhe stört daher weit mehr als eine leere. Wie ist diese Erfahrung zu erklären?
Wenn ein Elektrogerät in seinem Feld eine Masse wandelt, gar tief kältet oder hoch erhitzt, also erheblich wandelt, so wird dieser Masse das Störfeld des Gerätes — auch teilweise ein etwaiges Harmoniefeld! — „aufmoduliert". Die Struktur der Masse wird kausalgesetzlich gleich umstrukturiert, qualitativ und quantitativ gleich! Darauf beruht auch die gesamte Energierechnung. Es liegt hier eine Transformation vor, der Sonderfall einer Transsubstantiation. Das Gespeicherte strahlt bzw. feldet und strömt dann ständig das Wesen der neuen Strukturform aus, auch wenn es zeitweise nicht elektrisch bearbeitet wird. Die zusätzliche Störung durch die elektrische Arbeit kann im Einzelfall nur wenige Prozent der Gesamtstörwirkung oder der Speicherwirkung betragen. Physikalisch ist dies alles selbstverständlich bzw. logisch.
Hinzu kann bei allen viel arbeitenden Elektrogeräten, typisch bei einer Kühltruhe kommen, daß eine extreme elektrotechnische Disharmonie vorliegt, die dann das ganze Haus samt allen Bewohnern viel stören kann. Aber sie kann durch Auswechslung des Motors oder des ganzen Antriebsaggregats meist leicht behoben werden. — Das Analoge kennt jeder Autofahrer. Zwei Motoren oder Karosserien derselben Serie können sehr verschieden sein. Der eine Motor verursacht laufend Reparaturen, vielleicht durch eine besondere Eigenvibration, während der andere 200 000 km anstandslos läuft. Wenn schon bei einer Mechanik derselben Serie solche Disharmonien und Unterschiede möglich sind, was dann erst in den Feldern, Strahlungen und Strömen der Elektrik! —
Wie kann man sich allgemein helfen?
Erstens alle solche Großgeräte so weit wie möglich nach Süden im Hause und weg vom Schlafzimmer, auch von jedem Daueraufenthaltsplatz. Zweitens, soweit man solche Geräte überhaupt vermeiden kann, soll man sie vor-

erst vermeiden, bis man biologisch konstruierte und geprüfte Typen und Geräte verwenden kann. Soweit noch keine biologisch konstruierten Geräte zu erlangen sind oder verwandt werden, sollte man nach Möglichkeit zusätzlich entstörende Verfahren und Geräte verwenden oder einen möglichst störfreien Gebrauch machen. Ein störarmer Gebrauch besteht beispielsweise darin, daß man einen Nachtspeicher oder Elektroboiler nicht in den ersten Nachtstunden vor Mitternacht laufen läßt, da diese biologisch besonders wichtig sind und gleichsam doppelt zählen, sondern in den Stunden nach Mitternacht, sofern dies ausreicht wie meist. Das besorgt ein einstellbares, kleines Schaltgerät von wenigen Zentimetern. Die Aufladung eines Boilers oder Heizkörpers ist selbstverständlich am gesündesten mit Tagstrom, wenn das Störfeld eines solchen Elektrogerätes das Schlaffeld nächtlich stört. Entstörverfahren werden im folgenden Hauptkapitel behandelt.
Noch etwas zum Nachtspeicher: Dieser elektrische Speicher ist primär kein Wärmespeicher, sondern ein Hitzespeicher. Denn der elektrische Strom bisheriger Art erzeugt in den Speichern bisheriger Art Hitze, da er ohne Flamme arbeitet, nur durch Reibung. Und die Reibung ist eine Urform der Disharmonie. Nur sekundär kann hier die Hitze in Wärme rückverwandelt werden. Hinzu kommt, daß bei der in der Regel gewünschten thermostatischen Regulierung der Zimmertemperatur ein versteckter, der Hausfrau nicht erreichbarer Ventilator Luft samt Staub ansaugt, sodaß beides an dem viele hundert Grad heißen Speicherkern total verbrannt wird. Das bewirkt den sehr unangenehmen toten Geruch in den speicherbeheizten Räumen. Die unhygienischen Brut- und Geruchsnester in den Speichern ergänzen diese grob unhygienische, unbiologische und ungesunde Heizung. Doch nicht genug damit: Das Haus soll besonders nachts elektrofrei sein. Deshalb auch der Netzfreischalter. Der Elektrospeicher jedoch frißt hauptsächlich nachts große Energiemengen. Ein mit solchen Speichern beheiztes Haus brummt daher nachts, öfters gut hörbar, in jedem Fall für unser Nervensystem mehr als unangenehm spürbar. Ein ruhiger, erholsamer Schlaf ist dann nicht möglich.
Welche Möglichkeiten bestehen, u. a. den elektrischen Speicher zu qualifizieren?
a) Den Strom qualifizieren. b) Die Heizung qualifizieren in Form und Material. c) Das Speichermaterial qualifizieren, aus biologisch hochwertiger Spezialkeramik. d) Das abfeldende, abstrahlende und abströmende Grenzmaterial besonders qualifizieren, ebenfalls aus harmonisch geformter Spezialkeramik. e) Durch innere Schieber oder Jalousien die Abstrahlung vom Kern an das Grenzmaterial regulieren, mit Hand oder Bimetallthermostat, elektrofrei. f) Wenn mit Ventilator, dann die gesamten Luftwege leicht zur Reinigung zugänglich, mit möglichst geringer Austauschtemperaturdifferenz arbeiten und mit einem besonders edlen Grenzmaterial. Den Ventilator möglichst wenig benutzen. Besser den Kern höher heizen, sodaß mehr über die

Außenwand abstrahlt, die hierbei immer noch eine relativ geringe, dem Kachelofen ähnliche Temperatur hat. g) Bei Aufstellung eines Nachtspeichers von über 3 kW (= 3 000 Watt) beachten: Das Bett soll wenigstens 7-10 m Abstand nach Süden vom Speicher haben, 4-5 m nach Norden, 5-6 m nach Westen und Osten. Nicht in der Senkrechten über oder unter dem Speicher zu schlafen versuchen. Keine Zuleitung nahe am Bett vorbei. Zuleitungen magnetisch und elektrisch gut abschirmen.
Qualifiziertes Speicher- und Überträgermaterial wandelt die Hitze teilweise in Wärme. Zur Wandlung in Wärme ist Öl hochgradig befähigt. Daher geben elektrische Tagesheizkörper, die über Öl arbeiten, eine relativ angenehme Wärme ab.

6. Die Hilfsgeräte der Ölheizung

Die elektrische Turbine, die Öldüse und die von beiden erzeugte Flamme einer üblichen Ölzentralheizung erzeugen ein mehr oder weniger starkes Störfeld. Weder senkrecht über diesem Feld noch in seiner Nähe kann man ruhig schlafen oder qualifiziert arbeiten. Je technokratischer und also lebensfremder die Ölheizung weiter konstruiert wird, desto mehr stört sie auch anderwärts, nämlich durch die periodisch oder dauernd laufende Umwälzpumpe und durch die steigende Reibung der Flüssigkeit in den engeren Rohren. Diese sind gar noch aus Eisen.
Biologisch optimal ist dagegen ein Verdampfungsbrenner mit Schwerkraftumlauf in Kupferrohren; dies in einem zentral verlegten Heizungssystem mit kürzesten Rohrwegen. Doch auch mit einem Ventilator verbrennen Verdampfungsbrenner noch nicht so vollständig rückstandsfrei und umweltfreundlich mit rein blauer rußfreier Flamme, wie dies ein Düsenbrenner mit Kugelkopf-Flammkatalysator (Purflamm-System) heute leistet. Nur in einem mittleren, allerdings nicht kleinen Brennbereich genügen Verdampfungsbrenner mit Ventilator und Halbautomatik hohen Umweltansprüchen. Aber sie brennen leise und auch im Ventilator praktisch lautlos, während der übliche Düsenbrenner mit seinem Lärm, der sich durch alle Rohre fortpflanzt, das ganze Haus vibrieren läßt. Aber hier können besondere Konstruktionen und Einbauformen den Lärm größtenteils auf den Ofen beschränken und auch in diesem erheblich verringern. Der Ofen wird eigens fundamentiert und schallgedämmt gelagert. Die Rohre erhalten eine Schwingungsbremse. Und der Donner im Schornstein wird schon dicht am Ofen weggefiltert bzw. gebrochen. Hier sind noch allerlei biologische Verbesserungen zu erwarten, zuerst in der Brennkammer. Wenn also ein Düsenbrenner mit Flammkatalysator gewählt wird, dann möglichst mit nicht zu engen Kupferrohren und zentral gelegten Heizkörpern, sodaß in der meisten kalten Zeit mit Schwerkraftumlauf geheizt werden kann. Das Betätigen zweier Ventile und eines Schalters genügt dann, um bei Bedarf mit dem Umlauf zu heizen.

7. Das Fernsehgerät

Fernsehanstalten geben schon in längeren Sendungen umfangreiche Hinweise, wie man sich vor Gesundheitsschäden durch das Fernsehen schützen kann. Die Ausführungen lassen zuweilen an die Katze denken, die um den heißen Brei herum streicht. Denn der Kern des Problemes, die eigentliche Quelle der Schäden wird angesichts dieses hohen Zivilisationsidols krampfhaft ausgeblendet. Warum benötigen auch normal gesunde Personen nach einem mehrstündigen Fernsehen giftige lähmende Schlafmittel, um wenigstens das Bewußtsein zu verlieren! Warum sterben Kanarienvögel und Fische im Aquarium neben dem Fernsehgerät? Nur weil sie krampfhaft auf die Mattscheibe blinzeln würden? —

Das wird mechanizistisch bei den Menschen als Ursache angenommen, ist aber unwesentlich. In den USA wurden Statistiken veröffentlicht, die zeigen, daß erschreckend viele Kinder, ca. 60 %, fernsehkrank sind, dies nicht „nur" seelisch, sondern auch leiblich, und nicht nur an den Augen, sondern in vielen körperlichen Funktionen! —

Dies wissen schon sehr viele Menschen. Sie halten daher großen Abstand und setzen sich seitlich zur Mittelachse der Fernsehröhre. Viele wissen jedoch nicht, daß auch ein nur unter Spannung stehendes Fernsehgerät, wenn zufällig die Phase auf dem ganzen Gerät liegt, ein kräftiger Sender ist. Und auch bei einem ausgeschalteten Gerät kann sich die hohe Spannung der Röhre viele Stunden lang, sogar tagelang halten. Man versuche, mit dem Kopf neben einem ausgeschalteten, aber unter Spannung stehenden Fernsehgerät zu schlafen oder senkrecht darüber in der nächsten Etage!

Das Fazit: Man lasse den Netzfreischalter den Stromkreis mit versorgen, in dem das Fernsehgerät liegt. Oder man ziehe allabendlich den Netzstecker. Oder man stecke den Stecker derart in die Steckdose, daß die Phase nicht auf dem ganzen Gerät liegt. Das kann man schnell ermitteln, insbesondere mit Hilfe einer Feldsonde am Gerät. Die Phase an der Steckdose ermittelt man mit einem billigen Prüfschraubenzieher, wie ihn jeder Elektriker ständig bei sich führt. Dann kennzeichnet man die Phasenseite an der Steckdose und die entsprechende Seite am Stecker, sodaß man ihn immer richtig einsteckt oder richtig stecken läßt.

Auch wenn man nicht in der Nähe des Fernsehgerätes schläft, so ist es bisher doch einer der vielen großen Störfaktoren des modernen Hauses. Sogar viel wenig kann sehr viel werden. — Wenn man kann, so verwende man ein biologisch konstruiertes, vollständig abgeschirmtes, insbesondere störfreies Fernsehgerät. Es wird wohl bald auf den Markt kommen.

Schon zeigen sich in mehreren Ländern verheißungsvolle Ansätze in der Wirtschaft, in einem eigenen Rahmen alles zu führen, was zum gesunden Bauen, Einrichten, Wohnen etc. erforderlich ist. Das erscheint auch dringend notwendig, um umweltgesund leben zu können, hausgesund. —

8. Das Telefon

Ein Fabrikbesitzer schlief schlecht, obwohl er seiner Ansicht nach alles gesund gebaut hatte. Und bei schlechtem Schlaf hat man ein schlechtes Leben. — Wieder einmal war ein Haus-Besuch erforderlich. Denn noch immer liegt meistens hier der Grund und nicht im seelischen Bereich.
Die Angabe, gesund gebaut zu haben, traf auch zu bis . . . auf eine private Telefonzentrale neben dem Bett mit etwa zwanzig Nebenstellen. Eine Fabrik zu leiten muß heute doch eine arge Plage sein. Als die Zentrale ca. 4 m südwestlich vom Bett weg verlegt wurde, mit Spezialmetall ummantelt wurde und das unerläßliche Bett-Telefon mit drei Nebenstellen auf einen büroüblichen Schwenkarm verlegt wurde, da schlief der robuste Mann endlich gut, „wie im Paradies".
Das Telefon arbeitet mit 60-80 Volt. Wer ohne Telefon am Bett nicht auszukommen glaubt wie sicherlich jeder Arzt, der montiere es auf einen büroüblichen Schwenkarm, jedoch aus Holz, was wichtig ist. Er zieht mit einer Feder das Telefon auf eine Distanz von 1,50 bis 2 m. Mit einer Leine ist es dann leicht heranzuholen.
Das Schlaffeld gelte auch der Technik als heilig. Sogar eine kleine geopathische Störzone ist am Platz des Telefons zu meiden. Wann wird das abgeschirmte Telefon kommen? Wenigstens einen abschirmenden Kasten sollte man für das Telefon kaufen können.

9. Die elektrische Bahn

Die übliche elektrische Bahn läßt die von ihr benötigten sehr starken Ströme über die Schienen und den Untergrund zurück fließen. Hiermit verseucht sie die Umwelt weithin durch vagabundierende Ströme. (Vgl. unten Kap. 12). Und der ganze Zug wird von den Feldern dieser Ströme belastet, nicht nur der Zugführer in der Lokomotive. Die Diesel-Elektro-Lokomotive scheint bisher die weit gesündere zu sein. Sie belastet Eigenwelt und Umwelt nicht, sofern der Führerstand genügend abgeschirmt wird; was auch hier primär eine biologische Aufgabe ist und nur sekundär eine elektrotechnische Aufgabe!

10. Die Sender

Ein Sender von Feldern, Strahlen und Strömen ist im Grunde jede elektrische Vorrichtung. Alle Elektrokrankheiten gehen von Sendern im allgemeinen Sinne des Wortes aus. Die großen und eigentlichen Sender im engeren Sinn verdienen daher besondere Aufmerksamkeit. Sie können den Elektrofrieden des Hauses erheblich stören. Es sind schon öfters schwere Erkrankungen und auch Todesfälle berichtet worden, wenn Arbeiter sogar in einigen hundert Metern Abstand im Strahlbereich einer Richtstrahlantenne eine auch nur halbstündige Arbeit ausführten. Die Diagnose solch schneller Erkrankungen ist problemlos. Jedoch sind der heutigen Medizin die schwächeren, aber sich auf die Dauer summierenden Langzeiteinflüsse bei viel größeren Abständen noch praktisch unbekannt. Auch hier die Scheuklappe vor Zivilisationsidolen der Technokratie! Wie groß ist die Gefahr? Und was kann und soll man tun?

Nach den bisherigen Erfahrungen geht die Gefahr hauptsächlich von den gerichteten Wellen, den Kurzwellen aus, also von den UKW- und Fernsehsendern, auch den Radarsendern ([1]). Die noch gefährlicheren Laser, Maser und anderen Sender werden gegenwärtig im Freien noch kaum verwandt. Bei den Mittelwellen- und Langwellensendern ist die Situation im Grunde noch weithin völlig ungeklärt.

Gegen das, was aus einer Richtung kommt, kann man relativ leicht etwas tun. Wenn ein solcher Sender — auch Füllsender bzw. Umsetzer — sehr nahe steht, innerhalb von 1 000 m, oder mit seiner Richtantenne das eigene Haus unbiologisch bestreicht, so kann das Hausfeld und also Lebensfeld der Bewohner erheblich gestört werden. Meist wird nach bisherigen Erfahrungen die Störung nur an einem Daueraufenthaltsort besonders wirksam. Aber das hängt von vielen, teils noch kaum erforschten Bedingungen ab wie der Bauform und dem Baumaterial des eigenen Hauses, von den umgebenden Bauten, von der Bodenart und Bodenform, von nahen Gewässern, von anderen elektrischen, metallenen, kunststoffartigen Verhältnissen in der Nähe usf. Zahlenangaben über Sendestärke, Abstand und Richtwinkel helfen also wenig. Man muß probieren und studieren wie der Fernsehtechniker bei der Suche nach dem besten Antennenplatz. Auch er kann hier nicht rechnen. Und die individuelle allgemeine oder spezifische Empfindlichkeit kann maßgebend sein. Sie ist doch kein Verbrechen, wie Technokraten bzw. Maschinenmenschen oft stillschweigend vorwurfsvoll voraussetzen! Ihr Idealbild vom Menschen ist der maschinenangepaßte Roboter! — Sondern die Empfindlichkeit ist oft ein Kulturkennzeichen, ein Zeichen weiterer Entwicklung! — Die Stumpfheit des Maschinenmenschen ist ein deutliches Kennzeichen der Degeneration! —

Die praktische Lösung des Problemes ist nicht schwierig. Wenn man einen Verdacht auf eine solche Gesundheitsstörung hat, so muß dieser zuerst durch regelmäßige Besserung des Befindens bei einem Ausweichen an einen anderen Ort erhärtet werden. Und andere, besonders elektrische Störquellen müssen ausgeschlossen werden. Dann kann man zuerst probeweise den Ruhe- oder Arbeitsplatz in Richtung auf den Sender an der Zimmerwand innen in Menschengröße flächig durch eine Metallfolie wie eine Alufolie oder eine spezielle Biofolie abschirmen und erden. Wenn das deutlich hilft, dann das Ganze vergrößern, fest montieren und übertapezieren, streichen, bespannen usf. wie man will. Aber nur diejenige Seitenfläche des Zimmers abschirmen, von der die Störstrahlung kommt, nicht mehr! Keinen Faraday-Käfig aus dem

Schlaf- oder Arbeitszimmer machen! Besonders nach oben hin frei lassen für das integrierte Leben mit dem Kosmos. Wenn dort die Sendeantenne sein sollte, dann besser umziehen ([1]).

Wohin? Einzelne Experten, die sich mit der Sendeproblematik näher befaßt haben, raten schon, daß elektrosensible Menschen — und wer wäre das nicht und würde das nicht? — nach Möglichkeit in eine flache Geländemulde ziehen sollten, die von Richtstrahlen nicht direkt erreicht werden kann. Andere weisen darauf hin, daß zwischen Sender und eigener Person bzw. eigenem Haus stehende Häuser mehr oder weniger gut schützen und auch immergrüne Bäume wie Laub- und Nadelbäume. Doch die echte, radikale Lösung in der Zukunft wird im Kabelfernsehen liegen und bei anderen Sendern in lebensqualifizierten Sendungen mit weit geringeren Energien und weit besseren Empfangsanlagen.

Aber die Störstrahlung muß nicht geradewegs vom Sender kommen. Sie kann von der Metallfassade des Nachbargebäudes hereingespiegelt werden, wie auch sogen. Geisterbilder auf dem TV-Schirm zeigen können. Und oft können erst der Wellenknoten von der direkten Welle und der Spiegelwelle ein Störzentrum schaffen, dies mitten in einem leeren Raum, wie im Kopf-, Herz- und Leibbereich im Bett.

Wer bei Verdacht auf einen „Störsender", der im Hause steht oder von außerhalb herein wirkt, noch immer in einem metallenen Bettgestell schläft oder gar mit seiner eigenen Hochspannungsleitung, dem Rückenmark, auf Spiralfedern, die doch wie Empfänger, Transformatoren und Sender wirken, dem wäre allerdings wenig zu helfen. (Vgl. Das gesunde Bett).

Um nur einen kleinen Einblick in die gegenwärtig schon erarbeiteten Ergebnisse und laufenden Forschungen zu geben, sei zitiert aus „Deutsche Gesundheitskorrespondenz 1974". „Aus Wissenschaft und Forschung". „Radiowellen erzeugen Verhaltensstörungen. Bisher galt es als allgemein gesicherte Erkenntnis, daß elektromagnetische Wellen von Rundfunk- und Fersehsendern für lebende Organismen unschädlich sind. Jetzt aber demonstrierte ein amerikanischer Wissenschaftler, daß diese Wellen . . . doch Gesundheitsschäden und Verhaltensstörungen hervorrufen können, man also künftig Funk- und Fernsehtürme als potentielle „Umweltverschmutzer" . . . S. Korbel vom Harper College in Illinois, USA beobachtete . . . In der Nähe von Fernsehsendern erreicht die Stärke dieser Wellen oft mehr als zwei Milliwatt pro Quadratzentimeter . . . weiße Laborratten . . . sich merklich langsamer als unbestrahlte . . . bewegten, stärkeren Stimmungsschwankungen unterlagen und kleine Testaufgaben auch eindeutig schlechter als ihre Artgenossen zu lösen lernten. Seine Testresultate wurden unterstützt durch russische Versuche, nach denen elektromagnetische Wellen größere Enzyme zerstören können . . . Affen . . . ähnlich wie die Ratten verhielten . . . hierzulande mißt man schon heute oft . . . mehr als 10 Milliwatt, . . . Versuchstiere bereits bei 1 bis 1,5 Milliwatt reagierten. In nächster Nähe von Radarsendern lassen

sich 100 Milliwatt messen ... in der Nähe eines Fernsehsenders kann man immerhin auch 2 Milliwatt nachweisen.
Unüberschaubar wird die Situation jedoch erst dadurch, daß heute gleich eine Unzahl verschiedener elektromagnetischer Wellen auf den Menschen einwirken ... Radio, Fernsehen ... Telephon- und Datenübertragungszwecke, ... technische und militärische Belange. Inzwischen hat man daher begonnen, auch die Reaktionen des Menschen auf dieses Wellen- Dauerbombardement zu untersuchen. Skeptiker fürchten, es könne für ihn nicht minder unangenehm sein wie die zahllosen chemischen Verunreinigungen der Umwelt. Egon Schmidt".
(Vgl. auch „Ärztliche Praxis" Nr. 56 v. 13.7.74 „Tragen elektromagnetische Wellen zur Umweltverschmutzung bei?")

11. Die Banderde und die Erdung des Nulleiters

Die Beziehung der elektrischen Netzstromtechnik über das Haus zur Mutter Erde ist nicht nur am Dachständer mit seiner breit aufgefächerten und entsprechend wirksamen Freileitung sehr problematisch, sondern auch an der ebenso technokratischen Erdung. Angesichts des überall sinkenden Grundwassers und der deshalb schlechteren elektrischen Leitung des Erdreichs ist es weithin bautechnisch üblich geworden, bei Neubauten im Fundament eine sogen. Banderde einzubauen. Sie führt rings um das Haus und stellt daher einen hausgroßen, auf das Haus mächtig wirkenden Schwingungskreis dar, dies nicht nur für alle technischen Ströme, sondern auch für alle kosmischen Ströme. Dieser Schwingungskreis liegt im Feld der unteren Welt, der Erde, und wirkt von dort nach oben in das Hausfeld. Er ist noch mehr verdächtig auf Störungen des Hausfeldes als die anderen Schwingungskreise, etwa der Dachrinne oder der Leitungen der Zentralheizung. Es liegen zwar noch keine genügend gesicherten Erfahrungen vor — da man hier nur schwierig experimentieren kann —; aber vorerst ist auch dieser sehr problematische Kreis zu meiden. Was tun?
Bei einem Neubau versehe man alle Leitungen mit einer sog. Schutzerde. Das ist eine eigene Litze, die keinerlei Kontakt mit dem Netz hat. Sie ist schon weithin üblich. Die Schutzerde erde man südlich vom Haus, am einfachsten mit Hilfe einer sogen. Staberde. Das ist ein eiserner Pfahl, wenigstens 2 m lang, der in die Erde gerammt wird. Noch besser wird er bei dem Neubau eingegraben und an seinem Fuß eine Kupfer- oder Bleiplatte von 30 x 30 cm befestigt, auch von Eisen oder Zinkblech. Wenn der Grund sehr trocken ist, gieße man am Pfahl 1/4 l konz. Salzsäure ein und 5 l Wasser hinterher. Das ergibt eine dauerhaft gute Erdung in dem trockenen Grund. Doch Vorsicht! Keine Bäume dürfen in der Nähe wurzeln! —
Eine unvermeidliche Banderde (Bauvorschrift?) als zentimeterbreites Kupferband legen und den Schwingungskreis im Norden mindestens 30 cm unterbrechen.

Der sogen. Nulleiter bzw. Mittelpunktsleiter im Mehrphasenstrom wird heute aus subjektiv gut gemeinten Schutzgründen, jedoch objektisch technokratisch oft mit dem Hausgrund verbunden. Da der Nulleiter praktisch niemals ein Nullpotential hat, sondern ein Potential von mehreren Volt, nicht selten bis 40 Volt und mehr, so wird mit der Erdung des Nulleiters im Hause das Haus auf einen breiten Stromgrund gesetzt, also unter Wechselstrom gesetzt! Dies wirkt sich vermutlich noch sehr viel kritischer aus, wenn der Nulleiter auch noch mit der Banderde verbunden wird, wie es weithin üblich ist. Wenn man im Hause eine Schutzerde hat, was stets anzustreben ist, so kann man ohne Sorge den Nulleiter von der Hauserde trennen bzw. getrennt halten und nur die Leitung der Schutzerde an die Banderde anschließen. Doch sollte dies in Übereinstimmung mit dem Elektrizitätswerk geschehen. Denn das Elektrizitätswerk sollte alle Nulleiter ohne Erdkontakt so zusammenführen, daß am Ende wirklich ein Nulleiter daraus wird ([1]). Wann richten Elektrizitätswerke eine Abteilung für Umweltschutz ein? —

12. Die vagabundierenden Ströme

Die vagabundierenden Ströme, auch streunende Ströme genannt, sind in der Zivilisationswelt zu einem vielfältigen großen Übel geworden. Diese überall in der bewohnten Erde und mehr oder weniger stark fast in jedem Hause unkontrolliert umher schweifenden Ströme richten bei Menschen, Tieren, besonders Stalltieren, Pflanzen und Häusern viele Schäden an. Sie sind tausendmal und auch millionenmal stärker als die Herz- und Organströme. Folgende Vagabunden sind zu unterscheiden:

a) Die Leckströme. Wenn im Hause eine der Isolationen defekt ist, mit besonders weittragenden Wirkungen an dem ständig dem Wetter ausgesetzten Dachständer, so entstehen Leckströme. Ein Nagel, der eine Unterputzleitung verletzt, erzeugt einen Leckstrom. Leckströme suchen den Weg des geringsten Widerstandes und fließen daher meist in meterbreiten Bahnen durch die Hauswände, oft verzweigt wie ein Nildelta. Durch noch ungeklärte Umstände können sie kreuz und quer durch ein Haus fließen. Die Wände sind dann verbrummt, wie man sagt. Kein EKG-Gerät kann recht arbeiten, wenn es an einer solchen Wand postiert wird, aber auch kein Herz-, Organ- und Nervenstrom eines Menschen, der an einer solchen Wand schläft oder arbeitet! —

Mit einem Brummeßgerät oder einer größeren Feldsonde kann man Leckströme leicht orten. Stärkere Leckströme lassen den Zähler ständig laufen und verhindern, daß der Netzfreischalter automatisch ausschaltet. An seinem Kontrollämpchen ist dann zu erkennen, daß ständig unkontrolliert und gefährlich Strom verbraucht wird. Dann kann man durch wechselweises Lösen der Sicherungen den defekten Stromkreis leicht selber finden. Denn der Zähler steht endlich still und der Netzfreischalter schaltet endlich aus. Da dann auch Brandgefahr und Elektrisierungsgefahr besteht, muß ein lecker Stromkreis baldigst repariert werden. Über 20 Jahre alte Leitungen mit brüchiger Isolation können an sehr vielen Stellen defekt sein, sodaß sie vollständig zu erneuern sind.

b) Die Erdung des fast stets stromführenden Nulleiters im Hause verursacht vagabundierende Ströme, die unter dem Haus, oft aber auch in ihm laufen. Da diese Erdung, wenn überhaupt, so in einer ganzen Siedlung durchgeführt wird, so entstehen in solchen modernen Siedlungen sehr starke, hundertfältig verzweigte, alle Häuser unterminierende vagabundierende Ströme. Sie haben schon öfters Wasserleitungen und Gasleitungen zerfressen und auch zu folgenschweren Explosionen geführt. Doch weit schwerwiegender sind die ständigen Streuwechselfelder, die jahrein jahraus auf die Häuser ausgestrahlt werden. Auch wird die ungesunde Wirkung der Schwingungskreise, die von der Freileitung über die Dachständer in die Erde führen, durch diese Ströme oft noch erheblich verstärkt. Mit der Feldsonde findet man dann, daß ganze weite Siedlungsgebiete „verbrummt" und also schwer elektrokrank sind. Hier werden alle Bewohner nervös und schlafgestört. Die chronische Schlafstörung ist der sicherste und schnellste Weg zur Frühinvalidität, auch zur Herabsetzung der Widerstandskraft und also zu ständig erneuten Störungen der Gesundheit.

c) Die in Kap. 9 genannte elektrische Bahn verursacht starke vagabundierende Ströme über hunderte von Kilometern. Nieper/Hannover beschreibt, daß in zwei gleich gebauten Häusern, von denen das eine nahe an einer elektrischen Bahn und das andere entfernt stand, in dem nahe stehenden Haus eine große Anzahl Bewohner an chronischer Nierenbeckenentzündung litt, in dem anderen Haus dagegen keine einzige Person. Die chronische Nierenbeckenentzündung führt in 15 % der Fälle zum frühen Tode. Und jeder Kranke hat ein elendes Leben. Überhaupt scheint die Niere mit dem ganzen Herz-Kreislaufsystem, zu dem sie zählt, häufiger von Elektrostörungen betroffen zu sein, nicht nur das vegetative Nervensystem und das bewußte Nervensystem.

d) Auch durch Induktion können vagabundierende Ströme entstehen, dies im Unterschied zu den bisher genannten drei Arten. Schon jede elektrische Wandleitung, die nahe einem Wasserrohr läuft, induziert in diesem Rohr einen Strom. UKW-Sender und andere Sender, auch hauseigene Elektrogeräte können induktive Ströme erzeugen. Diese sind in der Regel energetisch klein. Aber wie oben ausgeführt, kommt es im Leben primär nicht auf Quantitäten, sondern auf Qualitäten bzw. Unqualitäten an, auf den Sinn oder Unsinn der Informationen, auf deren Harmonie oder Disharmonie. Wenn eine Trafostation nahe steht oder eine Hochspannungsleitung nahe vorbei führt oder im Trottoir ein Kabel liegt, das eine ganze Straße oder Siedlung versorgt, so können die Induktionswirkungen auch energetisch groß werden. Mit der Akustikfeldsonde können alle vagabundierenden Wechselströme geortet und auch unterschieden werden je nach ihrer Tonart. Der Ton läßt die Qualitäten bzw. Unqualitäten erkennen. Das kann die eindimensionale Zeigerangabe niemals leisten.

Zusammenfassung

Die genannten 12 Verfahren und Geräte, die bei allem sonstigen Nutzen doch ernste gesundheitsschädliche Eigenschaften zeigen, sind nur solche, die in den letzten Jahrzehnten von Fachleuten, insbesondere Ärzten, und auf einschlägigen Kongressen am meisten besprochen werden. Vielleicht zeigt schon dies weite Interesse, daß hier große technokratische Störquellen vorliegen. Die Liste ist jedoch sicher nicht vollständig. Aber es ist versucht worden, stets auf das Wesentliche hinzuweisen, sodaß ähnliche Verfahren und Geräte prinzipiell mit erfaßt sind.
Wer nicht in Lebensqualitäten denken und fühlen kann, wer seinen gesunden Menschenverstand und sein gesundes Menschengefühl weithin verloren hat, insbesondere durch eine mechanizistisch-technokratische Schulung, der wird im aktiven und passiven Umgang mit der Elektrizität immer erneut lebenswidrig handeln; dies auch dann, wenn er eine gestörte Sachlage verbessern, reformieren, revolutionieren oder evolutionieren will. Dies ebenso wie in der Endzeit alles Handeln und Reformieren in Wissenschaft (Schule), Politik und Wirtschaft von einer Unordnung in die andere — noch größere? — führt, solange man nicht das Einmaleins der Freiheit beherrscht und in Qualitäten, also realistisch denkt, fühlt und will. Dazu ist in der Endzeit eine radikale Erneuerung des bewußten Verhaltens erforderlich, eine Sinneswandlung im Allgemeinen und in allen Sonderbereichen.

IV. Einzelne Elektroverfahren und Elektrogeräte zur Sanierung des Hauses und seiner Bewohner

Der gesunde Menschenverstand kann Lebensqualitäten denken. Das gesunde Menschengefühl kann sie fühlen. Und der gesunde Wille will sie verwirklichen. Denn es existiert objektiv nichts anderes. Also versteht der seelisch gesunde Mensch, daß Lebensqualitäten (und nur Lebensqualitäten) das disqualifizierte, somit kranke Leben wieder requalifizieren können, also wieder heilen können. Nur Lebensqualitäten können Unwohl wieder in Wohl zurückverwandeln. Nur das Gute kann das Schlechte bessern. Nur das Gesunde kann heilen. —
Es ist urlogisch, daß das, was überhaupt etwas schaffen kann, auch Ordnung wieder schaffen, erhalten und fördern kann. Also müssen auch heilfähige elektrische Verfahren und Geräte existieren. Da die lebende Zelle und der ganze Organismus fundamental mit magnetischen und elektrischen Kräften arbeiten, so müssen diese auch in lebensqualifizierter Form existieren und

also nutzbar gemacht werden können. Doch was sind die lebensqualifizierten magnetischen und elektrischen Formen, Materialien und Verfahren?
Diese kurze Einleitung soll nur erneut wieder auf die Grundlagenwissenschaft in der Elektrizität hinweisen. Mehr ist hier nicht möglich. Überspringen wir daher das Viele, das hier folgen müßte, und wenden wir uns sofort praktisch erprobten Verfahren und Geräten zu. Versuchen wir, das Positive, das Problematische und das Kritische an ihnen zu erfassen.
Ein kurzer Blick zur Gegenwart: In staunenswerter Fülle werden heute in der ganzen zivilisierten Welt Elektrogeräte gegen alle möglichen Haus-, Klima- und Körperübel produziert und offensichtlich gut verkauft. Der Glaube an den elektrischen Strom ist groß. Anderwärts ist der Glaube um so kleiner. — Von physikalisch und ärztlich ausgebildeten Fachleuten sind jedoch viele kritische Urteile zu hören. Sogar die Worte „Rummel", „Mode" und „Geschäft" tauchen auf. Aber zumindest von einigen Verfahren und Geräten muß eindeutig Positives berichtet werden. Auch ist an der guten Absicht vieler Hersteller nicht zu zweifeln. Was von ihnen und anderen beklagt wird, das ist das völlige Fehlen der wissenschaftlichen Grundlagen für das Verhältnis Elektrizität und Leben. Denn auch hier ist wie in der gesamten Medizin, der gesamten Biologie und in allen Wissenschaften, in Politik und Wirtschaft ein „Umdenken von der Quantität zur Qualität" (Blaha. Deutsches Ärzteblatt 30.8.73) erforderlich.
Um möglichst überall auf das lebensqualitativ Wesentliche hinzuweisen und somit auf die notwendig einzuschlagenden Entwicklungswege, sollen folgend kurz behandelt werden:

1. Der Netzfreischalter
2. Der Biofilter
3. Die Biohülle
4. Das Gleichfeldgerät
5. Der Jonisator
6. Die Luftverbesserungsverfahren
7. Das Biostromkörpergerät
8. Medizinische Geräte
9. Nichtelektrische Verfahren und Geräte zur Sanierung der Elektrik
10. Das elektrobiologische Verhalten (Denken, Wollen und Fühlen).

Auch diese Liste ist nur eine Auslese, die einerseits durch den gegenwärtigen Zustand unserer Zivilisation bedingt ist und die andererseits beschreibt, was heute meist schon weithin bekannt ist und auch auf dem Weltmarkt erhältlich ist. Doch die ersten drei Objekte sind von sehr allgemeiner Bedeutung für die gesamte Elektrik. Sie sind typisch für die drei Urverfahren Meiden, Kämpfen und Isolieren einschl. Abschirmen. Und auch das letzte Kapitel über das elektrobiologische Verhalten ist von fundamentaler Bedeutung.

1. Der Netzfreischalter

Das Schwingungskreuzfeuer, welches von den unter Spannung stehenden elektrischen Leitungen und Geräten ausgehend ein modernes Haus tagaus tagein, lebenslang durchblitzt mit all seinen tausendfältigen Zacken in jeder Sekunde, dieses erste und größte Übel ist am leichtesten zu meiden. Man hat nur die Leitungen „tot zu legen" wie der Elektrofachmann sagt. Dann kann das Leben auferstehen. (Vgl. „Die Sender").

Zu diesem Zweck existierten bisher zwei sehr unbefriedigende, vorhergehend schon genannte Verfahren. Beide führen fortwährend zu Unbequemlichkeiten, Vergeßlichkeiten und Ärger.

Der Netzfreischalter dagegen ist ein kleines, in der Hauszentrale montiertes Gerät, das den daran angeschlossenen Stromkreis mit all seinen Geräten vollautomatisch jede Sekunde, Minute und Stunde von der Wechselspannung und also dem Schwingungskreuzfeuer befreit, solange kein Verbraucher in diesem Stromkreis eingeschaltet wird. Solange also kein Lichtschalter angeknipst wird oder kein anderes Gerät benötigt wird, ist das Haus elektrostörfrei. Es herrscht der Elektrofrieden im Haus. Und dieser für unser Hausleben so wesentliche Friede kann normalerweise mehr als 20 Stunden von 24 herrschen. Vor allem soll der Elektrofriede nachts herrschen, während wir regenerieren und die ungestörte Gleichschwingung mit dem Kosmos benötigen. Daher dürfte der Netzfreischalter das weitaus wichtigste Sanierungsgerät für das zivilisierte Haus sein. Er kann als Einkreisgerät und Mehrkreisgerät arbeiten.

2. Der Biofilter
(Bioelektrikfilter, Biowandler)

In den Stunden, in denen man das Schwingungskreuzfeuer der sogen. Streuwechselfeldstrahlung nicht radikal meiden kann, muß man kämpfen. Recht kämpfen heißt jedoch, wie bei jedem lebensgerechten Heilverfahren, die Unqualitäten in Substanzen und Funktionen wieder in Lebensqualitäten zurückverwandeln, sie also zu resozialisieren und reintegrieren in das gesunde Leben. Das leistet ein Biofilter. Wie der Zündfunke im Auto entstört wird und jedes gute Elektrogerät heute im Gröbsten entstört wird, so und noch weit besser soll erstens der in das Haus eintretende Netzstrom entstört werden und zweitens jedes wichtige Elektrogerät, insbesondere jedes häufig arbeitende. Dazu zählen Fernsehgerät, Kühlschrank und Kühltruhe, auch ein elektrisches Heizgerät usf. Soweit zukünftig nicht schon der Hersteller entstört, insbesondere noch besser, indem er das ganze Gerät biologisch konstruiert, muß der Käufer zusätzlich entstören. Vielleicht genügt es, die bisherigen Filterkonstruktionen zu verbessern, was ihnen eine 5-10fach größere Wirksamkeit geben könnte. Solche Filter kommen am Eingang eines Elektrogerätes infrage, um ihm einen relativ störfreien Strom zu geben, sodaß es selber entsprechend störfreier arbeiten kann, und auch zugleich am Ausgang, soweit ein Gerät selber stört, damit es nicht das Hausnetz mit Störwellen verseucht. Dies scheint besonders für die Fernsehgeräte bisheriger Bauart wichtig zu sein. An der biosystematischen Konstruktion von Biofiltern wird zur Zeit gearbeitet.

3. Die Biohülle
(Biologische Isolation und Abschirmung)

Kabel und Geräte können gleichzeitig mit ihrer biologischen Isolation auch biologisch abgeschirmt werden. Denn soweit man nicht Meiden und Kämpfen kann, kommt das dritte Urverfahren infrage, die Isolation mit Abschirmung. Elektrisch, magnetisch und auch anderweitig ist die Wirkungsausbreitung der Disharmonie der Störfelder, Störstrahlen und Störströme biologisch zu verhindern. Die biologische Verhinderung besteht erstens in einer Aufnahme (Absorption) und requalifizierenden Umwandlung und zweitens in einer rückspiegelnden Abwehr, also erstens in einem „Schlucken" mit anschließendem Verdauen und zweitens in einer „Ableitung". Eine solche Kabelform ist das „einfache Biokabel" (Vgl. Kap. I. 3). Mit dem Mumetall scheint ansatzweise ein solches Abschirmmaterial entwickelt zu sein. Auch hier wird die Zukunft noch vieles bringen.

4. Das Gleichfeldgerät

Solange die Zivilisationsmenschheit noch Nullfeldbauten bewohnt, nach tierärztlichem Sprachgebrauch „Sarg"bauten, nämlich Betonbauten und andere Stahlbauten (Kunststoffbauten sind auf ihre Art wohl vielleicht ebenfalls dazu zu zählen) stellt sich das große Problem, wie man notdürftig das Nullfeld zu einem lebensqualifizierten Vitalfeld qualifizieren kann. Hier existieren schon umfangreiche wissenschaftliche Untersuchungen und noch weit umfangreichere praktische Erfahrungen. (Vgl. Die Betonkrankheiten). Sie haben erstaunliche, großenteils noch unerklärliche Ergebnisse gebracht. Praktisch kann man mit ihnen schon vieles verbessern.
Hahn und Kritzinger zählten wohl zu den ersten, welche in größerem Umfange Nullfeldräume mit einem elektrischen Ersatzfeld versahen und über vielerlei positive Erfolge berichten konnten ([1]). Ungeachtet aller Problematik, die hauptsächlich in der bewußten, systematischen biologischen Requalifizierung liegt, welcher Grundaspekt bei Hahn, Kritzinger und anderen noch fehlt, soll folgend kurz das praktisch Wichtigste genannt werden.
Für alle Bauten mit qualitativer Nullung — nicht notwendig für Bauten mit nur quantitativer Gleichfeldverringerung wie Ziegel- und Holzbauten — hat sich der Ersatz des Naturfeldes durch ein mehr oder weniger qualifizier-

tes elektrisches Gleichfeld vielfältig bewährt. Er hat sich auch in Kraftwagen bewährt, die ja mobile Nullfeldbauten sind, allerdings durch die relativ umfangreichen Fenster und anderes nur teilweise Nullfelder schaffen.
Bei fest eingebauten Anlagen und beweglichen Tisch- und KFZ-Geräten werden folgende Wirkungen berichtet: Minderung vorzeitiger und anderer Ermüdung. Steigerung der Konzentration. Steigerung der Widerstandskraft bis zu praktischer Immunisierung gegen Erkältungen und wohl auch andere Infektionen. Verschwinden übler und anderer Gerüche in kurzer Zeit (wichtig für Gastwirtschaften und andere öffentliche Räume, insbesondere wo geraucht wird), Minderung von „Föhn-" und Wetterbeschwerden bis zur Freiwerdung von ihnen, eine konservierende Wirkung (was in Lagerräumen, besonders bei der Lagerung von Fleisch etc. zu einer enormen Senkung der Verlustrate geführt hat), teils bis zur praktischen Keimfreiwerdung (dann ist eine Erhöhung der Spannung auf einige Tausend Volt pro Meter erforderlich), größere Arbeitsleistung, friedlicheres Sozialklima, Reinigung der Luft von Keimen und Schmutzpartikeln der verschiedensten Art (setzen sich auf den Elektroden ab) usf. ([1]).
Nur in einer Minderzahl der Fälle werden fehlende Erfolge oder auch Nachteile berichtet. Diese beruhen größerenteils auf einem mangelhaften elektrobiologischen Umgang mit den Geräten wie zu hoch eingestellter Spannung (in der Natur um 100-200 Volt pro Meter), mangelhafter Lüftung sowie Kunststoff- und Metallmöbeln in dem Raum. In Ruheräumen sollten die Geräte nicht verwandt werden, sondern nur in Wachräumen.
Ein von Prof. Kritzinger mündlich berichtetes Beispiel: Ein Fabriksaal mit vielen Nähmaschinen war mit einer Gleichfeldanlage (nach Hahn) ausgestattet worden. Qualifizierten Besuchern führte der Produktionsleiter, der in einem erhöhten teilverglasten Sonderraum saß, ausnahmsweise folgendes vor: Vor den Augen der Besucher schaltete er die Anlage ohne Wissen der Arbeiterinnen ab und bat, sorgfältig selbst zu beobachten. Nach wenigen Minuten begannen sich Stockungen in dem vorher glatten Arbeitsfluß zu zeigen. Das Singen endete. Eine gereizte Stimmung begann sich auszubreiten mit entsprechenden Wortwechseln hier und dort. Die Arbeitsleistung sank um 20 % und mehr. Der Produktionsleiter erklärte dann mit leiser Stimme, dies möge schon genügen und schaltete lautlos die Gleichfeldanlage wieder ein. Nach wenigen Minuten wurde das Betriebsklima wieder deutlich friedlicher. Keine gereizten Worte mehr. Die Maschinen begannen wieder überall gleichmäßig zu summen. Und die Arbeiterinnen begannen wieder zu singen. —
Auch in Autos, bei Berufsfahrern und in Rennen sollen die Gleichfeldanlagen erfolgreich erprobt worden sein. Sogar Raumfahrzeuge sollen mit ihnen ausgestattet worden sein ([2]).
Die einfache bisherige, nur elektrotechnische Gleichfeldanlage dürfte als eine Art mechanischer Stütze für das Körperfeld des Menschen betrachtet werden.

Mit einer Krücke können viele laufen, die andernfalls am Boden liegen bleiben würden! An einer biologischen Qualifizierung dieser Anlage scheint verschiedentlich gearbeitet zu werden. Für Nullfeldbauten dürften solche Anlagen nicht nur zur relativen Wiederherstellung des Wohlgefühles sehr empfehlenswert sein. Ihr wirtschaftlicher Nutzen dürfte im Verhältnis zu den Kosten riesengroß sein.

5. Der Jonisator

Seit dem Bekanntwerden der Jonen, über die schon Faraday gearbeitet hat, ist eine nicht mehr überschaubare Flut von Artikeln und Büchern über die gesundheitliche Wirkung der Jonen erschienen. Ungezählte Untersuchungen, Behauptungen und Geräte für das Hausklima und den Arzt, für das Schwimmbad, den Öltank, den Boiler usf. existieren hier. Was aber generell fehlt, das ist die Unterscheidung zwischen gut und schlecht, zwischen Lebensqualität und Unqualität sowie das konsequente, erfolgreiche Handeln danach. Und ohne diese Unterscheidungen stehen alle diese Untersuchungen und Behauptungen noch im nebligen Wind. Daraus sind auch die sich fortwährend widersprechenden Untersuchungsergebnisse zu erklären. Denn die wesentlichen, die qualitativen Bedingungen der Experimente werden ständig übersehen bzw. ausgeblendet.

Was sind Jonen? Jonen sind „Atomrümpfe“ und „Molekülrümpfe“, — so wenigstens in bisheriger Sicht. Diesen enthaupteten oder beinlosen Gesellen fehlt nach bisheriger Auffassung ein Elektron zu ihrer Ganzheit. Also wären sie unganz, somit unharmonisch! — Wo entstehen in der Natur Jonen? Bei Blitzen und auf Störzonen! An der Jonisierung der Luft messen die Chinesen seit altersher eine Störzone und raten bzw. befehlen, dort nicht zu bauen und zu wohnen. Also wäre hier die generelle Schlußfolgerung: Meide Jonen! —

Doch das Problem ist tausendfach komplizierter. Jeder chemische Vorgang im Organismus und anderwärts vollzieht sich über Jonen. Und in der freien Atmosphäre entstehen offensichtlich lebensgesetzlich durch Aufladung mit Lebensqualitäten Jonen. Hieraus folgt: Leben ist nur mit Jonen möglich! Aber was sind die guten, lebensqualifizierten Jonen und was die disqualifizierten, lebenswidrigen?

Auf die Beantwortung dieser Urfrage kommt es wissenschaftlich und wirtschaftlich an. Hier ist also in beiden Bereichen noch abzuwarten.

Doch einiges wissen wir schon praktisch: Wenn gesundes heilkräftiges, eben lebensqualifiziertes Wasser verdampft und jonisiert wird, so wird, meist bei technisch „negativer“ Jonisierung, häufig eine biologisch positive Wirkung im Leben berichtet. Es wird nicht geraten, Chlorwasser zu benutzen. Es hat sich gezeigt, daß jeder natürliche Wasserfall von reinem frischem Wasser eine stärkere Jonisierung der Luft bewirkt, die von den meisten Menschen kurzzeitig als sehr angenehm empfunden wird. (Vgl. die Ausführungen über die vier Lebensurqualitäten und die vier Elemente).

Wir wissen weiter: Soweit es keine lebensqualifizierten Stoffe sind, die einer Jonisierung unterzogen werden, sind die Ergebnisse sehr problematisch. Allenfalls konnten kurzfristige Reizwirkungen festgestellt werden. Und wir wissen: Jonisierungen lassen sich nicht nur elektrisch, sondern auf jede Art der Betätigung herstellen. Und Jonen sind zudem nicht nur elektrisch und magnetisch zu deuten ([1]).

Weiter: Chemische Jonisierung des Trinkwassers wie zum Schutz der Rohre vor innerer Korrosion kann die Lebensqualitäten des Wassers erheblich verschlechtern und kann über Giftwirkungen Gesundheitsschäden hervorrufen, insbesondere bei den häufiger verwandten phosphorhaltigen Chemikalien. Schon der Geschmack und Geruch leidet deutlich.

Dagegen dürften elektrische Jonisierungen des Gebrauchswassers mit „verlorener Anode", insbesondere aus silberhaltigem Material, wie in Elektroboilern, für die Verwendungszwecke des Gebrauchswassers kaum bedenklich sein. Bei Trinkwasser sollte man jegliche technische Jonisierung vermeiden. Sicher unbedenklich sind Kathodenschutzverfahren für Ölbehälter, die in der Erde lagern. (Vgl. auch „Das gesunde Schwimmbad").

Das üblicherweise nur elektromechanisch hergestellte Ozon (Ozon ist eine dreifache Sauerstoffverbindung) wird auch von der endzeitlichen Wissenschaft als sehr giftig bezeichnet. Andere behaupten, das hänge nur von Stickstoffbeimengungen ab. Aber solches Ozon ist gewiß leer an Lebensqualitäten, ähnlich den „leeren Kalorien" bei minderwertiger Nahrung. Das künstlich hergestellte Ozon steht daher in großem Gegensatz zu dem Ozon, das an der Grenze der Lufthülle der Erde von Sonne, Mond und Kosmos mit Lebensqualitäten — Od, Prana, Helioda? — beladen wird. Und vielleicht wird dieses auf der Erde meist verbreitete Element Sauerstoff dort oben auch erzeugt. So wenigstens vermutet auch die heutige Wissenschaft. Ozon läßt sich sicherlich mit Lebensqualitäten aus der lebendigen Natur gewinnen, wie als zweiwertiger Sauerstoff, und entsprechend für Kranke, für Höhenatmung, Unterwasseratmung, für Schwimmbäder, zur Konservierung etc. weit besser verwenden.

6. Luftverbesserungsverfahren

Zahllos sind die Luftverbesserungsverfahren, die mehr oder weniger systematisch oder überhaupt bewußt mit der Hilfe der Elektrizität arbeiten. Schon das Gleichfeld verbessert durch Reinigung erheblich die Luft. Es wirkt wie ein „Jonenbesen". Aber dieser kehrt auch die guten Jonen aus. Daher sucht man neue nachzuliefern, am einfachsten durch frische Luft. Diese wirkt besser als jede künstliche und auch kunstvolle Jonenerzeugung. Jonenerzeugung soll im Grunde Qualifizierung sein, hier Qualifizierung des Luftfeldes. Man kann mit Hilfe der Elektrizität gefesselte Qualitäten aus lebensqualifizierten Materialien frei und also nutzbar machen. Diese Qualitäten beleben dann ihre Umwelt durch die vier Elemente Feuer, Luft, Wasser und Erde. In der atmosphärischen Luft wirken hauptsächlich die drei oberen Elemente.

Man kann die Luft von Schlechtem reinigen durch qualifizierte mechanische und elektrische Filter. Je weniger diese Filter und der sie betätigende Strom qualifiziert sind, desto mehr wird die Luft auch von dem Guten, von den Lebensqualitäten „gereinigt". Dann erhalten wir eine großenteils tote sterile Luft. Soweit sie tot ist, kann man mit ihr nicht leben, sondern nur sterben. Zusammengefaßt geht es in der gesamten Luftverbesserung um das, was objektiv besser bzw. gut, heil ist und was objektiv schlechter bzw. schlecht ist. Subjektivistische Wertbezeichnungen im Rahmen einer wert„freien" Scheinwissenschaft sind irreal. Sie sind unwissenschaftlich und unwirtschaftlich. Auf das objektive Gut und Gift kommt es an! —

Alle Verfahren, welche unverarbeitete oder beliebig bearbeitete Luft durch Kanäle führen, die nicht leicht und vollständig zu reinigen sind, die also nicht vollständig in der gesamten Oberfläche mechanisch zugänglich sind, sind als unhygienisch abzulehnen. Denn es bilden sich dann nicht entfernbare Schmutzzonen und Brutnester für üble Prozesse mit üblen Gerüchen.

7. Das Biostromkörpergerät

Wenn unsere Umwelt vielfältig elektrisch und anderweitig gestört ist, dann bauen wir eine eigene elektrische Welt auf. So denken viele. Schon das Gleichfeldgerät ist solch ein Versuch. Heutzutage werden vielfältige Versuche gemacht, die körperliche Eigenwelt durch körpernahe qualifizierte Felder, Strahlungen und Ströme einerseits zu schützen und andererseits in den biologischen Funktionen zu unterstützen. Es wäre auch hier interessant, auf viele Konstruktionen einzugehen, von „Schmuckstücken" aus Edelsteinen und Edelmetallen in urharmonischen Formen angefangen, über Amulette und Talismane bis zu den Körperspiralen Lakhovskys und anderen biotechnischen Konstruktionen. Für sie alle sei typischerweise nur ein einziges Verfahren und Gerät behandelt, da dieses einfach anwendbar ist, in der schlichten Ausführung wenig kostet und vielen schon auf bequeme Art Hilfe gebracht hat, die anderwärts nicht gefunden werden konnte. Das ist das Biostromkörpergerät, in einer nur technischen Vorform auch Feinstromkörpergerät oder Gleichstromkörpergerät genannt. Was ist sein Prinzip und seine Praxis? Wohl Hahn hat dieses Gerät erstmals breiter bekannt gemacht ([1]). Dieses Gerät arbeitet mit der sehr geringen körpernahen Spannung von ca. 1 Volt. Wenn die beiden Pole bzw. Elektroden an geeigneten Stellen angelegt werden am menschlichen Körper, wie es in der Medizin im Stangerbad versucht wird, so können schwache Organe und Funktionen gestärkt werden.

Und beispielsweise können Gifte ausgeschieden werden von alten Krankheiten oder chemischen Medikamenten, die man sonst mit vieler Mühe und Kosten kaum oder garnicht los geworden wäre. Insbesondere kann dieses Gerät, das wohl Hahn erstmals breiter bekannt gemacht hat, in rechter Art angewandt das eigene elektrische Körpersystem so stärken, daß der Mensch gegen vielerlei Störungen widerstandsfähiger wird ([1]).
Dieses Gerät kann wie auch manches andere Hausgerät zusätzlich so konstruiert werden, daß es ständig mit einer gesunden bzw. heilenden natürlichen Frequenz schwingt. Hier bestehen große gesundheitliche Möglichkeiten. Aber sie erfordern auch eine sorgfältige biologische Konstruktion und eine sinnvolle Anwendung.

8. Elektromedizinische Geräte

Die moderne Medizin hat über hundert verschiedene elektromedizinische Feld-, Strahlungs- und Stromgeräte entwickelt. Prinzipiell kann man jedes der Gesundheit dienende Verfahren und Gerät auch für Heilzwecke verwenden und umgekehrt. Denn das Gesunde macht gesund. Die Grenze, von der an die Leitung des Arztes erforderlich ist, wird dort überschritten, wo eine falsche Anwendung möglich ist, die ernste Gefahren für die Gesundheit mit sich bringt.
Daß Kurzwellengeräte und andere Elektrogeräte medizinisch hilfreich sein können, das weiß heute jedermann in der zivilisierten Welt. Wenn die allgemeine Feld-Strahlungs-Strömungs-Physik als eine Ordnung der Lebensqualitäten begriffen wird, dann wird eine neue Generation von elektromedizinischen Geräten erstehen. Deren biologische Wirksamkeit wird die bisherigen Geräte in tiefem Schatten zurücklassen.

9. Nichtelektrische Verfahren und Geräte zur Sanierung der Elektrik

Wie könnte man mit etwas Nichtelektrischem etwas Elektrisches beeinflussen? Wo ist hier die Gleichung, die doch die Grundlage aller freien und guten Wirkung ist, aller echten Mitbestimmung?
Das Urfeld der realen Einheit ist einheitlich. Denn nur durch dieses Urfeld ist die reale Einheit in der Wirklichkeit einheitlich, also wirklich einheitlich. Nur im einen Urfeld und also in einem Urfeld existiert die Einheit! Die reale Einheit besteht daher im Grunde aus einem einzigen Biofeld, nämlich lebensqualifizierten Feld. In ihm sind alle Sonderfelder real eins, wie alle Zweige eines Busches aus einer Wurzel hervorgehen. Aus der Einheit ergibt sich, daß alle Teile der ganzen realen Einheit und also alle besonderen Felder, Strahlen und Ströme über die eine Wurzel aufeinander wirken.
Mit dieser Logik hat beispielsweise Einstein sein Leben lang versucht, die

Gravitationskraft mit dem Elektromagnetismus zu vereinigen. Auch wenn er sein Ziel noch nicht erreichte, prinzipiell muß es erreichbar sein. Daher arbeiten auch viele weiter auf diesem Weg. Und daher arbeiten neuerdings biologische Elektrospezialisten und andere an der Einheit elektrischer Verfahren und Geräte mit nichtelektrischen Verfahren und Geräten.
Die Praktiker mit lebensqualifiziertem gesundem Menschenverstand und Menschengefühl haben die Ureinheit aller Wirkungen schon längst zur Bewahrung und Wiederherstellung der Gesundheit benutzt und insbesondere zur Sanierung des Hauses und seiner Bewohner bei allen Hauskrankheiten. So haben sie beispielsweise mit Feldentstörungsgeräten, die in der Geopathie bei Störzonen hilfreich sind, zugleich auch Unqualitäten im elektromagnetischen Bereich erfolgreich entstört. Nicht jede der drei Gruppen Entstörgeräte hat eine solche Wirkungsbreite, sondern nur die Geräte, die hauptsächlich Felder entstören, leisten dies oft. Strahlungsentstörgeräte leisten dies öfters nicht und Stromentstörungsgeräte fast niemals. Wer also hauptsächlich mit — mineralischen, metallischen, vegetabilen, animalischen und anderen — Feldern entstört, der kann oft auch elektrische, elektromagnetische und magnetische Felder entstören, sei es mehr oder weniger stark, je nachdem, wie harmonisch und universell sein Gerät konstruiert ist. Und er kann sehr interessante qualitative Einblicke erhalten, wie lebendiges und totes Licht, Wärme und Hitze, Kühle und Kälte, Feuchte und Nässe usf., bestimmte Materialien, Formen usf. auf elektromagnetische Verhältnisse qualifizierend und disqualifizierend einwirken. Was bislang ungeahnte Entwicklungsmöglichkeiten systematisch methodisch sichtbar werden läßt. — —
Derartige wissenschaftliche und praktische Mitteilungen kann man jedoch nur sinnvoll und darf man nur jemandem gegenüber machen, der gründlicher in die allgemeine Feldphysik und in die Ordnung der Lebensqualitäten eingedrungen ist, der also größere Erfahrungen mit ihnen im praktischen geordneten Leben hat. Sonst besteht keine gleiche Verständigungspotenz. Andere wie Mechanizisten können durch solche Mitteilungen zu einem irren Lachen oder sonstigem ungeordnetem, unfreiem Verhalten veranlaßt werden bis zu entsprechendem diskriminierendem Handeln, sogar zu Gerichtsurteilen aufgrund gleich unwissender Richter und sogenannter Gutachter. (Noch in der zweiten Hälfte des 20. Jahrhunderts in der BRD!) Schon viele erste Wissenschaftler wurden des Betruges und der Scharlatanerie angeklagt wie Volta, Edison, Madame Curie usf. Noch heute möchten viele Madame Curie in das Gefängnis bringen, wenn nicht auf den Scheiterhaufen der Irrwissenschaft, weil sie — neu — gefunden hat (und dafür den Nobelpreis erhalten hat), daß die Erde (Materie) strahlt, daß es also Erdstrahlen gibt, daß diese gefährlich sein können und daß man etwas gegen sie tun kann und soll. Viele sich allwissend dünkende Scheinwissenschaftler möchten noch heute jeden, der prinzipiell dasselbe sagt, in eine geschlossene Anstalt bringen und ihm die Ehre nehmen. Da diese Gruppe stolzer und dummer Menschen nicht

aussterben wird, so haben die großen Gelehrten vor solcher Hexenjagd (auch im 20. Jahrhundert!) ihre Türen geschlossen und sich allezeit reiflich überlegt, was sie wem sagten und wem nicht, was sie veröffentlichten und was nicht. Da diese Gruppe Menschen in Zeiten katastrophaler, selbstmörderischer Verhaltensformen besonders zahlreich und also auch öfters mächtig sind, so wird das Stillschweigen in solchen Zeiten pflichtgemäß von den Erfahrenen aller Art besonders geübt! —

Heute jedoch soll sich das Bewußtsein vieler weit in die Umwelt und höher, intensiver in das Reich der Lebensqualitäten erweitern, — wieder, weit mehr als ehedem und genauer. Eine gewaltige korrigierende und erweiternde Objektivierung unseres Weltbildes wird von uns gefordert, um die vor der Menschheit stehenden Aufgaben an den Grenzen unseres bisherigen geistigen, gesellschaftlichen und wirtschaftlichen Wachstumes lösen zu können, vor allem, um zu einem gerechten, allseits ehrlich anerkannten Frieden zwischen Ost und West, Nord und Süd gelangen zu können. Daher wird heute, teils als Wagnis, manches veröffentlicht, über das bisher geschwiegen wurde und geschwiegen werden mußte. —

Es ist also möglich, mit Verfahren und Geräten, die der bisherige Elektrotechniker als „nicht elektromagnetisch wirkend" bezeichnet, elektromagnetisch genannte Vorgänge zu beeinflussen. Denn alle Verfahren und Geräte sind objektiv u. a. auch elektrisch und magnetisch. Schon jedes Atom wirkt stets und überall elektromagnetisch. Zu einzelnen Verfahren und Geräten sind im gesamten vorliegenden Buch viele Hinweise enthalten.

10. Das elektrobiologische Verhalten (Denken, Wollen und Fühlen)

Wer elektrogesund bauen und wohnen will, der muß gleichend allgemein sein Denken und Fühlen für die Lebensqualitäten der Formen und Materialien entwickeln. Denn dann erst kann er die Lebensqualitäten und Unqualitäten des alltäglichen Lebens verstehen, insbesondere im Umgang mit der Elektrik. Unser Bewußtsein weitet sich heute in die Umwelt. Zuerst sollte uns der Zustand unserer eigenen Wohnung bzw. unseres Hauses ständig in seinen Qualitäten und Unqualitäten bewußt werden. Und bei jedem Elektrogerät sollten wir all seine Auswirkungen auf das Leben bedenken, insbesondere auf das Hausleben. Zugleich soll man ständig versuchen, das zu fühlen.

Das erste Beispiel, typisch für vieles: Mit dem Netzfreischalter leben! Immer bedenken: Ist mein Haus von dem Elektrogewitter frei oder nicht? Mit einem winzigen Glimmlämpchen im Schlafzimmer, Wohnzimmer oder Arbeitsraum kann man ständig kontrollieren, ob das Haus elektrostörfrei ist oder nicht. Dann lernt man schnell, nachts und auch tagsüber kein größeres Ladegerät an den Stromkreis des Netzfreischalters zu hängen, da er dann viele

Stunden lang seinen Wohnbereich nicht elektrofrei schalten kann. Ein solches Gerät schließt man an einer Dauerstromsteckdose wie in der Küche an, die nicht an den Netzfreischalter angeschlossen ist. Und man lernt, daß Geräte, die winzig wenig Netzstrom verbrauchen wie elektronische Minirechengeräte, die keine eigene Stromversorgung besitzen, nur mit einem zusätzlichen Verbraucher wie einer Lampe betrieben werden können. Denn bei minimalem Stromverbrauch, etwa unter 2 Watt, schaltet der Netzfreischalter nicht ein. (Sonst würde er bei einem großen Haus schon bei vielen Glimmlämpchen und dem kapazitiven Blindstrom einschalten und dann niemals das Haus spannungsfrei schalten). Minigeräte betreibt man gesünder mit Batterien, insbesondere auch mit Akkumulatoren im Puffersystem.
Wenn man elektrobiologisch denken und fühlen lernt, dann entwickelt sich ein Instinkt, daß man sein Bett nicht nahe einem Elektroboiler oder einer Kühltruhe aufstellt. Und man fühlt mit Grausen die Streuwechselfeldstrahlung, die von einem Fernsehgerät neben dem Bett ausgeht. Den ganzen physikalischen Selbstmord der Technokratie beginnt man dann zu sehen und zu verstehen; denn der Magnetismus und die Elektrizität sind Urformen des Lebens. Den Selbstgiftmord der modernen Chemiegesellschaft hat man in der Umwelt und Eigenwelt in der Regel schon früher sehen und verstehen gelernt. Dann ist es nur noch ein kurzer Weg, um auch den ethischen, gesellschaftlichen (d. h. kirchlichen, schulischen und politischen) und wirtschaftlichen Selbstmord der endzeitlichen Gesellschaft zu sehen und zu verstehen. Zugleich erkennt man objektiver das Wesen der vielen, mehr oder weniger radikalen Reform- und Heilbestrebungen. An ihren subjektiv guten Absichten lernt man sich freuen; und man lernt, das objektive Gute vom Schlechten, Irrigen scheiden. Durch alle diese „Gewänder“ (Descartes, C. F. von Weizsäcker) hindurch erkennt man dann ein- und dasselbe negative und positive Urverhalten, das einheitlich alle Sondergebiete des menschlichen Lebens beherrscht. — (Vgl. das Kapitel VI.).
Elektrobiologisch denken und fühlen lernen hilft also wesentlich mit, das gesamte heutige menschliche Leben verstehen zu lernen. Denn kaum eine andere Wissenschaft hilft besser, feldphysikalisch denken und anschauen zu lernen. Das aber eröffnet das Tor zur ganzen Natur und noch weit darüber hinaus zum gesamten, stets feldgeordneten Leben. Diese universalen Erkenntnisse können dann zur radikalen Wandlung des eigenen Urverhaltens führen und zu vielen Konsequenzen für die Eigenwelt und das Verhältnis zur Umwelt, solange und soweit diese noch selbstmörderisch bleibt.
Selber soll man ein Zentrum und eine Quelle der neuen Ordnung und ihres neuen Lebens werden, das zur ersten Weltkultur und ersten Weltreligion führt.

V. Verfahren und Geräte zur Diagnose der Elektrokrankheiten des Hauses und seiner Bewohner

Zur Diagnose der Elektrostörungen des Hauses kann man Feldmeßgeräte, Strahlenmeßgeräte (Wellenmeßgeräte) und Strommeßgeräte benutzen. Am brauchbarsten haben sich bisher Feldmeßgeräte wie die Feldsonden bewährt. Sie können mit einer akustischen und einer optischen Übertragung ausgerüstet werden als Akustiksonde oder als Bildsonde, insbesondere als Oszillatorsonde. Das ist sogar lebenspraktisch notwendig. Denn nur durch den Ton (im Lautsprecher oder Kopfhörer) kann das Ohr und nur durch das Lichtbild kann das Auge naturale Lebensqualitäten und Unqualitäten erkennen und unterscheiden. Der eindimensional arbeitende Zeiger kann nur Quantitäten angeben. Und diese sind im Leben unwesentlich. Geräte, die nur eine Zeigerangabe bieten, sind daher im Leben praktisch unbrauchbar.

Die Feldsonde existiert in zwei Arten, deren Konstruktionen urverschieden sind, nämlich zur Messung des Magnetfeldes und zur Messung des elektrischen Feldes. Für das Hausleben des Menschen scheint die relativ einfache und unempfindliche Magnetfeldsonde weit wichtiger zu sein. Für technische Zwecke wie bei der Fabrikation und Verarbeitung von Kunststoffen ist die stets etwas empfindliche Elektrofeldsonde wichtig. Auch kann man elektrische Feldstörungen spielend leicht abschirmen wie mit jeder geerdeten Metallfolie. Magnetische Feldstörungen dagegen durchdringen leicht alle Nichtmetalle, alle Metalle, die nicht aus Eisen sind, und in geringem Maße auch die Eisenmetalle. Von qualifizierten Hautmaterialien jedoch können selektiv ihre magnetischen und elektrischen Unqualitäten abgefangen (abgeschirmt und gewandelt) werden wie beispielsweise von den Blättern eines Laubbaumes die Störungen durch einen Richtsender.

Magnetfeldsonden mit akustischer Übertragung existieren schon in einfacher Ausführung als sogenannte Brumm-Meßgeräte. Sie zeigen die meisten elektrischen Störungen in einem Wohnhaus und Büro an. Jedermann kann solch ein Gerät bedienen. Die höher qualifizierten Geräte dagegen erfordern Einübung und einige Fachkenntnisse.

Ein einfaches hilfsweises Störmeßgerät ist ein billiger Transistorempfänger. Wo er in einem Zimmer nur gestört oder garnicht mehrere UKW-Sender empfängt, dort besteht der Verdacht auf eine Störzone bzw. ein Nullfeld. Diese Störzone kann harmlos sein oder auch nicht. Aber dieses Hilfsgerät erfaßt nur störende Sender und zuweilen andere Störzonen. Die für hausbiologische Zwecke konstruierten Feldsonden, insbesondere diejenigen, die auf mehrere Wellenbereiche abstimmbar sind, erfassen vor allem die im Hause lebenswichtigsten Störbereiche.

Das Gebiet der Strahlenmeßgeräte ist für den Haushalt noch wenig bearbeitet. Obwohl die Physik heute über tausend verschiedene Strahlenarten kennt, von denen jede gut und schlecht sein kann, rechnet man grob nur mit

den Alpha-, Beta- und Gammastrahlen als gesundheitsschädigenden Strahlen. Auch hier die Scheuklappen des Quantismus. Erst die Sicht auf die Lebensqualitäten befreit aus diesem wissenschaftlichen und lebenspraktischen Elend. Schon Goethe erklärte den menschlichen Organismus als den im Leben (!) besten und genauesten Apparat. Alle Menschen sind fähig, Strahlen (Felder und Ströme) bewußt zu empfinden und auch in raumzeitliche Erscheinungen zu wandeln, wie schon Lichter und Töne in entsprechende Reaktionen. Dieses Gebiet wird insbesondere von der Radiaesthesie bearbeitet. In den verschiedenen Weltsprachen dürften hierüber Tausende von Büchern existieren. Und zig Millionen Menschen in der Welt dürften hierin umfangreiche praktische Erfahrungen besitzen. Aber die lebensfremd und lebensfeindlich, daher auch menschenfeindlich, wissensfeindlich gewordene quantistische, mechanizistische Wissenschaft des untergehenden Abendlandes hat dieses Gebiet ziemlich konsequent ignoriert wie vieles andere Leben ebenfalls. Eine der verschiedenen Formen der Radiaesthesie ist das bei allen Natur- und Kulturvölkern bekannte, geübte und geachtete Rutengehen. Es setzt große Selbstbeherrschung und also Freiheit der ausübenden Persönlichkeit voraus, um Autosuggestionen auszuschalten ([1]).
Ein guter Radiaesthet kann mit seinem Universalinstrument praktisch alle wichtigen, den Menschen schädigenden Feld- und Strahlungsstörungen in Qualität und Quantität feststellen und unterscheiden. Aber solche Menschen sind selten, auch wenn in einzelnen Staaten Fachschaften bzw. Gewerkschaften solcher berufsmäßig arbeitender Personen bestehen ([2]).
Der menschliche Organismus dient auch noch in vielerlei anderer Art als Mittler zur Feststellung von Störfeldern, Störstrahlungen und Störströmungen, nämlich u. a. über das EKG-Gerät und EEG-Gerät sowie über andere Geräte, welche die reagierenden Felder, Strahlen und Ströme des menschlichen Organismus messen ([3]). Man weiß beispielsweise, daß bestimmte Gehirnwellen wie die Bergerschen Wellen bei stärkeren Störungen des Organismusfeldes schnell gestört werden oder gar ganz ausfallen ([4]). Und auch die Körpergrenze bzw. Haut (Auragrenze) des bioplasmatischen Körpers („Ätherkörpers“) wird durch Störfelder verändert, wie man mit radarähnlichen Meßverfahren und Instrumenten exakt nachweisen kann ([5]).
Die nahe Zukunft wird uns wohl noch vielerlei Verfahren und Geräte bringen, mit denen man Qualitäten und Unqualitäten in unserer nächsten und ferneren Umwelt in ihren Feldern, Strahlen und Strömen erkennen und ihre Quantitäten messen kann. Schon gegenwärtig dürften in der Welt sehr viele Verfahren und Geräte existieren, die aufgrund des derzeit noch herrschenden mechanizistischen Verhaltensschemas nur kleineren Kreisen bekannt sind. Beispielsweise kann man mit dem sogen. „Biometer“ viele Lebensqualitäten messen, wie in Frankreich und anderwärts erprobt wurde ([6]). Und mit den Elektroakupunkturgeräten kann man Widerstände, Kapazitäten, Spannungen und Stromstärken der Organströme und anderen Funktionssysteme

messen und deren sehr sensible Reaktionen auf verschiedene Störfelder wie geopathische oder elektrische oder elektromagnetische Störzonen. Auch die verschiedenartigen qualifizierten Feldreaktionen eines Organismus auf die qualifizierten Felder von Heilmitteln kann man mit diesem Elektrogerät und ähnlichen Geräten messen bzw. in den Bereich der fünf Sinne übertragen ([1]). Doch erfordert das Verständnis hier viele elektrophysikalische und physiologische Kenntnisse, insbesondere in der Allgemeinen Feldphysik. Wer diese nicht besitzt, dem kann die moderne Elektromedizin wie ein magisches oder mystisches Zauberreich erscheinen, gleich wie ein Buschneger ein Telefon oder Fernsehgerät beurteilt. Solange eine Sache unbekannt ist, wird sie von denen, die sich gerne allwissend vorkommen, mit Vorliebe als magisch, mystisch, Zauberei, Scharlatanerie, teuflisch und okkult abqualifiziert. Denn ihre Existenz würde die eigene Unwissenheit offenbaren. Dann winkt man gern mit dem Knüppel des Scheiterhaufens, dies oft noch im 20. Jahrhundert und vorzüglich in der „aufgeklärten" weißen Welt. — Dieselbe Sache wird als Wissenschaft bezeichnet, wenn sie genau erforscht ist, doch nur von denen, welche die genügende Intelligenz für sie aufbringen. Für andere bleibt sie Zauberei, Einbildung und Betrug wie etwa Madame Curies Erdstrahlen. —

Es ist kaum faßbar, mit welcher Naivität und Borniertheit oft „Wissenschaftler" ihre eigene Allwissenheit und Allerkennbarkeit voraussetzen! —

Die Elektrizität ist der größte, vielseitigste und verwandlungsfähigste Diener des Menschen in dieser Welt. Sie wird noch ungeahnt reich entwickelt werden. Also steht ihr noch eine große Zukunft bevor. Diese wird hauptsächlich auf dem Gebiet der Qualifizierung liegen. Doch auch in Quantitäten wird der Verbrauch an Elektrizität noch ungeahnt steigen. Wenn die Energie des Atoms vollständig und ohne Disharmonie nutzbar gemacht werden kann, nämlich auf biologische, auf qualifizierte Weise, und wenn noch ungeahnte andere große Energiequellen erschlossen werden wie die Feld- und Strahlungsenergien des Kosmos, dann wird praktisch unbegrenzt elektrische Energie zur Verfügung stehen. Für die kommenden Feldantriebe wird auch viel Energie benötigt werden. Die Zeit der prinzipiell primitiven Explosionsmotoren wird dann Geschichte sein. Wenn Ufos existieren, wie zahlreiche Fachleute auf dem Gebiet der Luftfahrt als Augenzeugen behaupten, mit was anderem als Feldantrieben würden sie sich bewegen! (Vgl. „Das Beste" aus Readers Digest vom August 1974). Daran ist nichts Wunderliches mehr. Wenn unsere theoretische Physik qualifiziert wird, dann wird sie der Praxis mit Riesenschritten voraneilen. Diese Physik, die Biophysik oder Realphysik wird in besonderem Maße Magnet- und Elektrophysik sein. Das alles ist Grund genug, um den objektiven Lebensqualitäten in diesen Bereichen größte Aufmerksamkeit zu schenken. Denn die Lebensqualitäten sind das Wesen der Substanz. Daher liegt in ihnen auch der Schlüssel und das Tor zu ihrer leichten lebensgesetzlichen Erschließung und Wandlung! —

3. DIE CHEMIEKRANKHEITEN

Vorwort

Da ein Baugeschäft heute „eine halbe Chemiefabrik" ist, so ergeben sich die entsprechenden Konsequenzen für das Haus. —

„Wie das kunstgeschichtliche Seminar der Universität Marburg nach einem „Expertengespräch der Deutschen Forschungsgemeinschaft" mitteilte, sind viele Bildarchive durch einen in jüngster Zeit auftretenden akuten Negativzerfall auf das Höchste gefährdet. So sei . . . bereits nahe zerstört worden. Kostbare . . . , die zunehmend die Informationsgrundlage für ganze Wissenschaftsbereiche bildeten, drohten unter der Einwirkung von chemischen Substanzen, die in Kunststoffen, Lacken und Reinigungsmitteln enthalten seien, vernichtet zu werden". (Südkurier 9.5.74).

Die Deutsche Bundespost hat angeordnet, daß verschiedene Kunststoffe als Bau- und Einrichtungsstoffe in denjenigen Räumen nicht verwandt werden dürfen, in denen Apparate aufgestellt sind. Denn andernfalls werden die Kontakte schnell zerfressen.

Derartige Mitteilungen, auch über das Zerfressen von Steinen, also härtesten Gegenständen, und das entsprechende Zerfressen weit empfindlicheren Materiales, nämlich in den Körpern von Hausbewohnern und Arbeitern durch moderne Chemikalien aller Art, häufen sich in den Fachzeitschriften, anderen Zeitschriften, Zeitungen, Radio- und Fernsehberichten täglich mehr. Der gesamte Umweltschutz wendet sich hauptsächlich gegen die Gifte in der Umwelt, welche die Gesundheit des Menschen zerfressen.

Das Fundamentalwerk des Umweltschutzes, „Das Selbstmordprogramm" von Taylor zeigt auf dem Titelbild das Haus der Erde mit ihrer Menschheit in einer chemischen Retorte, von den chemischen Gasen etc. schon teilweise zerfressen. — „Der Tanz mit dem Teufel" und „Gift in der Küche" zeigen ähnliche Illustrationen ([1]).

Die nächste Umwelt des Menschen ist vielleicht über zehn mal mehr chemiekrank als die fernere Umwelt! Das zeigt schon ein einfacher Vergleich der Gewichtsmengen der verwandten Chemikalien. Und das zeigen hunderte von Analysen der Lebensmittelkontrollstellen, der Landesuntersuchungsämter, der Hygieneinstitute usf., wie eingangs von dem Berner Lebensmitteluntersuchungsamt berichtet. Die Welt ist vergiftet! Unser Haus ist giftig geworden! —

Dieses Thema ist so ernst, daß wir uns auch hier zuerst um die wissenschaftlichen Grundlagen bemühen müssen.

Die wissenschaftlichen Grundlagen

Gleich wie die moderne Physik, insbesondere die Thermodynamik, die Optik, die Elektrophysik usf., hat auch die moderne Chemie alles Qualitative in den letzten drei Jahrhunderten mehr und mehr ausgeblendet, hauptsächlich ungefähr seit Lavoisier. Unvermeidlich ist daher analog, wie die Physik zu einer Antiphysis-Physik entartet ist, die Chemie von einer Lebenschemie zu einer Todeschemie entartet, von einer Gutchemie zu einer Giftchemie, von einer Naturchemie zu einer verkünstelten Chemie. Denn wer in dieser Welt nicht bewußt das Gute anstrebt, der gerät in die Fänge des Schlechten und handelt zumindest unbewußt und also irrtümlich schlecht, soweit er noch eine gute Absicht hat. Wer nicht bewußt das Natürliche anstrebt, der gerät in die Unnatur und produziert objektiv Unnatur.

Zwar kann die Chemie längst nicht so total qualitätsblind nur quantitativ arbeiten und also ausschließlich nur Masse-Raum-Zeit-Verhältnisse bearbeiten wie die endneuzeitliche Physik. Im Gegenteil, die Chemie gründet sogar auf „Wertigkeiten", als „Valenzen" bezeichnet. Ohne Valenzen keine Chemie! Aber diese „Wertigkeiten" werden groteskerweise vollständig wert-„frei" gedacht. Also auch hier eine praktisch vollständige, sogar sprachschizophrene Ausblendung der Qualität, somit der Realität. Auch hier eine vollständige Sinn„freiheit"! — Die Valenzen gleichen deshalb totenblassen und totenstarren fiktionierten Bildern. Daher werden in diesen „Wertigkeiten" auch keinerlei Werte unterschieden. Sondern es existiert als subjektive Konstruktion nur eine einzige Valenz. Und diese wird in dem einzelnen materiellen Element nur quantitativ gedacht, nämlich nur in der Anzahl gezählt.

Es existiert in der modernen Chemie zum Überfluß noch ein Fach „Qualitative Chemie" wie als „Qualitative Analyse". Etwas Vergleichbares existiert (etwa als Qualitative Physik) in der modernen Physik nicht. (Das wäre die wahre Physik!). In der qualitativen Chemie wird ein Zipfel von dem Laken gelüftet, unter dem die objektive qualifizierte Chemie auf der Bahre liegt. Aber der Zipfel wird schleunigst wieder zugeschlagen, wenn man nur das Atom weiß. Und das denkt man prinzipiell nur zerspalten quantitativ in Valenzmengen, Atomgewichtsmengen, Elektronenmengen und anderen Mengen, also nur in „konstruierten Fiktionen". Und gleich so konstruiert denkt man sich die Moleküle, nur mit Hilfe von sinnleeren, qualitätsleeren Zeit-Raumformen wie den Orbitalräumen. Also ist auch die moderne qualitative Chemie doch nur eine quantitative Chemie, eine fiktionierte Chemie. Was muß man dann typischerweise von ihr erwarten? Künstliche Paradiese? — Nach Paracelsus hat Maupassant von derlei gesprochen wie bei der Beschreibung der „Blumen des Bösen".

Die Wertigkeiten der modernen Chemie haben also nichts mit dem Wert zu tun, nichts mit der Qualität! Es ist daher grotesk und paradox und zeigt völliges Unverständnis, wenn die moderne Chemie sich auf Paracelsus beruft als ihren Begründer. Denn Paracelsus lehrt unaufhörlich, in der Chemie das „Gut" von dem „Gift", also die Qualität von der Unqualität geistig zu unterscheiden und praktisch zu scheiden und nur mit dem „Gut" zu arbeiten. Und er lehrt, systematisch auch die vielen verschiedenen „Gut" qualitativ zu unter-

scheiden und lebensgerecht, qualitätsgerecht mit ihnen zu verfahren, das ist bio-logisch.
Diese objektive, wertgerechte Betrachtung und Technik ist für den modernen Chemiker vollständig unbegreiflich geworden. Denn seine Denkschablonen sind auf fiktionierte, realitätsfremde Begriffe und Relationen einreguliert. Deshalb kann man in der modernen Chemie kaum etwas systematisch und also wissenschaftlich entwickeln, sondern man muß ständig als blindes Huhn herumpicken, — nämlich im Unsystem bzw. Unsinnsystem von „trial and error".

„Medikamente sind Gifte"

Wer vom Wert nichts weiß, der gerät in den Unwert, in das Reich der Gifte. So ist es verständlich, daß die moderne Chemie zu einer Giftchemie geworden ist, zu einer Selbstmordchemie. „Chemisch" heißt daher in der Mentalität des Volkes und der Umweltschutzbewegung sachgerecht schon so viel wie „giftig" und also umweltfeindlich, lebensfeindlich, menschenfeindlich. Das aber hat zuerst die Chemische Industrie selbst gesagt. Die moderne Heilmittelindustrie Italiens hat beispielsweise offiziell erklärt, Medikamente seien Gifte! — ([1]). Medikamente sind die typischsten Produkte der modernen Chemie. —
Die Chemie bei Paracelsus ist reine Wertchemie, reine Chemie der Lebensqualitäten! Und das ist alle objektive Lebenschemie! —
Wenn schon Medikamente im modernen Selbstverständnis der Chemiker sämtlich Gifte sind, was soll man dann erst von den anderen Chemikalien erwarten, die zentnerweise im modernen Haus verbaut und eingerichtet werden ! — Das Haus soll aber ein Heilhaus sein, also ein heiles Haus, ein Heil-Mittel! — Das Haus soll also das diametrale Gegenteil eines Giftes sein! —
Eine meist humorvoll vorgebrachte Selbstdefinition der endzeitlichen Chemie lautet: „Chemie ist, wenn es stinkt und kracht"! — Welch tiefe Selbsterkenntnis! — Diametral entgegengesetzt würde die Definition der wahren, der guten Chemie lauten: „Gute Chemie ist, wenn es nicht stinkt und nicht kracht". Oder positiv formuliert: „Bio-Chemie ist, wenn es angenehm riecht und auch anderweitig lebensgerecht zugeht". —

Chemie und Umweltschutz

In erster Linie gegen die Giftchemie wendet sich bekanntlich die gesamte Umweltschutzbewegung. Und in allen zivilisierten Staaten sucht man die entsprechenden Gesetze zu schaffen. Was aber dieser für das Leben so verdienstlichen Bewegung und den Gesetzgebern derzeit noch vollständig fehlt, das ist das Wissen um die qualifizierte Chemie. Das ist die Kenntnis der Bio-

Chemie, wie sie von Paracelsus und allen Hochkulturen systematisch und also wissenschaftlich gelehrt und im Leben erfolgreich praktiziert wird, insbesondere in der wahren Heilkunde, in der medicina perennis. Denn erst, wenn man das Gut kennt und den lebensgerechten Umgang mit ihm, dann erst weiß man genau zu sagen, was das Ungute, das Gift ist und was ein giftiger, ein lebenswidriger Umgang mit Gut und Gift ist. Dann erst kann man entsprechende wirksame Gesetze geben und auch lückenlos und somit erfolgreich praktisch durchführen.

Die Begriffsverwirrung

Die Begriffe des modernen Chemikers sind wert„frei", also wertlos! Sie sind lebens„frei", lebensfremd, leblos. Denn sie besagen nichts über Lebensqualitäten. Sie sind daher für die Biologie, folglich für das gesunde und kranke Wohnen, für die gesamte Physiologie und Heilkunde wertlos, unbrauchbar! — Dazu einige Beispiele:

Der Traubenzucker! Die endzeitchemisch als „Traubenzucker" bezeichnete Masse hat in der Regel mit den Trauben so wenig zu tun wie der Teufel mit der Nächstenliebe. Aus übelstem Abfallholz, das zu Klosettpapier nicht mehr verarbeitet werden kann, kann man „Traubenzucker" produzieren. Und das wird auch gemacht. Was könnte denn die endzeitliche Chemie nicht machen! —

Ein anderes Beispiel: Die synthetischen Vitamine. Das sind in paracelsischer Terminologie „gemalte Affen", in heutiger Terminologie „leere Vitamine", wie die „leeren Kalorien", nämlich die an Lebensqualitäten leeren Kalorien der Massennahrung der Zivilisationsroboter. Diese wird von totkranken, chemisch vielfältig vergifteten Böden gewonnen. Die synthetischen Vitamine werden jedoch aus völlig toten Chemikalien fabriziert. Im zweiten Weltkrieg erhielten die Deutschen Nordlandtruppen massenhaft synthetisches Vitamin C. Und dennoch litten sie ständig unter schweren Mund- und Zahnschäden wie Zahnbluten. Erst als General Schweigart, der spätere Leiter der Vitalstoffgesellschaft, das Kauen frischer Tannenspitzen verordnete, da verschwanden all diese Beschwerden schnell. —

Ein drittes Beispiel: Die Gifte der modernen Chemie. Wenn man vom Gut nichts weiß, so weiß man auch nichts Wesentliches vom Gift. Daher wird die Bezeichnung „Gift", die in der Endzeit, in der Zeit der allgemeinen Kriegsideologie (z. B. „Kampf ums Dasein") so gerne gedacht und so viel praktiziert wird, zuweilen auch auf ein Gut angewandt, z. B. im Holzteer. Wie der Physiker nicht mehr gute und schlechte Strahlen (Felder und Ströme) unterscheiden kann, so der Chemiker nicht mehr gute und schlechte Salze, Säuren und Basen. Was dann wirkt, das muß giftig sein. Eine andere Wirkung als eine Giftwirkung, das ist eine unfreie, gewalttätige Wirkung, also eine kriegerische Wirkung, etwas anderes können sich viele garnicht mehr vorstellen! Was nicht giftig wirkt, nicht gewaltsam (vergewaltigend!), das wirkt doch überhaupt nicht! (Zumindest nicht genügend, um als Medikament — in der Selbstmordgesellschaft — anerkannt zu werden). Das ist eine unbewußte Grundanschauung der modernen Chemiker, der „Conterganisten". — (Denn was die Eltern in ihrer Konstitution schädigt, das schädigt auch deren Kinder!).

Daß man auch in der Freiheit, mit Harmonie, eben mit Lebensqualitäten wirken kann, das blendet der endzeitliche Chemiker weithin aus seinem Bewußtsein aus. — Die Tiere, die den guten Holzteer lecken und den giftigen Kohleteer sorgfältig meiden, sind klüger als diese Chemiker. Auch das Gras ist klüger. Es wächst auf Holzteer, nicht auf Kohleteer. —

Die lebensgerechte Chemie

Was ist das ABC der guten, wahren und also lebensgerechten Chemie? Was sind ihre Prinzipien, Gesetze und Typen? Was sind ihre Wege, Methoden und Mittel? — Paracelsus lehrt das, wenn auch in seiner Mentalität und Sprache und verstreut in vielen Kapiteln. Eine bessere Lehre ist bis zur Gegenwart nicht bekannt geworden. —

Das ABC der „gerechten" und also biologischen Chemie ist nichts anderes als die lebensgerechte, somit qualitätsgerechte chemische Behandlung der zuerst physikalisch erfaßbaren Lebensqualitäten. Die gute Chemie ist somit nur der hauptsächlich flüssige Teil der guten Physik, der objektiven Physis-Physik. Aber das ist leicht gesagt. Die Kunst ist weit größer als die Kunst der modernen Chemiker! Sie ist eben qualifiziert. Daher verlangt sie nach Paracelsus auch vom Künstler gleiche ganzheitlich qualifizierte menschliche Voraussetzungen! Der Mensch steht im Mittelpunkt und also sein zentrales Verhaltensmuster! Sein Verhaltensmuster zwischen gut und ungut, zwischen Alleinheit und Uneinheit. Das ist sein Verhaltensmuster gegenüber Gott, Mensch und Natur, — im Denken, Wollen und Fühlen zugleich.

Außerhalb dieser ganzheitlichen Lebensgleichung kann man Intelligenzbestien züchten! Die glauben an keine Lebensgleichung. Denn sie verstehen keine mehr. Etwas Wesentliches können sie überhaupt nicht mehr denken. Sondern nur noch Quantitäten, „konstruierte Fiktionen". —

Vieles von der objektiv qualifizierten Chemie ist nach den Lehren ihres Neubegründers in diesem Buche systematisch dargelegt wie beispielsweise in der Lehre von den vier Urlebensqualitäten und ihren Urdisqualifizierungen, in der Lehre von den vier Elementen, von Sal, Sulfur und Merkur, im ABC von der Hautfunktion, von der Reinigung, in der Lehre von der Klimatisierung, von der Anstrichkunst, vom Korrosionsschutz usf. Das vollständige System der wahren Chemie ist nach der Lehre der Paracelsisten hoher Aufmerksamkeit wert. — Kultur gründet in der qualifizierten Physik und Chemie. —

Wenn wir vollständig umdenken müssen, was führende geistige Vertreter des Umweltschutzes wie Löbsack, Stern, Stumpf und andere fordern als unumgängliche Notwendigkeit, sofern wir überleben und menschenwürdig leben wollen, dann haben wir besonders in der Chemie fundamental umzudenken. Auch hier haben wir „von der Quantität zur Qualität" (Blaha. Deutsches Ärzteblatt) umzudenken. Denn die Giftchemie ist es, die heute die Hauptschuld an der Vergiftung des Lebensraumes der Menschheit hat. Sie zuerst wird der „Aggression gegen die Menschheit" (Spiegel) angeklagt. Wenn Flüsse, Seen und Meere vergiftet sind, wenn ganze Ozeane heute zur Kloake werden, wenn sie bis zur Gegenwart schon 40 % ihres Lebens verloren haben, wie der Club of Rome 1972 feststellte, dann geht dies hauptsächlich auf das Konto der disqualifizierten und disqualifizierenden Chemie, dies einschließlich schlechter chemischer Verbrennungsprozesse in Motoren und Feuerungen.

Wie viel Prozent ihres Lebens hat unsere nächste Umwelt, das Haus schon auf chemische Weise verloren? Sind es nicht weit mehr als 40 %? — Und das wären weit mehr als 40 % von unserem Hausleben! Wie weit nullt also das moderne Haus das Leben seiner Bewohner physikalisch und chemisch? —

Das Gift in unserer nächsten Umwelt

Die nächste Umwelt des Menschen ist vielleicht über zehn mal mehr chemiekrank als die fernere Umwelt! Das zeigt schon ein einfacher Vergleich der Gewichtsmengen der dort jeweils existierenden Chemikalien. —

Hierbei ist noch davon abgesehen, welchen Anteil an Lebenszeit sich der Mensch in der einen oder anderen Umwelt aufhält. Dieses Verhältnis beträgt ebenfalls über zehn zu eins. Was kommt schon dann aus der Rechnung heraus? —

Von den Konzentrationsverschiedenheiten ist ebenfalls abgesehen. Würde man in eine lebensgerechte Rechnung alles einbeziehen, dann würde der Leser blaß! — Schon wieder? —

In der Einleitung wurde das Beispiel des Genfer Lebensmitteluntersuchungsamtes zitiert. Der Leser möge nachschlagen. Denn solche Beispiele zu vermehren, das lenkt eher vom Wesentlichen ab. Die Wahrheit gewinnt nichts durch eine äußere Addition. Die kleinen Rechner wenden dann der Addition, der Statistik, den konstruierten Fiktionen ihre Aufmerksamkeit zu und ebenso alle, denen die Wahrheit unangenehm ist. — Es sei daher nochmals betont, daß keine Spezialausstattung der Räume vorlag, sondern, wie die Aufzählung schuldiger Materialien belegt, eine zivilisierte Normalausstattung. Üblicherweise existieren in den modernen Wohnungen sogar erheblich mehr Kunststoffe als in den Laboratorien! —

Das Fazit: Wie viel mehr Gift nimmt der moderne Mensch in seiner eigenen Wohnung auf als außerhalb des Hauses? Das Verhältnis ist eine zwei- bis dreistellige Zahl zu eins! —

Daher gleichen manche Umweltschutzbestrebungen um das Haus herum einem Menschen, der im Hause aus einem Glas Zyankali trinkt und sich dabei überlegt, wie viel länger er den Atem in seinem Garten anhalten soll, wenn der nächste Wagen vorbei fährt. —

Aber wie gesagt, es handelt sich hier nur um die moderne Wohnung, um die mit Kunststoffen und anderen Chemikalien vielfältig ausgestattete Wohnung. Und das trifft nicht auf alle „zivilisierten" Wohnungen zu. Viele, besonders ältere Wohnungen sind nur teilweise so modern bzw. hypermodern ausgestattet, manche nur wenig. Einige sind fast garnicht betroffen. Denn immer mehr Menschen suchen instinktiv auch in der Wohnung das Natürliche, das Lebensgerechte, das Biologische, oder wie man heute gern sagt, das Rustikale. Was steht denn hinter dem Streben zum Rustikalen? Mit großem Vorteil kann man sich das bewußt machen. Könnte man etwa ein Kunststoffmöbel als rustikal bezeichnen? —

Klärt das nicht? Aber nun wird es schon ernst. Denn welches moderne rustikale Möbel wäre frei von Antirustikalem, nämlich von den giftigen Chemiziden? Etwa als Imprägnierung gegen Schädlinge, oder als Beize oder Leim oder als äußere Bearbeitung des Holzes? — Oder gar massiv im Polstermaterial und Polsterbezug! —

Unter zehn heutigen als rustikal angebotenen Möbeln wird kaum eines vollständig frei von antirustikalen bzw. gesundheitsschädlichen Chemiziden sein! Wenn man sogar einen Verkaufsraum betritt, der nur Arvenholzmöbel umfaßt, dann können die Augen und die Lippen sofort zu brennen beginnen vor dem chemischen Gestank, der von diesen Möbeln ausgeht. Und die Arve, auch Zirbelkiefer genannt, der höchst wachsende Baum Europas ist doch das biologisch Hochwertigste, was man haben kann! —

Von PVC (= Polyvinylchlorid) gingen Meldungen durch die Weltpresse, wie schwer schon die Arbeiter in den PVC-Fabriken — das sind Häuser — erkranken. Vorstoffe zu PVC werden beispielsweise in Minamata/Japan verarbeitet. Dort wurden schreckliche Mißbildungen und Geisteskrankheiten bekannt, insbesondere durch Quecksilbervergiftungen bei der Herstellung dieser Vorstoffe. Ärztezeitschriften und das Fernsehen berichteten davon ([1]). Quecksilberabfälle vergiften heute schon ganze Meere wie die Ostsee. Die Umweltschutzbewegung hat sich des PVC besonders intensiv angenommen, weil die Abfälle im Müll so gefährlich sind, dies nicht nur bei der Verbrennung solchen Mülls, wobei Chlorgas frei wird und Salzsäure als Dampf entsteht. Wo wäre nun heute eine zivilisierte Wohnung, die frei wäre von PVC? —

Aber ist die Chemie nicht eine Wohltäterin der Menschheit? Wird nicht von ihr selbst Paracelsus als ihr Begründer gerühmt! — Mit vollem Recht. Doch wie gesagt von welcher Chemie? Von der Chemie des Lebens! Nicht von der Chemie des Todes. Von der Chemie der Lebensqualitäten, nicht von der Chemie der „Korrosiva". „. . ich aber sah, daß dabei nichts anderes herauskommt

als töten, sterben, würgen, verkrüppeln, lähmen, verderben, und daß keine Grundlagen da waren . . “ (Paracelsus im Paragranum).
Die Chemie des Lebens dagegen nennt Paracelsus die „dritte Säule der Heilkunde“.

Der mündige Chemiker

Ist das Unterscheidungsprinzip nach gut und schlecht nicht auch der Kern aller Religion und Kultur? Aller menschenwürdigen und lebensgerechten Wissenschaft und Wirtschaft? Aller objektiven Mündigkeit? —
Gut und schlecht auf allen Lebensgebieten nicht zu unterscheiden, gar bevorzugt das Gift auszulesen und selbst zu produzieren, gar noch sich einzuverleiben und als Haus aufzubauen, ist das nicht der Kern der Selbstvernichtung auf allen Gebieten, in Ethik, Gesellschaft und Wirtschaft, in Kultur und Natur?
Der Untergang einer Kultur gründet und besteht darin, daß Lebensqualitäten nicht mehr erkannt und unterschieden werden, daß Gut und Böse-Schlecht relativiert, individuell subjektiviert und praktisch negiert werden. —
Der Beginn einer neuen Kultur besteht darin, daß „Gut und Gift“ auf allen Lebensgebieten wieder absolut, objektiv und realistisch unterschieden und konsequent behandelt werden, — von der Ethik bis zu der Natur unter unseren Füßen. Hier wird die Basis der Mündigkeit gesehen. —
Also läßt die Umweltschutzbewegung hoffen. Denn sie konzentriert sich auf die Gifte. — Konzentrieren wir uns folgend auf die Gifte in unserer nächsten Umwelt. Was anderes könnte die nächste Etappe der Umweltschutzbewegung sein! —

Umweltschutz, Lebensschutz und Lebensreform

Aber sollten wir statt Umweltschutz nicht besser von Lebensschutz sprechen? Der „Weltbund zum Schutze des Lebens“ hat sich wohl als erste Weltorganisation der Befreiung unseres Lebens von den Giften angenommen, insbesondere in dem grundlegenden Werk „Der Tanz mit dem Teufel“ von G. Schwab, das lange vor Beginn der Umweltschutzbewegung im engeren Sinne erschien. Diese Weltorganisation spricht von Lebensschutz.
Die ältere und begründende Lebensschutz- und Umweltschutzbewegung ist die in Mitteleuropa konzentrierte Lebensreformbewegung und allgemeine Reformbewegung. Kneipp-Bund und Prießnitz-Bund sind darin große Sonderbewegungen. Sie alle sehen in der Giftfreiheit schon ungefähr seit einem Jahrhundert ein Hauptziel. Wenn die durch die Umweltschutzbewegung in den USA steil ansteigende Reformbewegung zum gesunden giftfreien Leben auf die ganze zivilisierte Welt übergreift, was zu vermuten ist, und sich dann mit all den anderen Reformbewegungen vereinigt, auch den fernöstlichen,

was fast unausweichlich ist, dann wird das vollständige Ordnungsprogramm des gesunden Lebens sicherlich endlich erarbeitet werden. Und das wird zu umfangreichen schulisch-wissenschaftlichen, politischen und wirtschaftlichen Konsequenzen führen, — auch zu theologischen.

Das krebsige Wachstum am Ende der Neuzeitwirtschaft ist ein Wachstum in Giften aller Art, von den seelischen Giften angefangen. —

Wer heute leben will, insbesondere überleben will, der muß lernen, Gut und Gift zu unterscheiden, die Ganzheiten von den Spaltprodukten. Und ebenso wenig wie er Gifte schlucken und einatmen soll, wie er also seine Innenwelt nicht ruinieren soll, vom Gift in Speise und Trank bis zum Gift in Tablette und Spritze, so soll er auch seine nächste und fernere Umwelt nicht vergiften. Denn auch von all dem wird er viel schlucken und einatmen, also „essen", auch wenn er es im Einzelnen nicht sofort sieht oder fühlt. Was der Mensch ißt, das ist er! —

Ob auch hier die Aggressionssucht — doch eine Giftigkeit! — des modernen Menschen mitbestimmt, mitverursacht wird? — Gifte sind prinzipiell „ausscheidungspflichtig" aus dem Lebensfeld, aus dem Haus, nicht nur aus dem Körperhaus. —

Wie viele und schwere Gifte werden heutzutage in vielen häuslichen Kunststoffen und anders bezeichneten Stoffen verwandt. Oft sind sie aus „Pech und Schwefel" synthetisiert. Wörtlich wirklich! Ob das denn garnichts besagt? —

Was ist „Pech"? Früher verstand man nur Kohleteer darunter, wie er bei der Gewinnung von Stadtgas und bei anderer chemischer Verarbeitung der Kohle anfällt. Doch „Pech" besagt viel mehr. Man muß es in der biologischen Chemie verstehen. Dann ist es der „Tartarus" aus vielen Kohlestoffsubstanzen, besonders auch aus dem Erdöl, Schieferöl usf. Die Produktion dieses üblen Stoffes kann durch unqualifizierte Behandlung des Rohstoffes vergrößert werden, auch bei dem biologisch so kostbaren Erdöl.

So werden aus Pech Phenole bzw. Karbolsäuren, Aniline, Formaldehyde usf. synthetisiert. Auch Kalk wird hierbei mit verwandt, der schon bei der Herstellung des Zementes eine unrühmliche Rolle spielt. „Pestizide" nennt man offiziell viele dieser Gifte, besonders im Bereich der Teufel-Beelzebubmethode wie bei der Schädlingsbekämpfung in der Landwirtschaft und im Menschen. Ob nicht auch dieser Name vielsagend ist? Die alte Pest scheinen wir überwunden zu haben. Ist die neue Pest nicht noch viel schlimmer? Reicht ihr Feld nicht von den Informationsgiften (nach Steinbuch) bis zu den materiellen Giften in allen großen und kleinen Häusern? —

In engster Gesellschaft mit den Pestiziden werden heute auch die Antibiotika viel verwandt. „Anti-Bios" heißt „gegen das Leben"! — Wenn dies alles einen Leser nicht nachdenklich machen würde, so hätte er sicherlich das Buch schon längst zugeschlagen.

Das System des Selbstmordprogrammes

Warum wird dies zitiert? Weil es hier um ein System geht, um das in dem zentralen Verhaltensmuster des endzeitlichen Menschen gründende umfangreiche System der Selbstvernichtung, um das „Selbstmordprogramm", wie Taylor sagt. Es ist im Grunde ein Selbst-Giftmord-Programm! Wie eine Manie, wie eine seelische Krankheit ist das heftige Streben des endzeitlichen Menschen zu den Giften zu verstehen. Mit einer geradezu nachtwandlerischen Sicherheit strebt und greift er überall zu den Giften anstatt zu dem Guten! Welches zentrale innere Verhaltensschema leitet ihn hier? Oder wer hält ihn - nach Goethes Faust - am Kragen? — Und steuert ihn? —
Zu den Giften strebt der Mensch, die in ihrer Langzeitwirkung wie auf die Erbmasse weite Teile der Menschheit ausrotten können. Denn die Zahl der schweren seelischen und leiblichen Entwicklungsstörungen bei Neugeborenen steigt weiter an. Das Contergan hat nur eine besondere Zusatzkurve darin erzeugt, nur eine Sonderwelle. Die Hauptwelle steigt beängstigend. Es kommen heute schon über hundert mal mehr mißgebildete Kinder zur Welt als im vergangenen Jahrhundert! Dies ist sogar nur relativ gerechnet. Absolut gerechnet sind es noch weit mehr. Nach einer umfangreichen Untersuchung muß man damit rechnen, daß die Zahl von „88 % aller totgeborenen Kinder auf den Einfluß von Medikamenten" moderner Art zurückzuführen ist ([1]). Wie viel höher wäre diese Prozentzahl, wenn auch noch die anderen modernen Gifte aus unserer Umwelt eingerechnet würden! Illustrieren solche Zahlen nicht unser Selbstmordprogramm! — Freud spricht vom „Todestrieb!" Noch viele hunderte solcher beweiskräftigen Untersuchungen mit noch mehr Zahlen wären anzuführen. Aber wer wenige Zahlen ignoriert und bekrittelt, der wird es auch bei vielen tun. Die Fiktion ist ihm lieber als die Wahrheit. Wie hieß es denen gegenüber, die immer neue Zahlen forderten bzw. Beweise, gar Wunder? „Sie haben Moses und die Propheten . . ." Sie stellen endlos erneut Beweisforderungen. Und solange diese endlosen Beweisforderungen nicht erfüllt sind, sehen sie nicht den geringsten Anlaß, etwas zu tun! Ist das nicht ein selbstmörderisches und mitmörderisches Verhaltensmuster? Also ein Verhalten von Mördern? —

Die Krankheitsursache: Mediziner

Immer mehr Ärzte machen für die steigende Verkrankung des Volkes die schon überschwappende Flut von Giften verantwortlich. Immer jüngere Kinder erkranken in immer größerer Zahl an Krebs und bösartigen Blutkrankheiten und an lebensgefährlichen allgemeinen Allergien. Der führende deutsche Kliniker Prof. Hoff hat offen und offiziell erklärt, daß die Hauptursache der Verkrankung des Volkes bei den Medizinern läge! — Er meinte, sie würden mit unheimlich viel Giften medizinieren ([1]). Neuere Bücher erweitern und begründen diese Eingeständnisse noch mehr ('). Wie viel Zentner oder Tonnen von Giften enthält nun ein modernes Haus! — —

Machtrecht und Menschenrecht bei der Vergiftung des Volkes

In dieser Situation ging durch die Weltpresse der eingangs zitierte Bericht von dem Schweizer Lebensmitteluntersuchungsamt. Welcher Gesetzgeber hätte die in dem amtlichen Bericht geforderten gesetzlichen Konsequenzen auch nur öffentlich erwogen? — Aber ein demokratischer Gesetzgeber darf doch nur tun, was die Mehrheit will! So behauptet es die Fama. Und solange die Mehrheit sich selbst und andere mit ermorden will, sei es auch durch Fahrlässigkeit, durch Gedankenlosigkeit, darf der Politiker nichts dagegen tun, außer er nimmt seinen Hut. Mehrheitsrecht — in der üblichen Art eine Sonderform des Machtrechtes! — geht bisher praktisch vor Menschenrecht! (Ein „Profitrecht" steht doch nicht dahinter?).
Oder hätte der Mensch kein Menschenrecht darauf, nicht vergiftet zu werden! —
Wenn das Machtrecht, auch das demokratische bzw. kollektivistische, einst oder bald wirklich überwunden wird, wenn das Freiheitsrecht wirklich erkannt und anerkannt wird, dann wird sich hier vieles ändern und das endlich zum objektiven Wohl des Menschen. —
Es ist notwendig, diese Hintergründe und Untergründe zu beleuchten. Denn sonst sagt sich der Mensch bei vielen Tatsachen wie anfangs bei Rachel Carsons „Der stumme Frühling" oder bei dem „Selbstmordprogramm" von Taylor, das kann doch garnicht wahr sein. — Und vielleicht unterbleibt dann eine Minute vor Zwölf das, was viele retten könnte. Führende Männer der Wissenschaft wie der Verhaltensforscher Lorenz sind ja der Ansicht, es wäre schon fünf Minuten nach Zwölf, also zu spät. — Die „Todsünden" der Zivilisationsmenschheit wären schon nicht mehr gut zu machen. Die chemiziden bzw. pestiziden Genveränderungen von sehr vielen Menschen wären schon irreversibel (nicht umkehrbar) in eine Richtung umgelenkt worden, die zum Aussterben führt. —
Doch wird hier die Auffassung vertreten, der Jüngste Tag, sei es in dieser oder jener Form, steht in unserer Generation noch nicht vor der Türe, ebenfalls in der nächsten noch nicht, mag es auch wohl bis zum Jahre 1990 größte Umwälzungen geben, von denen viele heute nicht zu träumen wagen. Aber die Kulturgeschichte der Menschheit wird noch weiter gehen. Sie wird vermutlich sogar eine gewaltige neue Blüte erleben. Ist das nicht auch in der „Geheimen Offenbarung" prophezeit? — Also schauen wir der Giftsituation der Zivilisationsmenschheit mutig ins Gesicht und zögern wir nicht, für alle, die leben wollen und zwar objektiv glücklich leben wollen, das Notwendige zu tun. Denken wir zunächst an unsere eigene Familie. Denn wie innen so außen.

Die Einwände der Giftchemie

Bei einer Besprechung dieser Situation werden von den Vertretern der endzeitlichen Chemie zwei Kardinaleinwände erhoben, insbesondere im Hausbau, die kurz zu behandeln sind. Der Generalnenner des ersten Einwandes, der bisher sehr viel erhoben wurde, lautet: „Unsere Gifte sind nicht giftig" (oder: Sie sind nur hier giftig, nicht dort giftig). Da eine solche Antwort heutzutage mehr und mehr mit Gelächter und stillen Erwägungen zur Zurechnungsfähigkeit beantwortet wird, von anderen Überlegungen abgesehen, so geht man heute mehr zur zweiten Antwort über. Diese lautet: „Aber all die Gifte sind doch fest gebunden". Das soll besagen, die Gifte seien so fest miteinander verbunden, daß sie bei einer Hautberührung nicht in die Haut übergingen, daß sie bei einer Reinigung solcher Materialien mit üblichen Mitteln sich nicht lösen würden und daß sie nicht in übergroßer Menge an die Luft abdunsten würden. Und daher könnten sie dem Menschen keinen Schaden zufügen. Gerne wird dann zusätzlich auch noch das Wort von Paracelsus über die Dosis angeführt.

Hier liegt zuerst ein fundamentaler Anschauungsmangel und Fehler zugrunde, insbesondere eine mangelhafte Kenntnis der qualifizierten Physik und Biologie. Denn auch diese zweite Rede ignoriert das Kausalgesetz, daß Gift giftig wirkt. Und sie ignoriert das physikalische Grundlagenwissen, daß jede Einheit beständig ihr Wesen ausfeldet, ausstrahlt und ausströmt.

Und in der Dosisfrage wird von den Vertretern der Giftchemie beharrlich ignoriert, daß der Zivilisationsmensch hunderten von Giften ständig ausgesetzt ist, daß also viel wenig sehr viel werden kann und täglich wird. In den Verteidigungsreden wird beständig mit der Fiktion gearbeitet, als ob der Zivilisationsmensch nur einem einzigen, dem gerade besprochenen Gift ausgesetzt sei. Wenn beispielsweise vom Gift im Salat die Rede ist, dann kann eine offizielle wissenschaftliche Antwort lauten, in einem Salatblatt sei so wenig Gift, daß der Mensch davon nicht geschädigt würde. Kein Wort weiter! Nur das „nicht geschädigt" bzw. „unschädlich" steht dann im Raum! Als ob der Mensch in seinem Leben nur ein einziges Salatblatt verzehren würde. — Von wem werden derartige unzumutbare Verlautbarungen gesteuert? — Vom Profit? — Von „nützlichen Idioten"? —

Daß die Dosisfrage quantistisch nicht begriffen werden kann, daß Gift in jeder Dosis Gift bleibt, das wurde schon dargelegt.

Das alles zusammen erklärt das Selbst-Giftmord-Bauprogramm. Behörden und Private wetteifern am Ende der Neuzeit darin, dieses Programm überall zu verwirklichen.

Hinzu kommt, daß fortlaufend Vergiftungen durch solche Bau- und Einrichtungsmaterialien nachgewiesen werden, wie typisch bei dem Genfer Lebensmitteluntersuchungsamt. In wohl allen zivilisierten Nationen werden ständig neue Vergiftungsfälle durch Phenol, Formaldehyd, Weichmacher und andere in Bau- und Einrichtungsmaterialien massenhaft verwandte Stoffe in Fachzeitschriften und Zeitungen berichtet. Wer wüßte davon nicht? — Hält man diese Beweise einem Produzenten oder seinem Chemiker vor, dann heißt es jedes Mal: „Hier sind die Gifte versehentlich oder zufällig nicht fest gebunden gewesen". „Das sind nur Einzelfälle". Und weiter: „Aber wir binden die Gifte fest".

Gegen diese „Schutzbehauptung" kann man praktisch nichts unternehmen. Denn man müßte in alle Ewigkeit ständig neue Untersuchungen vornehmen. Und das ergäbe dann alles „nur Einzelfälle". Und die generelle Einsicht, daß Gifte giftig wirken, wird von vielen Giftproduzenten ständig ignoriert. Das sei ja eine Betrachtung in Werten, in Lebensqualitäten. Und das sei doch unwissenschaftlich, also garnicht diskutabel. —

Gegen solch lebenswidrige Verblendung des Bewußtseins kann man nichts unternehmen, — außer die Toten sich selbst begraben zu lassen. — Für das eigene Leben hilft hier nur, seinen gesunden Menschenverstand zu gebrauchen, zu erkennen und anzuerkennen, daß Gifte giftig wirken, und für sich und die Seinen die Konsequenzen daraus zu ziehen.

Unter Gift ist bei exakter Definition in naturwissenschaftlicher Hinsicht jede disharmonische Materie zu verstehen, also jede selbstentfremdete, in sich nicht ausgeglichene und nicht integrierte Materie, richtiger jedes solche Feld. In ein modernes Wohnhaus werden heutzutage tonnenweise solche disqualifizierten Materialien eingebaut und eingerichtet. Um das Jahr 1800 wurde in ein damals zeitgemäßes Haus selten grammweise solche Materie eingebaut, etwa als Schweinfurter Grün in den Tapeten. —

Wo überall kann heutzutage die in ihren Lebensqualitäten disqualifizierte und also kranke, giftige Materie verwandt werden? Betrachten wir das konventionelle moderne Haus. Das Fertighaus wird am Schluß eigens besprochen.

Wo ist das Gift im modernen Haus?

Außen schon im Kunststoffverputz oder in chemischen Zusätzen auch zu anderem Außen- und Innenputz? Dann im „Chemiegips". Ist nicht auch der Zement, insbesondere als Schlackenzement zu den disqualifizierten Materien zu rechnen? Dann in den oft scheußlich stinkenden — „Gestank ist Gift!" — synthetischen Klebern und Leimen und in den mit Teerfarben und anderen künstlichen Farben gefärbten Tapeten aller Art, seien sie aus Holzfasern oder aus verkünstelten Kunststoffen. Weiter in giftigen Lacken. Sie sind auch auf abwaschbaren Tapeten zu finden. Diese sind höchst wandfunktionswidrig, atmungswidrig, also lebenswidrig, hausungerecht. Sie sind daher besonders in den höchst kranken Häusern wie den modernen Krankenhäusern zu finden. Dort zählen sie zu den Hauptursachen des Hospitalismus. Diesen kann man als die Krebskrankheit des Hauses bezeichnen.

Wo kann man die Hausgifte noch finden? In den modernen Bodenbelägen, besonders aus weichen oder halbweichen Kunststoffen, dort als Weichmacher (insbesondere PCB-Verbindungen), in Dämmstoffen, Schaumstoffen und Kunstharzen, in Holzimprägnierungen — hier von der Selbstmordgesellschaft zuweilen noch behördlich zwingend vorgeschrieben! —, in Lackierungen von Hölzern, Metallen und anderen Stoffen, in Anstrichen, Teppichen, Gardinen (wie als Weichmacher), Verkleidungen und Rahmungen wie bei Fenstern und Türen, in untergehängten Decken, Wandverkleidungen, Furnieren, Spanplatten, Faserplatten, Tischlerplatten, in Polstern und anderen Materialien von Sitz- und Liegemöbeln, in Bezugsstoffen, in Tischen, Schränken und Betten, bei Lampen in Gestell und Schirm, in großen und kleinen Gebrauchsgegenständen aller Art, bei Büchern, Buchumschlägen und Schutzeinbänden, bei Untersetzern, Blumentöpfen usf. usf. Kurz gesagt: Alles, woraus ein Haus heute bestehen kann, und alles, mit dem es eingerichtet werden kann, und alles, mit dem es gepflegt werden kann, das kann heute aus disqualifizierten, somit im qualifiziert biologischen Sinne aus giftigen Stoffen bestehen! —

Besondere Vorsicht ist bei Materialien geboten, deren Grundstoff nicht erkennbar ist und auch nicht genannt wird. Phantasienamen sind besonders verdächtig. Wer nichts zu verbergen hat, der redet offen. Wie u. a. schon eine Auszeichnungspflicht in den ersten drei Urbereichen des Lebens weithin Gesetz geworden ist, in Speise, Trank und Kleidung, so soll sie auch in allen anderen Lebensbereichen Pflicht werden, fundamental im Haus, das lebenslang auf uns wirkt! —

Alles Vorstehende könnte der Leser als Einleitung zu den Chemiekrankheiten betrachten. Denn natürlicherweise erwartet er jetzt eine Aufzählung der Hausgifte und der durch sie bewirkten Hauskrankheiten. Aber was würde eine solche Aufzählung ihm helfen können? Die Liste der chemischen Hausgifte würde nicht einmal dem versierten Chemiker helfen. Lefaux hat in seinem Grundwerk „Chemie und Toxikologie der Kunststoffe“ allein auf zehn Seiten Inhaltsverzeichnis schon ungefähr fünfhundert Gruppen (!) von giftigen Stoffen, von besonderen Anwendungsformen usf. aufgezählt ([1]). Das umfaßt schon weit über 100 000 einzelne Stoffe! — Und er hat nur den Bereich der Kunststoffe behandelt, nicht den mindestens ebenso großen Bereich der anderen Chemizide! Hinzu behält sich jeder Fabrikant vor, sein Erzeugnis unter Beibehaltung des Namens stillschweigend weiter zu entwickeln. Doch die Qualität kann dann in Unqualität verkehrt werden! — Vor dieser Flut, die durch die Produzenten mit Hilfe eines teils häufigen Wechsels von Fabriknamen wie eine Hydra noch weiter vervielfacht und verwirrt wird, muß ein jeder kapitulieren, der sich nur an einzelne Materialien bzw. Namen hält. Allein das prinzipielle und biologische Wissen hilft, sich über diesen Schlamm des untergehenden Abendlandes zu erheben und einen unverrückbar festen Stand zu gewinnen.

Die Chemiekrankheiten

Dasselbe gilt für das Heer der durch Chemizide in Haus und Mensch bewirkten Krankheiten. Es ist nicht möglich, alle Chemiekrankheiten aufzuzählen. Ihre Zahl ist Legion. Man könnte nur umgekehrt fragen, welche Krankheit denn nicht durch Chemizide hervorgerufen werden könnte? Und da dürfte keine einzige Krankheit zu finden sein! Beispielsweise rechnet man bei den heute sehr eingehend untersuchten vielen Infektionskrankheiten damit, daß es die Stoffwechselgifte der Bakterien oder Viren sind, welche die Krankheit verursachen. Bei den eigentlichen Stoffwechselkrankheiten denkt man prinzipiell gleich von den Giften. Daher vertreten heute viele Ärzte wie Paracelsus die Auffassung, die unmittelbare Ursache aller Krankheiten seien Gifte. —

Die Krebsgifte

Wir behandeln hier besonders das hoch zivilisierte, das moderne Haus. Die typischste aller Zivilisationskrankheiten ist der Krebs. In zahllosen Fällen ist wohl schon in allen zivilisierten Staaten nachgewiesen worden, daß die typischen Chemizide wie „Pech- und Schwefel"-Medikamente, diese Farben und andere Stoffe Krebs erzeugen oder begünstigen. Von der meist gebrauchten „Pille" beispielsweise wird das fairerweise von Produzenten ganz offen zugegeben und sogar selbst ausgesprochen! So heißt es bei einem weltbekannten Fabrikat unter „Kontraindikationen: . . „bestehende oder behandelte Mamma- bzw. Korpuskarzinome . . " Solche Medikamente begünstigen also den Krebs! — Nur im Wachstum? Nicht auch bei der Entstehung? Ist nicht auch die Entstehung schon ein Wachstum! — Manche Kurzsichtigkeit erscheint unbegreiflich! —

Allein aus Kohleteer sind über 150 abgespaltene Einzelstoffe bekannt, welche Krebs erzeugen. Aber noch heute besteht ein großer Teil der allopathischen Medikamente in jeder Apotheke aus solchen Teerspaltprodukten und ihren Synthetika! — Sogar von vielen Chemiziden, die man lautstark als Heilmittel für den Krebs propagiert hatte, ist nachgewiesen worden, daß sie Krebs erzeugen! —

„Die meisten Krebsursachen sind Substanzen aus der Umwelt, erklärten der amerikanische Wissenschaftler Charles Heidelberger und sein israelischer Kollege Leo Sachs auf dem internationalen Krebskongreß in Florenz. Bei Versuchen in den USA hätten die meisten von 6 000 chemischen Stoffen Krebs hervorgerufen. Gegenwärtig laufe ein neues Programm zur Untersuchung von 148 Insektenschutzmitteln, Farbstoffen, Arznei- und Waschmitteln . . . . " (Südkurier 31.10.74). Die nächste Umwelt ist das Haus. —

Es wäre „widernatürlich" für die Selbstmordgesellschaft, wenn sie von solchen Medikamenten, Genußmitteln, Farben in Wänden, Tapeten, Teppichen usf. und solchen Hausmaterialien ablassen würde! —

Sicherlich genügt nicht ein einzelner Atemzug oder ein einwöchiger Gebrauch der „Pille", oder eine einzige Woche Aufenthalt in einem modernen Haus, in dem üblicherweise kilo- und zentnerweise solche Stoffe als Bau- oder Einrichtungsmaterial enthalten sind. Man wird dann nicht schon in der nächsten Woche an Krebs erkranken. Die Vorphase der Krebserkrankung benötigt Jahre und Jahrzehnte. Und in dieser Zeit wirken zusätzlich noch hunderte von Zivilisationsgiften der genannten Art ein. Doch wenn der Krebs ausgebrochen ist, dann ist es für die meisten zu spät. —
Der Beweis der Ursächlichkeit wird sehr deutlich auch noch dadurch erbracht, daß die Naturvölker, die in Haus, Nahrung, Medizin usf. nicht mit solchen Giften umgehen, den Krebs praktisch überhaupt nicht kennen. Ein weiterer Beweis ist, daß die Erkrankung an Krebs in einem Volk desto häufiger ist, mit je mehr Giften es in Nahrung und Haus umgeht, also je „zivilisierter" es wohnt. —

Was hilft?

Allein das prinzipielle und biologische Wissen hilft, sich über dieses Chaos an Giften und folgenden Erkrankungen (Vgl. unten zu den „Conterganen") zu erheben und einen unverrückbar festen Stand zu gewinnen.
Dieses prinzipielle Wissen besteht zuerst aus dem Wissen von Gut und Gift im Allgemeinen, also von Harmonie und Disharmonie, von Qualität und Unqualität. Es besteht weiter in dem Wissen der Urgesetze, daß nur Gutes gut wirken kann, daß nur Lebendiges lebendig macht und nur Reines rein, daß also nur Heiles heilen kann und heil, gesund bewahren kann. Und es besteht aus dem Urwissen, daß Schlechtes stets schlecht wirkt, daß Gift vergiftet, daß Disharmonie disharmonisch wirkt. Wer die Urbiologik in ihren Prinzipien, Gesetzen und Typen nicht erlernt, wer sie gar ignoriert, der ist und bleibt ein aktives Mitglied der Selbstmordgesellschaft. —
Auch wenn jemand ohne diese Grundkenntnisse sich in irgend eine Diskussion über diese Gebiete begibt, dann kann er Scheinlogik nicht aufdecken und aus der Verwirrung nicht heraus gelangen. Im Übrigen soll man die Toten einander begraben lassen und also in ihren Werken nicht stören! —

Das endzeitliche Verhaltensmuster

In der „Wissenschaftskatastrophe" und Wirtschaftskatastrophe (als Umweltkatastrophe und Eigenweltkatastrophe) ist deutlich das allgemeine Verhaltensschema zu erkennen, jede Denaturierung der Natur zu begünstigen und zu verteidigen, etwa mit der Begründung, daß „Opfer für den Fortschritt" gebracht werden müßten, und andererseits jede Naturgemäßheit, etwa den Satz von Kollath „Laßt das Natürliche so natürlich wie möglich", als unzivilisiert und unwissenschaftlich zu diskriminieren, bis es im Einzelfall garnicht mehr anders geht, nämlich bis im Einzelfall die Last der Gegenbeweise erdrückend geworden ist und man das Gesicht verlieren würde und Strafe zu gewärtigen hätte, wenn man die alte Position weiter verteidigen würde. (Von finanziellen Hintergründen der in der Endzeit außergewöhnlich wirtschaftlich unterminierten und beherrschten Wissenschaft sei noch abgesehen! —) Nur einzeln Schritt um Schritt weichen dann die Denaturierer der Lebensqualitäten und ihre scheinwissenschaftlichen Verteidiger zurück. Und die Reformer, die Vertreter des Umweltschutzes, des Lebensschutzes dringen einen weiteren Schritt vor. Doch wie ist die Bilanz, wenn für ein verbotenes Gift zehn neue hergestellt werden dürfen? Wie viel Jahre vergehen, bis ein weiteres Gift erdrückend als giftig nachgewiesen ist! —

Wer diesen Generalnenner des Verhaltens am Ende der Neuzeit im Übergang zu einer neuen Kulturperiode erkannt hat, der weiß, wie er sich grundsätzlich gegenüber den Erklärungen von den beiden Seiten der sich immer mehr scheidenden Geister zu verhalten hat, wenn er leben und überleben will. Die einen bagatellisieren, verharmlosen, vereinzeln stets. Sie spielen herunter und qualifizieren ab. Die anderen weisen stets auf das Prinzipielle, Grundlegende und Ganzheitliche hin. Das aber ignoriert die Giftpartei ständig und sucht sie als unwissenschaftlich zu diskriminieren.

Die Vertreter der Gifte berufen sich gern auf Paracelsus. Aber alles Wesentliche, was Paracelsus gelehrt hat, in Übereinstimmung mit allen Kulturen, das wird von ihnen als unwissenschaftlich und Scharlatanerie zu diskriminieren gesucht. Eine groteske Situation! Wo wird objektiv die Unwissenschaftlichkeit, die Scharlatanerie und noch anderes liegen? —

Die Conterganchemie im Haus

Wer objektiv informiert ist, der versteht dann auch, warum die europäischen und anderen Vertreter der „Contergane" — wie man all die Medizingifte aufgrund ihrer allgemein negativen Wirkung auch auf die Nachkommen nennen kann — sich in einer Art bemühen, daß als Folge künftig gesetzlich fast ausschließlich nur „Contergane" hergestellt werden dürfen und daß fast alles Gute, daß fast alle echten Heilmittel, die Paracelsus fordert und allein als heilgerecht, als menschengerecht erklärt hat, behindert und verboten werden. Ist das nicht konsequent für die Selbstmordchemie der Selbstmordgesellschaft? — Doch Absicht dürfte das nicht sein. Hier liegt der mechanizistisch-materialistische Aberglaube über Wirkungsmechanismen zugrunde.

Könnten jedoch auch „nützliche Idioten" im Dienste fremder Mächte wirken? Etwa um den Selbstmord des Kapitalismus zu beschleunigen? Wäre das denn ungerecht? —

Durch allgemeine medizinale Vergiftung der Bevölkerung kann die Umweltschutzbewegung vielleicht im Kern überwunden werden. Denn Gifte können bekanntlich das Verhaltensmuster ändern und zwar anfangs in Richtung auf

ein giftfreundliches Verhalten hin. (Absicht dürfte dies jedoch sicherlich nicht sein. —)
Daß in solchen Bestrebungen — aufgrund einer Diktatur des Aberglaubens! — auch die Menschenrechte, insbesondere der Wissenschaft, der Ärzte und der Kranken gröblichst mißachtet werden, daß nach Paracelsus hier eine Tyrannei der Verkrüppelungsgifte errichtet würde, das sei nur am Rande bemerkt. (Vgl. das Kapitel VI).
Die Diktatur der Giftideologie ist ein Phänomen für sich. Viele Menschen können sich heute einen Fortschritt fast nur noch durch gewalttätige und also kriegerische Maßnahmen vorstellen wie durch die aggressiven Gifte, die auch im ABC-Krieg als B- und C-Waffen eine so große Rolle spielen. Entwicklung ist für sie doch nur im „Kampf ums Dasein" möglich! Also nur im Kampf, nur durch den Krieg! Nur durch die Gewalt! Bis in die Retorten hinein! Als Gewaltchemie bzw. Giftchemie! — Zugleich aber schreien sie nach Frieden! Liegt hier nicht eine schauerliche endzeitliche Geistesverwirrung vor? —
„Luzifers Griff nach dem Lebendigen" hat Gamber ein Büchlein überschrieben. Vom Giftteufel spricht G. Schwab. Haben wir mit ähnlichen Bestrebungen auch in der Bauwelt zu rechnen? Werden nicht bei vielen Bauten schon die Nullfeldbauten, also die Sargbauten behördlich vorgeschrieben? —
In vielen Staaten wird die Anwendung der ehedem wie DDT gebotenen Gifte jetzt unter Androhung hoher Strafen in der Umwelt verboten, jedoch nur in der weiteren Umwelt! Man erwäge daher folgende Situation: Was in der weiteren Umwelt unter schwerer Strafe verboten ist, dasselbe Gift in der nächsten Umwelt anzuwenden wird zur Zeit noch von vielen Baubehörden befohlen und zwar unter Strafe, nämlich nicht bauen zu dürfen, wenn das Gift nicht angewandt wird! (In einer Schule, einem Kinderheim, einem Krankenhaus oder Privathaus). Man gieße etwa fünf Liter von demjenigen Gift auf einen Müllplatz oder in den Bach oder See, von dem laut Baubehörde fünfzig Liter auf dem eigenen Dachstuhl und anderem Bauholz auszuspritzen sind, um die Baubewilligung zu erhalten!
Über die fünf Liter würde ein Entrüstungssturm in den örtlichen und weiteren Zeitungen losbrechen, wie schon mehrfach geschehen. Und der Schändliche hätte erheblichen Schadenersatz zu leisten bzw. Strafe zu bezahlen. — Doch welchen Schadenersatz würde die Baubehörde für diesen hundertfach größeren Schaden leisten? Und welche Schande käme gegenwärtig über sie? Ist nicht auch dies eine Schizophrenie? —
Schon die Mitglieder des eidgenössischen bzw. kantonalen Genfer Lebensmitteluntersuchungsamtes erregten sich darüber, daß der Gesetzgeber — das Volk! — eine Dosis Gifte im Gemüse als gesundheitsschädlich streng verbiete, aber die vielfach größere Dosis allen Bürgern, auch den Beamten tatenlos zumute! Ist das Logik der Demokratie? Oder der Profitokratie? —
Hoffen wir auf den Fortschritt der Logik, auf den Fortschritt des gesunden

Menschenverstandes in der Politik und Wirtschaft, hier um zehn Meter von der ferneren Umwelt auf die vier Wände um uns! Und das, ehe wir uns alle selbst umgebracht haben. Denn die Imprägnierungsgifte sind doch nur ein einziges Beispiel von vielen. Siehe Genf. —

Ein Hundertmeterläufer benötigt zu zehn Metern eine Sekunde. Die Selbstvernichtungsgesellschaft scheint dazu eine noch unbekannte Zahl von Jahren bzw. Jahrzehnten zu benötigen. — — Und Schweizer haben doch einen bekannt und geschätzt guten Instinkt in der Abwehr selbstmörderischer Verhältnisse wie auf politischem und wirtschaftlichem Gebiet! —

Aber hängt das nicht mit den „Conterganen" eng zusammen? Würde hier nicht an massivsten Interessen gerüttelt? — (Vgl. „Chemikrankheit, Gewinn und Arbeitsplatz").

Auch in der Landwirtschaft ist bis vor wenigen Jahren vielerorts eine Vergiftung der Erde und der Pflanzenwelt, somit auch der Tierwelt und der Menschenwelt von örtlichen Behörden unter Strafandrohung befohlen worden wie bei Maikäferaktionen, Kartoffelkäferaktionen und anderen Giftspritzungen. Doch durch die Lebensschutzbewegung in der ferneren Umwelt ist hier in den letzten Jahren schon allerlei zum Besseren gewandelt worden. Für den Schutz unserer nächsten Umwelt ist also Ähnliches zu hoffen.

Diese Hoffnung besteht auch gegenüber manchen modernen Architektur- und Hauszeitschriften, wie sie für Jedermann überall auf dem Markt zu haben sind. Man schaue hinein. Vorgeführt und als Wohn-Lebensqualität angepriesen werden oft die verkünstelten, also unqualifizierten Stoffe, die Unnaturstoffe, die aus vielen Giften bestehen und diese, wie tausendfältig nachgewiesen, in langer Zeit in gesundheitlich erheblichen, sich wie andere Krebsgifte summierenden Mengen abdunsten. Diese Einrichtungen zerfressen sogar Filme und Kontakte von Elektrogeräten. — Sie werden exakt wesensgleich in unnatürlichen, bizarren, exzentrischen, unaesthetischen Formen angepriesen, in Unformen aller Art. Man sieht so viele künstliche Paradiese, Illusionen, aesthetisches wie leibliches Gift! — Ist das nicht der Untergang des Abendlandes, der Untergang der Kultur? Erhält man hier vielerorts nicht die Architektur und Inneneinrichtung der Selbstvernichtungsgesellschaft vorgeführt? —

Sicherlich sind in vielen Hauszeitschriften und besonders Gartenzeitschriften allerlei prächtige Artikel, Bilder und Anregungen zu finden. Doch wo ist das Prinzip, die Linie und die Konsequenz? Man produziert doch nicht nur um des Profites willen, sondern hat eine Berufsaufgabe und Berufsehre! — Oder hat man das alles wirklich noch nicht gewußt? —

Wie giftfrei wohnen?

Wenn daher der Leser in kultivierter, menschenwürdiger Form zivilisiert, bequem, giftfrei und also wirklich wohlig wohnen will, was kann er dann tun? — Wenn er sich ohne die in diesem Buche in allen Sondergebieten vorgelegten biologischen Grundkenntnisse ein gesundes Haus bauen oder eine gesunde Wohnung mieten will oder eine gesunde Einrichtung anschaffen will, dann wird er unausweichlich von einer Täuschung in die andere fallen. Es sei denn, er wendet sich an eine vertrauenswürdige biologische Zentrale, sei es auch nur zur Information oder sei es zum Bezug einzelner Gegenstände. Solche Institutionen tauchen heute überall in der Welt auf, wenn auch bisher meist nur in kleinem Rahmen und nur einige Lebensgebiete umfassend. Die vielen privaten und behördlichen Testinstitute sind als Vorläufer zu betrachten. Denn sie haben noch keine biologischen Bewertungsgrundlagen und können daher nur technische Artikel technisch-mechanisch beurteilen. Aber es existieren auch schon echte biologische Zentralen. Schon ein gut geführtes Reformhaus ist solch ein biologisches Zentrum. In ihm kann man sich vielerlei Rat für ein gesundes Leben holen. Man erhält ihn oft genug und freudig, ohne daß etwas verkauft wird. Wenn das kein Ausweis menschlicher Lebensqualität ist, was dann? —

Der Mensch steht im Mittelpunkt und also sein zentrales Verhaltensmuster! —

Im Unterschied zu den vorhergehenden und folgenden Kapiteln über Hauskrankheiten, zu denen genaue einzelne Hilfen angegeben werden können, kann man gegenüber den über 100 000 geist- und seelenlosen Chemiziden keine einzelne Anweisung geben. Denn auch der fachlich qualifizierte Leser kann im täglichen Leben nicht mehr feststellen, welcher Baustoff, welcher Einrichtungsgegenstand, welches Pflegemittel, welches Nahrungsmittel, Getränke, „Heilmittel", Kurmittel usf. mit welchen Giften und mit wie vielen Giften verarbeitet ist. Hier können nur größere wirtschaftliche Organisationen und Vereinigungen helfen. Diese existieren schon auf verschiedenen Gebieten.

Die Aufwendungen für die Untersuchung auf ein einziges Gift oder eine einzige Giftgruppe, etwa mit Hilfe der Gaschromatographie, betragen schon bis hundert Mark und mehr. Und wie viel Gifte und Gruppen existieren! —

Was praktisch tun?

„Immer mehr Suchtgefährdete konsumieren neben dem Alkohol ständig Schlaf- und Beruhigungsmittel. Wie die Zentrale des Caritasverbandes in Freiburg mitteilte . . Hausfrauen seien besonders eifrige Konsumenten von Schlaf- und Beruhigungsmitteln, Facharbeiter würden dagegen am Rande der Skala rangieren, Angestellte . . im Mittelfeld". (Südkurier v. 18.10.74). Gegen Gift ein Gegengift! — Hausfrauen am meisten! Facharbeiter, die sich am wenigsten im Hause aufhalten, am wenigsten. Büroangestellte in der Mitte. Was eine kleine Zeitungsnotiz nicht alles sagen kann! —

Durch was alles ist übrigens die Suchtgefährdung bedingt? — Und wo endet

all diese chemokratische, elektrokratische und andere technokratische Vergiftung durch das Haus? In einem freudlosen Leben, in der Frühinvalidität, im Krankenhaus, im Krebstod. —
Was kann und soll der Mensch tun, der gesunden Willens ist, soweit er sich noch nicht an eine Biozentrale um Auskunft oder gar zum Einkauf wenden kann? Soweit er noch nicht weiß, wo man ein gesundes Haus erhalten kann. — Natur und Unnatur, Gut und Gift unterscheiden lernen, sein gesundes Gefühl wecken und bilden, mit dem gesunden Menschenverstand biologisch denken und vor allem konsequent wollen. Denn man kann die Wahrheit nur so weit erkennen als man sie lebt und leben will! — Am sichersten zurück zur einfachen Natur und Kultur, zum einfachen Leben, auch in der Architektur und Einrichtung. Das einfache Leben ist oft das höchst kultivierte Leben! Die Zimmereinrichtungen von Goethe und Schiller waren höchst einfach!
Wir stehen in der Geburtsstunde der ersten Weltkultur. Daher lösen sich lebensgesetzlich alle bisherigen seelischen und leiblichen Großstrukturen auf, wie in der Ethik, Gesellschaft und Wirtschaft, wie in Kirche, Schule und Staat, so auch in der Kunst und in der Natur. Jede neue Kultur beginnt wie eine keimende Pflanze mit den einfachsten Formen, den Urformen. Nur in ihnen kann man sich zu dieser Zeit dann wirklich ganz wohl fühlen. Deshalb bei den seelisch gesünderen Menschen heute die steigende Liebe zum Einfachen, zum Natürlichen, zum Schlichten, zum Andeutenden, Stilisierten, zum Rustikalen, eben zu den Urstrukturen in Natur und Kultur. Nach dem „Verlust der Mitte“ (H. Sedlmayr), nach dem „Verlust der Seele“ (W. Bitter) sucht der Mensch, der noch nicht zum „Menschen ohne Ich“ (Bodamer) geworden ist, zu Tode erschrocken und oft in tiefer Lebensangst wieder mit der Welt der Werte Verbindung aufzunehmen, mit dem sinnvollen Leben. Aus seinem Herzen heraus strebt er wieder zum Einfachen und Naturgerechten, in Haus und Einrichtung wie in Essen, Trinken und Kleiden. „Die Wiederherstellung der Menschenwürde“ (P. A. Sorokin) ist nicht nur eine Sache der Menschenrechte, der Ethik, Gesellschaft und Wirtschaft. Sie beginnt unten mit der Materie, auf der wir stehen und sitzen und die unsere Hände berühren. Sie umfaßt zuerst unsere nächste Umwelt, das Reich der vier Wände. —
Wahre Bildung besteht nicht so sehr darin, Plotins Enneaden zu lesen oder Calderons Welttheater, den Faust oder Dantes Divina Comedia, so höchst lehrreich das auch sein kann, sondern man muß zunächst mit Brot und Wein, mit Wand, Tisch und Bett recht umgehen können. Andernfalls gerät man mit dem Kopf in die Wolken, weil man den Boden unter den Füßen verloren hat. Wo hat also die Lebenskunde in der Schule zu beginnen? Was ist das Einmaleins der täglichen Biologie? —
Die Wiederherstellung der Menschenwürde führt zu einer „Neuen Wissenschaft“, also zu einer „Neuen Schule“ und folglich auch zu einer „Neuen

Wirtschaft". Die Wirtschaft der Zukunft wird ebenso vollständig gewandelt sein wie die Wissenschaft der Zukunft. Die „hoffnungslos überalterte" Wissenschaft der Gegenwart wird in ihrem „krebsigen Wachstum" ebenso überwunden sein wie die hoffnungslos überalterte wert„freie", also lebensfreie technokratische Wirtschaft der Gegenwart.

Wer sich aus dieser sterbenden Wirtschaft lösen will, wer in Wissenschaft und Wirtschaft, an Seele und Leib gesund leben will, der orientiere sich vor allem in den Kreisen der Menschen, welche die Gesundheit vorbildlich praktizieren, — dies nicht, um die Welt noch mehr genießen zu können, um alles auskosten zu können, bis alles schal, grau und leer wird und die Kälte in das Herz einzieht, sondern die aus dem Willen zur Ordnung heraus zur Gesundheit streben. Der gute Wille ist ein Wille zur Ordnung! Hier prüfe man die Menschen. Denn wer diesen Willen hat, der hat den Willen zum guten Leben! Und dem kann man im Grunde vertrauen. —

Auch unter Architekten, unter echten Baumeistern kehren immer mehr der untergehenden Nurzivilisation, dem geistlosen, sinnfreien Wohlstands- und Konsumdenken den Rücken, wie Ärzte der Giftmedizin, und streben zum ABC des gesunden Bauens, Einrichtens und Wohnens. Immer mehr Firmen bieten ihre Dienste im Lebensschutz an. Immer mehr Personen und Organisationen beraten in der gesunden Lebensweise, gründen Lebensschulen, einen Gesundheitspark (in München von den Krankenkassen), verbinden das Sanatorium mit der Lehre von der seelisch-leiblichen Gesundheit wie Otto Buchinger in seinen Fastensanatorien, beraten regelmäßig in Fragen gesunder Lebensführung wie Krankenkassen, Zeitschriften und Zeitungen usf. Es ist ein beachtenswertes Zeichen, wenn solche Personen und Organisationen schon vor Jahrzehnten zugleich zu vielerlei sozialen Zielen strebten, sei es in der Bodenreform wie Eden/Oranienburg oder in der weiteren Wirtschaft. Hier zeigt sich der Geist, der die ganze Ordnung will und also das Gute um seiner selbst willen. Halbe Sachen sind überall bedenklich. Ihnen ist kein langes und kein erfolgreiches Leben beschieden.

Sicherlich wittern im nächsten und weiteren Umweltschutz schon viele ein gutes Geschäft und suchen auf der neuen Welle mitzuschwimmen. Da soll man prüfen, auch von Angesicht zu Angesicht, und nach der Vergangenheit fragen, auch nach der eigenen Lebensweise. Der Mensch steht im Mittelpunkt und also sein zentrales Verhaltensmuster. —

Richtet nicht

Dieses ganze Kapitel möge nicht als isolierte Anklage gegen die Chemische Industrie mißverstanden werden. Von dieser Industrie, von ihren Händlern und Verkäufern wird teils zu Recht erwidert, daß man doch nur das produzieren könnte und würde, was jedermann verlangt und kauft. Die ganze Gesellschaft sei moralisch und sachlich gleichermaßen an der Chemie beteiligt! — Diese Entgegnung ist reiflich zu erwägen, wenn die Umweltschutzbewegung die gesamte Chemische Industrie auf die Anklagebank setzen will. Wenn dann jedoch auf das passive Verhalten vieler Mediziner zur Chemie und Umweltschutzbewegung hingewiesen wird, so kann entgegnet werden, daß die Mediziner Opfer einer überbordenden Chemiewerbung seien und weithin zu sklavischen Erfüllungsgehilfen der Chemieindustrie geworden sind. Und wie könnte ein solcher Mediziner sachgerecht zu Giften im Haus aus vier Wänden und allgemein im Haus der Menschheit Stellung nehmen, wenn er alltäglich Unmengen von Giften in Gestalt von Tabletten und durch Spritzen in unser Leibeshaus befördert. —

Hier wiederum kann gefragt werden: Weshalb denn sind die Mediziner — nicht die Ärzte! — solche Sklaven geworden? Liegen hier „Zivilisationssünden" (K. Lorenz) der modernen Wissenschaft zugrunde, der „Wissenschaftskatastrophe"? Aber auch diese ist unser aller eigenes Werk! Jeder ist daran beteiligt. Der Mensch steht im Mittelpunkt. Was sind in den letzten Jahrhunderten seine zentralen Verhaltensstrukturen geworden? —

Wir haben also meist nicht das Recht, andere anzuklagen. Sondern wir haben in der Regel bei uns selbst zu beginnen, haben Kopf und Herz gewissenhaft zu erforschen und erst unser eigenes Leben in Ordnung zu bringen. Hier haben wir konsequent ganzheitlich zu handeln, nämlich in Person und Natur die im Grunde identischen Lebensqualitäten zu achten. Gemeinsam mit den gutwilligen Chemikern wollen wir daher nach den neuen, doch uralten Wegen der naturgerechten guten Chemie suchen und uns bemühen, sie gemeinsam zu gehen. Und bedenken wir auch hier ganz nüchtern: Soweit das Gute, Giftfreie verlangt wird, wird es auch produziert und verkauft.

Viele Chemiefabrikanten wollen sich vielleicht sehr gerne auf gute Dinge umstellen, die zudem keinerlei Abluft- und Abwasserprobleme und andere Nebenkosten verursachen und keinerlei Verruf in der Menschheit. —

Die Chemie der Zukunft

Das Haus der Wissenschaft ist am Ende der Neuzeit sehr krank geworden, gleich so das Haus der Wirtschaft. Beide sind krebskrank in ihrem Wachstumstreben wie der Club of Rome 1974 zumindest in wirtschaftlicher Hinsicht feststellte. Beide Häuser sind daher dringend der Heilung bedürftig. Beide haben gleicherweise von der „Quantität zur Qualität" umzudenken. Wenn der Chemiker von der Quantität zur Qualität umdenkt, so erkennt und entwickelt er eine „Neue Chemie". Wie der Mathematiker eine „Neue Mathematik" erkennt, der Physiker eine „Neue Physik", insbesondere der Elektroniker eine „Neue Elektrophysik". Aber es wird die uralte Chemie, Mathematik und Physik sein, nämlich die des Lebens. Doch das Leben geht stets vorwärts, niemals rückwärts. Also wird eine Neue Chemie, Mathematik und Physik von noch nicht gewesener Art kommen. Sie wird nicht nur eine neue Wissenschaft sein, sondern sogar noch eine Heilwissenschaft, also eine Heilchemie, eine Heilmathematik, eine Heilphysik. Und das wird auch ihre Wirtschaft sein. —

Die Chemie der Zukunft wird zuerst die altbekannten Lebensprozesse begreifen in ihren Qualitäten und Unqualitäten, in dem Reich der vier Elemente, in allen Organismen, auch in den Kristallen und Mineralien, im ganzen Erdorganismus, in der Küche und anderwärts. Und sie wird eine Generation von Kulturstoffen entwickeln, wie auch die Elektrophysik durch die Erkenntnis der Elektroqualitäten ein neues Reich des Lebens betreten und friedlich erobern wird, keinem zum Schaden, sondern allen zum Heil. Vermutlich werden dann diese beiden Wissenschaften und ebenso ihre Wirtschaften eng zusammen arbeiten, ja ineinander arbeiten.

Die Chemie der Zukunft wird denen, die sie beherrschen, viel Verdienst und viel Ehre einbringen. Denn sie wird den wahren natürlichen und kultivierten Wohlstand der Menschheit sehr fördern.

CHEMIEKRANKHEIT, GEWINN UND ARBEITSPLATZ
Gutwirtschaft und Giftwirtschaft

Ein großer, für viele überzeugend klingender und manches Denken erschlagender Einwand wird sehr häufig von Produzenten und Verarbeitern der Gifte erhoben. Er wird sowohl von solchen erhoben, die Hauptgifte für die Eigenwelt und Umwelt produzieren wie für die moderne Medizin und Landwirtschaft, wobei auch viele Nebengifte produziert und in die Umwelt ausgestoßen werden, als auch von solchen, die als Hauptprodukt subjektiv kein Gift herstellen, jedoch Verfahren verwenden, bei denen Nebengifte in Luft, Wasser und Erde ausgestoßen werden. Sie alle sagen oft: Wenn wir die Hauptgifte oder Nebengifte nicht mehr erzeugen und ausstoßen dürfen, dann werden wir und viele andere arbeitslos. Und diejenigen, die wir nicht mehr beliefern können, verlieren die Wohltaten der Zivilisation und fallen in ein kulturloses Primitivstadium zurück. —

Insbesondere sagen sie: Wenn wir keine Nebengifte mehr in Luft, Wasser und Erde ausscheiden dürfen, dann wird unser Produkt so teuer — ca. um 5-10 % teurer—, daß wir der Weltkonkurrenz erliegen, keine Steuern mehr zahlen können und keine Arbeitsplätze mehr bieten können. Unsere Wirtschaft geht daher durch die Antigiftgesetze wie durch die konsequenten Umweltschutzgesetze zugrunde. Der Umweltschutz ist wirtschaftsfeindlich. Er ruiniert uns. Er ist eine Hysterie und also zu überwinden. Auch geht der Staat mit zugrunde, da er von der Wirtschaft lebt. Der Wohlstand sinkt. Die militärische Kraft wird verringert. Wir werden arm und schwach, also eine leichte Beute der Starken. Dann werden wir Gastarbeiter bei ihnen oder arbeiten unter ihrem Diktat. Und also müssen wir doch wieder mit Giften leben. —

All das ist trügerische Scheinlogik! In Wahrheit verhält es sich in ausnahmslos allem genau umgekehrt! Das ist gründlich darzulegen.
Erstens: Welche Wirtschaft ginge zugrunde? Doch nur die Giftwirtschaft! Das ist die Wirtschaft, soweit sie Gifte produziert oder rücksichtslos verarbeitet. Hätte denn die Menschheit seit Jahrtausenden ohne die moderne Giftwirtschaft nicht existieren können! — Sie hat sogar weit kultivierter und gesünder gelebt, leiblich und seelisch gesünder! Schon an der Zahl der einzelnen Selbstmorde und an der Kritik der Zeitgenossen gemessen, die sie an Kapitalismus und Kommunismus üben, an Technokratismus (= Mechanizismus), Bürokratenwirtschaft und Konsumwirtschaft, hat vergleichsweise die Menschheit in der Zeit, in der noch keine synthetische und andere Giftchemie existierte, wesentlich glücklicher gelebt. Sollte denn die Nostalgie nur Wahn und Sentimentalität sein? Etwa wenn die Millionen Arbeiter der Industriereviere zum Himmel blicken, der ständig rauch- und nebelverhangen ist und aus dem Tag und Nacht der Dreck herab rieselt! — Hierbei wird noch nicht einmal die weit größere Zahl des Massenselbstmordes eingerechnet, auch nicht die Riesenzahl des seelischen Selbstmordes durch ein sinnlos gewordenes Leben! Die Zivilisationsmenschheit wird doch heute weithin durch die große heimliche Angst beherrscht, die eine Folge der Sinnlosigkeit ist, der Wert„freiheit" des Lebens, also der Lebensfreiheit des Lebens! — Und diese Angst hetzt den Menschen, sein Leben zu genießen, ehe es zu spät erscheint.
Ohne die Giftwirtschaft kann also die Menschheit gesünder und kultivierter leben; und so wird sie auch leben!
Doch ginge auch die andere Wirtschaft zugrunde? Unsere Technik ist so hoch entwickelt, daß wir Gutes ohne Vergiftung der Eigenwelt und Umwelt produzieren können, ja sogar noch weit besser und mit weit höherem Gewinn! Vor allem mit Gewinn an objektiv qualifiziertem Leben jeder Art! Es ist nur eine Frage, ob wir das Gute ehrlich wollen, das ganze Gute. —
Also wäre ohne Giftwirtschaft auch unsere andere Wirtschaft gesünder und rentabler! Die Giftwirtschaft ruiniert am gründlichsten die Arbeitsplätze. Sie ist die unsicherste, krisenanfälligste Wirtschaft.
Der Mensch steht auch in der Wirtschaft im Mittelpunkt, nicht die Materie oder der Profit! Und in ihm steht sein allgemeines Verhaltensmuster im Mittelpunkt. Der Fortschritt in die Giftwirtschaft war ein Fortschritt in die Krankheit der Eigenwelt und Umwelt, ein Fortschritt in das allgemeine Unwohl! Ein äußerlich materieller Wohlstand darf nicht über den Unwohlstand im Bewußtsein hinwegtäuschen wie in einem wert„frei" und also sinnlos gewordenen Leben, und nicht über den leiblichen Unwohlstand in einer vergifteten Welt! Das Bewußtsein mit seinem Denken, Wollen und Fühlen ist maßgebend und die objektive leibliche Gesundheit, nicht der subjektive Schein, den man Materie nennt! Und in dem Bewußtsein des Volkes herrscht heute weithin kein objektiver Wohlstand, wenn man ehrlich vor sich selbst

ist! So viele betrügen sich ständig selbst, auf der hetzenden Flucht vor sich selbst, vor ihrem Gewissen, — vor Gott. Und die Zivilisationsmenschheit ist auch leiblich krank wie sie es noch niemals war.

Die Giftwirtschaft ist somit ein Zeichen der seelisch-leiblichen Verkrankung, der allseitigen Vergiftung des Volkes, somit ein Zeichen des objektiven Unwohlstandes. Je weniger Gifte, desto weniger Unwohl, desto mehr Wohl. Ist das nicht eine simple Selbstverständlichkeit! —

Heute ist die Giftwirtschaft weltweit an die Grenzen ihres Wachstumes gestoßen. Und ihre Problematik wird vor aller Augen sichtbar. Man riecht sie und man muß sie in den Krankenhäusern fühlen. Auch an den unheimlich wachsenden Beiträgen zu den Rentenversicherungen und Krankenkassen bekommt man dieses Wachstum zu spüren, stille Subventionen noch nicht einmal eingerechnet. Bei weiterem Fortschritt in diesem Wachstum werden nach übereinstimmenden Hochrechnungen die Beiträge schon vor dem Jahre 2000 unseren gesamten Arbeitsertrag auffressen. Für Essen, Miete, Kleidung usf. bliebe dann nichts mehr! — Auch hier gerät die Selbstmordwirtschaft — und das ist zentral die Giftwirtschaft! Allgemein die Ungutwirtschaft! — an unüberschreitbare Grenzen! Hier wird ihre Krankheit in jeder Hinsicht offenbar.

Wir erkennen daher heute: Es ist in jeder Hinsicht vernünftig und unsere ernste Pflicht, uns von dem Fortschritt nach unten in die Ungutwirtschaft zu befreien, das ist die Wirtschaft mit objektiven Unqualitäten in Mensch und Natur, und zum Fortschritt nach oben zurückzukehren, nämlich zu der in jeder Hinsicht gesunden Wirtschaft mit dem Guten, zugleich zur gesunden Gesellschaft. Von der im Kern totkranken Selbstmordgesellschaft und ihrer Selbstmordwirtschaft sollten wir uns abwenden durch fundamentale Wandlung unserer unqualifizierten Verhaltensordnung im Denken, Wollen und Fühlen. In der Chemie müssen wir von dem (versteinerten) Stein-Denken vorwärts zu dem Denken in Lebensqualitäten.

Nur die Gutwirtschaft, das ist die Wirtschaft mit den objektiven realen Lebensqualitäten in Mensch und Natur, — nur die Gutwirtschaft kann uns wirtschaftlich zum Guten führen, zum wahren Wohl und also aus Schmutz, Elend und Krankheit unserer Eigenwelt und Umwelt heraus, auch aus den unvermeidlichen Krisen der Giftwirtschaft oder Schlechtwirtschaft heraus; denn je giftiger desto kritischer. Dazu ist ein fundamentales Umdenken von der Quantität zur Qualität erforderlich, zum objektiven Lebenswert.

Ebenso kann uns nur die objektiv gute und objektiv freie Gesellschaft zum objektiven gesellschaftlichen Wohl führen. Gleich wie die Wirtschaft muß auch — und zuerst! — unsere Gesellschaft von der Quantität zur Qualität gewandelt werden, sodaß sie diejenigen Personen zur Spitze führt, die am besten und freiesten denken, wollen und fühlen. Beispielsweise ist das Gemeinwohl keine Quantität an materiellen Gütern, an zivilisatorischem Lebensstandard und Konsum. (Vgl. das Kapitel VI).

Zweites Argument: Die sekundäre Giftwirtschaft wird durch die konsequenten Umweltschutzgesetze so teuer, daß sie der Weltkonkurrenz erliegt. Dann Verlust des Arbeitsplatzes, keine Steuern, keine Ausfuhr, einseitige Einfuhr, Zahlungsbilanzdefizit, Inflation usf. mit allen oben genannten Folgen.

Darauf ist vieles zu erwidern, beispielsweise: Die verantwortungsbewußte, informierte und selbstdenkende Bevölkerung, die gesund und wohl leben will mit den ihrer Obhut Anvertrauten, würde gern den entsprechenden Mehrpreis zahlen, wie Umfragen ergeben haben. (Laut Deutschem Fernsehen vom 21.8.74 sind das 50-60 % der Bevölkerung!) —

Doch die viel richtigere Antwort lautet: Die Rechnung der Giftwirtschaft ist falsch. Sie ist eine Milchmädchenrechnung, eine liberalistische und kapitalistische Rechnung. In Wahrheit verursacht eine giftfreie Produktion weit geringere Kosten. Denn in eine sachgerechte Rechnung sind bei einer Giftproduktion alle Giftschäden an Mensch, Tier, Pflanze und Boden einzurechnen und sämtliche Kosten ihrer Überwindung. Diese aber sind ungeheuerlich hoch. Daraus ergibt sich, daß eine Produktion mit Umweltvergiftung weit teurer ist als eine Produktion ohne Umweltvergiftung! —

Wenn wir also volkswirtschaftlich rechnen mit allen Neben- und Folgekosten, nicht kurzsichtig profitwirtschaftlich, die Volkswirtschaft ausbeutend, nur für den Geldbeutel der Produzenten und den der prinzipiell ebenso kurzsichtigen Konsumenten, wenn wir also wissenschaftlich rechnen, physikalisch und biologisch exakt, ganzheitlich, nämlich alles Verursachte einrechnend, wenn wir also menschengerecht und naturgerecht rechnen, dann ergibt sich auch hier genau das Gegenteil dessen, was kurzsichtig aus liberalistischen und kapitalistischen Denkstrukturen behauptet wird! —

Je gesünder, ordnungsgemäßer, in der Sache qualifizierter man dagegen arbeitet, desto geringer ist die Disharmonie bzw. Reibung, somit der Verlust, desto höher ist auch der gute Ertrag. In der Bilanz steigt die Rentabilität also doppelt, somit der echte und ehrenvolle Gewinn. Desto gesünder und kräftiger wird die Wirtschaft in Mensch und Sache! —

Die Giftwirtschaft ist also in jeder Hinsicht eine Selbstmordwirtschaft. Sie ist zuerst ein Krankheit im Bewußtsein! Die Giftwirtschaft ist zusammengefaßt bei sachgerechter Rechnung sehr teuer. Sie ist hochgradig unwirtschaftlich für die Nation und Menschheit. Das Einkommen sinkt nach einer Scheinblüte, wie schon Forrester und Meadows an den Grenzen des Wachstumes errechnet haben. Dann gehen die Arbeitsplätze verloren. Und der Mensch steht vor einem humusarmen vergifteten Boden, der ihm mit vieler Mühe nur noch wenig elende giftige Nahrung spendet. Armut, Krankheit und Leid sind also die unausweichliche Folge der Giftwirtschaft, der Ungutwirtschaft! —

Aber die ausländische Konkurrenz? — Sicher kann man bei Selbstmördern vorübergehend billiger einkaufen, nämlich solange deren Grab noch offen ist. Doch wer kann verantworten, diesen Mord zu begünstigen? —

Zudem ist er ein Mitmord an der ganzen Menschheit! Denn unsere Welt ist eine Welt! Die in Luft, Wasser und Erde ausgeschiedenen Gifte verschlechtern die Bilanz der Lebensqualitäten des einen ganzheitlichen Lebenshaushaltes unserer Erde. Durch kurzsichtigen Einkauf schädigt man also alle Menschen, somit auch die eigene Gemeinschaft. Gegen solche Verantwortungslosigkeit gegenüber der ganzen Menschheit und Kurzsichtigkeit ist ein Schutzzoll Pflicht. —

Aber wenn die Selbstreinigungskraft der Natur wie der Ozeane an anderen Erdteilen noch ausreicht, um die Belastungen durch eine örtliche Giftwirtschaft zu verkraften? — Auch dann wird in der Bilanz der Erdhaushalt verschlechtert! Das teilchenhafte, individualistische, lebensfremde Denken ist auch hier zu überwinden. Die ganze Natur unserer Erde ist eine integrale Einheit. —

Aber wenn wir „teurer" — auf kurze Zeit und einseitig kapitalistisch gesehen, die Volkswirtschaft ausbeutend — produzieren, dann können in dem Zeitraum, bis die Grenzen dieses wirtschaftlichen „Wachstumes" bei den anderen erreicht sind, diese anderen gesellschaftlich, wirtschaftlich und militärisch mächtiger werden. Und da wir im „Kampf ums Dasein" leben, wie doch unsere Wissenschaft nachdrücklich lehrt, also im Kampf um die Macht, um die Unterjochung und Ausbeutung der anderen — das Friedensgerede ist gemäß dieser Wissenschaft doch nur für die Dummen, für die Arbeitssklaven —, müssen wir in der rücksichtslosen Ausbeutung der Natur und der unvermeidlichen Verschmutzung der Umwelt doch mit den anderen Schritt halten! —

Auch das ist eine falsche Rechnung! Von Anfang bis zu Ende! Wir würden im geistigen und wirtschaftlichen Selbstmord Schritt halten! Mit all seinen Folgen. Ohne Selbstvergiftung bleiben wir objektiv gesünder und also auch objektiv mächtiger, wirtschaftlich und anderwärts ([1]). Das kann man im Einzelnen vorrechnen. Aber es würde hier zu weit führen. Es mag genügen, daß schon das Prinzip selbstverständlich ist, nämlich daß Gutes gut wirkt, also heil, und Schlechtes schlecht, also krank! Wer auch immer meint, von diesem Prinzip — von dem Kausalgesetz! Also von der Logik! — eine Ausnahme errechnen zu können, der rechnet falsch, der denkt und handelt abergläubisch! Und diese Verantwortungslosigkeit könnte eines Tages hart bestraft werden! —

Zusammengefaßt: Eine Verschlechterung kann keine Verbesserung bringen! Außer in Illusionen! Das ist ein Grundsatz! Eine Verschlechterung unseres Lebens in einem Teil, mag sie auch diesem und jenem mangels lebensgerechter Gesetze wie Haftungsgesetze nach dem Verursacherprinzip einen kurzsichtigen Profit bringen, kann uns als ganze Gesellschaft keine Verbesserung unseres Lebens bringen. Und das wird auch der Profitsüchtige als Produzent und Konsument gebührend zu spüren bekommen, naturgesetzlich unausweichlich. — Eine Verschlechterung der Natur unserer Eigenwelt und Um-

welt wie durch die Verbreitung von Giften als Hauptprodukten oder Nebenprodukten kann keinem eine objektive Verbesserung seines Lebens, seines Wohlstandes bringen, nicht im Denken, nicht im Wollen und nicht im Fühlen, auch nirgends anderwärts. Sie kann keinem einen gerechten Gewinn und keinem eine objektive Steigerung seiner Macht bringen. Jegliche Vermehrung des Giftes, also der Unqualität kann keine Ehre, kein Wohl (Selbst-, Mit- und Allwohl) und keinen Nutzen bringen. Sondern jeder Selbstgiftmord im Denken und Handeln schwächt den Menschen, seelisch wie leiblich. Das Gift schwächt und stört ethisch, gesellschaftlich, wirtschaftlich und also auch militärisch. Es verursacht sogar soziale Unruhen bis hin zu Revolutionen. —
Um ein Wort Servan Schreibers zu verallgemeinern: Wer diese Wahrheiten nicht wahrhaben will, der wird nicht nur seine Ehre und sein Vermögen, sondern auch sein Leben verlieren! Denn auch sozialpolitisch sind wir an die Grenzen unseres krebsigen Wachstumes gestoßen. —
Wie lange werden die Blinden und Tauben noch bei jedem Protest gegen den Selbstmord rufen „Kein Grund zur Unruhe." —
Aber wie weit sind wir zuerst selbst blind und taub? —
Auch in der Bauwirtschaft ruft man bis heute „Kein Grund zur Unruhe!" — (Vgl. das Vorwort zur dritten Auflage). Oder wer ruft das noch? —
Dieses Kapitel mögen auch die Politiker aller Art studieren, christliche, liberal(istisch)e, sozial(istisch)e kommun-al(istisch)e und andere. Denn sie zeigen sich bisher weithin von den egoistischen, kurzsichtigen, unlogischen, umweltzerstörenden, naturwidrigen Gedanken angesteckt und können sich daher nicht zu den gerechten und objektiv wirtschaftlichen Maßnahmen und Gesetzen durchringen. Müssen wir erst schwerste Krisen erleiden, um zu erkennen und/oder anzuerkennen, daß nur Gutes gut wirkt und daß Gift vergiftet, psychosomatisch, wirtschaftlich und auch politisch! —

DIE PHYSIKKRANKHEITEN
(Technokratie-Krankheiten)

Analog den Chemiekrankheiten wäre systemlogisch wissenschaftlich auch ein Kapitel Physikkrankheiten zu erarbeiten. Doch dieses Kapitel wäre weit umfangreicher. Sein Inhalt würde alle Hauskrankheiten umfassen, von der Disqualifizierung der Bauform und des Baumateriales über die Disqualifizierung der Urlebensqualitäten und vier Elemente im Hausklima und weiteren Umweltklima bis hin zu der enger physikalischen Ruinierung der Lebensqualitäten unserer Landschaft durch Gifte produzierende Fabriken, durch Konsumenten, durch Hochspannungsleitungen, lebenswidrige Schienen, Strassen, lebenswidrige Wasserführungen usf. Die Verseuchung des gesamten Erdfeldes und Sonnenfeldes durch unsere Elektrotechnik ist ein ebenso großes Kapitel wie das der Elektrokrankheiten des kleinen Hauses. Sogar die Chemiekrankheiten würden letzten Endes zu den Physikkrankheiten zählen.

Deshalb wird diese wissenschaftliche Betrachtungsweise und Einteilungsordnung hier nur erwähnt.
Auch als Technokratie-Krankheiten könnte man dieses ganze Kapitel bezeichnen. Denn es sind Krankheiten, die aus dem Quantismus und seinem Mechanizismus folgen. Auch dies ist ein Hinweis, daß die modernen Hauskrankheiten samt den psychischen Zivilisationskrankheiten der Architektur in einer Wandlung des Bewußtseins wurzeln, nämlich in einer Sterbephase des neuzeitlichen Bewußtseins. —

DIE BIOLOGIEKRANKHEITEN

Ebenso könnte man von Biologie-Krankheiten sprechen, nämlich von Krankheiten unserer Eigenwelt und Umwelt, die durch eine mechanizistische und quantistische Biologie verursacht werden wie beispielsweise durch den Rassenwahn der Erbbiologie, durch die Genmanipulationen usf. Aber sie spielen derzeit im Haus eine geringere Rolle. Die Landwirtschaft ist mehr durch sie betroffen wie etwa durch Schädlingsbekämpfung mit Hilfe synthetischer Hormone, Wuchsstoffe, Herbizide usf., sodann durch die degenerierend wirkenden künstlichen Mutationen. All das wirkt auch in das kleinere Haus hinein.

4. DIE KÄFIGKRANKHEITEN

> „Pleiten und Ruinen, wohin ich blicke. Ich meine nicht die . . . arbeitslosen Architekten . . . Wenn es dieselben sind, die unsere Landschaft mit Beton zugebaut haben, so handelt es sich hier um einen Akt ausgleichender Gerechtigkeit". (W. Siebeck / Die Zeit).
> Kommentarloses Zitat in „Deutsche Bauzeitung" 9/74.

„Käfigkrankheit" weist auf viele Probleme. Zählt die Betonkrankheit dazu? Nach der allgemeinen „Bergkrankheit", der Geopathie, und nach den Elektrokrankheiten liegen in den Chemiekrankheiten, die Paracelsus teilweise noch zu den Bergkrankheiten zählt, und in der Betonkrankheit zwei Zivilisationskrankheiten des Hauses vor, von denen noch ungeklärt ist, welche schwerer wiegt, wenn man auf die gesamte Volksgesundheit sieht.
Im Einzelfall kann die Chemiekrankheit auf sehr viel verschiedene Arten auftreten und in sehr verschiedenen Intensitäten, mit Krankheit und Tod binnen Tagen oder normalerweise schleichend in Jahren. Dagegen ist die Betonkrankheit die am meisten uniforme aller Hauskrankheiten. Denn die Armierung, Art und Dicke der Wände ist bis auf geringe Unterschiede heute weltweit geregelt. Die Zemente und die Zuschläge sind meist nicht allzu sehr verschieden. Nur die Zahl der Stockwerke von Betonbauten ist verschieden.

Was ist Beton?

Zuerst: Was ist Beton? Beton besteht teils aus einer Verbindung, teils aus einer Mischung von Zement, Sand, Steinen bzw. groben Zuschlagsmaterialien und Wasser. Der mit Wasser angerührte Zement erhärtet, umhüllt hierbei Sand und Steine, sodaß das Ganze starr wird. Beton an sich ist metallfrei. Doch wird zur Erhöhung der Festigkeit der Beton mit Drähten oder Stahlmatten armiert, besonders wenn er in der Fläche auf Zug und Druck beansprucht wird.
Doch die Starrheit des Betons trügt. Er ist im Grunde sogar ein schmieriger, kriechender Stoff. Denn es fehlt ihm die echte natürliche Festigkeit wie sie Natursteine, Ziegel und Kalk besitzen. Das führt bei Betonbauten zu vielerlei bautechnischen Problemen. Diese interessieren hier nicht. Aber es führt auch zu baubiologischen Problemen. Diese sind im Rahmen der anderen Betonprobleme zu behandeln.

Was ist Zement?

Der Hauptbestandteil des Betons ist der Zement. Also ist zunächst fundamental zu klären: Was ist Zement?
Der mehrtausendjährige lateinische Begriff (caementum) wurde seit der Erfindung des englischen Maurers Aspdin im Jahre 1824 eingeengt auf das Brennprodukt verschiedener Materialien, dies bei ca. 1500 Grad, und das nachfolgende Zermahlen. Das Rohmaterial ist hauptsächlich Kalk. Aber es werden mehr oder weniger auch Anteile von Lehm und verschiedenen Mineralien hinzugefügt — in einer alten Formel 3 : 1 —, auch Metalle. Wenn man solches Material über seine biologische naturgerechte Brenntemperatur — bei Kalk ca. 700 Grad, bei Ton-Lehm ca. 950 Grad — hinaus erhitzt, so entweicht nach Paracelsus der Lebensgeist, der Mercurius, in dem das Eigenwesen des Minerales mit all seinen Lebensqualitäten begründet ist, insbesondere als Kristallwasser. Er raucht bei 1500 Grad davon. Der geordnet strukturierte Feinbau kristallinischer Art bricht dann zusammen und es entsteht eine gestaltlose, wesenlose, gesinterte Substanz. Von Paracelsus werden solche Materien als „Tartarus“ bezeichnet und als tot, als qualitätsfrei erklärt. (In der griech. Mythologie ist der Tartarus der unterste Ort der Hölle). Diese Schlacke oder Asche ist in paracelsischer Sicht und Sprache durch den Verlust der Lebensqualitäten nicht nur ein Leichnam, sondern teilweise schon der Rest von der Verbrennung eines Leichnams, also Leichenasche. Schon die extrem hohe Temperatur sollte zu denken geben. In der Kalkwirtschaft wird das Überbrennen von Kalk bei 1500 Grad als „Totbrennen“ bezeichnet. Was getötet worden ist, das ist doch ein Leichnam? –
Das gesinterte Material wird in gemahlenem Zustand Zement genannt. Es saugt begierig Wasser auf und erhärtet mit Zuschlagstoffen zu einem soge-

nannten „Kristallfilz". Wirklich eine verfilzte Angelegenheit! Denn nach der Wasserzugabe bilden sich neue Kristalle. Aber welche Lebensqualitäten können sie haben? — Die Lebensqualitäten des Kalkes haben sich in langen Zeiträumen aus anderen Lebensqualitäten der Natur gebildet. Das mühsam langwierig gebildete Kristallwasser ist das hoch qualifizierte Blut des Kristalles. Daher wird es bei einer Erhitzung vom Kristall bis zuletzt festgehalten. Das Blut ist bekanntlich „ein ganz besonderer Saft" (Goethe). Man kann es keinesfalls durch gewöhnliches, nämlich weithin totes Wasser ersetzen. —

Zement (bisheriger Art) ist also in seinem Charakter sehr kritisch zu beurteilen. Wenn man die Behauptungen von Paracelsus beachtet, sind dann nicht negative Wirkungen des Zementes auf das Leben zu erwarten? So hat Alwin Seifert erklärt „Zement verdirbt den Charakter" ([1]). Wo überall wird der Charakter gestört? Verdorben? Psychosomatisch? Zuerst bei den Zementbaubewohnern? (Vgl. „Die Hauskrankheit Asozialismus"). Seifert hat dieses Wort auch auf die Zementverarbeiter gemünzt, besonders auf die Architekten und Handwerker. Sie würden die Fähigkeit verlieren, mit einem Material materialgerecht, lebensgerecht umzugehen! Ihre Werke, die Bauwerke, würden in jedem Sinne, auch im aesthetischen Sinne den Charakter verlieren. Sie würden in jeder Hinsicht die Beziehung zum Leben verlieren und somit die lebensgerechten Funktionen. —

Der Charakter des Zementes ist durch das Brennen entscheidend geändert. Das zeigt sich dann naturgesetzlich überall, sei es im Kirchenbau, in Universitäten, in Bürobauten, Krankenanstalten, Schulen, Privathäusern, Zweitwohnungssilos usf. Ist das nicht heute in allen Zeitungen zu lesen? —

Es existieren vielerlei Zementsorten. Sehr bekannt ist der Hochofenzement. Hochofenschlacke fällt viel an. Der Hochofen, wie eine Bessemerbirne, wird innen mit Kalkgestein ausgefüttert. Dieser nimmt bei dem Brennen alles „Gift" (Paracelsus) aus dem reduzierten Eisen auf. Dieser Abfall wird dann zu Zement vermahlen. Mit Vorliebe aus solchem Abfall bauen sich Zivilisationsmenschen ihr Gehäuse. —

Die Betonarten

Es existieren biologisch verschiedene Betonarten, je nach Zement, Zuschlag und Herstellungsverfahren, vom Schwerbeton bis zum Leichtbeton als Gasbeton oder Blähbeton, vom Beton aus Tonerdeschmelzzement bis zum Beton aus Hochofenschlackenzement. Die biologischen Unterschiede sind noch nicht genügend erforscht. Sie scheinen nicht sehr groß, wenn auch Schlackenbeton wegen seiner besonderen Radioaktivität besonders zu beachten ist. Der in biologischer Hinsicht am wenigsten bedenkliche Beton scheint der Leichtbeton mit Blähton als Zuschlag zu sein.

Biobeton

Unter „Biobeton" ist vorerst, nämlich bis zur Entwicklung eines Biozementes, kein echter, nämlich zementhaltiger Beton zu verstehen. Sondern unter Biobeton ist eine technisch wie Beton verarbeitbare, jedoch (vorerst) viel langsamer erhärtende, zementfreie Verbindung aus Kalk, Sand, Wasser und einem harten Zuschlagmaterial zu verstehen, das am besten aus Ziegelbruch besteht. Biobeton wird in den Kulturen seit Jahrtausenden verbaut, beispielsweise in dem wegen seiner wunderbaren Akustik weltberühmten Pantheon in Rom. Dessen Kuppel besteht aus Biobeton. Beton existiert erst seit der Erfindung des Zementes.

Auch Betonwerksteine und viele Kunststeine mit mancherlei Namen, in denen nichts von Zement und Beton enthalten ist, bestehen aus Beton, beispielsweise Schlackensteine oder Bimswerksteine.

Biozement

Die Zement- und Beton-Industrie steht, wie auch folgend noch vielfältig begründet wird, vor einer fundamentalen Wandlung, nämlich durch das „Umdenken" der gesamten Wissenschaft und Wirtschaft „zur Qualität", zu den Lebensqualitäten. Dies wird im Baubereich wahrscheinlich zur Schaffung eines Biozementes führen. Dieses Wort ist hier geprägt worden. Bis jetzt existiert der Biozement noch nicht. Denn zu seiner Herstellung ist die Kenntnis der Lebensqualitäten und Lebensprozesse in der Lebensphysik und Lebenschemie erforderlich.

Nach der Schaffung eines Biozementes — Vorsicht! Das bloße Wort ließe sich spielend leicht unobjektiv verwenden, in guter Absicht und auch täuschend! — wird sich eine neue Art von Biobeton ergeben. Er wäre voraussichtlich dem alten Biobeton in biologischer Hinsicht ähnlich. Und wenn eine neue Armierung gefunden wird, die auf ihre Art ebenfalls kein Störfeld mehr bewirkt, so werden dann auch relativ gesunde Betonbauten möglich sein. –

Doch dies nur zur grundsätzlichen Begriffsklärung. Zunächst weiter vom bisherigen Beton.

Die Analyse der Betonwirkung

In der Einleitung sind eine Reihe von Fakten zur Betonkrankheit berichtet worden. Zur gesamten Betonproblematik werden folgend nur Angaben anderer Wissenschaftler behandelt, also keine eigenen Behauptungen aufgestellt. Die erste Analyse war ebenfalls schon in der Einleitung getroffen worden, nämlich in der Unterscheidung der Wirkung des Faradayschen Käfigs von der Wirkung des Zementes und des mit ihm hergestellten metallfreien Betons.

Im Kapitel über die Elektrokrankheiten war außerdem auf die Induktionswirkungen hingewiesen worden, die vom elektrischen Hausnetz in den Wänden auf den Stahlkäfig in den Wänden ausgeübt werden. Das alles führt zu vielfältigen Kombinationswirkungen. Eine Kombination von Störfaktoren ist negativer als eine bloße Addition.
Wenn man, wie bei den Elektrokrankheiten besprochen, den Begriff der Käfigwirkung nicht nur auf die Metalle, sondern auch auf die elektrostatisch aufladbaren und anderen verkünstelten Stoffe anwendet, sofern diese käfigförmig den Bewohner umhüllen, so kann man diesen Begriff auch auf den (bisherigen) Zement anwenden. Dann ist die Betonkrankheit als mehrfache Käfigkrankheit erkennbar. So fragt sich, ob sie gemäß wissenschaftlichem Sprachgebrauch eine mehrfache Nullfeldkrankheit ist? Hier wird im problematischen Sinn von Nullfeld und allgemein von Störfeld gesprochen.

Das Nullfeld

Die Betonkrankheit wird in Wissenschaft und Volksmund bisher meist „Bunkerkrankheit" genannt. Sie ist erst in diesem Jahrhundert bekannt geworden, in den letzten zehn Jahren insbesondere durch die neuerliche Erforschung des Nullfeldes.
Der weltweite Gebrauch des Begriffes Nullfeld erfordert, die Realität des Nullfeldes qualitativ und quantitativ näher zu untersuchen. Dazu vorerst wissenschaftliche Fakten und dann der Erklärungsversuch.
Die Wissenschaft fand schon vor zwei Jahrhunderten, daß zwischen Himmel und Erde ein natürliches, gleichsam statisches, also ruhend erscheinendes elektrisches Spannungsfeld besteht, normalerweise mit Plus (Anode) oben und Minus (Kathode) unten. Dieses schon bei den Elektrokrankheiten beschriebene Naturfeld scheint Motor und Transporteur für unzählige noch unbekannte Wechselprozesse der Lebensqualitäten zu sein. Wenn wir an die Kraftfeldlinien denken, so können wir sagen, daß wie auf einer Himmelsleiter ab- und aufsteigend Lebensqualitäten — in „goldenen Eimern" nach Goethe — zwischen Himmel und Erde ausgetauscht werden, wie es im A.T. in Jakobs Traum gesehen wurde. Diese Leiter hat in elektronischer Sicht auf jeder Metersprosse eine Spannung (Potentialgefälle) von über 100 Volt. Daher fließen ständig „Himmelsströme" — etwa im „Sonnenwind" von der Sonne kommende lebensqualifizierte Elektronenströme und Jonenströme — und zugleich „Erdströme" durch einen im Freien sich aufhaltenden Menschen. Sie fließen ebenso durch einen Menschen, der in einem gesunden Haus lebt. Man kann sie elektrotechnisch messen ([1]).
Dieser „Strom lebendigen Wassers", dieser natürliche „Wechselstrom" von Lebensqualitäten scheint ebenso wie die zugrunde liegende Spannung der „Luftelektrizität" lebensnotwendig für alle irdischen Lebewesen zu sein. Das soll folgend umfangreich belegt werden. Denn je mehr ein Haus wie ein Käfig

diesen Lebensstrom stört und verringert, also nullt, desto mehr entsteht in diesem Hause ein Nullfeld und desto kränker und lebensschwächer werden die Bewohner dieses Hauses.

Zur Geschichte des Nullfeldes

Der Berner Arzt H. Schmid hat 1936 in seinem Buch „Biologische Wirkungen der Luft-Elektrizität" eine erstaunliche Fülle von wissenschaftlichen Forschungsergebnissen aus der gesamten neuzeitlichen Geschichte dieses Themas zusammengetragen. So berichtet er, daß Duvarnier im Journal de Physique schon im Jahre 1786 (!) darauf hingewiesen habe, daß „fast alle damaligen berühmten Physiker einen deutlichen positiven Einfluß der Elektrizität auf die Pflanzen konstatiert und durch wiederholte Versuche bewiesen haben" ([1]). Gemeint sind Versuche mit der quasi statischen „atmosphärischen Elektrizität". Der „positive Einfluß" wurde durch Vergleiche mit dem negativen Einfluß festgestellt, den Pflanzen und andere Lebewesen im Nullfeld der Metallkäfige erleiden.
Eine Zwischenfrage: Wer will die damals berühmten Physiker wie z. B. Galvani und Volta, die Begründer der Elektrophysik, heute als Dummköpfe hinstellen oder ignorieren? — —
Durch das Metall des Metallkäfigs wird die Urlebensspannung der freien Natur abgehalten von dem Innenraum des Käfigs, sodaß in ihm eine Lebensspannung von der Größe null vorliegt. Das ist eine erstorbene, eine tote Spannung. Also kann der Urlebensstrom zwischen Himmel und Erde nicht durch den Käfig fließen. Also kann den Lebewesen im Käfig nicht mehr die zum Leben notwendige Urlebenskraft mitgeteilt werden in Gestalt vieler einzelner elektrischer Lebensqualitäten und mit ihnen verbundener vieler anderer Lebensqualitäten. Deren Strom fließt außen um den Käfig herum. Da Faraday diesen Käfig besonders untersucht hat, spricht man heute bei jedem Metallkäfig vom Faradayschen Käfig oder vom Faradayraum.
Im Rahmen dieser tausendfältigen übereinstimmenden Untersuchungen berichtet Grandeau 1879 (!) in Paris, daß — formuliert nach Schmid — „. . eine Pflanze . . in einem weitmaschigen Metalldrahtkäfig . . wo . . überall das Potential null herrscht und zwar so, daß Licht, Luft und Feuchtigkeit gleich gut Zutritt haben wie bei den freien Kontrollpflanzen" (Man beachte die Bezeichnung „frei" und vergleiche mit Lebewesen in einem betonierten Metallkäfig!). „ . . in ihrem Wachstum und in ihrer Entwicklung starke Verzögerung und Schädigung erleidet. Die Quantität der lebenden Substanz solcher Pflanzen war um dreißig bis fünfzig Prozent geringer als bei nicht isolierten Exemplaren. Die Bildung von Zucker, Stärke etc. zeigte sich von der atmosphärischen Elektrizität besonders abhängig. Die Zahl der Blüten und Früchte war um vierzig bis fünfzig Prozent vermindert" ([2]). Diese Verminderung in der Fruchtbarkeit ergibt also eine Herabsetzung auf durch-

schnittlich nur noch 55 %. Ist diese Verminderung des Lebens nicht wirklich eine „starke Schädigung?" —

Die gegenwärtigen Nullfeld-Forschungen

In der Gegenwart fand Steiniger bei jahrzehntelangen Versuchen an insgesamt 60 000 (!) Mäusen, die er teils in Holzkäfigen, teils in Metallkäfigen hielt, bei den in Metallkäfigen gehaltenen Tieren u. a. eine Verminderung der Fruchtbarkeit auf 55 % ([1]). — „In sogenannten Wahlkäfigen — eine Hälfte Metall — wählten die Tiere natürlich den Holzteil zum Aufenthalt und den Metallteil zum Absetzen der Exkremente" schreibt der Tierspezialist und Stallbauspezialist Prof. Bielenberg zu dem Bericht von Prof. Steiniger ([2]). Es sind in zwei Jahrhunderten also ungezählte Versuche mit der atmosphärischen Elektrizität und ihrem natürlichen Gleichspannungsfeld gemacht worden. Sie haben im Allgemeinen stets zu demselben Ergebnis geführt. Wenn „fast alle . . berühmten Physiker" diese Versuche mit dem gleichen Ergebnis gemacht haben, wie viele nicht berühmte, aber doch fachlich ausgewiesene Physiker haben diese Versuche mit demselben Ergebnis gemacht!
Aufgrund dieser Jahrhunderte langen übereinstimmenden Versuchsergebnisse und aufgrund sorgfältiger Beobachtungen an Menschen in Betonhäusern kam Pech, Professor für physikalische Medizin in Montpellier im Jahre 1929 zu dem Ergebnis, daß das Nullfeld in Eisenbetonbauten (damalige Bezeichnung. Heute spricht man von Stahlbeton) alle vier Hauptsysteme des menschlichen Organismus fundamental schwäche und störe, also „stark schädige". Es erzeuge — nach der Zusammenfassung von Schmid — „Migräne, Verdauungs- und Zirkulationsstörungen und eine gewisse allgemeine Schwäche". Daraufhin kam Pech zu der harten Schlußfolgerung, daß Menschen in Eisenbetonbauten durchschnittlich in der dritten Generation aussterben würden! - Weshalb auch sollte sich die bei Pflanzen und Tieren tausendfältig übereinstimmend nachgewiesene qualitative Störung und quantitative Verminderung der Fruchtbarkeit etc. nicht gleich auch auf den Menschen auswirken! Würden denn für ihn die Naturgesetze nicht gelten ([3])! —
Solche Versuche werden bis zur Gegenwart immer erneut wiederholt und auch sehr studierenswert verfeinert und erweitert. So berichtet S. Lang von der Universität Saarbrücken: „Setzt man weiße Mäuse . . in Faradaysche Käfige, so erniedrigt sich . . . ihre Aktivität erheblich". „ . . der Wasserhaushalt der Tiere (ist) so gestört, daß bis zu 30 % weniger Wasser in Form von Urin ausgeschieden wird . . " ([4]).
Im Jahre 1972 berichten Möse, Schuy und Fischer von dem Hygiene-Institut der Universität Graz zum Thema „Bunkerkrankheit" u. a.: „Die ungünstigen bioklimatischen Verhältnisse, welche in stahlarmierten Betonbauten anzutreffen sind, lassen sich anhand eines Absinkens der O_2-Veratmung der Leberzellen von im Faradaykäfig gehaltenen Tieren demonstrieren (22). Da das

an der Erdoberfläche auftretende Feld durch Ziegelbauten nicht oder nur kaum geschwächt wird, folgen die O_2-Verbrauchswerte der . . . in einem Ziegelbau befindlichen Tiere den jeweiligen elektrischen Bedingungen des Außenklimas" ([1]).

Möse, Fischer und Strampfer berichten 1973 aus demselben Institut, daß sich „in der Faraday-Kammer . . . stets weit unter der Norm liegende . . . werte" der Abwehr gegen Infektionskrankheiten ergeben. „Beim Vergleich der Einzelwerte ergab sich in den meisten Fällen ein zumindest vierfacher Titerunterschied". (Der Titer ist eine Abwehrgröße im Blut). „In manchen Fällen war unter der Wirkung des Faradayraumes überhaupt kein . . . titer mehr nachweisbar" ([2]). Das besagt, daß überhaupt keine Widerstandsfähigkeit gegen infektiöse Krankheiten mehr bestand! Mit anderen Worten: Im Nullfeld ging die Widerstandsfähigkeit gegen Erkrankungen in manchen Fällen vollständig auf null zurück! — —

Eine Zwischenfrage: Warum verschreiben heute die Mediziner in ungeheuren Mengen Antibiotika und ähnlich wirkende Chemizide gegen Infektionskrankheiten? — Warum werden diese Mittel heute in Betonkrankenhäusern (bisheriger Art) geradezu obligatorisch bei jeder Operation und Infektion gespritzt? —

Und warum ist der moderne Mensch heute in der gesamten „zivilisierten" Welt chronisch müde? „Müdigkeit, ein Weltproblem" beginnt Wiedemann ein Buch über dieses Grundthema der Zivilisationsmenschheit ([3]).

Viele Universitätsinstitute sowie andere wissenschaftliche Personen und Gesellschaften haben sich seit Jahrzehnten um Hilfsmaßnahmen bei dem Käfigfeld der Betonkäfige bemüht. So berichten Möse, Fischer und Strampfer von der Universität Graz: „Die Untersuchungen lieferten den prinzipiellen Beweis, daß . . . elektrostatische Gleichfelder die Bereitschaft des Organismus zur Antikörperbildung signifikant erhöhen". (Antikörper sind die im Titer zahlenmäßig erfaßten Abwehrkräfte gegen Infektionen etc. Signifikant besagt bezeichnend, eindeutig, sicher). Bei diesen Versuchen mit einem selbst elektrotechnisch hergestellten Gleichfeld wird auch der Schluß gezogen, „daß das natürliche elektrostatische Gleichfeld der Erde einen bemerkenswerten Faktor zur Aufrechterhaltung und Förderung der Immunabwehr darstellt" ([4]). Die Verfasser ergänzen ihre Untersuchungen zum Gleichfeld durch eine wesentliche Angabe zum Wechselfeld: „Einen weiteren gesundheitlichen Störfaktor des Raumklimas stellen mittelfrequente und niederfrequente Schwingungen dar (27, 29, 14), welche von elektrischen Leitungen und Geräten ausgehen (19)". Es wird hier auf die Autoren Reiter, König und Lueder hingewiesen ([5]). Mit anderen Worten: Elektrokrankheiten und Betonkrankheiten wirken eng zusammen.

Fischer macht in einer weiteren Arbeit auf die „verschiedenartige Betrachtungsweise der Probleme" aufmerksam und berichtet, in Extrakten auch englisch und französisch, mit ausführlichem Literaturnachweis u. a. signifikante Ergebnisse, daß im Gleichfeld „Die Gesamtaktivität ..... deutlich erhöht" sei, „daß die günstigsten Umweltbedingungen im elektrostatischen Gleichfeld, die ungünstigsten dagegen im Faradaykäfig vorzufinden sind" ([1]). Er zitiert von De Rudder, einem Altmeister der Bioklimatik „Krankheiten ...., für die ein Meteorotropismus als gesichert gilt:" (Paracelsus bezeichnet die „meteorischen Krankheiten" aus dem „ens astrorum" als die erste und fundamentale Gruppe aller fünf Gruppen von Krankheitsursachen. Und er bezeichnet das „Meteoron" als die universelle Lebensqualität der freien bzw. makrokosmischen Umwelt, dem Prana der Inder ähnlich. Unter Meteorotropismus ist also die ursächliche Abhängigkeit der folgend von De Rudder aufgezählten Krankheiten von den meteorologischen Bedingungen wie dem natürlichen Gleichfeld zwischen Himmel und Erde zu verstehen und also auch die Abhängigkeit von unserer nächsten Umwelt, dem Haus!): „Wetterschmerzen an chronisch veränderten Geweben, Herz- und Kreislaufstörungen, Lungenembolie, Apoplexie, Herzinfarkt, pectanginöse Zustände, akuter Herztod, Steinbeschwerden und Anfälle im Bereich der Gallen- und Harnwege, Säuglingstetanie .., Glaukomananfall, akute Grippehäufungen, psychische Wirkungen bis zu gesteigertem Selbstmord und Todesfälle insgesamt. Dasselbe kann auch mit großer Wahrscheinlichkeit für Kehlkopfkrupp, Pneumonie, Gestationseklampsie, Anfälle von traumatischer Epilepsie, Appendizitis, akute Anginen sowie Hämoptoen angenommen werden." — Fischer fährt im Sperrdruck fort: „Allein daraus läßt sich die zwingende Notwendigkeit erkennen, im Krankenhaus Therapieräume mit konstantem Elektroklima zu schaffen, das den optimal gesundheitsfördernden luft-elektrischen Verhältnissen bei Schönwetter anzugleichen ist". „Durch ein so beschaffenes simuliertes „„Schönwettermilieu"" werden alle jene Faktoren, die bislang als Ursache der Wetterfühligkeit erkannt wurden, ausgeschaltet; gleichzeitig damit tritt noch die stimulierende Wirkung auf das Stoffwechselgeschehen als eine generelle Hebung des Allgemeinbefindens hinzu". Fischer rechnet „aufgrund langjähriger Beobachtungen unter Normalbedingungen auf dem Festland in Bodennähe rund 130 V/m" als Mittelwert ([2]). So wenig Volt pro meter Höhe gilt nach den Angaben anderer biologisch mehr an der unteren Grenze liegend. Aber in unserer zivilisierten Welt ist das jeweilig Normale etwas, das ständig an Lebensqualitäten verliert und also immer tiefer absinkt. —

In den angegebenen Literaturnachweisen ist noch eine dreistellige Zahl weiterer, neuerer Arbeiten mit allgemein denselben Ergebnissen zu finden. Ernst zu nehmende Gegenstimmen aus dem Reich der Wissenschaft existieren nicht. (Die Erklärungen von Werbeabteilungen bestimmter Industriebetriebe zu dieser Thematik, die über gesteuerte bzw. abhängige Wissenschaftler geschickt als wissenschaftliche Stimmen in Fernsehberichte, Rundfunkberichte und Artikel einfließen, dürften für jeden selbst denkenden Menschen leicht verständlich sein. Und auch Rufmordschriften sind erkennbar!). –

Faßt man die erfahrungswissenschaftlichen Berichte von ca. zweihundert Jahren zusammen, so wird von vielen Wissenschaftlern behauptet, daß das Käfigfeld, speziell Faradayfeld eine nullende Wirkung ausübt. Der Begriff „Null" wäre hier wissenschaftlich nur als Annäherung zu verstehen.
Wissenschaftlich wäre daher zu fragen, was denn objektiv genullt wird? Nur eine subjektive Quantität? Nur eine Zahl im subjektiven Bewußtsein? Oder eine objektive Realität? Und was könnte diese Realität anderes sein als die Lebensqualität bzw. das wirkliche Leben von Mensch, Tier und Pflanze selber? Daß man nach derart vielen genauen Berichten von zahlreichen Gelehrten und Universitätsinstituten jetzt plötzlich im Abwehrkampf gegen die nun sichtbar werdenden Konsequenzen, das Nullfeld als etwas Wunderschönes und geradezu Paradiesisches hinzustellen versucht, gar eine Stadt aus lauter Nullfeldern als „gesunde Stadt" „natursimulieren" will, solche Behauptungen und überraschenden Wendungen sind heutzutage in der Wissenschaftskatastrophe und in analog katastrophalen wirtschaftlichen Verhältnissen sehr verständlich. Man bedenke auch, um welche wirtschaftlichen Größen es hier geht! Sind doch schon hunderttausende bestimmter Wohnungen nicht mehr verkäuflich und nicht mehr vermietbar. —
Soweit ein Wissenschaftler an solchen anderen Behauptungen beteiligt ist oder in sie hinein gezogen wird, ist sorgfältig seine Motivation zu prüfen. Denn beispielsweise für bestimmte Kranke ein „Klimaktorium" zu schaffen, welches zur Überwindung kritischer Zustände durch ein störfreies elektrostatisches Klima mit „Schönwettermilieu" gekennzeichnet ist, das ist und bleibt ein erstrebenswertes Ziel. — Das ändert jedoch nichts daran, daß der Mensch in seinem normalen Leben in die lebensqualifizierten Verhältnisse der kosmischen Natur integriert bleiben soll, dies mit ihren kräftig und widerstandsfähig machenden Belastungen. Nur Kranke legt man ins Krankenzimmer! —
Das ideale lebensgerechte Klimaktorium ist jedoch das ideal gesunde Haus! Das ideal gesunde kleine Haus wie das ideal gesunde Erdhaus! Dies im Sinne von Paracelsus, nämlich den Mikrokosmos Mensch in die guten Lebenskräfte des Makrokosmos integrierend, die Alleinheit herstellend. Das gesunde Klimaktorium besteht also nicht aus einem Eisenkäfig! —
Mit aller Klarheit ist zu erkennen, daß nur in einem gesunden Haus ein gesundes Klima existieren kann. Also kann auch nur hier ein lebensqualifiziertes Klimaktorium gesucht werden. Der Technokrat wird in seinem quantistischen Mechanizismus endlos umher irren.
Soweit ein Wissenschaftler sich fundamental selbst widerspricht, auch zwischen seinen Worten und Taten, kommen besondere Beweggründe infrage, die nicht wissenschaftlicher Art sein können.

Eine Frage an den normalen Menschen

Wenn ein Mensch, völlig unbeeinflußt von dem soeben dargelegten Erfahrungswissen, den gesamten Stahlkäfig eines üblichen Betonbaues sehen würde, also auch vervielfacht durch die einzelnen Etagen, ungetarnt von Beton, Verputz, Farbe usf., würde er dann je einziehen?
Was würde er dann fühlen, denken und wollen? —

Der qualifizierte Begriff des Nullfeldes

Genug der vielfältigen und harten Tatsachen. Wenden wir uns jetzt der Theorie zu. In der oben genannten Forschungsreihe von Möse, Schuy, Fischer und anderen wird gleich eingangs bei der „Problemstellung" das Urthema „Qualität und Quantität" genannt. Hier dürfte wie überall in dieser Welt das Hauptproblem und die Hauptlösung liegen. (Zur Qualität von elektrischen und magnetischen Größen vgl. das Kapitel Elektrokrankheiten).
Somit ist auch der Begriff des Nullfeldes erstmaßgeblich qualitativ zu fassen. Dann ist auch hier ein fundamentales Umdenken erforderlich. Die Qualität der Nullung, richtiger ihre Disqualifizierung ist in einem Nullfeld abhängig von der Disqualifizierung der umhüllenden Materialien und Formen. Jede disqualifizierte Hülle disqualifiziert und also nullt qualitativ das umhüllte Feld. Daher wäre die weitere Frage zu stellen, ob die möglichen lebensmaßgeblichen Nullungswirkungen nur von dem Stahlkäfig ausgingen oder auch von dem Zement, von Kunststoffen, Farben, Formen usf.?
Der Begriff des Nullfeldes ist somit fundamental neu zu denken, nämlich qualifiziert, lebensgerecht, seinsgerecht, objektiv, realistisch. Von dem fiktionierten quantitativen Begriff, von diesem subjektivistischen Gebilde ist umzudenken zu dem objektiven wesentlichen Begriff. Nur wenn man den primären qualitativen Begriff des Nullfeldes hat, dann erhält auch der sekundäre quantitative Inhalt einen Sinn. Ohne Qualität ist jede Quantität sinnlos, grundlos, haltlos! Das ist mit allen Konsequenzen klar zu machen und klar im Bewußtsein zu halten! —
Die qualitative Definition des Nullfeldes entspricht auch der Weltgeschichte der Mathematik. Denn in den Hochkulturen wird die Eins — und somit die Einheit! — als Grund, Zentrum und Anfang aller wirklichkeitsgerechten sinnvollen Mathematik erkannt und anerkannt. Bei „1" beginnt der Kulturmensch zu zählen, nicht bei „0"! Daher wird in den Kulturen der Rückschritt von der Eins zur Null — also nicht der Fortschritt in der Entwicklung über die Neun zur Eins mit der Null! — durchweg als Zerbrechung, als Zerstörung und somit qualitativ negativ gesehen und gewertet. In den alten Kulturen, sogar noch bei den Griechen, war das Bruchrechnen unter Eins — als „zerbrochenes Rechnen!" — verpönt und daher nicht gebräuchlich. Solch mächtige Konsequenzen ergaben sich also aus der von Pythagoras

so sehr und erfolgreich gepflegten, qualifizierten, sinnvollen Grundanschauung der Mathematik!
Daraus ergäbe sich für uns: Das Nullfeld ist nicht nur und nicht so sehr ein Feld, in dem quantitativ nichts mehr da ist, sondern erstrangig ein Feld, das in seinen Lebensqualitäten extrem oder total disqualifiziert ist!
Mit dieser Grunderkenntnis gewinnen alle wissenschaftlichen Ergebnisse zum Nullfeld eine neue und vor allem endlich eine wesentliche Dimension. Denn die Quantität in sich ist ohne Wesen. Sie ist nur ein ideologischer Überbau, eine „konstruierte Fiktion". Diese fundamentale Erkenntnis Bertrand Russells kann nicht oft genug erneut in das Bewußtsein gerufen werden! ([1]).

Die Vielfalt des Käfigfeldes

Wie ist nun die bekannte Disqualifizierung des Raumfeldes und seiner Bewohner in einem Hauskäfig zu erklären?
Vorweg sei nochmals an die millionenfachen Bunkererfahrungen in Krieg und Frieden erinnert und das instinktiv ausweichende Verhalten von Soldaten und Zivilpersonen. Wiedemann beispielsweise schreibt: „Erinnern wir uns weiter der drei Jahre in Bunkern eingeschlossen gewesenen Soldaten, die als weißhaarige Greise herauskamen und kurz darauf starben" ([2]).
Mehrere qualitative Erklärungsmöglichkeiten liegen vor. Sie wären gemäß der Grundlagenwissenschaft von Paracelsus nicht nur Wahrscheinlichkeiten. Nur kurz können sie genannt werden:
1. Der Stahlkäfig. Metall ist ein Nichtordnungsleiter, ein Extremleiter gegenüber den Naturstoffen. Diese sind Ordnungsleiter, Bioleiter, Lebensleiter, daher „Halbleiter", nämlich je nach Qualität. Eisen ist zudem qualitativ aggressiv, insbesondere in dem als Baustahl verwandten Zustand, in dem es bekanntlich schnell rostet. Weiterhin sind die Baustahlmatten in ihren Feldern oft quadratisch geformt. Das Quadrat ist eine Urform der Disharmonie.
2. Der Zementstein-Käfig, also der eigentliche Betonkäfig. Zement wird in der Regel hauptsächlich aus Kalk gewonnen. Kalk ist nach Paracelsus qualitativ ein saturnisches Material. Es beherrscht das „Stirb und Werde" im Humus, also die große Wandlung an der großen Schwelle des Lebens. Kalk ist in der Landwirtschaft ein Zerleger und Wandler. Wenn Kalk bei extrem unnatürlicher Temperatur um 1500 Grad „totgebrannt" wird, wie sogar der Fachausdruck der Kalkwirtschaft lautet, wenn er also zu einem Leichnam, zu einem gestaltlosen Sinter, zu einer Lava verbrannt wird, wobei sein „Spiritus" oder „Lebensgeist" (Paracelsus) „davon raucht", so wird dieses exilierte saturnische Material zum größten Übeltäter, zu einem hoch mächtigen Störer und Zerstörer des Lebens, nämlich zu einem extremen „Tartarus". Es beherrscht nur noch das Stirb, dieses aber jetzt auf extrem lebenswidrige Art, also in diametralem Gegensatz zum Kalk.

Zement wird zudem oft noch aus Hochofenschlacke durch deren Zermahlen gewonnen. Sie hat alles „Gift" des Erzes aufgenommen, all dessen Unreinigkeiten. Hochofenzement ist daher auch entsprechend radioaktiv im biologischen Sinne der Unqualitäten!
Weshalb auch warnt der so erfahrene Künzle vor den — in der Regel nicht armierten — Zementfußböden! ([1]).
Die Beigabe eines Tiefengesteines, also eines Nichthautmateriales als Zuschlag zu dem Zement bei der üblichen Betonherstellung dürfte ein weiterer negativer Faktor sein.
Daß Zement bzw. Beton bei dem Erstarren und auch nachher Kristalle bildet, das besagt qualitativ noch nichts Positives. Auch Gifte bilden Kristalle! Und auch an einer Leiche wachsen noch die Nägel! —
Außerdem beachte man genau das quadratische bzw. kubische Kristallsystem und bedenke, was vorhergehend vielfältig zur Quadratur des Kreises bzw. Lebens und zu seiner Kubatur ausgeführt wurde mit zahlreichen Belegen.
3. Die dritte qualitative Nullung geht von den verkünstelten Stoffen auf Kohlenstoffbasis aus, von solchen Kunststoffen im engeren Sinne, etwa als Wärmedämmstoffen im „Vollwärmeschutz".
Alle drei Nullungsformen und Nullungsmaterialien nullen nach Paracelsus das Leben erstens als Primärfelder, Primärstrahler und Primärströmer, durch ihre diskordanten „Influenzen", zweitens als Sekundärfelder, Sekundärstrahler und Sekundärströmer. So die Erklärungsmöglichkeiten.
Paracelsus zählt als Quellen der Disqualifizierung einer Lebenssphäre erstens das ens astrorum auf, also den Makrokosmos mit seinen disqualifizierten Feldern, Strahlen und Strömen bzw. „Influenzen" samt den makrokosmischen „Pestiziden", zweitens das ens veneni, also die Gifte im engeren chemischen Sinne, drittens das ens naturale, das sind die Disharmonien der angeborenen Konstitution, wie hier des Hauses in der Bauform und den Bau- und Einrichtungsmaterialien.
Sämtliche teilweise oder fast ganz gestörten Gegenstände in einem Haus, also die Störungen in Form, Material, Farbe, Position und Funktion werden in einem Hause von dem einen Hauskörper zu einer Gesamtheit kombiniert. Sie verstärken und potenzieren sich gegenseitig. Die Störung der Bauform, der Außenwände und Decken ist hier besonders wichtig und mächtig.
Die Störung der Außenwand kann in einem hoch modernen bzw. überzivilisierten Haus schon für sich allein zehnfach werden, nämlich im Einzelnen: Der Stahlkäfig, der Betonkäfig, ein Wärmeschutz aus Kunststoff als Innen- oder Zwischenhaut, ein Kunststoffverputz, gar verschieden mehrschichtig, eine vorgehängte Metall- oder Kunststoff-Fassade, ein Heizungsröhrennetz, ein Gebrauchswasserrohrnetz, ein Wasserumlauf mit Pumpendruck und Pumpenvibration, ein elektrisches Hausnetz in der Wand unter Wechselspannung, insbesondere mit eisernen Schutzrohren, eine Folie aus Metall oder Kunststoff im Dach und auch in den Wänden, künstliche Anstriche innen und außen,

künstliche Tapeten und Bespannungen, Kunststoffverkleidungen, angebaute oder vorgesetzte Kunststoffmöbel oder Metallmöbel usf. Das sind schon mindestens fünfzehn störende Hüllen und Funktionen! Und vor die einzigen Lücken dieser Selbstvernichtungs-Käfigwände können noch Kunststoff-Fenster, Kunststoffgardinen, Kunststoff-Jalousien und Kunststoff- oder Metall-Sonnenblenden kommen, dazu ein Metallrahmen für das Ganze, auch verborgen in einer modernen Doppelverglasung. (Es sind hier nur die verkünstelten Kunststoffe gemeint, die bisher meist üblichen. Glücklicherweise scheinen die besseren langsam zuzunehmen).

Bauteufel und Avitaminose des Hauses

Zusammengefaßt ist nach dem Erdteufel, dem Elektroteufel und dem Giftteufel bzw. Chemieteufel (nach G. Schwab formuliert, dem Begründer des Weltbundes zum Schutze des Lebens. Vgl. „Der Tanz mit dem Teufel") der Bauteufel unbezweifelbar erfinderisch, um die Kulturmenschheit vollends zur Strecke zu bringen. —
Die „Avitaminose des modernen Hauses" ist dann verständlich! Vitaminmangel ist Lebensmangel, Mangel an Lebensqualitäten. —
Diese Avitaminose ist desto größer, je mehr Hausetagen übereinander liegen. Besonders das, was von oben kommt, wird dann disqualifiziert. (Vgl. das Kap. zu den Hochhauskrankheiten).

Die Bunkerkirchen

Normalerweise sind die Betonwände 25-30 cm dick. Sehr moderne Kirchenmänner haben jedoch bemerkenswerterweise ebenfalls eine Vorliebe für luziferische Materialien. Sie bauen Kirchen aus fast meterdickem Beton, genau wie die Kriegsbunker und die Luftschutzbunker, die gegen alles gerichtet sind, was von oben kommt. Der Volksmund nennt diese oft kubischen und zerrissenen Konstruktionen treffend auch „Seelenbunker", „Seelensilos" usf. Sie sind im Sommer höllisch heiß bzw. hitzig und im Winter eiskalt. Ob dies dem Wesen ihres Materiales entspricht? —
Wenn das Haus des Geistlichen an diese meterdicke Bunkerwand angebaut wird, so ist er – auch? – leiblich nicht mehr zu retten?
Seelisch wirkt der Bunker naturgesetzlich gemäß seinem Charakter auf die armen Besucher. Denn causa aequat effectum — die Ursache gleicht die Folge. Das ist ein Grundsatz der Scholastik wie von Thomas. Daher wird die innere Sammlung hier ständig gestört. Schon die Besatzung der Maginotbunker wurde kampfunfähig, insbesondere konzentrationsunfähig. Ist aber die innere Sammlung nicht die Voraussetzung zur lebensnotwendigen Wendung nach innen-oben! — (Vgl. die Kapitel „Kunst und Beton" und „Die Hauskrankheit Asozialismus"). Die luziferische Feldwirkung der dicken Be-

tonmauern reicht weit in den Kirchenraum hinein und bewirkt eine drükkende, dunkle, chaotisierend wirkende, licht- und ordnungsfeindliche, gebetsfeindliche Atmosphäre. — Wenn die anima forma corporis ist, so wirkt der Verlust der Identität in der forma corporis doch entsprechend auf die anima! —

Die Wirkung von Betonwänden und Betondecken

Auf Kongressen lautet eine häufige praktische Frage: Wie ist die Käfigwirkung in modernen Häusern zu beurteilen a) wenn die Seitenwände aus Naturstoffen wie Ziegeln bestehen und nur Boden und Decke aus Beton?
b) wenn nur der Boden wie im Keller samt Kellerdecke oder nur das kellerlose Fundament aus Beton besteht, aber Wände und Decken aus anderem gesunden Material?
Die Tangenten- oder Aszendenten-Richtung, also die Waagerechte am Wohnort ist eine kosmische Strömungslinie und Strahlungslinie sehr intensiven Lebens. Die Senkrechte zur Himmelsmitte (medium coeli), die zugleich der Erdradius ist, ist ebenfalls eine Linie sehr intensiven Lebens. Die Senkrechte ist eine überwiegend geistige Linie, die Waagerechte eine überwiegend naturale. Weshalb auch ist das Kreuz ein so fundamentales Zeichen für „den Weg, die Wahrheit und das Leben"! — Man denke auch an das ägyptische Tau, den Lebensschlüssel. Nur der Mensch geht aufrecht, kein Tier. Und der Kopf, das Zentrum des Bewußtseins ist oben!
Man kann daher als Faustregel sagen: Die senkrechte Integrationslinie (Verbindungslinie, Mitbestimmungslinie) zwischen der Eigenwelt und der Umwelt (Mikrokosmos und Makrokosmos) ist polar gleich lebenswichtig wie die waagerechte Integrationslinie. Also folgt logisch, mathematisch und physikalisch bzw. biologisch zur Frage a: Bei gesunden Seitenwänden, aber betonkranken Böden und Decken wäre das Haus halb betonkrank, folglich auch sein Bewohner.
Hierbei ist jedoch vorausgesetzt, daß die Seitenwände tatsächlich gesund sind, daß sie also zementfrei vermauert und zementfrei und frei von verkünstelten Kunststoffen verputzt, gestrichen und auch anderweitig giftfrei behandelt sind! Wenn nicht, so geht das Entsprechende von der Hälfte des verbleibenden Lebensfeldes ab.
Die zweite Frage betrifft sehr viele Fertighäuser und oberste Geschosse in allen Häusern, sofern das Dach aus Holz etc. gesund gebaut ist. Hier kann man annähernd sagen: Der Hausraum ist noch zu einem Viertel betonkrank. 25 % ist nicht wenig! Doch das wären alles noch Probleme.
Jedoch setzt dies voraus, daß die Seitenwände und Decken gesund sind. Wenn diese wie bei sehr vielen Fertighäusern bisheriger Art aus einer Reihe gestörter und also kranker Materialien bestehen wie Kunststoffen und Metallen, solchen Folien usf., dann liegt ein komplettes Störfeld mehrfacher

Art vor. Dieses Störfeld ist zwar von qualitativ anderer Beschaffenheit als ein Betonstörfeld. Entscheidend ist jedoch, daß besonders alle feineren Lebensqualitäten allseitig gestört werden. (Vgl. „Die letzte Konsequenz".)

Das Erscheinungsbild der Bunkerkrankheit (Betonkrankheit)

Das allgemeine Erscheinungsbild der „Bunkerkrankheit" oder Betonkrankheit ist klassisch rein bei Daueraufenthaltsversuchen ermittelt worden. Solche Versuche wurden einerseits unbeabsichtigt in Kriegsbunkern gemacht, wie als bisher größter Versuch der Weltgeschichte in der französischen Maginot-Linie, der Ostverteidigungslinie Frankreichs. Andererseits wurden sie absichtlich gemacht, wie nach dem zweiten Weltkrieg in Luftschutzbunkern für den dritten Weltkrieg. Solche Experimente wurden u. a. bei Bonn und anderwärts durchgeführt, wohl in sehr vielen zivilisierten Staaten. Sind sie nicht alle praktisch mit einer Katastrophe ausgegangen? — Aus verständlichen Gründen wird darüber nur wenig berichtet!

Selbstverständlich wurden stets Freiwillige zu solchen Experimenten ausgewählt, oft mit Frauen und Kindern. Doch nicht nur diese, sondern auch die Männer sollen schon nach acht bis zehn Tagen ziemlich deutlich geklagt haben. Viele sollen das bedrückende Gefühl der toten Käfigatmosphäre nicht mehr ausgehalten haben, sodaß einzelne Versuche ziemlich frühzeitig abgebrochen werden mußten. Warum, darüber wird vielleicht noch immer gerätselt. —

Und dieses betrübliche Ergebnis schon nach wenigen Tagen bzw. Wochen! Wäre nun nur die Tiefe schuld? — Nein! Denn in alten Bergwerken blieben Tiere wie Zugpferde ein halbes Leben lang in der Tiefe und das noch bei schwerer Arbeit. Sie kamen nicht schon nach drei zudem arbeitslosen Jahren wieder an das Tageslicht und starben dann nicht nach kurzer Zeit! — Auch Bergarbeiter halten sich bei schwerer Arbeit einen großen Teil ihres Lebens in der Tiefe auf. Doch sie haben keinen Beton um sich, sondern Naturgestein. – Was also wird von anderen behauptet?

Das Erscheinungsbild der Bunkerkrankheit bzw. Betonkrankheit ist primär durch eine allgemeine, diffuse, ständig steigende Störung und Schwächung der Gesamtaktivität gekennzeichnet, also aller Lebensfunktionen. Die Schwächung steigt im Extremfall von der allgemeinen Dauermüdigkeit bis zur partiellen oder totalen Kraftlosigkeit, also bis zu einem medizinisch sogen. Erschöpfungszustand. Je nach den schwachen Bereichen der Konstitution des Einzelnen kommt es sekundär zu verschiedenen Störungen und Ausfallerscheinungen. Diese umfassen, wie oben genannt schon Pech systematisch ermittelt hatte, alle vier Hauptsysteme des Organismus, also das Nerven-Sinnes-System, das Herz-Kreislauf-Lungen-Nierensystem, das Stoffwechsel-System und das Absonderungs-System einschließlich dem Urogenitalsystem.

Die Störungen und Ausfälle umfassen nach den Erfahrungen in der Maginotlinie und im E(W)G-Zentrum in Brüssel auch seelische Verwirrtheitszustände, Verstimmungen bis zu schweren Depressionen und anderen Psychosen, Handlungsunfähigkeit, dies ähnlich wie bei schweren modernen Kampfgiften, Konzentrationsstörungen bis zu großen Gedächtnisausfällen usf. Die neue Besatzung der Maginotlinie soll jeweils schon kurz nach einem Austausch zur Hälfte arbeitsunfähig, also kriegsdienstuntauglich geworden sein und in diesem Prozentsatz ärztliche Hilfe in Anspruch genommen haben. Wie lebens- und arbeitsfähig mag die andere Hälfte gewesen sein? — Für die Armee Hitlers war die Maginotlinie nirgends ein ernstes Hindernis gewesen! — In dem Kapitel „Die Hauskrankheit Asozialismus" sind die seelischen Störungen der stets psychosomatischen Hauskrankheiten zusammengefaßt. An ihnen hat, wie schon A. Libik in seinem Bericht über den „Verlust der Identität" in Betonbauten zusammengefaßt hat, diese Bauform einen besonders großen Anteil.

Von vielen Bearbeitern dieser Problematik wird bei dem Aufenthalt in Käfigen eine Abnahme der Gesamtaktivität und also eine Müdigkeit im wissenschaftlichen Sinne berichtet. Sie hat sich bei vielen Groß- und Langzeitversuchen als psychosomatische Müdigkeit erwiesen. Möse, Fischer und Mitarbeiter berichten bei ihren Tierversuchen von einer signifikanten Abnahme der „Gesamtaktivität" schon „nach achttägigem Aufenthalt . . . in einem feldlosen Faradaykäfig" (¹). Und sie berichten umgekehrt dann nach Aufenthalt in „Gleichfeldern bestimmter Größenordnungen nur physiologisch günstige Wirkungen im Sinne von Leistungssteigerungen, allgemeinen Wohlbefindens . . . sowie deutlicher Besserung oder sogar Heilung meteorotrop verursachter Erkrankungen des vegetativen Nervensystemes" (²). Wie einerseits die „Allgemeineffekte . . . unter Faradaybedingungen . . . weit unter der Norm erniedrigte Werte" ergaben, so ergab sich andererseits, daß „Gleichfelder die Bereitschaft des Organismus zur . . . entwicklung signifikant erhöhen". Weiter sahen sie „ . . die Zellenaktivität . . . gesteigert . . . Die erhöhte Arbeitsbereitschaft . . . vermehrte Zellproliferation" (Zellneubildung) usf. (³). —

Dieselben Naturgesetze beherrschen Mensch und Tier. Wie wäre ein wesentlicher Unterschied auch nur denkbar? —

Eine mögliche Quintessenz: Ist der bisherige alte Zement analog dem Weißzucker in unserem Leibeshaus ein Grundräuber der Lebensqualitäten? –

Einzelne Störfeldkrankheiten

Welche Störfeldkrankheiten sind möglich? Was ist hier nach Paracelsus, Pech, De Rudder, Hellpach und vielen anderen bio-logisch?

Nach der „großen Müdigkeit", die durch vielerlei Weckmittel, Tabletten, Kaffee, immer mehr Freizeit, immer häufigeren Urlaub, durch Regenerations-

kuren usf. laufend bekämpft wird, stehen die sekundären Einzelerscheinungen im Vordergrund. Diese ergeben sich aus der Konstitution des einzelnen Individuums. Sekundär reagiert also der eine mehr durch Nervosität, Migräne, Kopfschmerzen, Nervenschwäche bis zur Impotenz, dies zugleich mit überhöhter Reizbarkeit, auch Neurasthenie genannt, mit Streßerscheinungen oder Vegetativer Dystonie. Der andere reagiert mehr mit Herz- und Kreislaufstörungen, niederem Blutdruck, Atembeschwerden, Angina pectoris, Asthma usf. Der Dritte reagiert mit Funktionsstörungen der Leber, der Galle, des Magens, des Zwölffingerdarms, des Dickdarms, der Bauchspeicheldrüse usf. einschließlich krampfhafter oder schlaffer Verstopfung. Der vierte reagiert im Absonderungssystem mit Schwäche und Reizbarkeit, chronischen Nieren- und Blasenfunktionsstörungen, auch chronischen Entzündungen, mit chronischer Dickdarmentzündung, Unterleibsentzündung, Prostatabeschwerden, Sexualstörungen usf. (Man vergleiche die Zusammenstellung De Rudders und die hundertfältigen Angaben von Hellpach in „Geopsyche". Wo eine das leibliche Leben „erstickende" Wirkung festgestellt wird, dort wird auch eine seelisch erstickende Wirkung festgestellt).
Es ist hier auch ein bio-logisches Problem, ob man in all diesen Bereichen von einem Tropismus sprechen soll wie es De Rudder tut.
Die moderne Medizin hat schon derartig viele uncharakteristische und in ihren Hausursachen bislang unbekannte Organ- und Systemstörungen gefunden, daß sie zu einer neuen Bezeichnungsweise übergegangen ist. Nämlich es wird vor den Namen des gestörten Organs oder Systems ein „Dys" gesetzt, wie Dystonie, Dyscardie usf. Das besagt, daß irgend eine Disharmonie chronisch (also auf Wohnzeit) vorliegt, von welcher der Teufel (Bauteufel?) weiß, worin sie eigentlich besteht und was ihre geheimnisvolle Ursache ist. — Wenn man diese Armen in ein vollständig gesundes Haus versetzt, wie es schon zahllos oft unbewußt in einem glücklichen Urlaub mit einfachem Leben ausprobiert wurde, dann verschwinden alle diese vom Haus verursachten Dys-Regulationen eine nach der anderen! —

Die Betonallergie des Zivilisationsmenschen

Die Dysregulationen wirken sich psychosomatisch, also auch seelisch aus. Und das hat u. a. schon zu einer allgemeinen seelischen Betonüberempfindlichkeit geführt, gleich wie die allgemeine leibliche Vergiftung durch die Chemizide schon zu einer allgemeinen leiblichen und auch seelischen Allergie gegen verkünstelte Chemikalien aller Art geführt hat. Was die Umweltschutzbewegung lehrt. Weshalb erscheinen in Fachzeitschriften, in Zeitungen und im Volksmund immer häufiger die studierenswerten Bezeichnungen wie „Betonklötze", „Betonwüste", „einbetonierte Welt", „Betonungeheuer", „Betonsilos", usf.? Es existieren schon Bücher wie „Es darf kein Gras mehr wachsen" (¹). Ob solche sich stetig mehrenden, kritisierenden und anklagenden Bezeichnungen nicht deutlich auf ein erwachendes Bewußtsein im Volke und auf eine aufkommende allgemeine „Betonallergie" des Menschen hinweisen? (1).

Als „steingewordene Scheußlichkeiten" und Bauten unmenschlicher Art bezeichneten Mitglieder des Bundes Deutscher Architekten auf einer Bodenseerundfahrt des Bundes im Jahre 1974 eine Reihe von Betonbauten im Süden und Norden des Dreiländermeeres. Ist etwas „Scheußliches" psychisch und somatisch etwas Gesundes? — Ist etwas „Unmenschliches" (Novotny) etwas Gesundes?

Beginnen die verantwortungsbewußten Architekten im nächsten Umweltschutz die ersten Konsequenzen zu ziehen? —

„Keine einsamen Rufer in der Betonwüste" war die Überschrift eines Zeitungsartikels. Am „Schluß seiner Rede" stellte der Redner der Bürgerinitiative aus der „Zusammenarbeit der Bodenseeanliegerstaaten" „nicht ohne Genugtuung fest, daß nach einem einstmaligen mitleidigen Belächeln der einsamen Rufer in der Betonwüste nunmehr der Prozeß des Umdenkens begonnen habe". Und es wurde erklärt, „daß die deutschen wie die schweizerischen Verantwortlichen sich der dringend notwendigen Zusammenarbeit aller . . . bewußt seien . . . "(2).

Beginnt hier ein internationales Erwachen?

Im politischen Wahlkampf und in Regierungserklärungen vieler Staaten ist der Umweltschutz schon häufig zum Regierungsnahziel Nr. 1 erklärt worden. Doch welcher Umweltschutz ist der nächste? — Ein Zitat aus der Stadt der Bücher, Stuttgart, im Wahlkampf um den Posten des Oberbürgermeisters: „. . . die Offenlegung ihrer kommunalpolitischen Kenntnisse und Vorstellungen . . . konnte letztlich allemal in nichts anderem gipfeln als in der steten Versicherung, als Oberbürgermeister alles nur mögliche Gute für das Wohl der Stadt zu tun und nichts dergleichen unterlassen zu wollen. Für weniger Beton und mehr Wohnlichkeit . . . lautete . . . einem roten Faden gleich der sich stets wiederholende Slogan." (Südkurier 9.11.74). Sogar schon „Slogan"! — Stehen wir im nächsten Umweltschutz auch schon vor einem politischen Erwachen? —

Die vielen klagenden Betonhausbewohner sind bei den Medizinern nicht beliebt. Denn diese wissen, daß bei der Störung der Lebensfreude und des Wohlgefühles nicht zu helfen ist außer mit immer erneuten Rezepten auf Schlafmittel, Schmerzmittel, Weckmittel, Aufputschmittel, Regenerationsmittel usf. Sogar ein eigener, sehr viel Umsatz bringender Medikamententyp ist für die — dauerhauskranken — Zivilisationsmenschen entwickelt worden, nämlich das Kombinationsmittel, das einerseits eine nervöse Reizung dämpft, andererseits aber aufputscht, um die chronische Müdigkeit und Schwäche zu überwinden. Ob das auf die Dauer gut gehen kann? — Oder endet das in der Frühinvalidität, im Herz-Kreislauftod und in der Cancerose? — Und endet es in ungeheuerlich wachsenden Medikamentenrechnungen sowie in

Krankenhausbeiträgen, die in wenigen Jahrzehnten die Höhe des gesamten Gehaltes bzw. Lohnes erreichen werden? —

Jede Krankheit besteht in einer Feldstörung

Es wurde oben aus ungezählten wissenschaftlichen Forschungen berichtet, daß das Störfeld des Käfigs als Erstursache all der Käfigleiden erkannt worden ist. Fragen wir daher nach all den obigen praktischen Ausführungen bzw. Zitaten jetzt grundlagenwissenschaftlich nach dem Wesen der Beziehung Störfeld und Krankheit.

Die Störung der Lebensqualität und also Lebensfunktion ist das Wesen jeder Krankheit! Krankheiten bestehen aus Störungsprozessen und aus nichts anderem! Störungsprozesse sind disharmonierende Prozesse. Alle Krankheiten bestehen aus disharmonierenden Prozessen. Sind das nicht Nullungsprozesse, nämlich Nullungen der Einheit, der Ganzheit des Lebens? Dieses allgemeine Wesen der Krankheit haben schon die Pythagoreer gekannt?

Sie waren Mathematologen und Ärzte zugleich. –

Was folgt daraus? Gemäß der ersten und fundamentalen Hauptgruppe aller Krankheiten bei Paracelsus und aufgrund der Ganzheit des Lebens in jedem einen und also einheitlichen Organismus wirkt eine Störung seiner nächsten Umwelt, also seines nächsten Lebensraumes allgemein begünstigend auf die Entstehung, Ausbreitung, Komplizierung, Erschwerung und Verlängerung aller Krankheiten jedes Insassen dieses Raumes! Und jede Heilung wird vielfältig behindert, schon bei einer unvollständigen Regeneration vorzeitig gestoppt und allgemein in ein mehr oder weniger stilles oder offenes Leiden überführt. In einem Störfeldraum ist keine Ausheilung möglich! –

Ergibt sich das sogar schon bio-logisch aus der oben zitierten, einwandfrei festgestellten Nullung der Widerstandskraft gegen Infektionen im Nullfeld? Ist das zugleich eine Nullung der Heilkraft? – – –

Paracelsus sieht die Infektion und alle anderen Erkrankungen als disqualifizierte „Influenz", als „diskordante" Feldung. Ist das nicht die tiefere und allgemeinere Erkenntnis? Entspricht sie nicht, jedoch physikalisch richtig, der Tendenz der heutigen Medizin, alles durch Infektionen zu erklären? Die Ansicht dieses großen Arztes deckt sich jedenfalls vollständig mit der allgemeinen Feldlehre der heutigen Physik und insbesondere der – qualifizierten! – Induktionslehre.

Gift und Störfeldstrahlung

Alle nicht konkordanten, nicht harmonischen, nicht qualifizierten „Influenzen" (das sind Feld-, Strahlungs- und Strömungswirkungen) bezeichnet Paracelsus als „Gift". Das ist ebenfalls in der allgemeinen Feldphysik zu verstehen. Denn auch die Valenzen der Chemie sind keine Klebstoffe, son-

dern Feldkräfte. Alle disqualifizierten Feldwirkungen, insbesondere Strahlungen, wie sie nach neueren Forschungsergebnissen von manchem Beton ausgehen, sind daher als giftig zu bezeichnen. Schon den strahlenden Niederschlag (fall out) von Atombomben bezeichnet man als giftig.
Schwedische Forscher stellten fest, daß von bestimmten Betonsorten pro Sekunde und Quadratzentimeter Fläche über 100 Einheiten einer gefährlichen Strahlung ausgingen. Bei Holz betrug diese Strahlung weniger als 1 ([1]). Hierbei ist jedoch noch nicht der Qualitätsunterschied berücksichtigt. Dann könnte das Verhältnis weit größer als 1000 : 1 sein! Dies auch im Verhältnis zu anderen gesunden Baustoffen wie besonders zur Heilerde, zum Heilbaumaterial. Denn der Begriff „Strahlung" wird in der Wissenschaftskatastrophe, insbesondere der Physikkatastrophe wert„frei", also wertlos für das Leben gebraucht. Wenn vor aller Radioaktivität gewarnt wird wie von der Weltgesundheitsorganisation (WHO), dann ist lebenslogisch selbstverständlich nur die schlechte Strahlung gemeint. Denn alles Leben besteht auch aus beständiger Strahlung wie der Wärmestrahlung. Völlig ohne Strahlung ist nur der totale Tod, das Nichts.
Nur quantitative Strahlenmessungen besagen also prinzipiell garnichts über die Lebensqualitäten der Strahlung, auf die es im Leben allein ankommt. Wenn man alle Strahlung meiden müßte, dann müßten hervorragende Heilbäder wie Gastein, Oberschlema usf. geschlossen werden. Und ihre Werbung mit der Radioaktivität müßte bestraft werden. Die wert„freie" Wissenschaft gerät also überall im Leben in schwerste Selbstwidersprüche.
Erst die gute oder schlechte Qualität einer Strahlung erlaubt die Aussage, ob diese Strahlung zu suchen oder zu meiden ist. Und diese Wirkung kann man nur am Lebewesen ermitteln, an seiner gesunden bzw. gesundenden oder kranken Reaktion. Was wäre logischer! —
Diese Ermittlungen sind einerseits in Ziegel-Holzbauten, andererseits in Betonbauten seit hundert Jahren in millionenfacher Vielfalt höchst lebensintensiv und in ausreichender Langzeit durchgeführt worden. Die Tageszeitungen schon berichten ausführlich von der psychosomatischen Betonallergie. —
Disharmonische Strahlen betrachten Chemiker, Biologen und Ärzte als Ursache der Bildung von sogenannten chemischen „Radikalen" im menschlichen und tierischen Körper. Und diese Gifte werden mit verantwortlich gemacht für die Entartungen von Zellen zu bösartigen Formen und auch für andere ernste Erkrankungen ([2]). Hauptsächlich deshalb warnt die Weltgesundheitsorganisation vor solcher Radioaktivität. Und sie sagt, daß auch die geringsten Mengen solcher Strahlen zu meiden seien. Denn sie würden sich im Leben summieren. — Dem ist kein Wort hinzuzufügen.
Dazu noch ein geradezu harmlos erscheinendes Beispiel: Dr. Wüst, Arzt und Physiker, wurde während seiner Tätigkeit am radiologischen Institut der Universität München zu einem prächtigen Neubau gerufen. Niemand könne darin schlafen, klagte der Hausherr, ausgenommen das Dienstmädchen in

seinem Zimmer. — Der Geigerzähler ergab hohe Gammastrahlung. Die Inspektion ergab Hochofenschlacke im Zwischenboden. Nur für das Mädchenzimmer hatte dies edle Material nicht mehr ausgereicht. — Nachdem die teuren Böden alle aufgerissen worden waren und der Zwischenboden mit natürlichem Material gefüllt worden war, konnten alle gut schlafen. — Wie gesagt, dieses Beispiel erscheint nur harmlos.

Betongeruch?

Eine Frage ist, ob bei Betonbewohnern ein dumpfer, muffiger, modriger, betonähnlicher Körpergeruch festzustellen ist, der durch nichts geheilt werden kann, sondern nur äußerlich „desodoriert" und durch andere Gerüche übertüncht werden kann? Deutlich ist er in neuen Betonbauten zu riechen, die noch nicht verputzt sind. Solch ein Geruch ist alten Ärzten im frühen 20. Jahrhundert nicht bekannt gewesen. Heute werden in Desodorantien und Mundsprays, ungeachtet der möglichen Ursachen, riesige Umsätze gemacht.

Krebs und Störfeld

Eine medizinische Betrachtung und Nutzanwendung: Die zuerst qualitative, aber auch quantitative Störung des Körperfeldes und also auch des Feldes jeder Körperzelle, die u. a. an der erhöhten Blutsenkung erkennbar ist — sie ist bei dem Bewohner des Zivilisationshauses „normal" geworden! — ist bei größerem Abfall eines der ersten und wesentlichsten Kennzeichen der Erkrankung des Körperhauses an der Krebskrankheit. Diese besteht schon Jahre, bevor die erste Zelle ihre Identität verliert, sich dann total aus dem Körperfeld desintegriert und chaotisch zu wuchern beginnt. Bei den bösartigen Krankheiten ist die qualitative Feldstörung des Körpers und seiner Zellen von allen Krankheiten wohl am größten. Sie ist u. a. auch mikroskopisch an der qualitativen Verschmutzung des Blutes im Dunkelfeldbild deutlich erkennbar.

Daher kann durch rechtzeitige Untersuchung des Körperfeldes und durch seine allgemeine und spezifische Kräftigung, soweit erforderlich, eine Krebserkrankung und eine Gruppe anderer schwerer Erkrankungen mit hoher Sicherheit vermieden werden. Das beweisen entsprechende Statistiken aus den Erfahrungen von vielen hunderten von Ärzten aus der ganzen Welt. Zu einer Wiederherstellung der Qualität und Ordnungskraft des Körperfeldes, zu einer Wiederherstellung der vollständigen Identität ist ein gesundes Haus unbedingt notwendig, vor allem darin ein gesunder Schlafplatz und ein gesundes Bett! Ebenso ist eine gesunde, giftfreie Ernährung und Kleidung notwendig. Zur sicheren Verhütung und zur objektiven Heilung einer Krebserkrankung ist die gesamte Ordnung des gesunden Lebens zu achten.

Die Faktoren der Betonkrankheit

Zusammengefaßt hat sich die Betonkrankheit als ein Komplex verschiedener disqualifizierender, also kranker Feldwirkungen erwiesen. Es wäre nun zu versuchen, in Prozenten den Anteil der einzelnen Teilfaktoren zu klären. Zweifelsfrei sicher und weitaus am meisten ist der Faktor Metallkäfig nachgewiesen. Ob sein Anteil bei 50 % oder gar darüber liegt? Das wäre möglich. Hinzu käme die nicht geringe Induktionswirkung aus der Hauselektrik auf den Metallkäfig. In zukünftiger Forschung wären die Größen der einzelnen Anteile zu klären.

Kunst und Beton

Bei einer Kritik am Beton wird von Architekten und Baumeistern in der Regel zuerst eingewandt: Aber Zement und Beton sind doch ungeheuer vielfältig formbar und also brauchbar! Kein anderes Baumaterial bietet diese Möglichkeiten! — Das ist erstens ein aesthetischer Einwand. Er besagt noch nichts zur Ungesundheit des Betons. Da diese Ungesundheit jedoch psychosomatisch ist, also auch seelisch, so ist nach dem Hintergrund dieses Einwandes zu forschen, nach den eigentlichen geistigen Mächten in alledem. Welche sind das?
Das Leben der Menschheit verliert im Übergang zu der ersten Menschheitskultur seine scharfen und harten Kanten. Es wird formbarer, weil es wesentlicher werden soll! Das hat zunächst, im vorausgeworfenen Schatten des Kommenden, zu einer Vorliebe für plastische Materialien und Formen geführt, dies auch geistig, wie in den vielen relativistischen Gummiworten, Schlagworten und substanzlosen Phrasen auf künstlerischem, wissenschaftlichem und politisch-sozialem Gebiet. All das zeigt einerseits die Auflösung der Strukturen des Geistes und der Seele in der Endzeit, andererseits die Schatten des Kommenden.
Aber die guten Rundformen sind auch mit guten Materialien zu erreichen. Das hat schon der Barock gezeigt, auch der romanische Stil. Was jedoch sehen wir heute? Das charakterlose Baumaterial wird bemerkenswerterweise auch zu den charakterlosesten, gestaltlosesten, geistlosesten, stumpfsinnigsten Formen verwandt, zu den auch aesthetisch völlig toten, quadratischen Kästen. Sie werden daher sachgerecht auch „Wohnmaschinen“ (Corbusier) genannt. Sind sie Silos für die Zivilisationssklaven, für die Mechanizisten? — Man lobt also mit Worten die Plastizität, gebraucht sie dann aber in Taten nicht im Geringsten, sondern bildet so harte und formlose Formen, platt in jeder Hinsicht, wie man sie mit dem angeblich unbrauchbaren Material früher nie gebildet hat. Mit Ziegeln und Naturstein wie Sandstein hat man in der Weltgeschichte weitaus vielgestaltiger und feingliedriger gebaut als je mit dem Beton! Man sehe sich doch das Straßburger Münster an oder irgend

ein älteres Haus und vergleiche es mit einem modernen Bau! Gibt das nicht zu denken! Am Material scheint es also weniger zu liegen, sondern mehr am Geist bzw. Ungeist des Architekten und Bauherrn. Dieser wüßte doch heute in der Regel überhaupt nicht mehr, was er eigentlich wolle, so klagen gute Architekten. Gibt nicht auch das zu denken! —

Doch existieren nicht auch herrliche freitragende Rundformen wie Blätter, die sich im Winde wiegen? Gar ganze Symphonien von kurvigen Gestaltungen? Man sehe sie sich beschaulich an. Welche Bizarrheit, welche Geist- und Seelenlosigkeit, welche Naturfremdheit und Kulturfremdheit wird auch hier oft vor aller Augen sichtbar! Doch dazu muß man ebenfalls das Auge des Geistes öffnen. Mit den zwei „blöden Augen" allein kann man garnichts sehen. —

Es mag unter den zahllosen verquollenen und „konstruierten Fiktionen" auch einige menschenwürdige, wesensgerechte und objektiv aesthetische Gestaltungen geben. Doch ist da kein „psychosomatischer Streit" zwischen Seele und Materie des Kunstwerkes fühlbar? —

Aber haben nicht Architekten wie Mies van der Rohe eine klassische Aesthetik in Stahl, Beton und Glas vorbildlich allen vor Augen gestellt? Auch hier schaue man; und man wird die Eiseskälte und seelische Rohheit dieser Bauwerke erkennen, ihre oft vollständige Seelenlosigkeit. Man kann wohl mit urharmonischen, leicht zu berechnenden Maßen, über die Corbusier ein bekanntes Buch geschrieben hat, harmonische geometrische Formwirkungen erzeugen. Aber ist dies nicht eine Aesthetik der Mechaniker? Corbusier wollte alle Dome einreißen, wie er ausdrücklich erklärt hat. Zeigt sich der hinter dieser Aesthetik wirkende Ungeist hier nicht höchst deutlich! —

Der Mensch mit gesundem Menschengefühl fühlt den allseitigen Verlust der Identität hier bald. Seifert hat klar vom Charakter gesprochen, auch daß Beton immer schmutzig sei. Das ist zuerst ein universelles aesthetisches Urteil. — An den Grenzen des Wachstumes der Bauwirtschaft und gleich der Bewohner (!) muß man deutlich reden, wenn man kann. Oder man wird in Schande mitverantwortlich für alle Folgen, mag sich Seifert gedacht haben. —

Da Corbusier das moderne Bauen hauptsächlich mitgeprägt hat und für zahllose heutige Architekten noch immer der Gott des Betonbaues ist, so soll seine Baugesinnung mit seinen eigenen Worten deutlich gemacht werden:

„Alle Traditionen, ausgenommen diejenigen der Neger und der Sowjets, müssen ausgerottet werden. Das Haus, das der Pflege der Familie diente . . . muß verschwinden und durch die Wohnmaschine ersetzt werden; die Maschine stellt eine neue Welt vor, sie ist vollkommener als die Natur, sie ist die Göttin der Schönheit.

Der Mensch hat weder Zukunft noch Vergangenheit, er ist ein geometrisches Tier. Man muß dem Weltkrieg dankbar sein, daß er den Opfersinn verringerte und die Genußsucht gefördert hat. Rußland hat uns auf allen Gebieten . . . das Beste geschenkt, alle Grenzen müssen fallen, wir müssen den

käuflichen Gott, den Radikalismus verehren. Lenin ist der Held unserer Zeit. . . . Die Gotik, der Barock, die Königsstile sind bloß ehrwürdiges Aas. . . .
Der Kern unserer Städte mit ihren Domen und Münstern muß zerschlagen und durch Wolkenkratzer ersetzt werden. Große Männer sind überflüssig. Banalität ist vorzuziehen.
Das Firmament und der Regenbogen sind nicht so exakt wie eine Maschine, darum weniger schön. Man muß die Geschichte, die künstlerische Erhabenheit, die Häuser zerstören. In den Kot mit den Professoren, mit den Historikern, in den Kot mit Shakespeare, mit Goethe, mit Äschylos, Wagner, in den Kot mit Beethoven" ([1]).
Wem genügt dies noch nicht, um den psychosomatischen Charakter des modernen „brutalen" Bauens der Betonuniversitäten, der betonierten Wirtschaftsbauten, der auch politischen Mammut-Verwaltungszentren usf. gründlich kennen zu lernen? — Wer auch nur einen Funken gesunden Menschenverstandes und guten Willens hat, dem müssen bei diesem Glaubenbekenntnis des Gottes der Betonarchitekten doch die Augen aufgehen! —

Störfeldwissenschaft und Bauwirtschaft

Vor dem Abschluß der Hauspathologie noch eine nachdenkliche Zwischenbemerkung: Wie oben von Grandeau und anderen zitiert, waren die schweren Schädigungen und Minderungen des Lebens im Käfig schon im vergangenen Jahrhundert genau bekannt. Sie waren sogar schon vor dem Jahre 1800 „allen damaligen berühmten Physikern" genau bekannt. Denn die wenigen, die nicht selber untersucht haben, waren gewiß über die übereinstimmenden Versuche der übergroßen Mehrzahl ihrer namhaften Kollegen gut informiert. Die Erfindung der Elektrizität hatte damals die gesamte Naturwissenschaft „elektrisiert"! — Was aber bauen wir zwei Jahrhunderte später? Ist das Fortschritt oder Rückschritt? — Liegt hier Nihilismus, Ignoranz, Verantwortungslosigkeit oder was vor? Bei der Wissenschaft oder bei der Bauwirtschaft oder bei beiden? Oder gelten wir uns nur noch selber als klug? Wollen wir unsere Väter als Dummköpfe erklären? — Was werden dann unsere Kinder erklären? —
Wie dem auch sei, hier liegt ein weiterer Beweis vor, daß weit wichtiger als die Erforschung der Wahrheit der gute Wille ist, der Wahrheit entsprechend zu leben, zu handeln. Andernfalls könnte mit der Wahrheit und allgemein mit der Forschung bzw. dem Studium Mißbrauch getrieben werden. Und einem ernsten Mißbrauch gegenüber wäre es vielleicht besser, das betreffende Forschen bzw. Studieren zu unterlassen und ein redliches Handwerk auszuüben. —

Die finanziellen Schäden durch Käfige

Wie groß sind die finanziellen Schäden durch Wohnen im Käfig? Also abgesehen davon, daß man im Felde eines Käfigs kein echtes Wohlgefühl und keine Lebensfreude haben kann! Kann man solche Schäden überhaupt berechnen?

Bielenberg schreibt in der Zusammenfassung einer groß angelegten Forschungsarbeit, die sich ausschließlich auf die Folgen ungesunder Schweineställe konzentrierte: „Für das Gebiet der Bundesrepublik konnte aufgrund eigener Untersuchungen der unnötige Futtermehrverbrauch infolge der schlechten Stallqualität auf 280 bis 300 Millionen DM jährlich geschätzt werden" ([1]). Die Verluste durch Krankheit, Todesfall, Schlachtausfall, Tierarzt, Medikamente, Zeit und Mühe des Bauern sind hier nicht eingerechnet. Ob dann nicht allein bei den Schweinen schon die Milliardengrenze weit überschritten wird? —

Tierärztliche Hochschulen und Bauern nennen einen Schweinestall aus Beton eine „Schweinesarg"! — — — Gelten für den Menschen andere Naturgesetze? —

Der Mehrverbrauch u. a. an Fetten ist bei den Bewohnern zivilisierter Häuser in den letzten hundert Jahren auf das Fünffache gestiegen! —

Das Bundesgesundheitsministerium schätzt die jährlichen Raucherschäden in der Bundesrepublik Deutschland auf 20 Milliarden DM! (D. Ä. 33/74). In gleicher Art zu berechnende Verluste durch Käfigbauten bei Menschen dürften 20 Milliarden DM jährlich in der BRD weit übersteigen? — Und da wäre vom „unnötigen Futtermehrverbrauch" noch ganz abgesehen! Doch können sich dieses Absehen auch andere Völker leisten? Und wie lange wir noch in Anbetracht des krebsigen Wachstumes? —

Über alledem ist jedoch zu erwägen: Wohlgefühl und Lebensfreude des Menschen kann man mit all den Lebensqualitäten nicht in DM berechnen! Der Mensch aber steht im Mittelpunkt! —

Der Mensch im Nullfeld

Da das Nullfeld im Haus eine so zentrale Bedeutung hat, wie auch die Bauwirtschaft umfangreich erklärt, so sei zum Schluß versucht, die gesamte Situation des heutigen Menschen von dieser zentralen Schau her im pythagoreischen, mathematologischen Sinne zu erhellen. Denn ist der Zivilisationsmensch nicht weithin ein Nullfeldmensch geworden?

Der Mensch ist in fortschrittlicher Verwicklung am Ende der Neuzeit in ein universales Nullfeld geraten. Er hat es sich selbst geschaffen. Das Nullfeld in der Wissenschaft wird „Wissenschaftskatastrophe" genannt. Hier besteht das geistige Nullfeld in der Vergötzung der „Freiheit" vom Wert und der „Freiheit" vom Sinn des Lebens, also vom Leben selbst, und in der

Vergötzung dieser Sinnlosigkeit, nämlich des Unsinns selbst. (Vgl. „Zur Krise der Wissenschaft"). Das ist die Freiheit von der Freiheit! —

Das Nullfeld in der Wirtschaft wird an den Grenzen des krebsigen Wachstumes als Selbstmordwirtschaft der Menschheit sichtbar. Dies lehrt u. a. die Umweltschutzbewegung eindringlich und überzeugend.

Das Nullfeld in der Bauwirtschaft wird als Selbstmordbauwirtschaft typisch sichtbar in den „Bauwüsten", besonders in den leer stehenden und in den anderen totkranken, giftigen Häusern.

Das Nullfeld in der Kunst ist am Beispiel der „Erzkunst", der Architektur soeben mit Corbusiers eigenen Worten deutlich gemacht worden. Im „Verlust der Mitte" und im „Tod des Lichtes" (A. Sedlmayr) ist dieses Nullfeld umfangreich dargestellt worden.

Das ethische bzw. moralische Nullfeld wird als Kapitalismus — in der Bauwirtschaft als „Profitopolismus" — und Liberalismus jeder Himmelsrichtung sichtbar, als Unterjochungs- und Ausbeutungswirtschaft mit Intoleranz und Diskriminierung jeder Person und Wahrheit, welche die eigene unfreie Macht und ihren Profit mindern könnte.

Das entsprechende gesellschaftliche Nullfeld wird heute in der ganzen Welt nach Taylor als „Selbstmordgesellschaft" bezeichnet.

Die alle diese Bereiche begründende und überspannende Theorie des Nullfeldes ist eingangs dieses Buches bei den Grundlagenwissenschaften und der Krise der Wissenschaft konzentriert zusammengefaßt worden. Im weiteren Sinne wird sie heute als „Selbstmordprogramm" bezeichnet. Dieses Programm reicht von einer konservativistischen Erstarrung in leer gewordenen Formeln bis zu den subjektiv radikalen, objektiv jedoch wertfreien und daher wurzellosen und substanzlosen Reformen und Revolutionen in der Ethik, in der Kirche, der Schule und im Staat, in der Wirtschaft, in der Kunst und in der Natur.

Das Nullfeld des wertfrei und also sinnlos gewordenen Lebens, das dann überall ersatzweise technokratisch zu „simulieren" versucht wird, in „konstruierten Fiktionen" aller Art, in modernen neuen ethischen, gesellschaftlichen und wirtschaftlichen Leitbildern, führt in jedem Menschen, der an diesem Fortschritt teilnimmt, zu einer geistig-seelischen und leiblichen Katastrophe. Dieser Fortschritt führt zum totalen Verlust des Wesens und also alles Wesentlichen. Folglich führt er zum „Verlust der Identität" (A. Libik) und also zum „Menschen ohne Ich" (Bodamer). Hier zeigt sich das Nullfeld als universales Friedhofsfeld, als Totenfeld der Menschlichkeit und alles Lebens. —

Und das beginnt der moderne Mensch mit Schrecken zu erkennen. Daher gerät er in die „große Angst". Aus ihr hetzt er sich dann auf der „Flucht vor Gott", auf der Flucht vor seinem Gewissen, auf der Flucht vor seinem wahren Selbst noch schneller zu Tode, zunächst auch zum leiblichen Selbstmord in tausendfacher Form. Die Toten begraben dann einander, — in entsprechenden Gehäusen. Oder er beginnt, sich dem eigenen Selbst, den objektiven Lebensqualitäten und der Wahrheit zu stellen. Er beginnt, sich zu besinnen. Und das führt zur großen Wende. Sie wird in all den sozialen Reformbestrebungen sichtbar, in der Lebensreformbewegung, der Lebensschutzbewegung und zuletzt in der Umweltschutzbewegung. Aber auch geistig-religiös beginnt eine Wende wie bei den ersten Wissenschaftlern der Menschheit.

Die Heilung der Betonkrankheiten

Was tun, wenn man oder solange man noch in einem Betonbau wohnen oder/und arbeiten muß?
Wie schon oben erklärt, ist die Betonkrankheit primär und kausal, also ursachengerecht und ganz nur durch Ausziehen oder Abreißen und neu Bauen heilbar. Was aber ist noch sekundär möglich?
Aus der Analyse der einzelnen Faktoren der Betonkrankheit (Bunkerkrankheit) ergibt sich eine Reihe von Hilfen. Sie sind großenteils schon vieltausendfach bewährt. Und sie wurden aus der Not heraus oft auch schon selbst gefunden. Sie sollen folgend zusammengestellt werden.

1. Auf einen flachen Betonkasten einen Giebel mit harmonischen Winkeln setzen, um die pyramidalen Formwirkungen in das Haus zu holen und die quadratisch-kubischen Formwirkungen zu verringern ([1]).
2. Eine Gleichfeldanlage einbauen oder ein solches einfaches Tischgerät benutzen, möglichst in biologisch qualifizierter Ausführung. Nicht für das Schlafzimmer, sondern nur für Wachzimmer, besonders für Räume mit Publikumsverkehr, Büroräume usf.
3. Einen Netzfreischalter (NFS) einbauen, um den Metallkäfig von seiten des elektrischen Hausnetzes elektrostörfrei zu halten und um das Betonstörfeld nicht noch zusätzlich erheblich zu disqualifizieren.
4. Einen Biofilter in das Hausnetz einbauen, wo notwendig.
5. Vollwärmeschutz mit lebensqualifizierten Naturstoffen. Also Holzverkleidung und dahinter giftfreie Kokosmatten oder Schilfrohrplatten und dergl.
6. Am Schlafplatz: Einfachsterweise 3-5 cm starke Bretter zwischen Bett und Betonwand stellen, mindestens 1,50 m hoch und noch einen halben Meter über jede an die Betonwand angrenzende Bettecke hinaus. Noch besser: Zuerst Ziegel hochkant stellen oder aufmauern und dann das Holz. Eine Mauerdicke Abstand zwischen Betonwand und Bett!
7. Für den Obst-, Gemüse-, Kartoffel- und Getränkekeller: Eine Ziegeldicke — ca. 7 cm — Ziegel vor alle Betonwände mit zementfreiem Mörtel von unten bis oben vormauern. Nicht verputzen. Keine Hartbrandziegel verwenden. Oder zumindest einen dicken zementfreien Kalkmörtelverputz (1,5-2 cm) auf die Betonwand.
8. Naturgerechte Belüftung der betonierten Räume. Also weit offene Fenster,

nicht durch einblasenden Ventilator, nicht durch unqualifizierte Kanäle. Eventuell kleine direkte Dauerbelüftung, diese nicht in Metallführung, sondern in Holz, möglichst auf kürzestem und geradem Weg.

9. In einem Schlafraum das Fenster nachts weit öffnen. Das Bett zugfrei möglichst nahe zum Fenster stellen. Besonders den Oberkörper in das von außen her lebensqualifizierte Fensterfeld, das eiförmig durch die Fensteröffnung in den Raum hinein reicht.

10. Naturgerechte Belichtung. Also nur lebensqualifiziertes Material im Fensterbereich. Bioglas, optimal Quarzglas. Qualifizierte harmonische Fensterform. Diese kann notfalls durch entsprechende Stores aus Leinen etc. sekundär gebildet werden. Keine Leuchtstofflampen, sondern Glühfadenlampen hinter lebensqualifizierten Schirmen in lebensqualifizierten Gestellen.

11. Wohnräume und Arbeitsräume mit qualifizierten Lebensfeldern anreichern wie hauptsächlich durch lebende edle Pflanzen, soweit sie das Betonklima aushalten können. Bei großen Pflanzen die Wurzeln in der Nähe des Fensters.

12. Möbel, Teppiche und andere Einrichtungsgegenstände aus qualifizierten Naturstoffen bzw. Kulturstoffen wie edles Vollholz, giftfreie Wolle, giftfreies Leder, solche Polster, Felle, Leinen usf. All dies qualifiziert und also biologisiert das Raumfeld primär und sekundär.

13. Täglich zur Wiederaufladung mit den Lebensqualitäten aus dem Vitalfeld der Natur und zur ganzheitlichen natürlichen Regeneration des teilweise gestörten Körperfeldes einen Spaziergang von wenigstens 15 min. in der freien lebendigen Natur, also nicht auf Asphalt zwischen Häuserwänden, sondern auf Naturboden in der Nähe von Bäumen, Büschen, Rasenflächen, Wasserflächen. Dazu Lederschuhe oder Sandalen, Wollsocken, keine Kunststoff- oder Baumwollstrümpfe. Ideal barfuß, etwa früh als Taulaufen nach Kneipp. Auch nach einem Regen. Allein ein solcher täglicher Spaziergang ist vielen Betonbewohnern schon zum Lebensretter geworden.

14. Täglich einmal am offenen Fenster oder noch besser im Freien die Yoga-Reinigungs- und Regenerationsübung. Dauer 1-2 min. Nie im geschlossenen Raum! Durch sie wird Müdigkeit in Sekunden urbiologisch vertrieben! Wie viele beginnende Infektionskrankheiten können hierdurch ausgetrieben werden! —

15. Nach dem Auszug aus einem mehrjährig bewohnten Betonhaus eine Reinigungs- und Regenerationskur, was auch auf dem Grunde einer Fastenkur geschehen kann.

Wer auch nur die Mehrzahl dieser Ratschläge beachtet, der kann erfahrungsgemäß auf längere Zeit erträglich in einem Betonbau wohnen oder arbeiten. Wenn er in einem Betonbau sowohl wohnt als auch arbeitet, dann sollte er eine größere Mehrheit dieser Ratschläge beachten oder noch weit besser mit der Wohnung in ein gesundes Haus umziehen. Ist das nicht möglich oder noch nicht, so sollte er wenigstens mit der Arbeitsstätte in ein gesundes Haus wechseln.

Wie lange ist ein solches sekundär biologisch gestütztes Wohnen in einem Betonbau erträglich, ohne daß es zu schweren, nicht mehr wiedergutzumachenden Gesundheitsschäden kommt?
Hierüber sind noch nicht genügend Erfahrungen gesammelt. Auch hängt dies von der individuellen konstitutionellen Widerstandsfähigkeit ab — nur bei einigen Mäusen sank die Widerstandsfähigkeit alsbald total auf null — sowie von Lebensgewohnheiten und von der weiteren Entwicklung der Sensibilität des Menschen. Es ist leicht möglich, daß ein heutzutage vielerorts als normal angesehenes Wohn- und Arbeitsklima in dreißig Jahren als schauerliche Unzumutbarkeit gilt und gar als strafwürdig. —
Wir müssen alle umdenken und uns umstellen. Die Vernünftigen tun es beizeiten. Und das ist nicht ihr Schaden. Die Unvernünftigen sperren sich gegen die Entwicklung und handeln sich zu ihrem Schaden auch noch die Schande ein, — und eine Strafe.
Man klage auch auf diesem Gebiet nicht eine Industrie an. Die Zement- und Beton-Industrie produziert ebenfalls nur, was verlangt und gekauft wird. Sie wird vermutlich gerne bereit sein, mit ihren meist großen und für jeden Bedarf ausreichenden Kapazitäten auch andere Kalkprodukte herzustellen. Wie Biozement! — Er würde nicht mehr schmutzig sein! — Und nicht mehr wie der alte Zement strahlen! — Das wäre auch für den Tiefbau wichtig, für den Straßen- und Brückenbau und andere technische Bauten, wo es im Allgemeinen auf die Lebensqualitäten weniger ankommt.
Auch hier bestehen wie in der Elektrowissenschaft und Chemie noch ungeahnte große Entwicklungsmöglichkeiten! (Die Prinzipien dieser Entwicklung werden in dem vorliegenden Buch vielfältig beschrieben!) Sie setzen eine entsprechend qualifizierte wirklich freie Wissenschaft voraus. Sie führen zu einer gesunden, umweltfreundlichen Wirtschaft. —
Diese Entwicklungen werden nicht nur großen Verdienst, sondern auch große Ehre bringen. —

5. DIE HAUSHALTSKRANKHEITEN

Die Lebensordnung des Wohnens im Hause wird Haushalt genannt. Die Störung dieser Dynamik führt zu Haushaltskrankheiten.
In dem Begriff Haushalt kann man die gesamte Dynamik des Hauslebens zusammenfassen, also Eingang, Umgang und Ausgang alles Lebens, somit allen Wechsel einschließlich aller Wandlung. Haushaltskrankheiten entstehen dann durch eine Störung dieser Dynamik, nämlich durch eine Haushaltsführung, welche störend führt oder in der Führung gestört wird. Wir fragen daher, was ist die Ordnung des Haushaltens? Und bei den Störungen fragen wir besonders nach den Zivilisationskrankheiten.
Für den Haushalt der weiteren Umwelt ist in den letzten Jahrzehnten der Begriff Ökologie eingeführt worden. So könnte man von der Dreiheit Öko-

logie, Ökopathie (Ökopathologie) und Ökotherapie sprechen. Dies würde jeweils die Dynamik der biologischen (gesunden), pathologischen (kranken) und therapeutischen (heilkundlichen) Environtologie umfassen, sofern man Environtologie als eine qualifizierte Wissenschaft begreift, als eine auf der Ordnung der Lebensqualitäten gründende Wissenschaft.

Dann würde sich auch eine enge Analogie zur Biologie, Pathologie und Therapie der Ökonomie ergeben. Denn jede echte Wirtschaft ist Wirtschaft der Lebensqualitäten. Bloße Quantitätswirtschaft ist Scheinwirtschaft, ist Unwirtschaft.

Ökologie bzw. Environtologie und Ökonomie sind daher nur zwei Seiten desselben Gegenstandes. Die bisherige Ökologie und Environtologie faßt ihr Thema noch viel zu eng auf. Es ist hundertfach größer. —

Aus der Ordnung der Lebensqualitäten ergibt sich, daß die biologischen Grundgesetze der Haushaltsführung für alles Leben in allen Häusern gelten, also für den Haushalt der ganzen Erde gleich wie für den Haushalt eines Erdteiles, einer Nation, einer Landschaftseinheit, einer Stadt, eines Dorfes, eines Hauses, einer Wohnung, eines Zimmers, für den Haushalt einer Kirche, einer Schule, eines Staates, eines Betriebes, gleich so für jeden menschlichen Leib, für jedes Organ darin usf. Wie ist das praktisch zu verstehen? Beginnen wir am Haus aus vier Wänden an alltäglichen Beispielen. Welche Möglichkeiten bestehen?

Die Hausfrau stellt ein neu gekauftes Fünfkilopaket Waschmittel in den Haushaltsschrank. Zufällig liegt hinter dem Wandschrank im angrenzenden Raum das Kopfende des Bettes. Und einige Nächte oder Wochen, nämlich bis das Paket den Platz wechselt zur Waschmaschine, schläft die Frau oder der Mann schlecht. Diese Tage sind teilweise verdorben, zumindest im Wohlbefinden. Denn eine schlechte Nacht wirkt sich auf den ganzen folgenden Tag aus. Warum? Das Schlaffeld ist chemiegestört, also chemiekrank.

Wie viele solche gestörten Nächte und Tage zählt der Zivilisationsmensch im Jahr? Über 50 %? Oder über 90 %? — Welche anderen Ursachen könnten da noch vorliegen? Denn bei vielen Menschen ist der gute Schlaf eine seltene Ausnahme geworden!

Ein neues Fernsehgerät wird über, unter oder neben dem Bett im angrenzenden Raum postiert. Jetzt ist der Schlaf noch mehr gestört. Auf die Dauer dieser Postierung wird der Schläfer an diesem Platz elektrokrank. Oder zu Weihnachten erhält man eine aufgeschnittene Druse mit herrlichen Bergkristallen geschenkt oder einen Schachtisch mit einer Achatplatte. Zufällig wird das Geschenk auf eine sonst harmlose geopathische Zone gestellt. Und weg ist der ruhige Schlaf, auch wenn das liebe Geschenk zehn Meter weit entfernt steht. Und bis ein Fachmann das entdeckt, können Jahre vergehen oder ein Leben. Oder in einer glücklichen Fügung, wenn das entsprechende Karma erfüllt ist nach indischer Auffassung, nach einer guten, also christlichen Tat, wird das Geschenk auf einen störfreien Platz umgestellt.

Oder irgend etwas im Hause wird neu gestrichen. Oder der Fußboden wird neu versiegelt. Oder mit dem neuen fabelhaften Reinigungsmittel werden Grill und Backofen oder die Fenster oder die Möbel gereinigt; oder die Teppiche werden mit dem neuen Trockenschaum shamponiert. — Man bekommt Kopfschmerzen, auf Tage, Wochen, Monate hin. Dann wird noch ein neues Spülmittel bei dem Abwasch in Gebrauch genommen. Und Mutter hat sich einen neuen Haarspray gekauft, der die Haare viel länger hält. Die Kopfschmerzen werden ärger. Sehstörungen kommen hinzu. Die Hausfrau klagt ihrem Mann über ständig zunehmende Allergien an den Händen, im Gesicht, an den Haaren und an empfindlichen Schleimhäuten. Kein Familienmitglied fühlt sich mehr wohl in seiner Haut. Man beginnt nach den Ursachen zu fragen. Ist denn der Teufel los im Haus?
Zuerst stürzt man sich auf den Haarspray. Erschrocken sich ins Haar fassend liest die Tochter aus der Zeitung vor: „München (dpa). Ein zehnjähriges Mädchen in Oberbayern sprühte sich Rasierwasserspray längere Zeit direkt ins Gesicht. Trotz sofortigen Transportes ins nächste Krankenhaus konnte das Kind nicht mehr gerettet werden. Auf diese und ähnliche Meldungen wies die Aktion „Das sichere Haus" in München hin" (Südkurier vom 28.8.74). Nachdenklich faßt sich auch der Vater in seine abendlichen Bartstoppeln. In den USA sollen schon über dreißig Menschen durch Einatmung der Spraygase gestorben sein. Tatsächlich hilft es, als aller Spray weggelassen wird, aber nicht viel.
Dann wird eine antiallergische und desodorierende Seife in Gebrauch genommen. Mutti, jetzt machst du es noch schlimmer, sagt der in der Schule in Lebenskunde und Umweltschutz aufgeklärte Sohn. Aber man kann doch nicht auf alle Errungenschaften der Zivilisation verzichten. Also geht die geplagte Mutti noch vor der Tochter zum Mediziner und zwar gleich zum Hautspezialisten. Der verschreibt für die Kopfschmerzen und die wunde Haut eine Serie von betäubenden, lähmenden und die Symptome in den Körper zurücktreibenden Antitabletten. — Eine kurze Zeit atmet die Hausfrau auf. Doch dann wird es noch weit schlimmer. Ein leichter Verwirrtheitszustand stellt sich bei ihr ein. Sie verschweigt, daß sie mit dem Zweitwagen bei dem Einkauf beinahe einen schweren Unfall gebaut hätte. Ich bin doch nicht verrückt, erklärt sie, und geht zu einem anderen Spezialisten. Der verschreibt ihr wiederum Antitabletten, jetzt Psychopharmaka genannt. Denn die moderne Chemie hat doch schon gegen jede Lebensform und gegen alles einen Kampfstoff entwickelt. Nun wird die Hausfrau ganz ruhig und zeigt ein wie der Mond glänzendes und dauerfrohes Gesicht. Nur etwas starr, fast wie eine Grimasse wirkt es, und wie eine Maske. Wo bleibt Mutters frühere Herzlichkeit? —
Inzwischen ist der Sommer gekommen, mit ihm die Mückenplage. In allen Zimmern wurden die modernen Stangen aufgehängt, die man überhaupt nicht riecht, wirklich garnicht. Die Mücken machen vor ihnen schon einige

Meter vor dem Fenster kehrt. Wieso eigentlich? — Und noch einige andere moderne Errungenschaften benutzt man. — Die ganze Familie ist inzwischen zu Kopfschmerztabletten, Antiallergietabletten und -Gelee, Einschlaftabletten, Wecktabletten und einigen anderen Tabletten wie für den Stuhlgang übergegangen. Und ohne starken Kaffee kann niemand mehr existieren. Die Apotheke und deren Lieferanten verdienen unheimlich. Das Geschäft mit der Krankheit blüht.

Auch ein Baby ist vor einigen Wochen gekommen. Aber was hatte es für eine seltsame giftgrüne Hautfarbe! Muttermilch mochte es nicht. Man muß sie eintrichtern. Doch es spuckt ständig. Immer mehr Sorgen macht es. Der Kinderarzt kommt schon fast täglich. Da schwant dem Hausvater Übles. Als er einen Bericht aus Basel liest, von der Muttermilch dort lebender Frauen, da veranlaßt er eine gleiche Untersuchung. Sie hat das gleiche Ergebnis: Der Giftspiegel liegt zehnfach über der erlaubten Höchstmenge! Sofort absetzen. Doch inzwischen ist das Baby schon in der Klinik gelandet. Und von dort kommt nach einigen Tagen die Nachricht, es sei an einem bösartigen Tumor erkrankt und an einer Blutzersetzung.

Jetzt gibt der Vater Großalarm. Und er eilt zu einem Naturarzt. Dort wird er gründlich aufgeklärt. — Nun wird der ganze Haushalt reformiert. Von der Einkaufstasche, von Essen und Trinken angefangen. Sämtliche flüssigen und festen Gebrauchsgegenstände im Haus werden unter die Lupe genommen. Alles wird neu geordnet. Das Reformhaus wird zu einer Quelle von neuen Erkenntnissen und zu einer vielseitigen Bezugsquelle guter Dinge, die weder Allergien noch Kopfschmerzen erzeugen und das Blut sogar noch reinigen. Die Bücher über die echte Biologie in Haus und Garten werden jetzt von der ganzen Familie gelesen. All die Antitabletten und Antimückenstangen wandern in den Mülleimer. Doch das Baby war schon verloren. Die Mutter wurde gerade noch gerettet. —

Ist das nur ein Einzelfall? — Es ist ein Normalfall, jedoch relativ mit happy end. Und das ist heute noch selten! —

Wenn man die fortschrittlichen „Segnungen" der Zivilisation für den Haushalt unter die Lupe nimmt, dann findet man überall Disqualifizierungen oder deutlich gesagt Gifte. Sie alle kumulieren und potenzieren ihre Lebensfeindlichkeiten im Hause. Und das tun sie beileibe nicht nur chemisch über den materiellen Kontakt oder nur (katalythisch) über ihre Oberfläche, die Luft im Haus verändernd, sondern vor allem wirken sie durch ihre schlechten Felder, schlechten Strahlungen und schlechten Strömungen. Hier verschlechtern sie primär und sekundär das gesamte Hausklima. Sie vergiften den Lebensraum der Bewohner.

Ja wie kann man denn das glauben? Daß Filme, Steine und Elektrokontakte zerfressen werden, das steht schon in der Tageszeitung. Doch für den Menschen ist das laut Werbung doch alles völlig unschädlich. Der Zivilisationsmensch ist anscheinend aus einem Superstein gebaut. Dazu ein lehrreiches

Beispiel: Ludvig Schröder-Speck, der in Zusammenarbeit mit Prof. von Gonzenbach, Direktor des Hygiene-Institutes det ETH Zürich, das bisher wohl beste und durch Zeichnungen instruktivste Buch über das biologische Bauen hinsichtlich der Baustoffe und ihrer Geopathie geschrieben hat, erzählte in seinen Vorträgen zuweilen folgendes typische Erlebnis: Als bekannter Schweizer biologischer Bauberater wurde er anfangs des zweiten Weltkrieges zu einer begüterten älteren Dame gerufen, weil sie überhaupt nicht mehr schlafen könne. Nach längerem Suchen, wobei keine geopathische Zone und auch keine wesentliche elektrische Störzone gefunden werden konnte, fand er das Nachtschränkchen gefüllt mit einer eiligst gehamsterten Kriegsreserve an Schlaftabletten. Als das Schränkchen total geleert wurde, zugleich auch die Nachttischschublade von allen im Laufe der Jahre angesammelten Chemikalien, da konnte die alte Dame plötzlich zu ihrem maßlosen Erstaunen ohne jedes Schlafmittel schlafen, und das erstmals seit mehreren Jahrzehnten! —

Man kann solch eine Mustererfahrung entweder nur ignorieren, vielleicht indem man in einer subjektiven Notwehr zur eigenen Rechtfertigung als „Schutzbehauptung" den Redner als Phantasten hinzustellen oder anderweitig zu diskriminieren sucht, oder aber man zieht als verantwortungsbewußter und lebenswilliger Familienvater, Wohnungsinhaber, Arzt oder Einrichtungsfachmann die Konsequenzen daraus, — wenn auch zuerst nur probeweise, zur eigenen Erfahrung. Denn über diese geht nichts. Man überlege eben einmal: Wie schlafen wir? Störfrei? Sind wir zwischen vier und fünf Uhr munter und frisch? Wenn nicht, was hat sich im Laufe der Zeit in meiner Nachttischschublade schon zusammengefunden und was in der meiner Frau? Wo steht die Hausapotheke? Wo der Haushaltsschrank mit all seinen Chemikalien, Putzmitteln, Säuren, Laugen? Uns nahe? Oder gar in einer geopathischen oder elektrischen Störzone? — Seit wann schlafen wir schlecht? Was ist zu Beginn dieser Zeit geändert worden? Was über oder unter uns an elektrischen Geräten aufgestellt worden?

Das heilsame Überlegen und Experimentieren sei jedem selbst überlassen. Es kostet nichts. Und man riskiert nichts, — außer vielleicht ein langes Leiden los zu werden, viele medizinische Ausgaben zu sparen und endlich wieder gut zu schlafen.

Aber man kann auch anders reagieren, nämlich: Wenn unsere ganze Welt schon durch und durch vergiftet ist, wie man heute überall liest und hört, dann hilft doch alles nichts mehr. Wie sollte da ein Einzelner noch gesund leben können? Also resignieren wir und lassen uns treiben. Bleiben wir in der Armee der Tablettensüchtigen, der Kandidaten für die Frühinvalidität und den Krebs- und Kreislauftod. Bleiben wir bei dem Selbstmordprogramm. —

Das wäre vielfältig falsch und nicht zu verantworten. Denn noch bis 1850 war ein normales Haus gesund. Auch die Nahrungsmittel und Haushalts-

mittel waren giftfrei. Diese Wohnform ist für einen tatkräftigen Menschen ohne ernstliche Schwierigkeiten auch heute wieder herzustellen. Es ist dazu noch nicht einmal das einfache Leben erforderlich. Außerdem werden von der stetig wachsenden Umweltschutzbewegung viele Hilfen geboten, von ihrer Mutter, der älteren Lebensreformbewegung schon seit vielen Jahrzehnten. Vor allem aber: Wer leben will, als Einzelner und als Gesellschaft, der mußte sich in dieser Welt schon seit jeher Mühe geben. Er mußte arbeiten und sein Leben schützen. Wer sich diese Mühe nicht machen will, der ist das Leben nicht wert, als Einzelner nicht und auch als Gesellschaft nicht! —
In Readers Digest war vor vielen Jahren in einem Artikel vom „Segen der Menschheit" die Rede. Gemeint war das im weiteren und engeren Haushalt viel gebrauchte DDT. Jahre später kam ehrlich und konsequent ein Artikel, in dem vom „Fluch der Menschheit" die Rede war ([1]). Gemeint war wiederum das DDT. — Das sollte man sich zum Vorbild nehmen.
Aber da gibt es noch einige Völker, die zwar im eigenen Hause das Gift verbieten. Doch ihre chemische Industrie ermuntern und subventionieren sie sogar, daß sie möglichst viel DDT und andere Gifte produziert und ins Haus des Nachbarn liefert. — Wird die Menschheit sie nicht bald verfluchen? Von Anklagen wie wegen „Chemischer Aggression der Menschheit" (Spiegel) ist bekanntlich schon die Rede. Denn die Menschheit ist eine einzige Menschheit in einer einzigen runden Welt. Des Nachbarn Flüsse fließen auch durch das eigene Land. Der Wind weht über alle Grenzen. Gemüse und Obst wird importiert. Und man selber fährt, vielleicht mit Millionen anderen, im Urlaub dorthin. — Aber die Steuereinnahmen und der volkswirtschaftliche Gewinn? Fürs liebe Geld bringt der Erdenmensch doch jeden um, soll jemand gesagt haben. Und wenn es der Staat tut, so folgt man selber doch nur gezwungen der Mehrheitsdiktatur. Man ist doch nur ein unmaßgeblicher Mitläufer. —
Gehen wir nach dieser Einleitung systematisch vor. Behandeln wir in den Haushaltskrankheiten zuerst den Überfluß und den Mangel, dann die lebenswidrige Einrichtung, dann die drei Urkrankheiten in Leben, Klang und Licht und zuletzt die reine Dynamik des Wohnens. Hierzu wären auch die Klimatisierungskrankheiten zu rechnen. Doch diese sind schon anderwärts bei der Darstellung der Urqualitäten des Klimas behandelt worden. Insgesamt kann das Kapitel der Haushaltskrankheiten nicht vollständig, sondern aus Platzmangel nur teilweise dargelegt werden. Jedoch werden die Zivilisationskrankheiten des Haushaltens bevorzugt behandelt. Das sind ohnedies die schlimmsten.

Haushaltskrankheiten durch Überfluß und Mangel

Überfluß kann im Haushalt entstehen durch Überproduktion, Übereinfuhr, durch mangelnde Ausfuhr und mangelnden Verbrauch. Mangel kann ent-

stehen durch mangelnde Produktion, mangelnde Einfuhr, durch übergroße Ausfuhr und zu großen Verbrauch. Dies gilt gleich für den menschlichen Leib, für das Haus aus vier Wänden, für den Betrieb, den Staat usf.
Doch erst qualitativ ist dies alles recht zu verstehen. Denn an wahrhaft Gutem kann der Mensch nie zu viel haben. Die Fülle des Lebens, also die vollständige Füllung eines jeden mit Lebensgütern ist uns verheißen worden. Auch besteht die wahre Entwicklung in einer endlosen Mehrung an wahrem gutem Leben, — an Bewußtseinsleben, nicht an Materie! Nur in dieser begrenzten Welt ist die Aufnahme des Guten und das Leben mit ihm und in ihm begrenzt.
In dem Guten liegt selten die Ursache einer Haushaltskrankheit, weder im Haus, noch im menschlichen Leib, noch im Bewußtsein wie an gutem Wissen, Denken, Wollen und Fühlen. Sondern die Überflußkrankheit, von Paracelsus Luxuria genannt, entsteht fast stets durch das zu viel an Schlechtem, an disqualifizierten Lebensqualitäten. Diese nennt Paracelsus Gift und Tartarus. Die „Tartarischen Krankheiten" entstehen durch Ablagerung von vielen Unqualitäten im Leibeshaus.
So auch im modernen Haus der Überflußgesellschaft. Es quillt über an Zivilisationsgütern, deren Qualität in Form und Material als schlecht zu bezeichnen ist. Sogar von Nichtigkeiten kann man reden. Dies Urteil trifft nicht nur biologisch, sondern auch kulturell und personal zu. Von Nippes und Kitsch sprach man früher. Es ist nicht besser geworden. Nur statt Porzellan nimmt man jetzt Kunststoff oder Blech. Und das ist zumindest in biologischer Hinsicht eindeutig schlechter. Von diesem Zeug ist ein modernes Haus in der Regel angefüllt. Und das beginnt in der Kinderstube. Schon das Fühlen, Denken und Wollen des Kleinkindes wird mit vorfabriziertem Zivilisationsmüll und Gift angefüllt.
Wo ein Überfluß an Schlechtem besteht, da liegt auch ein Mangel an Gutem, vor, also an Lebensqualitäten. Die Überflußgesellschaft, auch Konsumgesellschaft genannt — was auf eine hohe Abnutzung und also auf Unwirtschaftlichkeit hinweist! — ist in jeder Hinsicht zugleich auch die Mangelgesellschaft. Sie leidet nicht nur an der Leerheit ihrer Kalorien, sondern auch an der Leerheit ihrer Gegenstände, allgemein an der Sinnleerheit. Diese Leere an Wesentlichem zeigt sich zuerst an den Gegenständen des Bewußtseins, an den Informationen, im Denken, Fühlen und Wollen. Der Zivilisationsmensch wird zwar von Reizen und Informationen überschwemmt. Aber er kann das Gute in Fernsehen, Radio, Zeitschriften und Zeitungen nicht mehr auslesen. In der Masse unter Unwesentlichem versteckt kommt es nicht mehr an im Bewußtsein und kann daher nicht mehr qualifiziert verarbeitet und genutzt werden. Gleich so wird auch für das Haus viel Gutes auf dem Markt angeboten, jedoch verstreut unter einer solchen Überfülle von Nichtigkeiten, daß der ungeschulte Mensch die Qualitäten nicht unterscheiden kann und sich von den meist schillernden und sich vordrängenden Unqualitäten immer wieder ablenken läßt.

Die Überfluß- und Mangelkrankheit ist also eine sich wechselseitig bedingende und steigernde Doppelkrankheit. Je mehr der Mensch heute in Hetze produziert, umsetzt und verzehrt auf allen Lebensgebieten, desto weniger Lebensqualitäten hat er, desto ärmer wird er. — Weniger ist mehr! Denn es ist mehr an Wesentlichem.

Was tun?

Askese? Von der „leeren Zivilisation"? Von ihren „leeren Kalorien"? — Das einfache Leben? — Immer mehr Menschen wenden sich dem einfachen, aber wesentlichen Leben wieder zu. Sie wandeln ihre Grundhaltung wieder in der Richtung nach innen-oben. Sie wenden sich von der Richtung nach außen-unten-links ab. Denn diese führt in die Leere und das Chaos, in das Leid und zur großen Angst.

Das Wort von Angelus Silesius „Mensch werde wesentlich" mahnt. Auch das uralte Wort „Erkenne dich selbst". Es wird heute oft gesehen und betont als „Realisiere dich selbst" (Self-Realization). Und das heißt: Finde zu dir selbst! Befreie dich von jeder Selbstentfremdung. Laß dich hier befreien und befreie andere mit. Erlöse also auch die anderen von den stets enttäuschenden Nichtigkeiten. Dann entwickelst du dich objektiv selbst und andere mit. Du verwickelst dich selbst nicht und nicht die anderen mit. Nur soweit du dich selbst wahrhaft, also lebensgerecht entwickelst, im Bewußtsein und mit Hilfe materieller Gegenstände, kannst du auch andere wahrhaft mit entwickeln. Der Raum dieser Selbst- und Mitentwicklung ist das Haus. Und die Gegenstände dazu birgt das Haus. Noch nicht zu 5 % deines Lebens helfen dir auch die Gegenstände der weiteren Umwelt. Daher lerne zuerst die Lebenswerte des Hauses kennen und baue sie in dein Haus ein.

Einrichtungskrankheiten

Jeder Einrichtungsgegenstand trägt seinen Anteil zur Qualifizierung oder Disqualifizierung des Hausfeldes und also des Hausklimas bei. Er bestimmt mit, welches Hauswetter möglich ist und wirklich wird. Insbesondere trägt er durch das Verhältnis seiner Form und Farbe, seiner Materie, seiner Position und seiner Funktion zu anderen Einrichtungsgegenständen und zum ganzen Haus zur Besserung oder Verschlechterung des gesamten Hausklimas und seines jeweiligen Hauswetters bei. Jeder Einrichtungsgegenstand feldet, strahlt und strömt sein Wesen aus. Das Haus versucht ständig, all diese Qualitäten oder Unqualitäten der einzelnen Feld-, Strahlungs- und Strömungswirkungen in dem Hausfeld zu einer Ganzheit zu integrieren.

Es sind sehr unglückliche Feldkombinationen möglich, beispielsweise mit Kunststoff- oder Metallmöbeln in quadratischer Kreuzform, in der Mitte der ruhende oder arbeitende Mensch. Vielleicht befindet sich am Boden noch ein Kunststoffteppich und an der Decke noch eine Verkleidung aus Plastik. Kreuzunglücklich ist darin der Mensch postiert. Wenn er sich an

einem solchen Ort dann noch entspannen will, kann er in eine tiefe Depression geraten. —
Wir pflücken die Früchte unserer Zeit. —
Vor manchen modernen Zimmern prallt ein Mensch mit entwickelten qualifizierten Sinnesorganen zurück. Er wird regelrecht zurückgestoßen, abgestoßen von dem Zimmerfeld. Er sieht und empfindet es als Höllenklima. Und mit Entsetzen beobachtet er, wie die Zivilisationsroboter ahnungslos in solch grassen Disharmonien hausen. Von Zeitschriften und Schaufenstern werden sie als moder-n angepriesen. Ein solches Beispiel wurde eingangs geschildert.
Linien, also Formen, und Oberflächen sind wichtiger als Massen. Zuweilen verändert das Beiseiteziehen einer großen, doch federleichten Kunststoffgardine schlagartig die Lebensqualität eines ganzen Zimmerfeldes. Das mag jedoch auch daher kommen, daß das Licht bei seinem Durchfließen der engen Kunststoffgitter in seinen Lebensqualitäten erheblich disqualifiziert wird. Jedes Tor wandelt den, der hindurch geht! — Und jeder Weg wandelt den Wandernden. Wer hätte noch nicht erlebt, daß er nach einer größeren Reise ein anderer Mensch geworden war! Das gilt auch für alle Wege der Wärme, des Lichtes, der Luft und des Wassers im Haus.
Mit den großen, zwar mobilen, aber doch in der Regel auf viele Jahre fest stehenden Einrichtungsgegenständen beginnen die Bewohnungskrankheiten, wenn man nicht auf die Qualität der Form und des Materiales achtet und nicht mit Feingefühl und Besinnlichkeit an die Aufstellung herangeht. Der Mensch hat ein Empfindungsvermögen für die Feldqualitäten und ihre Relationen. Der Künstler schult es auf kulturellem Gebiet. Der Biologe und Normalmensch kann und soll es genau so auf naturalem Gebiet schulen. Qualität und Unqualität in Natur und Kultur stimmt meist überein. Beispielsweise suchen echte Künstler qualifizierte Farben. Scheinkünstler wählen Teerfarben. Die einen suchen Marmor und Holz, die anderen Blech und Kunststoff. Die universelle Aufgabe der Schule ist, das Reich der Lebensqualitäten schauen zu lehren und von dem Gegenreich der Unqualitäten zu unterscheiden.
Was für die großen Einrichtungsgegenstände gilt, für Schränke und Tische — der Schreiber stockt schon. Wie arm ist die moderne Wohnung an den ehedem vielen lebensqualitativ unterschiedlichen Möbeln geworden! —, das gilt auch für all die kleinen. Wie bei den Elektrokrankheiten ein kleiner elektrischer Wecker weit stärker stören kann als ein großer Heizkörper, so kann auch manch kleiner nichtelektrischer Einrichtungsgegenstand mehr stören als ein großer Schrank. Auch das kann mit Feingefühl in beschaulicher Betrachtung erkundet werden. Die Unqualitäten liegen hier oft auf einer höheren Ebene als der einer Säureflasche oder eines Waschmittelpaketes. Daher sind Rutengänger hier oft unsicher. Hier reicht nicht eine Qualifizierung der körperlichen Natur aus, sondern auch der höhere Mensch muß

qualifiziert sein, um eine gute Diagnose stellen zu können. Nicht selten kann sie garnicht gestellt werden. Dann ist das Rezept Goethes und Schillers zu raten, nämlich seine allernächste Umwelt leer an irdischen Dingen zu machen wie eine Mönchszelle. Wenn man sich danach im Raume wohler fühlt, so ist offensichtlich der Übeltäter mit entfernt worden. Wenn man sodann in mehrtägigen Abständen Stück um Stück zurück bringt, was einem jeweils lebenswert erscheint, dann kann der Übeltäter leichter erkannt werden. In Schlafzimmern bringt große Schlichtheit große Ruhe. —

LEBEN, KLANG UND LICHT DES HAUSES
Tod, Lärm und Finsternis und ihre Heilung

Die drei Urmächte und Urkräfte alles Seienden werden von Paracelsus und Jakob Böhme auch in der Natur gesehen und als Sal, Sulfur und Mercur bezeichnet. Ihre allgemeinsten Auswirkungen in naturaler Sicht sind Leben, Klang und Licht. Das ist in jeder Hinsicht zu verstehen.
Die drei Urmächte sind höchst dynamisch wie in der Natur die drei Urfarben rot, gelb und blau, zugleich aber auch statisch. Sie wären daher eigentlich vor den vier Urqualitäten zu beschreiben. Aufgrund ihres urdynamischen Charakters werden sie hier kurz behandelt.

DIE LEBENSKRANKHEITEN UND IHRE HEILUNG

Die allgemeinste Ureigenschaft jeder realen Einheit ist, lebendig zu sein, also die Potenz zum Akt zu haben. Woher auch sonst alle Aktionen und Re-Aktionen! Die Urlebenskraft zeigt sich in der Selbstbestimmung, also in der allgemeinen Selbstdynamik als Selbstentwicklung. Jede reale Einheit agiert und reagiert in ihrer Lebensqualität.
Daraus ergibt sich konkret, daß jedes gesunde eine Haus höchst allgemein lebendig ist. Diese einheitliche Urlebendigkeit des Hauses und jedes seiner Teile ist so schwer und so leicht zu erkennen wie das eigene Selbst. Aber sie ist auch so wesentlich wie das eigene Selbst. Diese Urlebendigkeit wird in dem vorliegenden Buch in vielen Sonderformen beschrieben, in Teilen, dies jeweils mit Heilungsmöglichkeiten. Man kann auf diese Urlebendigkeit ebenso direkt einwirken wie auf das eigene Selbst. Da dies als schwer gilt, obwohl es das nicht ist, so begnügen wir uns hier mit der Beschreibung der Teile.

DIE KLANGKRANKHEITEN UND IHRE HEILUNG

„Im Anfang war das Wort. Und aus dem Wort ist alles geworden was geworden ist“ (Joh. 1,1). So heißt es in dem „vollkommenen Gesetz der Freiheit“ (Jak. 1,25).

Das Antiwort ist der Lärm. Aus dem Antiwort — der Gegenbestimmung! — ist jeder Zwiespalt erwachsen, jede Unfreiheit, jede Krankheit, jeder Schade. Jede Disharmonie ist Lärm. Als Lärm wird jeder disharmonische Klang bzw. Ton definiert. Klang aber wird erzeugt von jeder Schwingung jedes Gegenstandes. Und alles schwingt! Jede Feldänderung läßt jede Einheit, also auch jede Materie in diesem Feld mitschwingen. Felder sind im Grunde unbegrenzt. Also schwingt im Grunde alles mit allem.

Alles schwingt! Denn alles feldet, strahlt und strömt. Existieren heißt also auch schwingen. Und schwingen ist klingen. Nach alter Lehre existiert nichts, was nicht klingen würde, harmonisch oder disharmonisch, gut oder schlecht. Alles Disharmonische lärmt daher beständig! Jede disharmonische, also disqualifizierte Form, jede disqualifizierte Materie, jedes solche Haus lärmt daher ununterbrochen, Tag und Nacht! Manche, die Ohren haben zu hören, können den Ton eines Hauses hören. Das kann eine Symphonie sein und auch eine Kakophonie, ein Wohlklang und auch ein Mißklang. Dieser Klang wirkt ununterbrochen auf alle Bewohner, jahraus, jahrein. —

Der materielle Mensch kann wohl nicht den millionsten Teil der Klänge im Kosmos hören. Doch sie alle wirken.

Hier zeigt sich das ganze Ausmaß der Lärmkrankheit eines Hauses. Was also verbirgt sich hinter der „Hellhörigkeit“, „Lautheit“ oder „Lärmigkeit“ eines Betonhauses?

Auf der anderen Seite ist der Straßenlärm, der Flugzeuglärm, der Maschinenlärm im Freien und in Fabriken und Büros schon so vielfältig von den armen Opfern, die teils auch die Erzeuger sind, beklagt und von Ärzten, Sozialpsychologen und anderen untersucht worden, daß für viele Architekten heutzutage hier eine oder gar die erste Aufgabe gesehen wird, auch von Städte- und Straßenbauern, von Raumordnungsplanern, von Planern für Industriebetriebe usf.

Also Lärmschutz! Die Post gibt im Zeichen des Umweltschutzes Briefmarken gegen den Lärm heraus. Dann muß diese Zeitkrankheit schon tief in das Bewußtsein des Zivilisationsmenschen gedrungen sein. Wie schwer also ist die Lärmkrankheit? Wie groß ist ihr Schaden?

Wenn Leben, Klang und Licht die drei Urformen alles Lebens sind, dann ist die Lärmkrankheit die zweite Urkrankheit aller Krankheiten. Diese Biologik verlangt eine gründliche Betrachtung.

Wenn durch das Wort alles geworden ist, so wird durch das Widerwort (Lärmwort) alles zerstört. Das ist im menschlichen Bereich zunächst darin zu verstehen, daß in der Gemeinschaft alles durch das Wort aufgebaut wird, nämlich durch die gedankliche Erfassung von Motiv, Weg und Ziel und durch die sprachliche Kommunikation. Ohne Sprache keine Gemeinschaft, — keine Politik, keine Schule, keine Kirche und keine Wirtschaft. Ohne wahre Sprache keine wahre Gemeinschaft! — Die Sprache ist das Hauptkennzeichen der Person, insbesondere der menschlichen Person. Das Wort und also die Sprache besteht im Klang oder Ton und zwar im sinnvollen Klang, im Sinnklang. Das ist der Ordnungsklang, der harmonische Klang, der Klang mit einem Wesen.

Lärm ist sinnloser und sinnwidriger Klang, Chaosklang, disharmonischer Klang. Alles Sinnlose ist Lärm! Lärm ist Unklang, Unton, Unsinn. Er ist der allgemeinste Ausdruck des Widerseins, des Widersprechens, der Zerspaltung der Einheit und Ganzheit, also der Zerstörung der Gesundheit. Der größte Heiler, Jesus Christus, der Arzt aller Ärzte, das Wort aller Worte, hat allermeist nur durch sein Wort geheilt und stets hauptsächlich durch das Wort! —

Diese religiöse, kulturelle und wissenschaftliche, auch politische und wirtschaftliche Analyse mag deutlich machen, welch gewaltige, universale und tiefgehende Zerstörung der seelisch-leiblichen Gesundheit des Menschen durch den Lärm zu erwarten ist. Lärm stört nicht nur gründlich die Konzentration, die Kommunikation und Ausführung aller sinnvollen seelisch-geistigen und leiblichen Arbeit, sondern er wirkt unmittelbar gegen die Geistseele selbst und gegen den Leib selbst! Er wirkt in das Fundament der Person und der Natur! In Anbetracht dieser umfassenden und mächtigen Bedeutung des Lärmes sei versucht, ihn noch ein wenig weiter zu analysieren.

Lärm ist auch der diametrale Gegensatz zur Ruhe, zur Stille. Die Stimme der Stille ist die Stimme des Lebens. In dem zweitmeist frei gedruckten Buch der Weltgeschichte, das also auch für alle modernen statistisch orientierten und darin konsequenten Wissenschaftler von höchster Bedeutung sein muß, heißt es: „Selig die Ohren, die das leise Wehen des göttlichen Geistes vernehmen und von dem wilden Geräusch dieser Welt nichts hören“ (3. Buch. 1. Kap.). Was heißt das? —

Wer das besinnlich gelesen hat, der lausche ebenso besinnlich, meditierend, auf einen Lärm. Vielleicht hört er nun ein wildes, wüstes Geschrei hindurch und schaut auch eine Fratze. — Dann erkennt er den Ungeist des Lärmes noch deutlicher. Und den Ungeist gilt es in der Lebenskrankheit, Lärmkrankheit und Lichtkrankheit zuerst zu erkennen! Das Äußere ist nur Neben- und Folgewirkung.

Lärm ist generell lebensfeindlich, insbesondere entwicklungsfeindlich. Wachsen macht keinen Lärm. Lärmgeschädigte Kinder zeigen seelisch-leibliche Entwicklungsstörungen, also nicht nur schulische Störungen. — Eine Kapelle, die vorzüglich „moderne“ Musik spielte, Beat, Pop und so, litt unter vielen gesundheitlichen Störungen des Nervensystemes, des Herz-Kreislaufsystemes und des Stoffwechselsystemes, insbesondere aber unter Störungen, die schon in den Bereich der Psychose gingen. Diese Kapelle bestand sogar aus starken Männern. — Eine andere Kapelle, von weit sensiblerer Statur, die vorzüglich klassische Musik spielte, litt nicht unter diesen Gesundheitsschäden, sondern war relativ gesund ([1]).

Kliniken, welche die Musik in ihrer Heilwirkung mit benutzen, spielen nur

„gute Musik", also lebensfreundliche Musik! Auch Tiere wie Kühe reagieren nur auf gute Musik mit erhöhter Milchleistung. Beatmusik und anderer Lärm würde wohl zur Unfruchtbarkeit führen. Hierbei ist die Qualität der Milch noch nicht einmal eingerechnet. Die alten Griechen haben streng darauf geachtet, daß eine werdende Mutter nur harmonische Klänge zu hören bekam. Disharmonische Klänge führten zu Fehlgeburten und zu Mißgeburten im allgemeineren Sinn. Völker, die sich ihren gesunden Menschenverstand bewahrt haben, wissen das heute noch. —

Lärm schädigt nach neueren Untersuchungen nicht nur das Gehör, sondern zugleich jedes andere Sinnesorgan mit, dies bis zu einer Verringerung der Sehfähigkeit von 20 %. Aber auch Geschmack, Geruch und Tastsinn werden verschlechtert und verringert. Die qualitative Schädigung kann 50 % übersteigen. —

Spieler und Hörer von Beatmusik und anderer „wilder Musik" können bekanntlich bis zur Taubheit geschädigt werden. Mit Recht spricht man von einem betäubenden Lärm. Man sehe sich doch solch eine Kapelle an. Viel wichtiger noch als der Rhythmus — von Melodie, von Seele ist nichts mehr zu finden — scheint bei diesem Lärm die Rauschwirkung zu sein, die bis zu Halluzinationen und geistiger Verwirrung führt.

Zeigt sich da der Ungeist deutlicher? —

Wie viele Radios laufen in modern gebauten Häusern fast Tag und Nacht! Und dann mit welchen Programmen! Der Mensch, der auf der Flucht vor sich selbst ist, benötigt diese ständige Geräuschberieselung, um nur ja nicht zur Selbstbesinnung zu kommen. Denn die Bilanz könnte schauerlich sein. Daher ist die Stille für ihn unerträglich. — Dieser Dauerlärm klingt im ganzen Hause fort, auch wenn man es nicht bewußt hört oder hören kann. Unser inneres Ohr und Leben aber wird geschädigt! —

Eine amerikanische Familie hörte zu ihrer Verblüffung den benachbarten Sender aus dem Küchenherd, Tag und Nacht. Die lachenden und spottenden Radiospezialisten kamen sofort und — gingen still, verdutzt und nachdenklich wieder heim. Denn die Hitzequelle „sprach" wirklich ([1]). Ist das verwunderlich? Keineswegs. Denn wer hätte noch nie einen elektrischen Schaltkasten brummen gehört? Die elektrische Netzschwingung verursacht dieses Geräusch. Das ganze Haus lärmt ständig, brummt also ständig. Nur hören wir das nicht mit den beiden äußeren Ohren. Aber es wirkt auf unser Leben! — Jede elektrische Schwingung verursacht ständig eine gleiche mechanische Schwingung und also eine lebenswidrige Disharmonie in der Materie, soweit die Schwingung disharmonisch ist. Das ganze unter Netzspannung stehende Haus brummt also. Der simple Schaltkasten ist nicht geeignet, die vom Menschen auf die Grundbrummschwingung aufmodulierten Zacken oder Töne wiederzugeben. Nur unter besonderen Umständen, wie sie zufällig bei dem Küchenherd vorhanden waren, kann ein Gerät auf Schwingungen, die mit oder ohne Draht ankommen, exakter reagieren wie ein

Lautsprecher. Oder man macht es sehr kompliziert, wie bei einem heutigen Radio. Es geht also auch viel einfacher! Doch solche direkten einfachen Wege kann die heutige Technik (noch) nicht gehen, weil das wohl die Kenntnis der Lebensqualitäten und ihrer Harmonien voraussetzt, wie der „Harmonices mundi" von Kepler.

Auch die Urschwingung der Natur, die 7-12-Hertz-Schwingung, ist gleichzeitig eine elektromagnetische und mechanische Grundschwingung. Sie ist in beiden Bereichen erstaunlich kräftig. Die ganze Erde tönt also beständig! Sie hat nicht nur ihre eigene Farbe im Spektrum der Planeten, als „blauer Planet", sondern sie hat auch ihren entsprechenden eigenen Ton! Das war für Kepler, Goethe und viele andere selbstverständlich und ist es heute noch. Im Faust heißt es „Die Sonne tönt nach alter Weise in Brudersphären Wettgesang"! Woher denn sonst die Sphärenharmonie? Und wenn die Sonne tönt, so tönt im brüderlichen Wettgesang logischerweise jeder Planet. Auch die Geophysiker weisen neuerdings dem ständigen und periodischen Erdschall eine hohe Bedeutung zu, insbesondere als Infraschall ([1]). Wie mag dieser natürliche Erdschall bzw. Erdton von der gesamten Erdtechnik, der Maschinentechnik, der Erdteile umspannenden Elektrotechnik, der Sendetechnik usf. ständig überformt (moduliert) werden? —

Dieser Zivilisationslärm der Erde dringt vom Grund und Luftraum her in alle Häuser ein. Von den zivilisationskranken Häusern wird er noch weiter disharmoniert und verstärkt. Von den gesunden Häusern dagegen wird er abgefangen, sodaß er in sie nur wenig oder garnicht eindringt und von ihnen wieder harmoniert wird. Kann bio-logischerweise etwas anderes erwartet werden?

Eine Akustikfeldsonde kann den elektrischen Lärm in den unter Netzspannung stehenden Häusern leicht jedermann hörbar machen. Dieser vom Strom verursachte Hauslärm wird bei unglücklichem, unbiologischem Verlegen von Leitungen und solchem Aufstellen von Elektrogeräten, insbesondere bei streunenden Strömen noch viel stärker. Wenn er Bewohnern hörbar wird, insbesondere im Gegensatz zu der Hausruhe bei Umlegen des Hauptschalters oder Lösen der Sicherungen, dann sind sie in der Regel tief erschrocken und überzeugt, daß hiergegen etwas getan werden muß.

Man bedenke nun, welch ein Chaos an Programmen ständig den Äther durchzittert — von welcher statistischen Qualität heute? — und alle Atome im Erdfeld zum Mitschwingen anregt, sei es auch nur schwach. Aber bestimmte homöopathische Potenzen D 30 (in vielen Litern Flüssigkeit nur ein einziges Atom dieser Substanz. Doch in allem das Feld dieser Substanz!) wirken mit jeder Dosis von zehn Tropfen prompt, wie der Nobelpreisträger A. Bier bestätigt hat. — Alles wirkt auf alles. Nur die Arten und Grade der Wirkung sind verschieden, vor allem lebensqualitativ. —

Zusammengefaßt ist ein krankes Haus ein Hauptlärmerzeuger. Es erzeugt primär agierend und sekundär reagierend Lärm durch die Disharmonien seiner Formen, Materien und Funktionen, seiner Felder, Strahlen und Ströme. Schon ein Betonbau ist durch die Unnatur seiner Materialien sehr lärmig. Hinzu kommen die disharmonischen Elektroschwingungen, der Lärm des Ölbrenners und des Umlaufes. Ein Höllenlärm kann in solch einem Bau ständig tagaus, tagein zu hören sein, sei es auch nur unterbewußt, aber nicht minder wirksam. Der zusätzliche Lärm von Radios und Bewohnern mag im Verhältnis zum Grundlärm geringfügig sein. Aber das kann im Bewußtsein der Tropfen sein, der das unbewußt schon gefüllte Faß zum Überlaufen bringt! — Wie anders wären die Klagen vieler Betonbaubewohner zu verstehen und das heftige Bemühen vieler Architekten, den subjektiven Feind Nr. 1, den Lärmschall zu bannen! —

Je mehr ein Mensch sich seelisch-geistig und in seinen leiblichen Sinnen entwickelt, desto kritischer reagiert er auf jeden Lärm, vom seelischen Lärm angefangen wie in Gestalt eines Streites. Desto mehr Wert legt er darauf, in jeder Hinsicht lärmfrei zu wohnen. Und das heißt, in Frieden wohnen. Denn jeder Lärm ist ein Kriegsgeschrei, ein Kriegslärm. —

Wie sich vor dem Lärm schützen?

Meiden, Kämpfen und Abschirmen bzw. Isolieren kann man auch hier. Man sucht sich eine möglichst ruhige Wohnstätte und Arbeitsstätte, ein seelisch und leiblich ruhiges Haus. Erstwichtig ist die seelische Ruhe. Gesundheit ist Ruhe. Und Ruhe ist Gesundheit. Unruhe ist Krankheit. Krankheit besteht in Unruhe unter den Lebensfunktionen. Dann ist in Form und Materie das Haus lärmfrei zu bauen. Und es ist die Lärmerzeugung auch im eigenen Haus zu vermeiden.

Nach der Ruhe in Bauform und Baumaterial rangiert zuerst die Erdruhe, d. h. die Ruhe vor geopathischem Lärm, dann die Elektroruhe, die Elektrostörfreiheit, dann die Ruhe vor der Giftchemie, die Giftfreiheit — auch Gifte lärmen! —, dann die Freiheit des Haushaltes vor allerlei Unruhe, die folgend noch einzeln genannt werden wird. Man kann also alle Hauskrankheiten sehr realistisch vom Aspekt der Ruhe und der Unruhe her sehen.

Untersuchen wir den Bereich des teilweise bewußten Lärmes. Man unterscheidet hier zuerst den Körperschall und den Luftschall. Beide können im Haus entstehen und von außen kommen. Dann spricht man von der lebensnotwendigen und hausnotwendigen Schalldämmung, auch in DIN-Vorschriften. Doch spielt dieser Bereich eine weit geringere Rolle gegenüber dem Urlärm des kranken Hauses.

Außerdem will der Biologe garnicht jeden Schall dämmen, sondern nur den ungesunden schlechten, eben den lärmigen Schall, die Disharmonie. Wenn die Hausfrau am Klavier gute Musik ertönen läßt, gar dazu singt, so darf und soll dies ruhig das ganze Einfamilienhaus durchtönen oder in der Mietwohnung auch einen benachbarten Raum. Gute Musik regt zu allem Guten an. Ein harmonisches Haus soll klingen.

Daraus ergibt sich prinzipiell: Wie in der wahren Heilkunde nur das Kranke

bekämpft wird und nicht das Gesunde mit, so wird in der wahren Hausheilkunde nur der kranke Schall, nur die Disharmonie bekämpft und nicht der gesunde Klang mit, der Wohlklang. Das leisten alle harmonischen Formen und Materialien. Also folgt: Jede Schalldämmung soll mit harmonischen, lebensfreundlichen Materialien und in solchen Formen durchgeführt werden. Daher nicht mit Schlackenwolle, Mineralwolle, Glaswolle oder verkünstelten Stoffen dämmen, sondern mit vegetabilen oder animalischen Fasern wie Kokos- oder Sisalmatten, mit Korkschrot, mit Rohrplatten, auch mit ungiftigen natürlichen mineralischen Fasern, Schroten, Mehlen, mit feinporösem, sehr leichtem, schwach gebranntem keramischen Material, auch mit Naturgips usf., am edelsten mit Wollen animalischer Art, mit Dämmfilzen usf.
Ein Beispiel: Kann man von einem soliden Holzhaus wie einem Blockhaus sagen, daß es lärmig ist? — Nein! Auch wenn man in ihm mehr hört als in einem Steinhaus, aber lärmig, disharmonisch wirkt das nicht. Im Gegenteil: Tonstudios werden mit edelsten Hölzern ausgestattet. Beste Lautsprecher verwenden ebenfalls Holz als Resonanzmaterial. Und auch Geigen sind nicht aus Stein oder Kunststoff. — Ein Holzhaus hat eine starke integrierende, also soziale, Gemeinschaft bildende Wirkung. Eine Familie fühlt sich bei aller, oft notwendigen Distanzierung durch die Wände dennoch in ihrer Zusammengehörigkeit, in ihrer Kommunität. Steinwände trennen mehr. Sie können auch seelisch isolieren, Holzwände nie. Zudem kann man auch im Holzhaus den mechanischen Schall durch allerlei Maßnahmen verringern, zuerst durch eine schwere, massive Ausführung wie im Blockbau. Zusammengefaßt ist ein gesundes Haus der beste Lärmschutz.
Was folgt daraus im Einzelnen?
Zwischenwände und Außenmauern kann man durch Zweischaligkeit sehr gut dämmen. Doch dann ist nicht nur wichtig, das Gewicht der beiden Schalen wesentlich verschieden zu halten, sondern man sollte auch verschiedene Materialien verwenden, um jegliche Resonanzwirkung zu vermeiden. Nachträglich kann eine innere Täfelung der Wände mit Schallschluckmaterial im Zwischenraum angebracht werden, kann eine Decke mit weichem Belag lose untergehangen werden und kann ein dicker Teppich auf den Boden gelegt werden. Auch Gardinen und Tischdecken schlucken den Schall, auch ein wollener Wandteppich, eine leinene oder seidene Wandbespannung mit weicher Unterlage wie von Rupfen (Jute), eine Bastmatte usf.
In Mehrfamilienhäusern ist die Wasserleitung und Heizleitung ein arger Lärmerzeuger und Lärmüberträger. Alle Leitungen sollen bei der Führung durch Mauern schallgedämmt werden, wie durch einen Filz. Auch sollen sie nicht zu eng sein, keine scharfen Knicke machen und keine inneren Vorsprünge aufweisen wie bei schlechter Fertigung oder schlechter Verarbeitung. Die WC-Spülung soll keine Druckspülung sein oder eine mit leiser Spezialarmatur. Am leisesten ist eine gute Kastenspülung. Badewannenzulauf und Ablauf können so lärmfrei gestaltet werden, daß man im Nebenraum nichts

mehr hört. Eine einfache spätere Hilfe ist, den Zulauf durch ein Schlauchstück flexibel bis zum Wannengrund zu verlängern. Wenn der Ablauf lärmt, kann man seinen Querschnitt verringern. Bei hohem Wasserdruck hift sehr der Einbau eines regulierbaren Druckminderers am Eingang der Wasserleitung in das Haus.
Bei der Zentralheizung ist weiterhin zu beachten, daß die Konstruktion des Ölbrenners harmonisch ist. Hier sind gewaltige Unterschiede möglich. Wenn ein harmonischer leiser Brenner noch zu laut ist, dann ist das Abgasrohr S-förmig und wellig zu gestalten; und vor Eintritt des Rohres in die Mauer kann in das Rohr eine Packung gröbster Stahlwolle eingelegt werden. Das setzt jedoch einen guten Blaubrenner voraus. Denn dieser verbrennt praktisch vollständig rußfrei. Bei einem Gelbbrenner würde der verschwenderisch erzeugte Ruß samt dem halb verbrannten Öl die schalldämmende Einlage bald verstopfen. Das Fundament des Ofens ist gesondert auszuführen, ohne harten Kontakt mit dem angrenzenden Kellerboden. Und der Ofen selbst ist auf eine schalldämmende Unterlage zu stellen.
Da Fenster stark vibrieren und also den Schall hereinleiten, sollen Doppelfenster verwandt werden, die in Glasdicke und Glasart verschieden sind und auch verschieden im Format sind. Die eine Scheibe soll 1 cm weiter sein. Auch kann man eine Sprosse aufsetzen oder ganz einfach ein durchsichtiges Bild an der Mitte der Innenscheibe befestigen. Das verhindert die Resonanz. Metallrahmen leiten den Schall gut. Holzrahmen dämmen. Alle Rahmen sollen mit Dämmaterialien am Haus befestigt werden.
Der schwimmende Estrich ist heute allüblich, auch im Einfamilienhaus. Der Teppich darüber, eventuell mit dicker chemizidfreier Weichpappe darunter, und die untergehangene oder kassettierte Decke im unteren Raum, auch schon einfache Gipsschallschluckplatten helfen weiter viel.
Ein anderes Mittel ist, einen deckenhohen Wandschrank anzubringen, der schallgedämmt befestigt wird. Kleider in ihm schlucken den Lärm. Aber auch schon wandhohe Bücherwände schlucken viel und großflächige Möbel aller Art. Es existieren kleine handliche Bücher mit Zeichnungen und vielen praktischen Ratschlägen, was man vorher und nachher alles machen kann ([1]).
Wenn ein Außenlärm zu stark ist, wie von einer nahen Straße, so helfen praktisch nur hohe Mauern nahe der Straße. Bäume haben eine zu geringe Schluckwirkung.
Zusammengefaßt kann man die Schwere der Lärmstörungen für Kinder und Erwachsene, Gesunde und Kranke kaum überschätzen und die Wohltat eines lärmfreien Wohnens und Arbeitens ebenfalls nicht. Die Kultur eines Menschen kann man an dem Grad der Lärmfreiheit seines Lebens, Wohnens und Arbeitens erkennen. Wie sich heute in der zivilisierten Bevölkerung eine Giftallergie und Betonallergie entwickelt, so auch eine Lärmallergie.
„Der Lärm bringt uns noch um“ seelisch und am Ende auch leiblich, so hat „Das Beste“ die gesamte Situation der Zivilisationsmenschheit zusammenge-

faßt ([1]). Man bedenke hinzu den „Fluch“ der Giftchemie und der „Schweinesärge“, man bedenke die elektrische Verseuchung der Atmosphäre, dann hat man die Hauptfaktoren des Selbstmordprogrammes beisammen. — Doch fehlt noch der „Lichtlärm“, der „Bildlärm“.
In der ganzen Welt bilden sich heute Vereinigungen gegen den Lärm. Auch sie zählen zu den großen Zeichen der Selbstheilung des abendländischen Organismus.

DIE LICHTKRANKHEITEN UND IHRE HEILUNG

Das Licht! Mit was würde sich ein Geistesmensch lieber befassen! Geist ist Licht! Licht ist Geist! Kulturmenschen rühmen das Licht des Südens. Das Licht des Nordens ist trübe. —
Bewußtsein ist Licht! Das erwäge man. Ohne Geisteslicht kein Bewußtsein. Wenn man sein inneres Auge öffnet — das ist eine Bewußtwerdung! —, dann sieht man das innere Licht. Auch das äußere Auge kann ohne das Licht nichts sehen. Ebenso kann der Geist nur „im Lichte des Geistes“ (Paracelsus) sehen und mit dem „Auge des Geistes“. Ohne dieses Auge und sein Licht keine echte Wissenschaft! Weshalb auch bittet der zur Wahrheit und zum Leben strebende Mensch um Erleuchtung? Eine Birne anzuknipsen hilft nicht das Geringste. Und mit Brillen ist auch nichts getan. Nur im wesentlichen Licht kann man den Weg zum wahren Leben gehen. Menschenwürdiges Leben ist Leben im Licht! —
„Der hellflammende Glutofen“ (Thomas a Kempis), — Gott sprach das Wort „Es werde Licht!“ Und aus dem Wort ging das Licht hervor!
Und aus dem Licht wurde alles geschaffen. —
„Ich bin das Licht der Welt! Wer mir nachfolgt, der wandelt nicht in der Finsternis! Sondern er wird das Licht des Lebens haben!“ (Joh. 8,12). —
Welch gewaltige Worte vom Licht!
Würden sie nicht hierher gehören? Wie Josef Pieper ausführt und die gesamte Kulturgeschichte der Menschheit lehrt, ist Freiheit der Wissenschaft und des praktischen Lebens nur möglich in der Ehrung der selbstbewußten Ureinheit und Ganzheit allen Seins ([1]). Auch seien dann und dort alle Güter der Weisheit und Wissenschaft vollkommen geordnet zu finden! Wer dort sucht, der wandelt nicht in der Finsternis. Er muß sich nicht so oft vergebens quälen. —
Alle Kulturen gründen im Kult. Und die Wissenschaft ist ein Bestandteil der Kultur! Oder etwa nicht? Es ist auch eine kulturwidrige und also menschenwidrige Wissenschaft denkbar, wie von Intelligenzbestien oder von Anbetern des Unsinns! — Es ist auch eine sich immer ungeordneter zerspaltende Bruchstückwissenschaft möglich, die am Ende in ihrer Torheit vor Gott und dem Leben katastrophal an sich selbst zerbricht! Nämlich wenn sie den Geist des Unsinns anbetet, den Geist des Widersinns! — Und nicht mehr weiß, was sie tut! —

Das hohe Mittelalter hat eine reiche Lichtmetaphysik entwickelt. „Das Licht der Natur", das nach Paracelsus der Hl. Geist angezündet habe und das nach uralter indischer Auffassung (Gedanken und andere Dinge als „gefrorenes Licht") und modernster atomphysikalischer Auffassung als „gefangener Glanz" das Wesen aller Naturdinge sei, dieses Licht lehre uns alles. Verborgen und gefangen leuchte es dennoch beständig. Vielleicht wird ein kleiner untergeordneter Teil dieses gefangenen Lichtes bei einer Atomspaltung „heller als tausend Sonnen" (!) frei. —
„Die großartige mittelalterliche Lichtmetaphysik" (Schipperges) lehrt uns in vielen hervorragenden Vertretern (Marsilius Ficinus im „Liber de lumine", Hildegard von Bingen in „Sci vias" und anderwärts, Papst Johannes XXI, Duns Scotus Eriugena, vieles von Dionys Areopagita her, Mechtild von Magdeburg in „Das fließende Licht der Gottheit" usf.), daß wir zu einer „Eludizierung der Philosophei" (Paracelsus. Die „Philosophei" ist hier als Naturwissenschaft zu verstehen.) gelangen sollen. Vorgearbeitet haben hier die indischen, persischen und anderen vorchristlichen Lichtemanationslehren. Dem entspricht das Johannesevangelium.
Die hohe Philosophie, Mystik und Medizin vieler Kulturen geht vom Licht aus. Und Licht ist im Grunde immer identisch mit Bewußtsein. Im Anfang der Welt und als Urquelle ihrer Existenz wird immer stehen „Es werde Licht" (Gen. 1.3). Das Licht war und ist das Leben. Alles ist durch das Licht und somit durch das Bewußtsein geworden. „Das Licht ist der Logos der Natur" sagt Schipperges. Das Licht liegt also auch nach dieser Auffassung in den Dingen selbst. Deshalb lehrt Indien, daß das Wesen der Dinge zu erfassen sei, wenn man sein Bewußtsein in die Dinge erweitere, wenn man es zum allgemeinen Bewußtsein erweitere ([1]).
Wenn das Auge licht sei, so sei der ganze Leib licht und also gesund, heißt es an anderer Stelle (Matth. 6,22). Leib ist identisch mit Haus. Ist ein Fenster nicht ein Auge? Alles was offenbar wird, das ist Licht (Eph. 5,13). Anlegen sollen wir die Waffen des Lichtes (Röm. 13,12). Mit den Waffen des Lichtes, mit der Wahrheit und dem Leben hat Paracelsus ständig wider seine Gegner gestritten. Die Wahrheit ist vielen ein Ärgernis.
Im Lichte der Natur ist die Wahrheit schon immer gegenwärtig! Sie ertönt seit jeher durch alle Räume und erleuchtet sie. In Fülle überströmt sie uns, wenn wir uns öffnen und uns öffnen lassen, wenn wir uns befreien lassen. Überall kann und soll die Wahrheit gehört werden, in ihrer Tradition, und dann gelesen werden im Buche der Natur, im Buche des Lebens. —
Die Heilung einer Krankheit und also einer Hauskrankheit hat nach der Lehre der medicina perennis drei Hauptphasen. Die erste Phase umfaßt die Reinigung (Purgatio); sie ist ein Opfer für das irdische Leben. Die zweite Phase wird als Erleuchtung („Eludizierung") beschrieben. Die Erleuchtung wandelt die Einheit wieder zu ihrem wahren, lichten Wesen. Sie gleicht aus. Die dritte Phase ist die Wiedervereinigung der getrennten Funktionen, die

Communio des Zerspaltenen, das sich in der Krankheit von der Alleinheit des Lebens stolz und ichsüchtig abgesondert hat und daher in die Finsternis geraten ist. Wenn man reinigt und erleuchtet — im Bewußtsein und durch ein lichtes Heilmittel —, so folgt die Communio, die Reintegration von selbst; das ist die vollständige Heilung.

Platon hat ein berühmtes und heute mehr denn je mit großem Nutzen zu studierendes Lichtgleichnis erzählt, nämlich von dem Erdenmenschen in der Erdhöhle, der nur die Rückspiegelung des Lichtes an der Höhlenwand und so die Bilder seines Lebens nur an den Wandschatten dieses Lichtes sähe. — In den Kapiteln „Das Glas" und „Die Farbe" war schon vom lebendigen und toten Licht die Rede. Unser Licht ist vielleicht nur ein Schatten des lebendigen Lichtes! —

Untersuchen wir jetzt das Licht hinsichtlich der Gesundheit, Krankheit und Heilung des Hauses aus vier Wänden. Wann ist es lichtgesund oder lichtkrank? Welche Lichtkrankheiten existieren? Wie leiden darunter die Hausbewohner oder Höhlenbewohner? —

Die allgemein zu geringe Belichtung des ganzen Menschen, wie sie früher bei Hinterhof- und Kellerwohnungen zu finden war, führt u. a. zu Tuberkulose und begünstigt die Rachitis. Beides sind fundamentale Erkrankungen. Die Knochen sind sichtbar das Fundament des Körpers. Beide Krankheiten sind mit dem lebendigen Licht zu heilen. Sie zeigen die fundamentale Lebenswichtigkeit des Lichtes.

Diese Lichtkrankheiten des Hauses sind heute allgemein erkannt. Die Architekten haben extrem reagiert wie dahin, daß heute die Südseite des Hauses fast allein noch als menschenwürdige Wohnseite angesehen wird. Doch das ist biologisch einseitig. Auch Ost und West haben ihre großen Lebensqualitäten. Und Nordzimmer sind gute Arbeitszimmer, weit besser als Südzimmer. Manche Bürobauten meiden schon die Südseite für die wichtigen Arbeitszimmer! Ob Ost oder West ist heute eine sehr individuelle Angelegenheit, auch objektiv. —

Doch was haben wir heute für die lichtarmen Wohnungen eingetauscht? Weite Industriegebiete der USA leiden unter ständiger Wolkenbedeckung bzw. unter einem Dunst, der aus Abgasen samt Staub besteht. In seiner Disqualifiziertheit „verschluckt" er das Gute, die Lebensqualitäten des Lichtes praktisch vollständig. Und er mißbraucht sie sogar noch zur Bildung gefährlicherer Verbindungen. Dies gilt auch für Industriebezirke Europas von Nordfrankreich bis zur Ruhr, für Rhonetal und Rheintal, für den Bereich Frankfurt-Mannheim und den schwäbischen Industriebezirk, für den ostdeutschen Industriebezirk um Halle-Leipzig, für die oberitalienische Tiefebene usf. Auch Großstädte wie sogar München leiden unter der sogen. „Dunstglocke" (also ein kugelförmiges Feld!), welche das Gute des Lichtes abfängt und nur noch verschlechtertes, totes, unreines Licht zur Erde durchläßt, an die „Höhlenwände".

Das Fazit: Nicht mehr nur Hinterhöfe, sondern Tausende von dichtest besiedelten Quadratkilometern, ganze Länder leiden jetzt unter Lichtmangelkrankheiten. Man sehe sich die blasse ungesunde Hautfarbe der Ruhrmenschen an. Und mangelt ihnen nicht oft auch seelisch das Licht? —
Ob auch hier psychosomatische Zusammenhänge bestehen? —
Wenn die ganze Haut von totem, schlechtem Licht bestrahlt wird, so wird der ganze Mensch krank. Und wenn die Haut lichtlos bleibt, wird der Mensch noch kränker. Hier besteht eine Gleichung zu der universalen Erkrankung durch den Lärm und durch die „leeren Kalorien", allgemeiner durch die lebensleeren Formen und Materien unserer Umwelt. Diese drei Urkrankheiten sind so universal und fundamental wie der chronisch gestörte Schlaf. Aus solchen Wurzeln wächst eine endlose Folge von psychosomatischen Störungen.
Doch der moderne Mensch ruiniert nicht nur das Licht um das Haus, sondern auch das Licht im Haus. Fensterglas mit Brillenglas, Lampe und Fernsehgerät sind hier drei Hauptübeltäter.
Über 50 % der amerikanischen Kinder sind augenkrank durch das tägliche stundenlange Fernsehen. Das ist bei den Elektrokrankheiten beschrieben worden. Jeder kennt den biologisch studierenswerten Rat, neben oder hinter dem „sprechenden Bild" eine Glühlampe brennen zu lassen. Das sollte eine Speziallampe sein mit Spezialreflektor, sodaß speziell die Disharmonien des Fernsehbildes ausgeglichen werden.
Das elektrische Licht wird allgemein als „künstliches Licht" kritisiert, soweit noch ein gesundes Empfinden vorhanden ist. Der Zivilisationsmensch ist in der Regel allzusehr an dieses Licht gewöhnt, sodaß er die Mängel und Fehler nicht mehr wahrnimmt. Bisher wird nur technokratisch auf eine möglichst große quantitative Lichtausbeute gesehen. Die Qualität wird auch hier vollständig ausgeblendet. Doch im Glühmaterial, im Füllgas, im Glas, im Gestell und Schirm liegen große Möglichkeiten zu einem lebensqualifizierten Licht, zu einem dem Sonnenlicht ähnlichem Warmton- und Goldton-Licht. —
Die Selbstverblendung hinsichtlich der Qualität wurde jedoch bei den Leuchtstoffröhren durchbrochen. Den Ärzten wurden hier so deutlich und oft Kopfschmerzen, Nervosität, Störungen der Konzentration, der Merkfähigkeit, der logischen Verbindung und auch der leiblichen Sehkraft geklagt, nicht nur der seelischen Sehkraft, daß wache Augenärzte zur allgemeinen Empfehlung der Glühlampe übergangen sind ([1]). Durch die an der Zündung beteiligte Hochspannung, durch die Magnetwirkung der Drossel und die andere Röhrenkonstruktion ergeben sich hier eine Reihe von Störfaktoren. Hinzu kommt das Flimmern in der Frequenz von 50 Hertz.
Auch wenn der Mensch aufgrund der Trägheit seines leiblichen Auges das Flimmern nicht bewußt wahrnimmt, so ist es objektiv wirksam, sogar auch dann, wenn man eine Dreierkombination von Leuchtröhren auf drei verschiedene Phasen schaltet. Und durch all dieses Geflimmer wirkt das bei leuch-

tenden Gasen zerrissene Spektrum. Die Sonne dagegen und jeder glühende Körper sendet ein einheitliches Lichtspektrum aus. Wenn man die Störquellen in den Unqualitäten erkannt hat, so kann man vielerlei verbessern. Aber auf Bioleuchtstofflampen wird der Leser noch einige Zeit warten müssen.
Weshalb wird von qualitätsbewußten und lebenserfahrenen Menschen das Licht der Bienenwachskerzen so sehr geliebt? Weil diese Flamme nach dem Sonnenlicht wohl die lebensqualifizierteste Lichtquelle ist! Auch Erdwachs und Erdöl samt Erdgas liefert noch allerlei Lichtqualitäten. Die Öllampen des Altertums, mit hochwertigen pflanzlichen Ölen gespeist, waren zu Recht beliebt. Und noch heute oder schon wieder hat auch die Petroleumlampe viele Liebhaber, besonders wenn mit lebensqualifiziertem Leuchtpetroleum gespeist und qualifiziertem Docht versehen, gar einem ebenso qualifizierten Schirm. An ihre Lichtqualitäten reicht die bisherige Glühlampe nicht heran. Sogar das Erdgaslicht rangiert noch vor dem bisherigen elektrischen Licht, besonders bei einem lichtqualifizierten Glühstrumpf.
Öllampen, Fackellicht, Kerzenlicht, Kaminfeuer, — soll das alles nur leere dumme Schwärmerei sein, nur Romantizismus? Der Mechanizist mag das wähnen und weiter sich zwischen seinen Neonröhren seine eigene Welt konstruieren. Der lebendige Mensch, der Kulturmensch weiß es besser. Auch hat er Kenntnis von den schätzenswerten Meistern der Romantik und ihren Lehren. Auch Rousseau ist aus diesem Kreise hervorgegangen. Die ganze Begeisterung für Freiheit und Menschenrecht wurde von der Romantik empor getragen. Nur die Zyniker mögen das verachten.
Die Lebensqualifizierung unserer Leuchttechnik wird uns noch ein derzeit ungeahntes, warmes, lebendiges und angenehmes Licht bringen. Die Prinzipien und Gesetze zu dieser Entwicklung sind vorliegend auf vielen Seiten dargelegt.
Die Glastechnik wird dann für das Fensterglas, Brillenglas, Küchenglas, Flaschenglas, für Fernrohre, Kraftfahrzeuge, Scheinwerfer usf. durch das systematisch biologisch entwickelte Bioglas ebenfalls noch ungeahnte Fortschritte machen. Lichttechnik und Glastechnik sind untrennbar. Jetzt schon kann der Einzelne sein Licht wesentlich verbessern, indem er die Prinzipien und Gesetze der Lebensqualitäten in Form und Material der Schirme achtet. Denn je qualifizierter eine Form und ein Material, desto mehr wird das Licht im Durchscheinen (Transparenz) und im Rückscheinen (Reflexion) verbessert, auch requalifiziert. Die Alten wußten, warum sie reine goldgelbe und weißgelbe Naturseide als Schirmmaterial bevorzugten. Auch mit edlen Papieren, edel gefärbt und geformt, läßt sich viel erreichen. Weshalb liebt der Kulturmensch dünnes echtes Leder als Lampenschirm! Auch mit Dünnschliffen von edlen Mineralien, mit gewachsenen Quarzen usf. kann man das Licht qualifizieren.
Eine Glühbirne baut ein vielfältig strukturiertes metergroßes bzw. lichtgroßes Feld um sich auf. Wie viel Qualifizierungsmöglichkeiten bestehen

hier! Ein mit reinen Farben gefärbter Teppich oder eine solche Tischdecke wird das Licht ganz anders qualifizieren als ein verkünsteltes Material. Schrecklich sind viele Ausstellungen mit ihren grellen kalkweißen Metalllampen und viele neureiche, hochmoderne Wohnungseinrichtungen. Ein totes, kaltes, aggressives, den ganzen Menschen angreifendes, hochgradig unwohnliches Licht herrscht in ihnen.

Das Licht sendet Bildekräfte! Ja das Licht besteht aus nichts anderem als aus Bildekräften! Sie bilden das Leben der Pflanze und durch diese alles Leben auf Erden. — Die Wärme sendet Lebenskräfte! Und sie ist selber Lebenskraft. Das Licht ist eine Sonderform der allgemeinen Wärmelebensqualität wie der Ton. Die Lebensqualität der Lichtbildekraft kann auch als Lichtlebensqualität bezeichnet werden oder einfach als Lichtqualität, wie man gleich in der Tonkunst von der Tonqualität spricht. Sie ist eine Tonlebensqualität. Wir haben hier also eine Dreieinheit von Urlebensqualitäten vor uns, die Wärmelebensqualität, die Tonlebensqualität und die Lichtlebensqualität.

Entsprechend sind in der Kultur die Künste objektiv dreieinheitlich urgeordnet in die Lebenskunst, wie sie beispielsweise am Theater vorgeführt wird, dann zweitens in die Tonkunst, die Rhetorik, Gesang und Instrumentalmusik umfaßt, und drittens in die Bildkunst; diese umfaßt die Architektur als „Erzkunst aller Künste", die Plastik, die Malerei mit Fotokunst und jede Gestaltkunst wie die des Kunsthandwerkes, der Werk- und Industrieform, der Buchkunst, der Mode usf.

Wie die Bildkunst im Lebensraum des Menschen weit alle anderen Künste überwiegt, so auch überwiegen im Kosmos, im Haus und Menschen die Bildekräfte weit die beiden anderen Lebenskräfte. Man sehe sich all die Gestaltungen in einem Raum an und das Licht hinzu. Die Töne all dieser Gestalten hört der Mensch nicht, obwohl sie unaufhörlich erklingen, so wenig der normale Mensch die Sphärenharmonien und ihre Disharmonien hören kann. Selten nur erklingt der menschliche Ton oder ein anderer Ton im Raum. Und die Wärme der einzelnen Gegenstände und ihr Leben fühlt er nur sehr dumpf, dennoch fundamental. Ihre Qualitäten kann er jedoch fast garnicht unterscheiden. Doch diesem subjektiv armen Wärmeleben und Tonleben gegenüber sind alle Gestalten im Raum ständig durch das Licht sichtbar. Mit ihnen lebt der Mensch beständig.

Auch ist der Endzeitmensch ein Bildmensch im Unterschied zu dem Lebensmenschen am Beginn einer Kultur und dem Tonmenschen auf dem Höhepunkt der Kultur. —

Wer Gelegenheit hat, einen harmonischen Musterraum zu sehen, wie in einem alten kultivierten Schloß oder in einem sehr seltenen hoch kultivierten neueren Haus, der suche in dem Raum bewußt diese drei Urlebenskräfte zu erfühlen, also Sal, Sulfur und Merkur des Raumes. Er wird sein Gefühl ungeahnt schnell entwickeln können, bilden können. —

Das Licht ist die Mutter des Tones, des Wortes. Die Lebenswärme ist der Vater. Der Sohn, der Ton bzw. das Wort wird aus dem Licht geboren, wie aus dem Licht des Bewußtseins. Im Licht ist daher eine Dreieinheit des Lebens, folglich in jeder Bildekraft und in jedem Bild, in jeder Gestalt. Diese Dreigliederung ist von großer lebenspraktischer Bedeutung! —
Aus der Bildemacht, auch Bildepotenz genannt, geht die Bildekraft hervor, die Virtus. Und aus dieser geht als Act das Bild hervor, die Gestalt. Diese andere Dreigliederung ist in der Philosophia perennis und der Scientia naturalis perennis uralt bekannt als die Dreieinheit von Potenz, Virtus und Act. Auch sie ist zu bedenken, wenn man den Lebensqualitäten des Lichtes auf den Grund gehen will.
So vieles Interessante wäre noch zu berichten. Gewaltige Werke sind über das Licht geschrieben worden. Kein Wunder, wenn der Kosmos aus Licht gebildet ist, nicht nur das pflanzliche und tierische Leben. Auch die Edelsteine der Mineralwelt sind Lichtsteine. Auf das Licht hat Einstein seine Relativitätstheorie gegründet. Könnte daher die Bedeutung des Lichtes für unser Bewußtseinsleben und gleich für unser leibliches Leben je überschätzt werden! —
Der Schuster Jakob Böhme ließ das natürliche Licht durch eine große wassergefüllte Glaskugel auf seinen Arbeitsplatz fallen. Bei so vielen Lebensqualitäten verdarb er sich nicht die Augen! Im Gegenteil! —
Lernen wir von ihm! Wenn möglich sollten wir bei natürlichem und noch höher qualifiziertem, also kultivierten Licht arbeiten. Vielleicht werden noch Verfahren entwickelt, das Naturlicht kurzfristig zu „kondensieren“ und bei Bedarf wieder abzustrahlen. Vielleicht können wir eines Tages alle Dinge in ihrem ureigenen Lichte leuchten lassen. Oder wir lernen die Lichtqualitäten in andere Lebensqualitäten umzuwandeln wie es uns das lebendige Blatt und die menschliche Haut vorbildlich zeigen. Warum nicht auch in der Hautwand des Hauses? Soll nicht die ganze Wand in eine Lichtwand umgewandelt werden? Sie sollte das lebendige Licht nicht nutzlos zurückscheinen lassen oder nur in mehr oder weniger qualifizierten Strom umwandeln, sondern sie sollte die Lebensqualitäten des Lichtes für das Haus und seine Bewohner nutzen. Dann müßte ein entsprechender Bioputz entwickelt werden. Vielleicht geht schon die Beifügung von Quarzkristallen, die man heute in manchem Edelputz findet, in diese Richtung. — Das Bioglas und die Biowand werden noch entwickelt werden. Beide sollen eine Lichtwand sein, eine Lichthaut. —
Jeder Raum soll ganz licht werden. Je qualifizierter seine Gegenstände, seine Formen und Materialien, desto lichter ist er, desto mehr qualifiziert er unser Leben, seelisch und leiblich.
Licht ist Leben und zwar menschenwürdiges Leben. Die Finsternis ist allem Leben feind. Die Kultur des guten, lebendigen und reinen Lichtes ist Gesundheitskultur. Für Seele und Leib zugleich. Wir können, dürfen und sollen in

qualifizierten Lebensfeldern, Tonfeldern und Lichtfeldern leben. Im Licht gesunden Seele und Leib.

DIE DYNAMISCHEN BEWOHNUNGSKRANKHEITEN

Auf den vorhergehend relativ statisch beschriebenen Gebieten der Geopathie, der Elektropathie, der Chemopathie usf. kann man auch dynamisch Fehler machen. Und man kann die Fehler verschiedener Gebiete kombinieren. Beispielsweise kann man an sich mehr oder weniger harmlose Gegenstände auf eine geopathische Störzone postieren. Und diese kann man schon mit einer elektrischen Störzone kombiniert haben, indem man einen Elektroboiler oder eine Kühltruhe auf die geopathische Zone postiert hat. Dann wundert man sich, daß in der Kühltruhe vieles verdirbt und daß man selbst ständig Magen- und Stoffwechselbeschwerden hat, wenn man laufend aus der Kühltruhe ißt. Wenn man dann noch einen Kunststoffschrank in die kombinierte elektrisch-geopathische Störzone stellt, so verzerrt, erstarrt und verstärkt man diese Störung derart, daß alle Entstörversuche von vornherein hoffnungslos zum Scheitern verurteilt sind, wenn man nicht an die Ursachen herangeht und diese sachgerecht behebt.

Aber es muß dann garnicht ein ganzer Schrank sein. In einer komplizierten mehrfachen Störzone, wie sie als Kombination einer elektrischen und geopathischen Störzone heute die Regel ist, genügen dann schon kleine Gegenstände, um eine ungeahnte zusätzliche Störwirkung zu entfalten, beispielsweise ein Kunststoffeimer. Sie wirken dann als Sekundärfelder, Sekundärstrahler und Sekundärströmer. Von tertiären und quartären Wirkungen sogar mußte man oft sprechen. Ein Kunststoffbadeanzug, ein Souvenir, eine moderne Vase, ein bizarres Bild, eine solche Skulptur, ja ein Besteckkasten oder eine Pappschachtel mit elektrischen Birnen, die man ahnungslos in der Nähe des Bettes stehen hat oder einen Stock tiefer genau unter dem Bett, kann dann den letzten Rest des Schlafes rauben. Schlaftabletten können in einer solchen mehrfachen Störung zu Zittern und Lähmungen führen, sodaß die schweren Psychopharmaka genommen werden müssen wie Valium, das man auch tobenden Geisteskranken gibt. Eine kleine Schublade, vielleicht auf der anderen Seite der Wand hinter dem Bett, kann eine ganze Sammlung von Kleinigkeiten enthalten, von denen dann eine einzige genügt, um die nächtliche Regeneration ernsthaft zu verschlechtern. Es ist erstaunlich, was sich bei einer Kontrolle im 3-4 m-Radius um ein Bett alles im modernen oder alten Haus findet, beispielsweise im unbeachteten Winkel eine alte Armbanduhr mit Radium-Leuchtzifferblatt. Seit Jahren hat kein Mensch mehr von ihrer Existenz gewußt. Aber die Radioaktivität wirkt durch Holz und Wand hindurch, Monat um Monat. — Und mit einer anderen Störzone kombiniert kann die Störwirkung im Quadrat ansteigen.

Ein weiteres Kapitel ist die Verwendung korrosiver bzw. gifthaltiger Haushaltsmittel, besonders als Reinigungsmittel. Aufheller, Weichspüler, Netzmittel aller Art, die doch das Maschinenwaschen und Abwaschen von Geschirr, Fenstern, Böden, Spülbecken, Duschräumen, Wannen etc. so sehr bequem machen, aber auch in zahlreichen Körperseifen enthalten sind, sie verursachen keineswegs nur Ekzeme. Sie zerfressen durch ihre Dünste keineswegs nur Filme im Schrank und Steine. Sondern sie können Leber und Galle, Bauchspeicheldrüse und andere Drüsen mit innerer Sekretion erheblich stören, die Darmflora entarten lassen und einen kräftigen Beitrag leisten zum Krebs am Ende. Die geplagte Hausfrau zieht dann einen Kunststoffhandschuh an und gerät vom Regen in die Traufe. Denn er kann nicht wenig von den hoch giftigen Weichmachern enthalten. Ein echter Gummihandschuh ist zu raten. Und auch er ist nach Gebrauch ab- und auszuspülen. Und giftfreie Wasch- und Spülmittel sind zu raten, Biospülmittel, Biowaschmittel, echte Bioreiniger überall.

Besonders kritisch sind die auch vom Umweltschutz schon überall aufs Korn genommenen Plastiktaschen. Nicht nur im deponierten oder noch weit mehr im verbrannten Müll vergiften sie unsere Welt, sondern schon in der allernächsten Umwelt können sie viel Übles anrichten. Nach einer unbestätigten amtlichen schwedischen Mitteilung soll der Vitamin-C-Gehalt von Nahrungsmitteln in einer Plastikverpackung weit schneller sinken als in einer Papierverpackung. Das wäre auch bio-logisch zu vermuten. Wenn schon eine so winzige dünne Hülle in so kurzer Zeit derart nachhaltig das Leben disqualifiziert, was ist dann erst von einem ungesund gebauten und eingerichteten Haus zu erwarten! —

Auch auf einer Störzone kann sich eine Plastiktüte ziemlich unangenehm auswirken. Als Abhilfe die einmal vorhandenen eng und klein zusammenpacken und in eine Holzschublade legen. Nicht frei im Zimmer liegen lassen oder aufhängen. Künftig Papiertüten verwenden oder weichmacherfreie Zellstofftüten oder Netze aus Naturfasern usf.

Auf der Seite des Lebens ist dagegen im Haus zu bedenken: Jeder lebensqualifizierte Gegenstand hat ein eingeborenes, konstitutionelles Selbstreinigungs- und Selbstregenerationsvermögen. Und diese Potenz aktualisiert und entwickelt er stets, wann und wo es ihm die Umweltverhältnisse ermöglichen.

Diese Grunderkenntnis ist sehr beachtenswert. Beispielsweise hängt noch heute ein Rheumakranker seine eine Garnitur Angorawäsche nachts ans Fenster oder noch besser auf den Balkon. Am Morgen ist sie regeneriert, frisch, rein und hat vor allem neue Arbeitskräfte aus dem Kosmos assimiliert. Das beweist das anschließende erfolgreiche Tragen. Die nicht im Freien regenerierte Wolle dagegen kann die Rheumaschmerzen nicht nehmen. — Allgemein soll Kleidung, ob getragen oder nicht, in entsprechenden Abständen im Freien über 24 Stunden „gelüftet“ werden.

Das ganze Haus soll solch ein hoch lebensqualifizierter und also hoch gesunder, vitaler, reiner, aktiver und sich selbst regenerierender Organismus sein. Dazu bedarf es des reinen, lebendigen Lichtes und der reinen, lebendigen Luft. Das ganze Haus soll ein Heilhaus für den oft so sehr hilfsbedürftigen Bewohner sein. —

Wir haben eine Reihe verschiedener dynamischer Funktionen im Haus behandelt. Können wir alles zusammenfassen, um zuerst den Generalnenner zu erkennen und dann eine Übersicht über alle möglichen einzelnen Störfaktoren zu gewinnen?

Die typische Ausgangssituation zu folgender Übersicht ist, daß ein Mensch alles beachtet hat, was vorhergehend bei den Hauskrankheiten zu vermeiden geraten wurde. Er wohnt also scheinbar in einem voll gesunden Haus. Und dennoch ist das Hausfeld ernstlich gestört, sei es daß man im Hause oder in einem bestimmten Zimmer keine Ruhe findet, nicht erholsam schlafen kann, sei es daß man nicht konzentriert arbeiten kann, daß man sich ständig gereizt und müde fühlt usf. Das Haus steht also in einem geopathiefreien Bereich oder ist entsprechend objektiv wirksam entstört. Es ist aus Ziegeln, Kalk und Holz gebaut, gar höchst gesund und vital nur aus massivem Holz. Es ist nachts und weithin auch tagsüber elektrofrei durch einen Netzfreischalter. Es ist frei von allen Chemiziden, auch einigermaßen frei von Zement und Beton. Es wird biologisch gepflegt. Es ist naturgerecht und kultiviert eingerichtet. Und doch ist das Haus nicht ganz gesund. Was nur kann dann noch die Ursache sein? Das soll folgend systematisch übersichtlich behandelt werden.

Wenn auch dieser extreme Fall sehr selten sein wird, er ist häufig in einem schon anderweitig mehr oder weniger unharmonischen Haus. Fast in jedem zivilisierten Haus ist einer der folgend genannten Störfaktoren oder sind gar mehrere vorzufinden, mag auch die Wirkung in der Regel nicht allzu groß sein. Doch für sensible Menschen kann auch dies zur Plage werden. In manchen Betten fühlt sich der Schläfer Nacht für Nacht von unbekannten Gewalten strapaziert. Welche Ursachen kommen hier noch infrage?

Die Feld-, Strahlungs- und Strömungswirkung erstens von Formen und zweitens von Materien ist schon vielfältig behandelt worden. Wirken ist felden! Formen felden! Nichts anderes feldet! In dieser Art wirken alle Materien. — Es erübrigt sich, dies alles hier zusammenzufassen und dann im Einzelnen darzulegen. Auch wäre das vielleicht nicht zu verantworten. Doch ein drittes Gebiet, das der sensiblen Zonen wäre hier näher zu behandeln, da sie im täglichen Hausleben die Ursache für mehr oder weniger lang dauernde vorübergehende Störungen sein können.

Die sensiblen Zonen

Jede reale Einheit im Kosmos hat im Allgemeinen dieselbe räumliche und zeitliche Grundstruktur! —

Die räumliche Grundstruktur ist eine Grundgestalt des bioplasmatischen Körpers und gleich des sichtbaren Körpers. Sie wird aus einer ausgeglichenen Vereinigung von Harmonie und Disharmonie, nämlich von Kreis (Kugel) und Quadrat (Kubus) gebildet, wie schon bei der Geopathie beschrieben. Chemisch erscheint sie als Vereinigung von „Gut" und „Gift", von „Honig" und „Sand", optisch als Vereinigung von Licht und Finsternis (Schatten).

Jedes Haus hat diese Grundstruktur, also jeder menschliche, tierische, pflanzliche und mineralische Körper, der Erdball, das Sonnensystem, jede Galaxis, jedes Atom usf., zuoberst der ganze Kosmos, „diese Welt".

Aus der allgemeinen raumzeitlichen Grundstruktur der realen Einheit ergeben sich allgemeine sensible Zonen für das Feld jeder realen Einheit. Das ist erstens der Mittelpunkt oder Schwerpunkt, das Zentrum. Zweitens ist es der Radius wie der Erdradius, insbesondere derjenige, der als Senkrechte an jedem Ort auf der Erde zur Himmelsmitte geht, zum Medium coeli. Das ist eine Hauptachse der Lebensströmungen. Die dritte sensible Zone ist die Peripherie, der Umkreis, wie besonders als Feldgrenze oder Feldstufe, im Kleinsten als Atomschale. Im Umkreis kreist die Lebensströmung der realen Einheit. Die Tangente zu diesem Stromkreis ist lebenswichtig, da sie im Berührungspunkt und seinem Feld eine Resonanz zwischen Eigenwelt und Umwelt herstellt.

Aus diesem dreieinheitlichen System ergibt sich, daß die Nord-Süd-Richtung und die Ost-West-Richtung Hauptachsen des Lebens sind. Daher haben die Wissenden ihre Häuser seit jeher in diesen Hauptrichtungen in den Kosmos integriert gebaut, etwa die Kirchen. Weshalb ist die Cheopspyramide so haargenau nach den Himmelsrichtungen orientiert! —

Viertens ergeben sich in diesem Ursystem des Raumes die natürlichen Längen- und Breitengrade mit ihren Teilzonen. Sie sind den Meridianen des menschlichen Körpers zu vergleichen, die in der Akupunktur beachtet werden, und den Headschen Zonen; das sind Hautbezirke, die mit inneren Organen in Wechselwirkung stehen! —

In der Kombination dieser Grundstrukturen ergeben sich u. a. die Lemniskate, d. i. die Achtform des Blutkreislaufes wie der Wind- und Wasserströmungen der Erde und gleich der Lebensströmungen in jedem Haus. Zuletzt folgt aus diesem Ursystem des Raumes jede räumliche Struktur, jede Gestalt, jedes Bild. Die Gestalt wird so zum Zeichen (Anzeiger, Signum) des Wesens.

Paracelsus sieht in diesen hier systematisch dargestellten wesentlichen qualitativen Strukturelementen eine Grundordnung der gesamten Mikro- und Makro-Kosmologie, insbesondere als Gestaltlehre und Signaturenlehre (Biologische Morphologie). Er spricht hier von der „philosophischen Anatomie". Diese bezeichnet er als eine „Säule" der Heilkunde und allgemein der höheren, wesentlichen Lebenskunde, speziell als Gesundheitskunde. Was ergibt sich daraus praktisch für die Biologie des Hauslebens?

Jedes Haus hat zuerst seinen Zentralpunkt. Das ist der Schwerpunkt des Hauslebens. Bei mobilen Häusern wie Autos, Flugzeugen oder Schiffen wird auch physikalisch-technisch alles auf diesen Schwerpunkt hin berechnet und konstruiert. Auch alte Dome haben einen solchen Zentralpunkt wie unter einer zentralen Kuppel.

Sohnartig verhält sich zu diesem Zentralpunkt ein „zweiter Mittelpunkt". Das ist besonders ein Daueraufenthaltsplatz des Bewohners wie ein Bettplatz, ein Schreibtischplatz, ein Wohnzimmersitzplatz. Einen solchen Ort wähle man mit Bedacht und Feingefühl, mit innerer Beratung. Liegt er nördlich oder südlich, östlich oder westlich vom Schwerpunkt des Hauses? Man ziehe Verbindungslinien und verfolge sie in Gedanken. Was alles west, feldet in dieser Linie? — Der Westmensch lebt gern im Westen, der Ostmensch gern im Osten des Hauses. Das stärkt und entwickelt seine gleichen Eigenschaften. Den Poeten zieht es unters Dach, in den Turm, den Materiemenschen in das Erdgeschoß und darunter. Umgekehrt fühlen sie sich alle unwohl. — Jedes Zimmer hat daher seine eigene Grundatmosphäre! Gleich so jedes Haus in der Siedlung. Durch jeden Neubau verändert sich alles. Schon mit ein wenig Wachheit kann man das fühlen. Man braucht nur bewußt und ein wenig offen auf seine eigene Wohnung hin zu schauen. —

Je nach Haus- und Zimmerform bilden sich in jedem Haus harmonische und disharmonische Hauszonen. Man kann sie teilweise erkennend verstehen, wenn man an das oben Gesagte denkt. Oft kann man sie nur erfühlen und suchen oder meiden wie der Fernsehtechniker für die Antenne durch Suchen und Probieren eine harmonische gute Empfangszone findet und eine schlechte Empfangszone meidet.

Alle diese Kräfte sind auf eine Stunde gerechnet sehr schwach. Doch bedenken wir: Auch die Gravitation ist winzig schwach. Die Anziehungskraft zwischen zwei Kilostücken Materie ist kaum meßbar. Aber sie formt Planeten, Sonnen und Galaxien. — Auf die Jahre summieren sich auch die genannten Hauskräfte zu erheblichen Größen. Und dann vermögen sie wie durch beständige Resonanz einen Körper mit seinem Fühlen und Streben umzustimmen, — in harmonischer oder disharmonischer Richtung.

Alle diese hauseigenen und zimmereigenen sensiblen und stumpfen, jeweils harmonischen oder disharmonischen Zonen werden vom Makrokosmos, insbesondere vom Erdfeld ständig zu integrieren gesucht. Zwar kann und soll ein Haus sein gutes Eigenleben behaupten; aber die Eigenwelt des Hauses steht je nach der Qualität der Eigenwelt und der Umwelt in Konkordanzen oder Diskordanzen mit der Umwelt. Und sie soll mit all ihren Lebensqualitäten in Konkordanz mit den Lebensqualitäten der Umwelt stehen. Je einheitlicher und also harmonischer ein Haus geformt ist, je gesünder sein Material ist, desto stärker kann und wird es sein Eigenleben führen. Aber desto intensiver kann und wird es sich zugleich auch in die gute Umwelt integrieren und von dieser integriert werden. Dies gilt nicht nur biologisch, sondern

zugleich auch künstlerisch und personal.
Dasselbe gilt für den Menschen in seinem naturalen, kulturellen und personalen Verhältnis zu seiner Umwelt sowie für den jeweiligen Haushalt.
Dasselbe gilt auch umgekehrt: Je weniger Form und Material qualifiziert sind, je weniger die sensiblen Zonen im Hausbau beachtet werden, je mehr disqualifizierte Einheiten im Haushalt disqualifziert benutzt werden, desto mehr Disharmonien bilden sich im Haus und zur Umwelt hin. Im Haus summieren sich die Fremdkörper. Sein Klima wird vielfältig „verfremdet". Und das Haus selbst wird ein Fremdkörper in der Stadt und in der Landschaft. Typische Beispiele sind die „Betonburgen".
Bei der Integration des Hauslebens in den Haushalt der Umwelt ist zuerst auf die Lebenswerte der Harmoniezonen der Erde zu achten, dann erst auf die Unwerte der Störzonen. Manche sehen nur Geopathie und keine Geoharmonie! Jede von einem Erdgitter käfigartig umschriebene Kreis- und Kugelzone hat ihre eigene Lebensqualität wie besonders in der Siebenerordnung des Lebens. Das kann den besonderen Lebenswert des Bauplatzes und dann des Hauses ausmachen oder einer Heilquelle, eines Kurortes, einer Stadt, einer Landschaft usf. Hieraus kann der eine Mensch großen Gewinn für sein ganzes Leben ziehen, während ein anderer, dessen Konstitution der Konstitution seines Wohnortes zuwider ist, sein ganzes Wohnleben lang darunter leidet. —

Die Checkliste für die Haushaltskrankheiten

Wie der Pilot vor Beginn eines Fluges sein mobiles Haus anhand einer Checkliste in allem Wichtigen kontrolliert, um sicher störungsfrei zu fliegen, so kann auch der Hausherr eines immobilen Hauses bei Beginn des Wohnens oder bei Verdacht auf eine Störung jederzeit die folgende Checkliste durchgehen, um sicher störungsfrei zu wohnen. Wer Verdacht hat auf eine in den vorhergehenden Kapiteln über Geopathie, Elektrokrankheiten usf. noch ungeklärte Störung, dem gibt die folgende Liste eine Übersicht über alle Objekte, die bei besonders unglücklicher Konstitution oder besonders unglücklicher Position erheblich stören können. Erfahrungsgemäß stören die folgend genannten Objekte nur, wenn sie in einer geopathischen, elektrischen oder chemischen Störzone stehen oder in einer hauseigenen sensiblen Störzone wie im Mittelpunkt eines Raumes oder in einer disharmonischen Ecke oder in einer besonderen Linie. Dann stören sie als Sekundärfelder, Sekundärstrahler und Sekundärströmer. Zuweilen ist jedoch kein primäres Störfeld festzustellen, sodaß unklar bleibt, ob sie primär oder sekundär stören. Je stärker eine primäre Störzone ist, desto stärker wird auch die sekundäre Störung sein. Je disharmonischer eine primäre Störzone ist, desto disharmonischer wird auch die sekundäre Störung sein. Nur sekundär wird die Störung von der Stärke und dem Grad der Disharmonie des sekundären Objektes bestimmt.

1. Objekte aus Kunststoff

Plastikeimer oder andere, besonders offene und viereckige Plastikgefäße; sehr aktiv, wenn mit einer Flüssigkeit teilweise oder ganz gefüllt und offen. Plastikbett, Matratze, Steppdecke oder Decke aus Kunststoff, solche Möbel, besonders im Schlafzimmer, solche Teppiche, Gardinen, Wandverkleidungen, Tapeten, eine Wärmedämmschicht an der Wand hinter der Tapete oder in einer zweischichtigen Mauer, besonders wenn mit Phenol oder Formaldehyd verarbeitet. Anstriche aus Kunststoff, solche Verputze, Wäschestücke offen im Zimmer liegend, solche Schuhe, Strümpfe, Strumpfhosen, Anzüge, Mäntel, Hüte. Ein Garderobenständer, ein mit Kunststoff gefaßter Spiegel. Waschmittel, Putzmittel, Seifen, Laugen, Säuren, Kunststoff-Flaschen, solche Verpackungen, Anstrichmittel, Lack- und Farbdosen, Schädlingsbekämpfungsmittel, chemische Medikamente, lackierte Spraydosen aller Art, auch geleert.

2. Objekte aus Metall

A. Elektrogeräte

Wenn mit Kunststoff in größerer Menge verarbeitet wie am Gehäuse, dann doppelt kompliziert.
Röntgengerät, Fernsehgerät, Kühltruhe, Speicherofen, Dachständer, Nachttischlampe, Leuchtstoffröhre, Transformator (Klingeltrafo), Akkumulator, Heizdecke, Heizkissen, Umlaufpumpe der Heizung, Heizturbine, Radio, Ventilator, eine netzelektrische Uhr, eine metallene Stehlampe oder Schwenklampe, Tonbandgerät, Plattenspieler, Schreibmaschine, Buchungsmaschine, Rechenmaschine, Küchenmaschinen, elektrische Kabel. Dies alles, auch wenn im Gerümpel auf dem Speicher, im Keller, im Schrank, im Treppenwinkel liegend. Besonders wirksam, wenn einpolig unter Spannung stehend, aber auch noch öfters, wenn vom Netz ganz getrennt; denn dann reagieren diese Objekte hauptsächlich mit den kosmischen Feldern, Strahlen und Strömen oder mit dem Elektrofeld des Hauses, dem Betonstahlkäfig usf.

B. Nichtelektrische Objekte aus Metall

Metallbett (Bettrahmen, Pfosten, Füße, Federrahmen, Spiralfedern unter der Matratze oder in ihr) Metallschreibtisch, Metallstuhl, andere Metallmöbel, Schreibmaschine, Ofen, Heizkörper, Propangasflasche, Rolläden, Sonnenblenden, Fensterrahmen, Türrahmen, Besteckkasten, Schmuckteller an der Wand, Metallbilder, solche Skulpturen, Klavier, Metallgestell, Rohre in der Wand, Dachrinnen, Abflußrohre, Wandverkleidung außen, Balkongeländer, Treppengeländer, Hobbykästen, Spielzeug, Spiegel, Gießkannen, Eimer, Ofenschirme, größere Bleche, Ziergitter wie vor falschen Kachelöfen usf. Die wirksamsten Metalle sind die Eisenmetalle, insbesondere die in das Haus eingebauten wie der Stahlbetonkäfig und stählerne Deckenträger. Sie übertreffen auch an Gewicht alle anderen Metalle der Einrichtung. Kupfer stört selten. Aluminium steht zwischen Eisen und Kupfer, je nach Verarbeitung. Aluminium ist in seinen Legierungen ein Chamäleon.

C. Durch Formen ausgezeichnete Objekte

Sie bestehen aus Kunststoff, Metall, Glas, Keramik, Holz oder Textil usf. Bilder, Skulpturen, Schüsseln, Teller, Nippes, Drahtschleifen in Menschengröße, Zimmergröße und Hausgröße, Drahtrollen, Kabelrollen, Magnetbandrollen, linsen- und kugelförmige Lampen, Lampenschirme, Beleuchtungskörper an der Decke, an der Wand, besonders in sensiblen Zonen des Hauses, Vasen, Eimer, eine Sammlung vieler elektrischer Birnen wie in einer Schachtel, einzelne Neonröhren, Kunstgegenstände aller Art, alte Waffen, Schmuck aller Art, auch Modeschmuck, Talmi, Kristalle aller Art, Gläser, Vitrinen, Hauswerkstatt, Hobbyraum, metallene und andere Küchengeräte, Gerümpel auf dem Boden, im Keller, in Schränken usf.
Welcher dieser potentiellen Störfaktoren kommt erstrangig, zweit- oder drittrangig infrage? Eine solche Rangordnung ist nur bei sehr eigenwillig und also primär störenden Störfaktoren möglich, also zuerst bei den Elektrogeräten. Sie sind daher ungefähr nach der Größe der durchschnittlichen Störstärke angeführt. Aber im Allgemeinen ist die Größe der Störwirkung eines Gegenstandes von vielen verschiedenartigen und verschieden starken Faktoren abhängig, sodaß keine Rangordnung möglich ist. Diese anderen Faktoren liegen in den vorangehend beschriebenen Hauskrankheiten, nämlich in deren Störfeldern sowie in den sensiblen Zonen eines Hauses und seiner Bewohner.
Die allersensibelste Zone ist das Körperfeld des Bewohners, wie des Menschen. Wie groß ist dieses Feld? Und was ist seine Form?
Die Form des menschlichen Körperfeldes ist die einer eiförmig in der Körperlänge ausgezogenen Kugel. Die Größe schwankt je nach der Entwicklung des Menschen. Bei einem unentwickelten Primitivmenschen, wie er in Europa unter Geisteskranken und Entwicklungsgestörten anzutreffen ist, reicht die sensible Körperzone nur ca. 30 cm über die materielle Haut hinaus. Bei normalen weißen Zivilisationsmenschen wird sie mit 1 bis 3 m gemessen. Bei Menschen, die bewußt mit den Lebensqualitäten der Natur leben, kann sie auf 5-7 m ansteigen. Wer intensiv meditiert, Yogaübungen macht, gar fastet und intensiv betet, dessen aktives Körperfeld kann auf 10 bis 50 m und mehr größer werden, auch feiner und stetig mächtiger. Bei solchen Größen wird jedoch die ätherisch-bioplasmatische Ebene nebensächlich. Das Leben in höheren Dimensionen bzw. Ebenen wird dann vorrangig. Und dort wird nicht mehr in Zentimeter und Sekunde gemessen, nicht mehr nach Wirkungsquan-

ten und physischer Lichtgeschwindigkeit. — Dann beginnen Worte und Zeichen eine geheimnisvolle Macht zu gewinnen, die Macht der Wahrheit, des Logos, des Glaubens und der Urnatur. —

Das bioplasmatische Körperfeld kann mit allerlei Verfahren gemessen werden, auch für jedermann sichtbar gemacht und mit entwickelten Augen auch ohne Hilfsverfahren transformierender Art unmittelbar gesehen werden. Die Meßinstrumente sind teils radarähnlicher Art und werden auch schon serienmäßig hergestellt wie im Anthroposkop. Da das Körperfeld ebenso fein differenziert ist wie der Grobkörper, sogar weit feiner, kann man am Körperfeld auch Diagnosen stellen, dies öfters schon lange vor dem Ausbruch einer grobkörperlichen Krankheit. Schon im vergangenen Jahrhundert hat der Engländer Kilner mit Hilfe eines Dicyaninschirmes den nächsten feinstofflichen Körper — nach Paracelsus den „elementalischen" Körper — sichtbar gemacht. Inzwischen sind noch mehrere andere Methoden bekannt geworden wie durch die PSI-Forschung. Rutengänger messen die Werte dieser Felder unter der Bezeichnung „Reaktionsabstand". Könner analysieren auch ihre Qualität.

Innerhalb seines Körperfeldes — auch Feld der Bildekräfte oder Lebenskräfte genannt — reagiert der Mensch besonders sensibel auf alle lebensfremden und somit lebenswidrigen Gegenstände. Wenn daher das lebenswidrige Feld eines metallenen Heizkörpers 1 m beträgt und der Reaktionsabstand eines Menschen 3 m, so beginnt dieser Mensch schlechter zu schlafen, wenn im Radius von 4 m um ihn solch ein Heizkörper existiert.

Viel weiter reicht in der Regel das Störfeld unter Spannung stehender Elektrogeräte wie Fernseher, Kühltruhe, Elektroboiler, unter Ladestrom stehender Elektrospeicher usf. Die elektrischen und magnetischen Feldsonden geben hier nur Anhaltspunkte, nur Hinweise. Das biologisch wirksame Störfeld kann weit größer und auch weit kleiner sein als das mit der Feldsonde quantitativ gemessene Feld. An der Qualität der Sondenakustik ist weit mehr zu erkennen.

Wenn dagegen ein Elektroboiler auf einer geopathischen Zone steht, so kann er 20 bis 30 m und mehr im Bereich der geopathischen Zone zusätzlich stören, sein eigenes kugelförmiges Störfeld in der Störqualität vervielfachen und eine Entstörung teilweise oder ganz unwirksam machen.

Störkörper aus der Checkliste können besonders intensiv stören, wenn sie auf der Randzone — dem Hautfeldbereich! — der Störzone liegen. Schon eine Schachtel Christbaumkugeln auf dem Dachboden kann den Schlaf erheblich verschlechtern.

Heutige Rutengänger mögen es bei den Entstörungen noch so gut und also ehrenhaft meinen. Aber ein Trauerspiel ist es oft, was sie sich in vielstöckigen Mietwohnungshäusern leisten. In diesen vielfältig komplizierten und fast täglich geänderten Störfeldern werden stark wirksame Apparate aufgestellt, oft nur 1-3 m vom Bett entfernt. Sie können zwar dies oder jenes entstören, solange sich im Haus nichts wesentlich ändert, was höchstens eine Woche währt. Aber auch davon abgesehen vergrößern sie in der Bilanz die gesamte Störintensität, nicht selten erheblich. Warnend sei ihnen daher zugerufen: Erkennet die Ursachen, die vielfältig verschiedenen! Und geht dann ursachengerecht vor! In mehrstöckigen zivilisierten Mietwohnungshäusern ist ein Entstören einer Wohnung oder eines Raumes auch bei hohem Arbeitsaufwand praktisch unmöglich geworden!

In einem Stahlbetonkäfig herrschen besondere Verhältnisse. Hier bietet das Stahlnetz in den Decken und Wänden einerseits einen Vorteil, nämlich den, daß fast alle Störfelder — geopathische, elektrische, chemische usf. — zerspalten, chaotisiert und diffus verteilt werden. Hierbei werden sie auch in ihrer spezifischen Störwirkung geschwächt. Insgesamt kann man so auch bei den Störungen von einer qualitativen und quantitativen Nullung sprechen. Es entsteht dann ein diffuser „Brei" von Störwirkungen. Dieser ist dann mehr mit einem „Pegelstand" zu messen, wie der Radiospezialist von einem Störpegel im Empfangsraum spricht. Wenn der Pegelstand nicht allzu hoch ist und wenn ein Mensch durch langjähriges Reagieren auf diesen Störbrei sich eine „dicke Haut" erworben hat und so mit diesem Hautkäfig in dem größeren Käfig lebt, dann kann dieser Maschinenmensch oder Zivilisationsroboter in einem Stahlbetonfeld sogar subjektiv ungestört schlafen. Aber das ist die Ruhe der Lebensarmut, im Grunde schon die Friedhofsruhe.

Auch ist dieses Sammelproblem noch längst nicht genügend geklärt, insbesondere in den Langzeitwirkungen. Denn nach den bisherigen Erfahrungen scheint der menschliche Organismus nicht imstande zu sein, in einigen Generationen auf die völlig neuartigen elektrotechnischen, synthetisch-chemischen und anderen zivilisatorischen Störfelder genügend abwehrkräftig reagieren zu lernen. Was es daher mit der „dicken Haut" auf sich hat, die man bei einigen Menschen grobkörperlicher Art feststellen kann, ist noch ungeklärt. Vielleicht handelt es sich um ein hochgradig abgestumpftes und geschwächtes Empfindungsvermögen. Es ist bekannt, daß manche Verbrecher kaum noch Schmerzen fühlen. Wie die geistlich (qualitativ) Toten ihre Toten begraben, so können auch die natural (qualitativ) Toten ihre Toten begraben, dies jeweils in den entsprechenden Gehäusen.

Zur Diagnose und Heilung der Haushaltskrankheiten

Was kann und soll man systematisch bei Verdacht auf eine Haushaltskrankheit tun? Wenn keine allgemeine Überflußkrankheit an Nichtigkeiten bzw. Nullfeldgegenständen vorliegt und kein allgemeiner Lebensmangel wie im hausgroßen Nullfeld, keine allgemeine oder besondere Lebens-, Klang- und Lichtkrankheit, dann sind die Kombinationsmöglichkeiten in der Checkliste durchzugehen. Die Erfahrung lehrt, daß meistens hier die Probleme liegen.

Wenn man selbst das Opfer ist und also in einem leidvollen Kontakt mit dem Störkörper steht, so suche man seine eigene Intuition zu gebrauchen, wenn man die Checkliste an Ort und Stelle langsam durchgeht und das gestörte Lebensfeld daraufhin kontrolliert. Findet man mit Intuition nicht alsbald die Störquelle, so hat man die Wahl, entweder alles, was infrage kommt, möglichst weit zu entfernen und dann im Laufe längerer Zeit täglich einzeln zurückzubringen, wenn die generelle Entfernung eine Befreiung von der Störung wie einen ruhigen, erholsamen Schlaf gebracht hat. Oder man entfernt einzeln Stück um Stück, jeden Tag ein Stück oder mehrere, bis die Störquelle ermittelt ist.
Bei dieser Differentialdiagnose soll man sich zuerst über die geopathischen Störzonen im Haus vergewissern, weil diese in der Mehrzahl der Fälle die Grundstörung sind. Auf diesen Zonen ist zuerst zu suchen. Dann soll man die leicht vermeidbaren Elektrostörungen vermeiden wie zumindest durch nächtliches Spannungsfreimachen der Hauselektrik im unbenutzten Bereich. Versetzt man eine sekundäre Störquelle aus einem geopathischen oder elektropathischen Störbereich heraus, so wird ihr Einfluß meist belanglos.
Chemiestörungen durch mobile Konzentrationen sind leicht zu ermitteln und noch leichter zu kurieren.
Betonstörungen führen nicht zu Haushaltskrankheiten außer in dem Sinne, daß ihr Nullfeld eine allgemein disqualifizierende Wirkung hat.
Mancher Gegenstand wird unwirksam oder weniger wirksam, wenn er mit massivem Holz umhüllt wird, also in einen gesunden Schrank gelegt wird. Das ist bei Textilien aus verkünstelten Stoffen wichtig. Metallene Gegenstände benötigen jedoch eine Umhüllung vom selben oder polaren Metall. Kupfer hilft universell, noch mehr Silber und Gold. Zinkblech hilft notdürftig. Zinn hilft gut. Vor Eisen Vorsicht. Das sind Durchschnittswertungen aus vielen Erfahrungen.
Ein anderes Verfahren ist, die Form eines Störkörpers zu verändern. Da er dann jedoch seine Funktion verliert, kommt dies mehr für Versuche infrage. Man kann einen Körper einfach mit Ton umhüllen, möglichst rund. Ein sehr einfaches Mittel für vorübergehende Versuche ohne Änderung des Körpers selbst besteht darin, daß man waagerecht und senkrecht Kupferdraht oder Kupferband um den Körper zieht. Durch Papierumhüllung mit geknautschtem Zeitungspapier kann man sogar eine Rundung erzielen, wenn der Körper nicht zu groß ist.
Je qualifizierter die Störwirkung ist, desto mehr muß man bei der Entstörung ausgleichend auf die störenden Formen und Materien eingehen. Das erfordert bei hoch aktiven Gegenständen Qualitätskenntnis und Überlegung. Probieren hilft dann seltener. Doch dann kommt man auch an die Grenzen des nur Naturalen, etwa bei Unglück bringendem Schmuck, solchen Antiquitäten, Waffen usf. Dann beginnen die Grenzen des Eigentumes und Besitzes wichtig zu werden, also personale Strukturen. Zunächst ist der Gegen-

stand dann aus dem eigenen Besitz zu entfernen wie aus dem eigenen Haus. Wenn das nicht hilft, ist er aus dem Eigentum zu entfernen wie zu verkaufen oder zu verschenken. Die disharmonische Beziehung kann auf bestimmte Menschen beschränkt sein, sodaß der neue Erwerber von Unglück frei bleiben kann, insbesondere bei einem Verschenken. Ein Verkauf überträgt mehr. Doch das überschreitet den Rahmen des Themas. Hier sollen nur naturale Strukturen behandelt werden, auch wenn die Gesetze der kulturalen und personalen Strukturen im Prinzip dieselben sind.

Nochmals: Bei den nicht seltenen Haushaltsstörungen seinen Instinkt üben. Er ist oft der Retter. Und seine innere Stimme befragen. Was eine entsprechende Verhaltensstruktur voraussetzt. — Durch steigende Einsicht in die allgemeine qualifizierte Feld-Strahlungs-Strömungs-Physik kann der Instinkt — oder was man so bezeichnet — mächtig entwickelt werden. Das ist ohnedies eine große Aufgabe der gegenwärtigen Menschheit. Das ganze vorliegende Buch soll eine Hilfe zu der notwendigen Erfüllung dieser gegenwärtigen Entwicklungsaufgabe der Menschheit sein. —

DIE GESUNDE ÖKOLOGIE (HAUSHALTSKUNDE)
Bio-Environtologie

Die Wissenschaft von der Beziehung der Lebewesen zu ihrer Umwelt ist die Kosmologie, zu verstehen als Biokosmologie. Diese Wissenschaft ist die Grundwissenschaft aller Kulturen.

Seit einigen Jahrzehnten erleben wir eine unbewußte Wiedergeburt der Kosmologie in zeitgemäßem Gewande. Das Neugeborene ist in seinem Tätigkeitsfeld noch auf ein winziges Gebiet beschränkt, genannt Ökologie.

Man gliedert die Ökologie zuweilen in eine Bio-Ökologie, welche die biologischen Beziehungen zur Umwelt erfaßt, und eine Sozio-Ökologie, welche die sozialen Beziehungen zur Umwelt erfaßt. Soziale Beziehungen sind allgemein personale Beziehungen. Aber in etwas biologistischer Sicht sucht man die Sozio-Ökologie öfters als ein Sondergebiet aus der Bio-Ökologie herauszugliedern. Die moderne Biologie bearbeitet in der Verhaltensforschung vorzüglich die Sozio-Ökologie, hier also von unten her gesehen. Wenn man von oben her schaut, was urnatürlich ist, so hätte man wohl zuerst eine ethische, soziale und ökonomische Ökologie zu definieren. Um diese bemüht sich das Kapitel VI des vorliegenden Buches. Daraus — mathematologisch — folgernd hätte man weiter eine kulturelle Ökologie und zuunterst eine naturale Ökologie zu definieren. Diese letzte ist die im engeren Sinne biologische Ökologie. Denn im weiteren Sinne ist Logos und Bios eins, die Wahrheit und das Leben. —

Seit einigen Jahrzehnten wird hauptsächlich die Bio-Ökologie gesehen und in ersten Ansätzen zu bearbeiten versucht, jedoch noch ohne klare Erkenntnis der natürlichen Ordnung der Lebensqualitäten und noch ohne Erkenntnis der Lebensordnung des Hauses. Denn die Hausordnung ist die Grundordnung der Ökologie! Diese hat Paracelsus fundamental makro-mikro-kosmisch bearbeitet. Die Bio-Ökologie im Sinne von Paracelsus und den Kulturen beherrscht jede Seite dieses Buches. Es könnte daher auch den Titel „Die gesunde Ökologie" tragen.

Die Verhaltensforschung der Gegenwart hat sich aus ihrem naturalistischen, daher relativistischen, positivistischen Ansatz heraus wohl erst wenig zu der Höhe der eigentlichen Sozio-Ökologie hinauf gearbeitet. Diese gründet in der Urordnung der Selbstbestimmung, der Mitbestimmung und der Allbestimmung det Lebensqualitäten. (Vgl. Kap. VI).

Die Bio-Ökologie gründet in den Ordnungen der Lebensqualitäten, in der Hausordnung und also in der Ordnung der echten, der qualitativen Lebensgesetze. Das ist alles vorangehend behandelt worden. Der Mensch soll qualifiziert integriert, also gut und frei in der Ganzheit aller Naturreiche leben, somit in der Alleinheit der elementischen, mineralischen, pflanzlichen und tierischen Lebewelt. Weder das Reich der vier Elemente Feuer (Sonne), Licht-Luft, Wasser und Erde, noch die Mineralwelt, die Flora und Fauna des Planeten, der einzelnen Kontinente und Landschaften darf er lebenswidrig behandeln. Überall hat der Mensch das allseitige Gleichgewicht zu achten und zu verbessern, zu kultivieren. Denn andernfalls verschlechtert er das Erdklima, das Klimafeld des Erdhauses, des Hauses eines Kontinentes oder einer Landschaft. (Vgl. Das Haus des Hofes). Jedes Wohnhaus, Bürohaus und Fabrikhaus soll ebenso um sich wie in sich die Naturreiche in ihren Lebensqualitäten pflegen. Die innere Ordnung des eigenen Hauses soll in einer vollständigen Gleichung zur lebendigen Umwelt stehen.

Qualifiziertes ganzheitliches Umweltschutzdenken ist qualifiziertes ganzheitliches ökologisches Denken. Die Ökologie ist bisher positiver ausgerichtet als die Umweltschutzbewegung, die sich vorerst mehr auf die Vermeidung des Negativen konzentriert.

Doch führende Vertreter des Umweltschutzdenkens in Deutschland wie Löbsack, Stumpf, Stern und andere zeigen uns sogar schon weltweite ökologische Perspektiven. Sie weisen vom Ende der abendländischen und morgenländischen Kuturperiode auf die kommende Weltkultur hin. Denn im konsequenten Durchdenken der Verhältnisse gelangen sie zu fundamentalen Forderungen, wie daß der Mensch radikal von der Quantität zur Qualität umdenken müsse. Er müsse seine gesellschaftlichen, zivilisatorischen und wirtschaftlichen Ziele und Ansprüche dementsprechend fundamental wandeln. Er müsse eine vollständig neue Haltung zur Zivilisation einnehmen, nämlich eine wahrhaft kultivierte Haltung. Sie allein sei menschenwürdig und zugleich naturgerecht, allgemein lebensgerecht ([1]*).*

DIE HOCHHAUSKRANKHEITEN

Die weite Sicht, die reine Luft und das helle Licht ziehen viele in das Hochhaus. Das Moderne und Exzentrische mag hinzukommen. Doch nach vielen, nicht mehr anzuzweifelnden englischen, deutschen und anderweitigen wissenschaftlichen Erhebungen lebt man desto ungesünder, je höher man wohnt. Je höher der Lift, desto mehr geht es mit der Gesundheit bergab.
Die Reihe der dort bis 200 % und mehr vermehrt auftretenden Krankheiten ist erstaunlich lang. Sie reicht von Infektionen der Atemwege über nervöse Beschwerden, Kopfschmerzen, Herzbeschwerden, Magen- und Verdauungsbeschwerden und undefinierbare allgemeine Minderung und Störung des Wohlbefindens — was typisch ist für die Betonkrankheit! — bis zu neurotischen und anderen psychischen Störungen und zwar schon bei relativ jungen Menschen zwischen 20 und 30 Jahren ([1]).
Angeschuldigt hat man vieles, was jedoch nur Einzelnes erklären könnte, wie die Erkrankungen der Atemwege. Es erklärt nicht viele einzelne Störungen und vor allem nicht das ganzheitliche Gesamtbild und damit nicht die eigentliche und wesentliche Ursache. Die vollständige Antwort wird daher wohl sein, daß hier ein Sonderfall der Betonkrankheit vorliegt. Das Besondere liegt in der erheblichen Gesamtdicke der Betondecken bei steigender Stockwerkzahl. Durch diese wird die von der Erde ausgehende Strahlung disharmoniert. Die vom Kosmos kommende Strahlung scheint feiner zu sein und vom Beton weniger gestört zu werden. Hierfür spricht die Tatsache, daß mit zunehmender Höhe die Häufigkeit, Schwere und Dauer der Erkrankungen steigt.
In Ziegelhochhäusern ist nach ersten Vergleichen die Hochhauskrankheit wesentlich schwächer, teils fast garnicht anzutreffen. Doch auch dort werden viel Betondecken verwandt. Was wäre die Erklärung? Kann der dort viel freiere waagerechte Lebensstrom der Erde viel ausgleichen? Und was für Wohnungen gilt, das gilt gemindert auch für Bürohochhäuser.
Hinzu kommt, daß 5-6 Stockwerke die Maximalzahl für Wohnungen ist. Darüber hinaus ist von einer ungesunden Verdichtung im Sinne eines Ameisenhaufens zu sprechen. Was für Ameisen taugt, das taugt noch nicht für Menschen.
Die Möglichkeiten zur Linderung der Hochhauskrankheiten sind hauptsächlich diejenigen, die bei der Betonkrankheit angeführt werden.

DAS KRANKE KRANKENHAUS
Der Hospitalismus

Das moderne Krankenhaus ist krank, totkrank. So ist vielerorts zu lesen. Doch das ist meist nur teilhaft gemeint. Der eine denkt nur an die Ernährung. Mit dieser sind die Krankenhäuser oft um Jahrzehnte rückständig, nicht selten um fünfzig Jahre. Andere denken an fehlende Krankenschwestern oder Kosten, die bald unbezahlbar werden. Der Dritte denkt an den Hospitalismus, die Fundamentkrankheit der Krankenhäuser. Doch sollte das nicht alles zusammen einen ganzheitlichen Grund haben! Wenn die moderne Medizin nach Hoff heute die Hauptursache der Verkrankung des Volkes ist, muß dann das Krankenhaus nicht das kränkste aller Häuser sein? — Das ist es auch! —

Die Geißel des modernen Krankenhauses ist der Hospitalismus. Mit einer Krankheit wird man eingeliefert. Drei muß man absolvieren, ehe man wieder in die Freiheit gelangt, — oder auch nicht. Oder man erhält zur Vorbeugung auf den verschiedensten Wegen bald pfundweise allerlei Chemizide, Antibiotika und andere Gifte eingetrichtert. Mit ihnen bringt man ein Danaergeschenk nach Hause, — den Hospitalismus im eigenen Leibe?

Ist der Hospitalismus bald — oder gar jetzt schon? — auch die Geißel der gesamten modernen Bauwelt? Die steigende Zahl von Erkrankungen an der infektiösen Gelbsucht auch außerhalb der kranken Krankenhäuser wäre ein Indiz in dieser Richtung.

Die weniger denn je beherrschte vielfache Erkrankungsmöglichkeit im modernen Krankenhaus wird eifrig studiert, jedoch bis jetzt stets von dem grobmaterialistischen Vorurteil her, die Ursache könne nur bei Bakterien oder Viren gefunden werden. Diese enorme tabuisierte Einengung und Erniedrigung des Gesichtsfeldes könnte ein Riesenirrtum sein. Denn die Ursache könnte allgemein in disqualifizierten Lebensqualitäten vielerlei Art, also in Unqualitäten, im allgemeinen „Gift" (Paracelsus) bestehen. Diese Unqualitäten können sich in total „sterilen" Gegenständen, „sterilen" Wassern und anderem aufhalten und dort sogar besonders gern. Denn wo die guten Lebensqualitäten vertrieben werden, da siedeln sich mit Vorliebe die unreinen Geister an! Was der endzeitliche Chemiker und Bakteriologie „steril" nennt, das kann in paracelsischer Sicht hochgradig unrein, krankhaft, schlecht und infektiös sein! Also hochgradig unhygienisch! Biologisch unsteril! Und das ist es auch nicht selten bzw. in der Regel! — Die mechanizistische, also abergläubische Hygiene, die wert„freie" und also total lebensfremde, gesundheits- und krankheitsfremde Hygiene ist in paracelsischer Sicht normalerweise eine grobe Unhygiene! — Je giftiger, desto unhygienischer! Die modernen Karbole, Phenole und vielen anderen antibakteriellen Chemizide, die im modernen Krankenhaus massenhaft gebraucht werden, sind alle Träger grober Unhygiene und also Mitverursacher des Hospitalismus, des Hauskrebses! „Verkrüppeln" der Gesundheit, „Lähmen, würgen, töten", das erklärt Paracelsus ausdrücklich als die Folgen! — Sind sie das nicht auch im Hospitalismus!

All die Gifte, die der Mediziner in seiner Verblendung erzeugt und verbreitet und all die Ausdünstungen der modernen Chemizid- und Antiobiotika-Kranken kondensieren und sublimieren auf die Decken, Wände, auf all die verkünstelten Stoffe in den Betten und Einrichtungsgegenständen, haften dort als „medizinischer Grauschleier" sehr fest, potenzieren und kumulieren, entwickeln sich mit mancherlei resistenten Keimen noch prächtig und ergeben am Ende den Hospitalismus, den Hauskrebs! —

Paracelsus spricht vom „Meteoron" als fundamentaler Lebensqualität im Klima, im Haus der Erde. Seine Disqualifizierung könnte man als „Antimeteoron" bezeichnen, als „Urantibiotikum", „Urantivitalum". Es existiert primär in elementischer Form, sekundär in mineralisierter, vegetabilisierter und animalisierter Form, auch in humanisierter Form. Auf diese Anschauungen zielt die Miasmenlehre. Ihr hängen auch heute noch — oder wieder — große Gelehrte an, nicht nur unbestritten weltberühmte Ärzte der Vergangenheit wie Pettenkofer und vor allem Paracelsus. In chemizider Form existiert das Antimeteoron in den Dünsten der Industriereviere. Vor allem aber wird dieses Urgift in den modernen Krankenhäusern „kultiviert", nämlich zivilisatorisch erzeugt und gezüchtet! —

Es ist eine unbestreitbare Tatsache, daß Klima und Wetter den Verlauf von Seuchen extrem begünstigen können und umgekehrt. Viren und Bakterien sind es nicht, die da in Scharen durch die Luft ziehen mit der Geschwindigkeit von Luftdruckschwankungen über hunderte von Kilometern in wenigen Stunden. Was also bewirkt diesen ländergroßen Hospitalismus? —

Wenn in der Landschaft, im Haus oder im Menschen ein Sumpfklima besteht, so ist es für die Gesundheit dieser Einheit nebensächlich, ob, wie viel und welche Sumpfpflanzen und Sumpftiere sich da aufhalten. Reinigt man die Einheit von diesem „Sumpf", von dieser Unreinigkeit, so verschwinden all die Sumpftiere, all die Viren und Bakterien mit, ohne daß man sich mit ihnen überhaupt befaßt hat! — Oder wie Paracelsus deutlich und prinzipienklar sagt „Der Schnee macht den Winter nicht, der Winter aber macht den Schnee" (Paragranum). Im Menschen wird der Sumpf auch Säfteverderbnis, schlechte Konstitution, Lymphatismus, Lymphatische Diathese, tuberkulösrachitische Konstitution, chemische Verseuchung usf. genannt.

Im einzelnen: Je disqualifizierter, also verkünstelter im Krankenzimmer die Matratze, das Bettgestell, das Bettuch, die Zudecke, der Bezug, die anderen Einrichtungsgegenstände, der Boden, der Verputz, der Anstrich, das Wandmaterial, die Lampen, die Reinigungsmittel, die Desinfektionsmittel usf. sind, auch die Medikamente und Speisen, desto größer, mächtiger und fester wird der „hospitale Grauschleier" oder „Giftschleier". Ausgesprochen bösartig und lebensfeindlich wirkt deshalb eine moderne Krankenhausatmosphäre oft! Und das bei scheinbar größter technokratischer Hygiene. Gerade bei ihr! —

Außerdem existiert noch ein besonderer „technokratischer Hospitalismus", nämlich in Gestalt des „maschinellen Mediziners". Vor ihm warnen schon viele Mediziner laut (¹). Allzu unheimlich wird es hier auch schon manchen gelehrten Zauberlehrlingen. Sein Unwesen treibt dieser moderne Ungeist auf sämtlichen modernen Stationen, besonders intensiv in den „Intensivstationen". Hier wird der Patient zu allem anderen Hospitalismus hinzu noch so intensiv von Elektrostörungen, Metallfeldern und Mechanikfeldern etc. gestört, daß eine Heilung nachhaltig gestört und verlangsamt wird. In der Regel bleibt sie auch unvollständig, dies zudem als Nachwirkung nach Verlassen der Intensivstation, weil die in falscher Richtung abgelenkten Heilprozesse nachträglich von dem zusätzlich auch durch die Chemizide geschädigten Organismus nicht mehr revidiert werden können. Die Heilung wird dann nicht selten völlig unmöglich. Mehr oder weniger weit ist dann durch die „technokratische Unhygiene" ebenfalls nur eine Scheinheilung möglich.

Wenn man sehr gründlich schaut und sehr deutlich formuliert, dann zeigt sich, daß das hospitalismuskranke Krankenhaus tot ist, also eine Hausleiche ist. (Vgl. „Die Betonkrankheiten"). Der Mensch mit gesundem Menschengefühl kann das fühlen, wenn er solch ein Gehäuse betritt. Deshalb schon die instinktive Abwehr vieler biologisch bzw. naturgemäß orientierter Patienten, wenn sie ernstlich krank werden: „Herr Doktor, nur nicht in ein Krankenhaus! Um alles in der Welt nicht in eine Klinik" (Universitätsklinik). —

Das Hospitalismusklima ist ein Giftklima, ein Leichenklima! —

Was tun? Wie beschaffen ist ein gesundes Krankenhaus? Und wie kann man ein totkrankes oder totes Krankenhaus heilen?

Ein gesundes Krankenhaus ist logischerweise ein Haus, in dem auf die gesunden Formen, Materialien und Lebensfunktionen größter Wert gelegt wird. Es ist schon vom Haus her ein „biologisches Krankenhaus". Man kann es leicht beschreiben. Und es ist in diesem Buche schon vielfältig beschrieben worden. Aber das zu begreifen setzt voraus, daß man Paracelsus und die Lebensqualität in einem Minimum begriffen hat. — Für den modernen mechanizistischen Mediziner ist das alles völlig unverständlich und bleibt es „normalerweise" bis an die Grenzen seines Wachstumes. Da das bisherige Krankenhaus schon in den beiden nächsten Jahrzehnten an die unübersteigbaren Grenzen seines „(un)wirtschaftlichen" Wachstumes gelangt (Niemand außer Großspekulanten und dergl. wird es noch bezahlen können) laut vielen Hochrechnungen, wie sie in med. Zeitschriften veröffentlicht werden ([1]), so werden dann auch im Krankenhausbau viele wohl oder übel „zur Qualität umdenken" müssen (Blaha).

Ein gesundes Krankenhaus besteht aus hochwertiger gebrannter Heilerde, mit bestem Kalk vermauert und verputzt, zementfrei, frei von allen verkünstelten Stoffen, von allem Sterilen bzw. Toten. Sehr gesunde beste Nadelhölzer werden in reichem Maße verwandt. Linoleum auf den Böden, da dieses hochwertige Material infektiöses Sputum in wenigen Stunden neutralisiert bzw. biologisch sterilisiert, wie es mehr oder minder alle hochqualifizierten Materialien tun. Die Betten mit allem Bettzeug aus hoch gesunden Materia-

lien wie Leinen und Wolle. Alles metallfrei. Alles elektrostörfrei. Vor allem alles chemizidfrei und frei von Krebsgiften und Antibiotika aller Art. Nur Ärzte mit gesundem Menschenverstand, ausgebildet in einer Wissenschaft, die wieder „zur Vernunft" gekommen ist (I. I. Rabi; Picht), die Paracelsus begriffen hat und also wieder Heilwissenschaft geworden ist, können dieses biologische, d. h. gesunde Krankenhaus leiten. Und nur Patienten mit gesundem Menschenverstand werden dieses Krankenhaus aufsuchen. Was auch im Verstand gesund ist, das ist ebenfalls bei Paracelsus nachzulesen.

In dem gesunden Krankenhaus wird mit den Lebensqualitäten von Sonne, Licht, Luft, Wasser und Erde gearbeitet, mit den „Arcana", die Gott in die Kristalle, in „alle Wiesen und Matten", in alle Kräuter, Tiere und Menschen gelegt hat. Und es werden die Wege des Lebens gegangen, die Heilwege der Ordnung. Keine Teufel-Beelzebubkuren werden dort verbrochen, die doch nur mit „töten, sterben, würgen, verkrüppeln, lähmen, verderben" enden können. Dort findet man den Arzt, von dem Paracelsus sagt: „Der ist ein Arzt, der das Unsichtbare weiß, das keinen Namen hat, das keine Materie und doch seine Wirkung hat" (II. Paragranum). Der weiß, daß „die Krankheiten nichts Greifbares sind", sondern primär Unqualitäten in Feld-, Strahlungs- und Strömungsform. Der deshalb weiß, daß „Geist gegen Geist gebraucht werden soll". Und der weiß und es lebt: „Der Grund der Arznei ist die Liebe." —

ZUR DIAGNOSE UND THERAPIE DER HAUSKRANKHEITEN

Viele Leser werden schon bewußt leidvolle Erfahrungen mit Hauskrankheiten gemacht haben. Viele Milliarden Menschen haben unbewußt unter Hauskrankheiten ihr Leben lang gelitten. Denn nur China scheint hierin ein altüberliefertes Wissen zu haben, teils auch Indien.

Bei der Lektüre der vorliegenden Zeilen werden sich zum Abschluß der Beschreibung der Hauskrankheiten viele fragen: Wie kann ich in meinem eigenen Hause sicher erkennen, ob eine Hauskrankheit bei meinen gesundheitlichen Beschwerden vorliegt und wenn, welche Krankheit mit welcher Ursache im Einzelnen?

Ob überhaupt eine Hauskrankheit vorliegt oder nicht, das ist an der Hausabhängigkeit der Hauskrankheit zu erkennen. Bei dem Verlassen des Hauses kann das kranke Feld nicht mehr wirken. Da in der Regel der weit überwiegende Einfluß während der Nachtruhe wirkt, so schläft man einige Tage anderwärts. Wenn dann die Beschwerden sich bessern, auch nach einer vorübergehenden, meist leichten Feldwechselkrise („Entklimatisationskrise"), und wenn das regelmäßig bei längerem Verlassen zu erkennen ist, dann ist erkannt, daß eine Hauskrankheit vorliegt. Doch welche? Jetzt ist systematische Differentialdiagnostik erforderlich.

Doch zunächst noch zur Erklärung der ersten Feststellung. Muß man denn zu diesem ersten Versuch in einem anderen voll gesunden Haus schlafen? Nein! Das würde zwar den Versuch klären und beschleunigen; aber das ist nicht notwendig. Denn ein jedes Störfeld hat seine eigene Unqualität. Ein Störfeld in einem anderen Haus hat, wenn man nicht gerade von einem Betonbau in den anderen wechselt und nur betonkrank ist, fast stets einen anderen Charakter. Und dessen Unqualität wirkt normalerweise nach bisherigen Erfahrungen erst in ca. sechs Wochen deutlich. (Doch die Abweichungen von dieser alten Erfahrung werden immer mehr. Viele Menschen reagieren heute schon nach wenigen Nächten und nach Stunden. Aber auch dann reagieren sie anders!) Die Widerstandsfähigkeit des Organismus muß von der spezifischen Störung erst überwunden werden. Das geschieht in der Regel durch beharrliche Resonanzwirkung über Tage, Wochen und Monate hinweg. Bei sehr gesunden jüngeren Menschen können dazu Jahre erforderlich sein.

Doch nicht jeder kann versuchsweise in einem anderen Hause nächtigen. Dann ist ein probates Mittel, in der eigenen Wohnung so weit wie möglich vom bisherigen Schlafplatz entfernt einige Nächte provisorisch zu schlafen. Sollte es am Arbeitsplatz liegen, so ist dieser so weit wie möglich zu verändern. Erstaunlicherweise hilft oft schon eine Veränderung von 1-2 Meter. Manchmal hilft schon erstaunlich viel, im Bett Kopf- und Fußende für einige Tage zu vertauschen.

Wenn also das Daß der Hauskrankheit geklärt ist, folgt das Was. Welche Hauskrankheit liegt vor? Hier lehrt die Erfahrung, bei der Geopathie zu beginnen.

1. Die geopathischen Krankheiten. Die Geopathie ist gleichsam die Mutter aller Hauskrankheiten. Ihre Störungen sind normalerweise die stärksten. Und sie wirken in der Regel unverändert ein Leben lang. Das Erdfeld ist an allen Erkrankungen beteiligt, da jede Krankheit im Grunde eine Feldkrankheit ist und sich in einem bestimmten Hause und also in einem bestimmten Feld entwickelt.

Eine geopathische Störzone ist am sichersten außerhalb des Hauses zu erkennen und dann im Verlauf in das Haus hinein zu verfolgen. Man sollte die Störzone maßstabsgerecht in einen Hausgrundriß einzeichnen mit Angabe von Uhrzeit, Tag, Monat und Jahr der Feststellung, auch mit Angabe der Wetterlage, ob Hoch oder Tief. Man denke nur daran, daß die typischen Störungen wie durch das Globalgitter sich nachts auf das Doppelte verbreitern und intensivieren. Und man schläft doch nachts! Untersucht wird aber fast immer tagsüber! —

Man schätze Rutengänger, die nicht nur mit ihrem Universalinstrument untersuchen, sondern sich hilfsweise und zur Selbstkontrolle auch anderer, selbständigerer Instrumente bedienen.

Eine geopathische Störung ist heute meist nicht allein schuldig. Sondern in der Regel ist mehr oder weniger eine Elektrostörung beteiligt.

2. Die Elektrokrankheiten. Sie sind am sichersten durch vollständiges Abschalten des Hausnetzes im Störbereich und in der Störzeit (oft nachts!) zu ermitteln, also normalerweise nachts im Schlafbereich. Sie sind jedoch auf diese Art nicht schnell zu ermitteln, da das übrige Hausfeld an einer Störung beteiligt ist. Zur schnellsten Ermittlung dient daher stets der vorübergehende Umzug, da dann das gesamte Hausfeld sich ändert. Deshalb bringt die Einlieferung in das Krankenhaus schon oft eine halbe Heilung! Ebenso der Besuch des Sanatoriums oder einfach der Antritt des Urlaubes.
Bei Verdacht auf eine Elektrostörung den Netzfreischalter einbauen lassen. Wer gesund wohnen will, der benötigt ihn unausweichlich. Auch klärt er am diensteifrigsten, ob eine Elektrostörung vorliegt. Denn er macht seinen Schaltbereich jede Minute elektrostörfrei, in der kein Strom in seinem Bereich benötigt wird. Unmittelbar untersucht man im Haus am besten mit der Akustikfeldsonde und zwar zuerst nach Lösen sämtlicher Sicherungen bzw. nach Umlegen des Hauptschalters. Denn auch vom Dachständer und vom Hausgrund her können streunende Ströme das Haus verseuchen, was dann zu hören oder zu sehen ist. Nach dem teilweisen und ganzen Einschalten untersucht man wieder mit der Akustiksonde. Wer es kann, der untersucht auch mit dem in der Geopathie entwickelten Universalinstrument. Was dann weiter zu geschehen hat, ist im Kapitel über die Elektrokrankheiten nachzulesen.
3. Die Chemiekrankheiten. Um eine Erkrankung an häuslichen Chemiziden zu erkennen, muß man im Unterschied zu den beiden vorhergehenden Bereichen meist einen größeren Aufwand treiben. Eine Hilfe ist hier, daß die Chemiekrankheit meist durch die Mauern begrenzt ist, ausgenommen es handelt sich um massige Lagerungen von Chemiziden. Im Wohn- und Büroraum werden sie jedoch meist nur in Mengen verwandt, die keine Feldwirkung durch die Wände hindurch ausüben. Diese Eigentümlichkeit erlaubt mehrere Versuche, die auf einer Konzentrierung der schädlichen Dünste und Stoffe beruhen. Man läßt die Fenster tagelang geschlossen in einem dann unbewohnten Raum und hält sich danach mehrere Stunden tagsüber oder nachts schlafend darin auf, immer bei geschlossenen Fenstern und Türen und Lüftungsvorrichtungen. Oder man bringt empfindliche Tiere wie Vögel oder Aquarienfische längere Zeit in einen solchen Raum. Oder man untersucht chemisch nach einer längeren Konzentrierung.
Die chemische Untersuchung bisheriger Art besagt am wenigsten, da es um Unqualitäten geht und da diese im endzeitlichen chemischen Begriffssystem garnicht existieren. Allenfalls kann man noch mikrobiologische Versuche machen, indem man empfindliche Testkulturen offen der Raumluft aussetzt. Oder man stellt Milch offen in dünner Schicht auf einen Teller in dem Raum auf und prüft nach einem Tag oder mehr den Geschmack im Vergleich zur selben, gesund aufbewahrten Milch. Auch Pflanzenversuche wie Keimversuche kann man machen, die von Hartmann und anderen auch zur Ermittlung geopathischer Zonen verwandt werden ([1]). All diese Tierversuche, Pflanzen-

versuche und Versuche mit qualifizierten empfindlichen natürlichen Materialien eignen sich prinzipiell zur Klärung aller Hauskrankheiten. Sie sind hier angeführt, weil die Chemiekrankheiten die größten diagnostischen Schwierigkeiten bereiten.
Man kann außer der Anreicherung in der Raumluft noch andere Anreicherungsverfahren verwenden wie längeres Durchblasen einer Flüssigkeit etwa Wasser mit der Raumluft, was schon bei dem Aquarium hilft, und speziellere chemische Methoden wie Kondensieren an kalten Flächen, Komprimieren, Durchblasen von Filtern, die mit Reagenzien versehen werden usf. Doch kommt es letzten Endes stets auf die Lebensreaktionen der Lebewesen und lebendigen Materialien an, nicht auf wertfreie chemische Betrachtungen und Benennungen.
4. Die Betonkrankheit wird nur durch längeres probeweises Wohnen in einem Nichtbetonhaus erkannt. Denn sie ist nicht nur im Kommen diffus und schleichend, sondern auch im Gehen. Ein kurzfristiger Auszug kann daher zur Diagnostik nur helfen, wenn er mit eingreifenden gesundheitlichen Maßnahmen verbunden wird wie einer Fastenkur, einem Berg- oder Seeaufenthalt, einem Sanatorium, einer Rehabilitationskur, einer Regenerationskur, einer Diätkur usf. Aber auch dann ist bei der Rückkehr die Diagnostik aus der einzelnen Erfahrung schwierig, da der Rückschlag ebenfalls langsam und diffus kommt. Hier helfen in der Regel nur die generellen wissenschaftlichen Kenntnisse über die Nullung des Lebens einschließlich der Widerstandskraft im Nullfeld. Die Therapie ist im gleichnamigen Kapitel behandelt worden.
In einem Stahlbetonkäfig bietet das Stahlnetz in Wand und Decke einen Vorteil, nämlich den, daß fast alle Störfelder zerspalten, chaotisiert und diffus verbreitert werden. Hierbei werden sie in ihrer spezifischen Störwirkung auch geschwächt. Daher gelangt die diagnostische Kunst, insbesondere eines Rutengängers, in einem Stahlbetonkäfig oft schnell an ihre Grenze. Das Störfeld ist kaum noch differentialdiagnostisch zu entwirren. Und aus einer Entwirrung ist auch kein praktischer therapeutischer Nutzen mehr zu gewinnen. (Wie bei „verschmierten" vielfältigen Chemizid- und Impfkrankheiten in der Medizin!) — In dem Käfig entsteht dann ein diffuser „Brei" von Störwirkungen. Dieser wird praktischer mit einem „Pegelstand" gemessen, wie der Radiospezialist von einem Störpegel im Empfangsraum spricht. Wenn der Pegelstand nicht allzu hoch ist und wenn ein Mensch durch langjähriges Reagieren auf diesen Störbrei sich eine „dicke Haut" erworben hat, einen harten Panzer — und so als Käfig im Käfig lebt! —, was freilich mit dem Verlust von vielerlei Sensibilität und also Lebensfreude verbunden ist, dann kann dieser Maschinenmensch oder Zivilisationsroboter in einem Stahlbetonfeld sogar relativ ungestört schlafen und arbeiten. Aber ist das nicht die Ruhe der Lebensarmut, im Grunde schon die Friedhofsruhe? — Wie die geistlich (qualitativ) Toten ihre Toten begraben, so können auch die natural (quali-

tativ) Toten ihre Toten begraben. Dies mit ihrer gesamten Berufsarbeit für derlei tote Bereiche. Sie konstruieren sich dazu ihre entsprechenden mentalen oder anderen Gehäuse. —

5. Die Diagnostik der Haushaltskrankheiten und ihre Therapie ist ebenfalls im gleichnamigen Kapitel ausführlich behandelt worden.

Wie schnell wird ein Hausfeld saniert? Bei geopathischen Störungen dauert die Sanierung des Feldes nach der Beendigung der entsprechenden Maßnahmen fünf bis dreißig Minuten im Groben, 24 Stunden im Feinen. Der gute Rutengänger kann das Abebben der Störwirkungen an seinem Instrument eindrücklich demonstrieren. Die Vor- und Rückschwingungen werden im Verlauf von meist 5-15 Minuten immer schwächer, bis sich ein neues Gleichgewicht hergestellt hat. Dann erst (!) kann man eine verläßliche Aussage machen, wie der neue Zustand zu beurteilen ist. Wer vorher eine Aussage macht, der ist entweder ein Könner, der vortesten kann wie der Physiker aus den Anfangsformen eines Vorganges schon das Ende berechnen kann; oder seine Aussage ist mit Vorsicht aufzunehmen.

Die anderen Störungen scheinen in der Geschwindigkeit der Umstellung nicht viel von der bei der geopathischen Störung abzuweichen. Denn es ist stets das Hausfeld in seinem bioplasmatischen Teil umzuorientieren, umzustimmen. Das ist die Ursache der Verzögerung. Das erstursächliche Feld selbst scheint sich schneller als mit Lichtgeschwindigkeit umzustellen, so besonders deutlich bei der Sanierung von Elektrostörungen. Aber die gröberen Felder benötigen Minuten, bis sensible Menschen die volle Befreiung verspüren und sensible Instrumente einen neuen Ruhestand anzeigen wie etwa in der anderen Jonisierung des Luftfeldes.

Kranke reagieren auf die Sanierung eines Störfeldes öfters unglücklich „allergisch“ dergestalt, daß der krankhafte Zustand in mehr oder weniger größerem Umfang aufrecht erhalten bleiben kann, wenn die Störung noch in einem geringen Rest nicht saniert worden ist, was die Regel sein dürfte bei geopathischen Entstörungen. Um diese Bindung zu zerschneiden, muß für einige Zeit das Störfeld verlassen werden. Nach einer Gesundung reicht dann die neu gewonnene Widerstandskraft in der Regel aus, um bei Wiedereintritt in das noch gering gestörte Feld keine negative gesundheitliche Reaktion mehr aufkommen zu lassen. Dieselbe Erfahrung machen wir auch bei Veränderungen im größeren Klima wie dem Landschaftsklima. Daraus hat sich der Rat ergeben, nach der Sanierung einer schweren Störung einen Erholungsurlaub anzutreten oder eine Regenerationskur anderer Art zu machen. Dies besonders nach dem Auszug aus einem Betonbau, wenn man anschließend in ein Haus mit Ziegelmauern, jedoch Betondecken zieht.

In den vergangenen Jahrzehnten rechnete man in Mitteleuropa damit, daß ein Mensch eine geopathische Belastung nach der Befreiung von ihr in ungefähr sechs Wochen überwunden hat, sofern sie noch keine ernsten materiellen Störungen im Körper verursacht hat. Diese Selbstheilungszeit scheint

länger zu werden, da der allgemeine Störpegel in der Zivilisationswelt seit der Mitte des 20. Jahrhunderts immer schneller ansteigt. Fachlich erfahrene Ärzte können die Regenerationszeit mit Hilfe spezieller Mittel auf wenige Tage verkürzen.
Die Wiederherstellung der Gesundheit kann bioelektrisch gemessen werden, z. B. mit Elektroakupunkturgeräten. Denn bei der Gesundung enden die verbreiteten schnellen „Abfallreaktionen" der bioelektrischen Werte der einzelnen Körperfunktionen.
Über die Regenerationszeit bei den anderen Hauskrankheiten liegen noch nicht ausreichende Erfahrungen vor, die den Schluß auf einen Generalnenner zulassen. Doch läßt sich generell sagen: Je schneller eine Störung kommt, desto schneller geht sie auch wieder, dies stets unter der Voraussetzung, daß noch keine relativ irreversiblen Schäden verursacht wurden. Elektrostörungen kommen mit ihren Schlafstörungen, Herz-Kreislaufstörungen, Nervenstörungen, Verkrampfungen etc. schneller, vermutlich, weil sie öfters stärker sind als die geopathischen Störungen. Aber sie gehen auch schneller, sofern sie noch nicht zum Herzinfarkt, zur Nierendegeneration und schweren Folgestörungen geführt haben. Chemizide dagegen wirken in der Regel heimtükkisch, wie es das Wesen der Gifte ist. Ihre Leberfunktionsstörungen, Galle-, Magen-, Darm-, Nieren-, Lymphsystem- und Drüsenstörungen benötigen auch bei der Führung durch einen guten Arzt in der Regel mindestens ein Jahr bis zur Ausheilung. Vor allem benötigen sie die umfassende diätetische Mitarbeit des Geschädigten.
Chemizide und Nullfeld sind Hauptverursacher der Krebskrankheit, deren letztes, viertes Stadium die Entartung der Krebszelle ist. Dieses letzte Stadium ist dem Ausbruch einer Revolution nach langjähriger Schädigung des sozialen Zellebens zu vergleichen. Diese anderen Stadien zu sehen setzt eine objektivere Mentalität voraus, insbesondere die Überwindung der enormen Horizontenge des mechanizistischen Materialismus und seiner quantistischen Medizin. In den drei ersten Stadien ist die Krebskrankheit relativ sicher und mit geringem Aufwand zu heilen, jedoch nur von Ärzten, die das Einmaleins von gut und schlecht (giftig) beherrschen. Die Wendung in das vierte Stadium wird sehr oft maßgeblich durch eine Hauskrankheit mitbestimmt, insbesondere durch eine geopathische Krankheit und eine Chemiekrankheit. Das Nullfeld dezimiert die Widerstandskraft und degeneriert alle Lebensfunktionen.
Der Organismus gesunder junger Menschen kann jahrelang Widerstand gegen größere Schädigungen leisten. Denn die Widerstandskraft gegen Schädigungen ist in jeder realen Einheit gestuft, wie auch die Haut in Schichten gestuft ist. Bei Menschen über 49 Jahren verringert sich die Widerstandskraft erheblich. Hinzu kommt bei Zivilisationsmenschen die schon jahrzehntelange Schädigung durch die naturwidrigen Zivilisationsstrukturen. Solche Menschen reagieren auf verschiedene Hausstörungen wie geopathische oder elektrische

Störungen schon nach ein bis drei Nächten oder sogar schon nach Stunden in der ersten Nacht mit Schlafstörungen, Herz-Kreislaufstörungen usf.
Wenn in allen genannten fünf Hauptbereichen keine Ursache gefunden wird, auch nicht in den vier Unqualitäten und Elementen, dann wechsle man probeweise den Schlaf- oder Arbeitsplatz, den Hauptaufenthaltsort. Durch noch ungeklärte Wirkungen der Bauformen einschließlich der Einrichtungsgegenstände, auch durch von außen kommende Wirkungen kann sich in einem Hausbereich eine disharmonische Zone bilden, gleichsam wie ein stehender „Wellenknoten". Dann weicht man eben aus. Manchmal hilft auch das Umstellen eines Schrankes, das Umhängen, Verhängen oder Zuklappen eines großen Spiegels, das Anbringen einer Portiere bzw. eines Vorhanges im Raum, oft optimal als Betthimmel usf. Zuweilen äußern Betroffene gefühlsmäßig einen Verdacht auf etwas Bestimmtes. Dem soll der Erfahrene, wie Paracelsus lehrt, sorgfältig nachgehen.
Als allerletzte Möglichkeit bleibt, daß die spezifische Konstitution des Wohnortes, die im Allgemeinen nicht schlecht sein muß, der spezifischen Konstitution eines Bewohners sehr konträr ist. In diesem letzten Falle bleibt nur der Umzug in ein anderes Klima.

Ein universelles Diagnoseverfahren für Störmittel und Heilmittel

Was im Organismus gestört ist, ob und welche Einheit stört und ob und welche Einheit entstört bzw. heilt, will der Mensch, besonders der Arzt, möglichst schnell, deutlich und sicher erkennen. Hier hilft die Allgemeine qualifizierte Feldphysik. Sie zeigt den Organismus als ganzheitliches qualifiziertes Feld mit vielfältig verschiedenen Teilfeldqualitäten, mit vielen verschiedenen Strahlungsqualitäten und Stromqualitäten. In elektrischer Sicht hat das eine Organismusfeld viele verschiedene Kapazitäten, Widerstände, Spannungen, Stromarten, Stromstärken usf. All das kann man in seinen gesunden und kranken Werten messen. — Insbesondere lehrt die Physiklogik und die Erfahrung, daß Felder blitzschnell aufeinander reagieren. Wenn man daher die Feldreaktion zweier Einheiten in den Bereich der fünf Sinne übertragen kann, dies möglichst schnell und deutlich, wie in den Bereich der Optik und Akustik, so kann man schnell und sicher erkennen, was wie stört und was wie hilft bzw. heilt.
Alle Diagnoseverfahren beruhen auf dieser Physik! Doch ist deren allgemeine Logik und Feldphysik bisher noch nicht systematisch dargelegt und angewandt worden. Auch die Ärzte und Mediziner arbeiten seit jeher mit Feldreaktionen zur Diagnose, wie mit chemischen Feldreaktionen. Doch diese sind viel zu träge, zu langsam, zu leicht störanfällig, zu umständlich, teuer und unsicher im Verhältnis zu den optisch-elektrischen Reaktionen. Auch erlauben diese, alles zu untersuchen, während die Chemie nur wenig untersuchen kann.

Die Feldreaktion zweier Einheiten, wie eines Störfaktors und des Menschen auf der einen Seite und des Menschen und eines Entstörfaktors bzw. Heilmittels auf der anderen Seite, kann man qualifiziert sichtbar und hörbar machen. Schon sehr hilfreich ist es, zu erkennen, ob überhaupt eine Reaktion größerer Art entsteht, ob sie disharmonierend oder harmonierend ist und welche quantitative Stärke sie hat. Eine solche Feldreaktion beispielsweise eines Kranken und eines zu testenden Heilmittels kann man bioelektronisch in Sekunden bewirken. Und daraus kann man angeben, ob dieses Mittel diesem Menschen schadet, ob es nichts bewirkt, oder ob es hilft und wie viel. Durch solche Verfahren werden viele Krankheiten überhaupt erst heilbar oder sehr rationell, schnell und sicher heilbar! — Und die Heilung wird weit mehr wissenschaftlich durchschaut, kontrolliert und gesteuert! —

Paracelsus hat erklärt, daß jedes Mittel unseres Lebens bzw. daß jedes Nahrungsmittel ein Heilmittel sein soll. Das ist logisch. Mit der Vergleichsreaktion in der allgemeinen Feldreaktion kann jeder Gegenstand individuell geprüft werden, ob er das Leben von einem bestimmten Menschen gut oder schlecht beeinflußt, ob er heilt oder krank macht und wie viel.

Es existieren schon Personen und Institute, die solche Reaktionen vornehmen, jedoch oft noch unsystematisch, unentwickelt, zuweilen etwas primitiv, auch zu wenig kontrolliert und vor allem ohne biophysikalische Theorie, welche methodisch die Wege weist. Schon jeder Arzt ist mit seinem Körperfeld und Instinkt ein solcher Reaktionsvermittler. Woher wüßte er auch oft intuitiv, welches Heilmittel zu wählen ist! Doch das sollte objektiviert und systematisiert werden. —

Die Zukunft wird uns sicher ein zentrales Institut bringen, das lebensqualifizierte Vergleichsreaktionen auf ein Wohnklima, einen Baugrund, ein Baumaterial, ein Einrichtungsmaterial, ein Pflegematerial, einen Haushaltsgegenstand, der als Störquelle verdächtig ist, ein Haus allgemein, wie auf Lebensmittel, Getränke, etwa Säfte und Heilquellen, Textilien, Genußmittel, Heilmittel, Kosmetika, Hygienika usf. vornehmen kann. Hierzu wird der einzelne Mensch, der die individuellen und gegenwärtigen Lebensreaktionen auf seinen Organismus erfahren will, das Institut nicht aufsuchen müssen. Es wird wie schon in der bisherigen Medizin genügen, etwas von seinem Organismus einzusenden, wie einen Blutstropfen, eine Urinprobe, einen Haarbüschel usf. Denn sein ganzes Organismusfeld ist auch in jedem Teil des Organismus wirksam! Sogar die optimalen Dosierungen in Rhythmus und Menge werden sich vermutlich mit Vergleichsreaktionen ermitteln lassen. In der ferneren Zukunft wird wohl keine Diät, kein Bau und keine Miete, kein Heilverfahren und kein Kuraufenthalt ohne vorherige Feldreaktion bestimmt werden. Die Effektivität kann hierdurch verhundertfacht werden. Die Kosten für die Therapie lassen sich im Vergleich zu den bisherigen wohl um zwei bis drei Zehnerpotenzen verringern. Und vieles wird möglich, auch bei kleinstem Einkommen, was bisher praktisch unmöglich war! —

ICH BIN NICHT HAUSKRANK

Bei manchen Menschen, die in einer geopathischen Zone schlafen, insbesondere in ihrer Längs- und also Strömungsrichtung, bei vielen Stahlkäfigbewohnern und bei vielen Bewohnern der unter ständiger Elektrospannung stehenden Häuser kann man bei einem Gespräch über das Thema „Gesund wohnen“ hören, sie seien nicht hauskrank. Nun sind ärztliche Diagnosen aus dem Munde von Nichtärzten durchaus nicht immer mit einem Lächeln zu beantworten. Doch fragt man dann nur ein wenig näher, ob man sich subjektiv vollständig wohl fühle, ohne Tabletten schlafen könne und keinerlei gesundheitliche Beschwerden habe, die bei längerem Verlassen des Hauses sich regelmäßig bessern würden, so schmilzt diese Gruppe schnell auf einen Bruchteil zusammen. Aber auch dieser kleine Rest in der Regel von jungen Menschen behauptet weiter: Ich bin nicht hauskrank! Ich bin nicht elektrokrank! Oder: Ich bin nicht betonkrank!

Untersucht man dann näher objektiv auf nervöse Reizerscheinungen, Streßkennzeichen, Kopfschmerzen, Vegetative Dystonie und besonders auf eine Krebserkrankung einschließlich ihrem Vorstadium, insbesondere in ihren ersten drei Stadien (dem Prodromalstadium anderer Krankheiten zu vergleichen), so wird das Häuflein der scheinbar Hausgesunden noch erheblich kleiner. Auch werden viele Beschwerden vom Zivilisationsmenschen schon als normal angesehen — „Für den Fortschritt muß man doch Opfer bringen“! — oder werden durch die allgemeine zivilisatorische Abstumpfung und Degeneration der Sinnesfunktionen nicht mehr bewußt empfunden.

Am Ende bleibt dann ein Rest, der hauptsächlich aus Personen besteht, die jahrelang in oder unter Beton wohnen oder arbeiten. An diesem Rest ist allgemein folgender Befund zu erheben: Der subjektive und objektive körperliche Wohlstand ist qualitativ verschlechtert und auch quantitativ erniedrigt und eingeengt.

Darunter ist im Besonderen zu verstehen eine qualitative Abstumpfung sämtlicher Sinnesfunktionen, eine Vergröberung und Verhärtung aller Nerven- und vieler Organfunktionen, häufig auch schon die zivilisationstypische — hauskrankheitstypische? — Reizbarkeit mit Schwäche. Vor allem aber erscheinen sämtliche Lebensfunktionen eingeengt in ihrer Funktionsbreite und erniedrigt in ihrem qualitativen Niveau. Auch haben diese Menschen ein kleines Körperfeld, also einen geringen Reaktionsabstand. Zu erklären wäre dieser Zustand dadurch, daß bei einer relativ kräftigen konstitutionellen Widerstandskraft — dieser Typus sagt oft: Ich war noch nie krank! — der Organismus sich in seinem Dauerabwehrkampf auf ein enges und niedriges Lebensniveau zurückzieht und dort eine „dicke Haut“ bildet. Der Organismus wird also im negativen Sinn gehärtet, nämlich in einer selbst durch Dauerabwehr gebildeten „bioplasmatischen Hornhaut“. Diese ist wie ein Gefängnis, wie eine harte Schale. Dieser Mensch kann das feine, das qualifizierte Leben weder fühlen noch denken, also auch nicht mehr wollen. Er steht dem Problem des vorliegenden Buches, dem eigentlichen Problem des Lebens und den objektiven Lebensqualitäten verständnislos und hilflos gegenüber. Es ist wie ein Positivist, für den außer der Mechanik in seinem Bewußtsein nichts mehr existiert, für den alles Wesentliche und alle Qualität Unsinn ist und garnicht diskutierbar, weil für ihn nicht mehr denkbar, ausser als — fiktioniertes! — Produkt von Quantitäten, wie Stalin und einige andere dialektische Materialisten erklären.

Solche Mechanizisten soll und kann man nicht gewaltsam mit einem gesunden qualifizierten Haus und also der Rede darüber glücklich machen wollen. Denn sie sind wie wandelnde Tote. Man soll sie ihre Wege gehen, ihre Worte reden lassen. Über Wesentliches kann man mit ihnen nicht sprechen. Sie müssen ihren Weg bis zu den unüberschreitbaren Grenzen gehen. Erst an dieser Grenze werden sie umkehren, wenn Gott ihnen diese Zeit gewährt. — Den Problemen der Hauskrankheiten stehen sie daher verständnislos gegenüber, weil es Probleme der realen Lebensqualitäten sind.

Menschen des echten Ostens wie Inder behaupten oft, der Zivilisationsmensch des Westens würde in seiner kleinen Aura eine harte Schale haben. In ihr wird einerseits das Leben allgemein genullt; andererseits wird jedoch ein Minimum an den für den Grobkörper lebensnotwendigen Funktionen aufrecht erhalten. Der Typ des Zivilisationsroboters, des Maschinenmenschen, des Mechanikers im Sinne von Ernst Jünger und Oswald Spengler bildet den Hauptbestandteil dieser Gruppe. Er ist so abgestumpft und auch durch die Jagd nach materiellen Illusionen so verblendet, daß er die Armut seines Lebens garnicht mehr fühlt.

Im Übrigen schalten erfahrene Ärzte auf höchste Alarmstufe, wenn ein älterer Mensch kommt und erklärt „Bisher war ich noch nie krank". Oft ist dann der Krebs schon da. —

Zusammengefaßt ist die Behauptung, in einem kranken Haus nicht hauskrank zu sein, ein Irrtum. Objektiv kann sich der Bewohner dem kranken Hausfeld nicht entziehen, solange er wohnt, sodaß er objektiv leidet. Früher oder später wird er das auch subjektiv spüren.

DIE KRANKE ARCHITEKTUR

Auf dem 3. Deutschen Architektentag der BRD im Herbst 1974 hielt der Präsident der Bundesarchitektenkammer einen gewichtigen Vortrag. Er begann mit der Feststellung, daß „der Ruf nach Qualität . . . immer lauter, immer dringender wird". Weiter war noch oft als maßgeblich für das Bauen vom Wert bzw. von den Lebensqualitäten die Rede, dann von den „unmenschlichen Fehlern der Massenbauproduktion" und einer „katastrophalen" nur profitorientierten bisherigen Leitlinie im Bauen, auch von dem Orientierungsziel einer führenden Regierungspartei (SPD), die „Stadtentwicklung hat den Freiheitsraum des Einzelnen zu erweitern und seine Selbstverwirklichung in Solidarität und Gerechtigkeit zu fördern". (Zum Einmaleins der Freiheit des Einzelnen vergleiche das Kapitel VI ([1]). Von Lebensqualität, Entfaltung bzw. Entwicklung des Menschen und Freiheit des Einzelnen in der Entwicklung wird heute von vielen Regierungen in bester Absicht als Leitlinie gesprochen.

Erlaubt sei hier die Frage: Existiert in der BRD auch nur ein einziger Architekt, der eine klare Vorstellung von der Beschaffenheit und gar Ordnung der objektiven realen Werte bzw. Lebensqualitäten im Bauen hat? — Da hier nicht mit einer positiven Antwort gerechnet wird, so sei garnicht mehr gestellt die zweite Frage, ob derjenige, der wagen würde, diese Frage zu bejahen, einen einzigen Architekten wüßte, der mit seinen Anschauungen einigermaßen übereinstimmt. — In welchem zivilisierten Lande würde heute eine andere Situation bestehen? Wer zweifelt also noch daran, daß hinsichtlich der Lebensqualitäten, somit hinsichtlich des Lebens der Bewohner der modernen Bauten in der zivilisierten Welt eine „katastrophale" Situation besteht? —

Wenn eine führende Bauzeitung erklärt, daß sie kein Interesse an dem Thema der Gesundheit des Hauses und also der Hausbewohner habe, also kein Interesse an der psychosomatischen, seelisch-sozialen und körperlichen Gesundheit und Krankheit der Bewohner durch die entsprechenden Häuser, ist das kein eindeutiges Selbsturteil über eine totale charakterliche Katastrophe in der Bauwelt? (Vgl. das Vorwort zur 3. Auflage und das Leitzitat im Kapitel über die Betonkrankheiten). Welcher Nihilismus im Verhalten zur Umwelt! Welches Nullfeld in der Berufsauffassung! Doch um seine seelisch-leibliche Gesundheit zu wahren und zu fördern, baut der Mensch ein Haus! Denn ohne Haus würde der Mensch seelisch zugrunde gehen und auch leiblich schnell sterben. Welcher moderne Baufachmann interessiert sich noch für den Sinn und die Grundaufgabe alles Bauens und Wohnens, also für seine Urpflicht? —

Weshalb erklärt Präsident Prof. Novotny, „ausschließlich vom wirtschaftlichen Vorteil" (für wen? Zu wessen Nachteil?) „auszugehen, — wäre ein katastrophales Motto für die . . . Bauwirtschaft". Wäre bei einem solch graß einseitigen Profitverhalten noch das geringste Verständnis für die Lebensqualitäten des Hauses, für die Wohnqualitäten zu erwarten und für die Menschenwürde und Unwürde des Wohnens? Ist in Profitopolis nicht alles menschenwürdige Leben erstorben? — „Kein Grund zur Unruhe"? —

Gott sei Dank beginnen einige Architekten, wie oben zitiert, getrieben von den „immer lauteren, immer dringenderen" Rufen nach Lebensqualität, also nach Leben im modernen Hause, getrieben von dem immer lauteren Aufschrei der Opfer der Selbstmordbauwirtschaft sich von der „Unarchitektur der Gegenwart" (Architekt Keller) abzuwenden und wieder nach Qualitäten zu suchen. Sie beginnen wenigstens Begriffe bzw. „Werte, die nur schwer oder nicht quantifizierbar sind, wie Wohnqualität .... begreifbar zu machen versuchen." (Novotny. Sperrung im Original). Also ein allererster Anfang in der offiziellen Architektur, den totalen Quantismus in Frage zu stellen, der auch das einseitige Profitdenken beherrscht, und von „der Quantität zur Qualität" umzudenken (Blaha). Ein erster Anfang, Wesen und Inhalt der seelisch-leiblich gesunden Architektur und also der Architektur überhaupt wieder sehen und denken zu lernen, — und nach erlangter Übereinstimmung auch zu wollen.

Doch wie in der Heilkunde neben der quantistisch-mechanizistisch abergläubisch orientierten Schulmedizin der Endzeit eine Gruppe von Ärzten der qualifizierten und also echten Heilkunde treu geblieben ist und sich jetzt nach der offenbar werdenden Katastrophe in der Medizin schnell mehrt, so ist auch eine Gruppe von qualifizierten Architekten und anderen Baufachleuten der qualifizierten und also echten Architektur treu geblieben. Sie wird sich wohl ebenfalls jetzt schnell mehren. Von diesen Fachleuten wird die seelisch-leiblich gesunde Architektur der Zukunft ausgehen. —

Diese Fachleute studieren Bücher wie die des Arztes Mitscherlich von der „Unwirtlichkeit unserer Städte", des Architekten Rolf Keller „Bauen als Umweltzerstörung — Alarmbilder einer UN-Architektur der Gegenwart" und anderer Architekten wie „Es darf kein Gras mehr wachsen" usf. Was allein hat die mit einem Architekten verheiratete Allround-Journalistin Jane Jacobs in „Tod und Leben großer amerikanischer Städte" die Stadtplaner alles gelehrt! Schon von vielen Architekten, nicht nur von Keller wird die seelenlose Massenbau-Betonarchitektur dafür verantwortlich gemacht, daß der Mensch in ihr „überstreßt" werde und an Schlaflosigkeit, Nervosität, Herz-Kreislaufstörungen usf. leiden — und also letztlich auch sterben! — müsse. Die Tagungen der „Wohnungsmedizin" in Baden-Baden weisen seit vielen Jahren, wenn auch sehr vorsichtig und zurückhaltend, auf die moderne Unarchitektur und ihre leiblichen und seelischen Schäden hin. Die Schäden reichen bis zur massiven Begünstigung der Asozialität bzw. Kriminalität! — Was schreiben Zeitschriften auch ganze Artikelserien über die heutige Architektur? Mag im Übereifer etc. einiges unzutreffend sein, doch was sagt der Kern des Ganzen? — Was schreibt Sedlmayr vom „Verlust der Mitte" und vom „Tod des Lichtes"? In der Mitte liegt die Würde, die Wahrheit und das Leben! —

Von der Mitte geht das Licht aus, das den Weg des wahren Lebens zeigt! —

DIE HAUSKRANKHEIT ASOZIALISMUS

Es existieren viele Berichte, daß sich die modernen Betonstadtteile, besonders auch Mustersiedlungen modernster Architekten, in der ganzen Welt durch ein asoziales Verhalten der Bewohner auszeichnen ([1]). In den USA spricht man schon von der „Kernfäule" der Städte. In Europa sind besonders nach dem

zweiten Weltkrieg große durchgehend betonierte Siedlungen in Verruf geraten, auch als Stadtrandsiedlungen. Sie sollten den Menschen eine neue Heimat geben. Das ist subjektiv eine sehr ehrenwerte Absicht. Doch was gaben sie ihnen objektiv wirklich? — Von „unmenschlichen Fehlern" im Bauen spricht der Präsident der Bundesarchitektenkammer. Was besagt das? Sind das nicht Fehler, die auch bei den Bewohnern Unmenschlichkeit bewirken? Sollte das Naturgesetz der Gleichheit von Ursache und Wirkung hier nicht gelten? — Und wenn Unmenschlichkeit bewirkt wird, so heißt das, daß der Bewohner seine Menschlichkeit verliert, wie sie zuvor der Architekt verloren haben muß. Das Ergebnis ist die Un-Heimlichkeit, die tödliche „Unwirtlichkeit" der modernen Bauten.
Der Inhalt vieler Berichte würde im Generalnenner besagen, daß ungesunde Häuser auch eine seelische Ungesundheit bewirken, allgemein eine Ungesundheit des Verhaltens in Recht, Gesellschaft und Wirtschaft. Was ist zuerst grundlagenwissenschaftlich, bio-logisch hiervon zu halten?
Der Einfluß der Umwelt auf den ganzen Menschen und auf jedes Lebewesen ist heute derart umfänglich, mehr als hunderttausendfach nachgewiesen, daß sich jedes weitere Wort über diese Form der Kausalgesetzlichkeit erübrigt. Es ist zweifelsfrei, daß ein ungesundes Haus nicht nur eine leibliche Ungesundheit der Bewohner bewirkt, sondern gleich auch eine seelische Ungesundheit.
Die seelisch-leibliche Einheit des Menschen, psychosomatische Einheit genannt, wird heute von jedem gebildeten Arzt wieder anerkannt. Sie ist eine Grundlage der Heilkunde der Hochkulturen und Hochreligionen. Paracelsus hat ganze Bücher über die leibseelische Einheit auf vielen Gebieten geschrieben, wie vorliegend schon verschiedentlich zitiert. Aus seinen umfangreichen Darlegungen ergibt sich, daß ein „Tartarus" als Baumaterial dem Bewohner auch seelisch die „Virtutes" (Tugenden) nimmt, nicht nur leiblich, und ihn also auch in sozialer Hinsicht zum Tartarus führt. Das ist der unterste Ort der Hölle, der Inbegriff der maximalen Selbstentfremdung und Mitentfremdung.
Gemäß Paracelsus ist also logisch unabweisbar von einem luziferischen Baumaterial und Einrichtungsmaterial zu sprechen. „Luzifers Griff nach dem Lebendigen" (Gamber) erstreckt sich nicht nur auf Speise und Trank, sondern auch auf Kleidung und Wohnung, auf die Lebensweise, Heilweise und Hygiene! In der Sprache von G. Schwab ist also der „Bauteufel" im modernen Leben vielfältig höchst erfolgreich am Werk! —
„Geopsyche", das Standardwerk von Hellpach beschreibt tausendfach, wie die Erde, Gäa, also die Natur, die Materie, auf die Psyche des Menschen wirkt. Das gesamte, nicht nur unter Fachleuten berühmte Buch stellt dar, wie das Haus der Erde den Menschen beeinflußt, ihn in seiner Seele, aber auch in seinem Leibe gesund macht und erhält oder krank macht und erhält. Wenn Hellpach vom „erstickenden" Einfluß spricht, soweit in einem Bau

„Beton" verwandt wird — wobei allgemein zuerst wohl Zement gemeint ist —, so ist gemäß dem Generalnenner seines Buches zuerst der seelisch erstickende Einfluß gemeint. Schon in den entsprechend gebauten Schulen wird die Seele der Kinder erstickt. Sie werden dort zu Zivilisationsrobotern dressiert, zu Fachidioten manipuliert, wie die tausendfältige moderne Kritik wohl nicht zu Unrecht feststellt. Denn die Lehrer werden exakt gleich von den Bauformen und Baumaterialien beeinflußt. —

„Unsere Städte und unsere Wohnungen ... aus harter Materie ... wirken ... wie Prägestöcke ... das ändert ... unser Verhalten, unser Wesen ... rückläufig schafft diese Stadtgestalt am sozialen Charakter der Bewohner mit ... Die Unwirtlichkeit ... ist niederdrückend." Mit diesen Worten beginnt Mitscherlich sein Buch „Die Unwirtlichkeit unserer Städte", in dem er viel Unsoziales in ihnen als Folge der Bauten beschreibt. Er hätte auch von der Unheimlichkeit sprechen können oder wie der Präsident der Bundesarchitektenkammer von dem „unmenschlichen" Charakter. — „Anima forma (et causa) corporis" (Die Seeele ist das Urbild (und die Ursache) des Leibes), d. h. des Körpers, der Materie, so lautet ein Leitsatz der abendländischen Wissenschaft. Diese Psychosomatik gilt auch umgekehrt. Wie unten so oben. Wie außen so innen. Daher haben körperliche Gifte auch eine seelische Giftwirkung. Wer hätte das noch nie an sich selbst erlebt! (Zur seelischen Wirkung von Materien vgl. die Psychopharmaka).

Es ist also zusammengefaßt kein Zweifel daran erlaubt, daß die denaturierten Formen und Materien des Hauses den sozialen Charakter der Bewohner umprägend denaturieren, also die Bewohner zu einem asozialen Verhalten verführen. Leibliche Gifte vergiften auch die Seele. Chemizide verderben psychosomatisch den Charakter. Alles was seine Identität verloren hat, raubt als Baumaterial und Bauform auch dem Bewohner seine Identität! Seelisch wie leiblich! —

Vom „Verlust der Identität" in Betonbauten, allgemein in modernen Bauten hat A. Libik im Deutschen Fernsehen einen umfangreichen Bericht erstattet. Das besagt zuerst seelische Entartung, seelische Verkrankung, — auch seelische Vermoderung? Hat modern mit vermodern, mit modern zu tun? Verlust der Identität besagt Verlust des Empfindens in Recht, Pflicht und Liebe. Verlust der Identität besagt allgemein Verlust des Denkens, Wollens und Fühlens in den Urformen des menschenwürdigen Verhaltens! Es besagt also zuerst Verlust der Menschenwürde, somit ethische Entartung. Weiterhin besagt es gesellschaftliche Entartung. Von kranken Häusern geht ein asozialisierender Einfluß aus! Das ist der Tenor vieler Berichte über moderne Siedlungen. Die Menschen in ihnen werden aggressiv gegen alles. Ihre Kritik wird giftig. Sie tendieren zur Opposition und Revolution „aus Prinzip", richtiger aus Leidenschaft, aus unbeherrschter Emotionalität. Die modernen Häuser begünstigen eine selbstzerstörerische Grundhaltung. Die Jugend und nicht nur sie opponiert dann grundsätzlich gegen Mühe, Lernen und Leistung.

Und es zeigt sich eine allgemeine Tendenz zur Zerstörung der ethischen, gesellschaftlichen und wirtschaftlichen Ordnungen, ebenso wie die Ordnung des Materiales und der Form der nächsten Umwelt zerstört worden ist.
Der moderne Mensch in seinen Betonkästen bezweifelt aus dem Verlust seines wahren Wesens heraus „prinzipiell" alles, wie alle Werte, alles Recht und alles Unrecht. Er greift alle Werte an, ignoriert sie und tendiert zur „Umwertung aller Werte", zum „Umfunktionieren" aller Ordnungen, alles Gewachsenen, aller Kultur. Wie sein Gehäuse total lebensfremd als „Wohnmaschine" (Corbusier) mechanizistisch konstruiert ist, so will er auch sein Leben, seine Arbeit bzw. die der anderen konstruieren. In seiner „Wertfreiheit" wird dann seelischer Kot weithin zum obersten Wert erhoben, vom Sexualismus und der Perversion wie der Pornographie angefangen. Diese „Werte" werden von den von allen Werten „Befreiten" erfahrungsgemäß am meisten unterstützt, „wissenschaftlich", politisch und dann auch wirtschaftlich. —
Ob seelischer Schmutz und ein dauernd schmutziges Baumaterial in keiner Weise zusammenhängen? Mitscherlich philosophiert auch in dieser Richtung. Das Verhalten in identitätslosen, „unmenschlichen" Bauten wird im staatlichen, schulisch-wissenschaftlichen und kirchlichen Bereich zum Asozialen, Unkommunen hin degeneriert. Schließlich wirkt sich der Verlust der Identität auch in einem unwirtschaftlichen Verhalten aus. Der Arbeiter tendiert zu unrationellen, unproduktiven, verschwenderischen, unverantwortlichen Verhaltensformen. Hier wird das wirtschaftliche Denken, Fühlen und Wollen gestört. Typisch für Bewohner moderner Bauten ist beispielsweise, daß man „auf Raten lebt", auch daß man von anderen mehr verlangt als man selber leistet, insbesondere „vom Staat". Man verzehrt sein Einkommen vorweg und macht Schulden. Man strebt ein arbeitsloses Einkommen aus der Arbeit anderer an, möglichst die Rente schon im Kindesalter. In soliden Ziegel-Holzhäusern und Eigenheimen ist dieses unsoziale und unwirtschaftliche Verhalten weit weniger anzutreffen als in den „unmenschlichen", identitätslosen Massenbauten. Die moderne Gesellschaft dieser Gehäuse treibt mit Vorliebe eine Schuldenwirtschaft.
Vom modernen kranken Haus geht also zusammengefaßt ein allgemein entmenschlichender, asozialisierender, unwirtschaftlicher Einfluß aus. Die Menschenwürde wird „erstickt" und genullt. Wie anders wären die Feststellungen Libiks und anderer namhafter Autoren aufzufassen? Und könnte sich aus dem gewaltigen Tatsachenmaterial über den Einfluß der Umwelt auf den Menschen prinzipiell etwas anderes ergeben? „Die harte Materie . . . unserer Wohnungen . . . ändert . . . wie Prägestöcke . . . unser Verhalten . . . am sozialen Charakter" (Mitscherlich). Welcher Naturwissenschaftler könnte und wollte daran zweifeln?
A. Seifert, der hundert mal mehr Beton (alter Art) verbaut hat als ein normaler Architekt, hat als Quintessenz einer lebenslangen Erfahrung den be-

rühmten lapidaren Satz geprägt „Zement verdirbt den Charakter" ([1]). Dem ist nichts mehr hinzuzufügen. Oder doch noch? Denn der Zement (alter Art, kein Biozement) wird von ihm und vielen anderen nur als Inbegriff eines Materiales gesehen, das seine Identität verloren hat, zum „Tartarus" geworden ist und dann entsprechend „unser Verhalten . . . ändert". Muß aber von den verkünstelten, naturwidrigen Kunststoffen nicht dasselbe gesagt werden? —

Wissenschaftlich konsequenterweise ist auf das gesamte Baumaterial mit allen Einrichtungs- und Gebrauchsgegenständen zu sehen, nicht nur auf den Zement bzw. Beton (alter Art). Was in seinem Charakter durch naturwidrige, verkünstelnde Maßnahmen verdorben ist, wie Paracelsus ausführlich an vielen Beispielen lehrt, das verdirbt ursachengesetzlich gleich auch den Charakter der Menschen, die viel mit diesem Material umgehen, gar in seinem Unfeld wohnen. Ist das nicht der Kern der vielen Tausende von Berichten über die Inhumanität moderner Massenbausiedlungen und der Kern der weltweit erwachenden Allergie gegen viele Baumaterialien und Bauformen?

Es ist also zusammengefaßt nicht nur von einer vielfältigen leiblichen Giftigkeit der modernen Wohnung im Sinne der Untersuchungsergebnisse des Genfer Lebensmittelkontrollamtes zu sprechen, sondern auch von einer seelischen Giftigkeit! —

Sicherlich entartet der Mensch zuerst selbst im Bewußtsein, in seinen personalen Verhaltensformen, sich selbst entfremdend, ehe er sich eben aus diesem Bewußtsein entsprechende entartete Gehäuse konstruiert. Aber immer wirkt das Gehäuse gleichsinnig auch umgekehrt auf den Menschen zurück, ihn mitentfremdend, wie das Untere auch auf das Obere wirkt, das Äußere auch auf das Innere, sei es auch nur passiv und mittelbar, unseren „sozialen Charakter" nur natural verformend. —

A. Sedlmayr und viele andere haben die seelische Vergiftung des modernen Menschen als typisches Kennzeichen der „Selbstmordgesellschaft" (Taylor) beschrieben. „Der Mensch ohne Ich" (Bodamer) ist die zentrale Auswirkung des „Verlustes der Identität" (A. Libik). „Der Verlust der Mitte", „Der Verlust der Seele" sind typische Buchtitel. Das alles ist logisch, bio-logisch, physiklogisch, chemielogisch (Man denke an die Psychopharmaka! An die Rauschgifte usf.!) auch auf das Bau- und Einrichtungsmaterial zu beziehen, nicht einseitig nur auf die Bauformen. Alles leibliche Sterile macht auch die Seele steril!

Der seelisch degenerierende Einfluß des kranken Hauses auf den Bewohner wiegt weit schwerer als der im vorliegenden Buche umfangreich beschriebene leibliche Einfluß. Es wäre daher ein eigenes Buch über den die Gemeinschaft zerstörenden Einfluß moderner „Wohnmaschinen" zu schreiben.

Wie schwer werden schon Kinder in einer kranken, identitätslosen Schule an Leib und Seele geschädigt! Wie viele Lehrer berichten über die mangelnde Konzentration, über seelische wie leibliche Haltungsschäden, über die Störung der Verhaltensformen, über die mangelhafte Kontaktfähigkeit, über das kommunikationswidrige Verhalten, über Aggressivität und Wildheit, ja über allgemeine Unerziehbarkeit. Nur noch diskutieren (discutere = zerschneiden!) wollen die „Organisationsprofis" (Steinbuch) in den modernen Universitäten! Wie kann man auch zwischen Betonwänden und Eisengestellen noch vernünftig und wesentlich denken, wie noch eine echte geistige Arbeit leisten? — Wie dann noch etwas vereinigen und aufbauen? — Die „Frustriertheit", d. h. die seelische Vereinsamung und das Scheitern am Leben ist ein Hauptkennzeichen der Studenten in den modernen Universitäten! Daher haben sie auch die höchste Selbstmordrate! Der leibliche Selbstmord folgt dem seelisch-geistigen Selbstmord wie der Anbetung des Unsinns als Inhalt aller Wirklichkeit und Wissenschaft! — Die „Todsünden" (K. Lorenz) der Wissenschaft als „Wissenschaftskatastrophe" (A. M. K. Müller), als schon nahezu totaler Bildungsnotstand der Schulen zeigen sich auch in den Bauwerken. Der Mensch verliert in ihnen sein ganzes Ich, nicht nur seinen gesunden Menschenverstand! Sodaß am Ende gefragt werden muß „Wie kommt die Wissenschaft (wieder) zur Vernunft?" (Rabi, Picht). Hat sie in ihrer Wert-„freiheit" ihre Vernunft verloren? Nämlich das Wissen des Wertvollen, des Wesentlichen, der Lebensqualitäten? Bearbeitet ihr Verstand nur noch Wesenloses, eben Qualitätsloses, nämlich „konstruierte Fiktionen"? (B. Russell).

Das asoziale Verhalten in den hoch modernen Schulen steht in einem deutlichen diametralen Gegensatz zu dem sozialen Einfluß, der von alten Ziegel-Holzbauten mit Giebeldächern ausgeht. Die strengen und menschlich freien Schulen, die zu einer echt humanistischen Ausbildung führten, zu einer Selbstbeherrschung der eigenen Triebe bzw. Emotionen, der Gedanken und Willensregungen (Selfgovernment und Selfcontrole sind weltweit immer gültige Leitbilder jeder echten Kultur!), zu einem vielfältig gemeinschaftsbezogenen Verhalten, sind wohl nirgends in Gestalt von Betonkästen erbaut!

Was den Charakter verdirbt, das ist inhuman. Der brutalistische Baustil ist typisch für den Verlust der Identität, der Mitte und der Seele. Die Selbstentfremdung von aller Menschlichkeit wird durch disharmonische Bauformen, solche Baumaterialien, Farben, Einrichtungsgegenstände und Funktionsformen gleichermaßen erzielt.

Es ist ein eigenes Phänomen, daß Menschen, die auf ein christliches und demokratisches bzw. soziales Verhalten Wert legen, sich öfters mit Vorliebe luziferischer Bauformen, Materialien und Funktionen bedienen. Die Verirrung und Verwirrung hat am Ende der Neuzeit katastrophale Ausmaße erreicht. Der Selbstmord in Kirche (Wie viel in Form und Material antichristliche Kirchen werden heute gebaut!), Schule, Staat und Wirtschaft ist im Allgemeinen gleich, d. h. im irreligiösen, irrwissenschaftlichen, unpädagogischen, irrpolitischen, unökonomischen, kulturwidrigen und naturwidrigen Verhalten.

Wissenschaftlich muß man die Frage stellen, auf was alles sich der Einfluß kranker Häuser erstreckt und wie er sich im Einzelnen auswirkt im seelischen Bereich. Grundlagenwissenschaftlich, also mathematologisch, physiklogisch, bio-logisch, chemielogisch usf. ist prinzipiell klar, daß sich der Einfluß im Allgemeinen auf alle seelischen Bereiche auswirkt, auf alle Verhaltensformen. Anderes anzunehmen, würde dem Kausalgesetz und der Einheit des Menschen widersprechen. Das Kausalgesetz ist auch ein erstes Denkgesetz und wird in jedem Satz angewandt, in allem Sinnvollen.

Dann bleibt als nächste Frage zu klären, wie sich im Besonderen und Einzelnen der Verlust des Charakters einer Bauform, eines Baumateriales und irgend eines physikalischen, chemischen und anderen Vorganges, irgend einer physischen Relation und Funktion auf den Verlust des Charakters im Ethischen, Sozialen, Ökonomischen, im Kulturellen und Naturalen auswirkt? Wie weit wirkt der Verlust der Identität sich im Einzelnen in einem antidemokratischen, antichristlichen, antisozialen Verhalten aus, in einem sinnlos revolutionären Verhalten? — Auf dieses umfangreiche Thema der Ordnung all der seelischen Haltungsschäden bzw. Verhaltensschäden in modernen Bauten kann hier nicht eingegangen werden.

Es muß jedoch andererseits klar festgehalten werden, daß aller seelische wie leibliche Umwelteinfluß nichts an der Freiheit der Person ändert. Alle Umwelteinflüsse ändern nichts an der zentralen Aktionsmöglichkeit. Sie verführen jedoch die Person mächtig, stärken alle gemeinschaftszerstörenden Tendenzen und rufen diese hervor.

Logischerweise muß die denaturierende, krankhafte Auswirkung in der Seele des Kindes und des Erwachsenen, des Gesunden und des besonders empfindlichen Kranken in den „Kranken-Häusern" von wesensgleicher Art sein. Hier die qualitativen Gleichungen zwischen den „Virtutes" bzw. Lebensqualitäten von Haus und Bewohner zu ermitteln, das ist eine eigene lohnende Aufgabe. An dieser Stelle muß genügen, grundlagenwissenschaftlich festzustellen, daß diese Gleichungen universell bestehen müssen. In allen Kulturen und Religionen werden zahlreiche solche Gleichungen beschrieben.

Seit Pestalozzi, der das Wort „Wohnstubenkraft" prägte, Montessori, Rudolf Steiner und anderen sucht man wieder seelisch gesunde Schulen zu bauen und in ihnen seelisch gesund zu lehren. Ein Kennzeichen dieser Bestrebungen ist u. a., daß man den Kindern von Anfang an hoch qualifizierte natürliche Materialien in die Hand gibt, wie aus natürlichem, unvergiftetem Holz, dies in einfachsten Formen, und daß man alle denaturierten Materialien, die ihren natürlichen Charakter, ihre Identität verloren haben, streng meidet. Denn die Pädagogen haben vielfältig die wesensgleichen Auswirkungen auf die Seele des Kindes beobachtet. — Sicherlich wird hier noch nicht überall konsequent gebaut und eingerichtet. Graß antibiologisch-antidynamische Bauten bis zu massiven Nullfeldbauten und solchen Einrichtungen sind noch mancherorts zu finden. Aber das Prinzip wurde hier von den Autoren deutlich gemacht. Und das Prinzip beherrscht in prinzipientreuen, konsequenten, nicht von Eitelkeit und Stolz beherrschten Menschen die weitere Entwicklung zur kommenden Weltkultur. —

Das gesamte Thema kann unter dem Leitwort „Verlust der Identität" gesehen werden. Denn die Selbstentfremdung, insbesondere mit Verlust der Selbstbeherrschung und Selbstkontrolle, somit der konkreten Freiheit, ist die Kernursache aller seelischen und leiblichen Erkrankung. Sie führt zur Mitentfremdung und Allentfremdung des Menschen. Die Selbstentfremdung der Bauformen in Haus und Einrichtung, ihre mangelnde „Urbanität" und Humanität, ihr Mangel an Kultur in jeder Hinsicht ist von vielen Kritikern, wie von A. Sedlmayr in vorbildlicher Form dargestellt worden. Diese Kritiken überzeugen alle, die ihre Identität nicht selbst schon hochgradig verloren haben, insbesondere durch eine Ausbildung in der „Wissenschaftskatastrophe", die auch eine Architekturkatastrophe ist. Diese Gleichung ist nicht nur an modernen Universitäten zu sehen, sondern auch an zahlreichen anderen Schulen bis hin zu modernen theologischen Schulen. Die Selbstentfremdung ist heute universell.

Es bleibt nur noch das ethische Fazit zu ziehen. Wie weit kann es erlaubt sein, die Menschlichkeit mordende Gehäuse zu bauen? Insbesondere in Gemeinschaften, die auf ein seelisch gesundes wie ein soziales und demokratisches Verhalten Wert legen, gar auf ein christliches! — (Hierzu vergleiche man das Kapitel VI dieses Buches). Oder positiv gefragt: Wo sind in der heutigen Gesellschaft noch Menschen zu finden, die den ehrlichen und konsequenten Willen zur Freiheit und zum Leben haben, zum seelisch-leiblich gesunden Leben? —

IV

DAS GESUNDE HAUS IM EINZELNEN

Nachdem die Grundlagenwissenschaften von der Natur, insbesondere vom Haus behandelt worden sind, sodann das ABC der Lebensqualitäten und der biologischen Baukunst, danach die Hauskrankheiten, ist nun das ABC des gesunden Hauses in seinen einzelnen Gliedern zusammenzustellen. Folgend soll das Haus vom Keller bis zum Dach, vom Bett bis zu Garten, Schwimmbad und Hof behandelt werden sowie das ABC der Gesundheit des mobilen Hauses, des Fahrzeuges. Es soll versucht werden, nach Möglichkeit die lebensqualitative Einheit jedes Teiles des ganzen Hauses in seiner organischen Hausfunktion zu erkennen und zu beschreiben. Denn wie im menschlichen Körper jedes Glied und jedes Organ eine andere einheitliche Lebensfunktion hat und daher eine andere organische Beschaffenheit, so auch im Haus.
Diese Hausbiologie wird wohl ebenfalls zum ersten Male darzulegen versucht.

DER GESUNDE KELLER

Im Hausorganismus hat der Keller die biologische Aufgabe, die lebensqualitative Integration des Hauses in die Erde und mit ihr herzustellen, zu bewahren und zu verbessern. Der Keller soll im Besonderen verschiedene Räume bieten, die jedoch im Allgemeinen alle dadurch gekennzeichnet sind, daß das Kulturfeld des hoch qualifizierten Hauses das Naturfeld der Erde beherrscht und also mit qualifiziert. Das gute Haus soll den aus gut und schlecht gemischten Erdraum führend verbessernd mitbestimmen. Das ist das allgemeine Prinzip des biologischen Kellerklimas. Von ihm leiten sich alle besonderen und einzelnen Kellerfunktionen und folglich auch Gestaltungen ab.
Aber ist der Keller denn lebenswichtig, hauswichtig? Genügt denn im modernen Haus nicht Kühltruhe und Kühlschrank? Hoch moderne Häuser — wie von Corbusier — stehen doch sogar schon auf Stelzen! Oder sind das Krücken? Denn verlieren sie nicht ebenso die lebendige Verbindung zur Mutter Erde wie sie als Kubus durch ihr flaches Betondach auch die Verbindung zum Himmel verlieren? Sind das auch in naturaler Hinsicht egoistische, solipsistische, individualistische Sargkonstruktionen? (Die Bezeichnung Sarg ist noch viel zu gut. Denn dieser ist ein organisches Haus für das Tote. Dieses Haus soll helfen, naturgerecht durch die große Wandlung zur Neugeburt zu führen!)
Der Keller ist fundamental lebenswichtig. In der griechischen Mythologie — auch sie ist keine Phantasie! — hören wir von dem starken Antäus, dem Sohn Poseidons und der Gäa, der seine Kraft ständig von seiner Mutter Gäa,

der Erde erhält. So war er gesund und unbezwingbar. Erst als Herakles ihn von der Erde löste, ihn hoch erhob, da wurde er schwach, sodaß er besiegt wurde und starb. — Antäus ist der Erdenmensch und das Haus dieses Menschen. —

Ebenso schwach und lebensarm, „flach" in seiner Lebensqualität wird das kellerlose Haus. Die Degenerationsform Bungalow und Baracke liegt dann nahe. Selbst die ersten Hüttenbewohner hatten schon Erdgruben für die Nahrungsmittel! —

In wie vielen Haushalten und Betrieben hat der Keller für jedermann erkennbar eine fundamentale Lebensfunktion! Der Obst- und Gemüsekeller, der Keller für Eingemachtes und Kartoffeln, der Getränkekeller für Mineralwasser, Säfte und Wein, der Keller zur Lagerung der Genußmittel, Heilmittel und Hygienika. Allgemein der konservierende Lagerraum für Handel und Gewerbe und für jeden Haushalt.

Verbessern und nicht verschlechtern soll der Keller seine Güter! Wie bewahrt ein Betonkeller? Wo verderben Kartoffeln, Eingemachtes und Äpfel am schnellsten? Wo schrumpfen sie abnorm und faulen leicht, verlieren vor allem ihr Aroma, ihre Lebensqualität? Wem wäre das unbekannt? — Wie dagegen bewahrt ein Kultursteinkeller oder Natursteinkeller? —

Solche Grunderfahrungen soll man nicht links unten liegen lassen und ignorieren. Sondern wer im realen Leben mündig werden will, der sucht sich den Reim zu dem diametralen Gegensatz zwischen einem Ziegelkeller und einem Betonkeller. Jeder Reim des Lebens ist nur in der Ordnung der Lebensqualitäten und also Lebensfunktionen zu finden. Jeder Reim ist eine Gleichung von Werten! Was also ist die Gleichung für den saturnischen Bereich des Hauses, für das Reich des Elementes Erde im Haus?

Der gesunde Keller hat einen Naturboden. Denn der Boden ist der lebenswichtigste Teil des Kellers! Der Odem der Erde soll in den Keller dringen können und von dort her das ganze Haus durchatmen. Daher darf der Kellerboden nicht isoliert werden, ausgenommen dort, wo ihn eine geopathische Zone durchläuft, die man durch eine Isolation abhalten kann. Deren üblen Atem soll man schon im Keller fern halten vom Haus wie mit Hilfe einer Asphaltschicht, die über der Störzone ununterbrochen durch das ganze Haus führt, insbesondere auch südlich von der Störzone.

Der Aufbau des Kellerbodens richtet sich nach der biologischen Verwendung des jeweiligen Kellerraumes und nach dem Untergrund. Eine Nässe des Untergrundes soll abgehalten werden. Nur die lebendige Feuchte mit ihrer lebendigen Kühle soll aufsteigen. Schlaf-, Wohn- und Arbeitsräume sollen nicht im Keller liegen. Hobby- und Werkstattraum können hier liegen. Heizöl darf ebenfalls nur bis maximal 3 000 l im Keller lagern. Ein Schwimmbad soll außerhalb des Hauses und nicht nördlich von ihm liegen.

In einem Raum mit lebensqualifizierten Erzeugnissen wie Nahrungsmitteln, Getränken usf. kann auf dem gewachsenen Boden mit Quarzsand egalisiert werden. Das genügt einfacherweise. Auf den Sand können weiterhin betretbare und befahrbare Tonplatten lose gelegt werden oder in ein ca. 10 cm dickes zementfreies Kalkmörtelbett — mit hydraulischem Kalk! — eingelegt und verfugt werden. Auf einen gewachsenen weichen Untergrund mit Lehm oder einen harten mit granitischen Gesteinen kann ein Packlager aus Kalkstein kommen, darüber Sand oder Kalkmörtel. Dieser verringert den Durchgang der natürlichen Feuchte etwas und gleicht die Strahlung von Lehm und Granit aus.

Ein hoch lebensqualifizierter Boden besteht aus Stampflehm, dem Weizen- und Roggenstroh, auch als Häcksel beigemischt wird sowie Salz (Meersalz, im Küstengebiet Heringslake), Heilpflanzen wie Rosmarin, Johanniskraut, Wacholder und bei Nichtvegetariern zuweilen auch Tierblut wie Ochsenblut. Solch ein Boden bewahrt und verbessert das Raumklima und alles darin besonders wirksam. Er wird nach alter Bauernerfahrung auch als Dielenboden und Stallboden hergestellt. Er bewahrt vor Seuchen und anderen Infektionen, Mensch wie Tier!

Das Grundwasser soll höchstens bis 30 cm unter den Kellerboden gelangen. Das ganze Haus soll außen 20-30 cm unter Kellerniveau drainiert sein. Bei höherem Wasserstand muß mit Asphalt isoliert werden oder eine Wanne gebaut werden, was mit Asphalt und hydraulischem Kalk auch ohne Beton möglich ist.

Wenn ein Kellerraum vorübergehender Aufenthaltsraum ist, muß er fußwarm und fußtrocken sein, was zwei Qualitäten sind. Das leistet der zementfreie Kalkmörtelguß mit eingelegten Tonplatten oder keramischen Fliesen. Beton mit Hartgestein ist fußkalt. Mit Blähton ist er nicht warm genug. Bei sehr feuchtem Untergrund muß mit einer Asphaltschicht isoliert werden, die möglichst tief liegen soll, damit darüber eine möglichst dicke trockene Schicht liegt. Auch mit Hirnholz kann man einen gut befahrbaren und begehbaren Boden erhalten. Auf den gegen Nässe isolierten Kellerboden kann auch ein Sisalteppich, ein Kokosteppich oder ein naturbelassener Wollteppich wie ein Berber gelegt werden und manchmal auch Linoleum.

Ein Zentralheizungsofen soll mit seinem Wärmefeld möglichst weit von einem Kellerraum für Lebensmittel etc. entfernt sein. Und die Türen müssen dicht schließen. Sonst wird die Luft trocken. Auch Heizungsrohre sollen möglichst nicht durch diesen Raum geführt werden. Die Öl-Heizung in den Dachbereich zu legen, ist biologisch eine undiskutable technokratische Groteske.

Wenn der Boden des Ölheizungskellers in Beton ausgeführt wird, so sollen darüber keine Schlaf- und Arbeitsräume liegen, sondern Bad, Abstellraum, Küche, Gang, Treppe usf. Dann ist dieser Beton kein größerer Schadfaktor für das Hausleben.

Die Kellerwand ist von sekundärer, jedoch nicht unwichtiger Bedeutung für das gesunde Kellerklima. Die Kellerwand beginnt unten als Fundament, auch Bankett genannt. Das je nach Hausgröße breite Bankett kann wie seit

Jahrtausenden erprobt auf festem Untergrund in Bruchstein gemauert und teils gegossen werden, wobei nur hydraulischer Kalk verwandt wird, kein Zement. Bei weichem Untergrund ist heute der armierte Beton üblich, auch als Sicherheit gegen Senkungen und Mauerrisse. Man armiere nur, wenn und soweit notwendig. Der Einfluß solchen Fundamentbetons auf das Haus wird bisher als nicht bedeutend angesehen.

Die Innenwände des Kellers sollen aus normal oder hart gebranntem Ziegel bestehen, zementfrei vermauert, mit oder ohne zementfreien Kalkverputz. Die Außenwand soll ebenfalls aus Ziegeln bestehen, zumindest inseitig. Je nach Erddruck muß diese Kellerwand 50 bis 100 cm stark sein. Bei hohem Arbeitslohn ist solch ein Mauerwerk teuer. Wenn kein Erddruck besteht wie in felsigem Gestein, dann kann die Mauer 40 cm stark sein. Andernfalls besteht noch die Möglichkeit, außen eine armierte Betonwand von 20 cm zu setzen und innen eine Ziegelschicht zu mauern, die von 5-6 cm Vormauerstärke bis zu normaler tragender Mauerstärke reichen kann. Dann kann der Keller nach innen atmen. Das ist eine vollwertige Atmung, sofern das Kellerfenster stets zumindest ein wenig geöffnet bleibt. Nach außen muß auch eine nur aus Ziegeln und eventuell etwas Bruchsteinen bestehende Kellerwand gut mit Asphalt und dergl. gegen Nässe isoliert werden. Außerdem können mit Vorteil außen große Formsteine aus Ton oder anderem Material lose vorgesetzt werden, welche die asphaltierte bzw. bituminierte Außenwand trocken halten und verhindern, daß spitze Steine die Isolierung durchbohren und bei einem Wasserstau wie infolge der Verstopfung einer Drainage die Kellerwand durchfeuchten. Wenn der Keller stärker feucht ist, sollen hart gebrannte Ziegel verwandt werden. Die Lebensqualität des Kellerklimas ist normalerweise größer, wenn die Wände nicht verputzt werden, sondern nur sauber verfugt. Denn der Kulturstein Ziegel ist biologisch hochwertiger als der übliche Kalkputz.

Die Kellerdecke ist mehr für das ganze Haus wichtig, aber auch als harmonischer Gegenpol zum Kellerboden. Wie es seit Jahrtausenden erprobt ist, kann die Decke aus kräftigen Balken (25 x 25-30, bis zum Verhältnis 3 : 5) bestehen. Sie müssen mit Holzteer gut heiß imprägniert werden vor dem Einbau und an ihrem Auflager, das über Bodenniveau liegen soll, rund herum gegen das Mauerwerk mit einer asphaltierten Zwischenlage gegen Nässe isoliert sein. Sogar über einem Heizkeller kann eine Holzbalkendecke gelegt werden. Doch dann sollte unterseitig ein Putzträger dick mit Kalkputz versehen sein.

Da jedoch Bad und Küche etc. über dem Heizkeller liegen sollen, kann auch eine Ziegelsteindecke gewählt werden. Diese besteht aus schmalen, aber stabilen mit Eisen armierten Betonbalken, zwischen denen mittragende Spezialziegel liegen, Hourdis genannt. Die Balken tragen unterseitig Ziegelschuhe. Diese Balken sollen in Nordsüdrichtung liegen, wie sich auch natürlicherweise die Magnetnadel legt. Also nicht quer zu diesem Lebensstrom der Erde legen!

Eine Abweichung bis ca. 15 Grad von der Richtung der örtlichen Magnetnadel (!) ist unbedenklich.
Auf die Ziegelsteindecke soll keine Betondruckplatte kommen, sondern zur Lastverteilung eine Dielung, auf die Linoleum oder Parkett oder anderes kommt. Die Lagerhölzer werden auf die Betonbalken gelegt. In Bad und Küche kommt auf die Holzbalkendecke oder Ziegelsteindecke nach altem Brauch ein Kalkmörtelbett von ca. 12 cm Dicke, in das keramische Fliesen eingelegt werden.
Wenn gegen den Erddruck eine Betonwand erstellt wurde, so soll sie 20 bis 30 cm über die Erdgleiche hochgezogen werden. Bei einer Ziegelwand sollen die schützenden Formsteine hochgezogen werden oder schöner aussehend die dicke Asphaltierung, die im Sichtbereich verputzt wird.
Um die Kellerwand rings um das Haus soll ein Ring von hartem Kalkstein liegen, nicht von Tiefengestein. Dieser Schutzring hat auch eine geopathische Schutzwirkung. Dasselbe gilt für ein Packlager aus Kalkstein im Kellerboden. Wenn der Untergrund lehmig ist bis in größere Tiefe, dann verwende man im Boden auch viel hellen Quarzsand, möglichst weißen.
Die Kellerdecke sollte mit ihrer Unterseite nicht hoch über der Erdgleiche liegen, da sonst Unruhe in den Keller kommt und der Keller den Übertage-Charakter erhält, der nicht kellergerecht ist. Auch kann dann durch eine zu dünne Kellermauer im Winter die Außenkälte in den Keller dringen. Das ist normalerweise nur im Kühlraum bzw. Vorratsraum erwünscht, jedoch mit Regulierung. (Vgl. das Kapitel zur Kühlung).
Ein kellerloses Haus ist ein wurzelloses Haus. Für das gesunde Haus ist der Keller lebensnotwendig.

DER GESUNDE WOHNRAUM

Der Mensch ist das Geschöpf der Mitte. Er steht nach christlichem Glaubensbekenntnis zwischen Gott und Engelwelt bzw. Natur.
Da das Haus ein Gleichnis der Einheit des gesamten Seins darstellen soll, längst nicht nur des Kosmos, so wohnt der Mensch im Haus wesensgerecht in der Mitte, also zwischen Keller und Giebel. Die Mitte mag über mehrere Geschosse ausgedehnt werden; sie bleibt dennoch Mitte. Also müßte das Thema dieses Kapitels lauten: Der gesunde Mittelraum. Das ist nicht belanglos. Denn in der pythagoreischen Urlogik, die zugleich Urmathematik und Urphysik ist, Urwissenschaft aller Wissenschaften, ist die Urordnung der Mitte durch die Zahl Zwei bezeichnet. Und daraus ergeben sich endlose mathematologische wie psychologisch-biologische Folgerungen für die Urordnung des Hausens, des Wohnens und alles Lebens des Menschen. Auf viele von ihnen wird in diesem Buche hingewiesen.
Nach manchen Bauverordnungen darf der Mensch nicht im Keller wohnen und auch nicht im Dachraum. Er darf also nur in der Mitte wohnen! —

Da der Wohnraum auch Stadtraum und Landraum ist, im weiteren Sinne Gesellschaftsraum jeder Gesellschaft, so sei aus der universellen mathematisch-psychologisch-biologischen Zweiordnung noch gefolgert: Der Mensch ist ein Mittelwesen zwischen Person und Natur, beides in sich vereinigend, darin ein Kulturwesen. Auch im personalen Bereich ist er ein Mittelwesen, nämlich im Schwerpunkt seines Lebens ein Gesellschaftswesen zwischen Ethik und Wirtschaft.

Der Mensch wohnt natural im Mittelraum über der Erde und unter dem Himmel.

Der Mittler hat im Kosmos und darüber hinaus die Uraufgabe, zu vermitteln.

Dies möge der philosophisch bzw. objektiv wissenschaftlich interessierte Leser als Aufforderung verstehen, die Urmathematik zu studieren. Denn diese gibt sicherste Fundamentaleinsichten in die Ordnung von allem. Sie klärt Probleme mathematisch gewiß und exakt, um die heute die ganze Menschheit lebensgefährlich streitet. (Vgl. das Kapitel VI).

Der Wohnraum des Kulturmenschen ist unterkellert und überdacht. Das besagt, daß der Lebensraum des Menschen über die Erde erhöht ist und also ihrem Einfluß teilweise entzogen ist. Es besagt jedoch zugleich, daß der Mensch die lebendige Verbindung mit der Erde nicht verlieren soll, wie im Hochhaus. (Vgl. „Die Hochhauskrankheiten"). Er soll nicht ohne Lebensgrund unter den Füßen in die Wolken geraten und dort ein Spielball des Wirbelwindes werden. Das ist seelisch wie leiblich zu verstehen, psychosomatisch. In beiden Bereichen kommt die Krankheit dann zugleich. Sondern der Mensch soll die Erde beherrschen, fest auf ihr stehend. Er soll die Erde sich untertan machen und sie ordnungsgemäß erdverbunden lebensgerecht bebauen und also bewohnen.

Im Kellerbereich wird der Einfluß der Materie und Finsternis zu stark und der Einfluß der Höhe, des Lichtes und der Wärme zu schwach. In zu großer Höhe wird der Einfluß der Elemente Luft und Feuer zu stark und der fundamentale Einfluß der Erde zu schwach. Der Mensch ist ein Lebewesen der Mitte. Er kann weder wie die Vögel in den Bäumen wohnen noch wie der Maulwurf in der Erde. Auch kann er nicht wie ein Fisch im Wasser wohnen. Allenfalls können Wassermenschen, das sind von dem Element Wasser besonders stark beeinflußte Menschen, viel auf dem Wasser und nahe dem Wasser wohnen, ähnlich wie Luftmenschen das Fliegen lieben, Feuermenschen den Motor, den Feuerstuhl, und Erdmenschen Land und Berge. Diesen vier Elementen und Temperamenten entsprechend soll sich ein jeder seine Landschaft und sein Haus aussuchen, um optimal gesund und glücklich zu wohnen.

Ein gesundes Haus hat maximal 5-6 Stockwerke. Was darüber ist, das überschreitet die Mitte und also die Grenze seelischer und leiblicher Gesundheit. Nur der im Menschlichen schon höhergradig reduzierte Massenmensch erträgt scheinbar diese Massierung. Aber auch er wird seines Eigenwesens noch mehr entfremdet, da er sich nicht mehr genügend frei selbst entwickeln kann. Es entsteht dann eine Stallatmosphäre, wie in einem Ameisenhaufen, also eine tierische Atmosphäre. Und diese ist unmenschlich.

Das Ideal und Optimum des menschlichen Wohnens ist und bleibt das Einfamilienhaus. Es soll einen Keller haben, einen zweistöckigen Wohnbereich und einen ausbaufähigen Dachstock. Wenn die zeitbedingte und biologisch vielleicht notwendige Übergangsform des Verkehrstriebes enden wird, die 30 % der Stadt und viel Land beansprucht, wenn wieder ein kultivierter Gemeinschaftsverkehr (Nicht Massenverkehr!) mit einem gleich kultivierten Einzelverkehr kommen wird, dann wird noch mehr Wohnland zur Verfügung stehen. Aber hier wird in Zukunft kein Mangel sein. Heute schon wird durch die Landflucht zur Stadt, obwohl ihr eine gleiche Stadtflucht ins Umland gegenüber steht, in den zivilisierten Ländern immer mehr Land brach liegen gelassen, dies aufgrund des Industrieexports. Dieser könnte jäh enden! —

Zu einer Verdichtung des Wohnens besteht also heute kein Anlaß, auch deshalb nicht, weil in den zivilisierten Ländern die Geburtenzahlen öfters unter die Sterbezahl sinkt oder nahe bei ihr bleibt. Die erzwungene Verdichtung führt zu einer sozialen und naturalen Degeneration, also zur Ungesundheit, zu sozialer und besonders politischer Unruhe, zur Unwirtlichkeit der Siedlungen und zur Unwirtschaftlichkeit. Denn wie Nikolaus Ehlen in seiner Schrift „Das familiengerechte Heim" dargelegt hat, bringt etwas Gartenwirtschaft viele Vorteile für die Vermenschlichung und Naturverbundenheit des Wohnens, nicht nur gesundheitliche, soziale und wirtschaftliche Vorteile ([1]). Der Mensch überwindet die Selbstentfremdung. Er findet wieder zu seinem wahren Selbst und zu allen Lebensqualitäten zurück.

Wenn ein Haus nicht unterkellert oder nur teilunterkellert ist, so strebt der instinktsichere Mensch zum Hochparterre und zu einem Luftraum unter dem Boden. Er wird bautechnisch in der Regel als Kriechraum ausgebildet. Das ist also biologisch begründet und zu beachten. Aber wenn ein gekellerter Kriechraum, dann bei den heutigen bequemen großen Baumaschinen gleich den ganzen Keller.

Der gesunde Wohnraum, typisch als Wohnzimmer, soll im Höchstmaß wohnlich sein, behaglich, seelisch warm und auch leiblich lebensqualitativ warm im Material. Er soll ebenso optimal licht sein, seelisch wie leiblich, also auch in den Farben. Und er soll frei sein, eben ein Freiraum, ein Lebensraum. Als Laotse einmal gefragt wurde, was das Wesen des Hauses sei, antwortete er, das sei sein freier Raum! Das verstehe man in der ganzen Freiheitsordnung, in der personalen und zugleich naturalen! — Der Wohnraum soll also nicht mit Möbeln vollgestellt sein, welche die Bewegungsfreiheit einschränken.

Die Wärme wird durch einen warmen Stein und dicke Mauern geschaffen, durch eine vegetabile Wandbekleidung wie durch gute Naturtapeten bzw.

Kulturtapeten mit kultivierten Naturfarben oder mit lichten, warmen Erdfarben, weiter durch Vertäfelung bzw. Verschalung (Paneel), noch mehr durch einen animalischen Wandbehang wie mit Seide, Wollteppichen, Wollgardinen oder gar durch Leder wie in einer Kassettendecke sowie durch Wolle und Leder an Möbeln, durch Felle und Bodenteppiche, durch Seide an Lampen, Fenstern und Tischen, im Winter durch eine lebensqualifizierte Heizung usf.

Das ist „nördliche Mentalität" würde ein Italiener sagen. Er bevorzugt Marmor und kühle Steine. Er meidet Holz und sogar oft die Tapete, zumindest die vegetabile Tapete. Das ist einerseits richtig in südlicher Wärme bzw. Hitze, andererseits italienisch. Denn Spanier und selbst tropische Häuser zeigen, daß auch dort eine gewisse Materialwärme für die Behaglichkeit lebensnotwendig ist. Die kalte Pracht kann auch im Süden erkälten, zuerst seelisch.

Und die technische „Pracht" kann und muß überall erkälten. Beton, Metall, Glas und Kunststoff lassen seelisch und leiblich eiskalt. Die Kälte aber ist der erste Feind des Lebens. Der Massenmensch, der instinktlose, selbstentfremdete Zivilisationsroboter strebt zu solchen billigen Wohnungen. Sie passen zum Mechanizismus, zur Technokratie und Sexwelt, zum Intellektualismus, zu Ideologismus und Sinnlosigkeit des Lebens, auch zu Pornographie und Kriminalität. Ehescheidungen, Neurosen, Sex, Gesetzbruch und Selbstmorde kommen bevorzugt aus solchem Wohnklima. Verwahrlosung der Kinder mit Verhaltensstörungen, zuerst der Eltern, Asozialität, Vereinsamung, das wird von solchen Betonsiedlungen häufig geklagt. Mit einem Wort: Wo die Natur selbstentfremdet wird, da wird auch der Mensch selbstentfremdet. Und umgekehrt: Wo die Person sich ihres Selbstes entfremdet, auf der Flucht vor ihrem wahren Ich, vor Gott und dem Gewissen, da wird auch die Kultur und Natur selbstentfremdet. Es besteht eine Gleichung zwischen diesen drei Urreichen. —

Vom typischen Wohnraum war oben die Rede. Jeder Raum des Hauses und dieses selbst soll im Allgemeinen ein Wohnraum sein. Auch im Arbeitsraum wohnt man zuerst. Dann arbeitet man.

„Wohnen" ist ein geheimnisschweres Wort. Gott wohnt(e) unter den Menschen, heißt es (1). Er will nach christlicher und anderer Lehre in jedes Menschen Herz wohnen, wie zugleich der Mensch in Ihm wohnen soll. Wohnen weist auf die Ineinanderordnung des Lebens hin, auf die hierarchisch-organische Ordnung. Wie die organische Ordnung heute noch weithin mißverstanden wird, nämlich mechanizistisch, liberalistisch-technokratisch, so exakt gleich auch die hierarchische Ordnung. Doch wurden in der Geschichte beide auch extrem und also lebenswidrig, ordnungswidrig entwickelt bzw. verwickelt. Das ist mit Recht zu überwinden.

Alles Hausen ist allgemein Wohnen. Daher soll jeder Raum jedes Hauses im Allgemeinen zuerst wohnlich sein. Der zentrale Wohnraum des Hauses,

der auch im Bürohaus und in der Fabrik nicht fehlen soll, ist gleichsam der Urraum, aus dem sich alle anderen Räume entwickeln. Noch heute haben altfranzösische Bauernhäuser einen einzigen Großraum. Auch Zelt und Hütte zeigen dies. Die Casa santa zeigt einen einzigen Raum aus Ziegeln, Holz, Kalk und ein wenig Bruchstein. Dem Mönch ist seine Zelle sein Heim.
Aber Wohnen mußte mit steigender Kultur organisch spezifisch entwickelt werden, vom Schlafraum, Küchen- und Eßraum und Waschraum angefangen, insbesondere im Arbeitsraum. Wenden wir uns zunächst diesem zu.

DER GESUNDE ARBEITSRAUM

Der Mensch dieser Welt ist zuerst ein Arbeiter. Denn seine erste Pflicht ist, an seiner Befreiung zu arbeiten. Arbeiten ist stets Mühen, auch wenn zugleich der gute Teil der Arbeit Freude macht, was er soll. Auch ist frei zu werden eine Freude. Und anderen (frei mitbestimmend) zu helfen bei ihrer Befreiung, das ist eine noch größere Freude. Weshalb auch werden diese Zeilen geschrieben! —
Nach sicherer, zweifelsfreier Erfahrung ist zuerst das Bewußtsein der Person zu befreien, nämlich von unrichtigem, ungutem, unfreiem Denken, Wollen und Fühlen, beispielsweise das gesellschaftliche Bewußtsein. Von dieser Basis her ist das ganze menschliche Leben zu befreien von aller Selbstentfremdung. Zuerst die Materie der Person zu mehren und zu verbessern, das verleitet die Person erfahrungsgemäß zur Kriminalität. Das Ziel aller Befreiungsarbeit ist die allkommune (allsoziale) Einheit aller Lebewesen, — „auf daß alle eins sind" (Joh. 17,21). Schon auf dem Wege zu diesem Ziel ist „die freie Entwicklung eines jeden die Bedingung der freien Entwicklung aller" (Karl Marx). Dieses ganze Buch handelt von der freien Entwicklung einer jeden personalen und naturalen Einheit im Hause und also von der echten Einheit, von der Lebensharmonie im ganzen qualifizierten Hause. Nur in diesem kann sich ein jeder Bewohner natural frei entwickeln. Und wenn sich ein jeder frei entwickelt, dann entwickelt sich zugleich die ganze Gemeinschaft frei. Denn wo ein Mitglied der Gemeinschaft vergewaltigt, verwickelt, verstimmt wird, da wird die Gemeinschaft verwickelt, verstimmt, vergewaltigt, selbstentfremdet.
Diese große Befreiungsarbeit eines jeden und also auch einer jeden Gesellschaft ist so umfangreich, daß kein Mensch zu irgend einer Zeit an irgend einem Ort von ihr „befreit" wäre. Denn das wäre eine „Befreiung von der Befreiung". Unter dem Gesetz der Befreiungsarbeit steht also das ganze menschliche Leben in dieser Welt. Die Befreiungsarbeit ist eins mit der Verbesserungsarbeit, der Lebensqualifizierungsarbeit. „Ein Geist, der von der Wahrheit erfüllt ist, muß sein Handeln auf das Endziel richten" (Mahatma Gandhi) (Joh. 8,32,36).
Auch im Schlafe arbeitet der Organismus beständig an der Befreiung des

Lebens, nämlich von den disharmonischen und also unfreien Einwirkungen des Tages. Und selbst in der Muße sucht der Mensch sein Bewußtsein und seinen Leib zu befreien und die schon erarbeitete oder geschenkte Harmonie zu erleben, auch um neue Kraft zu weiterer anderer Arbeit zu schöpfen. Nichts ist also ordnungsgemäß in dieser Welt, das nicht allgemein der wahren Befreiung dienen würde, der Kultivierung des Menschen, der Befreiung von aller Unwürde, von aller Selbstentfremdung, von aller Unfreiheit. Von dieser kann selbstverständlich zuerst nur die freie Selbstbestimmung befreien. —

Auch sagt man, daß der Mensch wert sei, was seine Arbeit wert sei. Schon im „vollkommenen Gesetz der Freiheit" (Jak. 1,25) ist zu lesen, daß wir alle Arbeiter im Weinberg des Herrn sein sollen (Pred. 6,7) und daß jeder Arbeiter seines Lohnes wert sei (Luc. 10,7. 1. Tim. 5,18). Was also sind wir wert? Als Mitarbeiter Gottes und in Ihm des wahren allkommunen, allsozialen Lebens? (1. Cor. 3,9). Unsere Urpflicht ist also, mit Gott zu bestimmen, Ihm folgend. In Raum und Zeit sollen wir an der Befreiung (= Erlösung) aller mitarbeiten, die in die Unfreiheit der „Mauern und Ketten" (A.T.) geraten sind. Also haben wir uns alle wieder zur allkommunen Einheit alles Lebens hinaufzuarbeiten. Das ist uns möglich durch unsere angeborene Bestimmungsfreiheit bzw. Handlungsfreiheit, mit ihr und in ihrem Raum, — frei selbstbestimmend, mitbestimmend und allbestimmend. (Vgl. das Kapitel VI, darin die Befreiungsordnung).

Welche fundamentale Bedeutung hat daher der Arbeitsraum! Seine Raumordnung ist deshalb zentral zu studieren.

Atbeitsraum ist gleich Arbeitsfeld, Arbeitsplatz usf., Feld des nützlichen Bestimmens. Auch Stadt und Land sind ein Arbeitsfeld. Das allgemeine Arbeitsfeld ist das Haus.

Alles Bestimmen in dieser Welt, im Denken, Wollen und Fühlen ist im Grunde mit Mühe verbunden und daher mehr oder weniger immer Arbeit. Der Anteil der raumzeitlichen Bewegung des materiellen Körpers ist von zweitrangiger Bedeutung. Sonst wären höhere politische und gewerkschaftliche Führer schlechte Arbeiter und also schlechte Menschen! Je höher gestellt, desto schlechter! —

Die befreiende Mühe ist stets eine die Lebensqualität mehrende Mühe. Die Unqualität, die Disharmonie der Unfreiheit wird durch sie verringert.

Das Maß der Mühe weiß nur der Bestimmende, der Arbeitende.

Wer also bestimmt, der arbeitet! Und wer arbeitet, der ist ein Arbeiter! Der Wert der Arbeit ist wie jeder Wert Glaubenssache, gründend auf der freien Glaubens-Selbstbestimmung des Arbeiters.

Die Glorifizierung und Pathetisierung der körperlichen Arbeit, der Handarbeit ist typisch für den Mechanizismus, also für den Aberglauben alles Aberglaubens, für dessen Stolz, Degeneration und Primitivität. Dieser Aberglaube zerspaltet die Einheit des Menschen, der Gesellschaft, der Arbeit und ihres Hauses. Er bringt Haß und Feindschaft, somit auch ein ungesundes Haus und viel Schaden anstatt Nutzen ([1]).

Gehört dies alles hierher? Ja! Nämlich psychosomatisch! Wer diese seelisch-leibliche Einheit der Arbeit noch nicht sieht, sondern nur die materiell-sachliche Mechanik der Arbeit, der gerät in die seelenlosen, unmenschlichen einbetonierten Arbeitsräume mit synthetischem Licht und ebenso unmenschlicher Organisation! —

Die psychische Gesundheit des Arbeitsfeldes und seiner Raumordnung wird seit einigen Jahren aufmerksam untersucht wie hinsichtlich des Fließbandes und der Automation, hinsichtlich der Gemeinschaftsarbeit, von den kleinsten Arbeitsgruppen bis zum Großraumbüro, hinsichtlich der Rangordnung und Statusausstattung des Arbeitsplatzes, bei Hand- wie Kopfarbeitern, vor allem hinsichtlich der hierarchisch-organischen Gliederung der Mitarbeit. Führen und Folgen ist eine Kunst und Arbeit! Sie hat ihre logisch-mathematisch-psychologisch-biologische Grundordnung, rechtlich gleich wie gesellschaftlich und wirtschaftlich ([1]). Das Streben zur sozialen Gesundheit des Arbeitsfeldes hat zu neuen Haus- und Einrichtungsformen geführt wie bei Volvo in ersten Ansätzen zu studieren ist ([2]).

Die naturale Gesundheit des Arbeitsplatzes ist mehr oder weniger weit schon lange Gegenstand einer vielfältigen Gesetzgebung wie inbezug auf die Jugendarbeit, den Mutterschutz, die Unfallsicherheit usf. bis zur Krankenversorgung, Rehabilitation, Invalidenversorgung usw. Jedoch inbezug auf die Hausgesundheit des Arbeitsplatzes existieren bisher nur wenige Gesetze wie zum Schutz vor Vergiftungen mit Chemikalien. Die Unfallverhütungsvorschriften reichen hier hinein. Aber der ganze Arbeitsplatz und seine Arbeitsbedingungen können schon ein Unfall sein oder eine Krankheit, je wie man es sieht. Hier besteht dieselbe technokratisch bedingte Lücke, die modernerweise in der mechanischen Sicht des Hauses besteht, wobei man den Menschen nicht anders wie eine Maschine behandelt und ihm oft noch weniger Aufmerksamkeit widmet als den Maschinen. —

Für den Arbeitsplatz gilt also hinsichtlich geopathischer Störungen, Elektrostörungen, chemischer Störungen, hinsichtlich der Kunststoff- und Betonkrankheiten, hinsichtlich der Heizungs-, Lebens-, Ton-, Luft-, Lichtkrankheiten usf. prinzipiell dasselbe wie für jeden anderen Wohnraum. Denn zuerst wohnt der Mensch mit seinem lebendigen Leibe in dem lebensfreundlich oder lebensfeindlich gestalteten Arbeitsraum.

Der Arbeitsraum ist jedoch ein besonderes Haus, eben ein Haus der Arbeit. Dieser Raum steht in polarem Gegensatz zum Haus der Ruhe, zum Ruheraum. Die Funktion des Organismus ist in der Arbeit aktiv, eigenwillig, bewußt selbstbestimmt, wachsam gespannt und weithin gesperrt gegen Einwirkungen, insbesondere im unterbewußten Bereich. Weshalb auch soll man ab und zu entspannen, eine Pause machen!

Der Arbeitsfunktion polar entgegengesetzt ist die Ruhefunktion des Orga-

nismus. Hier ist er passiv, entspannt, nicht gesperrt, sondern den einfließenden kosmischen Regenerationskräften geöffnet. Schlafende und alle Ruhende lassen sich seelisch und leiblich leicht beeinflussen, Wachende nicht. Auch bewegt sich der Wachende, der Schlafende dagegen relativ nicht. Daher kommt der Schlafende und jeder Ruhende leicht in eine Resonanz mit der Umwelt, etwa den elektromagnetischen Wechselfeldern um ihn herum. Und zu einer erheblichen Resonanzwirkung genügen oft schon winzige Energien. Der arbeitende Mensch dagegen bewegt sich, sodaß er nicht in eine Resonanz gerät. Zu dieser ist Ruhe erforderlich. Daraus ergeben sich polar entgegengesetzte Konsequenzen für die Bauformen und Baumaterialien einschließlich Einrichtung und Farben in Arbeitsraum und Ruheraum!
Daraus folgt auch die schon bekannte Erfahrungstatsache, daß der Mensch am Arbeitsplatz, besonders bei körperlicher Arbeit, auf seine Umwelt weit weniger empfindlich reagiert als im Wohnraum und besonders im Schlafraum. Insbesondere reagiert er weniger auf die feineren und durch ihre Periodik wirksamen Einflüsse. Nur relativ sensible und creative Arbeiten, alle geistig-seelischen Arbeiten machen hier eine Ausnahme. Denn sie benötigen Ruhe, Intuition und Inspiration. Relativ mechanische Büroarbeit macht weniger eine Ausnahme. Ein normaler Arbeitsplatz kann daher robuster, gröber gestaltet sein als ein Ruhe- und Wohnplatz. Dies ist auch üblich. Doch der Grund muß begriffen werden. Denn dann wird auch das Maß erkannt, insbesondere das individuelle persönliche Maß. Und es wird erkannt, daß bei der derzeit schnell wachsenden Sensibilität der Menschheit auch der Arbeitsplatz entsprechend qualifiziert werden muß. Oder der Mensch fühlt sich bei der Arbeit unwohl, wird unzufrieden, quält sich, leistet schlechte Arbeit, wird häufiger krank und schädigt sich selbst gleich wie alle Mitarbeiter, also die ganze Firma.
Auch ist hier erneut zu bedenken, daß der Arbeitsraum allgemein ein Wohnraum ist. Der Aufenthalt zwischen den vier Wänden ist und bleibt allgemein ein Wohnen. Also soll der Arbeitsraum wohnlich ausgestaltet sein. Nur dann ist er menschlich und menschenwürdig. Ein unwohnlicher Arbeitsraum disqualifiziert den Menschen und also dessen Arbeit. Er wirkt sich ebenso unsozial wie unnützlich und leibseelisch ungesund aus.
Je nach seiner Begabung arbeitet der Mensch. Dementsprechend benötigt er eine persönliche Ausgestaltung seines Arbeitsplatzes. Seine Freiheit, das Arbeitsfeld und den Arbeitsablauf selbstbestimmend und mitbestimmend auszugestalten, gemäß seiner Natur und Kultur, das sollte nicht mißachtet werden. Schlechtere Leistung, Unzufriedenheit, Ungesundheit, Krankmeldung, Arbeitsplatzwechsel und folglich Unwirtschaftlichkeit sind auch hier die Folge.
„Der Mensch ohne Ich“ (Bodamer) arbeitet in einem uniformen Großraumbüro wie in einer ebenso uniformen Werkhalle, beide Male am monotonen Fließband. Mensch und Arbeit sind hier selbstentfremdet. Der Mensch wird

zum Zivilisationsroboter, zur Maschine, zum bloßen Mittel, zum Werkzeug. Das ist zuerst menschenunwürdig. Und es bringt weder dem Einzelnen noch der Gemeinschaft Nutzen und Wohl. Schlechte, mechanizistische Leistung, frühe Erschöpfung und frühe Invalidität sind die Folge! Keine Arbeitsgemeinschaft kann sich dann bilden! Auf die Gemeinschaft aber, auf die soziale Ordnung und ihre kulturelle und naturale Ausgestaltung kommt es zuerst an.

Dies ist kein prinzipieller Einwand gegen das Großraumbüro und die große Werkhalle. Aber beides ist organisch zu gliedern, ebenso wie — recht verstanden gemäß dem Einmaleins der Einheiten — hierarchisch. Dann aber ist weniger der quantitative Begriff Großraum anzuwenden als der qualitative Begriff Gemeinschaftsraum! Wenn die Gemeinschaft und nicht die Größe des Raumes die Arbeit prägt und gliedert, dann ist dies ein diametral entgegengesetztes Bau-, Wohn- und Arbeitsprinzip. Und darin liegt wohl das ganze Problem! — Gleichsinnig wird dann auch erkannt, daß die bisherigen Großraumbüros allermeist schwer krank sind an der allgemeinen Hauskrankheit der Zivilisation, der Technokratie. —

In großen Automobilwerken wie Volvo wird mit Erfolg eine Gliederung in kleinere Arbeitsgemeinschaften auch am — polyphonen! — Fließband erprobt. Das Prinzip zu erkennen, darauf kommt es an.

Arbeitsräume für geistige und wohl auch körperliche Arbeit liegen erfahrungsgemäß am besten mit dem Hauptteil nach Norden, teils nach Westen oder Osten. Wo die Südsonne breit vielstündig herein scheint, da sinkt die Arbeitsleistung.

Jeder Arbeitsplatz soll natürlich beleuchtet sein wie auch durch Shetdächer. Eine künstliche Belichtung am Tage ist grob widernatürlich, unmenschlich und doch eigentlich grotesk. Das ist eine Extravaganz eines lebensfremden Mechanizismus. Sie gehört zu der Tendenz, alles Natürliche zu denaturieren und dann künstlich zu simulieren („natursimulieren"!). — Das natürliche Sonnenlicht soll sogar ein wenig durch Ost- oder Westfenster in den Arbeitsraum dringen.

Je mehr mit den Augen in einem Raum gearbeitet wird, desto wichtiger wird das Bioglas im Fenster und die lebensgerechte, insbesondere arbeitsgerechte Regulierung des Lichtes.

Grotesk naturwidrig, menschenwidrig und menschenunwürdig, auch arbeitswidrig, qualitätswidrig ist der fensterlose Arbeitsraum. Daß Menschen auf solche Ideen kommen und daß diese auch noch ausgeführt werden, das zeigt, wie höchstgradig lebensfremd und lebensfeindlich eine Endzeit werden kann. Und wie wenige erkennen diese totale Lebenswidrigkeit!

Für Arbeitsräume eignen sich mehr gelbe, gelbgrüne und rötliche Farben, da sie anregen. Blau beruhigt mehr und ist bei hoch konzentrierter Arbeit neben Gelb angebracht. Violett ist eine mystische Farbe. Schwarz darf nur zur Kontrastierung in geringer Fläche verwandt werden. Braun verbindet

mit der Erde und darf nur vorsichtig verwandt werden, nicht mit Rot und Schwarz, sondern mit lichten Farben. Schon viele Farbversuche sind gemacht worden. Aber es kommt entscheidend darauf an, daß lebendige und nicht tote Farben verwandt werden! ([1]).
Qualifizierte Arbeitsplätze, die mit elektrischen Geräten ausgestattet sind, sollen zumindest mit einem Biofilter ausgerüstet sein; wenn die Geräte nicht ständig benutzt werden, auch mit einem Netzfreischalter. Und die Geräte sollen biostörfrei sein, die Leitungen biologisch abgeschirmt. Die elektrische Beleuchtung soll gesund sein. In den letzten Jahrzehnten wurden so viele Leuchtarten neu entwickelt, daß für die gesunde Beleuchtung des Arbeitsplatzes auch biologisch noch allerlei zu erwarten ist.
Bei der steigenden Allergisierung des Zivilisationsmenschen ist auch steigender Wert auf Freiheit des Arbeitsplatzes von schädlichen Kunststoffen und Chemikalien zu legen. Das gilt bis zur Reinemachefrau und dem Glasreiniger.
Ein Büroraum, der Raucher und Nichtraucher vereint, sodaß die Nichtraucher wider ihren Willen mitrauchen müssen, das wird wohl bald der Vergangenheit angehören. Rauchen ist unverantwortlich gegenüber der eigenen Gesundheit und der der Mitmenschen. Denn durch diese Drogensucht wird nicht nur die eigene Gesundheit ruiniert. 140 000 vorzeitige Todesfälle im Jahr in der BRD, ist das nicht mehr als eine Naturkatastrophe? Ist das nicht eine Zivilisationskatastrophe, eine Suchtkatastrophe? Rauchen ist in der Regel ein Kennzeichen eines sozialschädlichen Verhaltens! Dies trifft auch auf Arbeitgeber und Gewerkschaften bzw. Betriebsrat zu, wenn das Rauchen zwischen Nichtrauchern gestattet wird.
Felder, Strahlen und Ströme bestimmen auch das Arbeitsklima. Wer in der allgemeinen Feldphysik denken und fühlen gelernt hat, der wird einen Arbeitsplatz ebenso gut lebensqualifiziert einrichten können wie einen Wohn- und Schlafplatz.
Für den Arbeitsplatz von dem Schreibtisch bis zur Werkbank gilt allgemein dasselbe wie für das gesunde und kranke Haus und dessen Heilung. Jeder Arbeitsraum soll ein gesundes Haus sein, ein menschliches Haus. Jeder Arbeitsplatz soll ein eigenes lebendiges Haus sein, zugleich ein selbsteigenes, ein miteigenes und ein alleigenes Haus. Das ist das Leitbild, aus dem sich alles ergibt.

DIE GESUNDE KÜCHE

Was ist die biologische Einheit und Ganzheit der Küche? Das ist allgemein aus der Einheit und Ganzheit des menschlichen Lebens zu verstehen, im Besonderen bei Ackerbau und Viehzucht angefangen. (Vgl. „Das gesunde Pflanzenhaus". „Der gesunde Stall").
Die Wissenschaft und Kunst der Küchenbiologie, insbesondere der Küchenbiochemie gründet darin, daß der Mensch als Kulturmensch im Unterschied

zu Tier und Pflanze in seinen Speisen, Getränken und allen anderen Bereichen seines Lebens die Grenze nach oben überschreiten soll, die der Natur dieser Welt gesetzt ist. Das lehrt Paracelsus vielfach. Der Mensch soll die Erde bzw. die Natur dieser Welt „bebauen", d. h. auferbauen, höher qualifizieren, von Ackerbau und Viehzucht angefangen. Diese Arbeit wird in der Küche geradlinig fortgesetzt und zwar darin, daß dem Haus des Mundes, Magens und Darmes samt Anhangsorganen zumindest die grobe Arbeit abgenommen wird und daß das in dieser Welt Zerstreute wieder zur mikrokosmischen Ganzheit vereinigt wird. Die Küche arbeitet also bio-logisch, wenn sie wie Mund, Magen und Darm arbeitet! Dies mit der Hilfe aller Sinnesorgane! Das ist ihr Sinn, ihr Logon, ihr Wesen! Hierin gründet die Ordnung all ihrer Arbeit!

Schon vor dem Eintritt in den Mund wird Gutes und Schlechtes geschieden, nicht erst von dem „Archäus" (der Körperbaumeister-Entelechie!) im Magen, wie Paracelsus häufiger erklärt. Denn wenn ein Gift auch nur den Magen-Darm-„Kanal" passiert, so belastet es durch sein disharmonisches Feld den ganzen Menschen. Wie viele Menschen haben das Gift im Darm schon als benommenen Kopf, Kopfschmerzen, Schwäche und Unwohlgefühl verspürt. Der Mensch soll sich rein halten von allem Schmutz, besonders von dem chemiziden bzw. pestiziden Schmutz.

Sogar schon vor der Küche soll die lebenskluge Hausfrau Gut und Gift unterscheiden und also scheiden. Nur eine möglichst hoch lebensqualifizierte, möglichst reine Nahrung soll den großen Mund und Magen in Gestalt der vier Küchenwände betreten dürfen.

Der biologische Charakter der Küche wird allgemein und individuell bestimmt von der Lebensqualität der Speisen und Getränke und von der Lebensqualität der Wandlungsarbeiten und der Vereinigungsarbeiten. Dies alles wiederum wird mitbestimmt von der Lebensqualität des Herdes und des Kühlhauses (Kühlschrank, Speisekammer), von der Lebensqualität der ganzen Küche sowie aller ihrer Töpfe, Pfannen, Flaschen und Hilfsgeräte. Für alle diese Gehäuse gilt das ABC des gesunden Hauses in besonderem Maße, da die Lebensqualitäten der Speisen und Getränke bei ihrer Verarbeitung innigen Lebenskontakt mit all ihren Gehäusen aufnehmen. Bei einer großen Wandlung ist das Leben besonders empfindlich. Deshalb spinnt die Raupe einen Kokon, baut der Vogel ein Nest und sucht die kluge Hausfrau analog ein passendes gesundes Gefäß. Warum schätzen Winzer und Bierbrauer das Holzfaß! Bis in alle Küchengeräte hinein sind die Lebensgesetze der Hülle und also des Hauses zu achten. Was folgt konkret daraus?

Die Küchenwand aus Ziegeln. Wand und Decke werden mit einer Rohrplatte belegt. Darüber wird dick fett mit zementfreiem Weißkalk verputzt. Das qualifiziert die Atmosphäre und ist ein prächtiger Puffer für alle Dampfstöße, wie sie während der Kochzeit die Regel sind. Am Arbeitsplatz wird die Wand bis zur Arbeitshöhe gekachelt.

Der fußwarme wischbare Boden besteht aus keramischen Fliesen, Linoleum, ausgestrichenem oder ausgelegtem rutschsicherem Naturgummi (Latex), Kulturstoffen, Hartholz oder Stampflehm, wie in gesunden Bauernhäusern. Schränke und Tische bestehen aus Vollholz, das biologisch hoch veredelt ist, am einfachsten mit Leinölfirnis. Wenn mit Talkum gepudert und gebürstet, so ist auch der reine Firnis nicht klebrig. Die Arbeitstischplatte aus steinhartem Hartholz. Doch ist auch ein neutraler hartelastischer Kulturstoff nicht bedenklich. Über diese Platte kann lose ein Brett aus Teak und dergl. gelegt werden, wenn empfindliche Materialien verarbeitet werden wie Kräuter, Eier, Teige usf.

Der Herd optimal als Gasherd mit Erdgas. Der Erwärmungsprozeß macht die Speisen sehr sensibel. Sie sollen nicht erheblich elektrogestört in den Leib gelangen und diesen entsprechend stören. Sondern die Lebensqualitäten der natürlichen Flamme sollen die zur Speisebereitung notwendigen Wandlungen beherrschen. Über dem Herd ein Abzug. Der Ventilator und eventuell sein Filter sollen bequem zu reinigen sein. Ausreichendes Glühlampenlicht überall, wo gearbeitet wird und das natürliche Licht nicht ausreicht. Viel mit Oberschränken arbeiten und jeden Raum als Stellraum ausnutzen, um den Laufraum möglichst klein zu halten. Doch dies mit Maß. Denn auch die Küche soll zuerst Lebensraum sein, Wohnraum. Wohl fühlen soll sich jeder in ihr. Sie soll kein enges Verlies sein, kein gefürchteter und möglichst schnell wieder verlassener Arbeitsplatz für eine ungeliebte seelenlose technokratische Sklavenarbeit. Die Aera der Miniküchen ist vorüber. Sie sind nicht nur als menschenunwürdig erkannt worden, sondern auch als kochfeindlich, als küchenfeindlich und somit letzten Endes auch noch als ungesund für alle, die aus solchen Verliesen verpflegt werden.

Bei aller Weite soll die Küche konzentrisch angeordnet sein. Also kein Tisch in der Mitte, außer wenn mehr als 3-5 Personen aus ihr verpflegt werden. Doch bei wachsenden Ansprüchen gehört der Herd in die Mitte. Denn um ihn dreht sich vieles, nicht alles. Warum nicht alles? Weil wir im Beginn der ersten Weltkultur stehen, in der Keimzeit. Und da benötigt der Mensch viel Keimnahrung, also unerhitzte Frischkost. Und wenn er das Feuer gebraucht, dann zuerst das voll biologische Gärfeuer, wie es in den milchsauren Speisen typisch vorliegt, beispielsweise im Sauerkraut, das biologisch gezogen und verarbeitet ist.

Für die Gefäße gilt: Heilerde wo irgend möglich, von den einfachsten Tongefäßen über irdenes Geschirr und Steingut bis zum Porzellan. Schon vielerlei feuerfeste Schüsseln und Pfannen existieren aus Keramik, in schöner Gestaltung. Gemüse oder Fleisch im Römertopf aus Heilerde gedünstet hat den feinsten Geschmack und die größte Bekömmlichkeit. Auch die französischen Meisterköche benutzten solche Verfahren. Sie wußten, wie man Lebensqualitäten verarbeitet, bewahrt und entwickelt. Die Wissenschaft der Vitamine und die Reformküche hat noch mehr Erfahrungen hinzugefügt.

Die Wissenschaft der Gefäße ist die Wissenschaft des gesunden Hauses. Also außer der Heilerde in verschieden zusammengesetzter und verschieden gebrannter Form, stets ohne Bleiglasur, das Holz und das Horn bzw. Bein benutzen. Vielerlei Tee hält sich besser in Holz, am besten in dem ihm wesensgemäßen, da er in ihm besonders qualifiziert atmen kann.
Das seit jeher hoch geschätzte Steingut hat hohe Lebensqualitäten. Es hat sich nicht nur für Sauerkraut und Dickmilch hervorragend bewährt. — Auch für das Küchengeschirr wird noch das Bioglas kommen, ebenso für die Biochemie der Lebensqualitäten, d. h. für die gesunde Chemie. Ein lebensgerechtes chemisches Labor ist eine echte Küche! Denn auch hier werden Lebensqualitäten „gekocht"! —
Im Übergang zu dem stoßfesten Metall stehen die emaillierten und speziell mit Silizium behandelten Metalle, beispielsweise Silitstahl. Bleifreies gutes Email ist fast so lebensfreundlich wie Porzellan. Gutes Email bleibt glatt. Schlechtes Email wird schnell stumpf. Aber auch gutes Email wird nach einem längeren Leben, also im Alter stumpf. Dann taugt es nicht mehr für einen Genuß- oder Heiltee und nicht für qualifiziertes Gemüse. Mit Silizium „verquarzter" Stahl hat teils Email-, teils Stahleigenschaften. Er eignet sich mehr für gröbere und weniger empfindliche Nahrungsmittel wie Kartoffeln und Kornspeisen, auch für Braten.
Die Metalle Gold, Silber, Kupfer, Zinn und sogar das Eisen sind in der Küche vielfältig brauchbar. Aber man sollte ihre jeweiligen Qualitäten kennen. Gold ist universell und Silber fast universell verwendbar, wie die Tisch- und Küchenkultur aller Hochkulturen zeigt. Auch als Vergoldung und Versilberung leisten beide noch sehr viel. Je qualifizierter und sensibler eine Speise oder ein Getränk ist, desto mehr erwäge man, ob und wie man Gold oder Silber für sie verwenden kann. Silber ist desto besser, je reiner es ist, ähnlich dem Gold. Siebe wie Teesiebe sollten vergoldet oder zumindest versilbert sein. Es muß nicht alles Sterlingsilber sein. Kupfer ist anfälliger, wie die Venus, und schwieriger rein zu erhalten. Aber es ist allgemein lebensfreundlich. Zinn ist etwas Edles. Zinn hat Gemüt. Zinn bewirkt daher eine fast adlige Gemütlichkeit und Qualifizierung. Daher wird es auch für edle Kosmetika und Heilmittel wie bei Tuben benutzt.
Gutes Eisen ist für die höhergradige Feuerbehandlung praktisch und gut. Ein Rührei mit Kräutern, ein Pfannkuchen usf. gelingt qualifiziert in einer reinen Eisenpfanne. Ein Kunststoffüberzug wäre etwas Greuliches, das zudem ständig Gifte entwickelt. Das technisch höher veredelte Eisen ist auch biologisch höher qualifiziert, beispielsweise als V2A-Stahl. Aber auch dann ist es nur bedingt brauchbar, eigentlich nur, solange man nichts Besseres hat und wenn Stoßfestigkeit notwendig ist. Wie würde ein Ei aus einer vergoldeten Pfanne schmecken? —
„Nach vier Wochen bedankte sich das Ehepaar White aus Washington bei der amerikanischen Edelmetallfabrik . . . in New Jersey: „Noch nie haben

unsere Spiegeleier morgens so frisch geschmeckt und unsere Steaks abends so saftig. Es war ein völlig neues Eßgefühl". Vier Wochen lang hatte Frau White in einer goldenen Pfanne gebraten . . ." (Bunte v. 19.12.74).
Das sind Qualitätserfahrungen. Daher sind sie in der wertfreien Wissenschaft nicht zu erlangen. Hier nachzudenken bringt viel Erkenntnis.
Die guten Küchengeräte sind ebenfalls aus Holz, Bein und edlen Metallen. Eine Salatschüssel aus Olivenholz paßt exakt zu dem mit kalt gepreßtem Olivenöl angemachten Salat. Das Besteck ebenfalls aus Olivenholz oder aus Horn. Auch Eierlöffel aus Horn. Ebenso das Tomatenmesser, Kräutermesser oder auch Obstmesser. Ein anderes Messer vergoldet. Silber hält manchen scharfen und hoch qualifizierten Kräutern nicht stand. Beides wird dann verändert. Es existiert auch sehr hartes Gold.
Die Küchenmaschinen sind ein Problem, beispielsweise der Mixer mit der hohen Tourenzahl. Diese schädigt Lebensqualitäten. Daher hat auch der schnell rotierende Entsafter seine Probleme. Doch ermöglicht er vieles, auf das man sonst verzichten müßte. Problemlos sind Rühr- und Teigmaschinen und alle langsam laufenden Maschinen, wenn sie edle, biologisch qualifizierte Stoffe verwenden, soweit diese mit dem Nahrungsmittel in Berührung kommen. Hier ist noch viel zu tun, also zu qualifizieren. Man schätze die alt bewährte Glasreibe, die hartvergoldete Reibe, den gut emaillierten Dampfentsafter und die Pressen aus edlen Materialien, die kleine Mühle mit den Mahlsteinen usf.
Der Boden eines metallenen Kochgefäßes soll mehrschichtig sein, darin Kupfer. Dies hat nicht nur den Grund, die Wärme der lebendigen Flamme zu verteilen, damit nichts anbrennt, sondern noch weit mehr, das Flammfeld zu qualifizieren. Denn Metalle haben im Grunde alle ein sulphurisches, also warmes Wesen, selbst das kühle Silber.
Der Deckel jedes emaillierten, besser auch jedes anderen Kochgefäßes sollte zumindest innen emailliert sein, dies um die Auflagefläche rund herum nach außen. Denn der Lebensgeist (Mercurius), der bei jedem Kochprozeß aufsteigt, ist sehr sensibel und leicht wandelbar. Seine Qualitäten sind besonders sorgfältig zu erhalten, daher von der Berührung mit allen nicht sehr edlen Metallen fern zu halten.
Höher qualifiziert wird die Wärme im Wasserbad, insbesondere in einem Kupfergefäß. Für Kleinkinder und Kranke ist dieses Verfahren bewährt. Ähnlich wirkt das Dünsten im geschlossenen Gefäß.
Der Dampfdruck-Kochtopf ist biologisch nicht problemlos. Denn „gut Ding braucht Weil". Man kann und soll die Wandlungsprozesse nicht hetzen. Andererseits werden Vitamine geschont. Wo wird der goldene Mittelweg liegen? — Man suche die Zeit nicht allzusehr abzukürzen. Also nur mit geringerem Druck arbeiten. Nur im Notfall, wenn es schneller gehen muß, dann mit höherem Druck. Je gröber und einfacher die Speise, ein um so höherer Druck ist erlaubt oder sogar geboten.

Soll man nun garkeinen Elektroherd verwenden? Für den Notfall kann man ihn parat haben, insbesondere mit dem Programmzeitschalter. Denn obwohl er Energie verschwendet, träge und schlecht zu regulieren ist, hierbei auch zeitraubend zu kontrollieren, also technisch sehr mangelhaft ist, somit von seinem großen biologischen Hauptnachteil noch abgesehen, so hat doch der Zeitschalter einen Vorteil für eine mehr beschäftigte Hausfrau. Fleisch, Kartoffeln und auch mal eine Kornspeise kann in der Abwesenheit vorprogrammiert gegart werden. Dagegen fallen die Abgase des Erdgasherdes in einer gesunden gut gelüfteten Küche nicht ins Gewicht. Und mit der Zündsicherung und den guten Zuleitungen ist der Gasherd auch praktisch explosionssicher. Der Straßenverkehr ist weit gefährlicher. Eine Gasflasche soll außer dem Haus stehen. Aber auch in der Küche braucht man keine Sorge zu haben, wenn man sich angewöhnt, den Haupthahn nach der Bereitung einer Mahlzeit wieder zu schließen.

Aber brauchen wir überhaupt einen Herd? Ist der Mensch nicht Früchte-, Gras- (d.h. auch Körner-) und Nüsse-Esser? — Die Rohkost, besser gesagt die Frischkost ist eine Heilkost, keine Dauerkost! Und wie Mund, Magen und Darm die Speise verarbeiten, so darf und soll auch die gute Küche arbeiten! Denn sie hat die Aufgabe, dem Körper Arbeit abzunehmen. —

Nach Paracelsus sind die gesunden Küchenprozesse und die dazu benötigten Gehäuse aus der Dynamik der drei Urqualitäten Sal, Sulphur und Mercur recht zu verstehen und aus den vier Urqualitäten des Lebens in den vier Elementen sowie aus dem Kreuzweg des Lebens aus dem ersten Leben durch das mittlere Leben in das Endleben! Daraus ergibt sich das Allgemeine in der Behandlung aller Lebensqualitäten! Und von diesen lebt der Mensch. Hier liegt das Leitbild der Küche und Küchenarbeit! —

DER GESUNDE SPEISERAUM

Im Urhaus, dem einzelligen Haus ist Tisch und Herd eins. Der Tisch ist zugleich Gesellschaftstisch und Eßtisch. Um die Feuerstätte herum im Kreise wird gesprochen, beschlossen, gewärmt und auch die Mahlzeit eingenommen, wie am Lagerfeuer. Auf dem kultivierten Tisch steht wiederum zentral ein wärmendes Feuer für die Speisen, wie aus Kupfer mit Kerzen.

Küche und Speisezimmer ist daher im Anfang eins. Und beides ist auch eins mit dem Wohnraum. Je nach der Größe und kulturellen Entwicklung des Hauses werden diese drei Urfunktionen aufgegliedert. Es entspricht daher der natürlichen und kulturellen Ordnung, den Speiseraum der Küche oder dem Wohnraum anzugliedern, insbesondere als nur teilweise abgetrennter Verbindungsraum. Das ist heute, bei der allgemeinen Rückkehr zum Natürlichen, Biologischen schon weithin beliebte Sitte geworden.

Der gesamte Speiseraum steht wie die Küche unter dem starken Einfluß der luftförmigen Lebensqualitäten wie der Aromen bzw. Gerüche. Daher müssen seine Wände, Tapeten, Böden und Möbel entsprechend hoch lebensqualifiziert sein und auch abgeschlossen in der Oberfläche, sodaß sie Gerüche kaum aufnehmen. Andernfalls bilden sich unangenehme Dauergerüche im Speisezimmer, insbesondere, wenn darin auch geraucht wird. Das ist eine üble Unsitte. Denn Ernähren und Rauchen sind diametrale Gegensätze. Ein solcher Dauergeruch kann die Einnahme jeder Mahlzeit erheblich stören, psychisch und leiblich. Das Essen kann dann nicht mehr recht schmecken und also bekommen.

Daher keinerlei Kunststoffe im Speiseraum wie etwa als Anstrich oder Tapetenkleber oder als Möbellack oder Möbelstoff. Sondern so natürlich wie möglich! Eben den Speisen entsprechend! — Die biologische Kultivierung eines Speisezimmers ist eine hohe Kunst. Sie endet nicht bei dem edlen Geschirr, dem edlen Besteck, dem Tischleinen, den reinleinenen Servietten, den Bienenwachskerzen, den edlen Gläsern, den Lederstühlen, den naturseidenen Vorhängen und dem Parkett.

DER GESUNDE SCHLAFRAUM

Was ist die biologische Individualität des Schlafraumes? — Auch sie ist biologisch entwicklungsgesetzlich zu verstehen.

Die Ausgliederung des Schlafraumes aus dem Urraum erfolgt in jeder Hinsicht in entgegengesetzter Richtung zu der Ausgliederung des Arbeitsraumes. Hier Aktivität, dort Passivität. Daher soll die Ruhe den gesunden Schlafraum beherrschen, die Ruhe in Formen, Materialien und Farben, in Wärme, Ton und Licht, die Entspannung, die Passivität und die Öffnung zum Kosmos.

Ruheraum und Arbeitsraum sollen im Hause einander gegenüber liegen. Unter Arbeitsraum wird hier die körperliche Arbeit und maschinelle Arbeit verstanden, also die Arbeit der Küche mit all ihren Maschinen, die Arbeit der Waschmaschine, der Heizzentrale, der Elektrozentrale, die Werkstatt und der Hobbyraum dieser Art. Auch Bad mit Wanne und Dusche und das WC rechnen zu dem energiereichen, dynamischen Teil des Hauses. Er paßt in den Westen des Hauses, wie es auch die westliche Menschheit zeigt. Der Ruheraum soll dagegen im Osten liegen, wie die östliche Menschheit die Meditation liebt und der äußeren Hektik abhold ist. Der Wohnraum soll in der Mitte liegen, eher gegen Osten bei einem zurückgezogenen Leben, gegen Westen bei viel gesellschaftlichen Verpflichtungen.

Von unruhigen Feldern, Strahlungen und Strömungen soll der Ruheraum frei sein. Da viele im Haus vorkommenden Felder zimmerweit reichen, so sind auch alle Nachbarräume in die Ruhezone einzubeziehen, mögen sie daneben, darunter oder darüber liegen. Wer ruhig schlafen will, der benötigt eine ruhige Nachbarschaft.

Frei von geopathischen Störungen, metallfrei, elektrofrei, kunststoffrei, chemiefrei, betonfrei usf. soll der Ruheraum sein. Also sollen in seiner Welt Natursteine und Ziegel herrschen, zementfreier Mörtel und Verputz, ruhiges Holz wie von Blattbäumen, aber auch von Nadelbäumen. Ruhige Farben wie blau, violett, malve, rosa, grün, sollen vorherrschen, dagegen kein rot, schwarz, braun, auch kein grelles weiß oder gelb. Holz in Naturfarbe, also nur gefirnißt oder glasklar lackiert.

Hölzer aus ruhigen Gegenden wie der Höhe sind ruhig. Weshalb bevorzugen Alpenvölker Arve (= Zirbelkiefer) und Lärche! Persönlich suche man sich bei höheren Ansprüchen ein individuell passendes Holz für das Bett. Nicht jedem liegt das saturnische Eichenholz oder die leichtere Walnuß. Wie die Venus lieblich ist die reine Birke und die Kirsche. Sonnig ist der Apfelbaum, mondig der Birnbaum, jupiterhaft die Quitte. Sulphurisch sind die Nadelhölzer. Sie passen zum athletischen Typus nach Kretschmer. Merkurial ist die Weide, die Pappel. Salig, zum pyknischen Typ passend sind alle schweren, breiten und massiv wachsenden Bäume. Wer seine Heimat liebt, wähle einheimisches Holz. Wer aus einem fernen Land echten Gewinn für sein Leben geschöpft hat wie aus Indien, der kann auch Holz aus diesem Land und seinem Klima wählen. Das Urwaldholz bringt die Atmosphäre des Urwaldes mit sich, das Holz der Höhe deren Licht und Reinheit. Dies kann auch bei allen Schlafzimmermöbeln beachtet werden. Sie sollen ein einheitliches Feld bilden, widerspruchsfrei, also ruhig.

Da das ganze Haus im Allgemeinen ruhig und somit fundamental lebensfreundlich sein soll, so ist in dem vorliegenden Buche schon vieles gesagt, was hier besonders intensiv zu berücksichtigen ist, beispielsweise die Elektrofreiheit, Metallfreiheit, Chemiefreiheit usf.

Der Ruheraum konzentriert sich auf das Ruhemöbel, im Schlafraum also auf das Bett. Es soll folgend eigens besprochen werden, da es das Zentrum der Hausgesundheit und auch das erste und wichtigste Heilmittel ist.

Zur Position des Bettes: Die weitaus meisten Menschen schlafen am erholsamsten, wenn das Kopfende nach Norden gerichtet ist. In nicht wenigen Fällen schlafen Menschen unruhig, gestört und nicht erholsam, auch weit länger, wenn sie nicht in der ihnen konstitutionell gemäßen Richtung liegen. Die zweitbeste und zweitmeist geschätzte Richtung für das Kopfende liegt im Bereich von Nord nach Ost. Einige Menschen schlafen zeitweise oder sogar dauernd auch gut mit dem Kopf nach Süden. Die schlechtesten Berichte haben sich bei vielen Befragungen in der Richtung nach Westen ergeben ([1]). Hier fühlt sich der wache Kopf nur tagsüber wohl, also nicht in der Ruhe. In dieser kehrt sich die Polarisation des Menschen um. Also soll er sich auch umgekehrt legen.

Immer mehr Menschen reagieren steigend stärker auf die Himmelsrichtungen, wie sie auch steigend wetterfühliger werden, umweltfühliger, also zuerst hausfühliger. Sie reagieren sogar schon sozial und politisch auf die Himmels-

richtungen! Seele und Leib wirken eben zusammen! Besonders bei Kranken, Kindern, Erholung suchenden und alten Menschen ist dies zu beachten, allgemein bei angeschlagener Gesundheit.
Auch hier ist bei einem Wechsel der Schlafrichtung eine Feldwechselreaktion (Ortswechselreaktion) möglich. Bei der Suche nach der eigenen erholsamsten Schlafrichtung probiere man also eine neue Richtung über drei Nächte hinweg aus. Und man beachte die Irrtumsmöglichkeit, daß man bei einem Lagewechsel einem störenden Feld im Haus ausweicht. Dann gilt die bessere Schlafrichtung nur an diesem Platz, nicht anderswo. Oder man gerät in ein schlechteres Feld. —

DAS GESUNDE BETT

Das Bett vereinigt in sich Kleidung und Haus. Das Bett ist ein Kleidungshaus. Denn es hat einen starren Rahmen wie das Haus, schließt jedoch in seinen Textilien eng und mobil an den Körper an wie die Kleidung.
Das Bett ist in gesundheitlicher Sicht höchster Aufmerksamkeit wert. Denn ein Drittel bis zur Hälfte seines Lebens verbringt der Mensch im Bett, wenn man die Babyzeit, die Krankenzeit und das Alter einrechnet. Die Aufgabe des Bettes ist, die in Arbeit und Vergnügen strapazierte Gesundheit wieder herzustellen. Alle am Tage abgearbeiteten Nerven-, Haut-, Gelenk- und Organfunktionen müssen in der Nachtruhe regeneriert werden, Speicher wieder aufgefüllt werden. Die Lebensfunktionen sollen wieder erfrischt werden auf ihren Bestzustand. Ohne die allnächtliche Regeneration im Schlafe, etwa bei künstlicher Wachhaltung stirbt der Mensch in wenigen Tagen.
Der Organismus schaltet von der Arbeit auf die Ruhe der Erholung in seinen Funktionen diametral um. Bett und Schlaf sind daher Gesundbrunnen. Der Schlaf ist wichtiger als Essen, sagt ein altes Sprichwort. Fasten kann man viele Wochen. Wer aber zwei Tage und Nächte hindurch nicht geschlafen hat, der gerät schon in eine lebensbedrohliche Situation.
Ein krankes Bett stört ständig den Schlaf und also die Regeneration. Ein solches Marterinstrument für das Leben erniedrigt ständig Wohlbefinden, Gesundheit und Leistungskraft. Es ist ein mächtiger Helfer zur Frühinvalidität. Hufeland, nach Paracelsus einer der bekanntesten biologischen Ärzte, erklärte, daß das kranke Bett eines der sichersten Mittel sei, die Gesundheit zu ruinieren, besonders schon im Kindesalter.
Was ist das ABC des gesunden Bettes? Was für das gesunde Haus und die gesunde Kleidung gilt, das gilt für das Bett im höchsten Grade. Also nur Naturstoffe und zwar hautfunktionsfähige Naturstoffe, keine Metalle und keine Kunststoffe, also keinerlei Extremleiter. Das Bett soll vollständig metallfrei, elektrofrei und kunststoffrei sein. Die goldene Regel für das Bett lautet: Holz, Wolle und Leinen! Nichts anderes! Anstatt Leinen kann auch Ramie genommen werden, eine einfachere, aber sehr stabile Hautfaser, und

dann biologisch veredelte Baumwolle. Die Alten haben auch Nessel genommen, die aus den Bastfasern der großen Brennessel (Urtica) gewonnen wird. Biologisch veredelte Baumwolle ist z. Zt. noch nicht erhältlich.
Auch keine Federn im Bett! Gegen sie hat Hufeland besonders heftig gewettert. Denn sie verhindern als Ober- und Unterbett die nächtliche Hautatmung, insbesondere auch durch ihr dichtes Inlett. Die Haut aber ist das große Heil- und Regenerationsorgan! Unter Federbetten schwitzt man sofort krankhaft, wenn man an eine gesunde nächtliche Hautatmung gewöhnt ist. Das ist ein Angst- und Notschweiß, weil die Haut nicht mehr atmen kann! Bei längerem Schlafen in Federn wie auch unter Daunen stellt die Haut die lebensnotwendige nächtliche Regenerationsarbeit zu einem großen Teil ein! Daraus ergibt sich ein fundamentaler Mangel an Qualität und Quantität der Regeneration, der Lebensenergien, also an Vitalität! — Auch sind die Federn der Hautatmung des Menschen zuwider. Auf unserer Haut wachsen Haare und keine Federn! Der Mensch ist kein Vogel! In Federn werden daher Rheumaschmerzen verstärkt! Wolle dagegen hilft Rheuma und vieles andere heilen! Auch hieraus ergibt sich eine schwerwiegende Störung der lebensnotwendigen allnächtlichen Regenerationsarbeit des Organismus! — Und das heißt, vorzeitig seine Vitalität verlieren!
Ärgste Feinde der Bettgesundheit sind auch die Metalle im Bett wie als Spiralfedern unter unserer organischen Hochspannungsleitung, dem Rückenmark. Als Rahmen sind sie ein quadratierter Schwingungskreis, der ebenfalls innerhalb des Körperfeldes arbeitet.
Eine Vollmatratze soll es also sein, vollständig ausschließlich aus animalischen Haaren bestehend wie Roßhaar, Rinderhaar oder/und besonders Schurwolle. Sie ist mit Leinendrell, Ramie oder notfalls mit biologisch veredeltem Baumwolldrell bezogen. Darüber kann für empfindliche oder kranke Personen ein Rollaufleger gelegt werden. Das ist eine Untersteppdecke. Darüber das Leintuch. Auch eine Wolldecke kann zwischengelegt werden, die hundertprozentig aus Schurwolle besteht. Die gesunde Nachtkleidung besteht aus Leinen oder Naturseide oder feiner Wolle, notfalls aus biologisch veredelter Baumwolle. Darüber Leinen mit einer Schurwolldecke oder sogleich die voll gesunde Steppdecke. Sie besteht aus Schurwolle, idealerweise als sogen. Doppeldecke, und ist auf Schurwolltrikot versteppt. Doch kann es auch ein gutes Trikot aus lebensqualifizierter Baumwolle sein. Hygienischerweise soll die Steppdecke als Einziehdecke benutzt werden in einer Hülle aus Leinen oder guter Baumwolle.
Eine andere sehr gesunde Matratze bzw. Unterlage besteht aus Stroh oder Seegras. Kapok — eine baumwollähnliche Samenfaser — hitzt und staubt. Die Sommerseite einer Matratze kann auch aus veredelter Kokosfaser bestehen. Wer gesundheitlich nicht auf der Höhe ist und gar leicht friert, der lege nebeneinander ein oder zwei Schaffelle unter das Leintuch. Manche legen sie auch darüber. Doch das Fell soll biologisch gegerbt sein, nicht mit

Giften, was man manchmal riechen kann.
Das Kopfkissen ist idealerweise ein mit Roßhaar ausgestepptes Hohlkissen, das mit Wolle — und auch zuweilen mit schlaffördernden, dem Kopf angenehmen Heilkräutern wie Thymian, frischen oder getrockneten! — gefüllt werden kann. Das Kopfkissen nur mit Reinleinen beziehen! Der Verschluß mit Knöpfen oder einem Kulturstoffreißverschluß, also metallfrei.
Die lebenswichtige biologische Reinigung eines benutzten Bettes, besonders nach jeder auch leichten Krankheit, besteht nach uralter Erfahrung im mindestens 24stündigen Lüften im Freien und zugleich im Belichten im freien Licht. Das kann auf einem Balkon geschehen, noch besser über Rasen auf einem Gestell. Steppdecken, Wolldecken und Leintücher soll man öfters an die freie Luft hängen. Lebendige Fasern reinigen sich unter dem Einfluß der vier Urlebensqualitäten selbst und regenerieren sich selbst. Eine Wasserreinigung hat hier sekundäre Bedeutung. Was mit dem Körper in Berührung kam wie Unter- und Oberleintuch, das ist mit Wasser und leinengerechten Waschmitteln (die zu scharfen Waschmittel lösen die Leinenfasern auf!) zu reinigen. Viel spülen! In der Maschine das Spülprogramm zwei mal durchlaufen lassen.
Halbleinen ist ein arger Zwitter. Im A.T. steht, daß man es nicht herstellen soll. Denn Leinen kommt von der reinsten Heilpflanze, dem Linum usitatissimum, und hat daher zeitlebens viele Heilwirkungen, während Baumwolle entgegengesetzt eine Giftpflanze ist. Nur die biologisch zum Guten gewandelte Baumwolle sollte zu Halbleinen verwandt werden.
Das Bett ist das erste, mächtigste und praktisch lebenswichtigste, zudem billigste Heilmittel und zugleich vielseitiges bequemes Lebens-Mittel!

DER GESUNDE DACHRAUM

Viele Menschen, besonders besinnliche Menschen, wohnen gerne unter dem Giebel, also im Dreieck, von ihm behütet. Das mag seine guten Gründe haben. Sie suchen in der pyramidalen Form das Reich des Geistes, des Feuers, des Lebens. Die Pyramiden sind nämlich primär keine Grabkammern, sondern Tore zur Neugeburt in ein höheres Leben ([1]). Schon die kleinste Papp-Pyramide wirkt durch ihre Form als Transformator für den Geist des Lebens und der Ordnung, auch „kosmischer Generator“ genannt (Siehe PSI). Warum haben die besinnlichen Schwaben das Dach ihrer Schwarzwaldhäuser so weit herabgezogen! — Warum sind die gotischen Kirchen im Grunde nur ein einziges Dach, eine einzige Pyramide! — Wird der Geist des Menschen unter der Hut des Dreieckes nicht hinaufgezogen? — Wie schon gesagt, Poeten wohnen nicht im Keller, sondern unter dem Dach. Wer will den Geist der Zeichen ausblenden aus seinem Bewußtsein! Wer will sich weiter tabuisieren gegen den Sinn des Lebens!
Das Flachdach ist flach und macht daher flach! Könnte logischerweise, physik-

logischerweise, biologischerweise anderes erwartet werden! Eine flache Zeit baut flach. Auch ihre Möbel wie Tisch-, Sitz- und Ruhemöbel baut sie so flach und niedrig wie möglich! — Der Tiermensch, noch ohne menschlichen Geist, wohnte in Erdhöhlen, in der Tiefe. Mit steigender Kultur steigt der Mensch aus der Tiefe empor. Aber das Steigen ist qualitativ zu verstehen, in Geist und Leben, hier besonders in der zum Himmel sich wendenden Giebelform, der Pyramide. Man kann auch stolz die Flachheit der Tiefe empor stellen wollen, hunderte von Metern, auch auf Krücken. Ob sie nicht gestürzt werden wird? Durch ihren eigenen Ungeist? —
Schon viele biologische Versuche haben den gesunden Dachraum vom ungesunden unterscheiden gelehrt, erstens in der Form, zweitens im Material. Es ist studierenswert, daß bei ungesunden Dachformen auch die ungesunden Materialien verwandt werden, die getöteten, identitäts„frei" gewordenen Zementmaterialien und die Tiefengesteine. In der gesunden Dachform verwenden alle Kulturen das Holz, soweit sie nicht wie in den Pyramiden Naturstein verwenden können. Übrigens wurden die Pyramiden ursprünglich als Mastaba aus ungebranntem Lehm errichtet, später hauptsächlich in Kalkquadern, oft aber innen weiter in Ziegeln! Zur Bewahrung der Form wurde außen teilweise Granit verwandt, jedoch selten. Und nur sekundär wurden sie auch als Grabkammern verwandt, dann aber mit demselben Sinn, den sie als Häuser der Einweihung hatten, nämlich als Weg und Tor zum höheren Leben.
Im gesunden Dachbereich ist besonders sorgfältig Holz und Ziegel zu verwenden. Dachziegel stellen die höchsten Ansprüche an die Lebensqualität des Materiales der Heilerde und der Herstellung. Man kann sie auch schön gefärbt erhalten, engobiert. Bei Ziegeldächern in über 800 bis 1000 m Höhe werden im gemäßigten Klima an die Winterfestigkeit höchste Ansprüche gestellt. Doch sind sie erfüllbar. Der moder-ne Mensch dagegen stülpt sich überall gerne Betonpfannen über den Kopf. Jedem das Seine. —
Das Dach soll einen harmonischen Winkel haben, wie schon beschrieben (S. 95). Unter welchem Winkel bzw. Lebensaspekt man wohnt und somit lebt, das ist also nicht unwesentlich. Pyramiden und Kirchen wurden höchst exakt nach den Himmelsrichtungen gebaut. Doch darf die Abweichung noch einen Orbis von 3 % betragen, um noch eine hohe Harmonie zu bringen bzw. Disharmonie. Darüber hinaus fällt die Winkelwirkung steil ab. (Drei Prozent sind ein Zehntel eines Drittels!).
Der Dachraum hat dem Keller polar entgegengesetzt die biologische Hausfunktion, das Haus mit der oberen Welt zu verbinden und in sie zu integrieren. Diese Funktion ist umfangreichsten Studiums wert. Daher darf das Dach nicht mit einem Voll-Leiter, wie einen Metall (Wellblech, Alufolie, Kupfer und dergl.), oder einem Nichtleiter, wie einer Kunststoffolie abgeschirmt werden. Obendrein lehrt vielfältige Erfahrung, daß beide Arten von Folien auf die Dauer unerklärlicherweise oft zerfressen werden. Dann fällt auch

der technokratisch gesehene Nutzen weg. Dagegen kann notfalls, wie bei relativ flachen Dächern, mit bituminiertem Papier oder auch mit Dachpappe gegen Windzug oder Windwasser isoliert werden. Auch bei steileren Ziegeldächern kann in einer Windlage der Wind Regen einblasen und kann auftauendes Eis Eiswasser einleiten. Aber das ist selten. Der vielfältig patentierte Formziegel schützt normalerweise auch bei etwas flacherer Dachneigung (15-20 Grad).

Welche Dacheindeckungen kommen außer der gebrannten Heilerde infrage? Eine biologisch sehr gute und praktisch vielleicht allerbeste Dacheindeckung ist das vier- bis fünffach belegte Schindeldach aus Holzschindeln. Sie sollten in Handarbeit vom Fachmann hergestellt sein. Das kostet etwas. Aber einhundertfünfzig Jahre ohne Reparatur sind hier fast die Norm. Und das leistet kein anderes Material. Dieses Dach ist sehr warm im Winter und kühl im Sommer. Das biologische Optimum an Lebensqualitäten spendet das Strohdach aus Ried, auch Reetdach genannt. Aber es ist anspruchsvoll in der Pflege.

Dann kann man mit einfachen langen Brettern in mehreren Lagen abdecken und diese mit Steinen beschweren wie im Gebirge. Das ist billig, gut, aber urig. Darunter Bitumenpapier zur Sicherheit gegen Regenwasser, wenn das Holz sehr rissig wird, also grün geschlagen ist oder im Material weniger formstabil ist.

In steinreichen Gegenden wie im Tessin wird nur mit Steinen abgedeckt. Das ergibt eine drückende Hausatmosphäre.

Das Schieferdach aus Tonschiefer ist sehr gesund, ähnlich dem Ziegeldach. Aber Schieferdecken will gelernt sein.

Eine neuere Dacheindeckung besteht aus Bitumenschindeln. Mit den zur Haltbarkeit notwendigen mineralischen Zusätzen existieren biologisch verschiedenwertige Schindeln. Norwegische haben sich als gut erwiesen.

Wie steht es mit dem Metalldach? Über Wohnhäusern ist es abzulehnen, sogar das Kupferdach. Über Kirchen und Gasthäusern wie in den Bergen ist das Kupferdach angängig. Denn es stört nur bei ständigem Nächtigen unter ihm den radialen Lebenswechsel des Hauses von der Erde zum Himmel.

Das Wellblechdach aus Eisen- und Zinkblechen ist zum Symbol der Armut und des ungesunden Wohnens geworden.

Das Dach aus verkünstelten und somit lebenswidrigen Stoffen wie aus Asbestzementplatten wirkt seinem Wesen entsprechend.

Der ausgebaute Dachraum, in dem also gewohnt wird, benötigt im Dach eine gute Wärmedämmung, um die Eigenwärme zu wahren, zugleich eine Hitzedämmung gegen die Sonnenhitze. Hierzu eignen sich zwischen der äußeren und inneren Schalung Ried, Stroh, tropische und daher feuchtigkeitsunempfindliche Polsterfasern, Kokosfasern, Seegras, Holzwolle, Korkschrot und nicht mit Kunstharzen gebundene bituminierte Korkplatten, weiche, nicht mit Kunstharzen gebundene Holz-Faserplatten und Natur-

fasermatten. Sie sollen randdicht zwischen die Sparren eingelegt bzw. eingepreßt werden, jedoch so, daß sie viel kleine Luftporen in sich enthalten und den ganzen Sparrenraum ausfüllen. Wenn das Dach niedrig ist oder von nahen Bäumen berührt wird oder Efeu zu ihm hinauf wächst, so besteht je nach Klima eine Ungeziefergefahr. Hier hilft ein probates, billiges, einfaches Mittel. Man streut pro Quadratmeter eine Kehrichtschaufel gewöhnlichen Baukalk von oben über das Füllmaterial. Kalk wird von fast allem Ungeziefer gemieden.
Im gesunden Dachraum besteht das tragende Gerüst aus Holz, auch der Boden. Dann soll man auch weiter in Holz ausbauen. Man erhält dann hier das hoch vitale Klima eines Holzhauses. Die Bildbücher der guten Architektur und die entsprechenden Zeitschriften zeigen viele schöne, höchst behagliche, wohnliche Lösungen.
Wenn man eine Dachgaube einsetzt, dann sogleich durchgehend, nicht nur für ein isoliertes Fensterchen. Aber auch ausstellbare große Flachfenster, die im Niveau des Daches liegen, sind möglich.
Der Dachraum wirkt immer irgendwie als heimelige Klause. Diesen Grundcharakter sollte man nicht mißachten, sondern kultivieren. Das ergibt die beliebtesten Räume.

DAS GESUNDE BAD

Das Bad soll im dynamischen Bereich des Hauses liegen, in der Nähe von Küche und Heizzentrum, gegenüber dem Schlaf- und Wohnraum, also nicht neben dem Schlafraum! Es soll möglichst ständig warm sein. Daher soll es nicht in einem Eckbereich des Hauses liegen, also nur eine kleine Außenwandfläche haben. Die Außenwand kann hier extra wärmegedämmt sein, auch stärker als sonst im Haus. Weder die Dusche noch die Wanne soll an der Außenwand liegen, ausgenommen das Fußende der Wanne, wenn anders schlecht möglich. Denn durch die Außenwand dringt in der kalten Jahreszeit stets die Strahlungskälte ein.
Durch ein großes Fenster soll das Bad natürliches Licht haben und gut schnell zu lüften sein.
Die Wände sollen im Waschbereich genügend hoch gekachelt sein. Jedoch wo Kacheln nicht notwendig sind wie im obersten halben Meter der Wand, die Dusche ausgenommen, da sollen keine sein. Denn dort soll wie in der Küche auf Rohrplatten ein fetter, daher dampfsaugfähiger Weißkalkputz aufgebracht sein, ebenso an der Decke. Er nimmt die doch häufigen und starken Dampfstöße auf und atmet sie in der ruhigen Zeit wieder ab.
Eine Wanne kann sehr angenehm mit geheizt werden durch ein Rohr der Zentralheizung, das an der Wanne hinter der Kachelwand läuft und ein eigenes Regulierventil hat. Eine kalte Oberwanne mit heißem Wasser unten ist nicht nur unangenehm, sondern das mindert erheblich den Entspannungs-,

Erholungs- und Heilwert des Bades. Wenn man heute danach strebt, das Bad zum Fitneßraum zu erweitern, so ist die Rundumwärme lebenswichtig. Für den Badezimmerboden gilt dasselbe wie in der Küche.

Idealerweise hat das biologisch voll eingerichtete Bad außerdem Waschbecken mit warmem und kaltem Wasser, außer Wanne und Dusche. Es hat:

1. einen Kaltwasserhahn, an der Wanne mit einer Abzweigung für einen Kneippschlauch, der bis zur Dusche reicht. Oder auch die Dusche hat einen eigenen Kaltwasserhahn.
2. einen Hahn, der thermostatisch reguliert Warmwasser liefert. Das Wasser wird optimal frisch erwärmt. Das ist möglich bei einem Durchlauf durch einen Ölheizkessel oder durch einen elektrisch oder mit Gas betriebenen Durchlauferhitzer. Oder das Wasser ist im Vorrat erwärmt wie im lebensqualifizierten Ölheizkessel oder Elektroboiler. Ein solcher Thermostat soll an der Wanne und an der Dusche liegen.
3. einen Hahn, der über Kupferrohre aus einem Regenwasserreservoir (Zisterne) in der Erde über eine kleine Elektropumpe Regenwasser liefert. Das menschliche Haar, Wolle und Seide kann mit Regenwasser hervorragend gepflegt werden, auch mit echter Seife kalkfrei gewaschen werden. Auch ein thermostatisch regulierter Durchlauferwärmer kann hierbei verwandt werden.

Die aus glasierten Ziegeln gemauerte Zisterne soll bequem zu reinigen sein und einen bequem zu regulierenden Ablauf haben, damit das Wasser öfters erneuert werden kann. Der Ablauf sollte in ein Vorratsbecken für den gesunden Garten führen.

4. einen Hahn, der über ein hoch korrosionsfestes Spezialrohr fast nullgrädiges, d. h. fast kalkfreies Leitungswasser liefert. Es kann zur Haarwäsche, Körperwäsche und für den Waschautomaten verwandt werden, bei diesem mit phosphatfreien Waschmitteln. Das setzt einen Entkalkungsautomaten voraus, optimal mit Sensor arbeitend sowie einen Zumischschieber.

Der Spiegel soll optimal rundum mit Glühlicht beleuchtet sein, besonders angenehm, wenn indirekt. Dies gilt auch für den vergrößernden Beispiegel. Idealerweise ist er mit Silber belegt und mit Kupfer oder Silber gefaßt oder mit Holz. Aber das sind Feinheiten wie die gegen Feuchtigkeit dichte Badezimmeruhr und der eingebaute Schrank, eventuell hinter dem Spiegel, der die feineren Dinge aufnimmt, die vor Licht und auch Wärme zu schützen sind. Ein Bad benötigt wie die Küche eine wenn auch geringe Dauerlüftung.

In das Bad gehört eine lebensqualifizierte, giftfreie Seife wie aus Olivenöl oder Kokosfett, lebendiger Lauge und lebendigem Salz, ein rauhes reinleinenes Handtuch und ein gleicher Waschlappen. Die verschiedenen Bürsten für das Haar, für den Körper, für die Wanne bzw. Dusche und für die Hände aus giftfreien pflanzlichen oder tierischen Borsten in giftfreiem Holz. Was mit Kunststoffen gemischt ist oder nach Chemie stinkt, weise man zurück. Kunststoffborsten verwunden die Haut, wie bei Kleinkindern schnell

ersichtlich, vergiften sie und bewirken am Ende nicht nur Ekzeme. Auch für Schuppen und Haarkrankheiten, Haarausfall etc. sind sie mitverantwortlich. Auch die Zahnbürste soll nur Naturborsten haben. Gegen die elektrische Zahnbürste ist nichts einzuwenden wie auch gegen andere Elektrogeräte hier nicht, etwa den Elektrorasierer, obwohl dieser noch störfreier sein sollte. Jeden Morgen 3-5 Minuten am Kopf, das summiert sich.
Der Arbeitsteil von Thermostaten sollte bequem auswechselbar sein. Denn er bedarf mehrjährig der Überholung.
Der Baderaum soll einladen. Der Mensch soll in ihm mit Freude die Lebensqualitäten des Wassers und der Reinigung genießen. Ein gesunder Baderaum kann sehr viel zu fast jeder Heilung beitragen. Das gesunde Bett und das gesunde Bad ergänzen einander polar.

DIE WASCHKÜCHE

Eine Waschküche? Ein eigenes Badezimmer für die zweite Haut? Ist das nicht längst überlebt? — Nein! Die Waschküche kommt in erneuter Form wieder wie so manches, was seit Jahrtausenden bewährt ist. Die Maschine hilft zwar vieles. Aber sie kann nicht alles.
Wer Lebensqualitäten in Kleidung und Haus schätzt, der hat allerlei Textilien, die man besser selber reinigt, insbesondere heutzutage.
Zur qualifizierten hauseigenen Reinigung benötigt man eine Waschmaschine. Sie hat Biowaschgänge im Lochkarten- oder variablen Programmbetrieb. Sie wird optimal mit kalkfreiem Wasser aus einem Enthärtungsautomaten oder von filtriertem Regenwasser bedient. Deshalb kann man in ihr echte Seifen und andere phosphatfreie Waschmittel verwenden, dies mit gebremstem Schaum oder besser mit Überlauf. Sie kann schleudern. Aber neben ihr kann auch ein Schnellschleuder stehen. Für den Notfall ist eine Trocknungsanlage vorhanden, vielleicht sogar in der Waschmaschine, dann aber nur bei geöffnetem Fenster betrieben. Doch die Trocknung im Freien, besonders über Nacht und Tau hinweg, kann in ihren verschiedenen Lebensqualitäten durch keine maschinelle Trocknung ersetzt werden!
Nahe bei der Waschmaschine befindet sich ein Waschbecken in bequemer Höhe, ca. 1 bis 1,50 m lang, ca. 40 bis 60 cm breit, ebenso tief, mit thermostatisch geregeltem Wassereinlauf. Das Becken ist aus Edelstahl und verjüngt sich nach unten. Der Boden ist gerundet, sodaß man auch bei sehr geringer Füllung gut waschen kann. Die Vorderwand ist geriffelt.
Auch in dieses Becken führt eine Leitung mit kalkfreiem Wasser. Entkalktes Wasser benötigt je nach den örtlichen Wasserverhältnissen ein korrosionsfestes Rohr. Welches, das kann man bei dem örtlichen Wasserwerk erfragen. Für Regenwasser ist am besten ein Kupferrohr geeignet.
Wozu dieses Waschbecken? Die Waschmaschine kann zumindest eines nicht, nämlich fusselnde Wäsche fusselfrei zu waschen. Nur durch eine Handspü-

lung im Becken und unter fließendem Wasser kann man Wäsche von Fusseln befreien. Und viele zarte Gewebe, von seidenen Strümpfen und Socken über Lama- und Kaschmirwollen bis zu zarten Leinengeweben werden am besten von einer gefühlvollen Hand gewaschen. Auch wünschen sie, nur kurze Zeit im Wasser zu sein, das Leinen ausgenommen.
Das Ganze muß kein eigener Raum sein. Sondern in qualifizierten Häusern findet man schon im Souterrain oder Keller eine Art Waschecke wie neben der Küche eine Eßecke. Doch ist dieser Bereich gut zu lüften. Und er ist getrennt von Vorratsräumen. Denn eine Feuchtigkeit geht von ihm aus. Daher liegt er am besten in der Nähe des Heizzentrums. Dessen Wärmefeld trocknet in weiterem Umkreis. Für den Notfall dient der Waschraum bei weit geöffneten großen Fenstern auch als Trocknungsraum. Auch hier hilft die Nähe des Heizzentrums. Der Waschraum soll nichts anderes enthalten als was zum Waschen gehört.

DIE GESUNDE UND KRANKE SAUNA

Von den skandinavischen und nahöstlichen Völkern ist im letzten Jahrhundert die Sauna nach Europa und Amerika gekommen. Dem Zivilisationsmenschen, der täglich hunderten von Zivilisationsgiften ausgesetzt ist, kann die Sauna eine willkommene, hoch wirksame Entgiftungshilfe bieten. Auch biologische Krankenhäuser, Kliniken, Heime, Hotels und Gasthäuser bieten heute in aller Welt Sauna und Schwimmbad an. Und immer mehr Menschen bauen in ihr Eigenheim eine Sauna ein oder bauen sie an. Doch wie viele Fehler werden hier gemacht! —
Die gesunde Sauna, besonders finnischer und russischer Art, ist vollständig aus Holz gebaut, mit gut wärmegedämmten Wänden. Sie steht idealerweise im Freien, sodaß ihre Wände bestens atmen können, und möglichst in der Nähe eines natürlichen Wasserbeckens wie eines Sees, Teiches oder Flusses oder bei einem naturgerechten Schwimmbad. Oder sie ist an das Bad angebaut. Sie wird von einem naturgerechten Ofen keramischer Art mit Holz beheizt, neuerdings auch mit Erdöl oder Erdgas. Die Liegen sind beweglich, sodaß sie zuzeiten gründlich gereinigt werden können. Neben der Sauna befindet sich eine Dusche, deren Umfassungswände während der Betriebszeit warm sind. Auch duscht in ihr nicht eiskalt, wer nicht ganz gesund ist, sondern nur laukühl bis kühl, um einen erheblich störenden Schock zu vermeiden.
Die Sauna im Keller ist eine Notlösung. Um sie dort gesund zu installieren, sind allerlei baubiologische Kenntnisse erforderlich.
Die kranke Sauna steht meist im Keller zwischen steinernen Wänden oder ist gar an solche Wände dicht angebaut. Sie kann nicht frei atmen, sondern erliegt mit der Zeit einer stickigen Atmosphäre. Im noch extremeren Fall sind die Saunawände innen zu Isolationszwecken mit Alufolie oder einer

anderen dampfsperrenden, also atmungssperrenden Schicht gearbeitet. Als Wärmedämmung werden auch holzwidrige, atmungsunfähige Materialien wie Glaswolle, unreine Schlackenwolle, Mineralwolle usf. verwandt. Im extremsten Fall bestehen die Wände aus Kunststoffen, aus Plastics. Dann wird das Saunaklima höchstgradig lebenswidrig. In manchen Fällen wird auch Holz verarbeitet, das mit Giften imprägniert ist.
In den Wänden der kranken Sauna oder in nahe angrenzenden Wänden liegen unter Spannung stehende elektrische Leitungen, die mit ihren Streuwechselfeldern das Saunaklima verseuchen und dem während der Saunazeit hoch empfindlichen Menschen Herz- und Kreislaufstörungen bescheren. Dann wundert man sich, daß man die Sauna so schlecht verträgt. Der Ofen wird auf unbiologische Art elektrisch beheizt, sodaß er selbst und die zusätzlich benötigten Armaturen viele Störungen erzeugen. Eine dementsprechend disqualifizierte Hitze wird von ihm geschaffen. Wenn man besonderes Pech hat, so laufen die Kabel zum Ofen, die während des Betriebes starke Ströme leiten, an den Liegen oder an der Dusche vorbei.
Die Liegen der kranken Sauna sind fest eingebaut, sodaß sie niemals gründlich gereinigt werden können, zudem bei besonderer Saunabenutzung nicht verändert werden können. Auch die Höhe der Liegen weist zu wenig Variationsmöglichkeiten für die verschieden empfindlichen Benutzer auf. Der Boden der Sauna ist ungenügend wärmegedämmt bzw. beheizt, sodaß er Kälte ausstrahlt. Die Sauna wird nach dem Gebrauch zu wenig gelüftet oder ist durch ihren Standort garnicht ausreichend belüftbar. Dazu muß der Ofen auch eine gewisse Wärmemenge speichern. Diese Wärme wird benötigt, um nach der Benutzung die Sauna zu reinigen, nämlich um alle ausgeschiedenen und vorübergehend von den Wänden pufferartig aufgenommenen Dampfgifte zu neutralisieren und abzuatmen. Oder man läßt nach der Benutzung den Ofen mit kleiner Leistung noch 2 Stunden brennen. Das genügende Abheizen ist so lebenswichtig für die Hygiene der Sauna wie das genügende Anheizen.
Die Heilung der kranken Sauna ergibt sich leicht aus dem Unterschied zwischen der gesunden und kranken Sauna. Eine vergiftete Sauna wie eine in den Wänden atmungswidrig isolierte und länger gebrauchte, regelmäßig schlecht gereinigte Sauna ist zu erneuern. Im Keller soll keine Sauna stehen, es sei denn notfalls in dem Wärmefeld einer Zentralheizung, die dann für genügende Entgiftung sorgt, also für die jeweilige Regeneration der Sauna.
Wenn kein Kaminanschluß möglich ist, so kann notfalls ein bioelektrischer Saunaofen verwandt werden, der keine magnetischen und anderen Störfelder erzeugt und durch seine Konstruktion und seine keramischen Teile nicht nur Hitze, sondern auch eine einigermaßen gesunde Wärme schafft. Auch in der Sauna ist die Kombination einer natürlichen Grundheizung mit Holz, Erdgas oder Erdöl und einer bequem automatisch zu steuernden elektrischen

Ausgleichsheizung möglich. Sie sollte wo immer möglich angestrebt werden. Die biologisch wirksame Hauptwärme der Sauna wird durch das erwärmte Holz abgestrahlt!
Hoch beanspruchte Hölzer wie Bodenbretter sollen ausgewechselt werden können und nach mehrjähriger regelmäßiger Benutzung ausgewechselt werden. Auch für Liegen kann dies je nach Benutzungsart in Betracht kommen. Zwar soll man eine Liege vor einer Benutzung vollständig mit einem gut saugfähigen Handtuch bedecken. Doch wie oft wird es durchgeschwitzt! Die aggressiveren und schweren Gifte werden jedoch in Dampfform ausgeschwitzt.
Zu dem Dampfstoß soll man reines, möglichst lebendiges Wasser verwenden wie Regenwasser, keinesfalls Chlorwasser. Wenn man keine Birkenzweige zur Hand hat, kann man Birkenessenz und andere Essenzen dem Wasser zufügen. Während dem Saunabetrieb ist auf ausreichende Frischluftzufuhr zu achten. Sie tritt am Ofen ein. Die Abluft soll idealerweise oben und unten zugleich austreten können. Da sie unten abgesaugt werden muß, muß dann die gesamte Frischluftregelung durch einen regulierbaren kleinen Absaugventilator erfolgen.
Die gesundheitliche Wirkung einer Saunabenutzung kann verzehnfacht werden, wenn man am Abend vorher einen guten Blutreinigungstee trinkt und am Saunatag fastet! —
Jedem gesunden Menschen bekommt die Sauna gut. Wer sie noch nicht verträgt, der ist behandlungsbedürftig. Wenn alte Krankheiten ausgeheilt werden, wobei die Sauna mit Maß schon mit benutzt werden kann, dann wird man sich später in der Sauna sehr wohl fühlen.
Bett, Bad und Sauna sind Gesundbrunnen! —

DIE GANZHEIT VON BADERAUM, SAUNA, SCHWIMMBAD UND GARTEN

In allen Hochkulturen, insbesondere in den Spätzeiten, aber nicht nur in diesen wird die Reinigung allgemein kulturell und religiös betont. In der wahren Heilkunde wird die Reinigung und die heilsame Anwendung der vier Urqualitäten und der vier Elemente seit jeher gepflegt. Mit den einfachen naturheilkundlichen Maßnahmen haben die großen Ärzte, von den Hippokratikern über Prießnitz und Kneipp bis zu den Fastenärzten oft die größten Erfolge erzielt. Ohne ihre gebührende Beachtung ist keine große Heilung möglich und auch kein voll gesundes Leben. Besonders alle Menschen, deren Gesundheit erblich oder durch die Superzivilisation angeschlagen ist, haben hier eine große Möglichkeit zur Wiederherstellung und Kräftigung ihrer Gesundheit. Dies dürfte bewußt oder unbewußt auch sehr häufig ein maßgebliches Motiv bei dem Streben zu Bad, Fitneßraum, Sauna, Schwimmbad usf. sein. Die großen Meister der wahren Heilkunde haben einen reichen Gebrauch von heißem und kaltem Wasser, von Dampf und Schwitzen, von inneren und äußeren Bädern gemacht. Bei den heutigen technischen Möglichkeiten suchen steigend mehr Menschen im eigenen Hause eine solche mehrfach gegliederte Gesundheitsabteilung zu errichten. Sie besteht idealerweise in einer kleinen Badeabteilung mit Sauna, die in den Garten und das darin liegende Schwimmbad übergeht. Hier wird die Zusammenarbeit von Naturarzt, Haus- und Gartenarchitekt wohl noch reiche Früchte tragen.

DAS GESUNDE SCHWIMMBAD

Der Weg der Menschheit durch den Kosmos führt die Menschen gegenwärtig und zukünftig zu einer Reintegration in die Ganzheit der kosmischen Lebens-, Klang- und Lichtfelder. Insbesondere beginnt der Mensch die guten Lebenskräfte in den vier Elementen sowie im fünften Element neu zu sehen und zu erleben. Er beginnt wieder, wie schon die persische Hochkultur im Kampfe des Lichtes gegen die Finsternis bzw. Ormuzd gegen Ahriman lehrte, die guten Lebensqualitäten von den schlechten Unqualitäten zu unterscheiden, den Honig vom Sand. Bei dieser qualifizierten Reintegration sucht der Mensch zuerst instinktiv und dann mehr und mehr bewußt die guten Qualitäten der vier Elemente in sich aufzunehmen und sich in ihr Reich einzuordnen.

Diese gewaltige und vielfältige neue Entwicklungstendenz hat im 20. Jahrhundert eine weltweite Bewegung zu Sonne, Licht, Luft, Wasser und Erde hervorgerufen. Sie hat zu Wintersport und Sommersport geführt, zum Erdsport wie dem Sport im Allgemeinen, vom Fußball bis zum Bergsteigen, zum Wassersport, zum Luftsport wie im Fliegen und zum Feuersport wie im Motorsport und Schießen. Aber noch qualifizierter hat diese neue Entwicklung zu einer weltweiten Renaissance in der Gesundheitsbewegung geführt. Die Lebensqualitäten in der Natur wurden wieder entdeckt.

Das hat zu einem Aufblühen der Naturwissenschaften, insbesondere der Biologie geführt, zu einer gewaltigen Umweltschutzbewegung, zu einem Umwelt-Fühlen, -Denken und -Wollen, gleichsinnig zu einem globalen menschheitlichen sozialen Fühlen, Denken und Wollen und zu einer Kosmonautenmentalität bis zum Betreten des Mondes. In jeder Hinsicht erobert der Mensch seine Umwelt, dies mehr oder weniger qualifiziert, aber überall steigend qualifizierter!

Ein kleines, aber besonders typisches Glied in dieser umfassenden Bewegung ist das Streben des Menschen, durch das Wasser die Verbindung zur Natur bewußt und intensiv neu wiederherzustellen. Nirgends ist diese Verbindung inniger herzustellen. So wurden im vergangenen Jahrhundert die ersten Schwimmanstalten errichtet. Sie wurden oft in den freien natürlichen Gewässern mit viel Holz sehr gesund erbaut. Später kamen betonierte technokratische Ungetüme mit immer mehr Chlor und anderen Giften, sodaß Kulturmenschen wieder abwanderten. Schließlich begann der Privatmann sein Schwimmbad zu bauen, teils sehr gut in die Natur eingeordnet, zumindest architektonisch, aber teils auch mit viel Kunststoff und Gift. Nicht nur im öffentlichen Schwimmbad tränten die Augen. Man hustete bei so viel Giftgas. Die Haut wurde wund und bildete Ekzeme. Die Gifte, die man zur „Reinhaltung“ des Wassers anwandte, wurden daraufhin noch spezialisierter und unmerklicher, also noch unreiner und gefährlicher. Von Natur keine Spur (mehr). —

Von diesem Irrweg kehrt der Mensch heute zum gesunden naturgerechten Schwimmbad zurück, sei es im privaten Raum, sei es teils auch schon im öffentlichen Raum. Wie ist es beschaffen?

Das gesunde Schwimmbad ist im Ganzen und in all seinen Teilen in die gute, lebendige Natur integriert. In seiner Form, in seinen festen und flüssigen Materialien, in seiner Farbe, in seiner Wärme und Kühle, im Unterbau und Überbau, in seiner Funktion und in seinem Gebrauch sucht man alles qualifiziert in die Lebensordnung des Kosmos zu integrieren. In dieser Integration wird es auch steigend mehr in Verbindung mit einem gesunden Bad, mit einer gesunden Sauna und einem qualifizierten Fitneßraum benutzt. Das vielgliedrige Ganze ist zwar auch eine Trimm-Dich-Einheit. Aber von der anfänglich oft eigenwilligen, technokratischen und mechanischen Gestaltung und von der ebenso mechanischen, oft lauten und lärmenden, äußerlich sportlichen Benutzung kehrt der Mensch zurück zu der Grundhaltung, sich still und mit allen Sinnen qualifiziert in die Lebensqualitäten der Natur einzuordnen. Man badet bei Sonnenaufgang, wenn der Tau auf dem Gras liegt, und sucht die Morgenkräfte in sich aufzunehmen, still und gesammelt. Dies haben schon die Apostel und Propheten der Naturheilbewegung im vergangenen Jahrhundert gelehrt. Man verbindet das Baden also wieder mit Taulaufen, mit konzentrierten Atemübungen, mit Yoga und Meditation und mehr und mehr auch schon mit dem Gebet. Das ist eine Wendung von der nach unten-außen gerichteten Grundhaltung der sinnleeren Zivilisation zu der nach innen-oben gerichteten Grundhaltung der Kultur. —

Dementsprechend wird das Schwimmbad nicht mehr abgeschlossen von der Natur und gar im Keller angelegt, sondern möglichst offen, im Freien, im Grünen, im natürlichen Licht und idealerweise in einer Parklandschaft. Schwimmbad und Garten gehen ineinander über wie das Gartenzimmer und der Zimmergarten. Das Schwimmbad kann sogar Wohncharakter erhalten. Die Kunststoffe verschwinden und die edlen Naturstoffe und Kulturstoffe treten in den Vordergrund. Das Schwimmbad kann in der warmen Jahreszeit weit geöffnet werden oder es wird überhaupt nicht mehr überbaut oder nur in der kühlen Jahreszeit mit einem leichten Schutz versehen. Mit verschiedenen natürlichen Methoden sucht man das Wasser vor dem Wärmeverlust der nächtlichen Abkühlung zu schützen, etwa wie man ein Wagenverdeck zurück klappen und wieder aufstellen kann. Als man dies im Hause wie im Keller versuchte, mußte man erleben, daß das Element Wasser das Hausklima, das wie die Konstitution des Menschen trocken und luftig sein soll, zum Wäßrigen, zum Feuchten und Nassen hin veränderte, auch bei bester mechanischer Belüftungsanlage. Also verlegte man das Schwimmbad wieder nach draußen und ließ es allenfalls in einem kleinen Teil in das Haus hineinragen.

Das ideale Schwimmbad wird altbetonfrei mit hart gebrannten Ziegeln, Natursteinen, Asphalt und Wasserkalk gebaut, mit Biobeton, eventuell mit Hilfe ringförmiger metallener Stützen. Aber auch der Altbeton kann seinen Ungeist dem Wasser und Schwimmenden nur wenig mitteilen, wenn inseitig genügend dick naturgerechtes Baumaterial verwandt wird wie Ziegel, keramische Fliesen und hydraulischer Kalk. Die Dichtheit ist eine Aufgabe der Bautechnik, nicht der Baubiologie. Die Fliesen bzw. Kacheln des Bades sind wasserfreundlich, wesenhaft rein und zeigen auch solche reinen, frischen Farben wie himmelblau, azurblau und meergrün.

Die Form des Schwimmbades ist harmonisch, sei es eckig oder rundlich, wie die qualifizierten Maßordnungen der Architektur lehren.

Das Wasser ist hoch lebensqualifiziert. Hier liegt eine Hauptaufgabe des biologischen Schwimmbades. Daher ist das Wasser zuerst rein, also frei von allem Chlor und anderen, gar synthetischen Giften. Es besteht aus Quell- oder Grundwasser. Dieses Wasser ist von Natur aus biologisch rein und wird mit echter Kunst noch mehr lebensqualifiziert. Denn es soll seine Lebensqualitäten dem Schwimmenden mitteilen! Es soll daher beständig ein Heilbad sein!

Das Wasser wird frisch und rein gehalten durch folgende Verfahren:

1. Es wird sauber gebadet.
2. Durch ständigen Frischwasserzulauf bleibt das Badewasser rein und frisch. Es genügt ein desto geringerer Zulauf, je qualifizierter das Zulaufwasser, das Badewasser und der Badebetrieb ist.
3. Das Wasser wird durch einen Umlauf gereinigt. Hierzu werden Sand-, Quarz-, Holzkohle- und andere natürliche Filter verwandt, technisch perfekt mit automatischer Rückspülung.
4. Das Wasser wird durch Silberjonen rein gehalten. Ein solches Jonisierungsgerät wird in den Umlauf nach der Reinigung eingefügt. Es ist nicht billig, aber sehr gut.
5. Das Wasser wird periodisch oder ständig belüftet
   a) mit natürlicher an Lebensqualitäten reicher Luft, also besonders in den frühen Morgenstunden. Die Luft strömt feinperlig am Beckengrund aus einem Silbersieb aus.
   b) mit natürlichem oder anderem Ozon.
6. Durch biologische Spezialkacheln, die in Material und Farbe dem Wasser angepaßt sind, das im Becken verwandt wird, kann dieses Wasser rein und frisch gehalten werden.

7. Das Beckenwasser wird, auch in den Umlaufrohren und allen Geräten, frei gehalten von unreinen, wasserwidrigen Materialien aller Art, insbesondere von allen verkünstelten wie synthetischen Materialien. Es werden auch keine solchen Badeanzüge getragen.
8. Die Wassertemperatur wird nicht zu hoch gefahren, sondern möglichst niedrig. Die hohen Temperaturen, bis 28 Grad C., findet man bei einer übergroßen Sorge für die Kinder und bei einer verkünstelten, zivilisationskranken sportlichen Betätigung. Die niederen Wassertemperaturen von 16 bis 21 Grad, auch niedriger, findet man bei Menschen, welche die Natur intensiver erleben und anstelle eines äußerlichen Sportes mehr die innerlichen Lebensqualitäten des Wassers und des ganzen Bades aufnehmen wollen.

In den vorstehenden acht Punkten wurde mehr der negative Gesichtspunkt der Freihaltung von wasserwidrigen Verfahren und Stoffen betont. Weit wichtiger ist jedoch der positive Gesichtspunkt, daß das Wasser möglichst viele gute Lebensqualitäten enthält. Man will doch nicht nur seine Muskeln trainieren wie mit einer Gegenstromanlage und Wasserspielen, sondern man will hinzu oder erstrangig ein Heilbad mit Lebensqualitäten für gesunde und nicht gesunde Tage. Also sucht man zuerst ein lebensqualifiziertes Wasser. Dann sucht man nach Verfahren und Stoffen, welche das Wasser noch höher qualifizieren und nach jedem Gebrauch auch regenerieren. Die Qualifizierungs- und Regenerationswirkung wird teilweise schon bei den oben genannten Punkten 2 bis 6 erzielt. Sie wird weiter durch hoch qualifizierte Formen erzielt, welche gleichsam magnetisch die guten von oben kommenden kosmischen Lebensqualitäten einfangen und konzentrieren. Jede harmonisch geformte, nach oben geöffnete Schale leistet dies schon. Wie nach dem Vorbild der ägyptischen Pyramiden und gotischen Dome das Giebelhaus die guten Qualitäten einfängt und die Unqualitäten abwehrt, so kann nach den selben Prinzipien, nur der Beckenform angepaßt, auch das Schwimmbad geformt werden. —

Weiter kann wie bei dem Wannenbad auch das Schwimmbad durch hoch qualifizierte Zusätze veredelt werden. Solen von Heilquellen und reinem Meerwasser, lebendige Salze, Pflanzenaschesalze und anderes kann mit helfen, das Schwimmbad zu einem Heilbad zu qualifizieren.

DER GESUNDE TONRAUM

Jedes Haus ist ein Ton, ein Klang, nicht nur ein lebendiger Organismus. Es hat nicht nur einen Ton, den man zuweilen hören kann, sondern es ist ein Ton. Und in ihm ist es eine Melodie, mit eigenem Rhythmus, ja sogar eine Symphonie. Wer Ohren hat zu hören, der kann sie hören.

Was soll diese Rede? Ist sie nicht arg für unsere technische Welt? — Aber sie ist auch technisch verständlich. Denn jedes Haus ist eine Form, zweifellos.

Wer könnte das Haus sonst sehen und verstehen! Jede Form aber ist erstens zentral eine Lebensform, zweitens radial eine Klangform, ein Ton, drittens peripher eine Lichtform, ein Licht, eine Gestalt. Jedes Haus ist alles drei zugleich und zwar dreieinheitlich einerseits und andererseits in Raum und Zeit mehr oder weniger zerspalten. Doch keine der drei Teilformen bzw. Teilwirkungen kann fehlen. Sie kann nur gemindert und gestört werden.

Jede Form ist aktiv und reaktiv ein Ton. Der reaktive Ton jeder Form ist für den Physiker leicht erkennbar. Denn jede Form, insbesondere jede Materie ist wie eine Saite, also eine Schwingungseinheit. Und sie erklingt, wenn eine Bewegung, wenn ein Ton oder eine Lebensform oder eine Lichtform sie berührt. Schwingen aber ist klingen, auch wenn unsere Ohren das nicht in jedem Falle hören. Da das ganze All von Leben erfüllt ist, von Schwingungen, wie der Physiker von tausenderlei Strahlung im Kosmos weiß, die in jeder Sekunde millionenfach jeden Zentimeter Raum, jede Einheit bewegt und somit verändert, entwickelt oder verwickelt, stimmt oder verstimmt, so erklingt ständig jeder Gegenstand im Kosmos reaktiv.

Töne erklingen ständig im All! Weshalb die Menschen mit guten Ohren seit jeher von Sphärenharmonien sprechen, wie etwa Kepler, der doch gewiß kein Narr ist, auch Goethe, wie im Faust. — Und Licht fließt beständig durch das All. Wer wollte das leugnen! Würde nicht jedes Haus von den Sternen beleuchtet! Licht aber läßt das Beleuchtete schwingen und also erklingen. Wir können nur sehr wenig davon hören.

Außerdem ist es ein typisches Kennzeichen eines mechanizistischen, daher sekundaristischen Weltbildes, wenn man überall nur Re-Aktionen sehen will. Zu jeder Re-Aktion ist physiklogisch eine primäre Aktion erforderlich. Diese aber blendet der Mechanizist ständig aus seinem Bewußtsein und Weltbild aus. Er befaßt sich nur mit der Zwei, nur mit dem Folgenden, und ignoriert die Eins, das Führende.

Wenn die Aktion vor der Reaktion kommt, so stellt sich die Frage, ob nicht jede existierende Einheit beständig zuerst mit ihrem ureigenen Ton agiert. Und ob sie in ihm nicht überhaupt als etwas Selbsteigenes existiert. Das wäre ein Drittel ihrer ganzen, wirklichen, objektiven eigenen Existenz. —

Wenn die äußere Natur um ein Haus unruhig ist und selbst im Wetter erklingt, dann erklingt auch der Ton des Hauses deutlicher, seine Melodie, — seine Harmonie oder Disharmonie. Dann kann ein Haus hörbar zu sprechen beginnen. Wer es hören will, bewußt, der horche zu solcher Zeit.

Jeder Raum des Hauses ist ein Teilhaus. Jeder Raum hat daher seinen ureigenen Teilton, seine eigene Melodie in der größeren Melodie des ganzen Hauses. Wie auch jeder Raum sein eigenes Leben hat, in Gesundheit und Krankheit, und sein eigenes Licht, in Helle und Trübe.

Leben, Klang und Licht kann man ineinander umwandeln. —

Gegen den ureigenen Grundton eines Raumes und Hauses, gegen den beständig ertönenden Grundklang kann kein anderer Ton in ihm harmonisch erklingen. Je disharmonischer der Grundton des Hauses und eines Raumes darin, desto disharmonischer alle Töne in ihm. Die Harmonie dagegen harmoniert mit jeder Harmonie. Das Gute harmoniert mit allem Guten, das Freie mit allem Freien.

Auch ein Musikinstrument ist ein Haus! Der Liebhaber des Klanges erwäge für ein Musikinstrument, welchen Eigenton es hat. —

Das erste Musik- oder Toninstrument ist für den Menschen sein Kehlkopf und mit ihm sein ganzer Körper, richtiger sein Organismus.

Unter dem Eigenton verstehe man nicht nur einen der sieben Grundtöne der Tonleiter, wenn auch ein Ton immer vorherrscht. Aber der Eigenton kann auch, wie im Ton eines Lichtes, in der Farbe liegen, in der Tonfarbe. Und er kann einen weiten Tonbereich umspannen.

Somit erklingt alles. Und alles klingt mit, Stein, Holz und Leder, Metall und Glas. Es erklingt harmonisch oder disharmonisch, je wie es ist, je wie seine Wesensform und äußere Form ist.

Die Griechen stellten wassergefüllte Amphoren regelmäßig geometrisch verteilt im Halbrund, im Ohr-Rund ihrer Amphitheater auf. Schlucken sie Disharmonien? Sodaß die Harmonien desto reiner erklingen?

Sollte unser Ohr nicht so geformt sein, d. h. gebaut sein, entwickelt sein, daß es möglichst nur Harmonien aufnimmt? Sollten die Disharmonien am besten nicht an sich selber sterben, sich selber begraben? —

Nach einem alten Volksbrauch stellt man auf geopathischen Reizzonen, die unter dem Bett verlaufen und den Schlaf stören, mit frischem Wasser gefüllte Schalen auf. Ihr Inhalt wird täglich erneuert. Denn es wird behauptet, daß diese Wassergefäße die Disharmonien der Erde verschlucken oder peripher ausgleichen.

Der Klang eines Raumes und in einem Raum ist fraglos von den Harmonien und Disharmonien des Raumes abhängig. Auch musikalische Ohren und Lautsprecher sind rund, nicht eckig. Selbst die Schallplatte soll rund sein, „rund liegen" und rund gespielt werden. Und je runder die Spulen des Radios und Tonbandgerätes, je runder die Kondensatoren und Leitwege, je runder seine ganze Anlage und Form, desto runder auch hier der Klang! —

Hier ist mit „rund" außer der Raumzeitform auch und zuerst die Lebensqualität, ihre Harmonie gemeint, sowohl im Geist der Form als auch in Material, Funktion, Farbe usf.

Ist dies alles nicht logisch, mathematologisch, physiklogisch? Zugleich biologisch, qualitätslogisch, — also auch musik-logisch? Diese Musiklogik hat schon Pythagoras zu erforschen gesucht (1).

Was ergäbe sich daraus für den Tonraum, den Sprach- und Musikraum, das Tonhaus, das Toninstrument?

Alles kreisrund? — Aber der harmonische Ton ist keine Welle, die nur aus zwei Halbkreisen besteht oder nur aus einer Sinuskurve. Daher auch das Ohr nicht. Wohl ist der Kreis die Urform, weshalb die Alten die Sphärenharmonien in Kreisen zeigten, in Himmelsrädern. Was wäre der Kreiston? Der Urton? — Doch ist jeder uns hörbare Ton im All nur ein Teilton der Allharmonie. Er ist nur ein besonderes und einzelnes Integral in der Toneinheit des Alls oder eine Desintegration dieses Integrals. Jede uns hörbare Harmonie ist nur ein differenziertes Teilintegral aus dem Allintegral des ganzen Urtones. Im Oszillographen und in der Kymatik, welche Töne in sichtbare dreidimensionale Formen umwandelt, ist das Integral mit den Augen zu sehen. Hier kann man sehen, wie aus dem Ton, aus dem Wort etwas wird ([1]).

Doch wer hätte schon den Urton, den Ton aller Töne gehört! Den Logos-Ton! Das Wort aller Worte! Die Melodie aller Melodien! Den Rhythmus aller Rhythmen! —

Der Ton aller Töne wird auf Erden unhörbar und unaussprechlich sein. Auch ist er hoch heilig. Und wer allein könnte ihn aussprechen! In Raum und Zeit, in dieser zerspaltenen Welt kann er nicht erklingen. Doch alles in Raum und Zeit erklingt durch ihn und wird durch ihn gebildet.

Dieser Ton mag zugleich ein Feuer sein, ein Lebensfeuer, und ein alles durchdringendes Licht (Vgl. Geh. Off. 1,10 f). Ein Nachklang dieses Urtones aller Lebendigen soll in dem recht gesprochenen und gesungenen Om und Amen bestehen. —

Wer sein Haus, seinen Raum, sein Lebensfeld, sein Toninstrument, seine Stimme, seinen Leib harmonisch erklingen lassen will, der suche zuerst den Ton aller Töne, die Harmonie aller Harmonien, das Salz des Salzes, das Licht des Lichtes. Vielleicht wie Benjamino Gigli. Und der erwäge, daß alles klingt, aktiv und reaktiv, auch wenn unsere grobmateriellen Ohren das nicht hören. Aber es klingt in dem mit, was wir hören, vielleicht als dessen Grund und Seele. Vielleicht ist der unhörbare Klang der primäre Klang. —

Je edler, je reiner, je lebensqualitativ hochwertiger eine Einheit, wie eine Bauform oder ein Baumaterial, desto reiner und edler erklingt diese Einheit. Die eine selbe Lebensqualität ist für Leben, Klang und Licht zugleich maßgebend.

Zweifellos veredelten die alten großen Geigenbaumeister das Holz einzeln und im Ganzen des Instrumentes durch Imprägnierung, Tingierung, Fermentation usf. mit edlen salzhaltigen Flüssigkeiten wie Beizen, Lacken etc. Die großen Orgelbauer handelten nach denselben Prinzipien. Ein guter chinesischer und japanischer Gong wird noch heute nach dieser bio-logischen Lehre hergestellt! Den Generalnenner in alledem gilt es zu erkennen! — Je mehr ein Mensch das Edle und Reine in der Person und Natur sucht und erkennt, desto mehr wird er sicherlich die Geheimnisse der Veredelung der Instrumente erkennen, vom Kehlkopf angefangen.

Vom gesunden Tonraum ist hier die Rede, vom seelisch-leiblich gesunden Tonraum. Wer ihn aus vier Wänden bauen will, der halte ihn also frei von allen Disharmonien, zuerst den geopathischen. Sie sind nachweislich die mächtigsten. Und besonders von störenden elektrischen Schwingungen halte er alle Wände, Decken und Böden des Tonraumes frei, wie durch Netzfreischalter und Biokabel. Bei höheren Ansprüchen sollte man zur Beleuchtung Gleichstrom verwenden oder zumindest einen hochwertigen Biofilter für den Netzstrom. Schon jedes Auto hat solch einen Filter in Miniform, damit es in unserem Fernseh- und Radiogerät nicht ständig kracht. Auch in unseren Ohren nicht, in unserem Organismus nicht? —

Und dann verwende man überall ausnahmslos edles Material. Man vergleiche doch, wie natürliches Holz klingt, ein verkünstelter Stoff und Blech! (Die sogen. „Blechinstrumente" bestehen nicht aus Blech!) Wie also Wände, Dekken, Böden und Möbel, so auch der Ton des Raumes und der Ton im Raum! Warum verwenden hochwertige Lautsprecher teures Edelholz? Hat jemand schon eine Geige aus verkünsteltem Stoff gebaut? Selbst das Eisen der Klavierdrähte ist hoch rein. Auch wer Chemizide im Teppich oder anderweitig nur in geringen Mengen verwendet, der wird die Harmonie stören. Die Gesetze der Homöopathie gelten auch für das Reich der Töne. —

Auch für Schallschluckmaterialien und solche Formen gelten die Prinzipien der Lebensqualitäten und ihre Gesetze. —

Ganzheitlich konsequent sollte man mit den Lebensqualitäten umgehen, dies bis in die Kleidung aller im Raume, bis zu jedem Gegenstand im Raume, auch in der Kleidung. —

Soweit bekannt ist, existiert noch keine Tonlehre (die des Pythagoras kennen wir im Einzelnen nicht), die von der Sprech- und Gesangslehre über die Instrumentenlehre bis zur allgemeinen einheitlichen Lehre der Tonformen, der Tonmaterialien und der Tonhäuser bzw. Tonträger auf die Lebensqualitäten und deren Ordnungssystem gegründet ist. Sondern öffentlich bekannt sind außer einigen Teiltheorien nur praktische Erfahrungen. Doch welche Rolle spielt allein der Lautsprecher (ein gräßliches, doch derzeit vielleicht weithin richtiges Wort!) heute im Leben des Zivilisationsmenschen! Sehr viele Menschen, wohl die meisten Zivilisationsmenschen sitzen täglich stundenlang vor ihm. Und wer käme heute noch ohne das Telefon aus! Schon seine Klingel kann ein Lebensproblem sein, also auch ein Arbeitsproblem, somit ein Qualitätsproblem.

Wie könnte irgend eine Firma ohne Wissen von den Lebensqualitäten oder ohne Gefühl für sie ein objektiv harmonisches und folglich harmonierendes Toninstrument schaffen! —

Der harmonische Ton und der Lärm stehen einander gegenüber wie Wort und Antiwort, wie Spruch und Widerspruch. Der Lärm ist eine der großen Zeitkrankheiten am Ende der Neuzeit. Das Nullfeld an Qualität des Tones ist der Lärm. Der leere Mechanizismus des Tones ist Lärm. (Vgl. die Lärmkrankheiten im Kapitel über die Haushaltskrankheiten).

Der Kulturmensch liebt die Stille und den harmonischen Ton in ihr, diese leise hohe Harmonie. Von unruhigen Menschen geht beständig ein lärmendes Geräusch aus. —

Der Mensch kann nicht leben ohne den Ton, ohne Sprache und Musik. Oscar A. H. Schmitz hat vor längerer Zeit ein Buch „Das Land ohne Musik" (England) geschrieben. Das ist vielsinnig gemeint. Am Ende der Neuzeit ist das ganze Abendland ein Land ohne Musik geworden. Stattdessen mit viel Lärm. —

Im Anfang war das Wort. Und aus dem Wort sei alles geworden. (Johannes-Evangelium). Wie schon aus dem Wort „Es werde Licht". Das Wort war Leben, Klang und Licht zugleich. Wer könnte leben ohne das gesprochene, gesungene und gespielte „Wort"! — Vor einigen Jahrhunderten soll ein Kurfürst den Versuch gewagt haben, mehrere neu geborene Kinder ohne Ansprache durch den Menschen aufziehen zu lassen. Niemand durfte um sie ein Wort sprechen oder singen. Denn der Fürst wollte von ihnen die Ursprache erfahren, die sich nach seiner Ansicht dann von selbst in den Kindern entwickeln würde. Aber die Kinder starben allesamt früh. Denn das Wort ist Leben, ist urmenschliches Leben. Das allseits freie Wort! Das gute, lebendige, liebe Wort!

Ohne das Wort mit Geist und Seele, ohne das Sinnwort kann niemand leben! Sinn„freies" Leben ist kein Leben, sondern Sterben. Klingt das Wort des Lebens nicht auch im guten Gesang und in der guten Instrumentalmusik! — Der Geist ist es, der lebendig macht! Er ist also der Geist alles Lebens, das Leben alles Lebens, so auch der Klang alles Klanges. Er ist die Lebensqualität selbst. —

Auf dem Selbstbestimmungsrecht, dem Mitbestimmungsrecht und dem Allbestimmungsrecht der Person gründet alles Recht. Aus diesen drei urersten Personrechten geht alles andere Recht mathematologisch entwicklungsgesetzlich hervor. Und darin gründet alles menschenwürdige Leben! (Vgl. das Kap. VI). Bestimmen kommt sinngemäß von Stimmen und also von Stimme. Bestimmen gründet also im Ton, im beseelten Ton, im sinnvollen Ton. Sinn„frei" kann man nicht bestimmen, nicht richtig, nicht frei bestimmen, sondern nur chaotisch, wüst und leer. Das aber ist unfrei, ungut, menschenunwürdig. Das ist tödlich! —

Unser Haus, auch das Haus der Kirche, der Schule und des Staates soll tongerecht gebaut sein, geistgerecht, stimmgerecht, sinngerecht. Es wäre sonst nicht lebensgerecht, sondern lebensungerecht. Das heißt, unsere nächste Umwelt würde sonst unser Leben krank machen, also vernichten.

In einem mißklingenden Hause mißlingt das Leben. Man achte daher auf den Ton, der im Hause herrscht! Man achte auf den Hall in seinem Hause. Er kann behaglich und unbehaglich sein. Ein unharmonischer Klang eines Hauses bzw. Raumes kann das Leben darin sehr stören. Man meide einen solchen Raum oder suche seinen Klang beharrlich zu verbessern.

Wer gesund baut, in guten, lebendigen und reinen Formen und Materialien, der wird den guten, lebendigen und reinen Ton als ständige Beigabe erhalten.

DAS GARTENZIMMER

Der Zimmergarten
Gartenhaus und Hausgarten

Im Beginn der ersten Weltkultur, welche diese Erde trägt, strebt der Mensch in die Weite und Höhe der Welt, in den Kosmos. Er sucht seine Natur, seine Innenwelt, seine Eigenwelt in die Umwelt auszubreiten. Heißt es denn nicht auch, daß er die Erde beherrschen soll, erfüllen mit seinem Leben! Die Erde ist der Kosmos! —
Auch die Kultur seiner Umwelt sucht er zu erkunden und zu beherrschen, in Vergangenheit, Gegenwart und Zukunft. Überall will er planen.
Und die personalen Beziehungen zu seiner Umwelt sucht er gründlich zu erkunden und insgesamt zu beherrschen, wie in seiner Idealvorstellung von der Demokratie.
In dieser dreieinheitlichen Gliederung will der Mensch sein Haus in seine Umwelt erweitern und zugleich seine Umwelt in sein Haus hereinholen. Das Streben zum Farbfernsehtongerät zeigt dies deutlich. In beiden Richtungen will sich der Mensch in die große Gemeinschaft des Lebens integrieren. Soll er das nicht auch? Was steht hinter den sozial(istisch)en und kommun(istisch) en Bestrebungen?
Diesem heutigen und sicherlich noch wachsenden Bestreben zur großen Gemeinschaft entspricht auch das Streben, Haus und Garten zu vereinigen wie im Gartenzimmer und Zimmergarten. Auch das Gartenhaus steht wieder auf, insbesondere als Auto und Wohnwagen im Campingwesen, ebenso im Zelten. Auch die Zweitwohnung als Ferienwohnung in der Natur rechnet hierzu. All diese Tendenzen sind zu erwägen und zu erfassen. Denn aus ihnen ergeben sich die Richtlinien für das Wesen und die Zukunft, für die lebensgerechte Gestaltung und für die Bewohnung, in der man sich wohl fühlt.
Der Übergang in die Umwelt soll nicht mehr gesperrt oder nur in Tür und Fenster offen sein, sondern überhaupt ohne Grenze, fließend und allmählich, die Einheit und Verbindung betonend. Man will im Zimmer wie im Garten wohnen. Und der Garten soll Zimmercharakter erhalten.
Im Wintergarten kommt hinzu, daß der Mensch ursehnsüchtig den ewigen Frühling und Sommer sucht. Er fühlt das Disharmonische und Vergängliche im Herbst und Winter, den Tod. Im Frühling und Sommer dagegen herrscht das Leben, die aufsteigende Kurve, das stetig sich Mehrende und das Unvergängliche.
Was ergibt sich aus diesen Prinzipien konkret für das Gartenzimmer und allgemein für die neuen Bestrebungen, in dem ganzen Haus mit der Natur zu leben, in sie integriert?
Neuere Architekten wie besonders bekannte, fast revolutionäre armerikanische Architekten versuchten auf sehr moderne Art, dieser neuen Bautendenz

und Wohntendenz zu folgen. Mochten sie auch noch mit viel naturwidriger Technik arbeiten, mit viel Beton, Glas und Stahl, die gute Absicht ist maßgebend ([1]). So bringt die amerikanische Architektur viele Anregungen, in manchem den Chinesen und Japanern ähnlich.

Schon die hängenden Gärten der Semiramis waren ein antikes Muster. Und der Tadsch Mahal in Indien gilt noch heute als Meisterleistung in der Einheit von Haus und Garten. Im französischen Gartenstil vereinigte man Haus und Garten auf geometrische Art, wie in Versailles. Entgegengesetzt hat der Engländer nach dem Typus der Natur kultiviert, wie in der Parklandschaft. Darin sind die Japaner und Chinesen seit altersher Meister. Sie integrieren im Gartenraum Haus und Mensch in die Natur und zugleich die Natur in das menschenwürdige Haus. Die Einheit heißt Kultur. Auch die chinesische und japanische Malerei zeigt diese Kunst, ebenso das Blumenbinden usf. bis hin zum Zen-Buddhismus. Graf Dürckheim vertritt diese hauptsächlich aus der Natur aufsteigende und in ihr wurzelnde Tendenz in Europa ([2]). Nikolaus Ehlen hat in seinem Buch „Das familiengerechte Heim" versucht, die vielen ethischen, sozialen, wirtschaftlichen, kulturellen und naturalen Lebensqualitäten klar vor Augen zu stellen, die das mit Heim und Garten innig verbundene Leben uns bietet. Auch welche Sicherung in vielerleit Hinsicht sich daraus ergibt." . . Unternehmer, wenn sie qualifizierte Arbeiter suchen, nach Siedlern fragen" ([3]).

Kehren wir daher im Gartenzimmer zu den alten Kulturen zurück? Doch was bringen wir Neues hinzu? Nur die Technik? Das wäre im Wesentlichen fast nichts. Oder erkennen wir heute die Elemente, die Urstrukturen, die Prinzipien und das System dieses Strebens? Heben wir alles in das Bewußtsein? Suchen wir die Urordnung aller Raumordnung zu erkennen? Der Weltordnung? Aller Lebensordnung? Wenn wir das Allgemeine in alledem erkennen, so werden wir frei. Jedes Volk, jede Gemeinschaft und jeder Mensch kann dann das ihm eigentümliche Besondere frei entwickeln. Sodaß jeder Einzelne, sich vollständig frei selbst bestimmend, das Seine entwickeln kann. Ist das nicht in allem die Uraufgabe unserer und jeder Zeit?

Was also ist das allgemeine Wesen des Gartenzimmers? Das ist das Zimmer, das man besonders individuell selber entwickeln soll. Hier soll man nicht vom Haus-, Innen- und Gartenarchitekten alles fix und fertig bis zur letzten Pflanze im Wintergarten vorgesetzt erhalten, sondern hier soll man mit diesen Architekten, sie nach dem eigenen Wesen führend, Haus und Garten mitgestalten, wie zugleich diese Fachleute uns nach ihrem Fachwissen führen. Dann suchen wir die unserem Eigenwesen noch fehlenden typischen Pflanzen, die unser Leben ergänzen und korrigieren durch ihren Geist, ihren Sinn. Sodaß unser Haus, Gartenzimmer und Garten ein höchst persönlicher, für uns heilsamer Ausdruck unseres wahren Wesens wird, uns helfend, die seelischen und leiblichen Krankheiten zu überwinden, uns stützend und führend im Lichte der Natur.

Nicht jedem helfen Rosen und weiße Lilien, Rosmarin und Salbei. Was könnten gar Orchideen helfen? Aber sie sind vielleicht ein besonders deutlicher Spiegel unseres irdischen Wesens. —

„Das nie verlorene Paradies“ heißt ein herrliches großes Gartenbuch, das besonders auf den Ziergarten als Hausgarten hin gerichtet ist. Eine reiche Überlieferung kommt von den alten indischen Königsgärten über die in Blüten schwelgenden persischen Gärten, die Hafis und Firdusi beschreiben, über die chaldäischen Gärten an Euphrat und Tigris, wie der Semiramis, bis zu den Gärten mit den tausend Wohlgerüchen Arabiens und den vom Nilschlamm belebten Blumenwundern der Priesterkönige Ägyptens. Die abendländische Kultur beginnt dann in ihrer ersten Wurzel in dem Gartenland, das von Milch und Honig überfloß. Die Klöster, von denen später das Abendland kultiviert wurde, sind auch durch ihre Gärten berühmt. Zu Beginn der Neuzeit haben die Araber dem Abendland ein reiches Gartenwissen überliefert.

Der Garten an sich ist schon die Wiederhereinholung des Ackers, der vom paradiesischen Menschen abgelösten Erde bzw. Natur. Der Garten ist die Assimilation des Hofes in das Haus, die Wiedervereinigung des Makrokosmos mit dem Mikrokosmos, der Eigenwelt mit der Umwelt! — Rudolf Steiner rät, an Blumen Meditationsübungen zu machen ([1]). Im christlichen Abendland wurde der Garten und das Gartenzimmer hoch beseelt und vergeistigt. „Maria im Rosenhag“ war ein bekanntes, auch von der Malerei viel behandeltes Thema. Was wird das Urwesen von Rose und Lilie sein? In Dantes Divina Comedia ist hiervon die Rede. Blumengarten, Kräuter-, Heil- und Gewürzgarten wurden schließlich eine Einheit. Was mag sie besagen?

Christus spricht von der Herrlichkeit der Blumen auf dem Felde, die Salomo nicht besessen hätte (Matth. 6,28 f). Alle Herrlichkeit des Menschen sei wie die des Grases (1. Petr. 1,24). Noch viele Gleichnisse künden von der Einheit des Menschen mit der Natur um ihn bis zu Brot und Wein. Wird in ihnen nicht auch der Kosmos in den Überkosmos heimgeholt?

Ein islamischer Sufimystiker sagt, im Funkeln eines Stäubchens im Sonnenlicht könne man das Wesen der Sonne erkennen ([2]). Dazu wären also keine Milliardenausgaben für Raketen, Satelliten usf. erforderlich. Zudem bringen diese nicht die geringste wesentliche, nämlich qualifizierte Erkenntnis vom Leben der Sonne oder eines Planeten, sondern sie sind Erscheinungsformen des quantistischen Aberglaubens und technokratischer Herrschaftsbestrebungen. Paracelsus lehrt, in jeder Blüte und in jedem Kraut könne man die „Magnalia dei“, die Großtaten Gottes erkennen. Denn ist die Blüte nicht ein lichtvolles Gleichnis und Abbild der Alleinheit des Kosmos mit der unvergänglichen überkosmischen Welt? —

Einen Blumenkasten und einen Kräuterkasten sollte man auch in der Etagenwohnung haben. In der größeren Wohnung wird ein Gartenfenster daraus, ein Wintergarten. Im eigenen Hause soll das Wohnzimmer über die Terrasse in den Garten übergehen. Zum Wohngarten soll man streben. Mit Blumenbeet,

Kräuterbeet und Komposthaufen soll man beginnen. Klein soll man anfangen, mit den das eigene Wesen heilsam ergänzenden Blumen und Gewürzkräutern. Das Kräuterbeet sollte in die Küchenfunktion integriert sein, das Blumenbeet in das Gartenwohnzimmer und Gartenhaus.

Schon das Grün bringt Leben. In reines, lebensqualifiziertes Grün zu sehen — nicht auf das Giftgrün des Zivilisationsrasens! — ist für die Augen heilsam. Im Grünen lernt der Mensch, mehr im Lichte der Natur zu sehen. Das Grün ist die Farbe der Hoffnung. —

Man beginne mit wenig. Denn weniger ist mehr an Wesen. Die Menge entfremdet. —

Wenn ein Zimmer mit Blumen geschmückt ist, so ist es wie mit Leben erfüllt. Ein blumenloses Zimmer wirkt oft tot. Blumen öffnen das Tor zur Umwelt. — Vielleicht wird das Klima Europas in naher Zukunft weit wärmer. Dann werden auch die bisher nördlichen Völker lernen, was die Mittelmeervölker seit Jahrtausenden pflegen, die Einheit von Haus und Garten.

DAS GESUNDE PFLANZENHAUS

Das Gewächshaus
Das ABC der wahren Landwirtschaft

Auf Ackerbau und Viehzucht — den Berufen von Kain und Abel! — gründet das menschliche Leben auf Erden. Was ist die Wissenschaft und Kunst des Ackerbaues? Denn aus der Kunst des Ackerbaues ergibt sich die Kunst des Baues des Pflanzenhauses und des Wohnens darin, nämlich die Kunst der Gewächshaushaltung, ebenso der Stallhaltung.

Kunst setzt Wissenschaft voraus, ist also mehr als Wissenschaft.

Der Ackerbau ist eine Urform der Lebenskunst. Die Kunst des Lebens setzt die Wissenschaft von den Lebensqualitäten, ihrer Ordnung, und von der Ordnung des Lebensweges einschließlich der Methoden und Mittel des Lebens voraus. Diese Urlehre der Hochkulturen und Hochreligionen ist als wahre objektive Bio-Logie vorhergehend gemäß Paracelsus vielfältig beschrieben und angedeutet worden. Was folgt daraus für Bau und Leben des Pflanzenhauses?

Was allgemein für das Leben und also für alle Lebewesen gilt, das gilt auch für die Pflanze und ihr Haus. Im Besonderen bestehen zwar für Kristall, Pflanze, Tier und Mensch wesentliche Unterschiede. Jedoch haben schon alte Untersuchungen ergeben, daß im Nullfeld eines Faradayschen Käfigs Pflanzen durchschnittlich 45 % ihrer Vitalität schon in einer Generation verlieren ([1]). Genau so viel Vitalität verloren aber auch Tiere im Nullfeld ([2])! Das berechtigt zu der Vermutung, daß die bisher beschriebenen allgemeinen Disharmonien des kranken Hauses auf Pflanzen eine gleiche gesundheitsschädliche und somit auch unwirtschaftliche Wirkung ausüben wie auf Menschen und Tiere!

Neuere Forschungen, die vermutlich von Indien ausgingen wie von Chandra Bose, haben erwiesen, daß Pflanzen schon auf sehr geringe Disharmonien in ihrer Umwelt erheblich reagierten, d. h. daß sich ihre Lebensqualitäten einschließlich ihrer Früchte erheblich verschlechterten ([1]). Diese Empfindlichkeit mag darin begründet sein, daß bei Pflanzen eine Lebensfähigkeit hoch entwickelt ist, die bei Mensch und Tier normalerweise nur schwach entwickelt ist, nämlich die Urfähigkeit, sich aus dem Lebensbereich der vier Elemente zu ernähren. Daraus ergeben sich auch die besonderen Anforderungen an das Pflanzenhaus.

Der Generalnenner dieser Anforderungen ist, daß die Pflanze die ständige innige Lebensgemeinschaft mit allen vier Elementen benötigt, um aus diesen die Lebens- und Bildekräfte aufnehmen zu können. Die erste Urfunktion der vier Hautfunktionen ist also im Pflanzenhaus besonders gut auszubilden. Nur um von dem Schlechten der vier Elemente abzuhalten, also um Hitze und Kälte, Nässe und Dürre abzuhalten, darf die unmittelbare Verbindung mit den vier Elementen vorübergehend verringert oder gar unterbrochen werden. Denn es wird dann auch der Zustrom des Lebens verringert! —

Die Kunst im Bau des Pflanzenhauses und in der Lebensdynamik des Umganges mit ihm besteht daher darin, möglichst viel das gute Leben einzulassen und zugleich möglichst viel der „Corrosiva", also des Schlechten der vier Elemente, das Gift ist für die Pflanze, abzuhalten und auch auszuscheiden, soweit es von innen kommt, von dem Lebenswechsel der Pflanze und ihres ganzen Hauses, insbesondere des Humus. Das Pflanzenhaus hat teilweise eine analoge Aufgabe wie die Hülle einer Frucht.

Beginnen wir mit der Erde des Pflanzenhauses. Hier müssen wir auf die wahre Landwirtschaftslehre zurückgreifen, auf die Lehre von den Wegen der Lebensqualitäten durch Zeit und Raum. Von ihr hat Liebig in seinem qualitätsfremden Materialismus fast garnichts mehr gewußt. Erst im Alter hat er ein wenig von den Wahrheiten des Lebens wieder geahnt und daher seine materialistischen Theorien als falsch verdammt. Doch das wird von den Materialisten verschwiegen. —

Die Erdhaut enthält in ihrer guten Erde, der Heilerde, die wir normalerweise in Gestalt der tonig-quarzig-kalkigen (salzig-sauer-süßen) Muttererde vorfinden, viele Lebensqualitäten in Form von Potenzen. Diese Lebenspotenzen werden von den Kristallen kristallinisch ausdifferenziert, von den Pflanzen vegetabilisch und von den Tieren, zuerst den Kleintieren wie den Mikroben animalisch. Diese kristallisierte, vegetabilisierte und animalisierte Oberhaut wird Humus genannt. Sie ist die Gebärmutter („Matrix terrae" in der „Matrix major mundi" bei Paracelsus) alles irdischen Lebens. Der Humus, seine Pflanzen- und Tierwelt lebt von den Lebensqualitäten, die durch die vier Elemente in ihn eingehen! Diese Lebensqualitäten kommen also aus der Sonnenwärme und dem Sonnenlicht, jedoch auch aus dem ganzen Kosmos, weiter durch die Winde der Luft sowie durch das Wasser wie durch

die Feuchte des Taues, Regens und Schnees. Von dort steigen sie in die Erde, bilden deren Salz und entwickeln das Salz der Erde. —
Die Pflanze verbraucht diese Lebensqualitäten teilweise für den Unterhalt ihres Lebens, konzentriert sie aber großenteils auch in sich und ihren Früchten. Die Tiere leben von den Pflanzen, verbrauchen für ihr Leben relativ weit mehr Lebensqualitäten, konzentrieren sie jedoch auch in sich und in ihren Früchten wie Milch und Eiern. Von den Lebensqualitäten und somit Lebensbildekräften der Kristalle, Pflanzen und Tiere lebt der Mensch, teils auch direkt von den Lebenskräften der vier Elemente wie jedes Lebewesen.
Die Lebewesen in Zeit und Raum sind überwiegend Verbraucher. Sie sind also auf die ständige Zufuhr von Lebensqualitäten hauptsächlich aus der Umwelt angewiesen, aus der großen Welt, aus dem Makrokosmos! —
Es ist hier somit der Materialismus zu überwinden, der nur die Materie sieht, den Stoff, und nicht das Wesentliche, die Lebensqualitäten, und deren ständigen Verzehr in den Lebewesen (die Entropie!). Der Stoff an sich ist im Leben zu nichts nütze! Im Gegenteil, er behindert das Leben! Im Kreislauf des Lebens nur den Kreislauf des Stoffes zu sehen, sei es auch des „Vitalstoffes", das ist ein unterer, äußerer, objektiv toter, lebensfremder, unbiologischer Aspekt.
Wenn man die wahre Landwirtschaft, die wahre Lebenswirtschaft, nämlich die Lebensqualitätswirtschaft begreifen will, so ist zweitens auch der Naturalismus zu überwinden, der dem (immer mechanizistischen) Materialismus noch sehr nahe steht. Denn er begreift noch nicht die objektive Realität der Lebensqualitäten und vor allem nicht ihre teilweise Degeneration vom Gut zum Gift in aller Natur dieser Welt. Und dann begreift er auch nicht die Ur-Kulturaufgabe des Menschen in dieser Welt, nämlich alles Gemischte in dieser Welt wieder zum reinen Guten zu wandeln, zum ganz Guten. Immer wieder weist Paracelsus auf diesen Kern aller objektiven, wirklichkeitsgerechten Weltanschauung und Lebenswissenschaft hin! Was ergibt sich daraus für den rechten Umgang mit dem Humus, insbesondere im Gewächshaus?
Der Mensch hat den Urauftrag, die Erde zu bebauen, d. h. zu kultivieren, d. h. zu verbessern! Ihre guten Lebensqualitäten sollen gemehrt und somit auch erhöht werden; ihre Unqualitäten sollen verringert und somit auch verkleinert werden, geschwächt, neutralisiert und möglichst wieder zum Guten zurück hinauf gewandelt. Omnia instaurare!
Der Humus, die Pflanzen- und Tierwelt ist also hoch zu qualifizieren. Je höher lebensqualifiziert die Pflanzen und Tiere sind, die auf der Erde leben, desto höher wird auch die Erde qualifiziert, insbesondere ihr Humus. Je giftiger die Pflanzen, Tiere und Menschen auf der Erde leben, desto giftiger und also schlechter wird die Erde; desto kränker wird der Humus; desto mehr stirbt er ab; desto dünner, ärmer und lebensschwächer wird er. Seine Dicke sinkt von über 30 cm auf 10, und sogar 5-3-2 cm. Bei unter 5 cm befindet sich der Humus meist schon in der Agonie, im Todeskampf! — Aber die

Dicke besagt noch nicht viel über die Qualität. Urwaldhumus ist kein Kulturhumus! Auch dies muß der Naturalist völlig neu bedenken.
Unter der Gare des Humus ist seine allgemeine Werdepotenz zu verstehen, seine Entwicklungspotenz für alle Lebensqualitäten. Der Sterbeprozeß auf der Erde dieser Welt ist dem Werdeprozeß und also dem wahren Wesen des Humus diametral entgegengesetzt! Der Sterbeprozeß wirkt wie ein Krankheitsgift, wie ein Leichengift. (Was auch H. P. Rusch anerkennt). Zur Kultivierung des Ackerbaues rechnet daher bio-logisch, die Muttererde und besonders ihren Humus von dem Sterbeprozeß zu befreien! Diese Befreiungsarbeit leistet der Mensch, wenn er dem siebten Werk der Barmherzigkeit folgt, nämlich wenn er das Tote begräbt in sein eigenes Haus, in ein Gefäß, insbesondere in die Tiefen der Erde. Daraus ergibt sich die wahre Biologie und Kunst der Kompostwirtschaft, der Mist- und Güllewirtschaft sowie allgemein der Müllwirtschaft ([1]).
Wenn also der Naturalismus mit seiner Glorifizierung dieses doch in gut und giftig gemischten Lebens überwunden wird und mit seiner unbiologischen Ausblendung der Sterbeprozesse und deren Leichengiftwirkung, dann wird begriffen, daß die sogenannte Gründüngung eine undurchdachte, unentwikkelte gemischte Angelegenheit ist. Nur für Sonderfälle und mit Maß sowie mit Hilfen aus dem Kompost, aus Misthaufen und Jauchegrube ist die Gründüngung gerechtfertigt. Sie ist in tieferer Sicht leider objektiv garnicht grün, sondern grau! Sogar auch diese Farbe — eine Sterbefarbe! Eine Antilebensfarbe! — ist äußerlich zu sehen. Der gesunde Humus dagegen ist schwarz, tiefschwarz! — Die Schwarzerdeböden sind noch immer die besten und fruchtbarsten gewesen! —
Zur Hochqualifizierung des Humus hilft der ausgereifte, nicht mehr geile, nicht mehr sterbende Kompost, dieser Mist und diese Jauche. Um dieses Gut durch die große Wandlung aus dem Gift zu erzeugen, benötigt man also lebensgerechte Häuser! Zumindest deckt man den Komposthaufen, der im Schatten eines Baumes und etwas vertieft liegen soll, mit Brettern oder Blättern bzw. Gräsern ab. Im Humus kann die große Metamorphose längst nicht so hochwertig verlaufen wie in dem rechten Gefäß. (Vgl. die Kochgefäße der Küche).
Die Qualifizierung des Humus vertreibt die wüste Finsternis der Erde und entwickelt zuerst aus ihrem lebendigen Salz die Fülle des Lebens, überwindet also auch die Leere! —
Wenn man den korpuskularistischen, den mechanizistischen Materialismus und seinen Naturalismus überwindet, dann öffnen sich die Augen für die Lebensqualitäten aus den vier Elementen. Was ergibt sich dann für das Pflanzenhaus?
Der Humus soll optimal warm und kühl, feucht und trocken sein, nicht hitzig und kalt, nicht naß und dürr. Der Humus soll optimal erdig-salzig, wäßrig, luftig-licht und feurig sein. Dazu helfen ihm alle vier Elemente,

zunächst die Erde, indem bei der kulturgerechten, nämlich bio-logischen Bebauung jedes Jahr ein wenig mehr von der unter dem Humus liegenden, in ihren Lebenspotenzen noch nicht aktualisierten Heilerde in den Humus hinein gezogen wird, cohobiert, wie die Alten sagten, sodaß der Humus das gute Salz der Erde gut entwickeln kann, aktualisieren und spezifizieren. Der erste Ackersmann, Jesus Christus nennt das „pflügen". (Luc. 9,62; 1. Cor. 9,10; Is. 28,23 f; Matth. 5,13; Luc. 14,34-35). Man kann es auch Fräsen, Lockern usf. nennen. Die subjektive Bezeichnung ist unwesentlich. Wesentlich ist, daß man diese Hauptaufgabe des Ackerns bio-logisch begreift! — Deshalb fügt Seifert dem Kompost jeweils eine Schicht jungfräulicher, noch unentwickelter Heilerde zu ([1])! Aus ihr erhält der Kompost bzw. Humus seine fundamentale Nahrung, sein gutes lebendiges Salz. — —

Der Humus wird nicht nur durch die lebendige Erde, sondern auch durch das gute, lebendige Wasser entwickelt. Dieses Wasser kommt mit Tau und Regen, besonders dem warmen Regen, dem Früh- und Spätregen. Der hoch lebensqualifizierten Feuchte soll das Pflanzenhaus nach Möglichkeit immer unmittelbar Einlaß gewähren. Kommt zu viel Regen, kalter Regen oder Schnee, so soll man dieses Leben in gesund gebauten Zisternen sammeln und kostbar hüten als großen Schatz. Die Tumben werfen das Gold weg und wühlen blindlings nach eisernen Pfennigen und im Unrat umher! — Das lebendige Wasser kann durch kein Grundwasser, schon garnicht durch Leitungswasser oder gar verschmutztes, vergiftetes, daher weithin totes Flußwasser ersetzt werden. Jeder Erwachsene weiß, wie bisher mit Leitungswasser getränkte Zimmerpflanzen plötzlich aufleben, wenn sie in den Regen gestellt werden! Wer selber denken kann, der zieht seine Konsequenzen daraus! Vom Himmel kommt eben kein verbranntes, synthetisches oder nur verdunstetes H_2O herunter! —

Ideal für die gesunde Wasserwirtschaft und dann auch Licht-Luft-Wirtschaft und Sonnenwirtschaft ist daher für das Gewächshaus ein Dach, das sich mit einer biologischen Steuerung vollautomatisch öffnet und schließt! —

Auch frische gute, lebendige Luft benötigt die Pflanze, nämlich ebenfalls in großer Menge die Lebensqualitäten aus diesem Element. Das automatisch sich öffnende Dach läßt sie ein, wann immer möglich, insbesondere in der nicht zu kalten Morgenfrühe und in der Abendkühle, aber auch in der stillen Taunacht. Eine verzärtelte Pflanze entwickelt wenig Lebensqualitäten. Allein auf diese kommt es bei allen Nutz- und Zierpflanzen an. Denn nur die Lebensqualitäten spenden Nährwerte, Blütenwerte, Duftwerte, Aromastoffe und noch mancherlei andere Qualitäten, nicht nur echte Vitamine.

Das natürliche gute, lebendige Licht mit seinem besonders lebens- und heilkräftigen Ultraviolettanteil ist ebenfalls wann immer möglich unmittelbar einzulassen. Soweit zur Wärmedämmung ein Glas erforderlich ist, soll dies ein möglichst hoch lebensqualifiziertes Bioglas sein, mit besonderen Wärmedämmwerten als Luftperlglas. Dies nicht in eisernen Fassungen, sondern

möglichst in Holz oder bei größeren Flächen in Nichteisenmetallen wie Aluminium biologisch veredelter Art, solange noch keine elastische Keramik existiert.
Lebendige Wärme aus dem guten, lebendigen Feuer benötigt die Pflanze zuerst und zuhöchst. Warmhäuser ist daher eine andere Bezeichnung für Gewächshäuser. Die lebendige Flamme spendet lebendige Wärme, also zuerst die Flamme der Sonne. Zweitens soll der Ölofen, Erdgasofen, Holzofen oder Kohleofen möglichst im Zentrum des Warmhauses stehen. Von dort kann er lebensgerecht konzentrisch das ganze Haus, besonders ein kreisförmiges Haus beleben, nämlich durchfelden, durchstrahlen und durchströmen sowie alles Schlechte hinaus treiben. Soweit Rohre verwandt werden, ist auch hier das Kupfer höchstwertig. Schon eine Verkupferung hilft viel. (Manche legen einen Teil der Rohre auch einen Meter tief in die Erde!) ([1]).
Auch Pflanzen scheiden Stoffwechselschlacken und also Gifte in die Erde und weitere Umwelt aus, dies in Gestalt aller vier Elemente. Sie sollen frei abgefeldet, abgestrahlt und abgeströmt werden können wie abgeatmet durch einen pflanzengerechten und allgemein lebensgerechten Luftwechsel. Wenn das Gift sich staut, wird der Boden und das ganze Hausklima müde und krank, aber nicht nur deshalb. Lebendige Wärme, lebendige Feuchte, lebendiges Licht, lebendige Luft, Heilkompost und Heilmist — jeder Kompost und Mist soll das sein! — und Fruchtwechsel helfen hier.
Zusammengefaßt benötigt die Pflanze also ständig die Düngung mit allen vier Urlebensqualitäten aus allen vier Elementen! Die erdige Düngung ist nur der vierte und unterste Teil der Düngung! Und die Erde düngt nur als Träger von Lebensqualitäten und mit diesen. Wo keine Lebensqualitäten, da keine Düngung! Sondern eher Vergiftung! Nämlich durch Unqualitäten, durch die Gifte des Toten!
Die Lebensqualitäten bzw. Unqualitäten der vegetabilischen und animalischen Leiber werden durch die Kompost-Mist-Gülle-Humus-Wirtschaft zu heilkräftigen Fermenten umgewandelt. Sie haben Transformator- und Katalysatoreigenschaften, auch Magneteigenschaften, um das millardenfach differenzierte kosmische Feld-, Strahlungs- und Strömungsleben in den Humus zu ziehen, allgemein in die Muttererde, und dort für die Pflanzen und Tiere zu spezifizieren und also nutzbar zu machen! Sie helfen wesentlich mit, die guten mineralischen Potenzen der Heilerde zu aktualisieren. Eine Mineraldüngung ist nur ausnahmsweise erforderlich wie mit lebendigem Kalk bei kalkarmem Boden und vor allem mit lebendigem Ton-Lehm bei lehmarmem Boden, also mit Heilerde! Im Kreislauf des Lebens soll dasjenige dem Boden zurückgegeben werden, aber lebensgerecht zum Ferment gewandelt, was ihm an Materie entnommen worden ist. Verkünstelte Minerale wie Luftstickstoff, gar gemahlene Thomasschlacke und dergleichen sind Gift für den Boden! Sie verschlechtern die Lebensqualitäten des Humus, der Pflanzen- und Tierwelt und verkranken daher alles.

Die Dauerfruchtbarkeit der Erde ist somit eine magnetische, transformatorische und katalythische Eigenschaft, eine Vermittlungseigenschaft. Von oben kommt alles Gute, alles Leben, alles Reine! Zuerst von oben kommen die Lebensqualitäten, welche die Pflanze konzentriert und zur Höherqualifizierung an das Haustier und an den Menschen weiter gibt. Diese Lebensqualitäten, von deren „Influenzen" Paracelsus unermüdlich spricht, werden in der Pflanze und im Humus teilweise korporalisiert, materialisiert, wie zu Blattgrün, Zucker und allerlei Elementen, wie u. a. auch Freiherr von Herzeele festgestellt hat ([1]). Wer die Zufuhr von oben (und dann sekundär auch von unten durch die heile Erde) nicht sieht, der ist blind für das Erste und Wesentlichste. Wohin ist sein Blick gebannt?

Der Naturalismus ist oft mit einem praktisch atheistischen Pantheismus verbunden. Und der Atheismus verblendet! Dies nicht nur in der Naturwissenschaft, sondern auch in Ackerbau und Viehzucht, in aller Wirtschaft und Politik. Wenn wir das Leben und seine Wege erkennen wollen, so sollen wir demütig an der Quelle suchen, im wahren Licht. Es leuchtet allen selbstlos Suchenden. Andernfalls geraten wir endlos in neue Irrtümer, in eigene Konstruktionen. —

Man soll dynamisch-biologisch denken lernen, transformatorisch, und nicht am Stoff kleben bleiben. Je nach dem qualitativen Zustand einer Einheit auf dem Lebenswege vermittelt sie andere Lebensqualitäten aus dem Kosmos! Sie konzentriert diese in sich und assimiliert sie insbesondere in unsere Lebensebene, transformiert sie zu uns wie ein „magnetisches Brennglas", wie ein leiterartiger, stufenartiger „Kanal". — Alle differenzierten Einheiten sind im Urgrund „nur" Vermittler der übereinen Urenergie. Was sie hierbei an Lebensqualitäten in sich bevorraten wie an Energien, Vitaminen etc., das ist sekundär wichtig. Außerdem kann das egozentrisch gefährlich werden, für alle Lebewesen, nicht nur für den Menschen.

Was also die Erde als Gebärmutter („Matrix") an Leben gebärt, das hat sie nicht gezeugt, das kommt nicht aus ihr, nicht aus der Materie! — Wer das Leben der Pflanze in ihren Lebensqualitäten und deren Verwicklungs- und Entwicklungswegen begreift, der begreift etwas Fundamentales, das er auch anderwärts zur Ehre Gottes und zum Heile der Lebewesen gebrauchen kann. Deshalb haben die großen Ärzte wie Paracelsus so viel von den „Magnalia dei" (Großtaten Gottes) in der Pflanzenwelt gesprochen und aus ihr so viele Heilmittel recht gewonnen. —

Auch die Gewächshauspflanze wird dann so gesund, daß sie an keinerlei Krankheiten mehr leidet, von keinerlei Schädlingen mehr befallen werden kann, wie A. Seifert allgemein bewiesen hat ([2]). Entsprechend gesund wird auch das Tier und der Mensch, der sich von solchen Pflanzen nährt, dies seelisch und leiblich. Die Friedfertigkeit und Gutmütigkeit gesund ernährter Tiere ist den Erfahrenen bekannt, ebenso die Aggressivität, die Unfriedlichkeit ungesund ernährter Tiere.

Solange Humus und Pflanze noch nicht ganz gesund sind, dürfen nur biologische Mittel, also echte Heilmittel verwandt werden, vom Lehmanstrich mit vergorener Brennesselbrühe angefangen. Denn die Gifte vergiften die Pflanze und den Humus, schwächen und verkranken das gesamte Pflanzen- und Bodenleben, sodaß es alsobald von noch mehr Krankheiten noch heftiger heimgesucht wird. Ein Teufel zieht sieben andere nach. Entsprechend werden auch Tier und Mensch krank. Auch hier der „teuflische Regelkreis" (Forrester), wie bei dem Menschen in der Giftmedizin, wie bei der allopathischen Klimatisierung des Hauses und wie in Recht und Politik, wenn die fundamentale Freiheit der unbebauten Erde und also die erste Freiheit der Wirtschaft (von der alle anderen wirtschaftlichen Freiheiten abhängig sind) nicht gesehen und geachtet wird (Vgl. Kapitel VI).
Die Wahrheit vom Leben und seinen Wegen ist ureinfach. Ebenso einfach ist sie auf die Bebauung der Erde und auf das Pflanzenhaus anzuwenden. —

DER GESUNDE STALL

Was ist das Wesen der Stallbaukunst und Stallhaltungskunst? Die biologische Stall-Lebensordnung ist nur aus der Wissenschaft und Kunst der Viehhaltung zu begreifen. Diese aber gründet in der Wissenschaft und Kunst des Ackerbaues. Und diese gründet in der Wissenschaft und Kunst des Umganges mit den guten Lebensqualitäten und ihren Entartungen, den Unqualitäten, den Giften, auf den Wegen des wahren Lebens, weg von den Wegen des Todes. Nur aus der wahren Biologie und insbesondere aus ihrer Bio-Chemie ist all dies ganzheitlich zu begreifen. (Vgl. „Zur Grundlagenwissenschaft", „Die Urordnung der Natur", „Das gesunde Pflanzenhaus", „Die gesunde Küche" usf.).
Versuchen wir, das Thema zuerst in der Grundlagenwissenschaft der Scientia perennis zu sehen. Denn von dort her ergeben sich die allgemeinsten und wesentlichsten Einsichten, somit die immer gültigen maßgeblichen Richtlinien für alle Praxis.
Der Leib des Tieres wurde dem Erdenmenschen auf Zeit geliehen, als er die Erde betreten mußte, d. h. diesen Kosmos (Gen. 3,21). Von den häuslichen Lebensbedingungen dieses Leibes war bisher ständig die Rede. Also soll auch der Stall, in dem Jesus Christus aus dem oben genannten Grund symbolisch, d. h. lebensgesetzlich, ana-logisch person- und naturgesetzlich geboren wurde, in allem prinzipiell ebenso lebensgerecht qualifiziert sein wie das Haus des Menschen. (Und umgekehrt!). Im Anfang der Viehzucht — oder in der Seitentwicklung der Kultur? — finden wir auch das Haus des Menschen und des Tieres unter einem Dach vereint.
Der Erdenmensch hat die Aufgabe, das Tier neben sich wie das Tier in sich zu kultivieren. Er hat die an Lebensqualitäten entleerte und verwüstete Erde, d. h. diese Natur in sich und um sich wieder aufzubauen. Die Wissenschaft

und Kunst der Viehzucht besteht daher wie die Wissenschaft und Kunst der Pflanzenzucht darin, in den Lebewesen das Gut zu mehren und das Gift, das ist alles Disharmonische, zu mindern und wieder in das Gut zurück hinauf zu wandeln. Das ist das allgemeine Wesen der Kultur, in personaler Sicht auch zugleich der Religion! —

Auf dem kreisförmigen und spiraligen Wege des Lebens bis hinauf auf den Gipfel des Berges dieser Welt sollen Mensch, Tier und Pflanze entwickelt werden, genauer befreit werden von allen Ungutheiten und ihren Unfreiheiten. Dort liegt das Endziel, auch für Ackerbau und Viehzucht! Bis zu diesem Ziel muß das Leben im Kreislauf oftmals durch ein Stirb und Werde gehen, durch Löse und Binde, durch Scheide und Vereinige (Solve et coagula). Das Wesen dieser guten Wandlungen zu begreifen heißt die guten Wege des raumzeitlichen Lebens begreifen. Und das ist unsere Aufgabe, insbesondere die Aufgabe der objektiven, qualifizierten Naturwissenschaft, in ihr der objektiven, der qualifizierten Biologie.

Die Kunst der Viehzucht ist siebenteilig wie die Kunst des rechten naturgemäßen menschlichen Lebens. Was die sieben Werke des befreienden Lebens lehren! So steht auch im Leben des Viehs das Haus in der Mitte, das heißt der Stall. Er umfaßt, begründet und zentriert die anderen sechs Urbereiche des Lebens, wie bei dem Menschen. Aus dieser Lehre des Stallebens ist der Stallbau und das Wohnen darin, die Stallhaltung recht und endgültig richtig zu begreifen. Was ergibt sich hieraus praktisch real für das Haus der Tiere und das Leben darin?

Der Stall ist zwar jeder Tierart biologisch anzupassen. Aber das Allgemeine gilt für alle Tiere identisch wie in Baumaterial, Bauform, Glas und Klimatisierung in den vier Elementen. Wie es auch allgemein für das Pflanzenhaus gilt, für alle Lebewesen. Auch für Speise und Trank, für Lebensweise, Heilweise und Hygiene gilt im Allgemeinen dasselbe. Wo Tiere sich noch länger als der Mensch im Stall aufhalten, besonders im Winter, dort ist auf die Stallgesundheit noch größerer Wert zu legen, wenn man mit geringstem Aufwand die gesündesten Tiere und die besten und meisten lebensqualifizierten Produkte erhalten will, also den weitaus größten Nutzen erzielen will. Es ist bio-logisch urselbstverständlich, daß der Nutzen desto größer ist, je mehr die Lebensqualitäten und ihre Gesetze geachtet werden; und daß der Schaden umso größer ist, je mehr die Ordnung des Lebens mißachtet wird. Weshalb klagen die materialistischen Landwirte über sinkende Erlöse und Mißernten! — Treiben sie eine Selbstmordlandwirtschaft? —

Bielenberg hat als Stallbauspezialist dargelegt, wie gewaltig groß die wirtschaftlichen Verluste in ungesunden Ställen sind. Allein in der Schweinezucht und ausschließlich im Futtermehrverbrauch betrugen im Jahre 1962 die jährlichen Verluste durch ungesunde Ställe 280-300 Millionen DM in der BRD ([1]). Von den Verlusten durch Mehrarbeit, Tierärzte, Medikamente, Notschlachtungen, Todesfälle etc. ist also noch abgesehen. Sie würden im Jahre

1974 wohl über eine Millarde DM betragen. Kein Wunder, daß deshalb auf tierärztlichen Hochschulen und bei Bauern der Betonstall als „Schweinesarg" bezeichnet wird. Könnte dies nicht nachdenklich machen? —
Aber daß ein Nullfeld ein Friedhofsfeld ist, das ist schon vor Jahrhunderten festgestellt worden! (Vgl. die Beton- und Elektrokrankheiten). —
Auch ein Stall muß wie ein Pflanzenhaus warm sein, nicht hitzig, trocken sein, nicht dürr, feucht sein, nicht naß, und kühl sein, nicht kalt. Auch ein Stall muß daher durch genügend dicke, bestens atmungsfähige Mauern und eine zugdichte, hoch atmungsfähige Decke (1 m Stroh oder Heu darüber!) im Winter vor Kälte geschützt sein. Er muß vor Zugluft geschützt sein, dennoch aber bestens gelüftet werden, nicht künstlich, sondern kunstvoll! Er darf wie bei den Menschen nicht überbelegt sein. Besonders sein Boden muß sehr gesund sein, vollständig zementfrei, wie die Mauer. (Biozement und Biobeton ist mit Maß gestattet). Die gebrannte Heilerde soll den Stall beherrschen. Die ungebrannte Heilerde ist als Stampflehm mit allerlei Zuschlägen wie Häcksel, giftfreier Heringslake, Ochsenblut, Rosmarin, Salbei und anderen Heilkräutern ein hervorragend gesunder und heilkräftiger Bodenbelag. Auch Hartholz, mit heißem Holzteer gestrichen, vorher mit Holzessig imprägniert, ist ein hervorragend gesundes Stallbaumaterial. Es kann auch am Boden verwandt werden. Es sollte in mehrjährigem Abstand nachimprägniert und nachgestrichen werden, wie auch die Wände jährlich mit guter Kalkmilch geweißelt werden sollen ([1]).
Die giftfreie Streu, nämlich von gesunden Feldern ist fundamental stallwichtig.
Die Stallhygiene ist als biologische Hygiene ebenfalls lebenswichtig. (Die biologische H y g i e n e und die echte B i o l o g i e werden hier von der Scheinhygiene und Scheinbiologie unterschieden, nämlich von der materialistischen Hygiene und Biologie. Der M a t e r i a l i s m u s wird in diesem Buch immer als der quantistische, korpuskularistische und also mechanizistische Materialismus verstanden, als der Aberglaube alles Aberglaubens. Materialisten sind im Grunde Anarchisten und Terroristen des Lebens, zuerst in sich und gegen sich selbst, also Selbstmörder. — Und unter H e i l k u n d e wird vorliegend stets die wahre giftfreie Heilkunde der Hochkulturen verstanden, nicht die materialistische Giftmedizin der Untergangszeit. Gegen diese haben sich in allen Ländern die Praktiker des Heilens erhoben, auch Naturheilkundige, Homöopathen usf. genannt, und die anderen Naturärzte. Sie alle streben zur wahren Heilkunde. Und sie beanspruchen das Urrecht (Freiheitsrecht, Menschenrecht), in freier Wahl und Selbstbestimmung zu heilen und geheilt zu werden, frei von aller Glaubenstyrannei und Wissenschaftstyrannei wie der Liebhaber der Gifte).
Das Herz der echten Hygiene ist die Reinigung einschließlich der Wandlung des Unreinen (Giftigen) in Reines, des Gestorbenen in Lebendiges, des Schlechten in Gutes, also einschließlich der großen Metamorphose alles kos-

mischen Lebens. Denn durch das Unreine, zuerst durch die eigenen Stoffwechselgifte wird das Leben schwer geschädigt. Also wird jedes Tier durch die Feldwirkung und besonders die Ausdünstung seiner eigenen Fäkalien geschädigt. Daher sollte man wo irgend möglich die Tiere im sogenannten Freistall zum selbständigen Aufsuchen des Abmisteplatzes und des eigenen Standortes erziehen. Andernfalls ist für häufige und ausreichende Entmistung und Entjauchung zu sorgen. Misthaufen und Jauchegrube sollen genügend weit vom Stall entfernt sein und nicht nördlich von ihm liegen. So viel Kühe im Stall, mindestens soviel Meter Abstand soll der Misthaufen und die Jauchegrube von der Stallwand haben. Eine Kuh gilt drei Schweine. Die Gesundheit am Ende der Lebenskette ist ebenso lebenswichtig für die Stall- und Tiergesundheit und somit für die ganze Wirtschaft wie am Anfang im gesunden giftfreien Futter und Getränk, wie der freie Auslauf wann immer möglich, der freie Weidegang, wie frische Luft, genügend Wärme und reines Licht.

Wie viele Bauern haben nach dem zweiten Weltkrieg mit Hilfe der Subventionen des Grünen Planes ihre Ställe neu aufgebaut, selbstverständlich modern mit Beton und Eisen. Aber die Schwalben zogen aus und das Ungeziefer ein samt allen Krankheiten, Seuchen und Kümmerungen. Die klugen Bauern rissen ihre Schweinesärge bald wieder ein und bauten die Ställe nach altbewährter Weise mit Ziegeln und Holz neu auf. Ob es auch dazu noch Subventionen gab? Wohl nicht mehr! — Wie Müller/Schweiz und Virtanen/Finnland gezeigt haben, wurde das gesund gehaltene Vieh von den Seuchen wie der Maul- und Klauenseuche nicht mehr befallen, mochten auch alle Ställe rings um infiziert sein. Aber das können und wollen Materialisten in ihrer tabuisierten engen Ideologie nicht zur Kenntnis nehmen. Wie sehr würde auch der Profit der Giftchemie leiden! —

In subjektiv bester Absicht wird objektiv hauptsächlich die Selbstvernichtung subventioniert, von den verkünstelten und darum giftigen Düngemitteln angefangen. Und auch die „Entwicklungsländer" werden vorzüglich mit derartigem „Segen der Menschheit" (Readers Digest) bedacht, der dann nach entsprechender Zeit als „Fluch der Menschheit" erkannt wird. Ist es so schwer, grundsätzlich zu erkennen, daß Künstliches künstlich wirkt und daß nur Natürliches natürlich wirkt! — Mensch, Tier, Pflanze und Humus sind natürlich!

Tiere dürfen nicht mit Metallketten angebunden werden, gar an Metallsäulen und Metallgeländer. Metall in dieser Körpernähe, gar aus Eisen, ist nicht nur dauernd unangenehm, was auch bei Tieren sich entsprechend auswirkt, sondern schädigt das organische Leben. Wer es nicht glaubt, der binde sich doch selber einmal solch eine Kette um! Sein Organismus reagiert prinzipiell gleich. Auch bei Pflanzen wie Obstbäumen sollen keine Eisendrähte verwandt werden, auch keine anderen Metalle, ausgenommen ein Kupferring um einen kranken Baum oder Strauch, wie Lakhovsky lehrt.

Der Boden der Liegestatt soll aus zementfrei gut gefugten, hart gebrannten Ziegeln bestehen mit dichter Scherbe. Doch unter der obersten Ziegelschicht luftgekammerte Ziegel, sogen. Gitterziegel. Bei sehr reinen Tieren kann auch das mit Holzessig imprägnierte und mit reinem (!) Holzteer gestrichene Holz als Lager verwandt werden, sonst nur als Seitholz, als Wandholz, Trennholz, Gitter usf. Nur Zusätze von Kräuterextrakten dürfen und sollen dem regelmäßig zu erneuernden Anstrich zugefügt werden. Mit schwefelfreiem Weißkalk, zement- und giftfrei sollen Wände und Decke mindestens einmal im Jahr geweißelt bzw. gespritzt werden.

Man kann luxuriös Naturgummi (Latex bzw. Rohkautschuk) in einer dicken Matte unter der Streu verwenden wie für Kühe und Pferde. Aber das ist in der Regel ein teurer Notbehelf, weil man den eiskalten Zement im Boden verwandt hat. (Biozement wäre in Zukunft erlaubt).

Ständige Stallhaltung macht die Tiere krank, ist eine Tierquälerei, und erbringt ungesunde, unhygienische, zu verbietende Produkte, dies ähnlich wie bei den Eierfabrikhühnern in den Drahtkäfigen am laufenden Band. Jedes Tier soll genügend Bewegungsraum haben. Keine Überbelegung. Denn dann wird die ohnedies schon notwendig große Atmungsfähigkeit von Decke, Wänden und Boden überfordert. Dann staut sich das Gift. Es macht die Wände und also das Stallklima faul, wie die Flüsse und Seen bei Überladung mit Giften umschlagen und zu faulen beginnen. Sie werden giftig, hospitalismuskrank, krebsig, ebenso die Ställe. — Ein Stall soll gesund riechen. Wenn der qualitätsfühlige Mensch sich in ihm wohl fühlen kann, dann ist er gesund. Nur ein gesunder Stall darf an ein Wohnhaus angebaut werden. Andernfalls wird auch das Wohnhaus krank.

Dies alles gilt bis zum Hühnerstall und der Hundehütte. Kein Tier ist ausgenommen. Die Katzen können dem Menschen die rechte Reinlichkeit lehren. Auch den Stall soll man an den Elektrofreischalter anschließen. Ein Fehlerstromschutzschalter sollte wegen der auf dem Lande höheren Elektrisierungsgefahr ebenfalls installiert sein.

Bei dem Stallbau soll eine geopathische Zone als Erstes gemieden werden. Läuft dennoch eine durch den Stall, so soll man in ihren Verlauf keine Tiere stellen, sondern einen Ablageplatz oder dergl. einrichten. Nur notfalls soll man entstören. Das ist dann oft schon mit gut postierten ziegelgroßen Quarzen möglich, die am Eingang und Ausgang der Störung jeweils 1-2 m rechts und links von ihr gelegt werden, Kopf nach oben und Ost nach Ost. Und niemals in die Störzone die Milchkammer oder Käsestube legen oder den Vorratsraum für Eier oder den Kühlschrank, auch nicht Jauchegrube und Misthaufen. Denn in der Störzone werden alle Lebensprozesse verschlechtert, beispielsweise in Gestalt von Aromaverlust, von Fehlgärungen, von Fehlfermentierungen, von Verschimmelung und baldigem Verderb. Für hoch lebensqualifizierte Räume soll man sogar einen eigenen harmonischen Giebel bauen! Keinesfalls ein Flachdach! In einen schlecht gebauten und gelegten

Raum zieht der Hospitalismus ein und bleibt darin, man kann sonst machen, was man will. Auch mit Kupferbändern um den Raum, waagerecht und senkrecht, und anderen Entstörmaßnahmen kann man kein voll gesundes Raumklima schaffen.

Alle Fehler im Stallbau und in der Stallhaltung führen, wie schon Bielenberg ausführlich dokumentiert hat, zu einer schlechten Qualität und geringen Quantität, also in wirtschaftlicher Hinsicht zu einem vielfältigen Schaden. Milch, Eier, Mastleistungen, alles wird verschlechtert und verringert durch die schlechten und geringen Lebensqualitäten des Stalles. Die Krankheiten in allen Formen werden vermehrt. Es kommt zu Aufnahmeschwierigkeiten, Geburtsschwierigkeiten, Verkalben und zu früher Invalidität. Die Seuchen reißen nicht mehr ab. Die Kosten steigen, und die Erträge sinken. Die seelenlose mechanizistische Arbeit will keiner mehr machen. So wird die Landwirtschaft unrentabel. —

All das ist bei gesunder Tierhaltung in gesunden Ställen unbekannt. Wie die gesund gezogenen Pflanzen und die naturgerecht lebenden Menschen, so können auch die Tiere vollständig gesund sein. Das ist schon genügend nachgewiesen worden. Doch nur diejenigen, die vor sich selber ehrlich sind, vermögen das zu begreifen. —

DAS HAUS DES HOFES

Die Zweieinheit von Haus und Hof
Eine überschauende Betrachtung

„Haus und Hof"! Steht das nicht schon in den Zehn Geboten? Jedem Wort in ihnen sorgfältigste Aufmerksamkeit zu widmen, könnte ungeahnt nützlich sein.

Wie ein unzertrennliches Ehepaar wird „Haus und Hof" in der Kulturgeschichte der Menschheit behandelt. Könnte auch ein Haus ohne Hof existieren? Überhaupt erbaut werden? Auch ohne die Nahrung aus dem Hof bewohnt werden? — Und könnte ein Hof ohne Haus existieren? Überhaupt bebaut werden? Urbar gemacht werden?

Also rechnet das Thema „Der gesunde Hof" zum Thema „Das gesunde Haus" und auch umgekehrt. Die Gesundheit der einen Welt ist von der Gesundheit der anderen Welt untrennbar abhängig. Wer hier nichts von der Qualität und Gesundheit versteht, der wird auch dort nichts von der Qualität und Gesundheit verstehen. Also haben wir uns auch um die Gesundheit des Hofes zu bemühen, um die Erkenntnis seiner Krankheiten und deren Heilung. —

Wir sehen folgend das Haus im Hof, in der Hofordnung des Lebens. Chinesen sind in ihr Meister. Die gute gelbe und dann im Humus schwarz werdende Erde gibt ihnen bestes Baumaterial und Nahrung zugleich. Rein aus Heilerde und Holz wie Bambus sind ihre naturverbundenen Häuser erbaut, auch in Japan.

„Bauen im Lebendigen" heißt eine hervorragende alte kleine Schrift über die Lebensordnung des Hofes ([1]). Wir bauen also! Wir bebauen die Erde. Der Hof rechnet somit vollständig zur biologischen Bauordnung, zur lebensdynamischen, organischen bio-logischen Bauordnung. Worin besteht sie?
Von dem Ackergewächs, auch der Alge im Acker des Meeres, leben Tier und Mensch. Auf die Einheit aller Lebewesen hin ist das wahre Wesen des Ackers gerichtet. Die vier Elemente, Kristalle, Pflanzen, Tiere und über ihnen wie in ihnen allen der Mensch bilden aus dem Acker, mit ihm und in ihm eine Lebensganzheit. Das Haus von Mensch und Tier ist das Lebenszentrum des Ackers. Das Leben kreist vom Himmel zur Erde und wieder zurück, wie in der Jakobsleiter, durch alle vier Urqualitäten und Elemente, durch Wärme, Klang und Licht, durch Kristall, Pflanze, Tier und zentral wie universal den Menschen. Jeder ist von jedem abhängig. Daher ist der Hof der Hof des Hauses und das Haus ist das Haus des Hofes. Ohne gesundes Haus kein gesunder Hof. Ohne gesunden Hof kein gesundes Haus. Das Haus kann nur so weit gesunden als auch der Hof gesundet! Und der Hof kann nur so weit gesunden als auch das Haus gesundet!
Der Hof des kleinen Mannes ist der Garten. Der kleine Mann ist der kleine Bauer. Jeder Mensch soll wenigstens im Kleinen ein Bauer sein. „Bebauet die Erde"! Bauet sie wieder auf! Erneuert die Erde, mit Gott frei mitbestimmend, wieder bis zum neuen Himmel und der neuen Erde. Das ist die Uraufgabe des Menschen im Kosmos. Nach der Erteilung dieses Urauftrages ist der Mensch auch selbst in diesen Kosmos gefallen. So hat er zuerst seine eigene seelisch-leibliche Erde zu bebauen, zu erneuern bis zum neuen Himmel, der eins ist mit der neuen Erde. —
Der Garten ist der höher entwickelte, kultiviertere Hof. Sehr viel wird der gesunde Garten dem Menschen zum Verständnis des gesunden Hauses helfen. Wer den gesunden Garten und Acker nicht liebt, der wird das gesunde Haus nicht verstehen. —
Sehr viele Intellektuelle und Handarbeiter verlieren in der Endzeit den Boden unter den Füßen und geraten dann mit ihrem Kopf in unheile ideologische Wolken oder/und in materialistische, zivilisationstechnokratische Besitz- bzw. Kapitalwünsche. Dann hilft zur Heilung, sich wieder in den Urwirklichkeiten des Lebens zu verwurzeln, mit den Füßen wieder organischen Halt auf der festen, lebendigen Erde zu gewinnen. Die qualifiziertesten und solidesten Arbeiter des Geistes und der Hand wohnen im Grünen und arbeiten auf der eigenen Erde. So auch echte Künstler.
Der Hof einschließlich dem Garten soll ein natürlicher Lebensquell sein, gegründet auf einer guten, lebendigen und reinen Erde, mit guten, lebendigen und reinen Pflanzen und Tieren. Nichts Schlechtes, Totes und Unreines von Natur oder Menschenhand soll auf dem Hof bleiben oder in ihn eingehen. Kein Gift, kein verkünstelter Stoff. Schon vor zweitausend Jahren hieß es, daß man totes Salz nicht auf den Acker werfen soll! (Luc. 14,34-35). Aber

der materialistisch-atheistische Mensch der Endzeit hat sich mit seiner Wirtschaft und ihren wissenschaftlichen Instituten auf Liebigs total lebensqualitätsfremden Düngematerialismus gestürzt. Und man propagiert diese lukrative Praxis, obwohl Liebig ehrlicherweise im reifen Alter seine schweren Irrtümer verdammt hat. Aber das wird verleugnet. — So wird das tote und daher giftige Salz auf den Acker gestreut und andere giftige Salze, Säuren und Basen werden hinzu ausgespritzt. Was kann und muß die Folge sein? Fade, elende Früchte und Gemüse, oft stinkend im Dünsttopf. Geschmacklose und immer schlechter schmeckende kranke und daher krank machende Nahrungsmittel! „Leere Kalorien", nämlich leer an Leben! Leer an Qualitäten. Gefüllt mit Unqualitäten. Daraus folgen Leber- und Gallekrankheiten, Stoffwechselkrankheiten wie die Zuckerkrankheit, Nervenleiden usf. bis hin zum Krebs, dem giftigsten Gewächs im menschlichen Körper. Hier ist die Selbstmordgesellschaft besonders erfolgreich am Werke. —

Soweit noch Schlechtes, Totes und Unreines von der gemischten Natur dieser Welt auf und in der Erde ist, Wüste und Leere, Hitze und Dürre, Nässe und Kälte, Steine, Dornen und Disteln, mancherlei Unkraut, Schlangen und Wölfe usf., so weit soll die Natur verbessert, belebt und gereinigt werden, befreit von der Unnatur, von der Disharmonie, von allem Gift. Ein „Baum", der schlechte Frucht bringt oder garkeine, soll umgehauen werden und ins Feuer geworfen! (Matth. 7,16 f). Das gilt also für jedes Gewächs, für jedes objektive Unkraut (Matth. 13,25-30). Naturalistische Vergötzung dieser Welt und fundamental verwirrter nominalistischer Theologismus gehen hier miteinander urfalsche Wege. In ihrem Irrealismus ist alles „nur symbolisch" gemeint, das Schlechte und dann auch das Gute! Daraus wuchert die wert„freie" charakterlose Machersucht, auch als Intellektualismus, Kritizismus und Zweifelsucht. Diese Wege führen in den Nebel und in den Abgrund. Insgeheim liebt man dann nicht selten die „Dornen und Disteln". Man folgt den Schlangen und Wölfen. (Matth. 7,15; Jer. 5,6). —

Die Menschheit steht heute in einer Fundamentalkrise. Durch den Intellektualismus kann sie gewiß nicht überwunden werden. Die selbstlose Liebe zu den Lebensqualitäten ist erforderlich, zum Guten um seiner selbst willen. Die objektive Liebe zu den personalen, zuerst den ethischen und gesellschaftlichen Lebensqualitäten zeigt sich daran, wie weit und konsequent auch die natürlichen Lebensqualitäten geliebt werden wie in Haus und Hof.

DER GESUNDE LAGERRAUM

Jeder Kulturgegenstand ist lebensqualifiziert! Also benötigt er einen lebensqualifizierten Aufenthaltsraum — einen Lebensraum? —, insbesondere einen lebensqualifizierten Lagerraum.

Wenn ein krankes Vorratshaus ständig durch Schrumpfung und Verderb über 10 % seines Lagergutes verliert, ein gesundes jedoch keine 3 %, von der dort

verschlechterten, hier aber gewahrten und sogar verbesserten Qualität noch garnicht zu reden (was vielleicht noch viel mehr ins Gewicht fällt!), wäre dies nicht einzelwirtschaftlich und gemeinwirtschaftlich von Bedeutung! —
Als der Prager Karel Drbal im Jahre 1959 das Patent Nr. 91 304 für eine Bauform erhielt, die imstande war, ohne zusätzlichen Aufwand zentral eingelagerte Objekte in ihrer Qualität sehr gut und lange zu bewahren und sogar noch zu regenerieren, also nicht nur zu verbessern, sondern auch noch zu heilen, welche Entwicklung hatte da begonnen? ([1]).
Eine Prager Bierbrauerei hatte danach Bier nicht nur in runde, sondern auch in kubisch-quadratische Behälter abgefüllt. Die Erfahrungen mit der Qualität waren so eindeutig schlecht, daß diese Behälter schnell wieder aus dem Verkehr gezogen wurden.
Es dürfte schon genügend Überzeugendes zu gesunden und kranken Behausungen gesagt sein. Was ergibt sich daraus für Lagerräume?
Auch der Lagerraum soll seine Güter verbessern und wahren in ihren Qualitäten. Er soll alle Unqualitäten fern halten, unqualifizierte Prozesse verhindern und Unqualifiziertes ausscheiden, insbesondere abatmen, soweit es dennoch erzeugt wird.
Es sind bio-logisch mehrere Gruppen, vielleicht zwei bis drei Hauptgruppen von Lagergütern zu unterscheiden, nämlich nach ihren Anforderungen an die Urqualitäten Kühle, Feuchte und Trockne. Kühl soll im Grunde alles gelagert werden, da in der Wärme zu viel Hitze ist, die am mächtigsten verdirbt. So bleiben die beiden Gruppen, die mehr Feuchte und mehr Trockne benötigen.
Ein anderer Gesichtspunkt mit gleicher Auswirkung ist der von Paracelsus viel genannte des „mittleren Lebens“ und des „Endlebens“. Je mehr ein Gegenstand im mittleren Leben steht wie eine Frucht, je mehr sie noch im Reifungsprozeß steht, desto mehr natürliche, qualifizierte Feuchte benötigt sie. Diese ist am besten ständig frisch aus einem naturfeuchten Lagergrund zu beziehen. Der gewachsene Boden darf dann nicht mit einer isolierenden Schicht bedeckt werden, sondern nur mit hochwertigem Quarzsand egalisiert oder mit Stampflehm befestigt. Allenfalls, wenn die Feuchtigkeit ein wenig abgedämmt werden soll und Befahrbarkeit erwünscht ist, kann er im Geh- und Fahrraum mit Spezialziegeln hoher biologischer Qualität ausgelegt werden. Solche Heilerdeböden haben sich bestens bewährt wie bei der Lagerung von Obst ([2]). Es kann dann auf kostspielige Verdunstungsanlagen verzichtet werden, die zudem längst nicht die Qualität der Naturfeuchte aus dem gewachsenen Boden erbringen können. Zwar muß dann mehr gekühlt werden. Aber der qualitative Nutzeffekt in der Bilanz ist groß.
Die Wände eines solchen Lagerraumes sollen ausnahmslos nur in gebrannter Heilerde errichtet werden. Zusätzliche Wärmedämmungen nur zwischen Heilerde bzw. Ziegeln und Außenwelt legen! In der äußeren Schicht dürfte bisher Aluknitterfolie — besonders inseitig verzinnte! — das Beste sein. Aluminium

harmoniert mit der Heilerde, da diese zur Hälfte aus dem Grundstoff der Aluminiumgewinnung besteht.
Nicht nur zur Erhaltung der objektiven Frische bei Obst und Gemüse, auch für Lebensmittelkonserven aller Art, in Glas und Metall, für alle Getränke, Naturtextilien, Genußmittel, Heilmittel, Parfüme, Kosmetika und Hygienika wie Seifen, Bürsten etc. ist dieser je nach Lagergut etwas mehr oder weniger naturfeuchte — nicht nasse! — Raum sicherlich der hochwertigste. Nur Bergkeller mit besonderen Gesteinsformationen wie bestimmten Kalkgesteinen, Tonschiefern, bleihaltigen Gesteinen usf. dürften für einzelne Waren wie Weine noch bessere Bedingungen bieten. Das kann im Einzelfall biologisch ausgetestet werden, ehe man baut, auch ehe man einrichtet. Denn durch falsche Einrichtung wie Gestelle aus unqualifizierten, etwa verkünstelten Materialien kann man ebenfalls viel falsch machen. Auf Metallfreiheit ist zu achten. Sogar auf homöopathische Dosierungen von Chemiziden ist bei der Verwendung von dem anerkannt hochwertig konservierenden Eichenholz oder Kiefernholz oder tropischem Steinholz zu achten.
Eine zweite Gruppe von Lagergütern verlangt mehr Trockenheit — nicht Dürre! —, nämlich alles, was im Endleben steht, alle Metallgegenstände, veredelten Holzgegenstände, kristallinische Materialien, Gläser usf. Auch hier sollte kein unbiologischer Zement verwandt werden, weder im Boden noch in den Wänden. Asphalt darf und soll dann unter dem Ziegelboden verwandt werden. Er hat auf Minos und anderwärts die WC-Anlagen fünftausend Jahre lang funktionsfähig erhalten. Mit biologisch hochwertigem Kalkmehl verarbeitet ist er für das Lagerungsklima sehr schätzenswert. Auch reines Blei ist für diese Zwecke zu schätzen. An den Kalk zu Verputzen sind höchste biologische Anforderungen wie auf Schwefelfreiheit zu stellen. Auch dann ist er sparsam zu verwenden. Die bei trockeneren Räumen mehr hart gebrannten Ziegel aus hochwertigen Tonen sind besser unverputzt zu lassen oder nur dünn mit guter Kalkmilch zu schlämmen. Zugaben von edlen Quarzen sind in einem Verputz zu empfehlen, zuweilen Edelputz genannt. (Doch Vorsicht bei bloßen Worten!)
An Kühlgeräte oder gar Klimatisierungsgeräte sind alle die schon genannten biologischen Anforderungen zu stellen.
In einem solchen hoch qualifizierten Lagerraum dürfen auch zur Pflege keine Chemizide wie in vielen modernen Reinigungsmitteln verwandt werden. Auch an Verpackungsmaterialien sind dieselben biologischen Anforderungen zu stellen. (Vgl. die Kapitel zur Kühlung und Heizung, zu den Chemiekrankheiten, zur Reinigung, zur Verpackung, zum mobilen Haus usf.).
Das Licht soll biologisch qualifiziert sein. Tageslicht soll nur schwach und durch ein noch zu entwickelndes Biokonservierungsglas eindringen. Das künstliche Licht soll kunstvolles Licht sein, insbesondere qualifiziertes blauviolettes Licht. (Vgl. die entsprechenden Kapitel zu Glas und Licht). Licht soll nur brennen, soweit es notwendig ist. Hier ist eine automatische Ein-

schalt- und Ausschaltanlage zu entwickeln.
Von Elektrostörungen soll ein Lagerraum hoch lebensqualifizierter Gegenstände ebenso peinlich freigehalten werden wie von geopathischen Störungen. Also stets der Netzfreischalter! Geopathische Störzonen unbedingt meiden! Die Zuleitungen zu elektrischen Kühlgeräten gut magnetisch und elektrisch abgeschirmt!
Eine Reihe von Versuchen hat ergeben, daß hochgespannte elektrische Gleichfelder eine erhebliche konservierende Wirkung auf Lebensmittel wie z. B. Fleisch ausüben [1]. Der Aufwand ist relativ gering, der Nutzeffekt unglaubhaft groß. Aber diese Versuche bedürfen noch qualifizierter biologischer Nachuntersuchung. Sicher ist jedoch schon heute, daß hier weitere große Konservierungsmöglichkeiten besonders für leichtverderbliche Waren bestehen.
Es ist allgemein eine methodische ganzheitliche Erforschung der biologischen Konservierungsmöglichkeiten notwendig.

BODEN UND DECKE

Was ist die biologische Urfunktion von Boden und Decke?
Das ist im Allgemeinen die Hüllenfunktion, also die Grenzfunktion des ganzen Gehäuses. Im Besonderen ist es die Grenzfunktion im Erdradius. Im Einzelnen ist es die Grenzfunktion nach „unten“ und nach „oben“ (jeweils archetypisch im Sinne der platonischen Urideen zu verstehen). Was ergibt sich daraus konkret für die biologische Bauordnung?
Das hängt zunächst von dem Bewohner ab. Fische, Landwesen und Vögel benötigen jeweils ein anderes Haus und also andere Böden und Decken. Was benötigt der Mensch? Er sei ein trockenes, warmes, luftiges Lebewesen sagt die alte Lehre.
Also soll der Boden warm, trocken und lufthaltig sein. Je kultivierter der Mensch und seine Arbeit, und je ruhiger diese ist, desto mehr Luft benötigt er in seinem Daueraufenthaltsraum unter seinen Füßen. Also soll der Boden unterkellert sein. Oder er soll zumindest einen Kriechraum enthalten. Doch wenn schon einen kaum benutzbaren Kriechraum, dann bei der heutigen Bautechnik sogleich einen ordentlichen Keller. Wenn ohne Keller und Kriechraum ebenerdig gebaut werden soll, dann kann auf eine Feuchtigkeitssperre der Luftraum durch U-förmige oder quadratische hohle Tonkörper von 50-100 cm Länge und 5-25 cm lichter Weite gebildet werden. Man legt sie dicht nebeneinander und kann sie auch mit Mörtel verbinden. Quer darüber kommen Lagerhölzer mit ca. 4 cm Höhe in 40-60 cm Abstand. Darüber kommt der Unterboden oder sogleich der Dielenboden. Auf den Unterboden das Parkett (ohne verkünstelte Kleber etc.!).
Oder man legt über die lufthaltigen Tonkörper eine ca. 10 cm dicke zementfreie Schicht Kalkmörtel. In diese werden keramische Fliesen eingelegt.
Diese beiden Böden sind sehr fußwarm und gesund, sofern eine Asphalt-

schicht von 2-3 cm Dicke möglichst tief liegt. Sie hält die natürliche Bodenfeuchtigkeit ab, noch mehr die Nässe. Diese Asphaltschicht benötigt einen festen ebenen Grund. Er besteht am besten aus einer 10-15 cm dicken Schicht Biobeton, zu dem als Zuschlag der lufthaltige Blähton mit verwandt wird. Wenn der Untergrund lehmig ist, soll der Biobeton viel Kalkstein und Sand enthalten. Ist er hart wie granitisch, so soll er viel Kalk und Ziegelsplitt bzw. Blähton enthalten. Ist er kalkig, so soll er viel Sand und Tonkörper enthalten. Denn dann wird in dem Fundament das biologische Gleichgewicht zwischen den drei Hauptmineralien hergestellt.

In dem ganzen Bodenaufbau soll kein verkünsteltes Material enthalten sein, kein mineralisches und keines aus Kunststoffen. Denn das ergibt ein unangenehmes, ungesundes Fußfeldklima. Das Fußklima aber wirkt hoch auf den ganzen Organismus.

Wenn man auf engstem Raum hochwertigen Luftraum schaffen will, dann legt man Riedrohrmatten. Jede eine Lage wird eigens zementfrei vermörtelt. Das ergibt schon auf wenige Zentimeter Dicke einen trittfesten fußwarmen Boden. In den Mörtel kann man Fliesen legen oder darüber einen Holzfußboden auf Lagerhölzer, was viel Luft unter die Füße bringt.

Der Boden soll eben sein. Der Grund ist nicht, damit man nicht ausrutscht und etwas abstellen kann, ohne daß es wackelt. Sondern weit höher und geheimnisvoller: Man soll exakt in der Waagerechte der Erdperipherie leben! Eine geringe Unebenheit stört viel! Hier besteht ein ähnlicher Grund wie bei der haargenauen Einrichtung der Pyramiden nach den anderen Himmelsrichtungen. Also mit der Wasserwaage arbeiten.

Für den Boden gilt gleich wie für die Wand die ideale natürliche Dreigliederung im Aufbau: Mineralisch, vegetabilisch, animalisch. Also zu oberst den Teppich aus Wolle etc. Dies gilt für alle Hauswände, also auch für die Decke, wenn man sie höchst qualifizieren will, wie mit einer ledernen Kassettendecke. Normalerweise genügt an der Decke jedoch der mineralische Verputz aus reinem Weißkalk. Auf den Boden keine festliegenden, gar geklebten Teppiche. Sie sind nicht ordentlich zu reinigen, also unhygienisch.

Der Boden, der zugleich Decke ist, trägt frei über dem ganzen Raum. Biologisch ideal ist die Holzbalkendecke mit massiven Tragbalken, diese auch als verleimte oder verschraubte Mehrfachbalken, Binder genannt. 25 x 25 oder 30 x 30 cm nahm man sie früher. Heute nimmt man das Verhältnis der Breite zur Höhe verschieden, wie 2 : 3.

Auf den Zwischenboden, der zwischen den Tragbalken liegt, gibt man Material in biologischer Polarität zum Baugrund, wie bei dem Fundamentboden beschrieben. Dies gilt auch für den Kellerboden. Beispielsweise schüttet man Sand, Ziegelsplitt und mit Tannenreis armierte Heilerde bzw. Lehm auf. Dieses Gewicht dämmt den Trittschall und Luftschall.

Die wichtigste Schalldämmung wird jedoch durch eine Mehrschichtigkeit ohne feste Verbindung erzielt. Sie besteht oben üblicherweise im schwimmenden

Estrich und unten in der weich untergehangenen Decke. Der Estrich soll auf Kokosfasermatten, Sisalfasermatten oder Korkschrot schwimmen, nicht auf einer Mineralfaser. Diese verliert ihre Elastizität schnell.
In einem Naßraum werden die Tragbalken mit einer Bretterlage versehen, darauf Bitumenpapier, darauf eine 10-12 cm dicke Schicht zementfreien Kalkmörtels. In diesen können keramische Fliesen gelegt werden. Oder einfache Tonplatten. Wenn der Naßraum extrem benutzt wird, also öfters Wasser weitflächig auf dem Boden steht, dann kann der Boden mit Asphalt oder Latex überstrichen werden, wandseitig einige Zentimeter hoch gezogen. Oder man klebt einen naßfesten Kulturstoff mit einem Biokleber, diesen in Fliesenform. (Eine Bitumenpappe oder andere Bitumenlage unter den Fliesen bringt die Gefahr mit sich, daß die Fliesen ausbrechen). Im Bad kann man eine vegetabile Matte überlegen wie aus Reisstroh oder dergl. Der Kalkmörtelverguß über Balken ist seit Jahrhunderten bewährt. „Diese sogenannten Steinböden waren im Gegensatz zu den heutigen harten Küchenböden vorzüglich warm" schreibt Schröder-Speck (¹).
Wenn die optimal gesunde Balkendecke aus irgendwelchen meist unsachlichen Gründen nicht gebaut werden soll, dann bietet sich als nächste Lösung die sogenannte Ziegel-Steindecke an. Sie besteht in der Hauptsache aus einem möglichst tragfähigen Tonhohlkörper, Hourdis genannt, der zwischen schmale Betonbalken eingelegt wird. Diese Balken sind mit ca. 8-10 mm starken Stahldrähten armiert. Man soll sie daher möglichst in Nord-Süd-Richtung legen, wie die Magnetnadel unmißverständlich deutlich im Buche der Natur lehrt. Man soll sie also nicht quer legen und somit sein Haus quer zur Natur bauen. Selten ist das Buch der Natur so eindeutig und zweifelsfrei zu lesen. Auf die Balken werden Lagerhölzer gelegt, über diese der Blindboden und dann Dielen oder Parkett oder Teppichboden. Je nach Abstand der Lagerhölzer der Blindboden 20-30 mm stark. Dann ist keine Druckplatte erforderlich, die sonst in Beton ausgeführt würde.
Die Betonbalken tragen auf der Unterseite Ziegelschuhe, sodaß die Decke des unteren Raumes vollständig aus hoch lebensqualifizierter gebrannter Heilerde besteht. Sie kann mit Weißkalk verputzt werden. In einem Feuchtraum oder einer Küche oder Waschküche wird als Putzträger eine Rohrmatte genommen und mit fettem Weißkalk verputzt, sodaß ein vorzüglicher Puffer für alle Dampfstöße entsteht.
Man kann die Decken unterseitig mit Gipskartonplatten belegen. (Naturgips! Ohne „Chemiegips"!) Das sieht gut aus und ist biologisch. Die weiße Farbe macht den Raum licht. Auch das hellste Holz wirkt an der Decke wesentlich dunkler. Und es dunkelt nach, was von vornherein zu bedenken ist. Doch dann kann man es auch mit Kalkmilch weißeln. Und man kann das Holz zwischen den sichtbar bleibenden Tragbalken mit hellen Platten belegen lassen. Die Tragbalken wirken im Raum immer schön, insbesondere im Wohnraum, wenn man eine gemütliche, heimelige Atmosphäre sucht.

Die Decke schließt den Raum nach oben ab. Man bedenke, welches Material das eigene Kopffeld zunächst beeinflussen darf und soll, auch welche Formen. Wenn es möglich ist, wie bei ebenerdiger Bauweise oder im obersten Geschoß, soll man die Decke ansteigen lassen. Sie soll nach oben offen sein und nach oben weisen. Dieser Einfluß ist nicht zu unterschätzen! Er kann in guten Musik- und Sprechräumen, vor allem in Kirchen studiert werden, in Meditationsräumen, nicht nur an Pyramiden, Stupas und Berghütten. Man beachte dann die harmonischen Winkel aus dem Trigonalsystem.
Wie steht es mit der Feuersicherheit im Holzhaus? Sie wird aus Ängstlichkeit, aus unbedachten Vorstellungen vom brennbaren Holz und aus der Erinnerung an die Zeit der Einzelkohleöfen sehr unterschätzt. Auch mögen einige an unbeherrschte Raucher denken. Eine lebenspraktisch große Feuersicherheit ergibt eine Holzbalkendecke, deren Zwischenboden mit Weißkalk, Putzresten und Kalksteinen belegt wird. Bei Hitze und Feuereinwirkung wird dann der Kalk entsäuert, indem er natürliche Kohlensäure in Gasform entwickelt. Diese behindert eine Entflammung eventueller Holzgase und sinkt durch ihre Schwere auch auf die Feuerquelle herab, diese löschend. Eine Leichtbetondecke bietet eine geringere Feuersicherheit als eine Holzbalkendecke! Denn bei einem ernsten Brand springt der Beton schnell ab, sodaß die Armierung weich wird und sich durchbiegt. Dann ist die Decke von oben nicht mehr betretbar. Die Holzbalkendecke dagegen behält lange ihre Stabilität, sodaß sie die vielfache Zeit für Rettungsversuche und Löschversuche begehbar bleibt. Und das erscheint lebenspraktisch bzw. brandpraktisch ausschlaggebend. Ein Metallgerüst wie bei Ausstellungshallen stürzt bei einem Brand im Gegensatz zu einem Holzgerüst in Minuten zusammen, fast schon in Sekunden, wenn die Hitze groß ist. Und dann sind alle Wege versperrt. Unter Holz bleiben sie lange frei! —
Kunststoffe in dem Brandraum bilden sofort giftige Gase, welche die Menschen betäuben und vergiften. Auch brennen viele Kunststoffe fast explosionsartig. Und wenn es wie häufig chlorhaltige Kunststoffe sind, typisch PVC (C = Chlor), so bilden sich nicht nur Giftgase, sondern auch Salzsäuredämpfe. Ein Kilo PVC bildet einen Liter 30 %ige Salzsäure! Ein einziger Liter solcher Salzsäure frißt in Gasform sämtliche Metalle auch in einer hundert Meter langen Halle derart an, daß die meisten Metallgegenstände unbrauchbar werden! — Leichtbetondecken und Kunststoffe bilden also im Brandfalle die größte Gefahr ([1]).
Wollteppiche dagegen brennen praktisch nicht. Sie verschmoren nur und dämmen hierbei die Flammen und Hitzestrahlungen. Treppen soll man in Stein bauen und völlig von brennbarem Material frei halten. In Einfamilienhäusern kann man sie aus massivem Hartholz bauen, das nur schwer und langsam brennt und auch nur dann, wenn es von einer leicht brennbaren Umgebung lange angebrannt wird. Ein beginnendes Feuer erstickt man leicht mit Decken und einem Schaumlöscher. Viel wichtiger ist, die Angst vor dem

Feuer zu überwinden und einen kühlen Kopf zu bewahren. Da man keine offenen Öfen mehr benutzt, sondern meist eine Zentralheizung, so ist die Feuergefahr bei Nichtrauchern praktisch null geworden. Elektrische Zündquellen werden durch den Fehlerstromschutzschalter und den Netzfreischalter in hohem Grade vermieden. Sie sollten beide in keinem Hause fehlen. Zusammengefaßt ist ein gesundes Haus, wenn es gesund, insbesondere rauchfrei bewohnt wird, auch ein brandfreies Haus. —
Die vier Wände, Boden und Decke bilden unseren Lebensraum. Alles in ihnen soll harmonieren, Form, Material, Farbe und Funktion.

DAS GESUNDE GEFÄSS
DIE GESUNDE VERPACKUNG

Mit panzerbrechenden Waffen muß man vielen modernen Verpackungen zu Leibe rücken, um an ihren Inhalt zu gelangen. Für den sicheren mechanischen Transport ist das zweifellos gut. Aber zuerst ist stets zu fragen, ob ein lebensqualifizierter Inhalt auch lebensqualifiziert umhüllt und also unter Erhaltung seiner Lebensqualitäten transportiert wird. Und das gilt für alle Hüllen, von der Käsehaut bis zur Schachtel und deren Glanzpapier, von der Weinflasche bis zum Karton, von der Milchpackung, Arzneimittelpackung, Kosmetikpackung und Parfümflasche bis zur Obst- und Salattüte.
Das Urbild der lebensgerechten Hülle, gleich als Gefäß und Verpackung, ist die Fruchtschale! Sie schützt den Kern in wesensgleich lebensqualifizierter Art; sie verbessert seine Lebensqualitäten, läßt sie ausreifen und bewahrt sie, atmet sogar das Schlechte ab wie die Lebenswechselprodukte. Das ist das biologische Leitbild für alle Gefäße und Verpackungen! —
Es ist bio-logisch selbstverständlich, daß jeder lebensqualifizierte Gegenstand einer gleich lebensqualifizierten Hülle bedarf, wenn er lebensgerecht verarbeitet, aufbewahrt und versandt werden soll. Die lebensgerecht entwickelte kultivierte Hülle verbessert sogar noch ihren Inhalt! So konserviert und verbessert ein Weinblatt die Traube oder die Butter, ein Tongefäß das Sauerkraut oder die Sauermilch und fein gebrannte Heilerde wie Porzellan den Tee! Wer wüßte nichts davon? Wer würde seinen Tee aus einem Blechnapf trinken! — Von den Konsequenzen aus solchen Grunderfahrungen wollen wir mehr wissen. Denn wer könnte ohne Töpfe, Gefäße und Verpackungen leben? Also wollen wir mit ihnen gesund leben.
Das Feld — die Sphäre — des Inhaltes soll mit dem Feld der Hülle harmonieren prinzipiell gleich wie bei dem immobilen und mobilen Haus des Menschen, der Tiere und der Pflanzen, wie bei dem Lagerraum usf. Also soll auch die zum „Kochen“ und Verpacken benutzte Hülle nicht elektrokrank, chemizidkrank, gar pestizidkrank, metallkrank, kunststoffkrank usf. sein. Solange wir die elastische Keramik noch nicht haben, wenden wir uns daher zuerst dem Holz zu, dem lebensqualifizierten ungiftigen Papier, dem lebens-

qualifizierten Zellstoff und seinen gesunden Produkten. Zehn Milliarden Kubikmeter wachsen von diesem hoch vitalen Material jährlich auf dieser Erde. Noch nicht die Hälfte nutzt die Viermilliardenmenschheit von diesem lebendigen Reichtum! Und selbst im Müll oder Kompost würde dieses Material noch dem Leben dienen. Wenn man die lebensfeindlichen, unqualifizierten, verkünstelten Stoffe gerecht besteuern würde nach den Giftwirkungen, die sie bei der Herstellung, dem Gebrauch und im Abfall verursachen, dann wären sie vielleicht über hundertfach teurer als die Naturstoffe! — Doch wie schon gesagt, nicht alle Kunststoffe sind lebensfeindlich. Was also nehmen? —

Auch wenn wir versenden und viel bewegen müssen, so ist die gebrannte Heilerde und das biologische Glas für höchst qualifizierte Gefäße unersetzlich. Wie man für Champagnerflaschen Spezialglas verwendet und für höchst qualifizierte Heilmittel und Kosmetika spezielle Porzellane, Steingut usf., so soll man für alle hoch lebensqualifizierten Flüssigkeiten, Salben und auch feste Produkte wie Tees und Heilmittel nach Möglichkeit qualifizierte Heilerde verwenden. Beispielsweise hat man aus besonderen Tonen wie der Terra sigillata Vasen hergestellt, in denen sich edle Blumen besonders lange halten und entsprechend lange gut duften. Das sind Zeichen, die man beachten soll.

Aber auch Metalle wie Gold, Silber, Kupfer und Zinn sind seit altersher für ihre lebensqualifizierenden Wirkungen bekannt. Für zwei Pfennige Gold an der Innenfläche der Konservendose wirken Wunder. Auch reines Silber ist allen schlechten, verderblichen Kräften feind. Weshalb wäre es am kultivierten Tisch seit Jahrtausenden so beliebt! (Rein heißt hier wie stets biologisch rein). Lebensqualifizierte Tuben werden aus reinem Zinn hergestellt. Und die Alten hatten es noch im Gefühl, warum sie das Kupfer zu vielen Küchengefäßen nicht minder wie den Zinnteller und den Zinnkrug schätzten. Wir dagegen lassen uns schon von dem Wörtlein Grünspan verängstigen und vom Guten abspenstig machen. Aber vielleicht sind wir diese Perlen auch garnicht mehr wert. —

Nur diese mehr oder weniger edlen Metalle kann man zu lebensqualifizierten Gefäßen verwenden. Im Übrigen gilt nach wie vor metallfrei! Beispielsweise sollen Tongefäße in der Küche keine bleihaltige Glasur haben, auch Email nicht. Und einen guten Tee, Heiltee oder Genußtee oder beides vereint, darf man niemals in einem metallenen Gefäß zubereiten. Nur in seltenen Ausnahmen ist hier Gold oder Silber erlaubt. Der Sieb soll mangels reinigungsfähiger und stoßsicherer keramischer Siebe möglichst aus Gold bzw. vergoldet sein, so man ihn überhaupt benötigt. Doch eine gute Teekanne hat einen eingehängten Ton- bzw. Porzellansieb.

Eine noch ungeklärte Sonderstellung hat Aluminium wie als Folie. Für das noch wenig verwandte Magnesium mag dasselbe gelten. Zukünftig wird die lebensqualifizierte Silizium-Aluminiumverbindung zu erwarten sein. Alle

begrenzt vorkommenden lebenswichtigen Metalle sollten im Kreislauf der Wiederverwendung zugeführt werden (Recyclingsystem).
Holz ist ein universell verwendbares Material zu Gefäßen und Verpackungen, insbesondere als Papier, Karton usf. Die Salatschüssel aus Olivenholz ist noch immer die beste. Papier wird sehr viel benötigt. Auf das Bindemittel der Holz- bzw. Zellstoffasern kommt es an. Es sollte ebenfalls biologisch aus dem Holz gewonnen werden, wie es schon praktiziert wird. Es sollte völlig frei von Imprägnierungen mit Pestiziden und dergl. sein.
Kranke Stoffe wie die vielen kranken Kunststoffe machen ihren Inhalt krank! Das beginnt bei Flaschenverschlüssen und Tropfhilfen wie bei Medizinflaschen. Wie riecht Parfüm oder Milch in einem verkünstelten Stoff? Aber in der Selbstvernichtungsgesellschaft wird die Nase pausenlos degeneriert. Wer kann denn noch etwas Gutes riechen oder schmecken! — Wie man heute Menschensärge und Tiersärge als Behausungen für Lebende baut, so auch Pflanzensärge und andere Sarghüllen für lebensqualifizierte Waren.
Nach einer noch unbestätigten schwedischen Mitteilung sollen Vitamine unter — bestimmter? — Kunststoffverpackung erheblich schneller schwinden als unter einer lebensgerechten Verpackung bzw. Hülle. Das wird für alle Lebensqualitäten gelten, wie es doch erfahrungsgemäß auch für die Lebensqualitäten des Menschen gilt, etwa im „Telefonzelleneffekt".
Je qualifizierter die Hülle, desto mehr qualifiziert sie durch ihr Form- und Materialfeld auch ihren Inhalt. Sie konserviert ihn also biologisch und veredelt ihn. Wein, Bier, Sauermilch, andere milchsaure Produkte, Tee, Butter, Käse, Parfüme, Kosmetika, Heilmittel usf. zeigen diese veredelnde Wirkung edler Gefäße deutlich. Nicht nur die natürlichen Mauern und Fußböden eines Weinkellers, das Holzgestell und die Qualität des Flaschenglases und des Korkens sind hier wichtig. Bis zum Klebstoff des Etiketts und seiner Druckerschwärze reicht diese Feldwirkung! Alles wirkt! Das gilt auch für alle anderen Gefäße.
Fette lösen sich oft leicht in Kunststoffen und lösen andererseits solche Stoffe wie Weichmacher heraus. Die Erhitzung von fetthaltigen Speisen in Kunststoffen kann daher erfahrungsgemäß zu schweren Erkrankungen mit Lebervergiftung und Nierenvergiftung führen. Auch Alkohole gehen oft und leicht wechselseitige Verbindungen mit verkünstelten Stoffen ein, ebenso eine Reihe von lebensqualifizierten Säuren und Basen, die praktisch in allen lebensqualifizierten Speisen und Getränken anzutreffen sind.
Wolle und Seide in Verpackungen aus verkünstelten Stoffen verlieren schneller an Qualität als in natürlichen Hüllen. Dies gilt also auch für Pullover, Pelze und alle qualifizierte Oberbekleidung. In salzhaltigem Klima wie in der Seeluft halten sich Wolle, Seide und Lebensmittel sehr gut. Parkett auf frischem Beton kann unter einer nicht atmungsfähigen Versiegelung leicht verfaulen.
Alles wirkt auf alles! Also auch das Äußere auf das Innere. —

Die Lebensgleichung zwischen zweiter und dritter Haut

Eine strenge Lebensreformerin litt jahrelang an Knieschmerzen. Nichts half. Als ein biologischer Arzt ihr nach langer Befragung riet, die modernen Strümpfe aus Teer-Kunststoff wegzulassen, rief sie nach wenigen Tagen begeistert an, es sei unglaublich, die Schmerzen seien wie weggeblasen. Probeweise wurden die Strümpfe wieder getragen. Prompt kamen jeweils die alten Schmerzen wieder. —

Eine Spezialistin, die feine formende Unterwäsche für exclusive Kreise herstellte, berichtete, daß sie kurz nach dem zweiten Weltkrieg auf die modernen Teer-Synthetika überging. Doch erlebte sie nicht nur bei den beleibten Damen eine Katastrophe. Unangenehme, nicht mehr auswaschbare Gerüche bildeten sich sowohl an der Unterwäsche als auch an der Haut. Hinzu kamen dann noch hartnäckige Ekzeme, Drüsenerkrankungen, schlechtes Befinden usf. Ein Körper-Hospitalismus? So mußte dieses Material verlassen werden. —

Im Nachthemd aus Teerkunststoff ging eine Frau zum Gasherd. Plötzlich eine puffende leichte Flamme und sie war nackt. Keine Verbrennung! Doch bald bewußtlos. Nach drei Tagen tot. —

Schon weisen Fernsehberichte wie im Österreichischen Fernsehen warnend auf die Erfahrungen vieler Hautärzte hin, daß nach der Einführung der Kunststoff-Strümpfe und -Socken die Fußekzeme erheblich zugenommen haben. Die Herrenwelt kehrt daher wieder zu den reinen Wollsocken zurück, die allenfalls mit neutralen Kulturfasern an Ferse und Spitze etwas verstärkt sind. Doch an was hängt noch die Damenwelt? —

Noch viele Beispiele wären anzuführen. Die Quintessenz daraus: Wer gesund leben will und daher schon in seiner Nahrung Gifte meidet und Lebensqualitäten sucht sowie seine Leibeshaut pflegt, jedoch noch nicht voll gesund ist und daher nun auch gesund wohnen will, der bedenke: Auch in seiner zweiten Haut sind die Lebensgesetze zu achten, also Gifte zu meiden und hautgerechte Lebensqualitäten zu suchen, nicht nur in seiner dritten Haut, im Haus. Nahrung, Kleidung und Wohnung bilden eine innige Ganzheit des Lebens.

Aus den Erfahrungen von Kneipp, der mit Leinen und Wolle arbeitete, und von Prof. Jaeger, dem Woll-Jaeger, und anderen ergibt sich der biologische Generalnenner für die naturgerechte Textillehre: Nur Hautfasern können als zweite Haut Hautfunktionen erfüllen.

Dies Axiom ist eine bio-logische Ableitung aus dem noch allgemeineren Grundsatz, der für die erste, zweite und dritte Haut gemeinsam gilt: Nur das, was als Haut geboren ist, kann ganzheitlich und also objektiv Hautfunktionen erfüllen. (Vgl. Das Kapitel „Das Haus in der Grundlagenforschung").

Die allgemeine organische Grundordnung für Haus und Kleidung ist also dieselbe. Zwischen Hausfunktion und Kleidungsfunktion besteht eine objektive Gleichung, eine organische Mitbestimmung der beiden miteinander! Man kann in beiden Häuten prinzipiell die gleichen Zivilisationsfehler machen wie mit verkünstelten Stoffen, Metallen, elektrischen Extremleitern usf. Und das Gleiche gilt auch für die Heilung.
Die klassischen Hautfasern der Hochkulturen, die besten Hautfasern sind Leinen, Wolle und Seide. Sie sind nicht nur für das gesunde Leben und also die Gesundheitsvorsorge, sondern auch bei jeder Heilung fundamental wichtig. In Wolle schwitzt man weit besser und also gesünder, auch in der Sauna! Pfarrer Kneipp hat wie Prießnitz mit Wasser (Dampf), Leinen und Wolle sehr viele und oft kaum heilbare Kranke geheilt. Wer also gesund wohnen will, der meide auch in der Nahrung und Kleidung schwere Fehler. Er trage zumindest hautnah nur Naturfasern wie Leinen, Wolle und Seide. Sie dürfen nicht mit Giftfarben oder anderen schlechten, unreinen Stoffen vergiftet bzw. verunreinigt sein. Auch die Massenfaser Baumwolle kann getragen werden, wenn sie biologisch veredelt ist, was auf mancherlei Art möglich ist. Verkünstelte Stoffe, besonders aus Teer, sollen zumindest nicht auf der Haut getragen werden, bei mangelhafter Gesundheit garnicht. Es ist in der Heilkunde seit langem bekannt, daß fast alle isolierten Teerprodukte den Krebs nicht nur sehr begünstigen, sondern oft auch verursachen. Ein Stück Teer in einer Wunde wie bei einer Beinverletzung einer modernen Dame, kann zu monatelagen Wundeiterungen und zu häßlichen Narben führen. Und auch ohne Wunde wird die Haut degeneriert.
Die Spätfolgen nicht nur an Hautverfärbungen und Narben sind ein schweres Problem. In Oberstoffen ist eine Beimengung von relativ neutralen Kunststoffen weniger bedenklich, solange die Hautfaser das biologische Übergewicht hat.
Je geringer die Gesundheit und Widerstandsfähigkeit eines Menschen ist, desto mehr Wert sollte er auf die Lebensqualität und Giftfreiheit in Essen und Trinken, Kleiden und Wohnen legen. Und dasselbe sollte er in seiner Lebensweise, Heilweise und Hygiene beachten. Insbesondere sollte er auf ein gleiches Qualitätsniveau in allen sieben Urreichen des Lebens achten.

DAS KLEINSTE HAUS HUT UND SCHUH

Soweit ein Kleidungsstück eine starre Form hat, ist es ein Haus. Einen Schuh bezeichnet man auch eigentlich nicht als Kleidung, nicht als Textil. Die Kleidung darin ist der Strumpf als zweite Haut. Der Schuh ist schon eine dritte Haut, also ein Haus.
An den beiden Polen des radial gebauten Menschen, oben und unten, zum Himmel und zur Erde hin ist ein hautgerechter Schutz, der auch zugleich Ver-

bindungsmittel zum Kosmos ist, besonders lebenswichtig. In der griechischen Mythologie bezog Antäus, ein Sohn des Poseidons und der Gäa, alle Kraft aus der Erde. Als ihn Herakles von der Erde trennte, wurde er schwach und konnte leicht besiegt werden. Wie viele Menschen trennen sich heute durch ihr Schuhwerk von den Kräften der Erde! — Und durch ihren Hut von den oberen Lebensmächten! —

Denn wie man an den Augen Scheuklappen und vor den Augen gefärbte Gläser tragen kann, so kann man auch über dem Kopf mit in Material und Form verkünstelten Stoffen alles Gute absperren. Die alte Mythologie berichtet, daß der Schädel des Menschen ursprünglich nach oben geöffnet gewesen sei, wie auch der Schädel des Kindes zeigt, das in seinem Bewußtsein noch weithin im Abglanz des Paradieses lebt. Hypophyse und Epiphyse (Zirbeldrüse) hätten vor ihrer Verkümmerung höhere Funktionen gehabt. Im Hormonsystem des Leibes haben sie immer noch höchste Funktionen. Wer heute Yoga-Meditationen übt, der strebt zuhöchst, sein Scheitelchakra wieder zu erwecken. Sogar die ganze wache Menschheit hat heute den Weg nach oben-innen eingeschlagen. Was also mögen Schuhe und Hüte fördern oder behindern können? —

Für Hut und Schuh gilt ebenfalls das ABC der gesunden Haut. An den beiden Polen des Menschen sollen daher nur hochwertige Hautmaterialien verwandt werden. Kein verkünstelter Stoff hier! Auch der Sinn wird sonst in diese Richtung gelenkt.

Der gesunde Hut besteht aus Haaren, idealerweise von frei lebenden edleren Tieren, und aus giftfreiem Leder, wie als Schweißleder, auch mit einer Korkeinlage. Oder er besteht aus giftfreien Pflanzenfasern.

Der gesunde Schuh ist in mehrfachem Sinne fundamental lebenswichtig. An den Zehen und auf der Fußsohle liegen Akupunkturpunkte, von denen aus der ganze Organismus beeinflußt werden kann, — wie bei Antäus? Gleich so am Kopf. Und gleich so an den Händen. Was für Kopf und Schuhe gilt, das gilt auch für die Handschuhe. Mit kalten, gar feucht-nassen Füßen, allgemein auf kranken Füßen kann kein Mensch gesund leben. Die alte Lebensregel „Die Füße warm, der Kopf kühl“ besagt, daß die Füße gesund gebettet sein sollen. Also benötigen sie gesunde Schuhe.

Der gesunde Schuh besteht aus giftfreiem, möglichst hoch atmungsfähigem Leder. Nicht aus Anilinleder! Chromleder ist angängig. Noch besser sind die feineren Leder, die nach alten Verfahren beispielsweise mit Tran, Wachsen, Eiern, Mehl und anderem gegerbt werden, wie in der Sämischgerberei. Der Schuh soll im Vorderteil verdeckte Atmungsöffnungen haben, auch am Winterschuh, nur am Schlechtwetterschuh nicht.

Besonders wichtig für die Fußgesundheit ist, daß keine giftigen Imprägnier- und Klebemittel verwandt werden wie im Bereich der Brandsohle. Das ist heutzutage ein Hauptübel, besonders am orthopädischen Schuh. Sogar die Schuhmacher und die Arbeiter in den Schuhfabriken werden durch solche

Gifte geschädigt! Wenn die Füße krank sind, dann ist der ganze Mensch krank. Wenn die Füße lebendig und rein sind, dann ist der ganze Mensch lebendig und rein! — Hier besteht eine Polarität zu Kopf und Augen.
Die Damenwelt ist heute fast durchgehend unterleibskrank, weil kranke, zu dünne und zu kalte Schuhe getragen werden und eine ebenso lebenswidrige Beinbekleidung! Aus einer chronischen Unterleibserkrankung entwickelt sich sehr oft ein Krebs! —
Wer vorübergehend ungesunde Beinbekleidung trägt, der sollte zumindest Minisocken aus Seide oder feiner Wolle an den Füßen auf der Haut tragen.
Die Laufsohle soll selbstverständlich aus Leder sein, idealerweise aus grubengegerbtem lohgarem Leder. Einige Metallstifte oder Krampen wie an Bergschuhen sind für die Dauer des Bergsteigens unbedenklich. Hausschuhe aus giftfreiem Lammfell, aus giftfreiem Mokassinleder und dergleichen sind sehr gesund Verkünstelte Stoffe isolieren von den Urlebensmächten der lebendigen Erde! Es existieren jedoch erfahrungsgemäß Sohlen aus Naturgummi und speziellem Krepp (Rohkautschuk), die für Sonderzwecke wie für die Nässe unbedenklich sind und teils auch auf trockenem Boden ein angenehmes Gehgefühl geben. Dieses angenehme Gehgefühl suche man! Es muß auch nach stundenlangem Gehen noch vorhanden sein und ist dann ein Beweis für gesunde Strümpfe und Schuhe. Wie unangenehm wirken viele neue Schuhe schon nach minutenlangem Tragen, sogar schon bei dem Anprobieren! Man meide sie! —
Man schätze die Sandalen, auch mit Holz, und trage sie so viel wie möglich. In Lederschuhe gehören die organisch gleichsinnig arbeitenden Schurwollsocken oder Schurwollstrümpfe, für Damen auch als Söckchen. Bei sehr luftigen Sommerschuhen ist auch biologisch veredelte Baumwolle angängig, jedoch nicht für längere Wege. Kneipp verwandte bei kranken Füßen Leinenstrümpfe (Reinleinen!) und Leinensocken, wie sie auch heute noch im heißen Süden viel gebräuchlich sind. Auch naturseidene Socken bzw. Strümpfe sind sehr gut. Wenn sie nicht zu dünn, sondern fair fest hergestellt werden, so halten sie sehr lange und sind ihren gerechten Preis voll wert.
Bei Neigung zu kalten Füßen kann man eine Lammfelleinlage — ohne einen verkünstelten Stoff wie als Webfell! — mit Vorteil verwenden. Die Einlage aus giftfreiem Luffa, einem Schwammkürbis, ist sehr fußgesund. Luffa kann auch als Schuhsohle, für Badepantoffel etc. verwandt werden, auch als Badeschwamm. Überall wird die Anregung der Hautfunktion gerühmt.
Gepflegt werden soll der Schuh mit „Ledernahrung“, d. h. mit echten natürlichen Fetten und Wachsen, je nach Leder. Sie kommen aus dem Pflanzenreich und Tierreich. Eine giftfrei gegerbte Schuhsohle soll vor dem ersten Tragen mit Leinöl imprägniert werden, was jedermann leicht mit dem eigenen Finger tun kann. Das gibt zudem einen Schutz gegen Nässe.
Auch die Schuhform sei fußgerecht, besonders an den Zehen, aber nicht nur dort. Ein verbildeter Fuß verbildet den Menschen! Wie man geht, so lebt man!

Allgemein: Man achte bei Hut, Handschuh und Schuh in ausnahmslos allen Bestandteilen und Hilfsverfahren immer auf die reine Natur, insbesondere auf ihre Hautfunktionsfähigkeit.

DAS GESUNDE MOBILE HAUS

Was ist das Urbild des mobilen Hauses? Existiert es überhaupt? Oder ist das Auto und Flugzeug nur ein Ding ohne Wesen? Dann hätte es keine eigene Lebensqualität und würde dem Leben nur schaden! —

Aber das Gefährt hat ein Eigenwesen, wie die Beine, also wie der irdische Leib. Denn das allgemeine Wesen des Gefährtes ist das Haus.

Sogar in der Mobilität dieses Hauses finden wir nur eine besondere Ausgestaltung einer wesentlichen Lebensfunktion des relativ immobilen Hauses. Denn der Kosmos ist zuerst Leben, Dynamik, heraklitisches Fließen und nicht Totes. Auch das Haus der Mutter Erde bewegt sich im Kosmos. Und mit diesem Haus werden alle auf ihrer Haut gebauten Häuser bewegt. Die relative Bewegung des Gefährtes im Hausfeld der Erde ist also eine Gleichung zur Bewegung der Erde im Feld des Kosmos. Das wäre eine Angelegenheit der biologischen Relativitätslehre, der Bioqualitäts-Gleichungslehre.

Das mobile Haus hat in mehrfacher Hinsicht ein Eigenwesen, insbesondere ein natürliches Eigenwesen, darüber auch ein personales und kulturales Eigenwesen. Das ist eine Erkenntnis von großer kultureller und wirtschaftlicher Tragweite. Wenn also Sedlmayr sagt, „das wahre Auto“ gäbe es nicht, so irrt er ([1]). Sogar die antike Mythologie kannte schon den Himmelswagen. Und wenn in einer heilig gehaltenen Schrift ein Prophet auf einem „feurigen Wagen“ gen Himmel fährt, so schließen viele, das Gefährt müsse ein wahres Eigenwesen haben. Daraus ergibt sich die Grundfrage: Was ist das Urbild des guten, wahren und schönen, des voll gesunden mobilen Hauses?

Das naturale Eigenwesen des mobilen Hauses ist allgemein, ein Raumquerer (Raumzeitquerer) zu sein, ein Ortsquerer. Genauer besehen ist es dann ein Feldquerer, noch genauer ein Feld-Strahlungs-Strömungs-Querer, ganz genau ein Feldgrenzenquerer, ein Hautquerer! —

Da wir in den vier Aggregatzuständen bzw. Elementen vier urverschiedene allgemeine Feldzustände haben, so hätten wir auch dieser Vierordnung das mobile Haus anzupassen. Jedes Gefährt soll in einer Lebensgleichung zu den Lebensqualitäten und Unqualitäten seines Elementes stehen. Dann erhalten wir vier Urtypen des mobilen Hauses, nämlich das rollende und gleitende Gefährt, das Schiff, das Flugzeug und das Raumfahrzeug. —

Ein Auto wird tatsächlich ganz anders gebaut als ein Schiff oder Flugzeug oder Raumfahrzeug. Welches Gefährt wäre in dieser biologischen Reihe das erste und also maßgebende in seinen Bauprinzipien? Gemäß der objektiven Biologie wäre es das Raumfahrzeug. In ihm würden die Aufgaben der Raumzeitfeldgrenzenquerung am allgemeinsten und typischsten behandelt.

Der Leser sieht, es existiert eine Grundlagenforschung des mobilen Hauses. Auch hier hat man von der allgemeinen Physik, der Feldphysik auszugehen, zugleich von der allgemeinen Biologie, der Feld- und Hausbiologie. Die Konsequenzen aus der Feldbiophysik könnten zu völlig neuen Konstruktionen führen, biologisch wie technisch unvergleichlich besseren. Dies würde nicht nur den Antrieb als reinen, mechanikfreien Feldantrieb betreffen. Wenn wir die Felder des Kosmos verstehen und dann auch beherrschen lernen, vor allem qualitätsgerecht, dann wird es nur eine geringe Leistung sein, die volle Energie des Atoms oder anderer Feldkonzentrationen bzw. Feldbindungen gesteuert lebensgerecht zu nutzen. —

Doch weiter in der Grundlagenforschung: Was ist das allgemeine, ganzheitliche biologische Wesen des Feldgrenzenquerers? — Was ist sein Urbild? Was ist seine Lebensordnung?

Querer? — Man soll sich doch nicht quer stellen oder legen zu den Strömen des Lebens, zu seinen Strahlen und Feldern! Wie wäre das in dieser Welt vermeidbar? Soll das ideale mobile Haus deshalb ein Kanalisierer sein? Soll es sich den natürlichen Kanälen, den „Feld-Wegen" der Natur anpassen wie der Jet den Strahlströmen folgt, das Segelschiff den Wasser- und Windströmungen, der Skifahrer der ebenen Abfahrt und besonders deutlich der chinesische Straßenbauer der Lebensordnung des Erdfeldes? Schon der Autofahrer lernt, daß eine „Gerade des Lebens" wie ein „Umweg" über die Autobahn besser und im Leben „kürzer" sein kann, Nerven und Gefährt mehr schonen kann als die mechanisch kürzeste Strecke, daß also ein quantitativ längerer Weg der qualitativ kürzere und bessere Weg sein kann! So auch und zuerst in der Natur. —

Dennoch, das mobile Haus ist nach außen hin unvermeidlich ein Feldquerer. Wenn man in dieser zerspaltenen Welt miteinander verkehren will, so muß man das Urfeld der Erde und ihrer Teile queren, insbesondere z. B. im elektromagnetischen Anteil und im gravitatorischen Anteil. Dann wird das Luftfeld gequert, das Wasserfeld und das Feld der starren, der eigentlichen Materie wie typisch im Bodenkontakt.

Zumindest nach innen aber soll das mobile Haus ein Kanalisierer sein. Auch dieses Urwort hat einen mehrfachen, biologisch vielsagenden Sinn. Der Kanal im Raum ist die eindimensionale Ausdehnung des Kugelfeldes, insbesondere des Hausfeldes. Züge, U-Bahnen, geschützte Autobahnen, lange Lastwagen zeigen deutlich diese Funktion, sogar schon das in der Länge gestreckte normale Auto. Auch weist man darauf hin, daß der Verkehr organisch strömen soll, in lebensgerechten Kanälen wie solchen Straßen. Das sei für das gesunde Leben im Haus der Erde von großer Bedeutung, lehren alterfahrene chinesische Straßenbauer. In der höheren Biologie werden wir das wohl noch verstehen lernen.

Der Inhalt des Kanals ist im Grunde eine Kreisströmung des Lebens. Die Wand bzw. Haut des Kanales ist die allgemeine Antwort des Lebens auf die

von außen kommenden Störungen, die im Grunde alle Querungen, Quadratierungen des Lebens sind, also Bewegungsstörungen, Störungen der Dynamik. So soll auch die Mauer, die Wand des Gefährtes als Haut die Insassen bewahren. Denn die Querungswirkungen sind es, welche die Reise strapaziös machen! —
Dieser Generalnenner ist präzise biologisch zu analysieren. Denn aus ihm ergeben sich alle biologischen Qualifizierungen der Mobilität des mobilen Hauses, unten vom Abfangen der queren Boden- und Motorvibrationen angefangen. Oben und allgemein wird das vielleicht dazu führen, das Kugelfeld des wahren Hauses erheblich zu verstärken wie durch eine Linsen- und Brennglasform (Ufo-Form?) und eine Röhrenform. —
Haben wir also die Leitidee gefunden? Dann können wir lebensplanmäßig das Gefährt der Zukunft entwickeln, das in jeder Hinsicht gute, wahre und schöne, lebendige und reine Haus, das voll gesunde mobile Haus.
Aber halt! Wir sollen hier keine Mobil-Grundlagenforschung treiben, gar eine Ufo-Logie ([1]). Wir haben uns hier mit dem Nächstliegenden zu befassen. Der Leser will wissen: Welches Auto soll ich mir kaufen, welches Schiff, welches Flugzeug? Wie soll ich es lebensgerecht einrichten, bewohnen und gebrauchen? Ich will auf jeder Reise meine eigenen Lebensqualitäten schonen und neue hinzugewinnen. Wie soll ich mich daher zu den gegenwärtigen Mobilen verhalten? Sind sie nicht technokratisch antibiologisch gebaut? Und vielleicht auch deshalb sogar technisch im Grunde antiquiert? Doch sind nicht auch hier schon die Leiterkenntnisse der Feldphysik und Feldbiologie anzuwenden? —
Die Bewegungstechnik der Neuzeit hat das mobile Haus mechanisch hoch entwickelt. Seine Biologie liegt jedoch offensichtlich im Argen. Wenn die Biologie beachtet würde, so würde sie vielleicht auch zu einer vielfältig lebensqualifizierten neuen Bewegungstechnik helfen, auch zu einem neuen Interesse, zu einer neuen Liebe und Freude an dem Gefährt. —
Doch ehe wir die Biologie des Mobils behandeln, wenden wir uns dem Menschen zu. Er steht auch hier im Mittelpunkt.
Ihm soll das mobile Haus dienen, seinem menschengerecht qualifizierten Leben. Das mobile Haus soll vom Menschen her gesehen gleichsam ein weiterer menschlicher Leib sein. Hat das Auto nicht eine Stirn, zwei Augen, eine Nase und einen Mund, einen Energiewandler, Beine usf.? — Doch sehen wir zuerst auf den Menschen selbst. Was ist die Lebensqualität und Unqualität seines Strebens, Zeit und Raum oder Lebensfelder zu durchqueren? Und eine Masse oder ein Instrument zu steuern? Ist hier an der Wende zur Weltkultur, in der Öffnung zum Kosmos, zur großen Umwelt mit einer wesentlichen Wandlung, Erhöhung und Erweiterung dieses Urstrebens zu rechnen?
Seit jeher zieht die Ursehnsucht den Menschen in die Höhe und Weite. Frei will der Mensch den Raum beherrschen und auch die Zeit, dies nicht nur im Reiche der Natur, sondern auch im Reiche der Person und der Kultur. Nicht

nur überschauen will er alles wie in seinem Streben zur weltweiten Information, sondern er will auch alles durchleben, erleben, mit seinem ganzen Fühlen. Und er will alles wollen, wie z. B. durch die UNO. Er will handeln aus all diesen Lebensqualitäten der Menschheit und Welt. In der Überwindung der Materie bzw. Masse, des Raumes und der Zeit will er seine Freiheit erleben! Das ist vielleicht sein Urstreben in der großen Befreiung! Aber kann sich dieses Urstreben auch in der Quantität von Raum und Zeit verirren? Soll sich die Befreiung nicht auf die Überwindung der Unqualitäten und die Beherrschung der Qualitäten richten? Was heißt „Beherrschet die Erde! Macht euch untertan . . !"? — In unserer Zeit hat ein Großer intoniert „Seid umschlungen Millionen"! Hat er hier mehr auf die Quantität oder auf die Qualität der Alleinheit gesehen? Was wäre das höchste Ziel der sozial-kommunen Menschheitsbewegung? Zu der Alleinheit aller Lebewesen und also alles Lebens in Gott strebt der Christ und auf seine Art der Hindu, der Buddhist und der Mohammedaner. —

Kann man das Urstreben zur Überwindung von Raum und Zeit erst in diesen Relationen recht verstehen? —

Seit zwei Jahrtausenden ist die Freiheit des Menschen in der Überwindung der Unqualitäten der Masse, des Raumes und der Zeit erheblich gewachsen. Bestand vorher überhaupt ein stärkeres Streben in dieser Richtung? — Seit dem 13. Jahrhundert, seit dem Beginn des Zeitalters des Geistes erreicht diese große Befreiungsbewegung ihre dritte Stufe. —

Aus seiner Freiheit kann der Mensch somit eine neue Herrschaft über die Natur dieser Welt erringen. Die Getauften haben das in der Weltgeschichte bewiesen. Diese neue Freiheit zeigt sich beispielsweise schon in dem weit gereisten Paracelsus, nämlich als Herrschaft über die realen Lebensqualitäten in der Natur dieser Welt und in der siegreichen, heilenden Überwindung der Unqualitäten, der Krankheiten des Seins. Heute zeigt sie sich als Herrschaft in der Physik und Chemie, zusammen in der Technik. Von welchen Menschen ist sie ausgegangen? Besonders hier soll die Herrschaft zukünftig nicht nur Quantik sein, sondern zuerst und über alles maßgebend eine Qualik!

Das Thema Verkehr zeigt uns immer neue Tiefen, Seiten und Höhen. Ist sein Grund nicht die Mitbestimmung, die Kommunikation und zwar in Sinneinheiten, in Lebensqualitäten? Schauen wir daher noch kurz in die Geschichte.

Hat der Mensch in der Neuzeit nicht einen weithin falschen, nämlich quantistischen Weg eingeschlagen? Wird nicht ohne Rücksicht auf das Endziel der ganzen Befreiung des Menschen in der Renaissance ein alter, eigentlich schon erstorbener unfreier Geist wiedergeboren, sogar nur in Schattenform? Wird nicht mit Hilfe der neuen Freiheit des Getauften die alte Welt auf alte Art verherrlicht und äußerlich erobert, gegen das Leben? Wird nicht die Beherrschung von Raum und Zeit sinnleer, fremd den personalen, kulturalen und naturalen Lebensqualitäten angestrebt? Wird die zeiträumliche Zerspaltung und Behinderung des einen Lebens der menschlichen Gesellschaft durch die Verkehrsmittel nur quantitativ überwunden, nicht qualitativ? Dann aber wird der Mensch von den Lebensqualitäten noch mehr getrennt! Und er wird ihnen noch mehr entfremdet. Geistlos und seelenlos wird der Raum durchrast, daher Geist und Seele degenerierend und tötend. So stürzt sich der Mensch in eine sinnlose Bewegung. Er durchquert blindlings die Räume, die Felder und entfremdet sich ihrem Geist noch mehr. Der Geist aber ist es, der lebendig macht. Was steht daher am Ende? Anstatt das Bewußtsein zu erhöhen und zu erweitern, zu qualifizieren, wird es erniedrigt und verengt, disqualifiziert. —

Viele, die dies erkennen, erspüren oder erahnen, bleiben daher lieber in ihrer Klause, in ihrem Heim und erweitern dort ihr qualifiziertes Bewußtsein in die qualifizierte Welt, ungestört von aller äußeren Bewegung. —

Doch beides ist recht ausgewogen zu schätzen, die Stille des Hauses und die Reise in die Welt. Für den, der beides recht werten und leben will, sind diese Zeilen geschrieben.

Zudem kommt gegenwärtig etwas ganz Neues auf den Menschen zu. Er beginnt, sein Bewußtsein auf eine höhere Ebene des Kosmos zu erhöhen und zu erweitern. Wenn er durch die Nachtseite der Gewalten, zu denen er jetzt einen neuen Zugang findet, die jedoch auch zu ihm jetzt freieren Zugang haben, nicht versklavt werden und zugrunde gehen will, so muß er jetzt weit mehr als bisher Qualitäten erkennen und achten, also überall Lebensqualitäten von Unqualitäten unterscheiden lernen. Daraus folgt, daß er auch bei der raumzeitlichen Eroberung der Welt und des Kosmos — schon hat er den Mond betreten! — zuerst Qualitäten zu suchen und sich mit ihnen zu umgeben hat. Denn alle Lebensqualitäten unterstützen sich gegenseitig. Nur in Qualitäten kann der Mensch menschenwürdig leben, also sich auch menschenwürdig bewegen. —

Das innere, qualitative Streben zur Höhe und Weite soll führen. Ihm darf das äußere, das raumzeitliche Streben zur Höhe und Weite höchstens gleich kommen. Man soll im Raum nicht weiter reisen als man in der Qualität, im Leben reisen kann und reist! Die Zerspaltenheit und Begrenzung der vier Elemente und aller Dinge darin soll man zuerst qualitativ zu überwinden suchen und dem gleich dann auch in Raum und Zeit.

Hier kommt nun noch ein weiterer Antrieb hinzu: Die Sehnsucht, das Alte, das Erstarrte, das Überlebte, das untergehende Abend- und Morgenland zu überwinden, ist heute so groß geworden, daß viele wie die Amerikaner ihr mobiles Haus mehr lieben als ihr immobiles Haus. Andere wiederum, besonders Deutsche, erkennen teilweise die Gefahr in der nur äußerlichen Bewegung und suchen daher die Wohnwerte neu zu erkennen und zu schätzen. Aber eben diese Wohnwerte soll man auch am und im mobilen Haus erkennen. Und man soll auch dort mit ihnen leben, mit ihnen sich bewegen. Denn das lebensqualifizierte Gefährt wird mächtig helfen, die Bewegung zu qualifizieren. Wer z. B. einen alten Jaguar fährt, der wird von diesem Wagen erzogen! Wie u. a. zum fairen Fahren. — Wenn die Bewegung allgemein qualifiziert wird, so wird die Reise neu und höher erlebt, weit intensiver, lebensgemäßer, lebendiger.

Wie also soll das neue Auto beschaffen sein? Welchen Wagen sollen wir kaufen? Ziehen wir nüchtern und radikal die Konsequenzen. Beginnen wir bei dem Klima. Denn in ihm kommt alles zusammen wie oben dargelegt.

Wer einen Wagen neu kaufen will, der gebrauche zuerst seine Nase, dann seine Augen, sein Tastgefühl und seine Ohren. Wenn bei dem Öffnen eines tagelang verschlossenen neuen Wagens eine Giftgaswolke hervor quillt, dann erwäge man nochmals seine Kaufabsicht. Nach dem intensiven chemiziden Geruch, auf gut deutsch Gestank, der derzeit meist aus neuen Wagen dringt, müssen aggressive Kunststoffe wie u. a. Weichmacher häufig verwandt werden. Sie wirken viele Jahre, auch wenn man sie dann weniger riecht. Im Körper vieler Zivilisationsmenschen wird heute oft schon mehr an den sehr giftigen PCB-Verbindungen (typischen Weichmachern) gefunden als an den gleichfalls hoch giftigen und gleichfalls äußerst beständigen DDT-Verbindungen. Welche Kumulationswirkungen mögen diese beiden Gifte eingehen? Wie können sie das Denken und gesamte Verhalten des Menschen disqualifizieren? Welchen Anteil haben sie an den Herz-Kreislaufbeschwerden, an den Stoffwechselkrankheiten und zuletzt am Krebs?

Der Käufer achte also darauf, ob und wie weit natürliche, hautfunktionsfähige Stoffe im Wagen verwandt werden. Denn in diesem kleinen dynamischen Haus werden diese Lebenseigenschaften besonders intensiv beansprucht. Im Einzelnen: Wird das Körperfeld am Rücken (an unserer Hochspannungsleitung!) und an der Sitzfläche mit Drahtspiralen gestört? Oder wird es mit körpergerechten Vollpolstern geschützt und gestärkt? — Wird an einem heißen Tag der Rücken und Hosenboden feucht? Wie auf atmungsunfähigen Bezügen? Diese Feuchtigkeit kann schon sehr unangenehm sein und zu Erkältungen führen. Doch ist sie nur ein deutlicher Hinweis auf die Haut- und Lebenswidrigkeit des Sitzfeldes, die in anderer Hinsicht noch weit mehr unsere Gesundheit schädigt.

Die Belüftung ist ein typisches Beispiel für die Biodynamik des mobilen Feldes. Zunächst ist die Belüftung und Heizung schon deshalb ein großes biologisches Problem, weil ein großer Durchsatz gefordert wird. Hier sind die normalen heutigen Wagen grob unhygienisch gebaut. Denn die Belüftungskanäle und Heizvorrichtungen müssen bequem zu reinigen sein, da sie hundertfach mehr verschmutzt werden als im immobilen Haus. Die nicht mit dem Auge kontrollierbaren und nicht mit der Hand korrigierbaren Durchspülungsverfahren sind mangel- und fehlerhaft. Sie sind in hygienischer Sicht unmöglich! — Außerdem reinigt ein gesunder, kultivierter Wagen die doch sehr schmutzige Straßenluft nicht nur für den Motor, sondern zuerst für den Menschen! Dies mechanisch und biochemisch. Sind es nicht Maschinenmenschen, die nur an die Maschine denken und den lebendigen Menschen vergessen! Die Zuluft der Maschine wird seit Jahrzehnten gereinigt! — Für die Lebensqualifiziertheit der Oberflächen der Kanäle, Heizaggregate usf. gilt das schon früher Gesagte.

Doch mit der Belüftung kommen wir wieder zum Hauptproblem, dem der Feldquerung. Es ist unbiologisch, unphysiologisch, im bewegten Fahrzeug von vorn nach hinten zu belüften, da die Feldwirkungen der durchquerten Umwelt ohnedies schon die Insassen von vorn nach hinten durchqueren. Und das dürfte eine Hauptursache der Reisestrapazen sein, die in der Zukunft wohl noch weit mehr bewußt empfunden wird. Dieser Störung unseres Lebensfeldes kann und soll man besonders mit der Belüftung entgegenwirken. Also den Luftstrom von hinten nach vorn den Wagen durchfließen lassen. — Eine Nebenbemerkung: Kaltluft muß am Boden abgesaugt werden, damit in der kalten Jahreszeit kein Kaltluftsee um die Füße entsteht. Und auch in der warmen Jahreszeit sammelt sich das Schlechte unten, im Schlammfang, wie bei den Unterschenkelgeschwüren.

Auf diesem kleinen anschaulichen Umweg kommen wir noch näher zum Hauptproblem, nämlich zur schützenden Hautfunktion des Feldquerers. Allgemein soll die Haut die schlechten, störenden Feld-, Strahlungs- und Strömungswirkungen abhalten. Die durch die Querung entstehenden besonders starken disharmonischen Feldwirkungen müssen durch biophysikalisch besonders ausgebildete Wände und Hausformen abgehalten werden. Aus welchem Material? Aus elastischer Keramik? Aus metallisierter Keramik? Aus keramisierten Metallen? — Hier werden wohl noch ganz neue Biostoffe, Spezialkulturstoffe entwickelt werden. Mit biologisch abwehrenden Beschichtungen kann man innen und außen zusätzlich schützen, also auch auf bisherigem Karosseriematerial.

Eine dicke, doch nicht notwendig gewichtige hautfunktionsfähige vegetabile und animalische Innenauskleidung der Fahrzelle, wie mit hoch qualifiziertem Hautfasermaterial, gar überzogen mit giftfreiem Leder oder solcher Wolle, das ergibt wie im immobilen Haus eine deutlich zu empfindende Schutzwirkung und folglich eine behagliche Atmosphäre. Die Wagen der Gegenwart bewirken sehr oft ziemlich deutlich eine unbehagliche Atmosphäre, sodaß man bewußt oder unbewußt das Auto zu meiden sucht. In einem geschützten Feld dagegen fühlt man sich geborgen. Mit diesem Schutzfeld kann man die Umweltfelder kanalartig queren. In ihm kann der Organismus in relativer Ruhe sein Eigenfeld frei entfalten. Die Konzentration und also das integrale Fahrverhalten wird unterstützt. In der Bilanz kommen alle, Fahrer und andere viel frischer am Ziel an. Und sie können die Reise qualifiziert erleben.

Holz im Wagen, besonders als biologisch wirksamer Rahmen um die Fenster, ist auch heute noch ein Zeichen der Lebensqualität des Wagens, ebenso wie giftfreies Leder, solche Wolle, solches Polstermaterial usf. Weshalb statten Menschen mit entwickeltem natürlichen Qualitätsgefühl und Hausgefühl ihre Wagen mit Schaffellen, Wolldecken oder solchen naturreinen Bezügen aus, mit einer Naturfasermatte und dergl.! Die Umweltfühligkeit wird auch hier noch sehr zunehmen, allein schon durch eine grundlegende gedankliche Bewußtmachung! —

Die gröbsten Querungswirkungen werden bei den Wagen durch die Straße und den Motor erzeugt. Deren disharmonische Vibrationen können durch eine ungesunde Eigenschwingung der Karosserie noch wesentlich verstärkt werden. Die lebensfreundlichste und mobilfreundlichste Dämpfung bringt wohl noch immer die Luftfederung. Die zweifellos beste Federung, auch bei mechanischem Bodenkontakt, wäre wohl die elektromagnetische. Sie würde am sensibelsten ausgleichen. Alle Vibrationen sollten systematisch biologisch untersucht und der gesunden Lebensschwingung der Natur harmonisch angepaßt werden.

Aber die nahe Zukunft wird uns wohl den reinen Feldantrieb bringen, vermutlich elektromagnetisch, sodaß der mechanisch bewegte Motor wegfällt einschließlich seiner Explosionsdisharmonien, deren Feldwirkungen durch den ganzen Wagen gehen. Auch die mechanische Berührung der Erde endet dann, da die Karosserie ohne Fahrgestell und ohne mechanischen Motor auf einer Magnetkissenschiene gleitet. Man wird dann die Zielnummer wählen, die für Post, Telefon, Fernschreiber und jeden Verkehr dieselbe ist, und sich zur Arbeit setzen, zur Ruhe hinlegen oder die Aussicht wie die schwebende Bewegung genießen. Die ungeheure Verschwendung an menschlicher Lebensenergie, an Gesundheit und Zeit, nur um ein Fahrzeug durch den Raum zu steuern, wird dann enden. Denn das kann die Automatik spielend übernehmen. Und die alljährlichen Heere an Toten und Verletzten im Weltverkehr werden langsam vergessen. Die Verkehrskrüppel werden aus dem Straßenbild verschwinden. Wenn man die atomare und andere kosmische Energie gesteuert nutzen lernt, ohne kriminelle Nebenwirkungen auf die Volksgesundheit und Gefahren, welche zusammen das Contergan weit in den Schatten stellen, dann wird praktisch unbegrenzt Energie zur Verfügung stehen. Aber dann wird in der Welt auch eine andere Mentalität herrschen! Der Explosionsmotor mit seinem Lärm, seinem Schmutz, seiner Umständlichkeit und Reparaturanfälligkeit wird dann in den Museen als Schreckbild gezeigt werden.

Doch zurück zur Gegenwart, die im deutlichen Lichte der Zukunft schon urgroßväterlich erscheinen kann. Je teurer ein Gefährt, desto mehr ist es elektrokrank. Das Ziel erreicht man mehr strapaziert als mit einem einfachen alten Gefährt. Hier ist am Generator, am Zündsystem, an Position und Abschirmung des Akkufeldes, an der Abschirmung der Leitungen und an Sonderaggregaten noch viel zu tun, gleich wie im immobilen Haus und gleich leicht. Vorerst verzichte der Käufer lieber auf elektrische Tür- und Fenstersysteme. Auch hier ist das einfachere Leben gesünder. Aber die qualifizierte Bioelektronik des Wagens wird wohl bald kommen. —

Zu einem zentralen Thema: Ein voll gesunder Feldquerer benötigt ein starkes, möglichst hoch lebensqualifiziertes Eigenfeld. Als erster Schritt in diese Richtung ist das qualifizierte Gleichspannungsfeld zu betrachten, von dem bei den immobilen Nullfeldbauten schon die Rede war. Je qualifizierter und kräftiger, insbesondere menschengerechter und fahrgerechter dieses Feld ist, desto erheblicher hilft es mit, die strapazierende Querungswirkung der durchfahrenen Raumfelder zu mindern, insbesondere, indem es diese Felder vom Inneren der Fahrzelle fern hält. Die jetzt noch kaum zu ahnende Entwicklung der Urfeldtechnik, die auch zu den erdfreien Feldantriebssystemen führen wird, kann u. a. auch hier hauptsächlich helfen. —
Die neuzeitliche Entwicklung des Fahrzeuges mit Verbrennungsmotor erscheint mechanisch weit gereift. Doch die biologische Qualifizierung wird erst beginnen. Für Bahnen, Schiffe, Flugzeuge usf. gilt prinzipiell und weithin auch praktisch dasselbe, solange man sich noch all dieser schwerfälligen und umständlichen Verkehrsmittel bedienen muß. Doch mit der biologischen Qualifizierung wird man auch in Antrieb und Bewegung zu vollständig neuen Erkenntnissen und Techniken gelangen. Die Mentalität der Menschheit wird für sie schon vielfältig vorbereitet. —
Zusammengefaßt suche man gegenwärtig nach Firmen, welche ihre mobilen Häuser biologisch bauen und dies vertrauenswürdig sagen. Und man halte sich an ein biologisches Testinstitut bzw. an ein vertrauenswürdiges Institut für Baubiologie, das entsprechende Untersuchungen vornimmt und Wertungen veröffentlicht. All das wird wohl bald kommen. —

DER GESUNDE WOHNWAGEN

Auch im mobilen Haus wohnt der Mensch! Schon das Auto ist zuerst ein Wohnraum! Im Schiff und Raumfahrzeug, auch im Großflugzeug wird das noch viel deutlicher. Das Fahrzeug kann man ebenfalls zur fahrenden Wohnung ausgestalten. Je kleiner diese Wohnung ist, desto höher soll sie lebensqualifiziert sein. Auf jeden Quadratzentimeter Oberfläche kommt es schon im gesunden Auto an, insbesondere bei der hohen Belegung des Raumes, der oft schnellen und krassen Temperaturunterschiede, der oft wenig qualifizierten „Frischluft“ (mit aus dem Auspuff der voranfahrenden Wagen) usf. Auch sucht man den Wohnwagen auf, um besonders intensiv mit den Lebensqualitäten der freien Natur zu leben. Dann soll nachts nicht wieder verdorben werden, was man tagsüber gut gemacht hat.
Deshalb gelten alle für das gesunde Haus gemachten Angaben besonders intensiv für den fahrenden bzw. gleitenden, schwimmenden und fliegenden Wohnwagen. Weshalb sucht der Kulturmensch die zugegeben in der Pflege bequemen Kunststoffboote vollständig mit edlem Holz auszubauen! Welch ein anderes Klima herrscht dann in ihnen! Auf Lacke, Farben und alle Pflege- und Reinigungsmittel kommt es hier ebenfalls sehr an.

Auch der rollende Wohnwagen soll Holz wie Spezialsperrholz vorziehen und notfalls lebensneutrale Holzwerkstoffe verwenden. Alle verkünstelten Stoffe sind sorgfältig zu meiden. Auf Metallfreiheit, besonders Eisenfreiheit ist zu achten. Also Alu verwenden, möglichst in lebensfreundlichen Legierungen. Bei einem Wechselstromanschluß einen Biofilter verwenden und bei größeren Wagen einen Netzfreischalter. Oder nachts den Kontakt zum Stadtnetz lösen! Spannungsfrei schlafen! Einen Biokühlschrank verwenden. Mit Wolldecken, Wollpolstern und Leinengardinen einrichten. Mit Erdgas kochen und heizen. Eine elektrische Heizung nur in lebensqualifizierter Konstruktion.

Und die Mobilität in jeder Hinsicht am Stellplatz biologisch nützen, zuerst personal und kulturell. Den Geist des Ortes zu erspüren suchen. Das mobile Haus auf eine gute, harmonische Zone stellen, die mit der eigenen Person und Gemeinschaft harmoniert, nicht auf eine Störzone. Das Gelände zuvor besinnlich abgehen, ehe man seinen Wagen, sein Zelt postiert. Die guten Geister des Ortes ansprechen, um ihre Hilfe bitten, dies an jedem lebenswichtigen Ort. Alles sei beseelt und vergeistigt, lehren die Weisen. Und nur Geist und Seele ist Leben, nicht die illusionäre Erscheinungsform, die man Materie nennt. Also Feldkontakt aufnehmen, den Kontakt in Lebensqualitäten, dies mit Herz und Hand. In diesem Nehmen und Geben besteht das ganze Leben.

Wer die Natur objektiv liebt, das Gute um seiner selbst willen, der wird die richtige Haltung einnehmen und die Wege und Plätze des Lebens finden. —

V

KONSEQUENZEN UND PROBLEME

Aus der biologischen Bauordnungslehre ergeben sich noch viele weitere Konsequenzen wie in den Beziehungen zu anderen Lebensbereichen des Menschen sowie einige besondere Probleme, die zukunftswichtig sein können. Ein Auszug aus alledem soll im vorliegenden Hauptkapitel behandelt werden.

ZUR PSYCHOSOMATIK

der Hauskrankheiten und ihrer Heilung

Jede Hauskrankheit des Menschen und seines Hauses ist von seelisch-leiblicher Art. Sie ist eine praktisch untrennbare Einheit von Person und Natur. Das heißt, die Ursache der Krankheit liegt im Bewußtsein, im bewußten Verhalten des Erbauers und Bewohners. Daher ist die Krankheit primär ausschließlich im Bewußtsein des Menschen zu heilen. Nur sekundär und entsprechend der Verbesserung des Bewußtseins kann die Krankheit auch leiblich geheilt werden. Auf mechanizistische bzw. materialistische Art kann der Mensch auch hier nicht beglückt werden. Das Innere rangiert vor dem Äusseren, das Obere vor dem Unteren. —

Die Prinzipien und Gesetze der seelischen und folgend leiblichen Heilung sind die Prinzipien und Gesetze der Befreiungsordnung und Verbesserungsordnung. Wer sie verletzt, sei es auch in bester subjektiver Absicht, der schadet sich und anderen. Wer also primär leiblich heilen will, materiell, typisch revolutionär, der verursacht Unfreiheit und Ungutheit. Er bereitet sich selbst und anderen objektiv Unheil. Oft beginnt er einen Streit. Und den Frieden der Subjekte ohne Not zu verletzen, das ist das größte Unheil.

Die objektive Heilung einer Hauskrankheit beginnt daher mit einer befreienden Selbstbestimmung des Kranken. Der Kranke geht zum Arzt und bittet um Heilung. Nur aufgrund der Bereitschaft, geheilt zu werden, und nur in ihrem Rahmen kann der Arzt objektiv Hilfe leisten und darf er das. Der Arzt hat zwar die Möglichkeit, aus eigener freier Selbstbestimmung auf die Krankheit aufmerksam zu machen, auf ihre Folgen und auf die Heilungsmöglichkeiten, beispielsweise durch eine Veröffentlichung zum Innenweltschutz und Umweltschutz. Nicht jedoch kann und darf er helfen gegen eine freie Selbstbestimmung des Kranken, etwa bei einer Operation. Diese Selbstbestimmung kann jedoch nicht nur in einem Tun, sondern auch in einem Lassen und Zulassen bestehen.

Von der Heilung und Hilfe zu ihr ist zu unterscheiden die Verhinderung einer unfreien und also krankhaften Handlung. Den Selbstmord und die Selbstvernichtung des anderen kann, darf und soll man schon aus eigener bloßer Selbstbestimmung heraus verhindern. Hier interveniert Gott häufig und jedes Elternpaar bei seinen unmündigen und unerzogenen Kindern. Doch das Interventionsrecht (als Befreiungsrecht bei rechtsverletzten oder Naturnot leidenden Personen) ist bei ideologischen und anderen seelischen Krankheiten wie dem Mechanizismus individuell sorgsam gegenüber dem Glaubensfreiheitsrecht abzugrenzen. Das ist von Belang, da alle modernen Hauskrankheiten im Grunde aus dem mechanizistischen Materialismus hervorgehen, aus seinem Quantismus.

Hauskrankheiten werden natürlicherweise zuerst in der Natur erkannt, also leiblich. Der Arzt soll sich bemühen, auch die seelische Ursache zu erkennen. Es liegt stets eine Unordnung im Verhalten vor, wenn der Mensch ein krankes Haus erbaut oder in einem Haus erkrankt. Daher ist stets zuerst, soweit der Arzt die Ursache weiß oder glaubt, die Unwissenheit, Fahrlässigkeit oder andere gestörte Verhaltensform im Bewußtsein zu heilen. Nur soweit der Patient sich von seinem unfreien Verhalten löst und umwendet, kann sein Haus bzw. sein Leib, sein Leben ordnungsgemäß geheilt werden.

Was besagt dies praktisch? Ein typisches Beispiel: Ein Mechanizist bzw. Materialist baut sich auf mechanizistische Art ein Haus, somit ein krankes Haus. Wenn er dann selbst krank wird in seinem Leibe, so wähnt er in der Regel, sein lebenswidriges, krankes, unfreies Verhalten unverändert fortsetzen zu können. Er meint, ein technisch geschulter Mediziner könne mit seinen Apparaten, Spritzen und Tabletten die Körpermechanik doch reparieren.

Nun kann man am modernen kranken Haus tatsächlich vieles nurtechnisch reparieren bzw. heilen, da auch die modernen Ursachen technokratischer Art sind. Ein Musterbeispiel bildet die moderne Hauskrankheit Nr. 1. Die Erkrankungen durch Streuwechselfelder der Hauselektrik sind im üblichen Wohnhaus durch den Einbau des Netzfreischalters zu heilen.

Aber schon hier kann das moderne technokratische Verhaltensschema schwer behindern. Denn der Götze Technik darf doch nicht eines Fehlers beschuldigt werden, besonders nicht der Obergötze Elektrischer Strom. Da fühlt sich jeder Technokrat persönlich beleidigt. Das ist an der häufig emotionalen und sinnlosen sachwidrigen Abwehrreaktion bei der Aufklärung der Ursache deutlich zu erfahren. Der typische Techniker lehnt es oft ab, sich mit möglichen Schädigungen durch seine heiß geliebte Technik überhaupt zu befassen. Und so leiden Millionen Menschen weiter, teilweise als Technokraten gerecht. Eine gewaltsame Aufklärung wäre ungerecht, also auch heilwidrig.

Hier hilft nur die bewußte Einsicht in die Realität der Lebensqualitäten und ihre Anerkennung auch im Fühlen und Wollen. Dann wird die Technik zur Dienerin der Lebensqualität und also des Lebens. Von ihrer tyrannischen Bevormundung des Lebens muß sie ablassen. Das aber verlangt von dem modernen Menschen eine fundamentale Wandlung seines Verhaltens. Denn er ist mehrheitlich und also tendenziell zum Technokraten geworden, zum „Mechaniker“, zum Quantist. —

Nur eine gesunde Seele baut sich einen gesunden Leib!
Nur ein gesundes und also lebensqualifiziertes Bewußtsein baut sich und sucht sich ein gesundes, ein lebensqualifiziertes Haus! —
Das Fazit: Wer erkennt, daß sein Haus krank ist und er selber mit, der suche die Ursachen zuerst in seinem eigenen Bewußtsein zu erfassen, in seiner Unwissenheit, eventuell auch in seiner Fahrlässigkeit und in anderem. In dem Ausmaß dieser Selbsterkenntnis und dieses Selbstbekenntnisses wächst nicht nur das Verständnis für das Wesen seiner Hauskrankheit, sondern auch die Möglichkeit und Kraft zur Überwindung. Oft ist dann nur noch eine geringe Fremdhilfe erforderlich. Um diese Selbsthilfe zu ermöglichen, ist das vorliegende Buch so ausführlich wissenschaftlich und praktisch geschrieben worden, von den Gründen der Naturwissenschaft bis zu den Gründen der Personwissenschaft, vom Keller bis zum Dach. (Vgl. „Wohin zieht man? Wie bleibt man?").
Noch ein anderes Verhalten kann verhindern, daß Millionen Menschen geholfen wird. Wer an der Verursachung, Mehrung oder Aufrechterhaltung von Krankheiten verdient, der kann ein — rechtswidriges, kriminelles! — Interesse daran haben, die Aufklärung über Krankheiten und ihre Ursachen zu verhindern, Forschung und Lehre zu behindern, den Innenweltschutz und Umweltschutz als Hysterie hinzustellen und die an ihm Beteiligten allgemein und individuell zumindest zu diskriminieren. Gegen Forscher und Ärzte werden dann Drohungen wegen Geschäftsschädigung ausgesprochen. Dies teils in subjektiv guter Absicht. Denn der liberalistische Profitkapitalismus — auch staatlicher Art — wähnt sich berechtigt, auch auf unfreie Art wie um den Preis der Gesundheit anderer Profit zu machen, zu produzieren — etwa Atomstrom — oder zu verkaufen. Es werden Prozesse mit Schadensersatzforderung in Millionenhöhe angedroht, etwa wenn die Gesundheitsschäden durch ein chemisches Schlafmittel veröffentlicht werden sollen!
Die Rechtsprechung liegt hier sehr im Argen. Man scheut sich nicht, Interessen „der" Wirtschaft gegen die Menschenrechte als legal gerecht zu behaupten. Doch alle Interessen, welche die echten Menschenrechte verletzen, sind prinzipiell kriminelle Interessen! Und wie könnte straffrei ausgehen, wer solche Kriminalität stützt! —
Soweit eine Gesellschaft eine Selbstmordgesellschaft ist, eine unfreie Gesellschaft, bestraft sie Informationen über unfreie, krankhafte Verhältnisse in ihr und über die Wege zur Heilung, zur Befreiung. Sie verlangt dann keine Haftung für unwissenschaftlich, fahrlässig und vorsätzlich verursachte Schäden und bestraft diese auch nicht, sondern schützt die unfrei handelnden Personen weit mehr als deren Opfer, die Freien. Sie begünstigt die aus eigener Schuld Unfreien und benachteiligt die Freien. Und sie ruft ständig nach Freiheit! —
Diese Bestrafung der Freien kann auch indirekt erfolgen, nämlich durch ein subjektiv perfektionistisches, objektiv jedoch unfreies, fehlerhaftes und man-

gelhaftes Zivilrechtssystem und Strafrechtssystem, das Kriminellen mit weisser Weste ebenso wie z. B. Anarchisten und Terroristen praktisch freien Raum gewährt. Freie Äußerungen des Wissens und des Glaubens, insbesondere zum Innenwelt- und Umweltschutz, werden dann praktisch mehr oder minder bestraft, wenn durch sie subjektive Profitinteressen gestört werden. Das staatliche Recht ist dann in allen vier Himmelsrichtungen so beschaffen, daß der rücksichtslose Kapitalismus und somit der gesellschaftliche und wirtschaftliche Selbstmord und Mitmord nicht ernstlich gestört wird. —

Diese Situation führt dazu, daß mehr oder weniger weit keine objektiven Informationen über die wahren Ursachen von politischen und wirtschaftlichen Unfreiheiten, von Krisen, Arbeitslosigkeit, Währungsschwierigkeiten, Krankheiten usf. veröffentlicht werden und also auch nicht Informationen über die ursachengerechten und somit objektiv erfolgreichen Heilmaßnahmen bzw. Befreiungsmaßnahmen. Aber Phrasen dürfen dann veröffentlicht werden und Irrtümer. Und hauptsächlich ihnen entsprechend darf gehandelt werden. —

In allen vier Himmelsrichtungen besteht im Untergang des Abendlandes mehr oder weniger stark die Tendenz, jede öffentliche Äußerung eines Glaubens — religiöser oder anderer Art — zu verbieten und zu bestrafen, wenn er dem Glauben wirtschaftlicher oder politischer Machthaber über irgend einem Profit abträglich erscheint. Der Glaube darf sich dann prinzipiell nur auf blah-blah-blah beschränken. Der Profit bzw. die Produktion des jeweiligen Machthabers und seine Einnahmen, auch steuerlicher Art, rangieren vor der Freiheit und Menschenwürde, vor jedem Menschenrecht! Nur einzelne Journalisten in einigen Ländern wagen, solange sie noch relativ frei schreiben dürfen, hier oder dort diese Verhältnisse bei ihrem Namen zu nennen! —

Die Gesellschaft bestimmt selbst darüber, wie weit sie im Elend bleibt, in Krankheit, Arbeitslosigkeit und Unsicherheit, im kleineren oder größeren Krieg, wie schnell sie — aus ihrer häufig doppelten Moral heraus! — sich in den nächsten Weltkrieg treiben läßt und wie weit konsequente Heilmaßnahmen unterlassen werden müssen und nicht einmal genannt werden dürfen; wie auch der Einzelne durch Unterlassung und Begrenzung seiner Hilfsbitte und Verschluß seiner Ohren und Türen darüber bestimmt, ob und wie weit er über die Ursachen seiner Krankheit, deren Folgen und mögliche Heilmaßnahmen informiert wird. —

Jedoch gemäß den richtigen Menschenrechten und Menschenpflichten ist der Mensch urberechtigt und urverpflichtet, andere auch dann vom Selbstmord abzuhalten, wenn er bedroht wird. —

Wenn Bauwirtschaftler vernünftig sind und weitsichtig, dann erkennen sie, daß neu gebaut werden muß. An den alten Fehlern tragen wir alle mit. Es muß also gesünder gebaut werden, in Ziegel, Kalk und Holz, mit besserer Elektrik, mit Kulturstoffen und auch mit Biobeton. Es muß neu gebaut werden! —

ZUR BIOLOGISCHEN PRÜFUNG

Wie kann man die für das Haus bestimmten Formen, Materialien, Farben, Einrichtungsgegenstände, Geräte, Pflegemittel usf. auf ihre Lebensqualität und Unqualität prüfen? Wie kann man den biologischen Gesamtwert — als Einheit von Objektwert und Gebrauchswert — objektiv fesstellen?

Zuerst ist die objektiv biologische, die lebensgerechte Prüfung von der unbiologischen und also lebensfremden Prüfung zu unterscheiden. Die objektiv biologische Prüfung geht von den Lebensqualitäten und der Ganzheit des Lebens aus. Die unbiologische, unphysiologische Prüfung am Ende der Neuzeit, auch wenn sie sich selbst biologisch, medizinisch, physiologisch usf. benennt, geht bewußt oder unbewußt vom Aberglauben des mechanizistischen Materialismus aus, vom Quantismus. In ihrer Wert„freiheit" bzw. Sinn„freiheit" kann sie keine sinnvollen, wertvollen, somit lebensgemäßen Aussagen über das Leben machen, weder über die Gesundheit noch die Krankheit noch die Heilung.

Wie man Speisen, Getränke, Textilien auf ihre Lebensqualität prüfen kann, so auch alles am und im Haus. Besonders die biologischen Prüfungen, die schon an der ersten und zweiten Haut bewährt sind, lassen sich exakt auch auf die dritte Haut anwenden.

Man prüft optimal die Lebensreaktionen ganzer Lebewesen, idealerweise derjenigen Lebewesen, die als Bewohner des Hauses vorgesehen sind, das als Ganzes oder Teil zu prüfen ist. Wenn man für den Menschen prüft, so kann man in Achtung des Menschen und um schneller zum Ziel zu kommen, auch ein Lebewesen nehmen, das dem Menschen sehr nahe steht, aber schon in Stundenfrist eine neue Generation bildet wie das im Darm des Menschen gesunderweise lebende Colibakterium. Man kann ein solches Lebewesen in einem Kleinhaus von der Art des zu prüfenden halten, genauer in einem solchen Feld, mit solchen Strahlungen und Strömungen, mit solchen ebenfalls in gut und schlecht gemischten Feuer-, Licht-, Luft- und Wasserverhältnissen usf. Auf was alles hierbei biologisch zu achten ist, das ist vorliegend auf hunderten von Seiten beschrieben.

Im Vergleich dazu hält man dieselben Lebewesen in einem Normhaus, das frei ist von allen Hauskrankheiten.

Im Allgemeinen prüft man die Lebensverhältnisse an der Vermehrung oder Verminderung der Kulturen, also an der Fruchtbarkeit und an der Leistungsfähigkeit der Nachkommen.

Im besonderen ist die Atmungs- und also Hautfunktionsfähigkeit zuerst zu prüfen. Deren wichtigstes und am leichtesten exakt zu messendes Kennzeichen ist die Entgiftungsfähigkeit. Bei einer Colikultur kann sie einfach, schnell und sicher gemessen werden, indem man z. B. der Colikultur längere Zeit Stoffe zugibt, die auf ihre Vergiftungs- oder Entgiftungsfunktion am Lebewesen zu prüfen sind wie Bau- und Einrichtungsmaterialien. Anschlies-

send werden die Coli in ihrer Fortpflanzung und in ihren Enzymleistungen gezählt und mit Normkulturen verglichen. Als weitere Variation kann man die Entgiftungsfunktion belasten, indem man standardisierte Gifte wie Quecksilberverbindungen zugibt. Dann kann die Größe einer Entgiftungsfunktion ermittelt werden. Oder bei einer Giftwirkung des zu prüfenden Stoffes wird diese Wirkung mit Zusätzen standardisierter Gifte verglichen. Auch kann man Gase, die etwa von Phenol- oder Formaldehydplatten abdunsten oder zu prüfende Flüssigkeiten in die Kultur einleiten. Allgemein kann man die Kultur Feldwirkungen, Strahlungen und Strömen aussetzen, mit bestimmten architektonischen Formen wie Kuben, Pyramiden, Kugeln usf. umgeben und dergleichen.
Nur einen bedingten, doch im Einzelfall möglicherweise beachtlichen größeren Wert haben chemische und physikalische Teiluntersuchungen wie auf die Anwesenheit von bestimmten Giften in einem Raum. Hier hilft zur Ermittlung derzeit wohl am besten die Gas-Chromatografie und die einfache Flüssigkeitschromatografie. Und noch andere, insbesondere photometrische Methoden existieren, wie sie auch in der Medizin zur Diagnostik benutzt werden. Im Feuer und im Licht kann man vieles prüfen. Primär maßgebend bleiben jedoch stets die lebensgerechten und also ganzheitlichen Reaktionen, somit die Reaktionen der Lebewesen.

DER WOHNWERT

Der Wert des gesunden und kranken Hauses

Wert ist Qualität. Der objektive Lebenswert des Hauses ist also seine objektive Lebensqualität. Der subjektive Wert wie der Marktwert kann durch Irrtum, Lüge oder Betrug ein diametral anderer sein. Eine Werbeabteilung kann auch eine total einbetonierte Welt als „Gesunde Stadt" preisen. —
Ein Haus ist so viel wert, wie es dem Leben des Bewohners dient. Soweit ein Haus das Leben des Bewohners objektiv schützt und verbessert, hat es einen objektiv positiven Wert. Soweit es das Leben des Bewohners objektiv schädigt, unfrei macht und verschlechtert, hat es einen objektiv negativen Wert. Die Bilanz dieser beiden Werte ist der objektive Hauswert oder Wohnwert.
Der subjektive Hauswert oder Wohnwert kann aus Mode, aus Leidenschaft und anderen Gründen, aus irrtümlicher Wertung und subjektivistisch profitlich egoistisch gesehener Wirtschaftlichkeit weit von dem objektiven Wert abweichen. Und er kann ihm total widersprechen. Das Schlechte, Lebensschädliche kann irrtümlich für das Gute, Lebensfördernde gewähnt werden. Aufgabe der Wissenschaft ist es, die personalen, kulturalen und naturalen Wertungen zu untersuchen und zu objektivieren. (Zur Objektivierung naturaler bzw. biologischer Wertungen vgl. „Zur biologischen Prüfung").

Die Lebensqualität oder Krankheits- und Todes-Unqualität eines Hauses kann teilweise auch in Geld ausgedrückt werden. Jedoch nur teilweise. Denn das Wohlgefühl in einem gesunden Haus auf Lebenszeit ist unschätzbar und unbezahlbar. Und auch das lebenslange Elendsgefühl in einem kranken Haus, die auf Lebensdauer fehlende Lebensfreude ist nicht in Geld erfaßbar. Das aber ist das Wesentlichste! Sofern man ein Bewußtsein für die Menschenwürde hat. —

Weniger wesentlich und im Grunde unwesentlich ist also der in Geld berechenbare Nutzen eines gesunden Hauses und der Schaden eines kranken Hauses. Aber auch er kann irdisch lebenswichtig werden.

Ein durch und durch krankes Einfamilienhaus, z. B. ein Stahlbetonkäfig mit einem Nullfeld an Lebensqualitäten, nämlich mit vielen Unqualitäten im Baumaterial, insbesondere mit vielen verkünstelten Stoffen in Einrichtung und Pflegematerial, mit vielen nicht entstörten elektrischen Kabeln und also Wechselfeldstörungen, ein solches Unhaus wird auf die Dauer seiner Existenz an seinen Bewohnern einen in Geld berechenbaren großen Schaden anrichten. Ob dieser Schaden vielleicht die zehnfache Höhe seines Erstellungspreises ausmacht? Der Schaden wäre hier zu berechnen durch verzögerte, erschwerte und verringerte Schul- und Persönlichkeitsentwicklung, durch verringerte berufliche Erträge, durch viele Erkrankungen mit Ausfall an Ausbildung und Einnahmen und mit Krankheitskosten, durch Frühinvalidität mit früher Berentung, mit vielen Krankheits- und Pflegekosten in der Rentenzeit usf. Bei einem ungesunden Bürohaus könnte der Schaden für die Firma noch weit höher liegen! —

Gerechnet wird hier von einem durchschnittlich gesunden Haus her, wie es um 1850 noch die Regel war. Dieses Haus wird mit dem Wert Eins angesetzt. Wenn ein solches Haus qualifiziert wird, wie vorstehend beschrieben, so ist der Nutzen auf das Mehrfache seines Erstellungspreises zu steigern. Hier wird ebenfalls auf die Existenzdauer des Hauses und Lebenszeit all seiner Bewohner gerechnet.

Welche Bilanz ergibt sich hieraus?

Ein gesundes Haus aus Ziegeln, Kalk und Holz, auf störfreiem Baugrund, mit gesunder Elektrizität, gar ein stabiles Holzhaus, mit entsprechender Einrichtung ist also das zweistellig Vielfache eines in der Mitte des 20. Jahrhunderts üblichen modernen zivilisationskranken Hauses wert! —

Hier ist der objektive voll realistische Lebenswert gemeint! —

Wenn man auch Wohlbefinden und Lebensfreude auf der einen Seite einrechnen würde — oder könnte — und auf der anderen Seite das lebenslange Elends- und Armutsgefühl an Lebenswerten, dann würde der Wertabstand zwischen einem gesunden und kranken Haus astronomisch groß! — Und beide würden doch ungefähr dasselbe im Erstellungspreis kosten! — —

ZUM WERT EINER BIOLOGISCHEN BAUBERATUNG

und Wohnberatung

Wenn ein krankes Haus in seiner Existenzdauer bei der Gesamtheit seiner Bewohner einen Schaden anrichtet, der ungefähr das Zehnfache seines Erstellungspreises ausmacht, und wenn ein gesundes Haus bei der Gesamtheit seiner Bewohner einen Nutzen in der mehrfachen Höhe seines Erstellungspreises erbringt, dann wäre bei den heutigen Bauverhältnissen und dem heutigen biologischen Wissensstand der Bauleute ein voller Hauspreis für eine richtige und vollständige biologische Bauberatung marktwirtschaftlich gerecht. —

Zehn Prozent des Baupreises sind unter den gegenwärtigen Bedingungen in jeglicher Hinsicht gerechtfertigt, auch wenn schon Schrifttum über das gesunde Haus existiert wie vorliegend. Denn wenn Bücher allein genügen würden, dann wären keine Ärzte, Lehrer und Schulen mehr notwendig. Zu den gegenwärtigen Bedingungen zählt außerdem, daß viel Mühe erforderlich ist, um rechte Materialien und Gegenstände zu finden, dazu fähige und willige Handwerker, die mit dem Rechten auch recht umgehen. Unter dieser Beratung wird die vollständige biologische Bauleitung mit den notwendigen Kontrollen verstanden.

Mit steigender Erfahrung des Architekten in der Baubiologie und steigendem Selbstvertrauen auch möglicherweise des Bauherrn soll und will der Architekt entsprechend auch für die Gesundheit des Hauses die Verantwortung übernehmen, also nicht nur für die Technik und Aesthetik. Bei hohen Ansprüchen an sich selbst übernimmt der Archtitekt auch die Verantwortung für die Bausoziologie. Für eine dann nur einmalige oder mehrmalige Beratung wie in der Sprechstunde, also nicht am „Krankenbett“, kann dann der „Haus-Arzt“ wie jeder andere Arzt und Biologe eine Objekt- und Zeithonerierung ansetzen. Ein Vorschlag: Jede angefangene halbe Stunde 1/4 Promille des Bauwertes. Dies gelte auch für die Beratung zur Heilung eines kranken Hauses.

Entsprechend ist auch dem Honorar des biologisch erfahrenen Architekten zuzuschlagen. Er wird in den nächsten Jahrzehnten sehr gesucht sein, wie jetzt schon. Je nach Land wird dann das Honorar mit 10-15 % des Bauwertes anzusetzen sein, also 5 % mehr als bisher, solange noch nicht die Mehrzahl der Architekten und anderen Baufachleute lebensgerecht bauen kann.

Für die Untersuchung eines kranken Hauses, was bei einem üblichen Einfamilienhaus durchschnittlich eine ca. eintägige Arbeit erfordert, und den ausführlichen schriftlichen konkreten Heilungsplan, der eine mehrtägige Arbeit erfordern kann, und der vom biologisch erfahrenen Baufachmann und Einrichtungsfachmann ausführbar ist, wird bei einem Normalhaus 1/2 % des Bauwertes als angemessen erachtet.

Vorausgesetzt ist hier jeweils die vollständige theoretische Kenntnis und praktische Beherrschung der Problematik bis zur Anleitung der Handwerker, wie in diesem Buche beschrieben. Soweit jemand nur Teilkenntnisse hat, also nur ein Spezialist ist, ist das sachgerechte Honorar entsprechend geringer. Beispielsweise kann für die gewöhnliche spezialistische Untersuchung eines Baugrundes oder Wohngrundes nur auf geopathische Störungen einschließlich der Erstellung eines Lageplanes mit maßstabsgerechter Einzeichnung der Störzonen das Doppelte des Drei- bis Fünfstundenlohnes eines Facharbeiters plus Reisekosten und Reisezeitentgelt angesetzt werden. Hier existieren auch schon eigene Berufsfachschaften mit eigenen Tarifen.

Wer die Folgen einer vermeidbaren geopathischen Störzone in einem Haus auch nur ein wenig kennt, der weiß, daß diese Ausgaben einen extrem hohen Nutzen bringen. Solche Leistungen gleichen nicht selten Heilungen bei Krankheiten, die praktisch als unheilbar behandelt werden. Dennoch werden diese Sätze nicht selten individuell sogar noch unterschritten. Denn wer auf diesem Gebiet heute tätig ist, der muß, wenn er etwas kann, viel Idealismus aufbringen.

WOHIN ZIEHT MAN?

Wohn- und Bauplatz

Der Mensch zieht menschenwürdigerweise

1. in eine Gesellschaft gutwilliger Menschen, in der die ethische, gesellschaftliche und wirtschaftliche Ordnung der Gutheit und Freiheit geachtet wird.
2. in einen Kulturraum, der in einer führenden Gleichung zu seiner eigenen Kultur steht.
3. in eine gute, lebendige und reine Natur.

Dies im Einzelnen:

1. In eine gute Gesellschaft. Betet man dort noch oder wieder? Oder herrscht dort ein wildes politisches Machtstreben und wirtschaftlicher Egoismus? Eine Lebensgesellschaft oder eine Selbstmordgesellschaft? Steht eine Kirche in der Nähe meines Hauses? Ihr Geist und Besuch? Personale menschliche Lebensqualitäten bieten nach Gott die erste Sicherheit.
2. In einen Kulturraum. Herrscht Ruhe und Frieden oder Unruhe und Streit in meiner voraussichtlichen Nachbarschaft? Gleicht das Kulturniveau meiner eigenen Kultur? Nicht zu hoch und nicht zu niedrig? Möglichst etwas höher. Keine Fabrikzone? Nicht an einer Hauptverkehrsstraße? Die lebenswichtigsten Geschäfte in der Nähe? Eine gute Schule, wenn ich Kinder habe? Eine gute Verkehrsverbindung zur Stadt?
3. In eine gute, lebendige und reine Natur. Die Hauptwindrichtung soll aus einer lebensqualifizierten Landschaft kommen, nicht von der Stadt, nicht von Fabriken, Kraftwerken, Mülldeponien und Verbrennungsstät-

ten. Doch allgemein windgeschützte, zumindest etwas erhöhte Wohnlage, fester Baugrund, nicht sumpfig, kein Nordhang, nicht auf einer geopathischen Zone. Keine Hochspannungsleitungen, keine Transformatorenstationen und keine Sender in großer Nähe!
Nicht in die Wüste bauen oder ziehen! Man weiß nicht, was dann in der Nähe noch gebaut werden wird. Sondern in ein möglichst schon kultiviertes Gebiet ziehen. Auch in keine technische Wüste, in keine „Betonwüste" ziehen. Nicht unter flache Dächer und nicht zwischen sie!
Zumindest etwas lebendiges Grün um das Haus, bevorzugt Bäume. Ein leiblich und seelisch gesundes Haus. Aus Ziegel, Kalk und Holz. Holzdecken oder Ziegelsteindecken. Keine Dachelektrik. Kein abgewohntes Haus. Kein Haus, in dem viele krank sind oder waren. Wer hat bisher darin gewohnt? Wie lange? Gesund und friedlich? Welchen Ruf hat das Haus in der Nachbarschaft? Warum wird verkauft oder vermietet? Ist etwas Landwirtschaft in der Nähe? Kann man notfalls Getreide, Kartoffeln, Gemüse, Obst, Milch und Eier direkt beziehen? Oder ist man auch im Lebensnotwendigen nur auf städtische Belieferung angewiesen?
Man halte sich probeweise mit offenen Augen und Ohren einen ganzen Sonnenlauf, also 24 Stunden im Hause auf, ehe man mietet oder kauft. Und auch ehe man baut, halte man sich auf dem Bauplatz oder in nächster Nachbarschaft mindestens eine gleiche Zeit in gleicher Weise auf. Man wird garnicht selten Erstaunliches entdecken. —

WIE BLEIBT MAN?

Sehr viele Menschen können gegenwärtig und auch in absehbarer Zukunft ein krankes Haus nicht wechseln, viele auch nicht ihre kranke Wohnung. Mancherlei Gründe können vorliegen, gesundheitliche, familiäre, berufliche, finanzielle, das Alter usf. Und die Heilmöglichkeiten mögen aus denselben oder anderen Gründen beschränkt sein. Wie oft auch am eigenen Leibe! Was soll man dann tun, lassen und zulassen?
Von den Indern und Chinesen über die persische, chaldäische und ägyptische Hochkultur bis zum Christentum wird gelehrt, daß das Schicksal des Menschen aus seiner Vergangenheit vielfältig vorbereitet sei, logisch, ethisch, biologisch-physikalisch usf., also gerecht. Jeder ist selbst seines Glückes und Unglückes Schmied! Vom Karma gemäß dem Dharma sprechen die Inder, heute auch besonders Theosophen und Anthroposophen. Von Kismet und Fatum sprechen die Mohammedaner. Von der Schöpfungsordnung Gottes, von der Erbsünde — wo bleibt das Erbverdienst? — des Menschen und von seiner Uraufgabe in dieser Welt, sein Kreuz zu tragen, sprechen die Christen. Das harmonische Kreuz ist das Urbild des Hauses. Dreieck, Kreis und Viereck ist in ihm enthalten, also die Harmonie, die Disharmonie und deren Überwindung, — Gesundheit, Krankheit und Heilung.

Ein jeder Mensch trägt einen irdischen Leib, das Haus seiner Person. Die Konstitution dieses Hauses ist von Geburt an für ein Leben festgelegt, mit seinen allgemeinen Gutheiten und Schlechtigkeiten, seinen allgemeinen Stärken und Schwächen. Im Rahmen dieses Allgemeinen kann man nur das Besondere und Einzelne ändern. Man kann der Länge seines Leibes keine Elle zusetzen. Das Allgemeine, den Grund und Rahmen unseres Lebens können wir also normalerweise nicht ändern. Wir können den Leuchter nicht verrücken.

Das Kreuz unseres Lebens zeigt sich in jedem unserer Häuser. Jedes Haus ist kreuzförmig gebaut, rechteckig. In jedem Haus soll das Kreuz architektonisch bzw. bio-logisch harmoniert werden! —

Wie soll sich der Mensch in dieser irdischen Grundsituation allgemein zu seinem Haus verhalten? Denn jedes Haus hat Harmonien und Disharmonien, mögen sie hier oder dort größer oder kleiner sein.

Liebe Dein Haus! Das kann als Leitwort gelten. Wie der große Arme, der hl. Franziskus, den gebrechlichen und kranken Bruder Esel liebte, seinen Leib, und in dieser wahren Liebe sich frei über ihn erhob, so auch sollen wir unser Haus lieben. Je liebevoller wir sein Kreuz tragen, das unser Kreuz ist, desto schneller und besser werden wir es überwinden! —

Diese ganze Welt ist ein Kreuz, wie es Dante in der Divina Comedia sah. Wir werden auch anderwärts unserem Kreuz nicht entfliehen können. Durch eine Flucht können wir es nur tauschen in eine andere Gestalt. Und das lohnt die Mühe nicht. Im Gegenteil, das erschwert die Last. —

Heilen wir also im Besonderen und Einzelnen an unserem Hause, was in unseren Kräften steht, auch mit Hilfe der dazu berufenen objektiven Fachleute. Wenn dann noch ein Übel bleibt, das über unsere jetzigen Kräfte geht, dann suchen wir zuerst die Ursache in uns selbst, vielleicht in unserer mangelnden Konsequenz. Vielleicht haben wir unsere Herzenshaltung noch mehr zu verbessern, vielleicht die Inkonsequenzen aus früherem Handeln noch abzutragen. Dann bleiben wir geduldig und ergeben in Gottes Willen in unserem kranken Haus, daß wir es immer mehr verbessern und endlich in ein gesundes wechseln können. Je geduldiger wir das kranke ertragen, desto gesünder und herrlicher wird das kommende Haus sein. Und desto eher wird es kommen. —

Man kuriert also sein Haus, wo und wie man kann. Zu heilen, zu verbessern, zu kultivieren, zu korrigieren, das ist die Urpflicht jedes Menschen in all seinem Tun, Lassen und Zulassen. Das ist nicht nur Urpflicht der Ärzte. Diese sind nur besondere Fachleute darin. Allgemein hat jeder Mensch die Selbst- und Mitbestimmungsurpflicht, in seinem Amtsbereich zu heilen, was der Heilung und also der Reform bedürftig ist. Das ist seine allgemeine Befreiungspflicht.

Das eigene Haus, die eigene Wohnung, die eigene Familie darin ist der erste Amtsbereich eines jeden Menschen.

Also lieben wir unser Haus. Studieren wir seine Fehler wie seine guten Eigenschaften; und suchen wir die Fehler geduldig zu verbessern. Keinem wird eine größere Last aufgeladen als er tragen kann. Wer seine Last geduldig trägt, der erhält die Kraft, sie vollständig und endgültig zu überwinden.

ZUR ASTROSOPHIE DES HAUSES

Paracelsus lehrt ausführlich, daß die Heilkunde des kranken Körperhauses und zuerst seine Gesundheitskunde auf vier Säulen beruht, zunächst der „Philosophie", die zu verstehen ist als „philosophische Anatomie", d. h. als Naturwissenschaft im Spiegel des Geistes, zweitens auf der „Astronomia", die zu verstehen ist als Astrosophie, als Lehre von den Lebensqualitäten des Makrokosmos im Mikrokosmos und von deren geordneter wechselseitiger Dynamik.

Weil das Haus dem Organismus des Bewohners lebensdynamisch dienen soll, muß es selbst ein Organismus sein, wenn auch von sekundärer Art als Hüllenorganismus. Jeder Organismus aber ist ein Mikrokosmos, der ständig in der Gleichung zum Makrokosmos lebt. Wie sieht Paracelsus und mit ihm jede Hochkultur die dynamische lebensqualitative Grundordnung der „Großen Welt in der Kleinen Welt"?

Die Quellen aller Bio-Dynamik sind bei Paracelsus und den Kulturen die „Astra" (= Sterne). Er versteht unter ihnen die realen feldmächtigen und also geistigen Prinzipien des Seins. Und er versteht alle diese makrokosmischen, durch ihre gewaltigen Felder überall auf der Erde universell wirksamen Urmächte als reale Universalien; um einen alten philosophischen Ausdruck zu gebrauchen, der durch die heutige Feldphysik ungeahnte neue Aktualität erlangt hat. Diese in ihren Feldern allgegenwärtigen und somit allwirksamen Urmächte, diese kosmischen Urwirklichkeiten sieht er in der Natur beispielsweise in Sal, Sulphur und Merkur, was nach alter Lehre den kardinalen, fixen und beweglichen Zeichen am Himmelskreis entspricht, also diesen allgemeinen Feldwirkungen. Und er sieht sie in den vier Urlebensqualitäten und den aus ihnen gewordenen vier Elementen oder Aggregatzustandsmächten; diese Urmächte entsprechen den vier Zeichentrigonen im Makrokosmos. Beherrschen die vier Aggregatzustände nicht als reale Universalia alle Materie im Kosmos! —

Insbesondere spricht Paracelsus sehr viel von den sieben großen Astra, den sieben Urwirklichkeiten aller kosmischen Dynamik. (Vgl. Gen. 1,14-18; Pred. 3,1-11). Daher habe der Organismus gleichwesentlich sieben große Organe. Sie entsprächen den Urwirklichkeiten oder Urqualitäten der sieben Hauptplaneten des Sonnensystemes. Wie in jedem Organismus diese Siebenordnung der großen Organe zu finden ist, so wäre auch in jedem der Milliarden Sonnensysteme des Kosmos diese Siebengliederung wieder zu finden. Und jeweils analog würden diese sieben Urlebensqualitäten in den sieben

Farben des Regenbogens, den sieben Tönen der Tonleiter, in den sieben Buntmetallen, in den sieben Wochentagen usf. wirksam sein.
Daß solche realen Zusammenhänge zwischen den Planeten des Sonnensystemes und den sieben Buntmetallen bestehen usf., das ist schon vielfältig exakt naturwissenschaftlich nachgewiesen worden. Zeigt sich hier das größere realistische Ganzheitswissen? Zeigt sich hier die Kenntnis der qualifizierten Feldphysik? — Die Felder der sieben Hauptplaneten des Sonnensystemes durchwirken jeweils mit ihrer Lebensqualität ständig das ganze Erdfeld und also jedes Haus, all seine Materie, jeden Organismus ([1]). Und diese Feldwirkungen sind urlebenswichtig. Jedes Lebewesen auf der Erde reagiert auf eine Störung in einem der sieben Hauptfelder des Sonnensystemes bzw. des makrokosmischen Organismus. Paracelsus spricht sehr häufig von diesen Relationen und Reaktionen.
Hat das vollständig organismusgerecht ausgebaute Haus daher sieben Zimmer? Etwa ein Sonnenzimmer, den Wohnraum, ein Mondzimmer, die Küche samt Eßraum, ein Marszimmer für die Arbeit des Hausherrn, ein Venuszimmer für die Hausherrin und die schönen Künste, ein Merkurzimmer für die Bibliothek oder das Geschäft, für das Gastzimmer oder Krankenzimmer, ein Jupiterzimmer für die Frucht der Familie, die Kinder, und einen Saturnbereich für den Reinigungsraum samt WC und den Schlafraum?
Könnte jeder Raum im Ganzen und in all seinen Teilen, Formen und Materialien, in seinen Farben und Möbeln vollständig gemäß seinem einheitlichen organischen Lebensprinzip gestaltet werden? Würde er dann optimale Wohnwerte bieten und also Lebenswerte vermitteln können? Jeweils nach seiner Wesensart! —
Hat das optimale Haus nach Paracelsus gemäß den vier Elementen vier Etagen? Einen Keller, in dem das Element Erde herrscht, Parterre, in dem das Element Wasser herrscht, die erhobene Etage, in der das Element Luft mit dem Licht herrscht und den Dachraum, in dem das Element Feuer herrscht?
Oder ist das optimale Haus nach Sal, Sulphur und Mercurius gegliedert, somit in Keller, Wohnbereich und Dach?
Oder wirken alle drei Urmächte in allen vier Elementen, sodaß das vollständig dem Kosmos gleichende Haus in einer Zwölferordnung gegliedert sein sollte?
Ist dieses Haus von dem Achsenkreuz beherrscht, das von der Erdmitte zur Himmelsmitte, zum Medium coeli führt und das auch tangential vom Aszendenten her in der Waagerechten die kosmischen Kräfte besonders wirksam einfließen läßt? —
Die Grundlehre aller Hochkulturen ist die Alleinheit von Makrokosmos und Mikrokosmos, von Welt und Mensch, von Menschheit und Einzelmensch. — Und diese Einheit ist nur in den realen großen Lebensqualitäten objektiv zu begreifen, niemals in dem quantistischen Aberglauben, der wähnt, mit den

Quantitäten das Wesentliche und Eigentliche begriffen zu haben! — Nur universale Urwirklichkeiten können all diese großen Einheiten begründen und verwirklichen! —

Solche weit reichenden Erwägungen seien, Paracelsus folgend, hier nur der Vollständigkeit halber genannt. Vielleicht enthalten sie mehr als zuerst an ihnen ersichtlich ist. Und vielleicht werden sie zukünftig eine weit größere Bedeutung erlangen. —

DIE KRANKE KIRCHE
Theologie und Baubiologie

„Und er sandte sie aus, das Reich Gottes zu predigen und die Kranken zu heilen" (Luc. 9,2). Sogar mehrfach befiehlt der Arzt aller Ärzte seinen Aposteln und Jüngern, die Kranken zu heilen. Dieser Auftrag gilt noch!

Christus selbst hat vorbildlich fast jeden Tag Hunderte geheilt von ihren leiblichen und seelischen Krankheiten! —

In allen Hochreligionen und Hochkulturen waren die Priester Priesterärzte. Und auch in den weniger kultivierten Zeiten haben die Ärzte den Priestern immer nahe gestanden, — die Mediziner dagegen nicht.

Jesus Christus war bis zu seinem dreißigsten Lebensjahr als Zimmermann tätig. Er hat Häuser mit gebaut und eingerichtet, nach allem was wir wissen sehr gesunde Häuser! —

Wenn also ein Priester den allgemeinen Heilungsauftrag hat, so sollte er besonders dem Haus seine Aufmerksamkeit widmen. Ist nicht auch die Kirche, der Inbegriff der Gemeinschaft der Gläubigen, ein Haus! Ist der Tempel nicht das Haus Gottes! Soll dieses Haus nicht in jeder Hinsicht vorbildlich heil sein! —

Und auch das Reich Gottes, das gepredigt werden soll, ist ein Reich in einem Haus. Ist die Reichsordnung nicht eine Hausordnung! (Vgl. das zehnte Gebot der „Zehn Gebote").

Heilet die Kranken! Das heißt, heilet zugleich ihr krankes Haus! — Die Seele ist das Haus des Geistes, zuerst Gottes. Der Leib ist das Haus der Seele. Die vier Wände sind das Haus des Leibes. —

Die Ordnung der Heilung ist in allen Häusern dieselbe. Man kann vom einen Haus für das andere lernen und vom einen in das andere wirken. Welcher andere Weg zum Menschen wäre überhaupt möglich? —

Was wirken die Christen neuerdings so viel im Hause der Gesellschaft und im Hause der Wirtschaft! —

Was sagt die Schrift?

„Laßt euch aufbauen zu einem lebendigen Haus" (2. Petr.).

„Durch Weisheit wird ein Haus gebaut" (Spr. 24,3; 9,1).

Vom Haus „aller Lebendigen" spricht Hiob (30,23).

Aber auch „Häuser sind Wege zur Hölle" heißt es (Spr. 7,27). —

Ein Haus, eine Wohnung ist zugleich ein Weg? Ein Weg zum Tode oder zum Leben? Jede reale Einheit ist in ihrem wahren Wesen eine Lebensfunktion des unendlichen Lebens! In der Allkommunität des Lebens! Also auch ihr Haus! —

„Daß die Herrlichkeit seines Hauses groß wird" (Ps. 49,17).

„So wirst du und dein Haus selig" (A.G. 16,31).

Also das Haus wird selig! — —

Häufig ist in den heilig gehaltenen Schriften der Hochreligionen vom Haus die Rede. Sogar im abschließenden, alles wie eine Quintessenz formal zusammenfassenden zehnten Gebot erscheint das Haus, hier als Grund und Inbegriff alles gerechten Handelns in der Raumzeitwelt, als Urbild von Mein und Dein. Christus selbst, der „Zimmermann" wird auch der „Eckstein" genannt, den die falschen Bauleute verworfen haben, die Konstrukteure der ungesunden Häuser. —

Man erwäge diese beiden Heilerden. Aus was ist Adams Leib gebildet worden? Wer ist der „neue Adam"? —

Sollten also Theologen nicht erstklassige Bio-logen und Physiker sein! Gute Bau-Meister im Bebauen der „Erde"! —

Das Haus Gottes, der Tempel, die Kirche ist der Name für die Einheit der ganzen religiösen Gemeinschaft geworden. Wäre da nicht zu erwarten, daß Kirchenmänner, insbesondere Theologen sich um die Theologie und Physik, um die Urordnung des einheitlichen Lebens im Hause bemühen, um die Lebensordnung des Wohnens! Wohnt Gott nicht bei den Menschen! Ist dieses Wohnen nicht der Grund der ganzen Religion? ([1]).

Vielleicht sind in der Ordnung des Wohnens viele Lebensgesetze zu erkennen, welche begrenzte und widerstrebende Materien zu einer Lebenseinheit in Raum und Zeit und darüber verbinden können. —

Am Ende der Neuzeit finden wir oft das Gegenteil. Geistlich orientierte Personen sind in ihrer Weltanschauung oft besonders graß und tief in den mechanizistischen Materialismus gefallen, in seinen modernistischen Relativismus und Subjektivismus. Der Logos des Bios — das Wort des Lebens! — ist ihnen objektiv real unbekannt und unbegreiflich geworden. Biologie wird auch von ihnen meist quantistisch-chaotisch-materialistisch, also abergläubisch verstanden, ebenso die ganze Evolution, insbesondere des Menschen. Auch bei ihnen zieht die Sinn„freiheit" der Wissenschaftskatastrophe ein. —

Und entsprechend wird gebaut, wie an Kirchen, Pfarrhäusern, Klöstern, Heimen usf. zu sehen ist. Neben den altehrwürdigen gesund erbauten (wie jetzt eingerichteten?) Häusern des Vatikans erheben sich flache Betonkästen, deren Störfelder gegen alles abschirmen, was von oben kommt. Man versuche, mit einem kirchlichen Baufachmann über den Weg, die Wahrheit und das Leben in der Natur dieser Welt zu sprechen! – –

Geistliche Personen haben heutzutage in der Kirchenkatastrophe, die der Staats- und Schulkatastrophe (Wissenschaftskatastrophe) gleich ist, oft das

geringste Verständnis für die reale Lebensqualität, für Lebensreform, Lebensschutz, Umweltschutz usf. Oft können sie darin nur Naturalismus sehen. Oder sie vermuten nur getarnte politische Motive und verstehen alles subjektivistisch, nominalistisch, modernistisch, anstatt objektiv realistisch.
Sprechen Geistliche nicht viel von den personalen Lebensqualitäten, den Tugenden? Aber wird hier nicht subjektivistisch und unrealistisch gesprochen in dem Ausmaß, in dem naturale Lebensqualitäten wie gute und schlechte Bäume und Früchte nur als subjektive Betrachtungsweisen und unmaßgebliche Gefühle abqualifiziert werden?
Ebenso lebens- und wirklichkeitsfremd war man auch gegenüber der sozialen Entwicklung. Doch hier hat in den vergangenen Jahrzehnten in der ganzen Welt eine gewaltige Reformbewegung begonnen. Heute setzen sich die Kirchen (das sind also Häuser! Wohnungen!) fast aller Konfessionen schon mehr oder weniger für soziale und ethisch-wirtschaftliche Reformen ein. Aber der naturale Grund all dieser Reformen ist ihnen fast noch gänzlich fremd. Also wird noch immer weithin auf Sand gebaut. Und das führt auch im weltlichen Bereich zum Zusammenbruch! —
Ein großer, voll realistischer Wandel ist hier lebensnotwendig, auch kirchennotwendig. Die Summa aller Lebensqualitäten ist zu erkennen. Und das führt zu ihrer Universitas, alle Gebiete umfassend. —
Dieser Wandel ist zu erwarten. Die Christen bis zum ausgehenden Mittelalter besaßen hervorragende biologische Kenntnisse, überall und also auch im Land- und Hausbau, insbesondere im Kirchenbau in jeder Hinsicht. Der Kräutergarten des Klosters St. Gallen am Beginn der Kultivierung des nordalpinen Raumes ist weltbekannt geworden. Mönche wie Benediktiner und Franziskaner, besonders Kapuziner haben vielfältig den Abglanz der Herrlichkeiten Gottes in der Natur dieser Welt gepriesen und erfolgreich genutzt zum Heile ihrer Mitmenschen. Mönche waren oft die ersten Apotheker und auch praktizierende Ärzte. „Heilet die Kranken“ hat Christus befohlen! Er „heilte im Volk alle Krankheiten und alle Leiden“ (Matth. 4,23). Nur wenige, wie die Heiligen, Pfarrer Kneipp, Pfarrer Künzle und einige Ärztepriester der Missionen haben diesen Auftrag bis heute ordnungsgemäß, naturgerecht befolgt. Kneipp und Künzle haben beide vom gesunden und kranken Haus gesprochen und entsprechende umfangreiche Ratschläge gegeben wie teils schon zitiert.
Mönche waren es auch, die schon im Mittelalter für die Physis-Physik und die biologische Chemie größtes Verständnis zeigten, so beispielsweise Basilius Valentinus. Paracelsus berichtet mehrfach von geistlichen Freunden, von denen er viel gelernt hätte an lebensgerechter Chemie, an Heilchemie, wie von Abt Trithemius von Sponheim. Paracelsus selbst stammt aus dem Geschlecht derer von Hohenheim, — also vom hohen Haus! Sein Vater hat bei dem Kloster Einsiedeln gearbeitet, wo Paracelsus auch geboren ist. —
Das gesamte Christentum, auch das reformatorische, gründet in seiner Theo-

logie und Lebenspraxis auf den Kirchenvätern wie Augustin und später Thomas von Aquin, mag der reformatorische Teil seine Wurzeln, aus denen er all sein Leben gezogen hat und zieht, auch bisher weniger nennen. Thomas gründet auf seinem Lehrer Albertus Magnus. Albertus und Thomas waren hervorragende Kenner des Weges, der Wahrheit und des Lebens auch in der Natur dieser Welt, wie zuvor Hildegard von Bingen. Thomas gilt in der Wurzel- und Zentralkirche des Christentumes, in der Katholischen Kirche noch heute als offiziell verbindliche Autorität. Wer aber wüßte, was er zur Natur gelehrt hat? Wer kann sich unter Hylemorphismus noch etwas vorstellen oder unter der Allbeseeltheit der Natur? Folglich unter Anima forma corporis, einem Axiom der objektiven Naturwissenschaft. Durch die Feldphysik der Lebensqualitäten wird es neu verständlich.

Über den deistisch-atheistisch-materialistischen Charakter der Weltanschauung, in der die moderne — Corbusiersche! — Baukunst und Bautechnik gründet, sind heutige kirchliche Baubehörden oft ahnungslos. Sie wissen nicht und glauben nicht, wem sie in ihrem Bauen folgen. Ihre Religiosität, falls vorhanden, schwebt oft über den Wolken, ohne Verbindung zur irdischen Realität. Ihre in der Wissenschaftskatastrophe und Architekturkatastrophe gründenden Werke passen daher häufig wie eine Faust auf das Auge der Kirche. Wird dieses Auge nicht oft zugeschlagen? —

Katholische und evangelische Akademien können heute den grassesten mechanizistischen Materialismus predigen und auch praktizieren in ihren Bauten, in Wohnung, Ernährung und Lebensweise. Über geringe und verworrene Auswirkungen vieler Veranstaltungen, die nicht selten ein einziges Bekenntnis der Ratlosigkeit sind, darf man sich dann nicht wundern.

Die Weltanschauung vieler Christen ist maximal unchristlich geworden, maximal gottfremd, lebensfremd, wahrheitsfremd, nämlich im höchsten Grade wissenschaftsabergläubisch. Und sie ahnen nichts von dieser Katastrophe! — Radikale und fundamentale Reformen sind notwendig und auch zu erwarten, analog wie auf sozialem Gebiet. Überwunden werden muß auch der naturalistische-materialistische Irrtum, daß die Aufgabe der Kirche hauptsächlich in der Reform irdischer Verhältnisse — also der „Bauten" — bestehen würde. Deren Reform ist Mittel und Gleichnis zur allein maßgeblichen innerpersonalen Reform des Bewußtseinslebens. (Vgl. „Zur Psychosomatik . . ").

Wie die Kirche durch verständnisvolle ganzheitliche Erweiterung ihrer Neuordnungsbemühungen von der ethischen Gutheits- und Freiheitsordnung auf die gesellschaftlichen und wirtschaftlichen Bereiche dem Menschen viele neue Wege nach oben-innen eröffnet und oft sein Herz gewonnen hat, so gleich und oft noch wirksamer wird sie gewinnen durch ein tieferes Verständnis der Worte Christi und ihre Anwendung auch auf die Natur dieser Welt. Von ihr sind die Gleichnisse doch meist genommen! Ohne Verständnis der Natur sind daher die ganzen Gleichnisse nicht zu verstehen, ist Krankheit und Heilung auch der Seele nicht objektiv real zu verstehen! — Das gilt bis zum Eckstein jeder Kirche und bis zu jedem anderen Stein. „Bauet euch selbst als lebendige Steine . . “ (1. Petr. 2,5). —

Was also wollte der von der Kirche verstehen, der vom Stein und Holz nichts versteht! —

Auch vom Kreuzesholz wird er nichts verstehen! Und nichts vom Kreuzweg! —

Was zeigt die Gegenwart? —

Mit den lebendigen Steinen soll man lebensgerecht in also harmonischen, biologischen Formen bauen, wohl wie Gott den Adam gebaut hat, und nicht mit toten, luziferischen Steinen in also toten, Seele wie Leib ertötenden Formen. Möchten doch die geistlichen Bauleute Verständnis für den Schatz im Acker gewinnen, für das lebendige Salz der Erde, für das grüne und dürre Holz und von der Weisheit lernen, wie man ein Haus baut, in dem das Leben (Bios) den Weg zur lebendigen Wahrheit (Logos) geht. —

Wir alle sollen mitarbeiten, daß Himmel und Erde erneuert werden, Geist und Seele, der Mensch und sein Haus. —

Es wird vielleicht bald eine sehr schwere Zeit kommen. Die Freiheitsordnung der personal-naturalen Lebensqualitäten wird danach wieder geachtet werden. Wird sie mit Rettung bringen? „Magnus ab integro saeculorum nascitur ordo“ (Die große Ordnung der Welt wird völlig neu erstehen) sagt der römische Dichter Vergil. Jam redit a virgo. (Vgl. Luk. 4,18 f; Jes. 2,1-5). —

HAUS UND STADT

Die Stadt ist ein großes Haus! —

In den Religionen und ihren Kulturen ist von Haus und Stadt oft in demselben Sinn die Rede. Die „Stadt Gottes“ wird auch als „Haus Gottes“ bezeichnet, zudem noch als ein Lebewesen! ([1]).

Aus was bestände denn die Stadt wenn nicht zuerst aus Häusern! Was also ist ihr Urbild! — Was wäre von einer Stadt noch vorhanden, wenn die Häuser fehlen würden? Mittelalterliche Städte sind oft im Ring der Stadtmauer und auch im Kern zu einem einzigen Großhaus zusammengebaut. Große Hausblöcke sind kleine Städte, heute mehr denn je. Zumindest sollten sie es sein.

Daher gilt das ABC des gesunden Hauses vollinhaltlich auch für die gesunde Stadt! Und die kranke Stadt krankt an nichts anderem als das kranke Haus! Das ist seelisch und gleich so leiblich zu verstehen.

In der Stadt wird die ethische, gesellschaftliche und wirtschaftliche Differenzierung weiter entwickelt als im einzelnen Haus. Doch in diesem ist sie schon vollständig angelegt und zuerst keimhaft entwickelt. Auch die Stadt soll eine Lebensganzheit sein. Ihre Naturgerechtheit ist die Grundlage ihrer Menschengerechtheit. Eine gesunde Gesellschaft wohnt in einem gesunden Haus, also in einer gesunden Stadt.

Die Städtebauer besitzen bis heute keine wissenschaftliche Grundlage für die ganzheitliche menschengerechte Ordnung der Stadt. Diese ist nur aus dem Einmaleins der Freiheitsordnung und Gutheitsordnung zu gewinnen, aus dem Einmaleins der personalen Ordnung in Ethik, Gesellschaft und Wirtschaft sowie der kulturalen Ordnung und der naturalen Ordnung. Fast nur von dem Einmaleins der naturalen Ordnung ist in diesem Buch die Rede. (Zur personalen Ordnung vgl. Kapitel VI).

Unsere Städte sind so krank wie unsere Häuser! Je moderner eine Stadt, desto kränker. Viele Stadtbaumeister, Planer, freie Architekten, Ärzte, Psychologen, Kulturhistoriker, Politiker, Umweltschutzfachleute, Künstler und andere haben das Sterben der Menschlichkeit in den modernen Städten beschrieben ([1]). „Unmenschliche", utopische, teils schon geisteskrank zu nennende Baupläne werden nicht selten bei Wettbewerben eingereicht. Mit Beton kann man eben alles „machen". Haben diese Pläne nicht schon das Entsetzen weiter Kreise hervorgerufen? Dokumentieren sie nicht die Architekturkatastrophe? Ihre Unaesthetik entspricht ihrer Unnatürlichkeit. —

All die Kritiker haben jeweils von ihrem Standpunkt aus versucht, die Inhumanität zu überwinden, in der sich wie in einem Generalnenner alle Übel sammeln. Doch wie viele gut gemeinte, ehrenwerte Absichten verirren sich dann im einseitigen Verdrängen von Symptomen!

Die modernen Stadtplaner sind allermeist hilflos, weil orientierungslos. Es fehlt ihnen das Leitbild vom Menschen, von der Ordnung der Person und der Ordnung der Natur. Hier sind nicht nur die progressistischen, neomodernistischen, futuristischen Planer gemeint. Diese sind in Wirklichkeit illusionäre, „mechanizistische Romantiker". Wie sie zwischen Verdünnung und Verdichtung haltlos hin und her schwanken, so auch in allem anderen. Sie wollen die Stadt — und also den Menschen! — hauptsächlich verkehrsgerecht, ja autogerecht planen. Wann werden sie kloakengerecht planen? — Maschinengerecht, fabrikgerecht, produktionsgerecht und konsumgerecht wird der Mensch doch schon seit langem verplant. — (Zur Kloakengerechtigkeit des Hauses vergleiche auch S. 211).

Die modernen Planer verwandeln „unsere Städte in klotzige Beton- und Glasmassen" (Röpke). Sie fordern, wenn nicht in Worten dann in Taten, mit Corbusier, daß alle Dome einzureißen sind. Dann erst würden ihre seelen- und geistlosen utopischen Konstruktionen dem Menschen eine neue glückliche Heimat sein. So versprechen sie. Aber die Wirklichkeit widerlegt sie grausam. Denn objektiv streben sie auf ein Gulag-Klima zu. Röpke spricht u. a. deutlich von der „Seele unserer Städte, die der Benzin- und Betonkult unserer Zeit kaltblütig auf dem Altar der Motorisierung zu morden empfiehlt" ([2]). Und er sagt: Die Lebensgefahr unserer Städte „droht . . ausschließlich (von den) Futuristen, die sich auf „Fortschritt", auf das „Moderne" und „Aufgeklärte" berufen, aber im Namen dieser großen Worte so leicht nur Auflösung, Leere, Zerstörung und Lebensfeindlichkeit bewirken" ([3]).

Röpke zitiert den Vortrag von Gabriel Marcel „La sagesse a l'age technique" (Die Weisheit im technischen Zeitalter, deutsch in Schweizer Monatshefte Sept. 64) und „Der Tod des Lichtes" von Hans Sedlmayr, der das auch für Architekten so wichtige Fundamentalwerk „Verlust der Mitte" geschrieben hat.

Wenn man den Geist, den Sinn der Technokratie und ihrer Betonsucht erfassen will, dann muß man sich Betrachtungen wie bei Sedlmayr zuwenden und diese in ihrem Zusammenhang lesen, etwa: „Seit dem 18. Jahrhundert hat die Technik dem Bauen neue Werkstoffe gebracht, die sich allmählich durchgesetzt und das Bauen in Stein, Holz und Ziegel mehr und mehr zurückgedrängt, stellenweise in Großstädten so gut wie verdrängt haben. Eisen; Eisen und Glas; Stahl; Stahl und Glas; Beton; Eisenbeton und Glas haben das Bauen auf eine ganz neue technische Basis gestellt. Schon daran sieht man, daß sich in der Baukunst eine Revolution von welthistorischen Ausmaßen vollzogen hat. Der Prozeß ist noch nicht abgeschlossen, noch immer entstehen weitere künstliche Werkstoffe. Aber die beherrschende Bauweise ist bis über die Mitte unseres Jahrhunderts hinaus die Verbindung von Eisenbeton und Glas.

Alle diese (künstlichen) Werkstoffe sind amorph, alle sind in eigentümlicher Weise „kalt". Sie sind in einem noch ganz anderen Sinn anorganisch als Stein, Ziegel oder Holz. Bauten in diesen Stoffen nehmen unweigerlich einen „unlebendigen" Charakter an . . . " ([1]). Und könnten sie jemals anders wirken? —

Es ist die große und ganze Antwort auf die Krankheiten und den Tod unserer Städte zu finden. Zwar sind die Warnungen vor „Profitopolis" gut gemeint. Aber ist diese Polis nicht der Ausdruck des herrschenden endzeitlichen Geistes, des Stolzes, der Eitelkeit, der Machtgier, der Genußsucht und also der Ausbeutung eines jeden durch einen jeden, somit der Menschenfeindlichkeit wie der Gottesfeindlichkeit? Gut gemeint sind auch die Mahnungen, zur urbanen Stadt, zur humanen Stadt, zu Humanopolis zurück zu kehren. Aber aus welchen Quellen erwachsen denn die Kräfte, dies wirklich und ganzheitlich menschengerecht zu tun? Darauf kommt es doch entscheidend an! Einzelne Symptome zu kurieren, das hilft nicht wesentlich.

Röpke, der maßgebliche Begründer des westlichen Wirtschaftswunders nach dem zweiten Weltkrieg, also ein Realist, mit dem sich kaum ein anderer messen kann, sagt: „So ist denn mit allem Nachdruck zu sagen, daß (wir) . . die Maßstäbe unseres Urteils . . nur jenem überwissenschaftlichen Bereich des Geistigen, Moralischen und Religiösen entnehmen können, wo wir uns zwischen Gut und Böse, Humanem und Inhumanem, Schönem und Häßlichem und allen anderen Polen der Werte entscheiden müssen. „Dynamik", „Fortschritt", „wirtschaftliches Wachstum", „Entwicklung", „Große Gesellschaft" und was auch immer die Ziele sein mögen, die man vor uns aufpflanzt und in deren Licht man die Zukunft leuchten läßt, alles bleibt völlig leer, wenn wir keine Antwort auf den Sinn des Ganzen wissen" ([1]).

Wilhelm Röpke, zu früh verstorben, hat ein eigenes Buch über die „Civitas humana" geschrieben, was an die „Civitas dei" Augustins anklingt. Karl Neupert, Kiel, der durch eine „bewährte Gesinnungsgemeinschaft" (Röpke) mit Röpke verbunden ist, sucht gegenwärtig dem „Werden der Siedlungslandschaft" nachzugehen und die Einheit von „Raumordnung und Siedlungsgestaltung" zu finden, von „Leben und Gestalt" ([2]).

Woraus besteht die naturale Stadtordnung? — Wie in den Kapiteln über das Gartenzimmer, Haus und Hof usf. beschrieben, bildet das gesunde Haus eine Lebenseinheit mit dem gesund bepflanzten Boden. Beides kann nicht getrennt voneinander existieren. Die naturale bzw. biologische Stadtordnung ist in ihrem flächenmäßig meist überwiegenden Randbereich eine Haus- und Gartenordnung, eine Haus- und Parkordnung, dies je nach dem Charakter der Stadtgemeinschaft. Grüngürtel und Parks sind auch im Zentrum die Lunge der Stadt.

Wie der Schmutz das Haus nicht ersticken darf, so auch nicht die Stadt. Das Stadt-Haus soll so rein sein wie jedes Haus.

Wie der zentrale Wohnraum des Hauses nicht unruhiger Verkehrsraum sein soll, sondern ein ruhiger, besinnlicher Raum, so auch soll der Zentralraum der Stadt frei von unruhigem, insbesondere motorisiertem, lärmendem Verkehr sein. Er soll ein Heimraum der Stadt sein. In ihm trifft sich die Stadtfamilie von Angesicht zu Angesicht. Alle von dieser Familie häufig besuchten Behörden sollen in diesem Herzraum liegen und bequem zu Fuß erreichbar sein. Der Herzraum soll nur Laufraum sein und also fußgerecht gestaltet sein. Er soll grüne Bereiche, Wasserflächen und teilweise beaufsichtigte Kinderspielplätze enthalten.

Der Herzraum der Stadt soll auch qualifizierter Wohnraum sein und nicht von nachts verödeten Mammutbüros krebsig überwuchert werden. Der Wohnraum darf hier bis zu sechs Stockwerken ansteigen. Verwaltungshäuser dürfen maximal bis zu 8 (10?) Stockwerken ansteigen, nicht höher; oder die Termiten- und Stallatmosphäre beginnt zu herrschen!

Jeder Stadt-Teil ist eine Teil-Stadt, eine Sohn-Stadt bzw. Tochter-Stadt der größeren Zentralstadt, also eine ganze Stadt! Auch diese Tochterstadt soll ihren verkehrsfreien Herzraum haben mit den Häusern für ihre Selbstverwaltung und mit den ihrem Sondercharakter entsprechenden Geschäften und Dienstleistungsunternehmen.

In der Stadt soll allgemein der Gemeinschaftsverkehr den Individualverkehr überwiegen. Auch durch hohe, dem gemeinschaftlichen Nutzwert der Stellfläche und Verkehrsfläche entsprechende Parkgebühren ist der Verkehr frei und gerecht zu ordnen. Wer nur pendelt, der hat nur den Gemeinschaftsverkehr zu benutzen. Im entfernteren Vorort kann er den Anschluß an den Gemeinschaftsverkehr individuell herstellen.

Die Nation oder Gesellschaft ist so krank wie die Stadt (Siedlung). Die Stadt ist so krank wie das Haus. Das Haus ist so krank wie sein Erbauer und Bewohner, der Mensch. Der Mensch ist in seinem leiblichen Haus so krank wie in seiner Seele. Wo also beginnt die Heilung der Nation, der Gesellschaft, der Kultur, der Stadt? Und welchen Weg geht diese Heilung? —
Wenn die Zelle von Dorf und Stadt gesundet, dann wird auch die ländliche und städtische Entwicklung dieser Keimzelle gesunden. Welcher andere Weg wäre möglich? Wäre eine gesunde Stadt aus kranken Häusern denkbar! — Ein gesunder Geist wohnt in einem gesunden Leib. In kranken Häusern wird auch der Geist der Stadt krank sein. Eine gesunde Stadt wurzelt also im seelisch und leiblich gesunden Haus, zuerst im Haus der Familie.

HAUS UND RAUMORDNUNG

Jeder Raum ist Lebensraum oder Totraum! Jedes Leben ist gesund oder krank, in der Regel beides gemischt. Jeder Lebensraum ist ein Haus. Wie auch die Stadt ein Haus ist. Stadtordnung und Raumordnung ist daher Hausordnung! —
Am Ende der Neuzeit haben verschiedene Gründe, gute und materiell-finanzielle Gründe zu neuen Raumordnungsbestrebungen geführt. Einen finanziellen Verwaltungsgrund als Hauptgrund zu nennen, das kann ein Zeugnis armseliger, lebensfremder, bürokratischer Motive sein.
Auch besteht Politik bzw. Staatskunst nicht nur aus Verwaltung. Diese ist nur das unterste Drittel! Führung, Rechtsprechung und Verwaltung sind gleich berechtigt! In dieser Rangfolge! —
Die Lebensqualität entscheidet über die lebensgerechte Raumordnung, die ethische, gesellschaftliche und wirtschaftliche Lebensqualität, die kulturale und naturale Lebensqualität! —
Die Qualität aber ist maßgebend Glaubenssache. Wenn also eine Gemeinschaft nach ihrem eigenen Glauben von den Lebensqualitäten leben will, so ist jeder Eingriff wider den freien Willen der Gemeinschaft Diktatur bzw. Tyrannei! Er ist eine Verletzung der Gerechtigkeit und bewirkt schon hieraus weit mehr Schlechtes als er anderweitig Gutes bewirken könnte. Auch eine Tyrannei des Mehrheits-Machtrechtes existiert, des Demokratismus, des Zerrbildes der Demokratie. (Vgl. Kapitel VI).
Eine Selbstverwaltung ist nach der Anschauung personwürdiger entwickelter Menschen tausend mal wertvoller als eine Einsparung von 50 % Verwaltungsgeldern! Weshalb lebt denn der Mensch in dieser Welt? Doch um sich im menschenwürdigen Miteinander zu bilden und seine Untugenden zu überwinden! Wo kann und soll er das zunächst üben? Von der Gemeinde uneinsehbare Mammutverwaltungen sind Brutstätten der Korruption, der Verschwendung und der ideologischen Irrtümer. Sie entfernen sich vom Leben der Gemeinde und schädigen dieses Leben. Sie neigen zu krebsigen Wuche-

rungen. — Daher ist jede Aufhebung einer beanspruchten und lebensfähigen Selbstverwaltung ungerecht, menschenwidrig und asozial! Die Mechanizisten, die Demokratisten degenerieren hier Mensch und Gesellschaft. —
Die Frage der Raumordnung wie beispielsweise einer Eingemeindung ist daher einerseits eine Frage der Bewertung der personalen, kulturalen und naturalen Lebensqualitäten, andererseits eine Frage der objektiven Freiheits- und Friedensordnung der Gesellschaft, der echten Demokratie. (Vgl. Kapitel VI). Somit auch eine Frage der objektiven Mündigkeit? — —
Die rein naturale Raumordnung ergibt sich wie die Stadtordnung aus der Einheit des Hauses mit Garten und Hof, aus der Einheit von Siedlung und Landschaft. Das neue China hat jede Siedlung einem Landkreis zugeordnet, der die Siedlung zu ernähren und auch wirtschaftlich mit dem Lebensnotwendigen zu versorgen hat. Über den Kreis des Lebensnotwendigen hinaus soll volle Freiheit bestehen.
Zusammengefaßt: Raumordnung existiert als ethische Raumordnung, als gesellschaftliche Raumordnung, insbesondere als staatliche, schulische und kirchliche Raumordnung sowie als wirtschaftliche Raumordnung. Sie existiert weiter als kulturelle und naturale Raumordnung. In all diesen Räumen, richtiger Einheitsfeldern lebt der Mensch. Die staatliche Raumordnung steht in einer Analogie bzw. Gleichung zur wirtschaftlichen und naturalen Raumordnung. Eine gute, menschengerechte staatliche Raumordnung setzt die Kenntnis und Achtung der Urformen des menschenwürdigen Verhaltens voraus, nach den fünf fundamentalen Urformen besonders der sechsten bis neunten Urform. (Vgl. Kapitel VI).
Eine neue Raumordnung gemäß der personwürdigen und naturgemäßen Freiheits- und Qualitätsordnung ist dringend lebensnotwendig für die gesamte Menschheit. — Das wird eine neue Weltordnung! —

DIE ZUKUNFT

Die Zukunftssicherung des Hauses
Die wachsende Sensibilität

Wir stehen am Ende der abendländischen Kultur, insbesondere am „Ende der Neuzeit“ (Guardini) und im Übergang zu einer neuen Kultur, nämlich zur ersten Weltkultur. Die vierte indoeuropäische Kultur, die ägyptische hatte nur das Niltal beherrscht, einen kleinen Raum, wie auch jede frühere Kultur. Die fünfte, die abendländische hat sich auf die eine Hälfte der Welt ausgebreitet und die andere Hälfte wenigstens teilweise tief durchdrungen. Die dann folgende Kultur, in deren Geburt wir heute stehen, wenn auch erst in den Wehen, wird die ganze Menschheit umfassen und also eine einzige ganze Menschheitskultur sein. Sie wird die erste allgemeinmenschliche Kultur sein. Alle Zeichen deuten darauf hin.

Mit der Zahl Fünf ist wie mit den fünf Fingern einer Hand eine Ganzheit abgeschlossen. Mit der Sechs und also der sechsten indoeuropäischen und zugleich einheitlich menschlichen Hochkultur beginnt eine neue Ganzheit. Mathemato-biologisch unausweichlich bringt sie uns etwas vollständig Neues, was alle vorhergehenden Kulturen auch nicht im Ansatz bringen konnten. Schon dieses Buch soll hierfür Zeugnis ablegen. Es wird stoßartig schnell eine neue geistige Entwicklung kommen, wie in den letzten Jahrzehnten die stoßartige technische Entwicklung als Vorläufer gezeigt hat; — nur als Vorläufer, da sie noch mechanisch ist.

Insgesamt wird das Bewußtsein auf einer höheren Ebene entwickelt werden. Das Denken, Wollen und Fühlen wird lichter, intensiver und weiter ausgebreitet werden; vor allem wird es innerlicher. Schon jetzt beginnt das Denken, Wollen und Fühlen der Menschen den Zustand der gesamten Erdenmenschheit zu erfassen und in den Kosmos auszustrahlen, sich zu erweitern. Zur Zeit Goethes war das noch undenkbar.

Also nicht nur das Denken und Wollen wird sich intensivieren im „Lichte des Geistes“ und im „Lichte der Natur“ (Paracelsus) und wird sich ausbreiten, wie es Völkerbund und Uno und die sozial-kommunen Bestrebungen als Vorläufer einer echten menschenwürdigen Gemeinschaft der ganzen Menschheit zeigen und anzielen, sondern auch das Selbstfühlen und Mitfühlen wird sich noch ungeahnt entwickeln, personal und natural zugleich. Beispielsweise bestand die Umweltverschmutzung schon lange Zeit. Aber nur wenige fühlten sie. Das kleine Häuflein der Ärzte und Lebensreformer, das schon in der ersten Hälfte des 20. Jahrhunderts auf all diese Übel hinwies, wurde verlacht und ignoriert. Dann aber erwachte fast mit der Plötzlichkeit einer Atomexplosion das Erfühlen der Umwelt in der ganzen zivilisierten Menschheit.

Als eine der Folgen überflutete die Nostalgiewelle alles. Hinter ihr ist mehr zu suchen! Das Heimweh zur alten, noch sauberen, noch nicht technokratisch-chemokratisch verschmutzten Welt stärkte zugleich das nach vorwärts gerichtete Streben zum reinen Licht, zur reinen Luft, zum reinen Wasser und zur reinen Erde, zur Gesundheit. In alledem wird heute das einfache, das rustikale Leben gesucht.

Doch vorerst werden, von der Ernährung abgesehen, nur die Lebensqualitäten und Unqualitäten der ferneren Umwelt erfühlt, bedacht und in Willensaktionen umgesetzt, wie in der Politik. Die Entwicklung des Bewußtseins und der Natur des Menschen wird sich wohl schnell auch der nächsten Umwelt zuwenden, der Welt in den vier Wänden. Denn sie ist in allem der ferneren Umwelt gleich, ist sogar deren Ursache.

Diese Entwicklung des Fühlens ist nicht aufzuhalten, so wenig Ebbe und Flut aufzuhalten sind. Mögen auch bestimmte Industriekreise von irrigen Voraussetzungen her, aus Betriebsblindheit und aus kurzsichtigen Profitgründen von Umwelthysterie reden und mit Prozeßdrohungen und anderen

Maßnahmen die Entwicklung der Umweltschutzbewegung und allgemein der Lebensschutzbewegung zu behindern suchen; die weltweite Entwicklung der Sensibilität, ebenso des Denkens und des Wollens zu größeren Einheiten, zu Ganzheiten des Lebens und zu Qualitäten, kann nicht verhindert werden. Die freie eine Menschheit wird Wirklichkeit werden, rechtlich, gesellschaftlich, sozialwirtschaftlich und auch in einer sauberen Eigen- und Umwelt. Im Gegenteil, diejenigen, die sich dieser Entwicklung der Menschheit aus Kurzsichtigkeit und besonderen Motiven in den Weg stellen wollen, werden die Folgen übel zu spüren haben. Nicht nur Einfluß, Ruf und Vermögen kann ihnen genommen werden, sondern wie Servan-Schreiber formuliert, auch ihr Leben können sie verlieren. —

Immer deutlicher beginnt der Mensch mit seinen eigenen fünf Sinnen und seinem sechsten Sinn, mit dem Zentral- und Universalsinn die Lebensqualitäten und Unqualitäten seiner Umwelt in Freud und Leid zu erspüren. Er beginnt wieder zu erleben, was Naturvölker sich bewahrt haben und auch das indische Kulturvolk noch weithin. Die objektive Lebensqualität wird also immer mehr zu einem realen Erlebnis werden. Man wird schließlich die Bildekräfte am Werke sehen. —

Die Folgen für die Landwirtschaft, für Speise und Trank, für Kleidung und Wohnung, für die Lebensweise, die Heilweise und Hygiene werden gewaltig sein und vieles Bisherige umstürzen, insbesondere alles, was aus dem mechanizistischen Materialismus hervorgegangen ist. Die wachen Menschen sehen dies schon seit vielen Jahren kommen. —

Für das Bauwesen und den Wohnungsmarkt werden sich daher gleiche große Veränderungen ergeben. Sie sind aus dem Studium des vorliegenden Buches leicht vorhersehbar. Schwer kranke Häuser, auch Bürohäuser, insbesondere mit Nullfeldern und also mit einem sehr schlechten oder negativen Wohnwert werden unverkäuflich und unvermietbar werden. Gesetzliche Bewohnungsverbote werden wohl noch kommen, aber weithin durch die schnelle Entwicklung des Fühlens überflüssig werden. Der Marktwert solcher Häuser wird nahe auf null sinken. Gesunde Wohnlagen, Häuser und Wohnungen werden im Marktwert erheblich gewinnen. Das Verhältnis des Quadratmeterpreises zwischen einem gesunden und einem sehr kranken Haus wird auf über zehn zu eins steigen.

Es mag sich daher wirtschaftlich sehr lohnen, jetzt schon das ABC des gesunden Bauens und Wohnens und die Zivilisationskrankheiten des Hauses gründlich zu studieren. —

Doch nicht zuerst um der Wirtschaft willen, sondern zuerst um der Gesundheit willen, um des Allwohles willen und der Entwicklung des menschlichen Lebens folgend wird dies geschrieben. Jeder Leser möge bedenken, daß seine eigene Empfindlichkeit und die seiner Familienmitglieder in wenigen Jahren so steigen kann, daß weiteres Wohnen in einem kranken Hause unerträglich wird. —

Wie in der ferneren Umweltschutzbewegung vor wenigen Jahren ein Sturm eingesetzt hat, so ist es denkbar, daß bei der weiteren Entwicklung der Umweltfühligkeit auch in der nächsten Umweltschutzbewegung ein Sturm losbrechen wird. Dann wird die Nachfrage nach gesunden Häusern schnell steil ansteigen. Sind nicht jetzt schon viele schwer kranke Häuser unverkäuflich und unvermietbar! — Vom Staat, von der Wissenschaft und privat wie von Mietervereinigungen und Maklern werden vermutlich Bewertungsmaßstäbe für den Wohnwert erarbeitet und dem Bauen und der Vermittlung von Wohnungen zugrunde gelegt werden.

Schon erklären viele führende Personen in der Umweltschutzbewegung, daß eine vollständige Wandlung der menschlichen Bestrebungen lebensnotwendig ist, wenn es nicht an den Grenzen des falschen Wachstumes (auch im Bauwesen) zu einer Katastrophe kommen soll. Und diese Wandlung habe auch tatsächlich schon in vielen begonnen, nicht nur in der jüngeren Generation. Als Leitwort dieser Wandlung wurde die Lebensqualität gewählt. Auf ihr ist das vorliegende Buch aufgebaut.

Doch diese große Wandlung wird alles erfassen, Recht, Gesellschaft und Wirtschaft, die ganze Kultur und die ganze Natur im Reiche des Menschen. Der Untergang des Abendlandes und des Morgenlandes ist durch die Herrschaft der toten Quantität gekennzeichnet, im personalen und naturalen Bereich. Aus ihr wurde die Technokratie geboren, der Mechanizismus und die Tendenz zu den gewalttätigen istischen Bewegungen.

Die Herrschaft der Qualität, der Lebensqualität wird diese sterbende und sich selbst vernichtende Welt überwinden. —

DIE LETZTE KONSEQUENZ

Wer eine Reihe leidvoller Erfahrungen mit seinem Hausklima oder dem Wohnungsklima der gemieteten Wohnung gemacht hat, wer Jahre hindurch mit viel Mühe und Kosten Besserungen wie Entstörungen versucht hat und doch nicht zum rechten Ziel gelangt ist, wer mehrfach umgezogen und vom Regen in die Traufe geraten ist, in dem wächst mehr und mehr die Sehnsucht nach einem vollständig gesunden Haus mit ebenso gesunder Einrichtung.

Dann beginnt er vielleicht, nach einem Architekten zu suchen, der gesund bauen will, und nach einem solchen Baumeister und nach solchen Handwerkern und nach solchem Baumaterial mit allem Drum und Dran bis zu den Lacken und Farben und schließlich auch nach den gesunden Einrichtungsgegenständen. —

Bis Anfang der siebziger Jahre kann man in Europa sagen: Spätestens auf dem halben Wege resigniert er dann und gibt sein Vorhaben auf oder er gibt sich immer erneut mit Kompromissen zufrieden; oder er baut auf allereinfachste Art, die nicht mehr als zivilisiert gilt. Aber auch dann noch mit vielen Mühen, mit viel Ärger und mit entsprechenden Kosten. Denn die „Wissen-

schaftskatastrophe" ist auch eine Architektur- und Bauhandwerkkatastrophe. Lebensqualitäten sind im 20. Jahrhundert fast nirgends mehr bekannt und werden daher fast überall ruiniert, in allen Arbeitsmethoden und in allen Materialien. Daß sie überhaupt real existieren, schon das ist für Millionen ein großes Problem. Nur subjektivistische, illusionär selbst konstruierte Lebensqualitäten werden bisher in der Regel anerkannt.
Wenn daher ein Mensch, der gesund wohnen will, mit vieler Mühe in mehr oder weniger großer Entfernung einen Architekten gefunden hat, der guten Willens ist, gesund zu bauen, so besagt dessen subjektive Absicht noch lange nicht, daß er das auch objektiv kann. Und so weit er es objektiv kann, so machen doch die anderen Bauleute derzeit noch Schwierigkeiten über Schwierigkeiten, weil sie das alles bei dem noch herrschenden materialistischen Mechanizismus nicht verstehen und für eine Marotte halten. Weshalb sie auch auf der Baustelle hinter dem Rücken von Bauherr und Architekt das tun, was ihnen wie bisher als richtig und bequem dünkt. Von der Suche nach gesundem Baumaterial, von den Rückfragen bei mehr oder weniger unverständigen Herstellern, die bei dem hektischen Arbeitstempo der Selbstmordgesellschaft solche Fragen ebenfalls nicht verstehen, kurz abfertigen oder garnicht beantworten, von all diesen Schwierigkeiten sei noch ganz abgesehen; auch daß man heute das Blaue vom Himmel herunter behauptet und daß selbstverständlich immer alles ganz natürlich ist. —
So befreundet man sich langsam oder auch schnell mit der Idee eines gesunden vorgefertigten Hauses. Es steht schnell, preislich zu festen Bedingungen, sogar preiswerter als die konventionellen bisherigen Häuser. Auch muß man es nicht trocken wohnen. Es ist von der ersten Minute an voll behaglich. Und man ist in ihm sicher vor allen Giften. Denn die Serienfertigung macht mit Sicherheit und Vollständigkeit an biologischen Qualitäten preiswert möglich, was anderwärts auch bei sehr viel gutem Willen aller Beteiligten und hohen Kosten derzeit noch praktisch unmöglich ist. In den USA und in Skandinavien wird schon weit über die Hälfte aller Wohnhäuser als Fertighaus errichtet. Doch sind diese Häuser großenteils noch nicht gesund, sondern ebenfalls zivilisationskrank.
Der Not der Zeit entsprechend sei daher folgend zuerst das gesunde vorgefertigte Haus und dann das kranke beschrieben.

DAS GESUNDE VORGEFERTIGTE HAUS
Das gesunde Fertighaus

Der durch die Zivilisation vielfältig geschwächte und gestörte Mensch sucht ein möglichst vitales Haus, das seine eigene Vitalität stärkt und bewahren hilft und in dem er sich vollständig wohl fühlt. Je mehr er die Denaturierungen und also Unwohnlichkeiten der Zivilisation in der Endzeit erkennt und leidvoll verspürt, desto mehr strebt er zu einem objektiv höchst wohnlichen Heim, in dem er bei sich selbst zu Hause ist, frei von allem trügerischen Glanz und üblen Geruch. Das vitalste und wohnlichste Haus ist das Haus aus Holz. Es duftet nach gesundem Leben.

Hinzu kommt, daß wir im Übergang zur nächsten Kulturperiode stehen. Noch jede große Kultur hat mit dem Holzhaus begonnen. Daher haben wir auch heute mit einer Wiedergeburt des Holzhauses zu rechnen. Schon viele streben in diese Richtung. Die Fertighäuser in USA und Skandinavien sind weithin Holzhäuser. Auch haben sich viele Völker die Kunst des Holzbaues durch den Corbusierschen Brutalismus hindurch bewahrt wie Schweizer, Österreicher, Bayern, Skandinavier, Finnen, Russen, Nord- und Südamerikaner, Chinesen, Japaner und alle Naturvölker.

Die Entwicklung der Industrie und der Transportmittel bringt weiterhin die Möglichkeit der Vorfertigung von großen Teilen, die dann individuell kombiniert werden können, sodaß jeder das nach seinem Maß gebaute Haus vorgefertigt erhalten kann.

In der Verfallszeit und Übergangszeit erstwichtig aber ist, daß dann praktisch nur in der Serienfertigung alles voll gesund gebaut werden kann.

Wie beschaffen ist ein gesundes vorgefertigtes Haus?

Das gesunde vorgefertigte Haus kann entweder aus massivem Vollholz im Blockbauverfahren als relativ schweres, sehr stabiles Haus errichtet werden oder im Rahmenbauverfahren als Leichtbau. Vergleichen wir beides:

1. Das Blockbauverfahren

Im Blockbauverfahren werden ganze Stämme an den Seiten passend zugeschnitten und flach aufeinander gelegt. Normalerweise sind alle vier Seiten eben. Jedoch kann die Außenseite und auch die Innenseite gleichmäßig gewölbt geschnitten werden. Im Extremfall kann die Außenseite naturrund belassen werden. Diese Stämme schaffen eine kernige, urig vitale Holz- und Baum-Atmosphäre mit höchsten Heilwerten. Auch sind diese Baumstämme mit relativ wenig Arbeit schnell in den vorgeschnittenen Profilen mit entsprechenden biologisch qualifizierten Dichtungsbändern winddicht aufeinander zu setzen.

Andererseits bringt das Blockbauverfahren den relativ geringen technischen Nachteil, daß diese Bäume „arbeiten". Denn dieses hoch lebendige Holz dehnt sich im Frühjahr und bei einer Regenzeit etwas aus — nur wenige Prozent — und geht in einer Trockenzeit wieder etwas ein; es lebt also mit der Natur der Umwelt wie kein anderes Haus! Und die Lebensqualitäten dieses Lebens teilt es dem Bewohner zu seinem Wohl mit. Der Lebensvorteil daraus ist weit größer als der zivilisationstechnische Nachteil der Lebendigkeit.

Die Lebendigkeit dieses Hauses erfordert, daß bei eingebauten Schränken, Fenstern, Türen usf. besondere, nämlich gleitende Holzkonstruktionen verwandt werden. Sie sind nicht teuer. Und darin haben die Holzfachleute jahrhundertealte Erfahrungen.

Dieser stabile Block-Chaletbau wird nur mit Holzdecken gearbeitet, schon über dem Keller. Dieser wird daher örtlich nur mit Boden und Seitenwänden errichtet, sodaß das vorgefertigte Haus bei der Anlieferung mit der Kellerdecke aufgesetzt wird. Oder die Holzbalkenkellerdecke wird schon örtlich hergestellt, da sie sorgfältig zugeschnitten und biologisch hochwertig imprägniert werden muß. In einem Heizkeller wird sie unterseitig auf einem Putzträger wie Rohrplatten mit Kalkmörtel verputzt.

Ein kleines Blockchalet wird von einem zentralen Kachelofen beheizt. Er kann mit einem offenen Kamin (Cheminee) kombiniert werden. Diese Wärmequelle genügt, da die Außenwände inseitig zusätzlich mit einem Paneel wärmegedämmt werden.

Ein größeres Haus kann zusätzlich zu dem Kachelofen (oder ausschließlich) eine Zentralheizung erhalten. Sie bewirkt im Blockchalet nicht das in ungesunden Häusern gefürchtete, trockene, die Schleimhäute chronisch reizende Klima, sondern auch hier noch ein gesundes Klima, dies umso mehr, je mehr diese Heizung lebensqualifiziert ist.

2. Der Rahmenbau bzw. Leichtbau

Im Rahmenbau wird weniger Holz, aber mehr Arbeit benötigt. Diese Mehrarbeit bringt keinen Mehrnutzen in biologischer Hinsicht, sondern sie bringt je nach Geschmack aesthetische Werte. Und diese können bei manchen Menschen sehr lebenswichtig sein.

Dem Rahmenbau fehlt die urige, kernig vitale Atmosphäre des Blockhauses. Aber das Klima im gesunden Rahmenbau ist immer noch hoch lebensqualifiziert. Die Vorteile des Rahmenbaues liegen weniger im Preis, da er mehr Arbeit beansprucht, sondern in der zivilisations-technisch und auch teils kulturell angenehmen Formbeständigkeit und der möglichen Formenvielfalt. Die Rahmenhölzer arbeiten in der Längsrichtung fast nicht mehr. Das ermöglicht formstabile Innen- und Außenwände. Vor allem kann man dem Rahmenbau innen und außen ein anderes, differenziertes Gesicht geben. So kann man die äußere Beplankung senkrecht oder waagerecht legen, breit oder schmal, mit „Fugen" verschiedener Form usf. Auch kann man hochwertige Hölzer wie von Rotzeder verwenden. Die innere Beplankung und also die Innenwand besteht gesunderweise ebenfalls aus Holz, wie außen ca. 22-25 mm stark. Auch hier sind verschiedene Formen und Edelhölzer möglich bis hin zu biologisch verleimten Furnieren. Dies ist jedoch auch im Blockbau möglich; nur paßt es da weniger zu dem rustikalen Charakter. Aber man kann auch dort einzelne Räume allseitig beliebig hoch kultiviert verkleiden. Es sind sogar Tapeten und besonders verschiedene Bespannungen möglich mit Textilien wie etwa blau gemustertem Leinen im Schlafzimmer oder mit Bastfasertapeten wie in der Garderobe.

Die Fächer zwischen Außen- und Innenwand im Balkenwerk werden mit atmungsfähigen biologischen Materialien gefüllt wie mit giftfreien vegetabilen Fasern, insbesondere mit Ried.

Eine vom Wetter stark beanspruchte Wand wie in einer Windlage oder an der See kann mit gesunden in der Oberfläche biologisch vergüteten Holzwerkstoffplatten geplättelt werden. Oder es wird eine hinterlüftete Schicht versetzter Hölzer vorgesetzt. Sogar eine einfache Ziegelmauer kann an der Wetterseite vorgemauert werden. Für diesen Eventualfall sollte das Fundament schon vorbereitet sein, was wenig kostet. Nachträglich ist es teurer.
In den Alpenländern ist die Kombination häufig, daß man das Erdgeschoß aus mineralischer Heilerde und das Obergeschoß aus vegetabiler Heilerde, aus Holz baut. Das ist sehr gesund und wohnlich. Aber mehrere Vorteile des vorgefertigten Hauses wie im Preis, in der schnellen Montage, der sofortigen voll trockenen und also gesunden Bewohnung usf. gehen dann verloren. Wer jedoch Zeit hat und mehr Geld aufwenden will, der hat hier eine schöne Möglichkeit, auf ein Untergeschoß aus Ziegeln und Kalk ein Fertighaus zu setzen, in dem er anfangs überwiegend wohnen kann, bis das Untergeschoß genügend getrocknet ist.
Fertighäuser aus Stein können, auch wenn Ziegelstein verwandt wird, bisher nur mit viel Zement und Metallen ausgeführt werden, schon zur Bruchsicherheit bei dem Transport. Sie sind also nicht gesund. Außerdem sind sie teuer, besonders bei weiterem Transport über 100 km; und sie müssen bei der Aufstellung in nicht geringem Umfang noch gemauert werden, üblicherweise mit viel Zement. Daraus ergeben sich noch andere Nachteile, sodaß sie für das gesunde Fertighaus derzeit nicht infrage kommen.

DAS KRANKE FERTIGHAUS

Das schwer kranke moderne Haus, in dem der Mensch seine „Identität verliert“ (A. Libik), der Stahlbetonkäfig, hat sein Gegenstück im gleich kranken Fertighaus. Schon der Rundfunk verkündet als zweifelsfrei: Herzbeschwerden, Kopfschmerzen, Atembeschwerden würden schon im eingeschossigen Fertighaus aus Stahlbeton auftreten. (Südwestfunk 11.7.74. Die Wissenschaftsredaktion „Macht Beton krank?“).
Doch ist das massive Fertighaus aus Stahlbetonfertigteilen in vielen Ländern noch relativ selten. Meist wird das moderne Fertighaus auf einem Holzständersystem erbaut, üblicherweise auch kellerlos auf einer Betongrundplatte. Von diesem Beton angefangen wird außer dem hölzernen Rahmen fast alles anders gemacht als im gesunden Fertighaus! Eine Fülle von lebensfremden, verkünstelten und aus Giften hergestellten Materialien kennzeichnet das ungesunde Fertighaus. Schon zur Wärmedämmung werden keine lebensfreundlichen vegetabilen Materialien verwandt, sondern Schlackenwolle (was man nicht alles mit dem schönen Wort Wolle verbinden kann!) und dergleichen billigste Materialien. Durch ihre Unnatur neigen solche Materialien in der kalten Jahreszeit zur Kondensation der Nässe und zur Eisbildung. Diese kann die ganze Wand und also praktisch das Haus zerstören. Dagegen hat

man ein ebenso verkünsteltes kompliziertes System von Abwehrmaßnahmen ersonnen, welche das Haus vollends ungesund machen. Man sucht also ein Übel durch noch größere Übel zu verhindern, wie in der technokratischen Medizin, weil man lebensblind nur vor den Fehlern und Mängeln der Technokratie schützen wollte. Ebenso technokratisch hat man dann „Dampfsperren" — höflich auch „Dampfbremsen" genannt — fabriziert. Sie sind objektiv in biologischer Hinsicht Atmungssperren. Außerdem werden sie oft aus Metallfolien fabriziert, sodaß man einen noch viel dichteren Faradaykäfig schafft als den mit seinen Folgen oben genannten! —
Die Atmungssperre kann auch durch eine billige Kunststoffolie gebildet werden, wie neben der Metallfolie heutzutage weithin üblich. Auch sie reicht vom First oder Flachdach bis zum Fundament, lückenlos. Die Kunststoffe können sich elektrostatisch hoch aufladen, wie aus modernen Häusern umfangreich bekannt ist. Sie verzerren dann das Raumfeld erheblich. Und das ist das Prinzip des bekannten „Telefonzelleneffektes".
Die Wände des kranken Fertighauses der Selbstvernichtungsgesellschaft bestehen aus einer ganzen Serie von verkünstelten, im Sinne von Paracelsus also giftigen Stoffen meist billigster Art. Das beginnt außen mit einem Kunststoffverputz. Dieser wird auf ein Drahtgeflecht oder Streckmetallgitter aufgebracht. Das ergibt schon zwei weitere Käfigwände, dies zu den ein oder nicht selten zwei Hausfolien hinzu! Macht zusammen drei bis vier. Denn auch der Kunststoffputz ist im biologischen Sinne total atmungsunfähig. Und noch mehr, er verkünstelt und also disqualifiziert die biologische Wandfunktion, soweit diese noch an irgend einer Wand dieses modernen Hauses möglich wäre. Unter das Metallgitter mit seinen Kunststoffen kommen zum Überfluß auch noch Faserplatten, die in der Regel mit Mengen von Kunstharzen unguter Art wie mit Phenol, einem Teerprodukt, und Formaldehyd gebunden sind, was beides schwere Gifte sind. Also nochmals eine Käfigwand; und diese sogar doppelt, nämlich außen und innen Faserplatten. Das macht zusammen fünf bis sechs Käfigwände. Zwischen diese Platten kommt die hoch edle Schlacken„wolle" und dergleichen. Auch dieses Material ist unfähig zu einer biologischen Funktion, gar zu einer entgiftenden Hautfunktion. Ist das Gegenteil nicht in alledem zu erwarten? Inseitig wird dann zuguterletzt eine Gipskartonplatte aufgeklebt, gar mit dem radioaktiven „Chemiegips", und das mit Hilfe höchst moderner synthetischer Kleber. Diese ebenfalls in Flächenform. Stößt man an manche Gipsplatte, so kann sich ein „bleibender Eindruck" ergeben. Oder man geht mit dem Kopf bzw. mit dem Stuhl durch die Wand. —
Es ist vom objektiv biologischen Gesichtspunkt her nicht zu fassen, was an Lebenswidrigkeit und Unhygiene sich hier der Zivilisationsmensch technokratisch zusammen konstruiert, ohne jede blasse Ahnung von den Lebensqualitäten und Lebensfunktionen des gesunden Hauses. Entsprechend riecht es dann auch in diesen Häusern. Und dieser Geruch geht nie mehr heraus,

auch aus den Kleidern nicht. Und wie aus der Haut? — Ein nicht angenehmer Menschengeruch kann nämlich noch hinzu kommen. Denn degenerierte bzw. giftige Substanzen binden gleiche Substanzen und halten sie fest, „entwickeln" sie sogar noch, auch im Bewohner. Und das kann an der Haut des Menschen zum Vorschein kommen. Gute Gerüche vernichten sie überall.
In einem modernen Fertighaus werden somit oft weit überwiegend unnatürliche Stoffe verbaut, Holz oft nur wenig. Man spricht auch verschämterweise kaum noch von ihm. Viele Holzfabrikanten beginnen sich ja schon selber des schlichten Holzes zu schämen und möchten lieber oder mehr Kunststoffabrikanten sein! — Also riecht es im modernen Fertighaus nicht mehr nach Holz, nicht mehr nach Natur, sondern nach Chemie! Und das ein Leben lang! Man denke an das Schicksal des Genfer Lebensmitteluntersuchungsamtes (Siehe die Einleitung).
Von den Elektrokrankheiten der Häuser und ihren anderen Chemiekrankheiten soll garnicht erst gesprochen werden; denn diese findet man auch in den sonstigen zivilisationskranken modernen Häusern.
Was kann man hier heilen?
Das kranke Fertighaus ist praktisch unheilbar. Denn es besteht schon in der Substanz aus allzu viel Lebenswidrigkeiten. Was bliebe nach ihrer Entfernung übrig? Und welche Gifte sind dann schon, wie uns Genf gelehrt hat, in die Ständerbalken eingedrungen? — Eine Heilung ist daher praktisch nur durch einen Neubau möglich.
Ausschließlich bei den seltenen Typen, bei denen keine mit verkünstelten Stoffen gebundenen Faserplatten, Spanplatten etc. verwandt wurden, keine Metallgitter, keine Kunststoffverputze, keine Metallfolien, keine Kunststofffolien usf., sondern viel naturbelassenes, unvergiftetes Holz außen und innen, nur dort kann man teilweise renovieren. Aber wo in Europa sind solche Häuser gebaut worden?
„Vom Natur keine Spur" kann man zu vielen modernen Fertighäusern sagen, auch wenn man hin und wieder noch etwas Holz sieht. Man schaue genau hin. Denn man sieht oft Farben aus giftigen Anstrichen. —
Das Fazit: Man bemühe sich um ein voll gesundes vorgefertigtes Haus!

WAS IST BAUBIOLOGIE?
BAUBIOLOGIE PFLICHTFACH?

Das Haus dient der Erhaltung, Wiedergewinnung und Verbesserung der Gesundheit! Dem freien, gesunden Leben dient das Haus, nichts anderem!
Wer daher von der Gesundheit des Hauses und also der Baubiologie nichts weiß, die zu erlernen schon Vitruv auffordert, der kann bei dem Hausbau nur als Hilfsarbeiter dienlich sein. Er darf nur arbeiten unter Führung von Baufachleuten, welche die fundamentale Aufgabe des Hauses erkennen und anerkennen und also das ABC des gesunden Hauses, des kranken Hauses

und seiner Heilung beherrschen. Ein Hilfsarbeiter darf in einer freien gesunden Gesellschaft keine öffentlich-rechtliche Anerkennung und Beschäftigung als selbständiger Baufachmann erlangen. Denn sonst würden die Verantwortlichen zumindest grob fahrlässig handeln. Sie würden das Menschenrecht auf ein gesundes Leben verletzen. Wäre das nicht strafbar? —
Auf den vielen hundert vorhergehenden Seiten ist hoffentlich gründlich dargelegt, was Biologie und Baubiologie objektiv ist. Bisher existierte nur ein subjektiver Begriff von einem winzigen Giftverfahren, das sich hochtrabend Baubiologie titulierte. Daß man eine Vergiftung hier als Biologie bezeichnete, das könnte symbolisch für unsere Zeit und Wissenschaft sein! Man verstand nämlich unter Baubiologie bisher nur die Schädlingsbekämpfung im Bauholz und zwar mit chemischen Giften. Deren Anwendung in der weiteren Umwelt wird von den heutigen Umweltschutzgesetzen vieler Staaten schon mit schwerer Strafe belegt. Es ist daher nur eine Frage der Zeit, nämlich der Konsequenz in der Entwicklung des Bewußtseins — 10 m weiter! — zur nächsten Umwelt, bis diese alte „Baubiologie" ebenfalls unter schwere, wenn nicht noch schwerere Strafe gestellt wird. Denn objektiv ist solches Vorgehen grob lebensqualitätswidrig und menschenwidrig. Es ist nach Paracelsus objektiv unbiologisch und unmedizinisch, unhygienisch. Es sei nur an die auf dem Krebskongreß im Februar 1974 angeführten 6 000 (!) Chemikalien unserer Umwelt erinnert, von denen die meisten Krebs erzeugen. —
Die „Contergane" sind auch „Cancerogene" und umgekehrt! —
Unter Biologie, Medizin bzw. Heilkunde und Hygiene wird also vorliegend prinzipiell stets die objektive lebensgerechte Biologie, Heilkunde und Hygiene verstanden, die in den Hochkulturen, besonders von Paracelsus deutlich gelehrt wird. Nicht wird darunter verstanden die quantistische, daher mechanizistische, insbesondere korpuskularistische, somit abergläubische, lebensfremde und lebensfeindliche Biologie, Medizin und Hygiene, die am Ende der Neuzeit im Untergang des Abendlandes vorherrscht, so ehrenvoll die subjektiven Motive vieler hier Herumirrenden sein mögen. Diese „Biologie" gründet, wie eingangs zitiert, in der Verherrlichung des Unsinns! Sie gründet in der „Statistik des Chaos", des Widerspruches, des Durcheinander (Diabolos!), des sinnlosen „Zufalles" (Eine subjektive Konstruktion!), also in der Gegenordnung, in der Unordnung als oberstem Prinzip des Lebens und der modernen Wissenschaft! —
Um es nun ganz deutlich zu sagen: Das statistische Denken, insbesondere dieses Entwicklungsdenken, welches die Wissenschaft des untergehenden Abendlandes beherrscht, wie im Mutationsdenken, das ist ein objektiv diabolisches Denken! Denn es „erkennt" und verherrlicht das Durcheinanderwerfen als oberstes und allgemeines Bauprinzip des ganzen Seins, der ganzen Schöpfung! — —
Ist das u. a. nicht auch objektiv eine totale Kriegserklärung gegen alle? — —
Was keine „biologische Heilweise" ist, sondern also eine antibiotische (und

antilogische!) „Heilweise“, also eine „Heilweise“ wider die Prinzipien und Gesetze des Lebens, das zählt nach der Lehre der ganzen Kulturmenschheit zum Kurpfuschertum! Gilt das Analoge nicht auch für die Bauforschung und die diese Forschung und Praxis begründende Baubiologie! —

Es ist also logischerweise mit Vitruv zu fordern, daß die echte Baubiologie erstes, fundamentales Pflichtfach wird an allen Bauschulen. (Und besteht nicht alle Wirtschaft aus Bauen, aus Aufbauen?). Denn um der Gesundheit des Menschen willen wird gebaut, um des Lebens willen. Das sollte sich jeder Baufachmann (Wirtschaftler) immer erneut bewußt machen. Also ist zuerst Sinn und Ordnung des Lebens in seinen objektiven realen Lebensqualitäten zu erlernen! —

Nur in dem Ausmaß, in dem der Aberglaube von der Verherrlichung des Unsinns überwunden wird, diese „Krise der Identität“, diese Geistesverwirrung, nur in dem Ausmaß, in dem „die Wissenschaft (wieder) zur Vernunft“ kommt (Rabi, Picht) und mit ihr die gesamte Schule, nur in dem Ausmaß, in dem die Anpreisung der Unvernunft mit ihrer Qualitätswidrigkeit überwunden wird, dies gleich auch in der Kirche, in der Politik und in der gesamten Wirtschaft, nur in diesem Maß der Rückkehr zur objektiven Ordnung des Lebens und also seiner personalen und naturalen Lebensqualitäten ist ein objektiv friedliches Handeln des Menschen im eigenen Hause und somit auch im Hause der Nation und der ganzen Menschheit möglich. —

Da also Baubiologie, Recht, Gesellschaft und Wirtschaft auf allgemein demselben Grunde stehen, im Haus der Kirche, im Haus der Schule (Wissenschaft) und im Hause des Staates, so soll folgend die universale Lebens- und Friedensordnung, die allgemeinste Bio-Logie in ihrem Grunde zu behandeln versucht werden.

VI

ZU DEN RECHTLICHEN UND BIOLOGISCHEN GRENZEN DES WACHSTUMES IM BAUEN, WOHNEN UND WIRTSCHAFTEN

Das objektiv freie und also organische Wachstum ist so unendlich wie das Rechnen in der Mathematik und wie das freie Leben. Denn es ist freie Entwicklung. — Soweit das Wachstum unfrei ist, unorganisch, prinzipiell krebsig, soweit es unser Leben verstimmt, vergiftet, verwickelt und tötet, ist es objektiv rechtswidrig.

Das unfreie Wachstum, richtiger die Verwachsung ist eine bestimmte Wegstrecke in Raum und Zeit physisch möglich. Am Ende aber stößt diese Unfreimachung auf Grenzen, die auch in Raum und Zeit nicht überschreitbar sind. Das ist die Selbstvernichtung.

Das allseits freie und daher organische Wachstum, nämlich an Qualitäten des Lebens und in ihrer Mitteilung in der Du- und Wir-Ordnung, das ist Urrecht, Urpflicht und Urliebe aller Lebendigen. Das unfreie, das krebsige, giftige Wachstum ist urrechtswidrig, urpflichtwidrig und urwider die Liebe. Es wird in der Natur am Ende durch den Krebstod ausgeglichen, durch die Selbstvernichtung. Soweit das Wachstum bewußt wie fahrlässig unfrei ist, ist es auch durch die Strafe, also auch personal auszugleichen. Das bewußt unfreie Wachstum ist also strafpflichtig.

Was ist konkret im Bauen und Einrichten, allgemein im Gesinnen, Gesellen und Wirtschaften ein unfreies Wachstum? Es beginnt unten bei der naturwidrigen Bebauung des Bodens, bei der unphysikalischen, unchemischen und unbiologischen — nämlich lebensqualitätswidrigen — Landwirtschaft und in solchem Siedlungswesen. Das unfreie Wachstum zeigt sich in der gesamten naturwidrigen Wirtschaft.

Das unfreie, ungesunde Wachstum ist konzentriert auf den einzelnen ungesunden Hausbau und das ungesunde Wohnen im Haus einschließlich allem psychosomatisch ungesunden Arbeiten. Das vorliegende Buch ist gefüllt mit Beispielen unfreien Wachstumes in der modernen „unmenschlichen" Entwicklung des Bauwesens, nämlich mit vernichtender Wirkung für die Gesundheit, d. h. psychosomatisch mit vernichtender Wirkung auf die gesunde Gesinnung, Gesellschaft und Wirtschaft. Auch die Kultur und Natur wird ruiniert. Wo sind hier typische Grenzen?

Bei dem Bauen und Einrichten dürfen in unserer einen Welt allgemein nur Rohstoffe verwandt werden, die praktisch unbegrenzt vorhanden sind wie Heilerde und Holz. Soweit begrenzt vorhandene lebenswichtige Rohstoffe verwandt werden, dürfen diese nur derart verwandt werden, daß sie nach der Abnutzung zu neuem Gebrauch wiedergewonnen werden können. Das nennt man das Wiedereingliederungssystem in den Kreislauf des Lebens (Recyclingsystem).

Beispielsweise ist Eisen ein für die Kultur und Zivilisation der Menschheit hoch lebenswichtiger Rohstoff. Bei vielen Maschinen und Geräten ist Eisen auch durch Gold und Silber nicht zu ersetzen und somit hier wertvoller als Gold und Silber. Wenn Eisen wie bisher weiter verbraucht wird, dann hat die Menschheit nach dem Bericht des Club of Rome in weniger als hundert Jahren kein verwendbares Eisen mehr ([1]). Was wäre die Folge? — „Nach uns die Steinzeit" lauten dementsprechende Artikel! Wer könnte das verantworten? Wäre also nach dem derzeitigen Stand der Wissenschaft und Wirtschaft eine Verwendung des Eisens in großer Menge auf eine Art, daß es praktisch nicht mehr zurückgewonnen werden kann, nicht eine kriminelle, strafpflichtige Verwendung? —
Wäre ein verschwenderisches Weiterverwenden eines begrenzten lebenswichtigen Rohstoffes mit einer bloßen Hoffnung auf das rechtzeitige Finden eines Ersatzstoffes verantwortbar?
Darf jemand in einer Gesellschaft, die in der Wüste dem Verdursten nahe ist, Wasser verschwenden in der bloßen Hoffnung auf Rettung, auch wenn von dieser noch kein Anzeichen erkennbar ist? —
Die Stahlindustrie produzierte bisher ca. 20 % ihres Eisens für den Baustahl zum Betonbau. Dort kann bis zur Gegenwart das Eisen auf eine rohstoffmäßig und energetisch vertretbare Weise nicht zurückgewonnen werden. —
Ist solche Verwendung des Eisens dann nicht zuerst ein Selbstmord der Stahlindustrie? Und was hat sie dann noch mit zu verantworten? Bestimmt sie hier nicht unfrei mit? —
Von der das Leben der Bewohner nullenden Wirkung des Stahlkäfigs ist hier also noch nicht einmal die Rede. Aber hat dies nicht ebenfalls jeder Beteiligte mitzuverantworten? —
Die Chemische Industrie muß sich bei der steigenden Abwehr im Volk, bei den immer lauteren und heftigeren Anklagen wie „Aggression der Menschheit" und bei den steigend Gesetzeskraft erlangenden Forderungen nach Befreiung und Freihaltung der Umwelt wie der Nahrung vom Gift fragen, ob das Problem der Gifte und andererseits der Lebensqualitäten nicht grundlagenwissenschaftlich zu untersuchen und generell anders als bisher zu behandeln ist. Aufgrund der Lehren von Paracelsus und aller Kulturen wie Religionen geht es hier nicht um eine Mode, um eine „Umwelthysterie" und auch nicht um eine weltweite Wandlung nur der subjektiven Mentalität. Sondern es geht um die Erkenntnis und Anerkennung von Gut und Schlecht (Gift). Es geht also um das allgültige Prinzip der Lebensqualität und eine weltumspannende Praxis zugleich. Ist somit die Erzeugung von Ungutem aus Gutem nicht ein prinzipiell falscher, unfreier, naturwidriger und aufs Ganze gerechnet hochgradig unwirtschaftlicher Weg? Ist er heute noch ehrenhaft? Wandelt er die lebendige Welt nicht in eine Wüste und Leere? In einen Giftplaneten? — Ist die Erzeugung und Verwendung von Giften wie dem

DDT und gleich allen anderen „Conterganen" bzw. Cancerogenen daher nicht prinzipiell einzustellen? Ist das legitime Haftungsrecht und Strafrecht nicht allezeit und überall gültig? — Nach Paracelsus ist das Medizinieren mit Giften in der Regel grobe Kurpfuscherei! —

Nicht nur der Frühling kann stumm werden, sondern Lüfte und Meere, Städte und Länder können sterben. Wenn die Haftungsansprüche eines Tages weltweit eingeklagt und durchgesetzt werden, dann ist vielleicht nicht nur die gesamte Chemische Industrie bankerott. Im Einmaleins der Gerechtigkeit existiert keine beschränkte Haftung! Vor allem aber geht zuerst der Ruf der Chemiker verloren. Wird der Chemiker und sein Werk dann nicht mehr und mehr zu einem Gegenstand des Hasses und der Verachtung? —

Schon viele fragen sich, ob hier nicht eine spezifische Art der personalen und naturalen Selbstvernichtung vorliegt. Selbst-Mord wird es schon weithin genannt! Also Mord! Ist mit dem Selbstmord — als Gift-Mord! — nicht auch ein Mitmord verbunden? An Menschen, die nicht ermordet sein wollen? —

Auch die Elektrowirtschaft gerät an unüberschreitbare Grenzen ihres Wachstumes, wenn sie die Gesundheit der Natur, der Häuser und Hausbewohner weiterhin mißachtet, nicht erst von der bisherigen Art atomarer Stromerzeugung angefangen. Schon sind nach amtlicher ministerieller Mitteilung mehrere der stationären Superbomben soeben noch an einem schweren Unfall vorbeigekommen. Ein oder zwei schwere Unfälle mit hunderttausenden von Toten und Siechen und die Volkswut wird über die Verantwortlichen hereinbrechen, über die halb Blinden, die nicht wissen, was sie tun, die es aber oft fahrlässig auch nicht wissen wollen, — von gewichtigem anderem nicht zu reden!

Wenn für einen zivilisatorischen, industriellen oder anderen Luxusbedarf an Strom die Umwelt mit Spaltprodukten verseucht werden darf, sodaß immer mehr Kinder auch im Erbgut mißgebildet werden, was hundertfältig von amtlich beauftragten ersten Fachleuten und Kommissionen festgestellt wurde (von allen anderen schweren Gesundheitsschäden also noch abgesehen), welcher Unterschied besteht dann noch zu einem Verbrecher, wenn dieser sagt: Um meinen Energiebedarf zu befriedigen, habe ich das Recht, zu rauben, mit Krankheit zu schlagen und zu morden! — —

Doch der naturwidrig, gesundheitswidrig und verantwortungslos beschrittene atomare Bereich ist nur ein Teilbereich der durch die Zivilisationssucht verursachten Verkrankung des Volkes. Für den Götzen Lebensstandard müssen anderweitig bisher noch viel mehr Menschen leiden. (In der Regel sind es jedoch die Götzenanbeter selbst!) — Was Überlandleitungen bisheriger Art, den Wohnhäusern und Arbeitsplätzen nahe Trafostationen, vor allem aber die bisherigen elektrischen Hausinstallationen und Geräte die Menschen schädigen, das zusammen dürfte bis heute weit schwerer wiegen. Hier aber ist es bisher (!) offensichtlich die Unwissenheit. —

Liegt die wahre, ehrenvolle und verdienstvolle Zukunft der sich gewiß noch gewaltig entwickelnden Elektrowirtschaft nicht, wie ausführlich behandelt, in der lebensqualifizierten Bioelektronik, insbesondere in der ungiftigen Energiegewinnung aus Atomen und vielleicht noch viel mehr aus anderen Quellen? —

Welche Anklagen müssen heute schon weltweit die Bauherren, die Architekten und Baugesellschaften hören für ein geist- und seelenloses, menschenwidriges, lebenswidriges, prinzipiell tödliches Bauen wie in Stahlkäfigen und „unmenschlichen" (Novotny) „Betonwüsten", ja „Schweinesärgen" monströsen Ausmasses! Von Katastrophe ist hier ebenso die Rede wie anderwärts. — Menschenwürdig gesund zu bauen und einzurichten ist die prinzipiell allezeit und überall zu erfüllende ehrenvolle Aufgabe! —

Haben wir in allem die analoge Situation nicht auch in der Wissenschaft, soweit man eigensinnig weiter von dem Uraberglauben des sinn-„freien" und wert„freien" mechanizistischen Materialismus ausgeht? Solange man weiter den „Unsinn" als Basis und Inhalt der gesamten Wissenschaft und auch aller anderen Wirklichkeit lehrt und praktiziert? Führt das nicht zur „Wüste und Leere" des Geistes, der Wissenschaft und alles von ihr abhängigen Lebens! —

Und wird die gleiche Situation nicht auch in der Politik offenbar, soweit man ebenfalls abergläubisch ein quantitatives Wachstum an militärischer Macht, an geographischer und wirtschaftlicher Ausdehnung anstrebt und noch weitere Mehrung des Besitzes ohne Rücksicht auf die Freiheit der Person, auf die freie Entwicklung „eines jeden" auf seinem eigenen Weg, ohne Rücksicht auf die Lebensqualitäten und das objektive Wohlgefühl der Menschen?

Zeigt sich die gleiche sinnfreie chaotische selbstmörderische Situation heute nicht in der gesamten Weltwirtschaft und Weltpolitik? —

Doch das sind alles nur besondere Katastrophen derselben allgemeinen Katastrophe, nämlich in Gestalt des allgemein objektiv unfreien und unguten Verhaltensmusters der Menschen am Ende der Neuzeit! Hier muß der Hebel angesetzt werden. Nur von dem Zentrum des Menschen her kann alles zum Guten gewendet werden. Sonst bleiben alle Reformwerke nur symptomatisches Flickwerk. —

Alle Grenzprobleme des unfreien Wachstumes zusammengefaßt: Wer am Ende der Neuzeit in Wissenschaft, Politik und Wirtschaft, wer in all diesem Hausbau von den (Un)Prinzipien des mechanizistischen Materialismus ausgeht, von dem sinnleeren, wertlosen, leblosen Quantismus, von diesem Positivismus und seinem Subjektivismus und Relativismus, der stößt überall auf unüberschreitbare Grenzen. Dieser Aberglaube kann und darf heute nicht mehr länger erweitert und praktiziert werden, weder in der Wissenschaft noch in der Politik und Wirtschaft. Denn an den jetzt erreichten Grenzen

in der Eigenwelt, der nächsten und weiteren Umwelt führt dieser Aberglaube unmittelbar in die Selbstvernichtung. —
Wir wissen jetzt: Das Wachstum in diesem Uraberglauben und auf seinem Grund ist keine Entwicklung, sondern eine Verwicklung, keine freie Selbstbestimmung, sondern eine Selbstverstimmung, also eine Selbstentfremdung, eine Selbstzerspaltung. Der Fortschritt in diesem „krebsigen Wachstum" (Club of Rome) führt nicht nach oben in das Gemeinwohl, sondern in den Abgrund und in das Gemeinelend darin. Er führt nicht zum Leben, sondern in den Tod. Dieser Fortschritt führt weder politisch noch wirtschaftlich zur Einheit, sondern zerspaltet unter subjektiven Einigungsbemühungen objektiv alles. Er führt nicht zu Macht und Ehre, sondern nach kurzer Scheinmacht zur Ohnmacht und Schande. Er wandelt die Erde in einen wüsten und leeren Giftplaneten. —
Das Haus der Wissenschaft ist so krank geworden wie das Haus der Politik und das Haus der Wirtschaft. Das Haus der ganzen Welt, unserer weiteren Umwelt, ist so krank wie unser eigenes kleines Haus, unsere nächste Umwelt. —
Das alles wird langsam immer deutlicher erkannt und in Reden, Zeitungen und Büchern ausgesprochen. Diese beginnende Katastrophe wird im Rundfunk überzeugend dargelegt und im Fernsehen schon fast täglich anschaulich gezeigt. So werden die Grenzen des falschen, seelisch und leiblich ungesunden Wachstumes im Bewußtsein der Person und in der Natur zugleich sichtbar und fühlbar. — Was aber in uns bewußt wird, verlangt das nicht eine allheitliche Einordnung in unsere personale, kulturale und naturale Welt?
Wo also stehen wir am Ende der Neuzeit, im Untergang des Abend- und Morgenlandes? Was haben wir daher zuerst zu beherzigen, wenn wir leben und überleben wollen, wenn wir im Hause dieser Welt den Weg zur ersten Menschheitskultur der Erde gehen wollen? —
Die führenden Wirtschaftler — auch in den multinationalen Konzernen, Verbänden und Gewerkschaften — wissen heute: Über die Zukunft der Wirtschaft entscheiden die gesellschaftlichen Probleme. Die Führer der Gesellschaften, nämlich der Staaten, Schulen und Kirchen wissen, daß die Ideen es sind, wie die Ideen Selbstbestimmung und Entwicklung, welche über die Zukunft der Gesellschaften entscheiden. Die Urideen Recht und Freiheit regieren alles. Was folgt daraus?
Wer menschenwürdig in Frieden leben will, in Wissenschaft, Politik, Wirtschaft und anderwärts, der hat in all seiner Bebauung der Erde zuerst die richtigen Menschenrechte und Menschenpflichten zu achten, die Freiheitsrechte der organischen Entwicklung „eines jeden" Menschen selbst. Er darf nirgends Mensch oder Natur bewußt unfrei bestimmen, wider das einheitliche Wesen behandeln. Er darf keine Einheit zerstören, keine unfreie Gewalt anwenden, Gift erzeugen. Er darf auch nicht im veralteten technokratischen und grundlagenlosen nebulosen Denken gefangen bleiben.

Der Mensch hat das ganzheitlich freie Leben in der Natur der Eigenwelt und Umwelt ebenso zu achten wie das ganzheitlich freie Leben der menschlichen Person. Und seine nächste Umwelt darf er nicht anders behandeln als seine fernere Umwelt. Denn wenn er die Natur unfrei behandelt, so bindet er sich selbst unfrei. Er kettet sich selbst an diese unfreie, daher kranke, degenerierte Natur und in ihr. Denn der Mensch ist eins mit seinem Haus. Er aber darf sich selbst nicht unfrei machen und zugleich die Natur nicht. Im Gegenteil: Auch die Natur liegt nach dem Apostel Paulus in Wehen und harrt der Befreiung durch die Kinder Gottes. (Röm. 8,21 f).

Nur soweit allseits frei gehandelt wird, den gewiß richtigen Menschenrechten und Menschenpflichten entsprechend, der richtigen und ganzen Produktion aller Potenzen entsprechend, wird der Weg zur Einheit der Menschheit im Hause dieser Welt beschritten.

Gründet objektive Mündigkeit nicht auf dem Einmaleins der Gerechtigkeit? —

Auf dem Einmaleins der Freiheit? —

Auf dem Einmaleins der Produktion? —

Auf dem Einmaleins der „freien Entwicklung eines jeden“ selbst? —

DER FOLGENDE TEXT BIS ZUM SCHLUSS DES BUCHES ERSCHEINT ERSTMALIG AB DER NEUNTEN AUFLAGE

Vorbemerkung

Auch zum Erstaunen des Schreibers der vorangehenden Zeilen mußte bis zur jetzigen 9. Auflage nichts Wesentliches an dem vorangehenden Text berichtigt werden. Die grundlagenwissenschaftliche Begründung scheint also der Wahrheit des Lebens zu entsprechen und somit auch die daraus folgende Praxis. Lehre und Praxis der Baubiologie hat sich seit ihrer Begründung durch den Schreiber dieser Zeilen inzwischen weltweit verbreitet, dies auch oft unter der Leitbezeichnung Ökologie oder Bauökologie oder Ökobau. Der vorangehende Text wurde deshalb unverändert nachgedruckt.

Der darauf folgende bisherige Text, der sich mit den Menschenrechten zum menschenwürdigen Leben im Hause der Menschheit befaßte, wird durch den jetzt hier folgenden Text ersetzt und erheblich erweitert. Auch hier hatte sich nichts als grundfalsch erwiesen. Jedoch war vieles der Ergänzung bedürftig, der besseren Formulierung und der aktuelleren Bezugnahme.

Es folgen daher zunächst einige kurze Kapitel, welche die Weiterentwicklung des nächsten und daher lebenswichtigsten Umweltschutzes im Wohn- und Arbeitsbereich prinzipiell und praktisch behandeln. Abschließend eine grundlegende Betrachtung zur ökologischen Raumordnung und speziell zur Stadtökologie.

In der Hauptsache werden dann weiter folgend die zwölf Lebensrechte des Menschen zum personal und natural qualifizierten freien Leben dargelegt als die zwölf alles Recht und alle Gerechtigkeit begründenden Menschenrechte. Sie werden jedoch jetzt umfangreich auf das Leben mit und in der Umwelt bzw. Mitwelt praktisch angewandt, dies vom kleinsten Haus bis zum großen Haus des Kosmos und bis zum allergrößten Haus des Menschen. Daraus ergibt sich das ganze Hauslebensrecht, auch Ökorecht zu nennen.

Warum die Bezugnahme des Menschenrechtes auf das Hauslebensrecht? Weil das Ziel des Umweltschutzes der Schutz des Lebens in der Eigenwelt ist und der Schutz des menschlichen Lebens überhaupt. Der moderne Mensch ist nach außen und unten gerichtet. Den Weg zum Lebensschutz beginnt er daher bei der äußeren und unteren Welt, der heute sogenannten Umwelt! Das ist die naturale Umwelt.

Die Menschheit ist mit ihrer naturalen Umwelt in eine Existenzkrise auf Leben und Tod geraten gleich wie mit der menschlichen Umwelt. In beiden Bereichen herrscht teils kalter, teils heißer Krieg. Und es droht in beiden Bereichen ein höchst heißer Krieg. Der Umweltschutz als fundamentaler naturaler Lebensschutz jedes Menschen und der ganzen Menschheit, um wieder zum Frieden mit der Natur zu gelangen, wurde daher in steigend mehr Regierungen das erste Regierungsziel. Diese Bestrebungen sind genau parallel den Bemühungen um die

Fundamentierung und Sicherung auch des Friedens mit den Menschen um uns, da auch der Streit des Menschen mit dem Menschen immer größer wird und auf seine Art ebenfalls alles Leben auf dieser Erde zu vernichten droht.

Mehr und mehr konzentrieren sich daher die Staaten und auch die Schulen und Kirchen einerseits auf den Frieden mit den Menschen, andererseits auf den Frieden mit der Natur. Ist das nicht im Grunde eins? Denn ist es nicht derselbe Ungeist, der feindlich gegen die Natur und feindlich gegen den Menschen gerichtet ist? Auch und zuerst feindlich gegen Gott?

In immer mehr Nationen wird daher die Verankerung des Umweltrechtes, genauer des Umweltschutz- und Umweltförderungsrechtes oder Umweltentwicklungsrechtes — nicht allgemein des Lebensrechtes? — in der Verfassung angestrebt. Man sucht das Friedensrecht mit der Natur in seinen Grundlagen zu erkennen, in seinen Prinzipien und Gesetzen. Und dieses ebenso lebenswichtige Friedensgrundrecht will man in das schon bestehende, das menschliche Friedensgrundrecht zunächst der Staatsverfassung einbauen. Es laufen auch schon Bestrebungen, das doppelte Friedensrecht in die Familienverfassungen, Schulverfassungen, Kirchenverfassungen und Betriebsverfassungen einzubauen.

Denn das Bewußtsein des allgemeinsten Menschenrechtes, nämlich leben zu dürfen, entwickelt sich immer heller, insbesondere in der Hinsicht, gesund und also menschenwürdig leben zu dürfen. Der Mensch erkennt langsam, daß er nicht nur das Menschenrecht und die Menschenpflicht hat, mit den anderen Menschen friedlich gut wie sozial zu leben, sondern auch das Menschenrecht und die Menschenpflicht, mit der Natur friedlich und somit zweifach gesund zu leben. In einer geistig, seelisch und leiblich kranken humanen Umwelt und gleich kranken naturalen Umwelt kann der Mensch nicht menschenwürdig leben und also auch nicht friedlich.

Haben wir schon eine vollständige, nämlich alles menschenwürdige Leben rechtlich ordnende Verfassung? Nein! Die Menschheit steht erst am Beginn der grundrechtlichen Verfassungsgeschichte. Sie beginnt erst, in ihren großen menschlichen Gemeinschaften einen allgemeinen Rechtsgrund zu erarbeiten. So haben wir bisher nur in einigen staatlichen menschlichen Gemeinschaften — nicht in den anderen menschlichen Gemeinschaften — zaghafte und auch mutige Versuche, höchst allgemeine Rechtsgrundsätze in der Verfassung als Grundrecht zu erklären und so eine Rechtssicherheit in der Gemeinschaft durch die Anerkennung der Rechtsprinzipien zu begründen.

Nun sollen die Grundrechte einer Verfassung nicht aus einem Sammelsurium einzelner zusammenhangloser Rechte bestehen, wie bisher, sondern es soll zuerst hier Ordnung herrschen. Vor allem sollen die Grundrechte nicht aus einer chaotischen Summe nebuloser, emotionaler Rechtsworte bestehen, nicht aus bloßen Andeutungen von Grundrechten, wie bisher. Sondern die Verfassung soll in ihrem Grundteil eine systematisch logisch verbundene Ganzheit sein und zwar von klar und bestimmt erkannten und formulierten angeborenen Urrechten der menschlichen Person. Dann stellt sich die Grundfrage, wo ein oder das ganze

Umweltrecht natürlicherweise in den wahren und ganzen Lebensgrundrechten(!), in den Menschenrechten eingeordnet ist?

Da alles Leben des Menschen in seinen Lebensrechten gründet, nämlich in den „Menschenrechten als Grundlage jeder menschlichen Gemeinschaft, des Friedens und der Gerechtigkeit" (Art. 1 GG BRD), so gründet auch der gesamte Umweltschutz bzw. Lebensschutz und alle Förderung der Entwicklung des menschlichen Lebens in der Eigenwelt des Menschen und in seiner Umwelt in dem Menschenrecht. Also gründet alles Umweltrecht, nämlich alles Umweltschutzrecht und alles Umweltentwicklungsrecht wie Raumordnungsrecht im Menschenrecht. Doch in welchem? Zuerst in dem allgemeinsten Menschenrecht, in dem Urrecht, zu leben. Das erkennen viele Staatsverfassungen an erster Stelle an. Und das ist menschenwürdigerweise das Menschenrecht, allseits frei gut, also personal und natural qualifiziert zu leben, d.h. in jeder Hinsicht gesund zu leben, geistig, seelisch und leiblich gesund. Und daraus folgen ausnahmslos alle anderen Menschenrechte, dies einschließlich des gesamten Umweltrechtes. Denn wäre dies kein Lebensrecht des Menschen?—

Also ergibt sich, daß das Lebensrecht des Menschen als Eigenweltschutz- und Entwicklungsrecht, sowie als Umweltschutz- und -Entwicklungsrecht von höchst lebenswichtiger Bedeutung ist. Und dieses Lebensrecht, dieses Menschenrecht gegenüber Gott, Mensch und Welt ist zugleich ein Recht für den Menschen bzw. die menschliche Natur in seiner Eigenwelt und ein Recht, die Natur der Umwelt lebensgerecht zu behandeln, also beide friedlich zu behandeln, beide lebensqualifiziert zu behandeln.

Wer daher im Umweltschutz bzw. Lebensschutz und zugleich in der Förderung der Entfaltung des menschlichen Lebens in Recht, Gesellschaft und Wirtschaft nicht grundlos herumirren will, wer in allen Lebensbereichen den lebensgerechten Frieden sucht, wer vor allem die schon weltweite Verirrung und den ebenfalls weltweiten Streit über das gerechte beste menschenwürdige Leben wie in der besten Gesellschaft und Wirtschaft und in der besten Umwelt nicht mehren will, der muß sich mit der klaren und bestimmten Erkenntnis der Rechtsgrundlage jeder menschlichen Gemeinschaft im Himmel und auf Erden befassen. Das soll folgend präzise und ausführlich genug geschehen. Daraus wird sich alles Umweltschutzrecht bzw. Lebensrecht ergeben.

Die beiden Rechtsbereiche der menschlichen und der natürlichen Umwelt sind also nicht trennbar. Sie wirken wechselseitig aufeinander ein. In beiden Bereichen ist der Mensch totkrank. Sie müssen daher zusammen behandelt werden in einem Buch.

Und ein noch wichtigerer Grund, beides zusammen zu behandeln: Ernsthaft, ehrlich und herzhaft interessiert an einem dieser beiden Lebensbereiche ist nur der Mensch, der auch am anderen Bereich interessiert ist. Wenn jemand nur an einem dieser Bereiche subjektiv interessiert ist, so bestehen in ihm schwerere geistige Mängel in seiner Haltung zum wahren, zum echten Leben. Der objektive Charakter seines Interesses ist fragwürdig und also überprüfungswürdig.

Da jede Gemeinschaft ein Haus ist und da das steinerne und hölzerne Haus unsere nächste und lebenswichtigste Umwelt ist, da auch die ganze Erde das Haus der Menschheit ist, so kann das gesamte Lebensrecht des Menschen als Hauslebensrecht gesehen werden, d.h. als Ökorecht (Ökos = das Haus).

Ehe das Hauslebensrecht des Menschen näher logisch und mathematisch exakt entwickelt und formuliert wird, soll jedoch noch einiges nachgetragen werden zu der modernsten Entwicklung des gesunden und kranken Hauslebens am Wohnplatz und Arbeitsplatz des Menschen.

ZUR MODERNSTEN ENTWICKLUNG DER HAUSTECHNIK AM WOHNPLATZ UND ARBEITSPLATZ

Die moderne Haustechnik im Allgemeinen

Das menschliche Leben entwickelt sich im 20. Jahrhundert immer schneller, für viele schon atemberaubend schnell. Conrad-Martius vertrat die Auffassung, daß die Zeit sich beschleunige bzw. beschleunigt werde. Es liegt dann also nicht nur eine Hektik der Subjekte vor, sondern objektiv sachlich wird möglicherweise etwas im menschlichen Leben und in der ganzen Welt beschleunigt.

Entsprechend stürmisch entwickelt sich auch die Technik und zwar die physikalische und die chemische Technik einerseits und die Biotechnik andererseits wie als Umweltbiotechnik. Und hier brauen sich ungeheure Gefahren für den Wohnbereich und den Arbeitsbereich zusammen, gleich groß wie im Waffenbereich. Denn warum sollte die moderne Waffentechnik nicht auch den subjektiv friedlichen wirtschaftlichen, pädagogischen und anderen Zielen der Macher dienen! Doch wird sie dann von ihrem eigenen Geist geführt. Also dringt der Geist der modernsten Kriegstechnik auch in den Wohn- und Arbeitsraum ein! So entwickelt sich die moderne Haustechnik einerseits zum häuslichen Kriegsprogramm als Teil des weltweiten Selbstmordprogrammes.

Andererseits aber ersteht bewußt und instinktiv, teils sogar allergisch mitgesteuert, eine Abwehrhaltung. Deren Ursache ist vermutlich, daß sich in der Menschheit ein neues Lebensgefühl und überhaupt eine neue Grundorientierung zum Leben entwickelt. So zeigt sich auch deutlich erkennbar ein neues Streben zur Achtung der Lebensgesetze der Natur, dies gleich, wie sich ein neues Streben zur Achtung der Lebensgesetze im Leben mit dem Menschen zeigt in Gestalt der klaren Erkenntnis und Anerkennung der Menschenrechte. Und diese Entwicklung führt zur sanften Technik, zur grünen Technik, insbesondere zur häuslichen Biotechnik, der echten Ökotechnik.

Diese teils gute, teils bis zu den letzten Exzessen sich steigernde ungute neueste technische und seelische Entwicklung hat erst seit dem Zweiten Weltkrieg begonnen. Aber sie hat schon dazu geführt, daß der Mensch den Weltenraum betreten hat bis zum Mond und in den Satelliten bis zu den äußersten Planeten unseres Sonnensystemes. Daher werden folgend die schon vorhandenen Entwicklungen in ihrer lebensgerechten und lebenswidrigen Seite behandelt.

Die folgende Untersuchung ist gegliedert in die neueren Entwicklungen der physikalischen Technik und der chemischen Technik.

Die neueren Entwicklungen der physikalischen Technik werden im Wohnbereich und im Arbeitsbereich behandelt, dort an der Werkbank und im Büro. Dieselbe Gliederung gilt für die chemische Technik als Biotechnik und Antibiotechnik.

Da immer höher spezialisierte und schwieriger verständliche Techniken angewandt werden, wird folgend nicht auf diese Spezialisierungen eingegangen, sondern nur auf deren allgemeine bio-logische bzw. ökologische (d.h. hauslogische!) Bewertung für unser Leben, dies jedoch mit den wesentlichsten praktischen Konsequenzen.

Die moderne Biotechnik und Antibiotechnik in der Wohnung

Die modernste Technik konzentriert sich auf die Elektronik. Aber das ist teils nur eine subjektive und mechanistische, also lebensfremde Sicht der Sachlage. Man kann zwar subjektiv die Optik und Akustik elektronisch betrachten. Man denke nur an die elektronische Laser- und Maser-Optik und an die Laser-Bild-Akustikplatte. Man kann sogar die gesamte Chemie atomar-elektronisch gedanklich behandeln, wie heute in den Spezialschulen weithin üblich. Ob man dann jedoch Chemie, Optik und Akustik lebensgerecht erfaßt, das ist eine ganz andere und zudem grundlegend lebenswichtige Frage. Wer das Licht als Licht erfaßt und nicht nur quantistisch als Wellenbewegung, der kann es, wie schon Goethe lehrte, wesentlich erfassen, wenn er sich entsprechend um eine lebensqualifizierte Anschauung bemüht. Und das hat gewaltige Folgen für sein Leben. Der Wellenmechaniker dagegen, der sich nur noch in seiner subjektivistischen Quantentheorie bewegt und in seinem Bewußtsein den Kontakt zu den realen Lebensqualitäten verloren hat, kann das Licht in seinem Wesen überhaupt nicht begreifen, auch nicht wenn er sich Jahrzehnte und Jahrtausende intensiv und mit höchstem Aufwand bemühen würde. Ein Mechaniker kann nur die Mechanik begreifen! Und also wird er als Techniker mit seiner lebensqualitäts„freien", nur nach Newton wellenmechanisch entwickelten Lichttechnik und seiner ebenso vorgestellten elektronischen Technik erfahrungsgemäß dem Leben vielfältig schaden, ohne dies in seinen Ursachen und Wirkungen begreifen zu können.

Aber auch wenn man elektronisch denkt, kann man den Zugang zum Leben, hier zunächst zur Bioelektronik finden, nämlich wenn man ständig bedenkt, daß die Realitäten Lebensqualitäten sind und nichts anderes. Daraus folgt, daß es qualifizierte Elektronen gibt, die dem Leben dienen, und unqualifizierte, degenerierte, kranke Elektronen, die folglich das Leben schädigen, nämlich verkranken. Man vergleiche hier die Sonnenstrahlung in Wärme und Licht mit der

Röntgen- und Plutoniumstrahlung. Die gleiche Frequenz und Amplitude mit eventuell gleichem korpuskularem Erscheinungsanteil kann im Leben total entgegengesetzt wirken, nämlich entweder belebend und heilend oder krank machend und tötend.

Wer von seinen eigenen Lebenserfahrungen nicht lernen kann oder will, wer also nicht lebensqualifiziert anschauen und denken kann oder will, sondern in seinen selber fabrizierten quantistischen Spiegeleien bleiben will, der scheidet hier aus dem Leben aus. Der wird sogar lebensgefährlich für sich selber und andere und muß daher von den lebenswilligen Menschen, die ihren gesunden Menschenverstand gebrauchen, sorgfältig beobachtet werden in seiner Tätigkeit. Er ist nur als Mechaniker brauchbar.

Ein Musterbeispiel: Eis wirkt ganz anders auf Lebewesen als Wasser. Und mit Dampf muß man ebenfalls ganz anders umgehen als mit Wasser und Eis, wenn man lebensgerecht handeln will. Hier liegen drei urverschiedene Zustandsqualitäten vor. Doch geht man hierbei stets mit denselben Atomen und Elektronen um. Dies wende man analog auf den Strom, die Akustik und Optik bei einem Fernsehgerät an und auf alle andere Technik. Man erkenne mit Paracelsus jedes Atom als Ganzheit mit all seinen Teilen als Organen, nämlich als einen Mikrokosmos, als ein Haus, in dem ein gutes und ungutes, ein gesundes und ein krankes Wesen wohnen kann. Und dieses Wesen wirkt! Es wirkt kausalgesetzlich nach seiner Art.

Die moderne Elektronik dringt heute vielfältig in den Wohnbereich ein. Das Fernsehgerät, mit 15000 Volt elektronisch arbeitend, zudem auch optisch und akustisch wirksam, also auf das Nervensystem allgemein und auf zwei Sinne zugleich, als Bildschirmgerät steigend auf dem Büroarbeitsplatz, ist ein Typus der modernen Gefahr.

Das Fernsehgerät schädigt in seiner bisherigen Ausführung mit seiner sehr strahlungsaktiven Braunschen Röhre die Gesundheit von Kindern und Erwachsenen weit mehr als bisher von dem fernsehsüchtigen und diesen Teufelskasten vergötzenden Menschen angenommen werden kann und angenommen wird. Nerven-Sinnes-System, Herz-Kreislaufsystem und Stoffwechselsystem werden vermutlich fast gleichartig geschädigt, dies langsam, aber auf die Dauer der Jahre sehr wirksam. Bei den Menschen, die dicht vor dem Mattscheibenbild arbeiten müssen und also in der noch hohen Konzentration der Strahlungen der Braunschen Röhre, wie am Bildschirmgerät, werden weltweit zahlreiche und ernste Erkrankungen berichtet. Gewerkschaften in der ganzen Welt haben sie zusammengestellt.

Die Schadensursache scheint einerseits in der Aussendung von disharmonischen Wellen kugelförmig rund um das Gerät zu liegen, andererseits in der auf die Mattscheibe gebündelten disharmonischen Strahlung der Braunschen Röhre.

Gegen beide Schadensquellen kann man sich schützen, teils sogar sehr gut und erfahrungsgemäß ausreichend. Eine kreisförmige Ummantelung des Gerätes mit dünnem geerdetem Kupferblech von weniger als ein Millimeter Dicke, am einfachsten bandförmig ca. 10 bis 20 cm breit um das Gerät gelegt, scheint schon den Hauptteil der schädlichen Strahlung wegzunehmen bzw. zu neutralisieren. Man kann auch die elektrisch und zugleich magnetisch abschirmenden Bleche nehmen, welche die moderne Technik entwickelt hat. Sie sind jedoch erheblich teurer und sehen nicht so gut aus wie ein Kupferband.

Die Strahlung der Braunschen Röhre ist erfahrungsgemäß um so mehr gesundheitsschädlich —und dies erheblich ansteigend auf das Vielfache—, je älter ein Gerät ist. Primär- und Sekundärstrahlung scheinen sich hier unselig zu vereinen in der Steigerung der Disharmonie.

Echte Abhilfe wird hier erst der Flüssigkristallschirm bringen. Ehe diese Geräte technisch und biologisch ausgereift auf dem Markt sind, sollte man ein Fernsehgerät, insbesondere wenn es nicht ausreichend biologisch entstört ist, nicht länger als vier Jahre betreiben. Je sensibler bzw. umweltfühliger man wird, desto kürzer sollte man ein Röhrengerät betreiben. Und man sollte bei dem Fernsehen einen möglichst hohen Abstand einhalten, mindestens vier Meter, und stets wenigstens dreißig Bogengrade seitlich von der Mittellinie sitzen. Man kann als Faustregel annehmen, daß ein Gerät durchschnittlich sich in der Schadwirkung verstärkt um die Jahreszahl seit der Inbetriebnahme. Ein vier Jahre altes Gerät schädigt also ungefähr viermal mehr als ein neues Gerät.

Weitere Hilfsmittel um die Röhrenstrahlung zu neutralisieren und zu qualifizieren, sind verschiedene Geräte, die auch zur Entstörung bei geopathischen Zonen verwandt werden. Da hier prinzipiell keine Firmennamen genannt werden sollen, auch weil solche Geräte durch Erbfolge der Hersteller und andere Einflüsse sich in ihrer Qualität sehr ändern können und weil ein Buch vieles überleben kann, so wird auf die stets aktuellen Auskunftsmöglichkeiten bei den verschiedenen ausreichend bioqualifizierten Personen und Institutionen hingewiesen, die sich mit der echten, in der Kenntnis der Lebensqualitäten gründenden Baubiologie und dieser Ökologie befassen. Also zu unterscheiden von der in einer materialistischen und daher total lebensfremden Wissenschaft, in Mode, Politik und Geschäftemacherei gründenden „Baubiologie“ und „Ökologie“.

Wenn man die eben genannten Möglichkeiten nutzt, kann man auch den Empfang mit einem Röhrengerät erträglich gestalten für einen je nach Umweltfühligkeit bzw. Sinnesöffnung verschiedenen Zeitraum. Doch je kultivierter ein Mensch ist und mit seinen Kindern leben will, desto weniger sitzt er am Ende der Neuzeit vor deren Mattscheibe.

Die Elektronik in anderen Geräten

Auch in den anderen elektrotechnischen Geräten werden immer mehr Techniken wie Halbleitertechniken und Hochfrequenztechniken verwendet, die immer stärker auf das organische Leben einwirken. So zieht z. B. der Computer in die Schule und in das Kinderzimmer ein. Kinder sind bis zehnmal und mehr empfindlich auf Schadeinwirkungen, weil ihr Organismus noch nicht ausgebildet und dadurch gefestigt und gewappnet ist. Da die heutigen Gerätehersteller als Technokraten noch fast völlig blind sind im Hinblick auf die bioelektronischen Wirkungen, so erscheint diese Entwicklung sehr besorgniserregend. Wird den Computerkindern die Entwicklung der qualitativen Sensibilisierung aller Sinnesorgane abgeschnitten, unterdrückt und degeneriert, sodaß sie zu mechanischen Robotern auch in ihrem Nervensystem und Leben werden? Dann zu Intelligenzbestien? Zu gefühllosen lebensfremden Machern? — Die Beobachtung der heutigen Technikkinder kann das Fürchten lehren! Ihr Typus wird „Hacker" genannt. Was mag er zerhacken im eigenen Leben und im Leben seiner Mitmenschen?

Doch kann das mangels ausreichender zeitlicher Erfahrung noch nicht sicher beurteilt werden. Aber viele Anzeichen sprechen für eine solche Einwirkung. Daher sind die Warnungen von Computerfachleuten und Pädagogen wie von Joseph Weizenbaum und von Hentig sorgfältig zu beachten. Eltern, welche schon einen Sinn für die Lebensqualität haben und diese im eigenen Leben praktisch anstreben, mögen die Entwicklung ihrer Kinder beobachten und beizeiten regulierend eingreifen, daß die Natur der Kinder nicht bleibend und schwer denaturiert wird. Man kann bei der kurzen Entwicklung dieser Technik noch nicht beurteilen, welche Schäden der Kinder (und Erwachsenen) heilbar und welche unheilbar sein werden. Regelmäßige Schlafstörungen, Nervosität, Konzentrations- und Lernschwierigkeiten, Herz- und Kreislaufbeschwerden oder gar chronische Kopfschmerzen sollten ein ernstes Warnzeichen sein.

Auch bei den Erwachsenen zieht die moderne Elektronik in die Wohnung ein und zwar überall, teils sichtbar, teils im modernen Bau nicht mehr sichtbar. Viele elektronische Kontroll- und Regeleinrichtungen bewirken in unserem Leben weit mehr als nur Kontrollieren und Regeln! Sie strahlen ebenfalls über ihre Leitungen vieles aus. Und sie sind nicht abschaltbar wie das Lichtnetz des Hauses durch die Netzfreischaltautomatik. Vielleicht wird hier noch eine neue Biotechnik derart entwickelt, daß nur in regulierbaren Zeitabständen wie im Stundenabstand und dann nur auf Sekundenzeit ein Kontroll- und Regelstrom fließt, auch daß dieser biogefiltert wird und nach Möglichkeit in Niederfrequenz oder gar als Gleichstrom arbeitet. Die Technik macht hier vieles biologisch möglich, sofern man die Gefahr überhaupt sieht. Die technische Abhilfe in der Konstruktion oder im Betrieb ist oft spielend einfach und keine Kostenfrage. Aber von schweren Dauerschäden — wie der elektronisch verursachten Vegetativen Dystonie, einer höchst verbreiteten modernen und sehr unangenehmen Zivilisationskrankheit, die das Leben zum Leid machen kann! — und solchen Gefahren wird man dann frei!

Man sollte grundsätzlich bei dem Bau oder Betrieb des eigenen Hauses darauf achten, daß möglichst gar keine hochfrequenten Dauerströme im Hause gebraucht werden, vor allem nicht nachts. Möglichst elektrofrei bauen und wohnen! Unser Organismus arbeitet mit sehr niederfrequenten Strömen wie um zehn Hertz und mit winzigen Spannungen von Millivolt. Und er leistet an

Vernetzung und Qualität gewaltig viel mehr als die hundert größten Computer der ganzen Welt zusammengenommen! Lernen wir daher für die Biotechnik des Hauses, des Büros und der anderen Arbeitsplätze von unserem eigenen Körper!

Das modernste Büro

Eine moderne Sekretärin hat ähnlich wie ihr Chef ein halbes Dutzend elektronischer Geräte nahe um sich stehen. Sie stehen ständig unter Spannung und arbeiten meist mit Hochfrequenz, also weithin sendewirksam! Dazu hat man einen synthetischen, sich elektrostatisch aufladenden und daher mit allen Sendungen wirksam mitschwingenden Teppich unter den Füßen, mit Formaldehydgiften geklebt, sodaß allein deswegen schon die Haare ausfallen und die Haut unrein wird. Die Sekretärin —kaum der Chef— sitzt auf einem metallenen Bürostuhl an einem Synthetikschreibtisch, der aus schwersten Giften fabriziert ist, dazu ebenfalls oft mit viel Metallen verarbeitet. Und sie sitzt oft auch am Tage unter einer Leuchtstofflampe, gar fern vom natürlichen Licht. Als Hauptstrahler aber dicht vor ihr, näher als ein Meter, ein Datensichtgerät mit Braunscher Röhre. Das ist der Fernseher zur Datenbank!—

Schon nicht mehr zu zählende Erfahrungsberichte liegen aus der ganzen Welt vor, daß diese Büroarbeit erheblich gesundheitsschädlich ist. Besonders die Strahlung der Röhre wirkt viele Meter weit. Und die Chemie dieser modernen Büros wird, wie ebenfalls vielfältig amtlich nachgewiesen ist, auf die Dauer von den Materialien der ganzen Inneneinrichtung und den Mauern absorbiert, aber von deren lebenswidrigen Materialien nicht unwirksam gemacht. Sondern sie imprägniert all diese Materialien irreversibel, sodaß sie auf Bestanddauer Sekundäremittenten der Chemie werden und auch Katalysatoren zur Produktion neuer chemischer Gifte. Und mit den anderen Chemikalien in all diesen Materialien werden sekundäre Verbindungen gebildet, die oft noch zehn mal giftiger sind. Daß solche Sekundärmaterialien zuweilen auch hoch explosiv werden können und schon Laboratorien und Büros dann zerstört haben, das sei nur am Rande vermerkt. Denn diese Wirkung ist nur einmalig. Sie ist nicht schleichend über Jahre und Jahrzehnte hinweg, den Organismus in der Tiefe ruinierend bis zum Krebs, dem Endstadium der Zivilisationskrankheiten durch Zivilisationsgifte.

Mit vierzig Jahren sind solche technoterroristisch dauermalträtierten Büroroboter an Streß, vegetativer Dystonie, Herz-, Augen-, Nerven-, Rückenbeschwerden und vielerlei Vergiftungserscheinungen körperlich schwer angeschlagen, wenn nicht ruiniert. Sie sind Frühinvaliden geworden. Weltweit sammeln daher heute die Gewerkschaften die erschütternden Berichte, in denen bis über 80% der von solchen Arbeitsplätzen Betroffenen schon früh Dauerbeschwerden angeben, sodaß das Leben keine Freude mehr macht. Die Gewerkschaften fordern schon weltweit, daß nur zwei Stunden täglich am Bildschirm gearbeitet werden dürfe. Das aber ist nicht ökonomisch praktizierbar. Zudem wären zwei Stunden noch zu viel, nämlich zwei Stunden zu viel!

In großer Not wird dann von dem Chef oder der Sekretärin bei dem Schreiber dieser Zeilen angerufen. Dies zuweilen schon etwas früher wie wegen dem Haarausfall und der Regelstörungen, von denen die gesamte Damenmannschaft im Büro betroffen ist, sodaß sie ziemlich Übles ahnt. Zuerst meint man, die Pille sei schuld, daß die Regel ganz weg bleibt, sodaß die ausscheidungspflichtigen Gifte sich im Organismus anhäufen und andere organische und kosmetische Übel bewirken, einen dauerbenommenen Kopf usf. Aber die Pille ist nur mitschuldig, nicht hauptschuldig. Denn trotz Pille bessert sich im Urlaub der Haarausfall. Wie dann helfen?

Das ist einerseits eine Frage der Prinzipienerkenntnis —des Lebens!— und der Konsequenz für den Chef, auch seiner sozialen Moral in der Behandlung seiner Mitarbeiter. Sie ist genauer eine Frage seiner Kenntnis und Anerkennung der Menschenrechte und Menschenpflichten, hier zum gesunden Arbeiten bzw. Wirtschaften. Zudem mag ein Blick auf seine eigenen, vielleicht jetzt schon seelisch oder gar auch schon körperlich mißgebildeten Kinder nachhelfen. Andererseits fragt die Sekretärin, was sie bei ihren beschränkten Möglichkeiten machen kann. Zudem muß sie bei steigender Arbeitslosigkeit vieles hinnehmen, was sie in einer freien Wirtschaft nicht hinnehmen bräuchte und würde.

Bei grober Vergiftung des Arbeitsraumes wie mit normal üblich geklebten Spannteppichen und Formaldehydmöbeln den Arbeitsplatz wechseln, notfalls kündigen. Das Leben ist mehr wert. Chefs lieben im untergehenden Abendland in der Regel das —kurzfristige, mörderisch erworbene— Geld mehr als ihr Leben und die Menschen, auch mehr als Frau und Kinder. Mancher Chef, der die Familie und das Leben mehr liebt, hat das supermoderne totkranke Büro abreißen lassen und ein gesundes hingestellt. Der Krankenstand sank dann auf einen Bruchteil. Die Leistung pro Arbeitsstunde stieg steil an um 20 bis 50%. Und ein menschenfreundliches Arbeitsklima bildete sich. Man konnte es nicht fassen. Aber der Geldgewinn beseitigte die letzten Zweifel.

Was kann die Sekretärin tun? Wenn der mit Giften geklebte Teppich länger als ungefähr fünf Jahre liegt, ist schon viel Gift abgedunstet. Den Rest kann man in der Raumluft und auch im Teppich neutralisieren wie binden, wenn man ständig edle Quintessenzen im Raum verdunstet wie von guten Räucherstäbchen oder Räucherkerzen. Homöopathisch wenig, kaum merkbar für die Nase hilft hier schon viel! Oder man lüftet viel. Oder man stellt —in der kühlen Jahreszeit nahe der Heizung— eine Schale mit etwas Wasser und darüber edlem Nadelholzöl oder anderen edlen ätherischen Ölen auf, die wöchentlich gewechselt wird. Sogar schon edle Parfüme helfen, zumindest der Trägerin.

Weiter sich einen Vollholzstuhl besorgen. Warum? Damit die Metalle nicht als Empfänger, Wandler und Sendeantennen die so nahe menschliche Hochspannungsleitung im Rückgrat beeinflussen können. Dann den Bildschirm, den „Nah- und Fernseher“ so fern wie möglich stellen und gleich so mit einem geerdeten Kupferband und Entstörgerät in seiner mörderischen Strahlung schwächen. Länger nicht gebrauchte Geräte allpolig abschalten, wie besonders

Rechenmaschinen. Dazu einen allpoligen Schalter in die flexible Zuleitung einbauen lassen, was jeder Lehrling in fünf Minuten erledigt; dann ist nur noch ein Knopfdruck nötig. Bei besseren Verhältnissen wird noch ein Blitzschutzstecker mit Leuchtdiode hinter dem Schalter angebracht. Dann hat man ständige Sichtkontrolle, ob der Störsender ausgeschaltet ist.

Selber sollte die Sekretärin metallisierte Seide am Oberkörper tragen bis unter den Solarplexus. Sie schirmt doppelt ab, sodaß Herz, Kreislauf und Nervensystem ruhiger werden. Auf den Synthetikteppich unter den Füßen ca. 3–4 qm groß ein Drahtgeflecht legen, wie man es an Zäunen sieht, und dies vom Lehrling erden lassen. Darüber einen eigenen echten Wollteppich legen. Dann endet die Hochspannung unter der Schuhsohle, die bei Gewitter bis zu der extremen Höhe von 40000 Volt ansteigen kann und bei trockenem Raumklima bis zu ca. 20000 Volt. Das liebe Herz arbeitet mit einigen Tausendstel Volt! —

Keine störende Leuchtstoffröhre über dem Kopf, sondern möglichst bei Naturlicht arbeiten. Doch neueste Kompaktröhren, etwas größer als eine Glühbirne, nur ein Viertel Strom brauchend, sind erstaunlich störarm, also brauchbar. Wie viel Bio haben die großen Firmen in aller Heimlichkeit schon studiert und praktiziert? — Wenn die alte, die lange Leuchtstoffröhre nicht gegen die birnenförmige Kompaktröhre austauchbar ist, die wie eine Glühbirne eingeschraubt wird, dann die lange Röhre mit einem dünnen Metallgeflecht überziehen wie einen Netzstrumpf über die Beine. Am besten aus Kupferdraht. Und das Erden nicht vergessen. Das ungesunde Licht der Leuchtstoffröhren kann durch dünne weiße oder leicht gelbliche Naturseide erheblich verbessert werden. Diese wird teils als Reflektor gebraucht und noch wirksamer so, daß das Licht durch sie hindurch scheinen muß. Und allgemein gilt: Größere Metall- und Kunststoffgegenstände so weit wie möglich fern halten, mindestens anderthalb Meter.

In nicht total gestörten Büros läßt sich so die Lebensfeindlichkeit der Moderne erheblich mildern und teilweise für einige Jahre erträglich gestalten. Aber man sehe sich stets nach dem gesunden Büro um und nach dem verantwortungsbewußten, lebensgerecht arbeitenden Chef. Man suche also nach der Firma mit lebensgerechter Produktion, in der somit die Menschenrechte auf ein gesundes Leben, insbesondere auf ein gesundes Arbeiten geachtet werden.

Der nächste Umweltschutz im Haus der Arbeit

Arbeitgeber, Gewerkschaften und der gesunde Arbeitsplatz

In der ganzen Welt zeigt sich bei immer mehr Arbeitgebern und immer mehr Gewerkschaften der Beginn einer großen Wende, welche die Geister scheidet. Während bisher fast jede menschenwidrige Produktion befürwortet wurde um des finanziellen Gewinnes beider Seiten willen oder um jeder Seite für sich willen, zeigt sich jetzt allseitig eine zunehmend kritische Haltung gegenüber der nur finanziellen Sicht der Wirtschaft. Diese primitive Sicht wird langsam erweitert und überhöht durch eine lebensgerechte und insbesondere menschengerechte Sicht. So wurden u.a. die Begriffe der Sozialbilanz und Umweltbilanz für Betriebe geschaffen. Und es zeigt sich zunehmend die Tendenz, diesen Bilanzen einen höheren Rang zuzuerkennen als der nur finanziellen Bilanz. Jedoch darf keine dieser Lebensbilanzen negativ werden.

Ob als Teil der Sozialbilanz noch eine Gesundheitsbilanz geschaffen wird? In enger Anlehnung an die Umweltbilanz? So wird heute die Produktion hinsichtlich der Gesundheit der Mitarbeiter gründlicher und schon nahezu prinzipiell unter die Lupe genommen. Bemerkenswert neu ist hier die Artikelreihe „Gift am Arbeitsplatz" (Der Gewerkschaftler 8/84). Da dieser Bericht typisch ist für die weltweite Situation, sei aus ihm zitiert.

Zuerst werden als Folge ungesunder Arbeitsverhältnisse die gesundheitlichen Schäden genannt: „Lungenödeme, Sehstörungen, Blutarmut, Atemlähmung, Bronchitis, Asthma, Allergie, Krebs, Magengeschwüre, geistige Schäden, Gehirnschrumpfung, Hautausschläge, Orientierungsschwäche, Herzkrankheiten, Darmkrämpfe, Nervenschäden, Suchtgefahr, Schleimhautentzündung, Muskelschwäche, Staublunge, Schrumpfniere." Dies ist nur eine kleine Auswahl!

Die Artikelserie beginnt mit dem Satz: „Der Widerstand der Bevölkerung gegen die Zerstörung der Lebensgrundlagen wächst." Wer zerstört hier? Diese Zerstörung ist doch zunächst das Werk der Arbeiter in den Privat- und Staatsbetrieben, geleitet von den Arbeitgebern dort und auch geleitet von der weithin selbstzerstörerisch gewordenen Grundhaltung der Schulen und Kirchen. Es wird also eine bisherige universale Selbstzerstörung der eigenen Lebensgrundlagen und somit des eigenen Lebens von den deutschen und auch anderen Gewerkschaften erkannt und anerkannt bzw. zugegeben. Und unter den Zerstörern des eigenen Lebens wächst zunehmend der Widerstand gegen diesen Selbstmord. —

„Quelle der meisten Umweltbelastungen sind die Produktionsverfahren und die Arbeitsbedingungen. In der Regel werden zunächst die in der Produktion tätigen Arbeitnehmer gefährdet und erst dann kommt es zu einer Belastung oder gar Zerstörung der Umwelt." Die Erstgeschädigten und auch intensivst Geschädigten sind also die ausführenden Arbeiter; dann folgen alle anderen Menschen, die Familien der Arbeitnehmer und Arbeitgeber usf. bis zu den letzten Eskimos an den Polen.

Trotz aller schnell ansteigenden weltweiten Umweltschutzbestrebungen nimmt diese selbstmörderische Tätigkeit noch ständig weltweit zu! „Von den sogenannten Experten meistens schamhaft verschwiegen, haben die Berufskrankheiten, die auf Schadstoffeinwirkung zurückzuführen sind, die Spitzenposition übernommen." Bisher waren dies die Lärmschäden. „Innerhalb der EG rechnet man mit einer jährlichen Zunahme von 3000 neuen Stoffen", die in den Handel kommen. Über eine Million verschiedener Schadstoffe sind es schon insgesamt. „Zunehmend findet eine ‚Chemisierung' an fast allen industriellen Arbeitsplätzen statt... (So) wird klar, daß niemand von sich behaupten kann, er hätte mit gefährlichen Stoffen nichts zu tun. Das Erkennen von gefährlichen Stoffen ist deshalb so schwierig, weil man die Wirkung häufig nicht direkt bemerkt... Der Feinstaub in jeder Werkhalle ... können Krebs auslösen." Viele tausend Schadstoffe sind schon als Krebsverursacher nachgewiesen. Weshalb auch steigt diese Krankheit ebenso beständig an wie die Erzeugung neuer chemischer Schadstoffe!

Dann wird umfangreich dokumentiert, daß die verantwortlich leitenden Personen wie die „Betriebsräte", die „Betriebsärzte", die „Sicherheitsfachleute", die „Vorgesetzten", die „Unternehmer", die „Vertrauensleute", die „Berufsausbilder", die „Berufsgenossenschaften" in der Regel noch immer ziemlich ahnungslos sind. Und es wird in den Artikelüberschriften gefragt „Zufall oder Absicht?", „Schlamperei oder Kumpanei?". „... von 35 befragten Betriebsräten aus der Metallindustrie (waren) nur fünf über die laufende Erfassungsaktion der Berufsgenossenschaften im Metallbereich informiert." „Von den 13000 erfaßten (Betriebsstätten) gaben 8000 an, keine gefährlichen Arbeitsstoffe zu verwenden. Eine Zahl, die als kaum glaubhaft erscheint." Denn tatsächlich werden, wie schon vielfältig nachgewiesen ist, in ausnahmslos jedem heutigen modernen Betrieb viele gesundheitsschädliche Stoffe verwandt. Unverantwortliche „Schlamperei oder Kumpanei?"

Erschreckende Unkenntnis und strafbare Verantwortungslosigkeit kennzeichnen also heute noch nach dem Urteil der Gewerkschaftsführung das Selbstmordprogramm in der Industrie, sowie die entsprechende Tätigkeit der Ausbilder etc. in den Schulen bis zu den Universitäten und das entsprechende Verhalten in den Kirchen! Überall hat man am Ende der Neuzeit sein Ohr von der Wahrheit des Lebens und seiner Wege abgewandt und den modernistischen, wertfreien und daher wertlosen Fabeleien im Glauben und Wissen zugewandt. Und entsprechend wurde und wird noch immer gewirtschaftet. Verantwortungslosigkeit und Unkenntnis! Dazu „Absicht" und „Kumpanei" in dem Streben, den selbstmörderischen Charakter der eigenen Tätigkeit nicht zur Kenntnis zu nehmen! Das ist die Situation heute bei dem ständigen Anstieg der Schadstoffe!

Kein Kommentar ist hier erforderlich. Der Gewerkschaftsführung ist zu gratulieren, daß sie den menschenunwürdigen mörderischen Charakter der Situation so schonungslos aufgedeckt hat.

Aber es muß auch darauf hingewiesen werden, daß die Arbeitgeber und die Gewerkschaften die Situation noch fast ausschließlich nur in ihrer eigenen Arbeit sehen. Es fehlt noch die pflichtgemäße Erweiterung des Blickwinkels, wie sie der erste Satz der Artikelserie brachte, der von der „Zerstörung der Lebensgrundlagen" spricht. Es ist also bei der lebenswidrigen Produktion nicht nur an die Schäden durch die Bearbeitung dieser Produkte zu denken, sondern weiter auch an die Schädigung der Konsumenten dieser Produkte! Denn soweit sie Gifte enthalten, schädigen sie doch zuletzt auch alle Bezieher und Verwender dieser Produkte. Das sind nicht zuletzt die ganzen Familien der Arbeitnehmer und

Arbeitgeber. Hier ist also Konsequenz gefordert, Ehrlichkeit und ein offenes Auge. Zeigt es nicht eine doppelte und also im Grunde fehlende Moral, wenn man beispielsweise ein schweres, Krebs und anderes erzeugendes Gift wie DDT im eigenen Land verbietet, aber noch produziert und in die Entwicklungsländer ausführt? Von dort kommt es übrigens mit den Südfrüchten wieder zurück, in die Familien aller arbeitenden Menschen! Wann wird der erste Streik gegen eine solche verantwortungslose, die Menschenrechte schwer verletzende kriminelle Produktion kommen? Und gegen ein solches staatliches Verhalten?—

Sodann ist auch an die Schädigungen durch die Emissionen von Schadstoffen bei ihrer Verarbeitung und allgemein bei der Produktion zu denken, also an die Vergiftung von Luft, Wasser und Erde, sowie an die Schädigung und Zerstörung der Lebensgrundlagen durch die Abfälle nach Verbrauch der Produkte, also an den Zivilisationsmüll.

Mitbestimmen heißt mit verantworten! Und zwar alles, was man mit bestimmt! Ausnahmslos in allen Folgen! Bestände keine Sozialpflicht, auch die Eingeborenen der Entwicklungsländer sozial und also hier giftfrei zu behandeln? Das ist eine Frage an die Moral bzw. Achtung der Menschenrechte —das sind Lebensrechte!— bei den Regierungen, Parteien, Arbeitgebern und Arbeitnehmern!

Jeder Mensch verantwortet sein gesamtes Arbeitsprodukt! Mit seinem ganzen Ruf und seinem ganzen Vermögen! Das ist objektiv soziale Gerechtigkeit! Alles andere sind feige Versuche, sich von der sozialen Gerechtigkeit zu drücken und das asoziale Verhalten zu tarnen und gar noch zu glorifizieren. Gott sei Dank wird dies zunehmend bei den arbeitenden Menschen in der Wirtschaft, in den Schulen und Kirchen erkannt, sodaß es zu einer Scheidung der Geister kommt. Keiner bekennt gerne seine Sünden. Wenn wir es jedoch prinzipiell nicht tun und uns selber ständig als Unschuldslamm in einer Unschuldsgesellschaft aufspielen, gar als die Heiligkeit selber, stets nur „die anderen" beschuldigend, dann werden unsere Sünden gegen das Leben und deren Folgen noch viel größer. Dann schlittern wir in das Selbstmordprogramm! Aber es wächst angesichts der globalen Auswirkungen moderner Produktionen und ihrer Neben- und Abfallprodukte weltweit schnell das Bewußtsein, für alle Menschen zu einem lebensgerechten Verhalten verpflichtet zu sein.

Daher ist zum Schluß nur die einzige Frage zu stellen: Wann werden die gerechterweise und pflichtgemäß notwendigen Konsequenzen gezogen? Und von wem? Von welchen Gewerkschaften, Unternehmern, Parteien, Regierungen, Schulen und Kirchen? Und wann wenigstens so weit ausreichend, daß das Schicksal der Menschheit gewendet werden kann?

Die Gesundheitsbilanz: Arbeitgeber und Arbeitnehmer haben gemeinsam die volle Verantwortung. Sie haben beide das Menschenrecht und die Menschenpflicht zum voll gesunden Arbeitsplatz und zum voll gesunden Arbeitsprodukt.

Um jedoch diese fundamentale Sozialpflicht zu erfüllen, muß man das ABC des gesunden Lebens erlernen, die echte Bio-Logie und folgend echte Ökologie, wie sie in allen Hochkulturen gelehrt und praktiziert wurde. Sonst denkt und redet man verwirrt und handelt entsprechend. Also ist das ABC der objektiv lebensqualifizierten Bebauung der Erde zu studieren, des gesunden Bauens und Wohnens in Haus und Hof, die gesunde Raumordnung im Raum des menschlichen Lebens.

Wie sagt Paracelsus: Der Arzt —des ganzen Menschen und also logischerweise der Völker, der Staaten, Schulen und Kirchen, der Parteien, Arbeitgeber und Arbeitnehmer, des Rechtes, der Gesellschaft und der Wirtschaft— habe da nichts anderes zu tun, als Gut und Gift zu scheiden, das Gute zu nehmen für all seine Lebensbereiche, das Gift aber nicht. Denn das Gift ist auszuscheiden aus dem Körper —auch der Nationen, also aus deren Wirtschaft— und zu vernichten. Denn andernfalls bringt es uns den Tod, einen schändlichen und elenden Tod.

Der Arzt kann bei mündigen Patienten, sofern sie nicht im Krankenhaus liegen, nur Ratschläge geben. Lebensgerecht und insbesondere heilgerecht handeln muß der Patient selber.

Die modernste Chemie und Physik im Wohn-Arbeitsbereich

Die chemische Technik entwickelt sich mit gewaltigen Sprüngen dem Abgrund zu. Wann werden die Superdioxine synthetisiert, die automatisch katalytisch die anderen Chemikalien zu Dioxinen wandeln? Wir sehen doch schon die Anfänge in den großen Labors der Chemieindustrie und sogar in der „freien Natur" durch Photosynthese verschiedener Gifte zu weit gefährlicheren Giften!

Die Entwicklung der chlorierten Kohlenwasserstoffe unter extrem hohen Drücken bei extremen Temperaturen ist erst ein Anfang der scharfen Teufelsherrschaft in dieser Welt. Wir können heute mit noch höllischeren Drücken und Temperaturen arbeiten. Stellt die Kriegstechnik nicht schon Katalysatoren her, die in Feindesland ausgestreut werden und dort eine millionenfache Dämonenarbeit leisten? Erfahrungsgemäß kann ein Gramm Katalysator zehn und mehr Tonnen Gifte synthetisieren und also produzieren aus Gutem!

Man spricht nicht über die moderne Kriegschemie. Die Dioxine und Furfurane, die Sevesogifte mit ihren schrecklichen Mißbildungen bei den Kindern sind doch erst ein Beginn. Und wie hat sich die Chemieindustrie auf sie gestürzt! Weit über die Hälfte der modernen „Schutzmittel" werden schon aus diesen höllisch heißen chlorierten Kohlenwasserstoffen hergestellt, den Sevesogiften! Und wie viel andere Kriegsgifte existieren ebenfalls schon! Und warum sollte man sie nicht unter der Hand —solange die Medien dies noch nicht entdeckt haben— auch ökonomisch für „friedliche" Zwecke einsetzen! Zum „Schutz" der Pflanzen, Tiere und Menschen vor den bösen anderen! Denn „Unsere Gifte sind doch nicht giftig". Wie in Bhopal/Indien, diesem weiteren Seveso. Nächstens sterben zehn Millionen in einer Giftwolke. Aber das wird die Menschheit ebenfalls nicht ernstlich rühren. Wohl erst wenn Frau und Tochter unmittelbar neben uns in Krämpfen verenden, werden wir zur Besinnung kommen und handeln! Dann aber wird es für gar viele zu spät sein. —

Wo steht die Menschheit heute schon, wenn selbst das Urvolk des reinen Lebens, das Volk der arischen Inder, sein eigenes Land mit tödlichen und längst lebenden, also längstens wirksamen Giften zu Millionen Tonnen verseucht! Auch das Morgenland geht heute unter. Wie auch in China zu sehen ist. Aber auch das Morgenland steht in einer gewaltigen Wandlung und Wende wie das Abendland.

Jedoch die alten proletarischen Massen wünschen noch immer die Gifte, die sie in ihrem Herzen tragen, auch in ihrem Garten, in ihrem Haus und auf ihrem Mittagstisch. Und die demokratischen Regierungen folgen ihnen. Außer ein paar symbolischen Handlungen gegen einige wenige Giftfabrikanten und außer ein paar im Sande verlaufenden Prozessen geschieht hier noch wenig, — bis Gott die Erde reinigen muß und wird, wenn der Jüngste Tag noch nicht kommen soll. Wo ist der Beweis?

Die Produktion dieser schwersten und langlebigsten, die größten Schäden verursachenden Gifte steigt weltweit ständig an, dies zum großen Nutzen der Hersteller. Denn die größten Schäden bis zu all den Sorgenkindern und Sorgenerwachsenen mögen die Konsumenten, die Opfer selber bezahlen wie mit ihren Steuergeldern. Und dazu kann man noch eigens einmal die Werbetrommel rühren, um für die armen Opfer zu spenden. Das ergibt ein doppeltes Geschäft. Vor allem kann man dann ständig wirksam von den Ursachen ablenken. Gleich so wie in der staatlichen Krebsforschung. Die den Fachleuten längst bekannten, schon von Paracelsus beschriebenen Ursachen in der allgemeinen Vergiftung des Lebens dürfen keinesfalls bekannt werden. Welche Geschäftsverluste ergäben sich dann für so viele! —

Man verketzere also nicht einseitig die Giftfabrikanten. Sie produzieren, was die Massen wünschen und verbrauchen. Also haben auch in Indien die Inder sich zuerst selber anzuklagen!

Wir werden also weiter in der ganzen Welt aus Phosgen, diesem teuflischen Giftgas, aus Blausäureverbindungen (Cyanaten), Chlorgas, Dioxinanalogen und Furfuranen Hustensaft und andere „Heilmittel“ und „Schutzmittel“ für Mensch, Tier, Pflanze, Erde und Stein produzieren und alles fleißig auch selber schlucken und spritzen, dazu auch, —um das eigene Gewissen zu beruhigen und das Gesicht zu wahren— ein wenig protestieren.

Bis? —

Die lebensfeindliche Ökotechnik
Mode und Geschäft in Bio und Öko

Ökologie und Baubiologie sind heute weithin Modeworte geworden, in der BRD wohl zumindest in über 50% der sich selber so bezeichnenden Bestrebungen. Sehr viele verwenden diese Worte in subjektiv guter Absicht, aber ohne ausreichende objektive Kenntnisse, nämlich was objektiv lebensqualifiziert und daher objektiv bio-logisch (lebenslogisch) ist und objektiv öko-logisch (hauslebenslogisch) ist. Hinzu kommen die eilfertigen Geschäftemacher. Schon ganze Institute für Baubiologie und Ökologie wie Stadtökologie und Raumordnung existieren ohne wissenschaftliche und praktische Grundlage, nämlich ohne Kenntnis, was eine reale Lebensqualität und daher ein lebensgesetzliches Verhalten und Verfahren ist und welche Menschenrechte hier als Lebensrechte zu achten sind. Dann aber schwimmt man mit allem und reiht einen Irrtum an den anderen, dient gar weiter dem Selbstmordprogramm.

Wenn z. B. Strahleneinwirkungen nur nach Quantitäten wie Wellenlängen beurteilt werden in Hinsicht auf ihre Qualität im Leben, dann wird zweifelsfrei phantasiert. Daß technokratische, quantistische Wissenschaftler und solche Politiker hier phantasieren, das ist in der Agonie des Abendlandes nicht verwunderlich. Denn dann sind die agonal geistesverwirrten Aktionen die Regel. Aber wenn Institute für Baubiologie und Ökologie, die den neuen Geist der Lebensgerechtheit vertreten wollen, hier noch hinzu phantasieren, dann wird es hoch bedenklich. Denn dann wird vieles Ungesunde als gesund behauptet und vieles Gesunde als ungesund von denen, denen man zunächst als Führern auf dem Wege zum qualifizierten, gesunden Leben vertraut. Dann entsteht o Schreck eine mehr oder weniger weit auch objektiv lebensfremde und daher praktisch vielfältig lebensfeindliche Baubiologie und Ökologie! Und diejenigen, die den Weg aus dem Chaos der Selbstvernichtung zeigen wollen und sollen, steigern in vielem noch die Verwirrung. —

Zum Beispiel warnt die Weltgesundheitsorganisation (WHO) die ganze Menschheit, ausnahmslos alle Radioaktivität zu meiden. Das zeigt typisch die fundamentale Verwirrung im gesunden Leben, in der modernen Medizin, im Umweltschutz und in der Ökologie. Denn dann müßten wir alle Sonnenstrahlen meiden, alles natürliche Licht und alle Sonnenwärme und andere Wärme. Denn die Sonne ist ein gewaltig umfangreich radioaktiver Himmelskörper. Von ihrer guten und also gesunden Radioaktivität leben alle Pflanzen, Tiere und Menschen! — Die WHO meint jedoch nur die künstliche und daher disharmonische Radioaktivität. Also können ihre Fachleute natürlich und künstlich, gut und schlecht noch nicht unterscheiden. Dann aber herrscht in den Vorstellungen von der Gesundheit und Gesundheitsvorsorge, von der Krankheit und Heilung noch eine fundamentale und riesige Verwirrung.

Wie lebenswichtig ist es also, endlich lebensqualifiziert denken zu lernen. Denn sonst bleibt alle Lebenswissenschaft (Bio-Logie) und alle Bemühung um ein gesundes Leben und die Heilung kranken Lebens eine einzige riesige Wirrnis! Sie bleibt eine Sammlung von Fabeleien, weil man sein Ohr von der Wahrheit des Lebens und seiner Wege abgewandt hat.

Ein anderes Beispiel: Es werden objektiv unbiologische, unqualifizierte, rein technokratisch konstruierte Heizsysteme als „baubiologisch“ und „ökologisch“ verkauft und auch von eilfertigen Politikern gepriesen und gefördert. Der einzige

Grund ist dann, daß man mit ihnen —vorgeblich— Energie und also Geld sparen könne. Das hat für den Hausbewohner nichts mit Lebensqualität zu tun. Der finanzielle ökonomische Grund ist kein öko-logischer Grund, kein Biogrund.

Solche lebensfremden technokratischen Sparideen können jedoch das Leben vielfältig schädigen, etwa wenn in ungesund gebauten oder eingerichteten Häusern luftdichte Fenster eingebaut werden. Das vermehrt die Selbstvergiftung auf das Vielfache. Oder wenn etwa die Heizung in Fußbodenleisten an der Außenwand verlegt wird oder in die Außenwände, zudem dünne Rohre als Wasseradern, durch die das Wasser mit Hochdruck gepumpt wird. Denn dann wirft man erstens das Geld durch die Außenwand gleichsam zum Fenster hinaus. Und zweitens baut man sich geopathisch störende Wasseradern selber ein. Drittens —und das ist die Hauptsache!— fehlt dann dem Haus das Herz, nämlich der Flamm-Ofen im Zentrum. Er erzeugt vielerlei lebensqualifizierte Feld-, Strahlungs- und Strömungswirkungen im Hause, sodaß das Hausklima fundamental verbessert wird, analog wie die Sonne das Erdklima verbessert. Die Heizleiste in der Peripherie bewirkt hier das Gegenteil. Zudem treibt das außen liegende Heizrohr das Schlechte des Hausklimas ins Innere und bewahrt es. Dieses Heizsystem wirkt also mehrfach grob unhygienisch, insgesamt unbiologisch, unökologisch.

Solche und ähnlich lebensfremde, unwirtschaftliche, sogar schon im Bau teure technoterroristische Ideen werden heute vielfältig als baubiologisch, ökologisch, als natürlich, umweltfreundlich usf. angepriesen, meist nicht oder weniger aus egoistischer Geschäftemacherei, sondern aus schlichter Unwissenheit, was überhaupt wirklich biologisch und ökologisch (hauslogisch!) ist. Ökologen ohne realistische Grundkenntnisse in der Ordnung der realen, objektiven Lebensqualitäten der verschiedenen Substanzen sind mehr oder weniger Phantasten. Sie schwirren mit ihren verworrenen Gefühlen im Gelände herum und wollen gar noch andere beraten wie was Natur und rechte Umwelt sei, was die gesunde Speise und der gesunde Trank, was gesunde Kleidung und gesunde Wohnung, gesunde Lebensweise, Heilweise und Hygiene sei. Hier steht keine Logie (Logos-Logie) des Lebens dahinter. Daher kann man durch solche Beratungen vom Regen in die Traufe gelangen.

Wie viele Fertighaushersteller sprechen heute von Baubiologie, doch in der Sache ahnungslos! Sie imprägnieren ihr Bauholz mit den modernen Dioxinen, den chlorierten Kohlenwasserstoffen, Blausäure- und Giftgaschemikalien und verkaufen dann totkranke Fertighäuser als bio! Solche Häuser schädigen die Gesundheit weit mehr als meterdicke Betonbunker. Die ganze Familie erkrankt dann auf Lebenszeit, nicht nur auf Wohnzeit! „Kinderzimmer frisch gestrichen. Baby tot" war die Überschrift eines Zeitungsartikels. Das kann einem sogar in einem ungeprüften Biofertighaus drohen!

Hier sind die Biobauern auf dem Land den Biohausbauern noch erheblich überlegen. Nach dem Untersuchungsbefund eines staatlichen Untersuchungsamtes in Basel waren die als Biogemüse angepriesenen Produkte nur zu ca. 2%

unzulässig mit Giften beladen, die anderen Gemüse aber zu 40%. Und selbst dieser Befund ist noch zu korrigieren. Denn man kann Chemikalien entgiften wie man einem Lebewesen den bösen Geist durch den Tod austreiben kann, daß es unschädlich wird; aber die materialistische Chemie seines Körpers bleibt fast dieselbe.

Bei den Hausbauern, die sich selber als bio bezeichnen, ist im Jahre 1985 die Situation viel schlechter. Der Schreiber dieser Zeilen schätzt als Begründer der Baubiologie, daß derzeit (1985) noch erheblich über 50% der von Fertighausfirmen und einzelnen Architekten angebotenen Bio-Häuser mehr oder weniger grob bauunbiologisch gebaut sind! — Das ist verständlich, weil der biologische Landbau in der Endphase der Neuzeit schon hundert Jahre alt ist, der biologische Hausbau aber noch keine zwanzig Jahre.

Die Chemiker produzieren aus solchen schwersten Giften, mit denen im Menschenkrieg die Menschen getötet werden und im Tierkrieg, Pflanzenkrieg und modernen Hauskrieg Menschen, Tiere, Pflanzen, Steine und alle vier Elemente vergiftet werden, Hustensaft! Für Kinder und Erwachsene! Und andere „Heil"mittel. Aber die Massen wollen betrogen sein und betrügen sich selber, andere hinzu. Von der Wende zum gesunden und zumindest hier objektiv menschenwürdigen Leben ist die heutige Menschheit noch ziemlich fern.

Und was wird heute alles als Ökologie im Hausbereich angeboten! Der Spiegel brachte eine gute Zusammenstellung von diesen in der Hauptsache lebensfremden Ökospielereien. Da werden Betonwände begrünt und solche lebenswidrigen Kästen gar noch mit Erde eingedeckt und Gras bepflanzt! Das verschlechtert das Klima in den Betonsilos noch erheblich mehr. Man spart Pfennige an Heizenergie und wirft Zehnmarkscheine in den Rachen des Krankheitsunwesens, fälschlich genannt Gesundheitswesen. Und man handelt sich durch solche Symptomökologie und Scheinökologie vielleicht diesen oder jenen kleinen Vorteil ein, aber insgesamt ein elendes Leben ein, wenn man hierdurch von der ganzen und echten Baubiologie und Ökologie abgehalten wird!

Seit dem Beginn der Neuzeit gab es in jedem Jahrhundert Ökowellen „Zurück zur Natur". Denn die Neuzeit ist im Grunde mechanizistisch und also lebensfeindlich gesinnt. Die wohl letzte dieser romantischen und im Grunde nur emotionalen, nur winzig teilhaften und meist verspielten Ökowellen grassiert derzeit. Von ihr ist die grundlagenwissenschaftlich begründete, systematisch ganzheitliche, prinzipienklare Baubiologie und ihre Ökologie (Hauslebenslehre!) mit ihren klaren Lebensgesetzen und Lebenstypen gründlich zu unterscheiden. All die genannten Ökowellen steuern als Bio-Vorwehen auf die Geburt der echten Baubiologie hin und ihr in allem folgend (!) zur echten Ökologie und also lebensqualifizierten Raumordnung unseres irdischen Lebens im Hause dieser Welt!

Auch Politiker bewegen sich heute subjektiv guten Glaubens ohne Sachkenntnisse — da in modernen technokratischen Schulen ausgebildet — auf Bio und Öko hin, wie zur Stadtökologie und solcher Raumordnung. Das bringt zudem Stimmen und mindert vorerst die Abwanderung zu denen, die solidere Kenntnisse in Biologie und Ökologie haben und konsequenter die Menschenrechte zum menschenwürdigen gesunden Leben achten und diese Menschenpflichten. Aber wo ein guter Wille ist, dort wird die ganze Wahrheit vom Leben und dem Weg zu ihm gesucht.

Auch die Grünen schwimmen noch weithin darin, was objektiv grün ist und nicht graugrün, blutrot und leichenblaß. Aber sie bemühen sich in der Regel mit einer vielfachen Intensität auf die objektiv lebensgerechte Farbe zu und folglich mit einer menschenwürdigen und soliden Abneigung einerseits gegen Extreme, andererseits gegen alle selbstwidersprüchlichen, daher faulen, menschenunwürdigen Kompromisse (diese zu unterscheiden von den nicht prinzipienwidrigen Kompromissen, zu denen man um des Friedens und des Zusammenlebens mit anderswertgläubigen Menschen willen täglich anständigerweise verpflichtet ist gemäß Menschenrecht und Menschenpflicht).

Das Fazit: Wer menschenwürdig gesund leben und überleben will, der prüfe heute sorgfältig. Er möge Testfragen stellen, etwa: Welche Lebensqualitäten kennen Sie? Was verstehen Sie unter Bio-Logik? Was verstehen sie unter Öko-Logik? Dann demaskieren sich ungewollt die Phantasten, Geschäftemacher und Stimmenfänger, die Selbst- und Mitbetrüger. Denn dann wird entweder gequasselt oder verdutzt und hilflos geschwiegen. Auch frage man dann nach, wo und von wem einer sein Handwerk und Geistwerk gelernt hat, sein Lebenswerk oder Todeswerk. Aber bei diesen Fragen scheiden sich auch die Geister. Und es werden die Ehrlichen offenbar, die konsequent das wirkliche Leben suchen, das gute, wahre und reine Leben.

Das gesunde Haus in der kranken Welt

Nach alter Lehre soll das Haus des Menschen ein Kosmos im Chaos sein. Das wird es in unserer Zeit in einer neuen Art.

In gesunden Zeiten verläßt man ab und zu sein Haus, um in der freien Natur frische Luft einzuatmen und neue Kraft zu schöpfen. Seit einiger Zeit ist eine umgekehrte Bewegung zu beobachten. Menschen verlassen die giftig gewordene „freie Natur", in der nicht nur Tiere, Bäume und andere Pflanzen, sondern auch Menschen sterben, um im Schutz ihres Hauses ungiftige Luft zu atmen, ungiftiges Wasser zu trinken, in ungestörten Feldern, Strahlungsräumen und Strombereichen sich zu regenerieren und sich so von der zerstörten und vergifteten Natur zu erholen. Sie bauen sich bewußt ihre Häuser, um in einer kranken Umwelt eine Insel der Gesundheit für ihr tägliches Leben und jede Nacht zu haben. Zwar verläßt man ab und zu noch das kranke Europa oder die kranken Zonen Nordamerikas und fliegt an ferne Strände, wo das Meer noch relativ sauber und lebensqualifiziert ist; aber der Mensch benötigt täglich und allnächtlich eine Erholung. Dann bleibt für immer mehr Menschen nur noch das eigene Haus bzw. die eigene Wohnung.

Der Mensch, der zuerst hausflüchtig wurde, nämlich aus den kranken Häusern, wird nun naturflüchtig, nämlich aus der kranken Natur. Dann sucht er sich mit aller Kraft ein gesundes Haus zu erringen oder eine gesunde Wohnung zu mieten. Andernfalls sieht er Krankheit, mißgebildete Kinder, Leid, Siechtum und Tod vor den Augen.

Schon tauchen die ersten Untersuchungsbefunde von Schadstoffmessungen auf, die in der Straßenluft mehr Schadstoffe als in der Hausluft feststellen. Bisher war es umgekehrt. Im modernen Haus sammelten sich weit mehr Schadstoffe an von den vielen Synthetiks und anderen denaturierten Bau- und Einrichtungsmaterialien, wie das Radongas. Es sammelte sich das Vielhundertfache und teils auch Tausendfache an, sodaß man das moderne kranke Haus oft oder ständig lüften mußte oder die erst kürzlich mit Staatssubventionen eingebauten Dichtfenster wieder gegen Lüftungsfenster auswechseln oder ständig teilweise offen halten mußte. Jetzt aber beginnt man durch den Bau gesunder Häuser, im Haus ein hoch reines Klima zu schaffen, indem man edle Hölzer, wie Arve, Lärche, Rotzeder und andere Zedernhölzer, Sandelholz, Olivenholz, Birke, Linde, Weißtanne, vielerlei Nadelhölzer usf. einbaut, die Oberfläche unbehandelt und also höchst atmungsfähig oder nur mit feinsten Extrakten leicht behandelt, nur den Vollholzboden (Vollholzparkett oder Dielen) mit Edelwachsen versiegelt. Man beginnt darauf zu achten, daß man nicht totkranke Hölzer aus den toten Wäldern und von der vergifteten Erde einbaut, sondern man sucht Holz aus den fernen, noch relativ giftarmen bis fast giftfreien Wäldern. Man verwendet hinzu das höchst heilkräftige, das Hausklima ständig reinigende Leinen, reine ungefärbte oder pflanzengefärbte Schurwolle und anderweitig edle Pflanzenfarben wie an den Wänden, in den Tapeten usf. Man läßt regelmäßig Konzentrate von Quintessenzen verdunsten oder/und edle Räucherstäbchen glimmen bis zum höchst wirksamen Weihrauch.

Und man legt in einem nicht ganz gesund oder krank gebauten Haus selbst gesammelte Heilkräuter offen auf Schränke oder an andere Plätze bis zum nächsten Jahr. Besser hängt man die Kräuter wie Angelika, Arnika, Anis, Brennessel, Fenchel, Flieder, Goldrute, Hagebutte, Huflattich, Johanniskraut, Kamille, Lavendel, Lungenkraut, Melisse, Myrte, Pfefferminze, Ringelblume, Rosmarin, Salbei, Schafgarbe, Schachtelhalm, Spitzwegerich, Tausendgüldenkraut, Thymian, Veilchen, Wacholder, Weißdorn, Wermut, Hamamelis usf. in luftigen Beuteln im Treppenhaus hoch oben auf oder auch im Schlafzimmer oder Kinderzimmer. Davon wird nach ungefähr einjähriger Lagerzeit, wenn die neuen Kräuter kommen, eine angemessene Menge in einem emaillierten Fünflitertopf zehn Minuten simmernd gekocht für einen Zusatz zu einem heilkräftigen Vollbad, wenn man sich mal erkältet hat oder anderweitig erkrankt ist oder sich selber etwas Gutes und Angenehmes tun will. Diese Kräuter reinigen mächtig das Hausklima das ganze Jahr über. Und sie können durch ihre jährliche Erneuerung auch manche Bau- und Einrichtungsfehler neutralisierend ausgleichen und also ein Haus auf die Jahre hin wesentlich gesünder machen!

Was ist eine lebensgerechte Lüftungsordnung in Anbetracht der immer giftiger und also kränker werdenden Hausumwelt?

Darauf achten, wenn in der Umwelt Smog herrscht! Allgemein auf reines Wetter achten, auch mit Hilfe der abendlichen Wettervoraussage. Und dann systematisch bei reinem, lebensqualifiziertem Wetter das Haus regenerieren durch entsprechend längeres Lüften. Woran ist dieses Wetter erkennbar? Wenn die Luft klar ist und frisch riecht, wenn Sonne oder Mond und Sterne klar zu sehen sind. Dann können die guten Lebenskräfte aus dem Kosmos mit ihrem Prana, wie die Inder sagen, bis zur Erde dringen. Dann soll man lange lüften, ob Sommer oder Winter. Und man soll dann auch selber stundenlang in die erfrischte, neu belebte Natur gehen.

Bei unsauberem Wetter, schmutziger, diesiger Luft, eben dem modernen Smog, der nicht nur Industriebezirke und Städte überziehen kann, sondern auch Täler, Seen und ganze Landschaften, bei dem Smog geringeren oder größeren Grades das Freie meiden. Dann nur sehr kurz lüften. Man schließt dann die Fenster bald wieder, damit nicht allzu viel Gifte mit herein fließen, die anschliessend vom gesunden Haus zu entgiften sind. Hier liegt also eine diametrale Umkehrung der natürlichen Verhältnisse in gesunden Landschaften vor. Das ist erstmalig in der gesamten Weltgeschichte!

Und auf den Atem der Erde achten! Am Abend atmet sie Schmutz aus. Am Morgen jedoch, ca. von drei Stunden vor Sonnenaufgang bis eine Stunde danach holt die Erde aus dem Kosmos tief „frische Luft". Das ist besonders an einem Morgentau erkennbar. In dieser Zeit sollen auch Mensch und Haus nach tiefem Ausatmen frisch, tief und besinnlich einatmen, geistig-seelisch und leiblich.

Andererseits ist auch zu berücksichtigen „Die Nacht ist keines Menschen Freund", wie das Sprichwort sagt. Die von der Sonne durchlichtete Luft ist im Allgemeinen deutlich lebensfreundlicher als die Nachtluft, sofern nicht ein klarer Mond am Himmel steht.

Dies alles hängt aber individuell von dem jeweiligen Grad der Gesundheit oder Krankheit eines Hauses ab —gleich wie sich auch der gesunde und kranke Mensch im Wetter verhält— und von der jeweiligen belebten oder unbelebten Umwelt des Hauses. In einer Gartensiedlung herrschen erheblich andere Verhältnisse als im steinernen Häusermeer. Hier muß jeder selber lebensgerecht urteilen lernen, indem er seine fünf Sinne lebensqualifiziert schult und seinen sechsten Sinn, den allgemeinen Umweltsinn, den Feld-, Strahlungs- und Strömungssinn.

Die moderne Menschheit lebt in einer Notsituation. Denn die Welt steht heute Kopf. In einer Todesspirale vollendet sie ihr Selbstmordprogramm. Doch lange kann das nicht mehr dauern, vor allem in Europa und Amerika nicht mehr, aber auch in Rußland, Indien, Australien, Afrika und Südamerika nicht mehr. Die Grenze des krebsigen, lebenswidrigen Wachstumes wird langsam in allen Lebensbereichen erreicht, sodaß dann nichts mehr geht. Was sich zuerst an der Zerrüttung der Moral und zuletzt an der Zerrüttung der Wirtschaft zeigt. Schon leben ganze Landstriche wie das amerikanische Industriegebiet nahe der Ostküste, das Ruhrgebiet und nordfranzösische Industriegebiet, das Rhonegebiet und Norditalien in einem ständigen Gift- und Staubnebel, der die Sonne nicht mehr als Sonne scheinen läßt. Es kommt dann nachweisbar kein natürliches Ultraviolettlicht mehr bis zum Boden durch. Das aber ist die heilkräftige und vitale Komponente des Sonnenlichtes. (Das künstliche Ultraviolettlicht ist ungesund wie alles Verkünstelte! Seine Strahlen stören nachgewiesen das lebenswichtige Immunsystem auf Wochen hinaus!) Der Staub- und Giftnebel legt sich auf die Lunge, verschlechtert die gesamte Atmung, verursacht bei ernsteren Graden Asthma und läßt nicht nur die Kinder, die Kranken und alten Leute ersticken. Im Grunde erkrankt die gesamte Bevölkerung. Denn der Atem ist Odem, ist Leben.

Aus solchen Gebieten sollte man auswandern. Denn bis zum Höhepunkt der Weltkrise können die demokratischen Regierungen daran nicht viel ändern, da die selbstmörderischen proletarischen Massen in ihrer Lebensstumpfheit und Verantwortungslosigkeit das nicht ernsthaft ändern wollen. Und so sammelt sich in solchen Gebieten auch anderes Unheil an, zuerst geistig-seelisches Unheil. Was bei einer kriegerischen oder anderen Hochkrise zu gleichartigen Folgen führt.

Das gesund gebaute Haus, das immer eigens unter den Schutz Gottes und speziell der Schutzmantelmadonna gestellt werden sollte, wird in der steigenden Krise höchst lebenswichtig und in mehrfachem Sinne eine Insel des wahren Friedens. — Und nach der Weltkrise wird es Vorbild für die anderen sein und auch sonst höchst wertvoll. Wenn die Weltbevölkerung auf einen Bruchteil vermindert und die Erde gereinigt ist, werden Millionen kranker Häuser leer stehen, samt dem Land verschenkt werden (!) und auch abgerissen werden. Denn wer wollte bei dem dann hell erwachten Gesundheitsbewußtsein und dem dann geschärften und geachteten Verantwortungsbewußtsein noch in ihnen wohnen? —

Wie die Menschheit ihr kirchliches, schulisches und staatliches Haus von Grund an neu erbauen wird und erbauen muß, bei dem Grundrecht alles Lebens angefangen, so wesensgleich auch das Haus aus Holz und Stein, — aus Heilerde auf einer dann heilen Erde!

Raumordnung und Städteplanung

In den dichter besiedelten Landesgemeinschaften der Erde sind im 20. Jahrhundert intensive Bestrebungen erwachsen, den Landesbereich nach seinen natürlichen, kulturellen, wirtschaftlichen, gesellschaftlichen und rechtlichen Möglichkeiten (Potenzen) systematisch zu erfassen und zum wahren Nutzen (an Lebensqualitäten!), zum wahren Wohl und somit zur wahren Ehre der Landesgemeinschaften in der Gemeinschaft aller Lebendigen lebensgerecht zu entwickeln.

In diesem Satz sind alle Ordnungsprinzipien und zwar von unten nach oben ranggeordnet zusammenzufassen versucht, was bisher erst in Teilen und noch ohne ganzheitliche personorientierte Ordnung zu erfassen gesucht wurde und wird. Wo wären bisher die Prinzipien zur Lebens-Raum-Ordnung überhaupt objektiv, dazu lückenlos alle und ganzheitlich ranggeordnet erfaßt? —

Schon seit jeher haben sich gute Regenten in den Landesgemeinschaften um eine gute Ordnung des menschlichen Lebensraumes bemüht. Sie hatten wechselnde Ziele wie zuerst die Ernährungsbasis und also die Unabhängigkeit zu wahren. Im Laufe der Neuzeit kamen die technokratischen Ziele der Industrie und des Profites um jeden Preis, der rücksichtslosen nationalistischen Machtsucht, Ehrsucht etc. hinzu und wurden immer mächtiger. Als die Schäden durch solche lebenswidrigen Verhaltensformen wie durch die Zerstörung der Umwelt und also der irdischen Lebensgrundlage allzu groß und offensichtlich wurden, tauchten die ökologischen Überlegungen auf, aber oft ohne tieferes Verständnis und ohne Rangordnung, auch ohne Rechtsordnung. So ist in all den heutigen Raumordnungsbestrebungen zu einer großen Flurbereinigung, zu einer fundamentalen Wende und Fundamentierung in jeder Hinsicht zu streben.

Auch hier ist oben zuerst nach der Rechts-„Grundlage jeder menschlichen (Landes)Gemeinschaft“ (Art. 1 GG) zu fragen. Und es ist unten nach der natürlichen Grundordnung der Bebauung der Erde zu fragen.

Vor allem ist zu bedenken, daß heute die ganze Menschheit durch ein Stirb und eine gewaltige Wende zu einem neuen Werde geht in ihrem geistigen, seelischen und leiblichen Leben. Sie geht vom Untergang des Morgen- und Abendlandes zur Neugeburt der Menschheit und so zur ersten Weltkultur. In ihr wird das Abend- und Morgenland neu geboren werden, doch nun vereint zur einen Menschheitsfamilie. Wir werden heute von den gewaltigen Wehen dieser Neugeburt erschüttert. Teils aber stehen wir schon am Beginn dieser Geburt.

Von dieser Neuordnung her ist auch alle Raumordnung neu zu sehen. Oder sie wird sich in Kürze als Fehlordnung erweisen.

Versuchen wir folgend eine allgemeine erste Flurbereinigung in den Grundüberlegungen zur ökologischen —also hausgerechten!— Raumordnung des Globus, der Erdteile, der Länder und Städte.

Die Erde wird nach altem Sprachgebrauch mit „Haus und Hof“ bebaut. Der Hof ergibt sich aus dem Haus und umgibt das Haus. Aus dem Haus wirkt der Mensch im Hof. Dort wird die Erde landwirtschaftlich und handwerklich wie zuletzt industriell bebaut. Ohne Haus existiert kein Hof. Vom Haus aus, in dem der Mensch primär lebt, wird das Leben im Hof prinzipiell bestimmt.

Dies kommt auch in dem gebräuchlichen Wort „Stadtökologie“ klar zum Ausdruck. Denn dieses Wort besagt „Logik des Stadt-Haus-Lebens“ oder „Hauslebenslehre der Stadt“. Eine Stadt besteht aus Häusern und ihren Höfen, die zu Gemeinschaftshöfen wie dem Marktplatz teilweise vereinigt werden. Die Stadt besteht aus nichts anderem. Ohne Häuser existiert also nicht das Geringste von der Stadt.

Die Stadt ist daher klar als ein größeres Haus zu erkennen. Ihr Wesen ist in allem nach dem Wesen und der Ordnung des Hauses erfaßbar. Oder man gibt sich mit grundlosen, vereinzelten Intuitionen und mit Illusionen ab.

Man darf zwar vor lauter Bäumen den Wald nicht übersehen, aber noch weniger vor lauter Wald den Baum. Der Wald besteht aus Bäumen und nichts anderem. Und man versteht nach alter Försterlehre so viel vom Wald, wie man vom Baum versteht.

Auch im Christentum werden die Worte Stadt und Haus wesentlich und also identisch gebraucht, etwa wenn von der Stadt Gottes, Jerusalem, und zugleich vom Haus Gottes die Rede ist.

Im zehnten Gebot wird ebenfalls Haus und Hof als Lebenseinheit behandelt: „Du sollst nicht begehren das Haus deines Nächsten ... noch seinen Ochsen, noch seinen Esel, noch alles, was sein ist" (2. Mos. 20,17). All sein Land, all seine Produktionsmittel, all sein Handwerk ist hier in die Haus- und Hofordnung als allgemeine, lebensgerechte, insbesondere menschengerechte Raumordnung eingeschlossen.

Die Lebens-Prinzipien (!) der Raumordnung ergeben sich also aus der Lebensordnung des Hauses. Wie man z. B. in dem Hausraum den Wohnraum mit Schlafbereich vom Arbeitsraum mit Küche und Werkstätte untergliedert, so auch in der Stadt, so auch im Land usf.! Und man wird keine Industrie in der Hauptwindrichtung zur Stadt hin vor der Stadt ansiedeln. Auch jede Stadt hat einen Kopf, ein Herz, eine Lunge, Nieren, Darm, einen Bauch und ihre Arme und Beine.

Wer beispielsweise im Haus gelernt hat, auf giftfreie Materialien und eine ganzheitliche lebensgerechte Anordnung der Räume zu achten, der wird auch im Haus der Stadt keine Industrie ansiedeln wollen, die Gifte produziert und also Arbeiter, Konsumenten und die weitere Umwelt gesundheitlich ruiniert. Wer dagegen von den Giften im Haus nichts versteht oder nicht genügend versteht, der wird auch Stadt und Land unbewußt auf vielerlei Art vergiften bzw. vergiften lassen. —

Über das Wort Raum ist viel und gründlich nachgedacht wie philosophiert worden. Es wurde geklärt, daß der Raum an sich —allein— nicht existiert, sondern erstens —nicht nur nach Kant— eine Kategorie (Form) der subjektiven Anschauung ist. Er ist nach indischer Philosophie und Thomas von A. ein Produkt des Falles. —

Zweitens ist heute objektiv näher erkannt, daß das Wesen des Raumes das Feld ist. Die Physiker erklären, daß jedes reale Ding ein Feld hat, sodaß aller Raum objektiv ein Feldraum einer Substanz ist, einer realen Einheit, übrigens auch in der Zeit (nicht nur nach Einstein) ein Zeitfeldraum. Auch das Zeitraumfeld ist zu ordnen! Dies ist das ganze Lebensfeld einer realen Einheit, hier einer Landesgemeinschaft bzw. Polis.

Das Prinzip des Raumfeldes ist also der reale Gegenstand im Zentrum. Das ist im menschlichen Bereich der Mensch in der Mitte, insbesondere die menschliche Gemeinschaft. Und das ist zweitens die Natur seiner Umwelt.

Der Mensch lebt zentral im Haus, in seiner nächsten Umwelt. Zu weit über 90%, oft zu erheblich über 95% seiner Zeit lebt der Mensch in vier Wänden.

Also ist das allgemeine Prinzip des und somit jedes menschlichen Lebensraumes das Haus mit seinem Hof. In rechtlicher Sicht ist der vom Menschen belebte Lebensraum sein Eigentum, sein Selbst-, Mit- und Gemeinschaftseigentum.

Es ist derselbe Mensch, der in seinem engeren und weiteren Raum lebt im Sinne des Wohnens, also in Haus und Hof. Daher bestimmen auch aus diesem Grunde dieselben Lebensprinzipien —hier Wohnprinzipien— die Einheit des Lebens in Haus und Hof! Dies führt zum Haus der Stadt (Stadtoikos) mit ihrem Hof, also zur lebensgerechten Stadtökologie. Die Chinesen haben dies in ihrer neuen Raumordnung demonstriert, in der jede Stadt ihren Landkreis als ihren organisch in allem lebensgerechten Hof hat. Weiter führt dies zum Haus der Nation mit ihrer zentralen Hauptstadt.

Die naturwissenschaftliche Grundlage der Stadtökologie und allgemein der lebens- und speziell menschengerechten (öko-logischen!) Landesplanung ist daher „das gesunde Haus" (= oikos), das lebensgerechte Haus, der lebensgerechte Wohn-Raum. Hierunter ist der Arbeitsraum im weitesten Sinne und also alle Arbeit eingeschlossen. Unter „Haus" ist hier, es sei daran erinnert, jede feste Hülle um ein Lebewesen zu verstehen, also vom Atom über den Kristall, den menschlichen Leib, das mobile und immobile Haus aus Holz, Stein und Metall bis zur Stadt, der Landschaft, dem Haus der Nation, dem Erdteil und zuletzt dem Globus und Kosmos, d.h. vom Mikrokosmos bis zum Makrokosmos.

Diese prinzipielle Identität und folgend Ana-Logie ist sorgfältig und genau zu erkennen. Denn andernfalls irrt man in der Stadtökologie bzw. Stadtqualität —doch eine reale Lebensqualität!— und der menschengerechten Qualität der anderen Raumplanung ohne solide, nämlich einheitlich systematische Lebensgrundlage menschlich und sachlich herum und begeht Fehler über Fehler. Aus der Erkenntnis der urtypischen (archetypischen) Substanz dagegen und ihrer Analogien ergeben sich —wie überall im Leben— ständig neue lebensgerechte Einsichten in die qualifizierte Ordnung jedes Lebensraumes.

Auch Werkgemeinschaften nennen sich Haus wie das Haus Bosch. Und auch organische Teile einer Gemeinschaft wie einer Regierungsgemeinschaft, etwa die Ministerien, nennen sich selber person- und sachgerecht ein Haus. Der Minister spricht bei seinem Ministerium von „seinem Haus". Das ist keine substanzlose, keine geistlose, leere Rede. Was folgt aus ihr?

Eine Bio-Logie und Öko-Logie (Hauslehre!) der Regierung könnte man daraus ableiten, eine Hausqualität (Ökoqualität) der Regierungsarbeit! Also eine Regierungsökologie, gegliedert in ministerielle Ökologien bzw. Hauslebenslehren. Das sind lebensgerechte Haushaltslehren im umfassenden Sinne des Haushaltes des ganzen menschlichen Lebens. Sie gründen in der Lehre vom gesunden Haus.

Die obere Grundlage der Raumordnung in dieser Welt und also der Hausordnung des menschlichen Lebens ist das Menschenrecht zur Bebauung der Erde. Hier ist die Souveränität der Landesgemeinde zu achten, wie schon bisher in der Regel in denjenigen Staaten, die Freiheits- und Rechtsstaaten sein wollen.

Denn der Mensch hat das Menschenrecht zur Ordnung seines Lebensraumes und niemand anders! Kein Nichtmensch wie eine fiktive Person kann ein solches Recht haben und hat daher ein solches Recht!

Also ist der hierarchisch-organische Aufbau des Landesrechtes auf der „Grundlage" „der Menschenrechte" (Art. 1 GG) zur Siedlungsökologie wie Stadtökologie, Landesökologie und weiteren ökologischen, d.h. hauslebensgerechten und allgemein bio-logischen bzw. lebensgerechten Raumordnung zu achten. Dieses Menschenrecht und diese Menschenpflicht, die Erde allseits frei gut zu bebauen, hat in der Landesgemeinschaft zuoberst die regierende Person in ihrem Bereich, dem öffentlichen bzw. gemeinschaftlichen Bereich ihrer Gemeinschaft zu achten.

Daraus ergibt sich das gesamte Raumordnungsrecht wie Landes- und Stadtökologierecht. Eine Raumordnung ohne diese prinzipiengegründete rechtliche und naturale Grundlage ist eine grundlose, eine prinzipienlose Angelegenheit. Dann besteht auch eine Verwirrung in den Wegen, Methoden und Zielen. Eine solche Raumordnung ist in Gefahr, machtrechtlich durch verschiedene Interessenten manipuliert zu werden — zum Schaden der Volksgemeinschaft bzw. der Nation, zum Schaden am menschenwürdigen, in jeder Hinsicht gesunden Leben der realen Bürger.

Auch für die Raumordnungsbestrebungen gilt der Vorrang des Befreiungsrechtes bzw. Subsiduumrechtes. Daraus folgt konkret sehr viel! Nämlich der Vorrang aller von Übeln wie ökologischen Übeln befreienden Maßnahmen vor allen sonstigen Entwicklungsmaßnahmen! (Vgl. folgend das fünfte Menschenrecht).

Das Fazit: In dem Ausmaß —in keinem anderen!—, in dem jemand solide Kenntnisse vom gesunden Haus hat, kann er auch solide, nämlich wissenschaftlich, systematisch gegründete und ganzheitliche Kenntnisse von der lebensgerechten Raumordnung haben wie von der Stadtökologie und Landesökologie bzw. -Biologie. Und in dem Ausmaß, in dem er solche Kenntnisse vom Hauslebensrecht des Menschen hat, allgemein von dem Recht, die Erde frei und gut zu bebauen (bearbeiten), und von dieser gleichen Menschenpflicht, in diesem Ausmaß und in keinem anderen hat er eine solide, immer und überall gültige, eisenfeste Rechtsgrundlage in seinem Arbeitsbereich wie der Grundordnung des menschlichen Lebensraumes in dieser Welt.

VII

DAS UMWELTRECHT

Vorwort

Die Menschheit befindet sich in einer gewaltigen Wandlung an Geist, Seele und Leib. Das ist zuerst eine Wandlung des Bewußtseins. Von welcher Art? Der Mensch wendet sich von einem quantistischen, materialistischen Denken und Wollen wieder dem qualitativen und zwar dem objektiv lebensqualifizierten Verhalten zu. Mit anderen Worten: Die Menschen guten Willens wenden sich von der neuzeitlichen Grundhaltung ab, die nach außen-unten-links gerichtet ist. Sie wenden sich wieder der Grundhaltung zu, die alle Religionen und Kulturen der Menschheit kennzeichnet. Sie ist nach innen-oben-rechts gerichtet.

Zwar hat diese gewaltige Wandlung und also Wende erst begonnen. Aber ihr Charakter ist für viele hundert Millionen Menschen in der Welt schon deutlich geworden.

Diese Umkehr, Wende und Wandlung vollzieht sich hauptsächlich in zwei Bereichen, nämlich zunächst im Denken über die Natur (in und um uns) und im Denken über die Person des Menschen.

Die Wandlung im Denken und dann folgend auch im Wollen und Fühlen der Natur ist im vorangehenden Teil des vorliegenden Buches am Beispiel des Hauses vorgetragen worden. Sie ist zuerst prinzipienklar vorzutragen versucht worden, von der Grundlagenwissenschaft in der Naturwissenschaft angefangen. Der Mensch wendet sich heute in der ganzen Menschheit langsam von einem materialistischen, quantistischen, mechanizistischen Naturdenken —dem technokratischen bzw. technoterroristischen Denken!— wieder dem real lebensqualifizierten Naturdenken und folgend Wollen, Fühlen und Handeln zu, das alle Kulturen und Religionen der Menschheit als ihre Grundlage kennzeichnet.

Im folgenden Teil des vorliegenden Buches soll die Wandlung und also Umkehr und Wende von dem quantistischen, mechanistischen Massen-Denken vom Menschen und seinem Leben zum qualifizierten, zuerst ethischen bzw. rechtlichen Denken über die Person des Menschen vorgetragen werden, dies ebenfalls von der Grundlagenwissenschaft an. Denn ohne Grundlage in den Prinzipienerkenntnissen ist das Denken grundlos, subjektivistisch, unwissenschaftlich. Es schwebt dann „frei“ herum. Man versteht sich dann selber im Grunde nicht mehr und hat auch keine feste und sichere Basis, um sich mit einem anderen Menschen zu verständigen. Es existieren dann in Recht, Gesellschaft und Wirtschaft nur Mißverständnisse, Kompromisse, Spannungen und Streit, die unvermeidbar, wie C. F. von Weizsäcker immer wieder deutlich erklärt, bis zum Weltstreit bzw. bis zum dritten Weltkrieg führen. Den Frieden kann man nur erlangen, wenn man zuerst im Denken über die Person des Menschen eine feste Grundlage findet. Und diese erste, felsenfeste „Grundlage jeder menschlichen Gemeinschaft, des Friedens und der Gerechtigkeit in der Welt“ ist das „Menschenrecht“. Es ist seit jeher und überall „unmittelbar geltendes Recht“ (Art. 1 GG). Das wurde mit gnädiger Führung Gottes als erster Satz im bundesdeutschen Grundgesetz von 1949 formuliert.

Doch wird dieser Satz verstanden? Von wem? Der moderne Jurist ist durch und durch im Machtrecht —genannt positivistisches Recht— ausgebildet in seinem Rechtsdenken. Was der politische Machthaber als Recht erklärt, das und nur das sei gültiges Recht! Das aber ist das antimenschenrechtliche Recht, also das antipersonale Recht. Es ist das quantistische, naturalistische Rechtsdenken, in dem die Masse an Macht Rechtsprinzip ist. Das ist das Recht, das der personalen Menschenwürde total widerspricht und daher im Grunde ein rein totalitäres Recht ist. Positivistisches Recht ist totalitäres Recht!

Diesen Widerspruch zum Menschenrecht, auf den die größten Juristen wie Radbruch, Coing, Peters, Emge, Benda und andere seit Jahrzehnten hinweisen, kann der moderne Jurist aber gar nicht begreifen. Denn sein Rechtsdenken ist noch fast völlig ratlos „gefangen und befangen“ in seinem positivistischen und also staatsmachtrechtlichen —somit prinzipiell staatsterroristischen!— Machtrechtsdenken (Radbruch, Rechtsphilosophie. Stuttgart 1950. S. 174. Vgl. S. 168f.).

Wie die politische Erfahrung weltweit täglich tausendfach bestätigt, steht der moderne Staatsjurist daher völlig „hilflos“ den großen Friedensproblemen wie Arbeits- und Umweltproblemen gegenüber, eben „gefangen“ in seinen Tausenden von „Normenkollisionen“ (Radbruch). Das sind Selbstwidersprüche! (Nach alter wissenschaftlicher Lehre beweisen sie Unwissenschaftlichkeit, sogar bei Nichtüberwindung Unmündigkeit!).

Der moderne Staatsjurist ist darin genau so gefangen und befangen, wie der moderne Naturwissenschaftler —prinzipiell ebenso machtrechtlich mechanistisch und also terroristisch denkend!— über die Natur denkt, nur macherisch, ohne Ehrfurcht vor dem Leben, fern den realen Lebensqualitäten der Natur. Von diesen hat er überhaupt keinen Begriff. Er hat gar keine Substanz im Denken, weshalb er auch typischerweise in der Philosophie sogar den Begriff der Substanz ablehnt. Er denkt eben substanzlos, nur in subjektiv „konstruierten Fiktionen“, wie Bertrand Russell eingehend erklärt hat.

Ebenso substanzlos denkt der moderne Jurist im Recht. Was die Massen der Mehrheiten durch ihren staatlichen Führer aufgrund (!) ihrer Macht als Recht bezeichnen, das ist doch Recht für den positivistischen Juristen. Aber genau das hat Hitler erklärt und damit die Welt in den zweiten Weltkrieg gestürzt! Wir sind heute drauf und dran, mit diesem Rechtsdenken uns in den dritten Weltkrieg zu stürzen! In den globalen Holocaust von Mensch u n d Natur!

Doch schon mehrere hundert Millionen Menschen wenden sich heute gegen dieses prinzipiell totalitäre, machtüberhebliche, menschenfremde und friedens-

fremde Rechtsdenken und zwar im Namen der Menschenrechte. Dieses Denken in Menschenrechten —den Lebensqualitäten der Person!— ist aber noch ebenso fast total vernebelt wie das Denken in Lebensqualitäten der Natur! Hier ist daher ein „klares und bestimmtes" Denken der Menschenrechte erforderlich, wie es Papst Johannes XXIII., der Einberufer des II. Vatikanischen Konzils in seinem Weltrundschreiben „Friede auf Erden" dringlichst gefordert hat. Das „klare und bestimmte" d. h. wissenschaftlich exakte und realistische Denken ist hier gleich so erforderlich wie das Denken über die Lebensqualitäten der Natur! Denn andernfalls ist kein Friede möglich, kein Friede mit dem Menschen und kein Friede mit der Natur.

Zur Wende von der Weltkriegsgefahr zum Weltfrieden —mit der Person des Menschen und auch mit der Natur!— gelangt man daher nur, wenn man wissenschaftlich exakt, gleichsam kristallklar und sauber bestimmt die grundlegenden Lebensqualitäten der menschlichen Person denken lernt, die „Grundlage" aller „Menschenwürde", „die Menschenrechte" (Art. 1 GG).

Dies soll folgend dargelegt werden. Die Menschenrechte sollen mit aller erforderlichen Präzision erkannt und dann formuliert werden. Was bisher noch nirgends geschehen ist! Wie die wissenschaftliche Literatur über das Problem der Formulierung der Menschenrechte beweist. Kein Staatsjurist in der Welt kann bisher auch nur ein einziges Menschenrecht „klar und bestimmt", also wissenschaftlich exakt und überzeugend formulieren! (Ist das nicht eine bestürzende, ja tief erschreckende Tatsachenfeststellung angesichts der unaufhörlichen Beteuerungen, sich zu den Menschenrechten zu bekennen?). Weshalb auch sonst die Aufforderung des Papstes, das Menschenrecht endlich exakt zu erkennen, exakt zu formulieren und in diesen Formulierungen anzuerkennen!

In den Staatsverfassungen sind nur emotionale und wie Etiketten geformte Hinweise zu den Menschenrechten verzeichnet! Wie Wegweiser zu etwas, das verborgen hinter sieben Bergen liegt! (In den Kirchenverfassungen fehlen die alles Recht und die gesamte eigene irdische und vielleicht auch höhere Existenz begründenden Erkenntnisse zu dem Grundrecht bzw. Urrecht auf alles menschenwürdige und darin auch gotteswürdige Leben sogar fast gänzlich!). Nirgends sind exakte Formulierungen zu finden! Weshalb auch der Weltstreit über die Menschenrechte zwischen allen vier Himmelsrichtungen, allen Parteien und ausnahmlos allen Menschen! Es sind noch keine zwei Menschen bekannt geworden, die auch nur in einem einzigen Menschenrecht vollständig übereinstimmen würden! Und wo wären zwei wissenschaftlich gebildete Menschen, die wenigstens in einer einzigen realen Lebensqualität der Natur übereinstimmen würden?

Dasselbe Chaos unten und oben, in der Natur und in der Person! Weshalb auch sonst der universale Weltstreit heute über alles und mit jedem!

Gehen wir daher folgend solide und exakt den Weg zur Rechts- „Grundlage jeder menschlichen Gemeinschaft, des Friedens und der Gerechtigkeit in der Welt", zu den „Menschenrechten". Sie werden sich durch und durch als L e b e n s rechte des Menschen (und der Natur) erweisen. Das steht zwar verbal auch am Anfang fast aller heutigen Staats-Verfassungen. Aber wer hätte es bis heute real objektiv begriffen? Denn dann hätte er die Menschenrechte auch klar und bestimmt formulieren können! Was man begriffen hat, das kann man auch formulieren! Wie man in den Schulen seit jeher lernt. Heute also überall Nebel und Verwirrung! Was überall zu einer Polit-, Ökonomie- und Öko-Krise nach der anderen führt und dann zur weltweiten Konferenzitis, zu verzweifelten und endlosen, zermürbenden, schwächenden und ineffektiven Diskussionen (von discutere = zerschneiden!). Derweil steigt der Giftpegel weltweit an, — der Giftpegel im Rechtsdenken, Gesellschaftsdenken und Wirtschaftsdenken und gleich so der Giftpegel im lebensfremden, qualitätsfremden Denken über die Natur. Und die Menschheit gerät in immer größere und vielseitigere Lebensgefahr.

Erst wenn man den Weg zu den Lebensqualitäten der menschlichen Person geht, zu den grundlegenden Qualitäten der Menschenwürde, eben den Menschenrechten, dann erlangt man festen Boden zum Frieden zwischen den Menschen untereinander und folgend (!) auch zwischen Mensch und Natur. Denn wie könnte einer mit der Natur in Frieden leben, wenn es dem totalitär rechtlich denkenden Nachbarn und Machthaber nicht gefällt! Wenn dieser etwa überall machtrechtlich seine geistigen und materiellen Gifte ausspritzt! — Deshalb streben die heutigen weltweiten Wende-, Reform- und Erneuerungsbewegungen wie Greenpeace usf. zuerst zur Erkenntnis und An-Erkenntnis der Menschenrechte. Denn erst auf dieser Grundlage ist der Weltfriede wirklich möglich. Und nicht nur möglich! Denn mit der realen, exakten Erkenntnis und An-Erkenntnis der Grundformen des menschenwürdigen L e b e n s wird der Weltfriede auch wirklich! (Vor der exakten Erkenntnis ist jede sogenannte Anerkenntnis der Menschenrechte logischerweise ein grundloses, substanzloses, also leeres Wort! Allenfalls eine schön erscheinende und subjektiv gut gemeinte Emotion!).

Der Friede mit den Personen Gottes und des Menschen und mit aller Natur wird dann wirklich für alle Menschen, die freien und guten Willens sind!

Dann kann die Weltgefahr gewendet werden. Und das Angesicht der Erde kann erneuert werden.

Einleitung

Die Bau-Biologie des Rechtes

Die ganze Menschheit steht offensichtlich in einer Wende von einem weithin menschenunwürdigen unfreien Leben zu einem menschenwürdigen Leben. Sie steht in einer Wende von Streit und Krieg zu Einheit und Frieden.

Die zwei Wellenbogen von Stirb und Werde beherrschen diese wohl gewaltigste Wende der Menschheit seit der ersten Sündflut. Der Bogen des Stirb führt abwärts in den Tod. Der Bogen des Werde führt wieder aufwärts zum Leben. Im ersten Bogen sehen wir eine Rechtsauffassung, genauer ein Rechtsbrechen, das zur Zerstörung der Menschenwürde, zur Zerstörung der Eigenwelt und Umwelt führt. Im zweiten Bogen erkennen wir eine Rechtsauffassung, die zur Achtung des Lebensrechtes in der Eigenwelt und Umwelt führt, zur Wiederherstellung der Menschenwürde. Behandeln wir zuerst kurz den Sterbebogen, dann ausführlich den Bogen der Neugeburt des menschenwürdigen Lebens. Denn diese Neugeburt können wir nicht gründlich verstehen, wenn wir nicht zuvor das Sterben des menschenwürdigen Lebens in Geist, Seele und Leib gründlich verstanden haben.

Die Welt und Menschheit ist totkrank, sagen höchste Autoritäten wie der Papst. Nobelpreisträger und andere hervorragende Wissenschaftler, Staatslenker, namhafte Publizisten wie Solschenizyn und viele andere, sie alle stellen die Diagnose „totkrank". Sie sehen hierbei zuerst auf den seelisch-geistigen Bereich. Von „schwerer Verwirrung", „geistiger Störung", „psychisch fundamental gestört" bis zu „Wahnsinn" ist einerseits in den großen Zeitungen der Welt fast täglich zu lesen. Und andererseits wird diese Diagnose der Entwurzelung und Verproletarisierung der Menschheit in vielen guten Büchern umfangreich im Besonderen und Einzelnen sorgfältig und überzeugend nachgewiesen. Insgesamt ergibt sich am Ende der Neuzeit im Untergang der alten abendländischen und gleich morgenländischen Kultur ein geistig-seelisch-leibliches „Selbstmordprogramm" (Taylor, Weltbestseller) in allen Lebensbereichen der Menschheit. Offensichtlich geht die Menschheit durch ein Stirb zu einem neuen Werde. Sie wird derzeit der größten Wandlung und Reinigung ihrer Geschichte unterworfen, da sie sich auf dem Wege zur ersten, den ganzen Erdball umspannenden Menschheitskultur befindet.

Diese weltweit gleiche Situation in allen Lebensbereichen stellt die Ärzte, die seit jeher für alle Krankheiten zuständig sind, vor eine höchst umfangreiche und schwere Aufgabe, nämlich die sterbende Menschheit durch ihre fundamentale Wandlung zu ihrer Neugeburt zu geleiten, zu ihrer Neugeburt in Recht, Gesellschaft und Wirtschaft, in Kultur und Natur.

Höchst akut und zu sofortigem Handeln zwingend wird die fundamentale und schon agonale psychosomatische Erkrankung der Menschheit im Bereich der Umwelt, darin zuerst des Umweltbewußtseins, allgemeiner des Lebensbewußtseins. Denn immer deutlicher wird erkannt: „Seveso ist überall!" (Buchtitel). Überall in der Welt! Überall im leiblichen, seelischen und geistig-geistlichen Leben. Die Mißbildungen der Neugeborenen und Erwachsenen, die Mißbildungen an Seele und Leib schrecken die Menschheit immer mehr auf. „Müllplanet Erde" heißt ein noch harmloser Buchtitel. Aber er meint schon „Giftplanet Erde". Die Menschheit ist seelisch und folgend leiblich derart giftig geworden —was auch der Agonie eines Organismus entspricht!—, daß nicht nur diese Massen der Menschen ihre gesamte Eigenwelt vergiften, sondern daß die Massen auch die gesamte Umwelt vergiften. Und dies wirkt sich auf ausnahmslos alle Menschen aus, auch auf diejenigen, die noch mehr oder weniger gesund leben und also nicht Selbstmord begehen wollen.

Für immer mehr Staatsregierungen, Schulregierungen und Kirchenregierungen wird daher das Umweltproblem oder allgemein das Lebensproblem das Regierungsproblem Nr. 1. Und da seit Jahrtausenden justitia als fundamentum regnorum anerkannt wird, so streben die Staatsregierungen und anderen Gemeinschaftsregierungen immer mehr zur Erkenntnis des Umweltrechtes, allgemein des Lebensrechtes des Menschen in dieser Welt.

Diesen seit Jahrtausenden geheiligten Grundsatz, daß die Gerechtigkeit das Fundament jeder Regierung und also jeder Gemeinschaft ist, übersetzt das Deutsche Grundgesetz mit den Worten, daß „das Menschenrecht die Grundlage jeder menschlichen Gemeinschaft ... und der Gerechtigkeit in der Welt" ist (Art. 1 GG). Wenn jedoch der verantwortungsbewußte Staatsmann, Schulmann und Kirchenmann von diesem zweifachen Grundsatz aus zur Gründung des Lebensrechtes des Menschen in Eigenwelt und Umwelt im Menschenrecht und seiner Gerechtigkeit strebt, so stößt er wieder auf die psychisch totkranke Menschheit. „Der ganz normale Wahnsinn" ist der bekannte Titel einer internationalen Fernsehserie. Im Bereich des Rechtes hat diese geistige Verwirrung zu der „Rechtswissenschaft ohne Recht" (berühmter Buchtitel, von Nelson) und also dem „Recht ohne Recht" geführt. Denn auf dem Weg durch das Stirb hat die Menschheit das Gottesrecht verloren; aber sie hat in der Wende noch nicht ein neues irdisches Fundament in dem Menschenrecht gefunden. So treibt sie derzeit in einem Staatsrecht, das keinen Grund mehr im Gottesrecht hat, aber noch keinen Grund in der klar und bestimmt erkannten Gerechtigkeit des Menschenrechtes hat, sondern in immer haltloseren subjektivistischen und relativistischen Rechtsgefühlen umher getrieben wird, also in einem Chaos von Emotionen, zuerst der Massenemotionen.

Auch das Recht, genauer das Rechtsbewußtsein ist also am Ende der Neuzeit weltweit tödlich erkrankt. Wie wäre sonst ein Hitler möglich gewesen! Und wie wäre seine weite und große internationale Unterstützung möglich gewesen! Das Staatsrecht ist in der Agonie der Neuzeit weitesthin zum Machtrecht, also zum Faustrecht entartet. Was der Mächtige wie eine Mehrheit — „das Volk"— bestimmt, das wird noch immer überall als Recht gepriesen, wie unter Hitler. Und wenn die Bestrebungen noch so offen auf die Unterdrückung und Ausbeutung „der anderen" ausgehen, auf ihre Vergewaltigung und hierbei auf die militärische Ermordung aller, die sich nicht versklaven und terrorisieren lassen wollen, die in ihre Menschenrechte nicht gegen ihren freien Willen „eingreifen" lassen wollen, sondern die auf der „Grundlage" ihrer „Menschenrechte" wie in ihrem Landesrecht allseits frei nach ihrem eigenen Sozialglauben leben wollen, so wird dennoch deren Unterdrückung und militärische Terrorisierung seit Machiavelli über Hitler und Stalin bis zum heutigen Tage weithin in der Welt offen als Recht erklärt! (Man studiere beispielsweise Art. 37 GG BRD. Gleich so die Rechtsgrundlage bolschewistischer Verfassungen!).

Dazu sagen die Machthaber sogar schon ganz offen, daß sie zum Bruch des Landesrechtes berechtigt wären! Das aber heißt doch logischerweise, daß sie zum Brechen der Gerechtigkeit berechtigt wären, somit zum Brechen der Men-

schenrechte, die doch auch im Landesrecht die feierlich offiziell erklärte „Grundlage ... der Gerechtigkeit" (Art. 1 GG) und somit aller Rechte sind! (Man vergleiche hier Art. 31 GG und die Landesverfassungen). Die Machthaber und ihre Hofjuristen sagen sogar offen, daß sie das „Recht" hätten, in all ihre so schön erklärten Menschenrechte gegen den Willen der Berechtigten „eingreifen" zu dürfen (Art. 2 GG, gleich wie bei Hitler und Stalin und in all den kommunistischen Grundgesetzen).

Der objektive, „zum Himmel brüllende" (Mangoldt-Klein. Das Bonner Grundgesetz. Einleitung) Un-Sinn dessen, was man da verbal sagt, sogar in Form eines Grundgesetzes, wird gar nicht mehr begriffen, weder im Westen noch im Osten. Denn zugleich bekennt man sich pathetisch und sicherlich subjektiv gutgläubig zur Achtung der Menschenrechte und der Gerechtigkeit! —

Wenn Verfassungsrechtler auf diese katastrophalen Selbstwidersprüche und offenen Widersprüche zur Gerechtigkeit angesprochen werden, dann hört man treuherzige Sätze wie: „Wenn w i r das Recht brechen, dann brechen wir doch nicht das Recht!" oder „Wenn wir schreiben, daß w i r das Recht brechen, dann meinen wir doch nicht, daß w i r das Recht brechen". — Was denkt da der Mensch mit gesundem Menschenverstand? Er benötigt zuerst eine Atempause. Und dann fragt er allenfalls sarkastisch zurück: „Wenn S i e sagen, daß Sie das Recht achten, was meinen S i e denn dann?" — —

Die sichere ärztliche Diagnose kann auch hier nur lauten: Ganz normaler Wahnsinn! Das heißt: In der geistig-seelischen Agonie des Abend- und Morgenlandes ist der Wahnsinn nicht nur auf dem Gebiet der Wirtschaft —wie daß eine Wirtschaftsgemeinschaft über neunzig Prozent ihrer zig Milliarden Jahresetat für die wissentliche Produktion von Überschüssen und ihre Lagerung und Vernichtung regelmäßig alljährlich, also „normalerweise" ausgibt—, sondern auch auf dem Gebiet des Rechtes und der Gerechtigkeit normal geworden. Denn dieser unwidersprochen ständig auf der ganzen Welt als „Wahnsinn" bezeichnete Unsinn und Wirrsinn der Europäischen Wirtschaftsgemeinschaft, diese milliardenfache Schädigung des Gemeinwohles und also Verletzung der Lebensrechte der Gemeinschaft wird weiter als „Recht" erklärt. Das beweist hart die fundamentale Erkrankung des Rechtsbewußtseins, dies zuerst im Staatsrecht, aber durchaus nicht nur im Staatsrecht, sondern auch weithin in dem, was kirchliche Kreise als Naturrecht bezeichnen. Auch dort wird das Menschenrecht offen gebrochen, indem die „Unterwerfung" der weniger Mächtigen als Recht erklärt wird (Siehe Messner. Das Naturrecht. Wien. 1960, erste Seite, erste Sätze). —

Man fragt sich angesichts der Artikel 31 und 37 GG, in denen wie unter Hitler die Unterwerfung aller Menschen als Recht erklärt wird, die nach ihrem eigenen anderen guten Glauben anders allseits frei leben wollen, unwillkürlich: Sind die Staaten und Kirchen noch immer nicht blutig genug unterworfen worden, daß sie noch immer die Unterwerfung „der anderen" (Anderswertgläubigen, Andersgutgläubigen) im eigenen Land —und logischerweise dann auch in anderen Ländern— offiziell als Recht erklären!

Dieser ganze Wahnsinn wird trotz der Tyrannei der National-Sozialisten, trotz deren Unterwerfung der eigenen Bürger und der anderen Völker noch immer als „normal" angesehen! — Dagegen ist der gesunde Menschenverstand, zuerst der gesunde Menschen-Rechtsverstand in der Agonie der Menschheit anormal geworden!

Diese schwerste geistige Verwirrung im Recht führt zu schwerstem politischen Streit nicht nur im Umweltrecht, sondern allgemein im Lebensrecht wie im Kriegs- und Friedensrecht. Er zerspaltet Staaten, Schulen und Kirchen und führt die Völker und ihre Regierungen in schwerste Krisen wie zwischen West und Ost. Versuchen wir daher folgend, durch die klare und bestimmte Erfassung der „Menschenrechte als Grundlage jeder menschlichen Gemeinschaft ... und der Gerechtigkeit" diesen ganzen vielfältigen Streit um das Lebensrecht des Menschen vollständig und überzeugend zu überwinden, um zur klaren Erkenntnis der „Grundlage ... des Friedens" mit Gott, Mensch und Natur zu gelangen. Doch müssen wir uns zunächst mit der weltweiten Erkrankung des Rechtsbewußtseins noch etwas befassen. Denn die erfolgreiche Therapie setzt die gründliche Diagnose voraus.

Das Lebensrecht des Menschen

Alle Lebensprobleme des Menschen gründen auf dem Lebensrecht des Menschen. Aus ihm müssen sich dann ausnahmslos alle Lösungen aller Lebensprobleme wie aller politischen, wirtschaftlichen und anderen Probleme ergeben. Also gründet auch das gesamte Eigenweltrecht und Umweltrecht auf dem Lebensrecht des Menschen.

Alles Umweltrecht ist doch Umweltlebensrecht! Der durch die weltweite Vergiftung des Lebens aufgeschreckte Mensch will in der Umwelt doch sein Lebensrecht wahren. Denn er kann nicht aus sich selber leben. Sondern er lebt von den Lebensqualitäten, die Gott in die Umwelt spendet, zuerst durch das Licht der Sonne und ihre Wärme. Er lebt nicht nur leiblich von den Lebensqualitäten der vier Elemente, der Mineral-, Pflanzen- und Tierwelt in seiner Umwelt.

Alle Umweltproblematik ist daher Lebensproblematik. Und alle Lebensproblematik gründet daher im Lebensrecht des Menschen. Also ist zuerst nach dem allgemeinen Lebensrecht des Menschen zu fragen.

Dies bestätigen auch viele Staatsverfassungen, indem sie „das Recht des Menschen auf das Leben" an erster Stelle anerkennen (Art. 2 der „Europ. Konv. zum Schutz der Menschenrechte". Von 21 Staaten anerkannt.) und somit als allgemeinstes und den ersten Grund „jeder menschlichen Gemeinschaft" (Art. 1 GG BRD) bildendes Recht. Das gesamte Grundrecht „jeder menschlichen Gemeinschaft, des Friedens und der Gerechtigkeit" (Art. 1 GG) ist somit als Lebensrecht international anerkannt. Wir haben nur die exakten Folgerungen daraus zu ziehen. Was hier geschieht.

Die Kirchenverfassungen und Schulverfassungen hinken hier noch hinter der Entwicklung des menschlichen Rechtsbewußtseins her. Diese menschlichen Gemeinschaften erklären teils noch gar nicht, teils nur nebenbei und erst mitten in ihren Gesetzen wie canones die allgemeinen Lebensrechte der menschlichen —und anderen!— Personen, obwohl diese Lebensrechte doch die Grundlage der gesamten Gesetzbücher auch dieser menschlichen Gemeinschaften sind. Das wird dort bisher noch viel zu wenig erkannt.

Da Christus Sich selber „das Leben" (griechisch bios) nennt, so sind all Seine Rechte, die Rechte des Logos, Lebensrechte, also Biorechte. Alle Rechte sind somit Bio-Logos-Rechte, also bio-logische Rechte, wenn man sie wesenhaft versteht. Das ist kein Wortspiel, sondern eine sehr tiefgründige Erkenntnis. Mit ihrer Hilfe wird die Biologie und Ökologie auch in einer wesentlich höheren Ebene verstehbar.

Das liegt auch in dem Wort „Naturrecht". Denn die Natur ist lebendig, zuerst die Natur der Personen! Alles Recht der Natur ist also Lebensrecht.

Da nach christlicher Lehre alle objektiv menschenwürdigen menschlichen Gemeinschaften bewußt oder unbewußt in Christus gründen, im Logos, in Seiner Person, so ist all deren Recht nach christlicher Auffassung auf dem Lebensrecht und also Biologosrecht der Person neu zu begründen.

Diese gründliche Betrachtung zum lebensgerechten und also bio-logischen Neubau des Rechtes der menschlichen Gemeinschaften auf der Erde nötigt zuerst zu einer Begriffsklärung. Was ist unter dem Wort „Recht" zu verstehen? Und was ist unter dem Lebensrecht des Menschen zu verstehen?

Die Definition des Rechtes

Der Begriff des Rechtes ist auf die Person bezogen. Außerhalb der Person existiert nicht das Geringste, was man Recht nennen kann.

Recht hat also eine Person. Wo daher nicht eine Person ein Recht hat, dort existiert kein Recht.

Der personale Begriff Recht wird in engerem und weiterem Sinne gebraucht. Recht im engsten Sinne umfaßt, wie jedermann weiß, einerseits nur das Dürfen, also die Befugnis oder moralische Macht, die ethische Potenz zu einem Handeln bzw. Verhalten, also zu einer Form des Lebens der Person. Andererseits wird mit Recht auch die aktualisierte Potenz bezeichnet, also die Wirklichkeit im Gebrauch eines Rechtes, die Wirklichkeit einer Handlung, die man darf. Auch das allseits frei gut wie sittlich erworbene Eigentum ist ein Recht.

Das allgemeinste Recht der Person ist ihre Befugnis, leben zu dürfen, also tun, lassen und zulassen zu dürfen. Aus dem allgemeinsten Lebensrecht der Person ergeben sich alle besonderen und einzelnen Lebensrechte.

Das Recht im weiten Sinne dagegen, wie es heute wieder mehr und mehr verstanden wird, umfaßt die gesamte Gesinnung, die gesamte Ethik. Diese besteht dreieinheitlich erstens aus allem Recht im Sinne von Dürfen, zweitens aus aller Pflicht im Sinne des Sollens, wie z. B. u. a. aus allen Sozialpflichten, und drittens aus aller Liebe. Die Erklärung der Menschenrechte in der bundesd. Verfassung enthält z. B. den Satz „Eigentum verpflichtet" (Art. 14). Da alles Recht im Sinne des Dürfens und des dementsprechenden wirklichen Handelns Eigentum des jeweils Berechtigten ist, da somit alles Denken, Fühlen und Wollen-Handeln Eigentum der Person ist, so entspricht allem echten Recht im Sinne des Dürfens auch eine Pflicht. Das ist zudem Grundlehre aller Religionen und Kulturen der Menschheit.

Die Dreieinheit von Recht, Pflicht und Liebe umfaßt die gesamte Ethik, wie die Griechen es bezeichneten, also das gesamte Gesinnungsleben des Menschen. Die lateinische Übersetzung von Ethik lautet Moral. Die deutsche Übersetzung von Moral lautet Sittlichkeit. Ethik, Moral, Sittlichkeit, Naturrecht, Recht (frz. droit, ital. diritto, engl. law, insbesondere fundamental law bzw. common law im Sinne des Naturrechtes bzw. Menschenrechtes) besagt also im Ursinn des Wortes dasselbe.

Nur in der späteren sprachlichen Entwicklung hat sich der den Worten Ethik, Moral, Sittlichkeit, Recht usf. beigelegte Sinn verändert und spezialisiert. Doch über diesen verengten Sinn denkt fast jeder Mensch anders, so daß hier keine Einigkeit, kein Friede herzustellen ist. Sondern auch hier zeigt sich die wirre Zerspaltung des endneuzeitlichen Rechts- und Moraldenkens, -wollens und -fühlens. Der allgemeine und alles erfassende Grundsinn der Worte dagegen ist derselbe. Das Recht im weiten Sinne umfaßt somit das Dürfen, Sollen und Lieben zugleich, allgemein das ganze sittliche bzw. moralische, ethische Handeln bzw. Verhalten, Leben, das gesamte Gesinnungsleben. Und das ist die Grundlage des gesamten menschenwürdigen Lebens.

Die Person

Die Entwicklung des Begriffes „Person" ist wohl die größte geistige Leistung der abendländischen Kultur. Unter der Person versteht man eine selbständig aktionsfähige, also kreative geistige Einheit, eine Feldeinheit. Sie ist prinzipiell unabhängig von materialistischen Erscheinungsformen, gleich wie beispielsweise das Magnetfeld eines Wirbelsturmes. Die Materie darin wechselt ständig und ist also unwesentlich für das Magnetfeld.

Auch der Mensch ist ein Magnetfeld, ein Ichfeld. Auch in ihm wechseln die Atome ständig. Sie werden nach wissenschaftlicher Erkenntnis ca. alle sieben Jahre total ausgewechselt. Auch ihre Materie ist daher für das Feld, das Mensch genannt wird, vollständig unwesentlich. Das unmaterielle und also geistige Feld der Person ist es, das alle materiellen Strukturen bildet und aufrecht erhält, verändert, wieder abbaut oder zerfallen läßt.

Die Person ist frei in dem Sinne, daß sie selber einen Anfang machen kann, also in sich selbst eine Ursache setzen kann, insbesondere daß sie wählen kann zwischen verschiedenen Möglichkeiten eigenen Verhaltens. Daraus ergibt sich auch ihre Verantwortung für ihr Verhalten.

Wie folgend noch zu zeigen sein wird, wird sich aus dem lebensgerechten und also bio-logisch begriffenen Personrecht die gesamte Neuordnung des Rechtes der Menschheit ergeben. Das ist in sehr vielen Ansätzen weltweit zu sehen, wie schon seit Jahrhunderten in der stetigen Entwicklung des Toleranzrechtes im Bewußtsein der Menschen. Also wird sich auch die gesamte Neubegründung des Eigenweltrechtes und Umweltrechtes des Menschen aus dem vollständigen Lebensrecht der Person ergeben.

Aus der Nichterfassung der Person und aus der Degeneration der Vorstellung von der Person läßt sich auch die gesamte Degeneration der abendländischen Kultur im Laufe der Neuzeit tief verstehen, sowie die gesamte Weltproblematik am Ende der Neuzeit, insbesondere in der Scheidung der Geister.

Der Gegenstand des rechtlichen Lebens

Was ist nun der Gegenstand des rechtlichen bzw. des gerechten, des lebensgerechten Lebens? Das besagt der Artikel 2 des bundesdeutschen Grundgesetzes. Er erklärt, daß das Lebensrecht des Menschen in der freien sittlichen Entfaltung des Lebens seiner Persönlichkeit besteht, also in der eigenen Entwicklung des —zunächst nur— eigenen Lebens der Person. Wir haben somit die Kennzeichnungen „frei“ und „sittlich“ zu analysieren.

Das freie Leben der Person

Das freie Leben ist präzise definiert das allseits freie Leben. Das ist erstens innen vom Mittelpunkt her das selber gewählte oder selber verursachte Leben und zweitens nach außen hin das Leben, das alle allseits frei geschaffenen Eigenreiche aller Personen unverletzt läßt und also achtet, und das zugleich auch selber von allen anderen Personen unverletzt gelassen und somit geachtet wird.

Das sittliche Leben der Person

Das sittliche Leben ist ein Teil des guten Lebens. Der Christ soll so gut leben, also sich so gut verhalten wie der Vater im Himmel, sagt das Evangelium. „Gut“ ist also ein weit umfangreicherer Begriff als nur sittlich bzw. nur sittlich gut. Auch gesellschaftlich und wirtschaftlich soll sich der Mensch gut verhalten und nicht böse/schlecht. Und in der Natur soll er sich gut verhalten und nicht schlecht. „Handle gut und du wirst leben“ (Amos 5,14). Das besagt, daß das gute geistige, seelische und leibliche Verhalten, das gute und also objektiv lebensqualifizierte personale, kulturelle und naturale Verhalten der Inbegriff und Universalbegriff des lebensgerechten Verhaltens und somit der Inhalt alles Menschenrechtes und aller Gerechtigkeit ist. Auch dies ist eine logische Konsequenz aus Art. 1 und 2 GG BRD.

Auch die Freiheit ist etwas Gutes! Hier ist sowohl die innere, die kreative Freiheit der Person als auch die äußere Freiheit in Zeit und Raum zu verstehen, das Freigelassenwerden von den anderen Personen. Da die sittliche Pflicht zum ausnahmslos und allseits guten Verhalten besteht, so erfaßt auch der Art. 2 GG das gesamte allgemeinste Lebensrecht des Menschen.

In sehr vielen Staatsverfassungen wie in der „Europäischen Konvention zum Schutz der Menschenrechte" ist „das Recht jedes Menschen auf das Leben" —also auf das ganze menschliche Leben und nicht nur auf einen kleinen Teil von ihm!— das erste, allgemeinste und alles weitere Recht begründende Menschenrecht. Das muß im eben dargelegten Sinne näher definiert werden, denn der gefolterte KZ-Insasse, der Sklave lebt ja ebenfalls. Das Recht auf Leben ist also das Recht auf das menschenwürdige Leben, wie Art. 1 des bundesd. Grundgesetzes näher besagt. Und das menschenwürdige Leben besteht, wie oben ausgeführt, in dem allseits freien sittlichen Leben, d.h. allgemeiner in dem allseits freien guten wie sozialen Leben. Alles Eigenweltrecht und Umweltrecht, alles Selbstweltrecht und Mitweltrecht gründet also auf dem allgemeinsten Menschenrecht, allseits frei gut wie sittlich, sozial zu leben (Vgl. Art. 2, Abs. 1 GG).

Da die Grundbeschaffenheit der menschlichen Person, wie sie von Gott geschaffen bzw. aus Gott, dem Gut aller Güter geboren ist, die Freiheit der Person und ihre Gutheit ist, so ergibt sich das allgemeinste Naturrecht des Menschen, sein Grundrecht oder Menschenrecht:

Die Person hat das Urrecht, die Urpflicht und die Urliebe, allseits frei gut (wie sittlich, sozial) zu leben

Welcher Mensch hätte nicht die Urliebe zum allseits freien (wahrhaft) guten Leben? Diese Liebe zu haben ist Urrecht des Menschen, ist Urpflicht des Menschen und ist Urliebe zugleich.

Diese Formulierung des allgemeinsten Rechtes der menschlichen Person ist in den Zeit- und Raumgrößen der äußeren Freiheit klar und bestimmt, also rechtswissenschaftlich exakt. Sie umfaßt lückenlos und in sich widerspruchsfrei alles Recht. Denn die Freiheit kann der Freiheit nicht widersprechen. Und das Gute kann dem Guten nicht widersprechen. Und mehr Freiheit als die Freiheit und mehr Gutes als das Gute kann nicht existieren. Also begründet und umfaßt das eben formulierte allgemeine Recht der Person alles Recht!

Diese allgemeinste Formulierung des Rechtes der Person umfaßt somit alles Recht aller Personen, aller denkbaren und wirklichen Personen.

Und diese Formulierung ist nicht sinnwidrig an Bedingungen wie etwa die Achtung irgend einer Verfassung und deren Ordnung gebunden. Denn eine solche Ordnung schafft doch der Mensch erst aufgrund seines allgemeinen Rechtes, etwas Gutes allseits frei schaffen zu dürfen. Man kann eine Folge nicht als Bedingung ihrer Ursache setzen. Die Ursache besteht vor der Folge. Solche Versuche —auch als Gesetzesvorbehalt bei dem Formulierungsversuch der Menschenrechte bezeichnet— sind daher sinnwidrig, also rechtsunwissen-

schaftlich und objektiv im Sinne des Grundrechtes bzw. Menschenrechtes nicht rechtmäßig. Alles Sinnwidrige ist rechtswidrig. Denn im Reich des Menschen hat der Mensch „nur" das Recht, richtig-gerecht bzw. sachgerecht, lebensgerecht zu denken, also logisch zu denken, logosgemäß zu denken.

Die Gerechtigkeit

Worin besteht die Gerechtigkeit? Wie das Wort Ge-recht-igkeit (jus-titia lateinisch, jus-tice englisch) schon deutlich besagt, ist diese die Igkeit der Rechte, d.h. ihre Funktionsordnung. Die Gerechtigkeit steht also in einem sekundären Verhältnis zu den Rechten wie alle Gesetzlichkeit im Verhältnis zu den Prinzipien. Gesetze sind Gesetze von Prinzipien, sind Verhältnisse zwischen Einheiten. Voraussetzung und Grundlage der Gesetze sind also die Prinzipien, die Einheiten. Und das sind für die Gesetze der Gerechtigkeit die Urrechte der Person.

Die Gerechtigkeit besteht also allgemein und erstrangig in der Funktionsordnung der Natur-Urrechte der Person, insbesondere der menschlichen Person, genannt „Menschenrechte" oder angeborene Grundrechte. Diese bilden die menschenwürdige „Grundlage jeder menschlichen Gemeinschaft, des Friedens und der Gerechtigkeit" (Art. 1 GG), wie die international hoch geschätzte Verfassung der Bundesrepublik Deutschland sehr klar besagt.

Die echten Grundrechte oder Menschenrechte bilden also die vollständige Rechts-„Grundlage jeder menschlichen Gemeinschaft" und all (!) ihrer „Gerechtigkeit" (Art. 1 GG). Alle Gerechtigkeit ergibt sich somit aus dem Einmaleins der Menschenrechte, allgemeiner der Personrechte. Wenn ein behauptetes Recht oder irgend eine behauptete Gerechtigkeit wie eine soziale, ökonomische, ökologische oder andere Gerechtigkeit nicht von der Grundlage der Menschenrechte abgeleitet werden kann, so ist sie eine persönliche Glaubenssache des Behauptenden, etwa nur ein bloßes Rechtsgefühl, wenn nicht eine haltlose Phantasie oder ein bloßer Machtwille eines Machthabers, also nur ein Machtrecht. Das Machtrecht ist das Antimenschenrecht. Es ist eine Urform der Antigerechtigkeit, also der Ungerechtigkeit und des Unrechtes.

Was umfaßt das Lebensrecht der Person?

Was heißt nun „leben"? Es ist schon hoch beachtlich, daß ausnahmslos alle Menschenrechte Lebensrechte sind, somit Bios-Rechte (Bios = das Leben). Alle Rechte sind somit Bios-Logos-Rechte, also bio-logische Rechte. Also muß auch der Begriff „leben" für den Menschen exakt geklärt werden. Die Materialisten, die National- und andere Sozialisten und die Kapitalisten wollen willkürlich diktatorisch und also terroristisch den Urbegriff „leben" auf einen winzig engen und niedrigen Bereich einschränken, nämlich nur auf das materielle Leben, meist nur auf einen kleinen Teil des materiellen Lebens. Somit trachten sie bewußt oder unbewußt danach, alle anderen Lebensrechte des Menschen —vielleicht weit über 90%!— zu ignorieren, um sich dann legalrechtlich rechtfertigen zu können, wenn sie in die Rechte anderer Personen „eingreifen"!

Diesem geistigen Terror und seiner grundlosen Willkür gegenüber muß klar und bestimmt erkannt werden: Alle menschlichen Aktionen und Reaktionen sind Formen des Lebens des Menschen! Sein Leben besteht in Denken, Wollen und Fühlen, zusammen auch als Handeln bezeichnet, in Tun, Lassen und Zulassen, in Gesinnen, Gesellen und Wirtschaften, in der Erforschung, Wahrung und Lehre des rechten Glaubens, in der Erforschung, Wahrung und Lehre des Wissens, also in wissenschaftlicher Betätigung, im Sammeln, Wahren und Weitergeben von Informationen, im Leben auf dem Lande dieser Erde, im naturgerechten Leben und als Einheit des personalen und naturalen Lebens in dem kulturellen Leben.

Leben besteht also zusammengefaßt in personalem Leben (Gesinnen, Gesellen und Wirtschaften), in kulturellem Leben und in naturalem Leben. Keine Tätigkeit von realen Menschen kann es geben, die nicht eine Form des menschlichen Lebens wäre! Diese Urselbstverständlichkeit muß begriffen werden, wenn das Rechtschaos überwunden werden soll! — Alles Staatliche, Schulische und Kirchliche, alles auch amtliche Tun, Lassen und Zulassen eines Menschen besteht also aus Formen des menschlichen Lebens. Total lebensfremd und rechtsfremd, den Menschenrechten „als Grundlage jeder menschlichen Gemeinschaft" (Art. 1 GG) wie der staatlichen menschlichen Gemeinschaft fremd, wähnen viele Menschen als Amtsträger, daß das, was sie amtlich tun und lassen, doch nicht ein Mensch tun und lassen würde, so daß die Menschenrechte hier nicht anwendbar wären! So etwa im Finanzbereich des staatlichen menschlichen Lebens! Eine gewaltige und fundamentale geistige Verwirrung auch hier! Eigentlich können nur apersonale Apparatschiks so denken. —

Zusammengefaßt sind der Art. 2 der Europäischen Konvention „Das Recht jedes Menschen auf das Leben" und Art. 2 GG mit dem allgemeinsten Menschenrecht auf die freie sittliche Entfaltung des Lebens der Persönlichkeit auf ausnahmslos alles Leben des Menschen anzuwenden, auch auf alles Amtsleben.

Die Entwicklung der Menschenrechte

— der Lebensrechte in der Eigenwelt und Umwelt —
aus der Selbsterkenntnis und zugleich aus der Goldenen Regel

Als Rechtswissen

Das allgemeinste Menschenrecht oder Lebensrecht des Menschen —gemäß Art. 1 und 2 GG und gemäß Art. 2 der Eur. Konv. als Recht, überhaupt zu leben, und insbesondere als Recht, in allen Lebensbereichen zu leben— ist so allgemein, daß es der Normalmensch nicht auf alle Situationen sicher gerecht anwenden kann. Man muß es deshalb entwickeln hin zu den besonderen Menschenrechten und zwar zu dem vollständigen Kranz all dieser Menschenrechte; wie dies auch in den Staatsverfassungen nach der Erklärung des allgemeinen Lebensrechtes des Menschen zu tun versucht wird.

Diese Entwicklung oder Ableitung aber sollte wissenschaftlich exakt sein. Sie soll logisch und mathematisch sein, auch systematisch. Sie soll also alle besonderen Anwendungen des allgemeinsten Lebensrechtes des Menschen Schritt für Schritt logisch entwickeln und vollständig lückenlos umfassen, dies vollständig widerspruchsfrei. Diese Ganzheit aller besonderen Menschenrechte und somit aller Gerechtigkeit (Vgl. Art. 1 GG) muß also frei sein von jeglicher sogen. Normenkollision. Denn das Staats-Recht im Untergang des Abendlandes, am Ende der Neuzeit gründet auf einem Chaos an Normenkollisionen, d. h. Selbstwidersprüchen, wie nicht nur Radbruch in seinem Grundwerk „Rechtsphilosophie" erklärt. Deshalb wird es in der Agonie der Neuzeit immer mehr zu einem „Recht ohne Recht" und also ohne Gerechtigkeit, so daß Spannung, Streit, Gewalt, Terror und Krieg in der Welt immer mehr zunehmen.

Dieses Chaos in der „Grundlage jeder menschlichen Gemeinschaft, des Friedens und der Gerechtigkeit" (Art. 1 GG), in dem kein einziger Staatsjurist auf der Welt auch nur ein einziges Menschenrecht bzw. Ur-Naturrecht (der menschlichen Person) klar formulieren kann, auch kein Kirchenjurist, hat zu dem ungeheuren Weltstreit geführt, der für die ganze Menschheit höchst lebensgefährlich geworden ist. In ihm können sich die Menschen einer Partei mit den anderen Menschen nicht mehr verständigen über Recht und Unrecht. Und könnten sie sich unter sich selber klar verständigen? Es sind doch auch alle Parteien, wie sie selber angeben, ständig auf der Suche nach Recht und Gerechtigkeit!

Dieses Rechtschaos muß überwunden werden, wenn in allen menschlichen Gemeinschaften auf der Erde, d. h. in allen Ehen, Familien und Betrieben, in allen Kirchen, Schulen und Staaten der Friede hergestellt werden soll. Dieses Chaos muß insbesondere überwunden werden, wenn der Friede in der Natur der Eigenwelt und Umwelt hergestellt und also die seelische und leibliche Eigenwelt- und Umweltverschmutzung radikal überwunden werden soll. Wie diese streitvolle Wirrnis in den Rechtsanschauungen von rechts und links, Ost und West, Nord und Süd usf. überwinden? Dazu ist eine Einsicht in die neuzeitliche Entwicklung des Rechtsdenkens erforderlich.

Der Mensch der Neuzeit ist zu hellem Selbstbewußtsein erwacht. Und er hat in seinem Rationalismus zugleich den G l a u b e n an das sakrale Recht verloren. In diesem Glaubensrecht waren alle Menschen einer Religionsgemeinschaft allgemein einig, so das Abendland fast zwei Jahrtausende lang oder der buddhistische Religionskreis, der hinduistische Religionskreis, der islamische Religionskreis usf. Der Verlust des religiösen Glaubens in der Neuzeit ist die Ursache, daß der gewaltige Rechtsunfriede in der Menschheit entstanden ist. Denn jeder will nun nach seinem eigenen Glauben leben, oft aber in seinem Irrglauben über andere Menschen herrschen und diesen seinen eigenen religiösen oder unreligiösen Glauben —etwa von der gerechten Produktion, den gerechten Löhnen, Preisen usf.— aufzwingen.

Wenn dieser Unfriede überwunden werden soll, so muß jetzt von dem Rechts w i s s e n ausgegangen werden und zwar von dem Recht des Menschen, das jeder für sich selber beansprucht und dessen sich auch jeder selber gewiß ist. Nur auf dem Grunde des Urwissens vom Recht wie von den Lebensrechten des Menschen, kann die zu Selbstbewußtsein und also vielfältigem Selberglauben erwachte Menschheit wieder einig werden.

Im Rechts g l a u b e n kann die ganze Menschheit jetzt weniger denn je einig werden. Sie war hier auch noch nie vollständig einig, sondern nur eine relative Einigkeit bestand bisher nur in begrenzten religiös-kulturellen Lebensräumen. Durch das im Laufe der Neuzeit heller und weit umfangreicher in der Menschheit erwachte Selbstbewußtsein der einzelnen Menschen hat sich der Glaube der Menschen milliardenfach vielfältig verschieden entwickelt. Also kann eine Grundeinigung der Menschheit in aller Zukunft nicht mehr auf dem Grunde irgend eines religiösen oder anderen Glaubens, sondern nur noch auf dem Grunde des Wissens erfolgen, zuerst auf dem Grunde des Rechtswissens von den Menschenrechten. Denn in ihnen läßt sich exakt und überzeugend richtig klären, wo und wie ein jeder nach seinem eigenen guten Glauben wie Sittlichkeitsglauben, Sozialglauben, Lebensqualitätsglauben, Religionsglauben usf. allseits frei gut leben kann, darf und soll.

Die goldene Regel und das Menschenrecht

Der irdische Friede in allen Kulturen der Menschheit gründet zu allen Zeiten seit Adam und Eva auf der Anerkennung der Goldenen Regel. Auch die großen Religionsstifter erkennen sie an, wie zunächst Jesus Christus. Man kann die Goldene Regel verschieden formulieren. Da man aus ihr alle echten Menschenrechte ganz und exakt ableiten kann und somit alle Gerechtigkeit in ihren Gesetzen wie Axiomen, so sollen folgend einige Formulierungen der Goldenen Regel zitiert werden.

„Alles, was ihr wollt, daß euch die Menschen tun,
das tut auch ihnen“ (Mt 7,12)

Jesus Christus fügte hier sogar hinzu: „Denn das ist d a s Gesetz und d i e Propheten“. Das will besagen, daß hier das Wesen aller Rechte, bei den Menschenrechten bzw. Natur-Urrechten angefangen, und aller Gerechtigkeit der Menschen in einem einzigen Satz enthalten ist.

Es wird in der Goldenen Regel zuerst das allgemeinste Menschenrecht anerkannt, nämlich das Menschenrecht, etwas zu wollen, d. h. als Person leben zu wollen, also zu leben. Und es wird zweitens die allgemeine Gleichberechtigung im Lebensrecht erkannt und anerkannt und dies auf eine absolut relative Weise. In dieser Weise wird der Mensch am sichersten und wirksamsten überzeugt, weil auf seinen aktuellen eigenen Lebenswillen eingegangen wird. Worin der Mensch gegenwärtig lebt, darin kann er am klarsten und sichersten auf die Gleichberechtigung und also auf das Recht und die Gerechtigkeit zwischen den Menschen zurechnen.

Andere Formulierungen der Goldenen Regel, welche die Gerechtigkeit in den verschiedenen Lebensbereichen und in verschiedener Hinsicht beleuchten, sind:

Wie du mir, so ich dir
Wie ich dir, so du mir

Wie du mir nicht, so ich dir nicht
Wie ich dir nicht, so du mir nicht

Was du nicht willst, daß man dir tu,
das füg auch keinem andern zu

Ich achte dein Eigentum, wie du mein Eigentum achtest
Ich achte deine Ehre, wie du meine Ehre achtest
Ich achte deinen subjektiv guten Glauben,
wie du meinen subjektiv guten Glauben achtest

Ich achte das Deine, wie du das Meine achtest

Daraus folgt allgemein als erste und grundlegende Gerechtigkeit:

Jedem das Seine lassen

Denn man muß zuerst etwas rechtmäßig haben, um rechtmäßig etwas geben bzw. zuteilen zu können!

Jeder Person ihre Freiheit und ihre Gutheit lassen
Jeder Person ihre Ehre lassen
Jeder Person ihren guten Glauben lassen
Jeder Person ihr eigenes Leben lassen
Jeder Person ihre Selbstbestimmung über ihr eigenes Leben lassen

Da jeder Mensch von allen anderen Menschen wünscht, daß sie ihn gerecht, wie besonders allseits frei, pflichtgemäß, gut, sozial, und liebevoll behandeln, und da jeder Mensch frei und gut leben will, so ergibt sich aus der Goldenen Regel das allgemeinste Menschenrecht, das oben schon formuliert worden ist:

Der Mensch hat das Urrecht, die Urpflicht und die Urliebe, allseits frei gut (wie sittlich, sozial) zu leben

Das allgemeinste Menschenrecht aller Menschenrechte bzw. Urrecht aller Urrechte ergibt sich somit einerseits —apriorisch— aus der Selbsterkenntnis der Person als freies und gut angelegtes selbstbewußtes Lebewesen, hier als Selbstverständlichkeit, und andererseits —induktiv, demokratisch— aus der Gleichberechtigung in den allgemeinen Rechtsansprüchen aller Menschen.

Aus dem Allgemeinsten ergibt sich —deduktiv— alles Besondere und Einzelne. Das ist eine Angelegenheit der exakten Logik. Interessanter und überzeugender aber ist heutzutage für viele der demokratische Weg. Was ergibt sich aus dem allgemeinsten Rechtsanspruch eines jeden Menschen und somit aus dem allgemeinsten Menschenrecht an besonderen Menschenrechten?

Verlangt nicht jeder Mensch von allen anderen Menschen, daß sie ihn allseits frei gut leben lassen nach seinem Glauben, was gut ist wie sittlich, sozial, lebensqualifiziert? Verlangt nicht jeder Mensch von allen anderen Menschen, daß sie ihn erstens selber allseits frei gut leben lassen, ihn zweitens selber allseits frei nach eigener Wahl mit einem anderen und also zweiten Menschen zusammen gut leben lassen und drittens, daß sie ihn allseits frei in seinen eigenen Gemeinschaften von drei und mehr Personen wie zuerst in der eigenen Familie gut leben lassen? Was folgt dann aus der Goldenen Regel? Das soll im nächsten Kapitel exakt formuliert werden. —

Fassen wir zusammen: Nur das Rechtswissen, das jeder Mensch felsenfest sicher als sein eigenes Lebensrecht bzw. Menschenrecht erkennt und das gleich zu achten er von allen anderen Menschen vernünftigerweise fordert, wie gemäß der Goldenen Regel, nur dieses Rechtswissen ausnahmslos aller selbstbewußten und selber denkenden Menschen kann die „Grundlage jeder menschlichen Gemeinschaft, des Friedens und der Gerechtigkeit in der Welt" (Art. 1 GG) sein.

Das ist also das Menschenrecht, das in seinem allgemeinen Wesen in allen Religionen und Kulturen seit jeher prinzipiell anerkannt wird, wenn auch nur im Rechtsgefühl und bisher nur undeutlich formuliert, und das ausnahmslos ein jeder denkende Mensch für sich selber beansprucht. Weil dieses grundlegende Lebensrecht des Menschen prinzipiell R e c h t s w i s s e n ist und weil dies geahnt wird, deshalb wird es in den Staats-Verfassungen bis zur UNO-Erklärung der Menschenrechte als die „Grundlage jeder menschlichen Gemeinschaft, des Friedens und der Gerechtigkeit in der Welt" (Art. 1 GG BRD) erklärt.

Irgend einen noch so festen persönlichen R e c h t s g l a u b e n dagegen —wie von einer sozialen Gerechtigkeit, einer historischen und zukünftigen Ent-

wicklung und daher Planung auf eine irdische oder himmlische Zukunft, von Lebenszwecken, von einer kollektiven Ordnung usf.— kann man heute und in aller Zukunft nicht mehr als allgemein verbindliche „Grundlage ... der Gerechtigkeit in der Welt" (Art. 1 GG) erklären, also nicht mehr für die gesamte Menschheit gleich gültig.

Der Terror cuius regio eius religio, beispielsweise als Terror, was sittlich, moralisch, sozial, kommun usf. sei, dieser geistige und dann auch leibliche Terror staatlicher Machthaber und folgend auch anderer Menschen wird unter zurechnungsfähigen und zurechnungswilligen Menschen steigend überwunden. All die Glaubensterroristen in der Welt sehen sich zunehmender Kritik und also geistigen Angriffen ausgesetzt, weil ihr Glaubensterror immer heller und weiter erkannt wird. Sie sehen sich Angriffen auf ihre stolze Überheblichkeit, ihre Eitelkeit und Herrschsucht ausgesetzt. Sie beginnen daher schon weithin, Rückzugsgefechte zu liefern gegenüber den Menschenrechten, — genauer gegenüber dem wissenschaftlich und demokratisch begründeten Rechtswissen vom gleichen Menschenrecht aller Menschen.

Terror ist stets zuerst und grundlegend Glaubensterror. Der Terror wird hier definiert als der Glaube (Irr- und/oder Aberglaube), das Recht zu haben und vielleicht auch die Pflicht, das Recht anderer Menschen wie ihr Landesrecht oder Kirchenrecht mit Gewalt zu brechen und also diese Menschen der eigenen Herrschaft zu unterwerfen. Das Motiv dazu, wie um eine nach eigenem Glauben bessere oder beste Gesellschaft bzw. Wirtschaft zu errichten, auf Erden oder auch im Himmel, das ist eine zweite Sache. Der Terrorist ist hier rechtsunmündig. Er rechnet gemäß der Goldenen Regel nicht zu, also nicht auf das Menschenrecht der anderen. Aber er handelt in seiner subjektiv guten Absicht nicht schändlich, also nicht kriminell.

Solange man noch ein Recht zur Unterwerfung „der anderen" (Andersgutgläubigen) zu haben wähnt, rüstet man auch dazu auf, sei es nur geistig oder auch materiell. So lange dieser Irr- und Aberglaube besteht, ist keine —geistige und materielle— Abrüstung ehrlich möglich und also auch keine Entspannung, kein menschenwürdiger Friede. Jeder Dialog, der dann diese Wurzel des Unfriedens nicht klärt und also das Rechtsbewußtsein nicht klärt, steigert die Verwirrung und also den Unfrieden.

Versuchen wir, die am Ende der Neuzeit entstandene riesige Unordnung im Rechtsbewußtsein der Menschheit folgend exakt und sicher zu überwinden und die Grundlage für den Frieden in allem Eigenweltrecht und Umweltrecht, also in allem Leben der Menschheit wissenschaftlich exakt und vollständig zu erkennen, indem wir die besonderen Menschenrechte oder Lebensrechte des Menschen logisch-mathematisch exakt von dem allgemeinsten Lebensrecht des Menschen ableiten, das sich erstens aus der Selbsterkenntnis des Menschen als freie Person und zweitens aus der von der gesamten Kulturmenschheit anerkannten Goldenen Regel ergibt. Dieses zweifach entwickelte Menschenrecht muß dann präzise rechtswissenschaftlich und vollständig zu den besonderen Menschenrechten hin entwickelt und exakt formuliert werden.

Die Dreieinheit der drei ersten Menschenrechte
Die Magna Charta allen Rechtes

Wenn man die Lebensrechte des Menschen in seiner Eigenwelt und Umwelt logisch exakt und überzeugend richtig entwickeln will, so muß man bei dem archimedischen Angelpunkt aller Menschenrechte beginnen, bei dem Einsrecht aller Rechte. Das ist das Selberlebensrecht des Menschen, sein Natur-Urrecht auf sein „eigenes Leben“ (Joh. Paul II.). Es ist in seinem Kern schon ziemlich bekannt als das Selbstbestimmungsrecht des Menschen über sein eigenes Leben.

Was wäre selbstverständlicher? Welcher Mensch würde nicht als Grund und Kern all seiner Lebensrechte das Selberlebensrecht mit dem Selbstbestimmungsrecht über das eigene Leben wie das eigene Denken, Reden, Wollen, Fühlen und also Handeln beanspruchen? Dieser Mensch ist noch nicht gefunden worden. Er wäre auch kein Mensch.

Das Selbstbestimmungsrecht der realen Person ist der Kern aller denkbaren und wirklichen Rechte der Person. Denn irgend ein Recht haben heißt, selber zu bestimmen und also zu entscheiden, ob, wann, wo und wie man von seinem Recht welchen Gebrauch machen will oder nicht.

Aus dem Selberlebensrecht als Einsrecht der Person folgt unmittelbar als einzige nächste Konsequenz das Zweirecht, das Miteinanderlebensrecht, das Dulebensrecht. Und aus diesem, somit aus beiden folgt unmittelbar als einziges nächstes Urrecht der Person das Dreirecht, das Gemeinschaftslebensrecht, das Wirrecht.

Da die Zwei für viele und die Drei für alle steht, so können diese drei Urrechte auch nach Kant gemäß den drei ersten Urbegriffen (Kategorien) alles Denkens und Seins als das Ein-, Viel- und All-Lebensrecht verstanden und bezeichnet werden. Über das Allrecht bzw. das Wirrecht bzw. Gemeinschaftsrecht hinaus kann es keine weitere Lebensform von dieser Allgemeinheit geben. Sie ist nicht denkbar. Daher bilden diese drei ersten Personrechte den allgemeinen Urgrund aller weiteren besonderen Personrechte bzw. Menschenrechte, Urrechte, Naturrechte. Sie bilden somit die Magna Charta aller Rechte und also allen Rechtes. Denn die Urrechte der menschlichen Person sind für die Menschen die „Grundlage“ alles menschenwürdigen Selber- und Zusammen-Lebens, somit insbesondere die „Grundlage jeder menschlichen Gemeinschaft ... und der Gerechtigkeit“, d. h. aller denkbaren und wirklichen Rechte des Menschen, somit allen Friedens. Denn „Gerechtigkeit schafft Frieden“. Erkennen wir diese Grundrechte alles menschenwürdigen Verhaltens folgend mit aller notwendigen Klarheit und Bestimmtheit.

1. Das erste Menschenrecht

(Das erste Natur-Urrecht der Person)

Das Selberlebensrecht (Einsrecht) des Menschen

Der Mensch hat das Urrecht, die Urpflicht und die Urliebe, selber allseits frei gut (wie sozial) zu leben

Das Selbstbestimmungsrecht des Menschen als Kern des Selberlebensrechtes lautet dann:

Der Mensch hat das Urrecht, die Urpflicht und die Urliebe, selber allseits frei gut zu bestimmen

War wäre selbstverständlicher als daß der Mensch das Recht hat, selber zu leben? Als ein Selbst zu leben! Über sein eigenes Leben selber zu bestimmen!

Das heißt, daß es selbstverständlich Unrecht ist, den Menschen selbstzuentfremden, seines Selberlebens zu entfremden, nämlich ihm —sogar unter Gewaltandrohung— zu diktieren, was und wie er über sein Leben zu bestimmen hat. Denn dies heißt, den Menschen tyrannisieren, ihn terrorisieren! Das Wesen aller Tyrannei, allen Terrors ist die Selbstentfremdung. Und die Selbstentfremdung ist das Ur-Unrecht allen Unrechtes. Dies haben die Marxisten schon seit über hundert Jahren erkannt, leider bisher nur nebelhaft. Hier wird diese fundamentale Erkenntnis von der Selbstentfremdung des Menschen endlich klar und bestimmt formuliert, vor allem allgemein und daher allgemeingültig.

Diese Erkenntnis wird in den raumzeitlichen Grenzen des allseits freien Lebens zweifelsfrei exakt sicher gerecht anwendbar für alle zurechnungsfähigen Menschen. Das wird unten noch näher dargelegt werden.

Was also wäre selbstverständlicher als das Recht des Menschen „auf sein eigenes Leben" (Joh. Paul II.)!

Mit anderen Worten: Was wäre selbstverständlicher als daß der Mensch das Menschenrecht hat, seine eigene Persönlichkeit s e l b e r frei zu entfalten, nämlich selber frei gut wie ehrenhaft und sozial zu entfalten. Seine Persönlichkeit kann nicht durch einen anderen entfaltet werden! Ein anderer Mensch kann höchstens mit (!) helfen, die eigene Persönlichkeit mit zu entfalten. Aber das fundamentale Entfalten seiner (!) Persönlichkeit kann der Mensch nur selber. Was wäre selbstverständlicher? (Vgl. Art. 2 GG.)

Die Selbstverständlichkeit des Selberlebensrechtes des Menschen ist derart groß und einfach, daß sie garnicht leicht zu denken ist. Die einfachsten Wahrheiten sind schwer zu denken! Auch in der Mathematik ist die Zahl Eins schwer zu denken. Das Eins-sein besagt nämlich nicht nur die Quantität eins, sondern zuerst und grundlegend für jegliches echte Verständnis der Eins die Qualität, in sich selber einheitlich zu sein, durch und durch eins zu sein, eben eine Einheit zu sein. — (Das ist die erste Erkenntnis der Urmathematik des Lebens, der „Mathesis universalis“ von Leibniz und Pythagoras).

Der Mensch ist eine Lebenseinheit. Als menschliche Person ist der Mensch eine Rechtseinheit und zwar d i e Einheit des Rechts unter Menschen. Der Mensch ist also im Recht unter Menschen d i e E i n s ! Sein Selberlebensrecht ist das Einsrecht aller Rechte!

Wie alle Zahlen aus der Zahl Eins hervorgehen und ohne die Zahl Eins nicht existieren können —dies aus mehreren Gründen, u. a. weil auch jede Zahl eine Einheit ist, eben e i n e Zahl ist—, so gehen alle Rechte der menschlichen Person aus dem Einsrecht hervor. Das ist der Sinn des archimedischen Angelrechtes aller denkbaren und wirklichen Rechte!

Wie jede eine (!) Zahl eine Einheit ist, wenn auch nach der Zahl 1 eine Vieleinheit, und somit eine Sonderform der Zahl Eins ist, so ist auch jegliches Recht eines Menschen, jedes Amtsrecht eingeschlossen, eine Sonderform des Selberlebensrechtes des Menschen. Denn in jedem seiner Rechte betätigt sich der Mensch selber. Also ist das Selberlebensrecht nicht nur die erste „Grundlage ... der Gerechtigkeit“ (Art. 1 GG) und somit aller Rechte, sondern das Selberlebensrecht umfaßt in sich auch alle anderen Rechte. Diese sind nur Sonderformen des Selberlebensrechtes!

Recht von Menschen ist etwas, das im Eigenreich der Menschen existiert und nicht außerhalb wie über dem Menschen! Und damit existiert im Reiche des Rechtes der Menschen keine andere Rechtseinheit als die Einheit des Rechtes des Menschen. Und das ist allgemein und zuerst das Selberlebensrecht des Menschen, das „Recht auf das eigene Leben“ (Joh. Paul II.)!

Der reale Mensch ist also in seinem Selberlebensrecht die Rechtseinheit aller Rechte, die unter Menschen möglich und wirklich sind. Wenn zwei oder drei Menschen wie als eine Gesellschaft von Menschen Rechte haben, so können das nur Sonderformen des Selberlebensrechtes des Menschen sein. Oder es sind haltlose Phantasien, ideologische Überbauten in einem verwirrten Denken von Menschen, in einem phantastischen, nebelhaften, grundlosen subjektivistischen Rechtsdenken. Ein Recht unter Menschen, das nicht Recht von Menschen ist, das ist entweder ein Recht übermenschlicher realer Personen, somit eine persönliche Glaubenssache, oder eine wirklichkeitsfremde Phantasie.

Der Mensch hat das Selberlebensrecht, erstens selber gesinnend zu leben, also ethisch, rechtlich zu leben, zweitens selber gesellend zu leben, also gesellschaftlich —in sich selber!— zu leben, somit verschiedene menschliche Gesellschaften zu bilden, und drittens wirtschaftlich zu leben, also in seinem Selberleben zu wirtschaften, zu arbeiten. —

Es kann also keine menschliche (!) Gesellschaft —doch von realen Menschen! Oder von was sonst?— geben, die über dem Menschen existieren würde, über ihm schwebend wie eine Wolke, wie ein Leviathan oder ein Untier. Es wäre eine nichtmenschliche, also eine unmenschliche Gesellschaft. Aber von was nur? Was wäre ihre Realität? — Es kann also weder eine solche Gesellschaft geben, noch gar kann eine solche in den Wolken schwebende, menschliche und zugleich übermenschliche und also nichtmenschliche Gesellschaft —etwa ein solcher „Staat"— ein Recht über den Menschen haben! Was zudem ein Übermenschenrecht wäre, ein Über-Menschenrecht, — ein Übermenschen-Recht! Hitler und Stalin haben einen solchen ideologischen Überbau als Recht behauptet und auf diesem Phantasiegebilde ihr ganzes Terrorregime gegründet. Mit einem solchen Über-Menschenrecht haben sie die ganze Menschheit in höchste Lebensgefahr gebracht! In d i e s e r Lebensgefahr schwebt sie noch immer! — Sollte man nicht endlich davon gründlich lernen! Denn andernfalls ist kein Friede unter den Menschen möglich!

Wer „das Recht" nur als geschriebenes Wort, nur als Paragraphen denkt und vorstellt, der hat die „Grundlage ... der Gerechtigkeit" (Art. 1 GG) und somit allen Rechtes aus den Augen verloren oder noch niemals gesehen bzw. begriffen. Er hat seine Souveränität im Denken über das Recht verloren oder noch nicht erlangt. Er ist im Rechtsdenken noch unselbständig und daher beliebig manipulierbar. Ist er nicht ein im Grunde unmündiger Mensch? Erst dann, wenn er sich auf die „Grundlage ... der Gerechtigkeit" stellt, wird er mündig.

Das Selbstbestimmungsrecht des Volkes

Als das Bewußtsein des Selberbestimmungsrechtes und also Selberlebensrechtes des Menschen erwachte, da sprach man zunächst von dem „Selbstbestimmungsrecht der Völker". Das war schon ein großer Fortschritt. Aber über diesen Begriff ist weltweit ein ungeheurer Streit entstanden. Jeder gesellschaftliche Machthaber, jeder Staatsterrorist und andere Terrorist behauptet, im Namen des Volkes zu handeln. Und in diesem Namen unterwirft er sich die realen Menschen, die realen Mitglieder des Volkes, beutet sie aus und bricht also ihre Menschenrechte. In deren Namen bekämpft er totalitär alle anderen Menschen, die sich seiner Macht nicht unterwerfen wollen.

„Das Selbstbestimmungsrecht des Volkes" ist also überall dort, wo es gegen das Selbstbestimmungsrecht der realen Menschen über ihr eigenes allseits freies gutgläubiges Leben angewandt wird, ein Leviathan, ein phantastisches Untier geworden gleich „dem" über den Menschen schwebenden Staat, gleich „dem" Recht und gleich „der" Gesellschaft von derselben Art. Jeder machtbesessene Mensch kann seine objektiv terroristischen Leidenschaften hinter diesen Nebel- und Schlag-Worten bestens tarnen! Und das geschieht unaufhörlich.—

Das „Selbstbestimmungsrecht des Volkes" ist also auf „der Grundlage jeder menschlichen Gemeinschaft", nämlich der „Menschenrechte" (Art. 1 GG), zuerst des Selberlebensrechtes des Menschen zu verstehen und klar zu definieren. Alle den Menschenrechten widersprechenden Vorstellungen von Volksrechten sind als wirre, rechtsunmündige Ideen zu demaskieren und zu überwinden.

Doch erheben wir uns nun realistisch über das bloße Menschenrecht als Recht nur von Menschen, indem wir seinen Kernbereich geistig betreten. Das Recht des Menschen ist das Recht der menschlichen Person. Und damit ist es allgemeiner das Recht der Person! Die Person im Menschen ist es, die Recht hat! Nicht die Materie seines Leibes hat Recht!

Das Personrecht ist also noch weit allgemeiner als das Menschenrecht, das nur ein Recht der menschlichen Person ist. Dieses ist nur ein Sonderfall des Personrechtes. Das Personrecht gilt daher für alle denkbaren und wirklichen Personen, also für alle realen Personen im Himmel und auf Erden, darüber und darunter!

Das archimedische Angelrecht aller —realen!— Personen ist das Selberlebensrecht der Person. Und dessen Kern ist das Selbstbestimmungsrecht der —realen!— Person, nämlich allseits frei gut wie sittlich, sozial real zu leben, real zu bestimmen.

Formulieren wir das erste Personrecht, um es mit dem ersten Menschenrecht klar und bestimmt vergleichen zu können. Formulieren wir es zugleich mit der erstwichtigen Sonderform alles Lebens, dem Bestimmen:

Die Person hat das Urrecht, die Urpflicht und die Urliebe, selber allseits frei gut zu leben (zu bestimmen)

Wo kein reales Leben, wo also auch kein reales Bestimmen, wo allgemein keine reale Existenz, da keine reale Person, sondern dort nur eine Phantasie von Person, nur eine phantastische Person wie eine „juristische Person". Sie kann nur ein phantastisches Recht haben, nur ein Recht in der Phantasie einer realen Person. Aber aus diesen Phantasien kommen dann die Unterwerfungsrechte von Hitler, Stalin und allen ihnen folgenden Personen bis zur Gegenwart! —

Man bedenke: Das Menschenrecht klar und bestimmt zu denken, wie zuerst im Selberbestimmungsrecht des Menschen über sein eigenes Leben und also in seinem Selberlebensrecht, das ist nicht leicht. Denn es ist höchst einfach. Proletarier stehen hier vor den allergrößten Schwierigkeiten. Gar ein Person-Urrecht zu denken, ist ihnen unmöglich. Wer das Menschenrecht klar denken kann, der ist kein Proletarier (mehr).

Zusammenfassung

Der archimedische Angelpunkt aller angeborenen, unsetzbaren, unveränderlichen, „unverletzlichen und unveräußerlichen" (Art. 1 GG) Menschenrechte und aller aus dieser Grundlage erwachsenden, vom Menschen gesetzten, positiven Rechte wie in jeder allseits freien Handlung aus guter Absicht, — der Urgrund und Rahmen aller dieser sekundären Rechte, die nämlich durch den Gebrauch der primären, der unsetzbaren Menschenrechte entstehen, ist das Selberlebensrecht des Menschen. Das ist das Menschenrecht, selber leben zu dürfen, als ein Selbst leben zu dürfen, seine eigene Person selber allseits frei gut wie sittlich entfalten zu dürfen, somit nicht durch diktatorische Fremdbestimmungen selbstentfremdet leben zu müssen. Und das ist auch die archimedische Urpflicht des Menschen, die Grundpflicht all seiner Pflichten und also Lebenspflichten. Und das ist auch seine Urliebe, die Grundliebe aller Formen seiner Liebe. Oder wer würde das allseits freie gute „eigene Leben" (Joh. Paul II.) nicht lieben!

Archimedes sagte einmal, gebt mir einen unverrückbar festen Punkt, dann werde ich die Welt aus den Angeln heben. — Die am Ende der Neuzeit sehr schräg gewordene und in ihren zahlreichen Selbstwidersprüchen (Normenkollisionen) eng „gefangene und befangene" Rechtswelt (Radbruch) ist nur mit Hilfe des archimedischen Rechtes, des Selberlebensrechtes der menschlichen Person aus ihrer menschenunwürdigen Lage zu hebeln, nicht mit irgendwelchem —gar „gesellschaftlichem"— Machtrecht von Machthabern. Aber Archimedes wollte die schiefe Welt nicht aus den Angeln heben, um sie gänzlich in das Chaos zu rollen. Er wollte sie wieder lotrecht in ihre Angeln einsetzen. So auch kann und soll der Mensch sein Selberlebensrecht gebrauchen, um die Rechtswelt und folgend die gesamte Welt des Menschen in Gesellschaft und Wirtschaft wieder lotrecht in ihre Angeln einzusetzen! —

Das archimedische Angelrecht aller realen Personen ist das Selberlebensrecht der Person. Und dessen Kern ist das Selbstbestimmungsrecht der realen Person, nämlich allseits frei gut wie sittlich, sozial real zu leben, real zu bestimmen.

Auf dem realen Selberlebensrecht der realen Person gründet alles denkbare und wirkliche reale Recht im Himmel und auf Erden, darüber und darunter. Und durch das Selberlebensrecht der Person ist alles Recht aller denkbar möglichen —es können noch Personen real geboren werden— und aller wirklichen Personen ureinheitlich gegründet! So daß alle Personen, seien es göttliche, menschliche oder andere reale (!) Personen miteinander leben und somit einen Bund miteinander schließen können und eine Gemeinschaft bilden können!

2. Das zweite Menschenrecht

(Das zweite Natur-Urrecht der Person)

Das Miteinanderlebensrecht (Zweirecht) des Menschen

Aus dem Einsrecht des Menschen folgt und auf das Einsrecht folgt logomathematisch unmittelbar, also ohne eine Zwischenmöglichkeit das Zweirecht. Das ist selbstverständlich, logisch und mathematisch zugleich.

Das Zweilebensrecht des Menschen ist das Grundrecht oder Naturrecht bzw. Menschenrecht des realen Menschen, mit jedem Menschen, allgemeiner mit jedem Lebewesen allseits frei gut zu leben, wie sittlich, sozial zu leben, nämlich so zu gesinnen, d. h. rechtlich zu leben, so zu gesellen, d. h. allseits freie gute Gesellschaften zu bilden, und so zu arbeiten, zu wirtschaften, d. h. allseits freie gute Wirtschaften zu bilden.

Der Kern des Mit-ein-ander-Lebensrechtes des Menschen ist das Miteinanderbestimmungsrecht. Formulieren wir das zweite Menschenrecht sogleich exakt samt seinem Bestimmungsrecht. Denn Bestimmen ist eine Sonderform des Lebens:

Der Mensch hat das Urrecht, die Urpflicht und die Urliebe, selber mit jedem allseits frei gut zu leben (zu bestimmen)

Das ist das zweite Lebensrecht des Menschen, das zweite Freiheits- und Gutheitsrecht, das zweite Liberal- und Sozialrecht, das zweite Eigenwelt- und Umweltrecht. Es ist das Mitweltrecht!

„Mit jedem" heißt ganz allgemein mit jedem Lebewesen in der Eigenwelt und Umwelt bzw. Mitwelt! Denn wenn ich mit der Welt um mich herum lebe, so wird diese Umwelt durch mein Mitleben zu meiner Mitwelt. Das ist ein gewaltiger Unterschied in der Grundeinstellung. Daraus folgt eine fundamentale Neuorientierung für das gesamte eigene Verhalten. Denn aus dem bloßen Nebeneinander, in dem jeder nur an sich selber denkt, wird nun ein Mit-ein-ander, also ein Mit-Einssein und Miteinsleben. Das ist das zweieinheitliche Leben. Es ist allgemein ein eheliches Leben.

Mit jedem Lebewesen darf und soll der Mensch allseits frei gut, also lebensqualifiziert in jeder Hinsicht leben. Er darf nicht unqualifiziert mit irgend einem göttlichen, engelischen, menschlichen, tierischen, pflanzlichen oder mineralischen wie kristallinen Lebewesen leben, an das er glaubt oder dessen Existenz er weiß. Und er soll das nicht.

Das unqualifizierte Leben ist also rechtswidrig, pflichtwidrig und wider die Liebe. Mit Liebe soll der Mensch doch allen Lebewesen begegnen. Denn er beansprucht auch für sich selber, daß man ihn liebt und nicht haßt und auch nicht gleichgültig, teilnahmslos zu ihm ist. Also folgt auch das zweite Menschenrecht, das zweite Lebensurrecht des Menschen nicht nur deduktiv aus dem apriorischen Selbstverständnis der Person, sondern zugleich auch induktiv und demokratisch aus der Goldenen Regel.

Bedenken wir nochmals das, was wir soeben logisch erkannt haben.

„Nur" allseits frei darf der Mensch mit anderen Menschen leben, nicht unfrei, also nicht die anderen Menschen unterwerfend und ausbeutend, terrorisierend.

„Nur" gut darf der Mensch mit anderen Menschen leben, nicht böse und nicht schlecht, also nicht personal lebensunqualifiziert wie unsozial und nicht natural lebensunqualifiziert. Er darf die Lebensqualität keines einzigen anderen Menschen disqualifizieren, sei es durch Denken, Fühlen, Wollen-Handeln, durch Reden, Schreiben, Darstellen usf. Er darf weder die Lebensqualitäten des personalen Lebens, die man auch Tugenden nennt, disqualifizierend beeinflussen, noch darf er die naturalen oder kulturellen Lebensqualitäten eines anderen Menschen irgendwie verschlechternd beeinflussen.

„Nur" gut, lebensgerecht und rein darf der Mensch denken, wollen und fühlen. Und das soll er auch. „Nur" dieses Leben, d. h. „nur" das menschenwürdige Leben ist seine wahre Liebe.

Zusammengefaßt: „Nur" allseits frei gut darf der Mensch mit seiner Umwelt leben, seiner Mitwelt, also nur lebensqualifiziert. Er darf seine Umwelt nicht technoterroristisch ruinieren wie vergiften. Er darf das Leben in seiner Umwelt nicht ausrotten, gleich wie auch er selber nicht ruiniert, nicht vergiftet und nicht ausgerottet werden will. Er hat also „nur" das Urrecht und zugleich die Urpflicht, seine Umwelt, die Erde kultivierend „zu bebauen und zu bewahren", wie der Urauftrag Gottes an den Menschen lautet (Gen. 2,15)!

Das Miteinanderbestimmungsrecht

„Nur" allseits frei und gut wie sittlich, sozial, also in jeder Hinsicht lebensqualifiziert darf man somit miteinander bestimmen. Denn bestimmen ist eine Hauptform des menschlichen Lebens. Der Mensch ist das Lebewesen, das eine Sprache hat, eine Stimme, das also sich selber in freier Wahl bestimmen kann und das selber sich mit anderen in freier Wahl bestimmen kann.

„Nur" das darf der Mensch, also „nur" m i t bestimmen. Er darf also nicht g e g e n einen anderen allseits frei lebenden wie arbeitenden Menschen bestimmen, wie gegen dessen allseits freie gute Selbstbestimmung über sein Selbsteigentum bzw. über seine Selbstarbeit. Die Gegen(einander)bestimmung ist das Gegenteil der Mit(einander)bestimmung!

Der mündige Mensch kann mit und gegen unterscheiden!

Die Gegenbestimmung ist das zweite Ur-Unrecht wie die Miteinanderbestimmung das zweite Ur-Recht des Menschen ist.

Die Gegenbestimmung ist die zweite Urform der Selbstentfremdung. Sie ist eine „Mitentfremdung". Denn sie verneint die allseits freie Selbstbestimmung der anderen Person und somit gleichgerechterweise auch der eigenen Person. Es werden somit beide Personen verneint. Darin zeigt sich der Selbstwiderspruch der Selbstüberhebung, des Stolzes.

Man sagt im Christentum, daß der Teufel der Neinsager ist, der stolze Gegenbestimmer gegen den Menschen, gegen dessen allseits freies gutes Leben. Die Mutter des Erlösers dagegen sagte im Namen des Menschen Ja zu dem wahren guten allseits freien Leben.

Und „nur" gut, nur sozial darf man und soll man mit anderen Menschen bestimmen, also nur personal und natural lebensqualifiziert. Man darf nicht ungut wie unsozial miteinander bestimmen, geschweige gegeneinander.

Doch was ist sozial? Dazu siehe das vierte Lebensurrecht des Menschen. Besonderen auch für das Selber-Miteinander-Lebensrecht.

Alles Zusammenleben ist ein Miteinanderleben. Und alles Miteinanderleben ist ein Selbermiteinanderleben.

Dem Zusammenleben gegenüber steht das Nebeneinanderleben. Das Nebeneinanderleben besteht nur aus dem nicht weiter entfalteten Selberleben der einzelnen Personen, dem Nur-Selberleben.

Im vollständigen Miteinanderleben erweitert die Person ihren Lebensraum und ihre Lebensqualitäten auf das Doppelte, nämlich auf das Leben der mitlebenden Person. Sie wird also doppelt so reich an Leben. Bei mehreren mitlebenden Personen wird sie entsprechend noch reicher.

Am Ende der Neuzeit gründen alle großen Probleme der Staaten bzw. Politiker, der Schulen und der Kirchen, allgemein der Familien im Problem des Nebeneinanderlebens und Miteinanderlebens. Alle Probleme können also nur gelöst werden auf der ersten „Grundlage" des menschenwürdigen Lebens, nämlich „der Menschenrechte als Grundlage jeder menschlichen Gemeinschaft, des Friedens und der Gerechtigkeit". Die Lösung beginnt also mit der „klaren und bestimmten" (Pacem in terris) Erkenntnis, Formulierung und An-Erkenntnis des Selberlebensrechtes und des Miteinanderlebensrechtes des Menschen in Wort und Tat.

Aus dem Selberlebensrecht und dem Selber-Miteinanderlebensrecht des Menschen folgt unmittelbar als drittes Recht das Dreilebensrecht des Menschen, das Gemeinschaftsrecht. Es ist ein Selber-Gemeinschaftslebensrecht des Menschen.

3. Das dritte Menschenrecht

(Das dritte Natur-Urrecht der Person)

Das Gemeinschaftslebensrecht (Dreirecht) des Menschen

Auf das Einsrecht und Zweirecht des Menschen folgt logisch und mathematisch unmittelbar, also ohne eine Zwischenmöglichkeit das Dreirecht. Wie das Zweirecht ein Zweieinheitsrecht ist, denn jedes Mit e i n ander ist ein zweieinheitliches Leben, so ist das Dreirecht ein Dreieinheitsrecht. Das ist das allgemeinste Gemeinschaftsrecht des Menschen. Leiten wir es klassisch wissenschaftlich von dem allgemeinsten Lebensrecht des Menschen über die Entwicklungsleiter des Einsrechtes und Zweirechtes hinweg exakt ab:

**Der Mensch hat das Urrecht, die Urpflicht und die Urliebe,
selber mit jedem gemeinschaftlich allseits frei gut zu leben**

Der Mensch hat also das Menschenrecht und die Menschenpflicht, gemeinschaftlich zu gesinnen, zu gesellen und zu wirtschaften bzw. zu arbeiten. Für das Wort „gemeinschaftlich" kann man auch das Wort „kommun" einsetzen.

Man kann dieses dritte Menschenrecht, das sich aus dem Potenz-Akt-Prinzip ergibt, auch kürzer formulieren:

*Der Mensch hat die ethische Urpotenz,
allseits frei gut gemeinschaftlich zu leben (zu bestimmen)*

Mit allen Menschen eines Lebenskreises wie einer Familie oder einer anderen menschlichen Vereinigung von drei und mehr Personen darf und soll der Mensch gemeinschaftlich leben. Das heißt ganzheitlich leben, alleinheitlich leben, solidarisch integral und somit integriert leben und also sein Leben bestimmen. Und würde der Mensch guten Willens, d. h. zuerst guter Gesinnung das gemeinschaftliche wie familiäre Leben nicht auch lieben!

Allgemeiner: Mit allen Lebewesen eines Lebensbereiches wie in seiner Eigenwelt und Mitwelt darf und soll der Mensch gemeinschaftlich allseits frei gut, also lebensqualifiziert leben. Das ist das richtige, wahre und ganze Kommunitätsrecht und diese Kommunitätspflicht.

Über das Kommunitätsrecht (Wirrecht, Gemeinschaftsrecht) und die Kommunitätspflicht des Menschen hinaus kann es kein Recht und keine Pflicht von dieser Allgemeinheit geben. Das Kommunitätsrecht des Menschen und diese Urpflicht bzw. Menschenpflicht vollenden daher die Magna Charta alles menschenwürdigen Lebens. Allgemeiner: Das Kommunrecht und die Kommunpflicht der realen Person vollenden die Urgrundlage aller Rechte und somit allen Rechtes aller Personen im Himmel und auf Erden, darüber und darunter.

Zusammenfassung

Wer wollte an dieser Lebenslogik zweifeln? Wer würde diese drei ersten Lebensrechte nicht für sich selber beanspruchen? Wer würde nicht von den anderen erwarten, daß sie diese drei Ursozialrechte und Ursozialpflichten ihm selber gegenüber achten könnten, sollten und also würden? — Daher soll er gemäß der Goldenen Regel „Wie ich dir, so du mir. Wie du mir, so ich dir" auch alle anderen Menschen und sonstigen Lebewesen so behandeln, wie er von ihnen behandelt zu werden wünscht.

Man kann diese drei ersten Lebensrechte bzw. Menschenrechte, Freiheits- und Sozialrechte, Eigenwelt- und Umweltrechte auch dreieinheitlich geordnet sehen als das Ich-, Du- und Wir-Lebensrecht des Menschen und seine gleiche Lebenspflicht. Das Wirleben, das alleinheitliche Leben der Personen ist die vollendende allgemeine Form des Lebens. Darüber hinaus existiert keine weitere allgemeine Form. Also wird mit der Dreieinheit des Ich-, Du- und Wirlebens alles Leben des Menschen allgemein dreieinheitlich geordnet erfaßt.

Die Dreieinheit der Ethik (Gesinnung, Moral, Sittlichkeit, Recht) ist die Magna Charta alles Rechtes, analog wie nach christlicher Lehre die Dreieinheit Gottes „die Magna Charta des Christentumes" (Guardini/Höffner) ist, wie nach Pythagoras und Plato, auch Leibniz in seiner „Mathesis universalis" die ersten drei Zahlen alle Ordnung des Seins und Lebens begründen und umfassen und wie nach Kant die drei ersten Urbegriffe alles Denkens und Existierens Einheit, Viel(ein)heit und All(ein)heit sind. Alle wahre Wissenschaft gründet nach Leibniz und Kant auf dieser dreieinheitlichen Urordnung aller Logik und Mathematik, somit insbesondere auch aller wahren, von der Grundlage auf richtigen Rechtswissenschaft. Alle gute Wissenschaft gründet zuerst auf dem Menschenrecht zur allseits freien guten Wissenschaft.

Auf dieser Dreieinheit der drei ersten Urrechte der Person baut alles Recht auf. Auf diesem ersten Fundament ist also der lebensgerechte, der bio-logische Neubau des Rechtes der Menschheit zu errichten. Es besteht schon im Denken keine andere Möglichkeit. Das wird zur Selbstverständlichkeit für jeden selber denkenden Menschen, der diese drei von ihm selber beanspruchten Urrechte begriffen hat.

Alles, was zum Selberlebensrecht im Allgemeinen gesagt wurde und zum Selbermiteinanderlebensrecht im Besonderen, das gilt im Einzelnen für das Selbergemeinschaftslebensrecht des Menschen. Ein anderes Gemeinschaftsrecht als das Selbergemeinschaftsrecht der realen Person existiert logischerweise nicht.

Die heutzutage wichtigste Konsequenz: Das Wirleben, d.h. das reale Gemeinschaftsleben bzw. Gesellschaftsleben ist das Wirleben der Person. Denn die Gesellschaft besteht aus dem realen gesellenden Leben der Personen, jeweils in diesen Personen. Oder „die Gesellschaft" besteht als nebelumwallte Phantasie.

Das Gemeinschaftsleben bzw. Gesellschaftsleben existiert also innerhalb jeder Person und zwar als dritte Sonderform ihres Selberlebens.

Man kann also vernünftigerweise nicht, wie es in vieler soziologistischer Ideologie nebelhaft angedeutet wird, mit der Gemeinschaft anfangen zu rechnen, so wenig man mit der Zahl Drei anfangen kann zu rechnen. Die Mathematik und Logik beginnt mit der Zahl Eins, also auch die Rechtslogik. Also beginnt die Rechtslogik unter realen Menschen mit der Einheit der realen menschlichen Person in ihrem realen Selberleben. Die Zahl Eins bleibt ewig die Grundlage und die Voraussetzung der Zahlen Zwei und Drei. Analog bleibt das Selberlebensrecht des Menschen ewig die Grundlage und Voraussetzung aller Miteinanderlebensrechte und aller Gemeinschaftslebensrechte des Menschen, somit aller Gesellschaftsrechte.

Von der Logik und der Mathematik der Gerechtigkeit der Person kann „das" Recht einer „staatlichen menschlichen Gemeinschaft" (Benda) keine Ausnahme machen. Auch wenn Menschen (!) das staatliche menschliche Gemeinschaftsrecht betätigen, können sie nicht das Recht haben, in die Voraussetzung, die Grundlage und zugleich den Inhalt des Gemeinschaftslebensrechtes selber „einzugreifen", nämlich in das Selberlebensrecht der Person, und diesen Grundbestandteil auch des Staatsrechtes „beschränken" oder „brechen". Die Zahl Drei kann die Zahl Eins nicht brechen. Mit Hilfe der Zahl Drei kann niemand in die Zahl Eins „eingreifen" und sie „brechen". Münchhausen kann nicht das Fundament, auf dem er steht, entfernen, ohne schon bei dem Versuch umzufallen! Also fällt auch ein solches Staatsrecht um, nenne es sich national-sozialistisch oder international-sozialistisch, demokratisch, republikanisch oder sonstwie!

Die Zahl Eins ist die beständige Voraussetzung und die beständige „Grundlage" (Art. 1 GG) der Zahlen Zwei und Drei und aller weiteren Zahlen bis zu den größten Mengen!

Auch kann man nur über die Zahl Zwei, das Duleben bzw. Miteinanderleben, zur Zahl Drei gelangen, zum Gemeinschaftsleben, allgemein zum gesellenden, zum gruppenhaften, zum vereinigten Leben von drei und mehr Personen. Man kann also nicht auf der Grundlage eines Gemeinschaftslebensrechtes, gar Kollektivrechtes wie „dem Staatsrecht" irgend eine Betätigung des Miteinanderlebensrechtes verbieten wie irgend ein allseits freies gutes —also soziales, kommunes— Miteinanderarbeiten von mehreren Personen! Was typisch im rechtsgrundlosen Kommunismus geschieht und was ebenfalls eine Hauptursache seiner tödlichen wirtschaftlichen Krankheit und Schwäche ist. Aber solche Diktaturversuche von Massen über die Arbeit anderer, mögen diese Versuche von staatlichen oder gewerkschaftlichen, parteilichen oder anderen Machthabern ausgehen, zeigen sich heute in allen Himmelsrichtungen und in allen Gruppen. Und dieses menschenunwürdige, menschenrechtsfeindliche Verhalten führt überall zum Streit und am Ende zum verheerenden, selbstmörderischen Krieg. Wir dürfen jedoch nur und sollen in Frieden leben.

Die Grundrechte des Menschen in allen Urbereichen des Lebens

Wer die unermeßliche Bedeutung dieser Dreieinheit der Urgrundrechte aller Lebensrechte und somit aller Rechte aller Lebendigen schon jetzt in einem ersten Überblick erfassen will, der setze für das Urwort „leben" irgend eine der Sonderformen von „leben" ein, für die er sich selber besonders interessiert. Beispielsweise kann man in alle drei Urrechte anstelle von „leben" einsetzen: „gesinnen", „gesellen" bzw. „vereinigen", „versammeln", „arbeiten", „wirtschaften", „forschen", „lehren", „Informationen erlangen", „wahren" und „weitergeben", „denken", „reden", „reisen", „bauen", „einrichten", „wohnen", „essen", „trinken", „kleiden", „heilen", „aus, mit und in der Umwelt leben wie arbeiten" usf. Dann erhält man jeweils das gesamte, ewig gültige Rechtsfundament dieses Lebensbereiches! Man erhält also das gesamte, überall und allezeit wie das 1x1 gültige Fundament des Arbeitsrechtes, des gesamten Wirtschaftsrechtes, des gesamten Gesellschaftsrechtes bzw. Vereinigungsrechtes, des gesamten Baurechtes, des gesamten Eigenwelt- und Umweltrechtes usf.! —

Wäre das nicht ein wenig Nachdenken wert?

Formulieren wir einige dieser dreieinheitlichen Fundamentalrechte:

**Der Mensch hat das Urrecht, die Urpflicht und die Urliebe,
selber, mit jedem und gemeinschaftlich
allseits frei gut zu arbeiten**

Hier haben wir das Arbeitsgrundrecht aller Arbeitsrechte. Wenn wir anstelle von „arbeiten" das allgemeinere Wort „wirtschaften" einsetzen, dann erhalten wir das Wirtschaftsgrundrecht aller Wirtschaftsrechte. Wer arbeitet, der wirtschaftet. Wer wirtschaftet, der arbeitet.

Wer wollte dem allgemeinsten Arbeitsrecht und Wirtschaftsrecht des Menschen widersprechen? Er würde sich unmittelbar selber widersprechen! Und nur durch beständige Ignorierung seines Selbstwiderspruches könnte er versuchen, seine Arbeitstyrannei zu errichten.

Da man heutzutage so viel von Gesellschaft spricht und da dieses Wort schon zu einem Schlag-, Nebel- und Reizwort ersten Ranges geworden ist, so klären wir:

**Der Mensch hat das Urrecht, die Urpflicht und die Urliebe,
selber, mit jedem und gemeinschaftlich
allseits frei gut zu gesellen**

Zu Freundschaft, Ehe und Familie, zur staatlichen, zur schulischen und zur kirchlichen menschlichen Gemeinschaft und zur menschlichen Betriebsgemeinschaft kann, darf und soll der Mensch sich mit anderen Menschen allseits frei gut gesellen. Und wo er gesellend tätig ist, dort besteht eine Gesellschaft und zwar in seiner gesellenden Tätigkeit. Wo er nicht gesellend tätig ist, dort besteht selbstverständlich keine Gesellschaft dieses Menschen und also auch keine Gesellschaft anderer Menschen mit diesem Menschen! Auch das ist höchst selbstverständlich. Was alles folgt schon daraus! —

Für das Umweltrecht ergibt sich:

Der Mensch hat das Urrecht, die Urpflicht und die Urliebe,
selber, mit jedem und gemeinschaftlich
allseits frei gut auf seine Umwelt zu wirken
(allseits frei gut mit seiner Umwelt zu leben)
(allseits frei gut in seiner Umwelt zu arbeiten)
(allseits frei Gutes aus seiner Umwelt zu entnehmen)
(allseits frei Gutes gut lebensgerecht zu verarbeiten)
(allseits frei Gutes in seine Umwelt auszuscheiden)
(allseits frei gut die Erde zu bebauen)

Hier sind eine Reihe von besonderen Arten der Einwirkung auf die Umwelt in Klammersätzen hinzugefügt. Könnte man einen Satz bezweifeln? Was alles folgt daraus? In den folgenden Darlegungen werden allerlei Konsequenzen näher erläutert werden.

Wo in der Menschheit wäre diese fundamentale Rechtsordnung alles menschlichen Lebens schon klar und bestimmt erkannt und formuliert worden?

Welcher Streit wäre in diesen drei ersten Menschenrechten logisch möglich? Wenn nicht, was hindert dann noch im Menschen den Frieden? Was hindert jetzt noch die Einigung mit allen Menschen, die allseits freien guten Willens sind? Was hindert noch die Grundeinigung der Parteien von Menschen guten und also zuerst freien Willens? Was hindert noch die Grundeinigung aller Nationen aller Himmelsrichtungen?

Anders gefragt: Wo sind Menschen, die den anderen Menschen gleich achten wollen wie sie von den anderen geachtet sein wollen? Wo sind solche Menschen? —

Wo sind heute Menschen, welche die Goldene Regel, das Grundrecht aller Religionen und Kulturen der Menschheit anerkennen wollen? Exakt und konsequent?

Nochmals: Was hindert das friedliche Zusammenleben mit allen Menschen guten und also zuerst freien Willens? Nur mit Menschen, die unfreien und also unguten Willens sind, die also andere Menschen nicht frei leben lassen, sondern sie tyrannisieren wollen, kann kein Mensch in Frieden leben. Aber das menschenunwürdige, unfriedliche Verhalten dieser Menschen wird durch die Erkenntnis der ersten drei Menschenrechte hell offenbar! Und das hat Folgen, zuerst seelische Folgen. Denn niemand will in seinem objektiv unsozialen, objektiv unkommunen, unfriedlichen Verhalten entlarvt werden. Jeder will als friedlicher sozialer Mensch gelten. Was also kann man durch die Erkenntnis und Lehre der ersten drei Menschenrechte der Welt zum Frieden helfen?

Der Neubau des Rechtes der zu einigenden Menschheit muß also logischerweise und gemäß der Goldenen Regel vorgenommen werden, auf der alle Kulturen der Menschheit bisher gründeten und aus der alle Menschenrechte exakt folgen, zuerst die drei lebenswichtigsten und friedenswichtigsten, daher auch arbeitswichtigsten Menschenrechte. Auf deren Grund wurden auch die Mündigkeitsprüfungen in den Kulturen und Naturvölkern vorgenommen. Denn die neue —und genau besehen erste klare— Ordnung des Lebens der Menschheit kann logischerweise nur auf diesem neu, klar und bestimmt gelegten, aber schon immer und überall gültigen untersten Fundament errichtet werden. Denn andernfalls ist kein Friede möglich, kein menschenwürdiges Miteinander, keine Einheit. Alles andere Streben zur Neuordnung der Menschheit ist objektiv tyrannisch und führt daher unvermeidlich in den weltweiten Krieg.

Der Mensch aber hat das Recht, in Frieden zu leben. Und er hat diese Urpflicht und diese Urliebe.

Wo ist also die Neue Ordnung der Menschheit, ihre Friedensordnung zu gründen? Was ist ihre allezeit und überall unmittelbar geltende Grundlage?

4. Das Glaubenslebensrecht

(Das Glaubensfreigutlebensrecht)

Das Toleranzrecht

Mit dem vierten Menschenrecht betreten wir den eigentlich menschlichen Bereich des Menschenrechtes und hiermit das praktisch weitaus lebenswichtigste Rechtsfundament der „Gerechtigkeit in der Welt", d. h. zunächst in dieser Welt, in der Zeitraumwelt, der Majawelt des subjektiven Scheines! Das ist die Welt des Glaubens für den mangel- und fehlerhaften Menschen und folglich auch die Welt der vielen Irrtümer und die Welt des Privatlebens.

Wo auch immer in dieser Welt ein Menschenrecht verteidigt wird, da ist es fast stets aufgrund des Glaubenslebensrechtes des Menschen und dieser Urpflicht zu verteidigen. Und ohne klaren Bezug auf das Glaubenslebensrecht ist es schwer zu verteidigen, weil dann das vorangehende Gemeinschaftslebensrecht und diese Pflicht übermächtig wirkt, so daß von den Führern der Gemeinschaften, den Vätern Gehorsam verlangt wird. Wo das Verständnis für die Menschenwürde mangelt, dort wird sogar Unterwerfung verlangt. Solange man sich dann nicht klar und bestimmt und also überzeugend auf das Glaubensfreilebensrecht berufen kann, hat man einen schweren Stand in der Verteidigung seiner Menschenrechte.

Wir können grundgesetzlich fragen: Wie gelangen wir von Artikel 1 und 2 des bundesdeutschen Grundgesetzes exakt rechtslogisch zu Art. 4?

Aber gehen wir besser von dem gesunden Menschenrechtsverstand aus: Wie gelangen wir von dem allgemeinsten Lebensrecht des Menschen, das Leben seiner Person allseits frei gut wie insbesondere zuerst sittlich zu entfalten, zu dem Glaubenslebensrecht?

Wer das allgemeinste Lebensrecht konkret anwenden will, der steht sofort vor dem Urproblem praktisch der Betätigung aller Menschenrechte, da sie sämtlich Urrechte zum allseits freien guten Leben sind. Das ist das Urproblem, was gut ist, insbesondere was sittlich, sozial, moralisch ist, was gesellschaftlich und wirtschaftlich gut ist, was die beste Gesellschaft und beste Wirtschaft ist, auch was kultiviert ist und was in der Natur lebensqualifiziert ist, also wertvoll, gut ist.

Das ist das Urproblem alles Friedens unter den gutwilligen Menschen. Es ist zugleich das Urproblem von rechts und links, Ost und West, konservativ und progressiv, das Urproblem von Liberalrecht und Sozialrecht, von Freiheitsrecht und Gutheitsrecht bzw. Sittlichkeitsrecht, somit auch von Liberalismus und Sozialismus. Und es ist das Urproblem aller Lebensentwicklung und alles Lebensschutzes in der Eigenwelt und Umwelt.

Denn was ein allseits freies Handeln ist in Raum und Zeit, das ist an der Eigengrenze jedes Menschen auf Millimeter und Sekunde exakt erkennbar. Auch das unfreie Handeln ist exakt erkennbar wie etwa an der

Verrückung eines Grenzsteines oder bei einem Faustschlag an der gewaltsamen Deformation der Haut. Aber was ein gutes, also lebensqualifiziertes wie sittliches, soziales Leben bzw. Handeln ist, sei es in der Eigenwelt oder Umwelt, sei es in der Zeitraumwelt und sei es vor Gott, das ist Glaubenssache und nicht Wissenssache.

Da der Mensch gemäß dem allgemeinsten Menschenrecht urverpflichtet ist, überhaupt zu leben und zwar gut zu leben, denn nur das ist wahres Leben, so bleibt ihm gar keine andere Möglichkeit, als nach seinem Glauben zu leben, was gut ist wie sittlich, moralisch, sozial, lebensqualifiziert usf. Also folgt das Glaubenslebensrecht:

**Der Mensch hat das Urrecht, die Urpflicht und die Urliebe,
allseits frei gut zu leben
nach seinem Glauben, was gut ist**

Dieses Menschenrecht ist in erster Sicht eine zweite Form des allgemeinsten Menschenrechtes. Denn dieses ist in der vorangehenden Formulierung nur auf den Glauben hin weiter entwickelt.

In zweiter Sicht ist es ein zweites Einsmenschenrecht, also ein zweites Selberlebensrecht. Denn was der einzige, individuelle, reale Mensch selber glaubt, darauf kommt es hier an. Somit könnte dieses Menschenrecht als ein zweites Selberlebensrecht formuliert werden:

*Der Mensch hat das Urrecht, die Urpflicht und die Urliebe,
allseits frei gut zu leben
gemäß dem, was er selber als gut glaubt*

Da jedoch aus dem Selberlebensrecht schon die ganze Charta der ersten drei Menschenrechte folgte, so ist das vierte Menschenrecht in seinem Aufbau als Weiterentwicklung aller drei grundlegenden Menschenrechte zu formulieren. In dieser mathematologisch und vollständig aufgebauten Formulierung kann es konkret weit leichter und sicherer richtig gehandhabt werden:

**Der Mensch hat das Urrecht, die Urpflicht und die Urliebe,
selber, mit jedem und gemeinschaftlich
allseits frei gut zu leben
nach seinem Glauben, was gut ist**

In dem Wort „seinem“ ist die urwichtige Kennzeichnung „selber“ enthalten.

Zusammengefaßt ergibt sich, daß das Glaubenslebensrecht erstens ein Glaubensfreilebensrecht ist und zweitens ein Glaubensgutlebensrecht. In einem Wort ist es das Glaubensfreigutlebensrecht. Und dieses nach dem Selberlebensrecht wichtigste Freigutlebensrecht, dieses gleichsam zweite Selberlebensrecht ist zugleich Urpflicht des Menschen und seine Urliebe. Denn wer würde es nicht lieben, nach seinem eigenen guten Glauben allseits frei zu leben? Nämlich allseits frei gemäß seinem guten Glauben sein Leben selber wählend und von allen anderen Menschen allseits frei gelassen werdend.

Man kann das Glaubensfreigutlebensrecht des Menschen auch aus den historischen Erklärungen der Menschenrechte aus den letzten drei Jahrhunderten ableiten; insbesondere aus den derzeit staatlich als gültig anerkannten Kodifikationen wie der UNO-Erklärung, der Europäischen Konvention zum Schutz der Menschenrechte und dem bundesdeutschen Grundgesetz. „Das Recht jedes Menschen auf das Leben" setzt die Eur. Konvention an den Anfang. Daraus folgt u. a. das Recht auf das Selberleben überhaupt und zweitens das Recht auf das Selberleben nach dem eigenen guten Glauben. Denn das gute Glauben ist eine Grundform des menschenwürdigen Lebens, vielleicht die lebenswichtigste Art des Lebens in dieser Welt und also typisch im Reiche des Menschen. Und aus dem Recht, Gutes allseits frei zu glauben, folgt das Recht, nach seinem guten Glauben allseits frei zu leben, also seinen guten Glauben vollständig zu praktizieren.

Andernfalls, wenn man seinen Glauben nur „bekennen" dürfte (vgl. Art. 4 GG), aber nicht leben dürfte, dann wäre das Glaubenslebensrecht lächerlich und stände in einem totalen Widerspruch zum tätigen Leben. Deshalb heißt es auch „Die ungestörte Religionsausübung wird gewährleiset" (Art. 4 GG). Aber dem liegt wieder der ganze Glaubensterror der Machthaber zugrunde, was Religion ist. Es müßte lauten „Das ungestörte allseits freie Leben nach dem eigenen guten Glauben wird gewährleistet". Dann erst würde jeglicher staatliche, kirchliche, schulische, wirtschaftliche und andere Glaubenszwang wirklich enden. Dies wiederum wird im Grundgesetz angedeutet mit dem Satz „... die Freiheit des religiösen und weltanschaulichen Bekenntnisses sind unverletzlich" (Art. 4 GG). Aller Glaube ist Sache der eigenen Weltanschauung! Und da von der „Ausübung" der Religion bzw. Weltanschauung die Rede ist, so ist hier gemeint, daß die Freiheit des ausübenden, also des wirklichen, des praktischen täglichen Lebens nach dem eigenen subjektiv guten Glauben gemäß der eigenen Weltanschauung wie dem Wertglauben und Glauben an das Gute, zuerst an das höchste Gut, das Gut aller Güter, und an die Zukunft unverletzlich ist.

Was ist Glaube?

Was ist Glaube? Das ist die Kardinalfrage, die unter gutwilligen Menschen über Krieg und Frieden entscheidet! Und sie entscheidet zweitens über Krieg und Frieden unter den Menschen unguten Willens, die als gute Menschen gelten wollen. Sie sind daher ebenfalls der Rechtslogik zugänglich, wenn auch in minderem Maße.

Ist Glaube das, was irgend ein Machthaber, etwa ein wenig oder garnicht religiöser Mensch in einem Staatsamt, diktatorisch als religiösen Glauben bezeichnet? Soll dann aller andere tatsächliche (legitime) gute Glaube von Staatsbürgern im staatlichen Leben nicht (legal) als Glaube gelten? Soll das zwischenmenschliche Leben auf dieser fundamentalen Unrichtigkeit und Enge und auf diesem fundamentalen Terror gegen die Wirklichkeit des erstrangigen menschenwürdigen Lebens, nämlich des Glaubenslebens aufgebaut werden? Wäre dann ein innerer und äußerer Friede möglich?

Oder ist nur das Glaube, was irgend ein religiöser Mensch wie ein örtlicher oder internationaler religiöser Machthaber diktatorisch als Glaube bezeichnet? Was würde sich an dem fundamentalen geistigen und folgend auch leiblichen Terror gegen den tatsächlichen subjektiv guten Glauben vieler Menschen und folgend dem Unfrieden dann ändern? Die Menschenunwürdigkeit und also Unmenschlichkeit und die Unwahrheit des Lebens wäre doch dann dieselbe. Beherrscht sie nicht die Geschichte des Abendlandes und heute der ganzen Welt?

Dieser im Grunde meist kindische und unbewußte, weil undurchdachte geistige Terror in dem, was Glaube ist, diese Unfreiheit in der nur partiellen Definition und folgend nur partiellen Anerkennung der Menschenwürde „der anderen", nämlich der Andersgläubigen, diese nur kleine partielle Toleranz und so große Intoleranz beherrscht noch heute das kirchliche, schulische und staatliche Leben der Menschheit. Mit anderen Worten: Noch immer gehen Staatsmänner, Lehrer und Kirchenmänner derart unwissenschaftlich, unsachlich, willkürlich, chaotisch und also diktatorisch-tyrannisch mit dem Begriff „Glaube" um. Und darin gründet sachlich der heutige ungeheure Weltstreit der Parteien, Himmelsrichtungen und Kirchen in sich selber und untereinander. Die Willkür mit den Worten Glaube und Wissen hat die ganze Menschheit in Lebensgefahr gebracht!

Also ist es fundamental rechtswichtig und friedenswichtig, exakt zu klären, was Glaube ist. Das ist ebenso fundamental wichtig, wie die Klärung des Selberlebensrechtes des Menschen samt seinem Selbstbestimmungsrecht über sein eigenes Leben. Das menschenwürdige Leben gründet in dem Leben nach dem eigenen guten Glauben. Das menschenwürdige Leben gründet also praktisch zuerst in der Selbstbestimmung jedes Menschen, was sein Glaube ist. Solange daher nicht exakt rechtswissenschaftlich geklärt, erkannt und in Kirche, Schule und Staat, in Ehe, Familie und Betrieb anerkannt ist, was wirklich Glaube ist und was nicht, so lange ist ein sicher menschenwürdiges Leben auch unter gutwilligen Menschen nicht möglich. Denn es kommt dann ständig zu Versuchen, den eigenen Glauben, etwa was sozial wie eine soziale Leistung ist, halb oder ganz bewußt als Wissen zu behaupten und daher den Andersgläubigen zu diktieren gegen deren guten Glauben und gegen deren Gewissen, sowie sie bei Widerstand zu diskriminieren, zu verfolgen und zu unterdrücken. So lange also in den Gemeinschaften keine Klarheit besteht, was Glaube ist, kann kein spannungsfreies und streitfreies Leben möglich sein. So lange ist kein wirklicher Friede möglich! Denn dann wird von Gesetzgebern, Richtern und Parteien, von führenden und folgenden Arbeitern, von Ehepartnern und Familienvätern den anderen zu diktieren versucht, was gut und ungut ist, was sozial und unsozial ist, was gerecht und ungerecht ist, was ein Gemeinwohl und ein Unwohl ist, was ein Nutzen und ein Schaden ist.

Die ganze Weltspannung zwischen den Parteien und Himmelsrichtungen am Ende der Neuzeit gründet nach dem mangelnden Verständnis für das Wesen der Person, nämlich für ihre Freiheit in der Wahl ihres eigenen Lebens, sachlich in dem chaotisch willkürlichen Umgang mit den Worten Glaube und Wissen und der Realität des Glaubens und Wissens. Jeder geht anders mit dem Wort Glaube und dieser Realität des menschlichen Lebens um und achtet hier nur seinen eigenen Glauben von dem, was Glaube sei. Er hat kein Wissen, was Glaube ist. Obwohl die Schule an sich und besonders die echte Wissenschaft mit der Unterscheidung von Wissen und Glaube beginnt und immerwährend darauf gründet bis an das Ende der Welt, so wird am Ende der Neuzeit in den Schulen alles andere gelehrt als die Unterscheidung von Wissen und Glauben.

Beispielsweise bekämpft der Inter-National-Sozialist wie der National-Sozialist die ganze Menschheit damit, daß er tyrannisch seinen Glauben, besonders seinen Irr- und Aberglauben von der sozialen Gerechtigkeit wie im Marxismus und Materialismus als Wissen bezeichnet und alle Andersdenkenden als unwissenschaftlich und unmündig diskriminiert und dann als rechtlos behandelt! —

Aber auch diejenigen, welche die Personwürde des Menschen achten wollen, welche von Freiheit und Toleranz reden, reden so lange ins Leere, als sie selber unbewußt einen Glaubenszwang ausüben, weil sie Wissen und Glaube nicht exakt wissenschaftlich unterscheiden, wie es die ältere Wissenschaft als Selbstverständlichkeit am Anfang aller Lehre gelehrt hat, und weil sie deshalb nicht wissen können, was das rechtmäßige gerechte Leben im Wissen und im Glauben ist. Denn Wissenschaft besteht darin, ein Reich des sicheren Wissens aufzubauen, in dem der Weg von dem Urwissen der Person und von dem ungeheuer vielfältigen Glauben zu dem einheitlichen, allgültigen Wissen gegangen wird. Das ist der Weg von der Zerspaltung der Menschheit zu ihrer Einheit! Mit anderen Worten besteht Wissenschaft nach C. F. von Weizsäcker und vielen anderen hervorragenden Gelehrten darin, von dem subjektiven Glauben wie dem losen Meinen den Weg zur Objektivierung des Denkens und weiteren Lebens zu gehen, den Weg zur Wahrheit und folgend zum wahrhaftigen, zum realitätsgerechten Leben. Das ist Urpflicht der Menschenwürde.

Zwei wissenschaftliche Definitionen existieren seit altersher, was Glaube ist, eine personale und eine naturale. Die personale und also personwürdige, speziell menschenwürdige und somit menschengerechte Definition des Glaubens lautet:

Glaube eines Menschen ist, was dieser Mensch glaubt

Die naturale Definition lautet:

Glaube ist, was nicht Wissen ist

Beide Definitionen sind sachlich und also sachgerecht. Auch die zweite Definition führt bei näherer Untersuchung zur ersten, zur personwürdigen Definition zurück, nämlich über die Grunderkenntnis:

Glaube eines Menschen ist, was nicht sein Wissen ist

Sind nicht alle diese Definitionen simple Selbstverständlichkeiten? Und doch werden sie ungeheuerlich mißachtet. Wie oft wird nicht als Glaube eines Menschen bezeichnet, was dieser Mensch tatsächlich glaubt! Und wie oft wird als Wissen eines Menschen bezeichnet, insbesondere als eigenes Wissen, was ein Mensch nur glaubt!

Beides ist sehr gefährlich. Denn das Wissen der exakten Wissenschaft beansprucht mit Recht Allgemeingültigkeit. Diese aber möchte der Mensch in seinem Stolz allzu gern stets für seine eigene Persönlichkeit beanspruchen. Je unwissender und unwissenschaftlicher ein Mensch ist, desto lauter und stolzer pocht er am Ende der Neuzeit auf sein vermeintliches Wissen und auf seine angebliche Wissenschaft. Die ungebildeten Proletarier schreien sich selber am lautesten als Wissenschaftler aus. Die großen Gelehrten dagegen bekennen fast einmütig: Wir wissen, daß wir nichts wissen, — nämlich wenig oder fast garnichts von dem Wesentlichen des Lebens.

Der Mensch lernt heute auf der Schule nicht mehr das Allerwichtigste, nämlich Wissen und Glauben sicher zu unterscheiden. Und so will er in der Schule und anderwärts seinen Glauben, richtiger Aberglauben —wie von der Materie oder irgend einer Entwicklung— anderen als Wissen aufzwingen. Oder er will seinen Aberglauben vom Mechanizismus bzw. Quantismus der Materie anderen als Wissen aufzwingen, gar als allein maßgebend zur Beurteilung von allem Leben. Oder er will seinen Glauben, was sozial und was unsozial ist, was eine dialektische Entwicklung des Lebens ist und was nicht, anderen als Wissen aufzwingen. Grob ungebildete Menschen wüten hier im Reiche des Geistes wie Ochsen im Porzellanladen.

Sehr oft ist dieses vermeintliche Wissen nicht nur Glaube, sondern Irrglaube. Und garnicht selten ist es Aberglaube, nämlich wo es anderem eigenen Wissen oder Glauben des vermeintlich Wissenden widerspricht.

Das Fazit: Was ein Mensch glaubt, das ist für ihn eine Glaubenssache. Mag derselbe Gegenstand auch für andere Menschen echtes oder vermeintliches Wissen sein.

Da aller Friede von der klaren Erkenntnis und Anerkennung des Unterschiedes von Wissen und Glauben abhängt, aller Ehefriede, aller Familienfriede, aller Betriebsfriede, aller Kirchenfriede, aller Schulfriede und aller Staatsfriede, so wollen wir folgend beide Definitionen des Glaubens näher untersuchen.

1. Glaube eines Menschen ist, was dieser Mensch glaubt

Gemäß der Goldenen Regel ist das gesamte tatsächliche Glaubensleben eines Menschen von allen anderen Menschen zu respektieren und zwar als Glaubensleben, wie auch alle anderen Menschen wünschen, das ihr eigenes Glaubensleben von allen anderen Menschen respektiert wird.

Und aller gute Glaube ist als Gutes allgemein gleichberechtigt. Es besteht kein Recht, den einen Glauben eines anderen Menschen hoch zu bewerten und den anderen ebenso subjektiv guten Glauben abzuqualifizieren bis zum Ignorieren und Diskriminieren. Denn dann wird das Glaubensfreigutlebensrecht und diese Menschenpflicht ignoriert und praktisch fast stets verletzt.

Zudem folgt aus dem Selbstbestimmungsrecht über das eigene Leben, d. h. aus dem Menschenrecht zur freien Entfaltung des Lebens der eigenen Persönlichkeit, daß die allseits freie Selbstbestimmung eines Menschen, was sein eigener guter Glaube ist, ebenso als Menschenrecht zu achten ist wie jede andere allseits freie gute Selbstbestimmung, also wie jede andere allseits freie gute Entfaltung seiner Persönlichkeit! Andernfalls wird das Menschenrecht mißachtet.

Was für den einen Menschen Glaube ist, das kann für einen anderen Menschen Wissen sein. Wer in Rußland, in Amerika oder in Politanien war, der weiß, daß diese Länder existieren. Wer noch nicht dort war, der kann zunächst an deren Existenz nur glauben. Oder er glaubt an die Existenz des einen Landes, aber nicht an die Existenz des anderen Landes. An was glaubten die Völker der Erde bis zum 14. Jahrhundert? Hätten sie kein Recht zu diesem Glauben gehabt? Und wäre dieser Glaube nicht weithin ein Irrglaube gewesen? Hätte also die Menschheit kein Recht zu diesem Irrglauben und einem dementsprechenden allseits freien Leben gehabt?

Hier wird auch ersichtlich, daß glauben —eine im Wollen gegründete geistige Tätigkeit!— nicht nur religiös glauben ist. Religiös glauben macht bei dem Zivilisationsmenschen des 20. Jahrhunderts oft nur ein Prozent seiner gesamten Glaubenstätigkeit aus. Er glaubt auch, daß die Lebensqualitäten von Erde, Wasser, Luft und Feuer, von Brot, Milch, Wein und Fleisch gut oder schlecht sind. Und demgemäß lebt er! Wenn man bei ihm nur das religiöse Glauben achten wollte, dann würde man fast die gesamte freie Entfaltung seiner Persönlichkeit mißachten. Dann würde man also fast das gesamte allseits freie subjektiv gute Leben des Menschen mißachten. Und das heißt, fast seine gesamten Menschenrechte mißachten! Denn in der Raumzeitwelt werden sämtliche Menschenrechte von früh bis spät fast vollständig in unlösbarer Verbindung zusammen mit dem Glaubenslebensrecht betätigt, nämlich gründend auf dem Glauben, was gut ist und was nicht gut ist, was also lebensqualifiziert ist und was unqualifiziert ist, was sittlich ist und was nicht, was ein Wohl schafft und einen Nutzen für das eigene Leben bringt und was nicht, vor allem, was die Zukunft in Zeit und Ewigkeit bringen wird und was nicht. Woraus folgt, wie das gesamte eigene Leben zu planen ist und wie nicht.

Also gründet das gesamte Leben jedes realen Menschen —auch in Ämtern— vielfältig auf einem Glauben. Sogar jede einzelne Handlung gründet auf einer ganzen Reihe verschiedener gläubiger Annahmen, zumindest stets von zwei Annahmen, nämlich was sachlich gut ist und was in der Zukunft möglich ist. Denn jede Handlung ist auf eine Zukunft gerichtet.

Was also ist Glaube?

Man kann den gesamten Bereich des Glaubens sehr schön und wesentlich mit den Worten beschreiben, welche die katholischen Bischöfe auf dem 2. Vat. Konzil in ihrer „Erklärung über die Religionsfreiheit" unter Eingebung des Hl. Geistes gefunden haben. Zwar ist der Titel dieser Erklärung noch so winzig eng und unbewußt noch immer so unreflektiert glaubensdiktatorisch wie bisher das Leben in Kirche, Schule und Staat so vielfältig unter Glaubenszwang steht. Doch dann sagten die Bischöfe, daß der Mensch das angeborene Recht und also Menschenrecht habe und zugleich diese Urpflicht, allseits frei „die Wahrheit zu suchen". Was ist die Wahrheit?

Die Wahrheit ist einerseits die Wahrheit des Wissens, wie die Wahrheit aller Menschenrechte über „das eigene Leben" (Joh. Paul II.). Andererseits ist die Wahrheit die des Glaubens an alles Gute und alles Ungute, wie alles Gute und Ungute im Himmel und auf Erden, alles Gute und Ungute im Sittlichen, alles Gute und Ungute im Gesellschaftlichen, alles Gute und Ungute im Wirtschaftlichen, alles Gute und Ungute im kulturellen Leben und alles Gute und Ungute im ebenfalls ungeheuer weiten Bereich des naturalen Lebens, bei Essen, Trinken, Kleiden und Bauen, Einrichten und Wohnen angefangen und darauf gründend. Oder sollten all diese Wahrheiten und somit all diese Lebensbereiche der Wissenschaft und der Glaubenschaft willkürlich tyrannisch aus der Suche nach der Wahrheit ausgeklammert werden? Wie dies in ungeheurem Ausmaß bis zur Stunde von staatlichen, schulischen und kirchlichen Rechtslehrern noch immer geschieht? Denn wo würde im Kirchenstaat oder in einem anderen Staat oder in irgend einer Rechtsschule auf der Welt das Menschenrecht zur Suche nach der Wahrheit des Glaubens und Wissens auf a l l e n Lebensgebieten erkannt, formuliert und ausdrücklich anerkannt?

Es wird doch bis zur Stunde in der ganzen Menschheit nur jeweils derjenige Glaube als Glaube menschenrechtlich anerkannt, den irgend ein örtlicher Machthaber tyrannisch und also geistig terroristisch als religiösen Glauben definiert! Wie z. B. typisch im International-Sozialismus, im Kommunismus. Auf welchen geistigen Zwang hin unübersehbar deutlich doch auch noch die „Erklärung über die Religionsfreiheit" hinweist! ——

Der Glaube an das Übernatürliche, d.h. das Überkosmische, was über Raum und Zeit liegt, ist der Kern des christlichen religiösen Glaubens, aber nicht der Kern des religiösen Glaubens der Buddhisten, der Taoisten, der Naturreligionen usf.! Was ebenfalls zu beachten ist.

Doch wäre Gott nicht auch Herr dieser Welt und also auch Herr alles Guten in Erde, Wasser, Luft und Feuer? Dürfte der Christ nur an einen Teil des Herrschaftsbereiches von Gott glauben? Nur an den übernatürlichen Teil? Oder müßte er in allen anderen Teilen dem Glaubenszwang des nächsten Machthabers folgen? Oder dürfte er nur an einen Teil der von Gott geschaffenen Lebensqualitäten glauben und an alle irdischen bzw. kosmischen Lebensqualitäten nicht?

Dürfte der Mensch nicht nach allen Wahrheiten des Lebens suchen und an sie glauben, soweit er sie noch nicht weiß oder überhaupt nicht wissen kann in dieser Welt? Dürfte er nur nach einem kleinen Teil der Wahrheit suchen? Und dürfte er an all die anderen noch nicht als Wissen erarbeiteten Wahrheiten nicht glauben?

Das muß jeder Mensch begreifen lernen, wenn er im lebenswichtigsten Menschenrecht mündig werden will und als mündig anerkannt werden will von den tatsächlich mündigen Menschen! Auch ein religiöser Mensch und zuerst ein Christ muß das endlich begreifen lernen. Er hat gleichberechtigt das Menschenrecht zum allseits freien gläubigen „eigenen Leben" (Joh. Paul II.) auf der guten Erde anzuerkennen, wie er das Recht hat und anzuerkennen hat, nach seinem Glauben vom guten Gott allseits frei sein „eigenes Leben" zu leben in seinem Eigentum und mit allen gleich gläubigen Menschen zusammen.

Wenn nämlich ein Mensch erklärt, meine Religion beginnt bei den Lebensqualitäten von der Erde, die zu bebauen Gott uns aufgetragen hat, sowie bei den Lebensqualitäten von Wasser und Luft, dann wird er, wie schon hundertfach gleich in Ost und West bei Christen und Kommunisten geschehen, ausgelacht, ignoriert, diskriminiert und also terrorisiert von den geistlichen und politischen Verkündern der Religionsfreiheit. Dann also wird der geistige Terror in der Definition von Religion ersichtlich und somit die noch große Leere in all den juristischen, politischen, kulturellen, religiösen und anderen Erklärungen über die Religionsfreiheit bzw. Toleranz.

Die vatikanische Erklärung heißt nicht „Erklärung über die Glaubensfreiheit". Und auch dann, wenn einmal von Glaubensfreiheit verbal die Rede ist, wird willkürlich von den jeweiligen Machthabern diktiert, was als Glaube zu gelten habe bzw. zu glauben sei und was nicht, nämlich irgend ein religiöser Glaube. Die übrigen 99% des guten Glaubens des Menschen und also seines Rechtes auf „sein eigenes Leben" (Joh. Paul II.), hier eigenes Glaubensleben werden dann weiter von den kirchlichen, politischen, schulischen, betrieblichen und familiären Autoritäten ignoriert. Das sind 99% der Menschenrechte! Zu allem Überfluß wird dann gerne der Glaube definiert nur als Glaube an Übernatürliches. Also wird das gesamte natürliche Leben nach dem eigenen guten Glauben in dieser Welt ignoriert und mißachtet! Wäre das wenig? Oder wäre das unwichtig? —Und dann fordert man laut und beständig die anderen auf, die Menschenrechte zu achten!— —

Mit dem Begriff „Wahrheit" jedoch und dem Begriff „Suche nach der Wahrheit" wird im Keim (in nuce) das ganze Ausmaß des Wissens und des Glaubens erfaßt. Es ist dann nur eine Sache des konsequenten logischen Denkens, um den ganzen Umfang des Glaubensfreigutlebensrechtes des Menschen und dieser Menschenpflicht „klar und bestimmt" zu erkennen, wie es Johannes XXIII.

in großer geistiger Not 1963 in seinem Weltrundschreiben „Friede auf Erden" gefordert hat. Denn zuerst darauf gründet praktisch aller Friede auf Erden! Solange das Glaubensfreigutlebensrecht des Menschen und diese Menschenpflicht nicht klar und bestimmt vollständig, nämlich bis an die Grenze des exakten Wissens erkannt und anerkannt ist, so lange ist kein Friede auf Erden möglich!

Die Kirche hat hier eine gewaltig große Möglichkeit, gerecht und befriedend zu wirken. Warum nutzt sie diese noch nicht? Leidet sie nicht selber am schwersten durch die Nichterkenntnis oder/und Nichtanerkennung des Glaubensfreigutlebensrechtes und dieser Menschenpflicht! Wie viel mehr könnte für die Ehre Gottes und das Heil der Seelen geleistet werden, wenn das lebenswichtigste Menschenrecht klar und bestimmt erkannt und anerkannt würde, wie es Christus ausdrücklich gefordert hat durch Seinen Stellvertreter! Wollen nicht einige in der Neugeburt des Abend- und Morgenlandes wieder Christus konsequent folgen? —

Ohne vollständige Erkenntnis des ganzen Umfanges des Glaubensfreigutlebensrechtes des Menschen und dieser seiner Urpflicht ist kein Friede auf Erden möglich, da jeder Machthaber in dem ungeklärten Teilbereich, der 99% des gesamten Lebens ausmachen kann, den Hebel zu seinem Totalterror ansetzen kann, wie es Hitler mit seinem Rasse(irr)glauben und Stalin mit seinem Materie(irr)glauben der Menschheit vorexerziert haben und wie es heute noch mit dem Irrglauben einer mechanizistischen, mutativen, materialistischen, naturalistischen Affen-Entwicklungslehre und so viel Irrglaube an irgend eine angebliche soziale Gerechtigkeit gleichartig vorexerziert wird.

Dem Leser wird jetzt wohl hell klar sein:

Glaube ist, was ein Mensch glaubt!

Und was auch immer ein Mensch als gut glaubt, in diesem Glauben ist seine Menschenwürde ausnahmslos zu respektieren!

2. Glaube ist, was nicht Wissen ist

Die zweite Definition geht gleichsam naturwissenschaftlich von der Sache aus und nicht von der Person. Und zwar geht sie von der Sache Wissen aus. Der Glaube wird hier nur negativ formuliert, nämlich als eine Annahme einer Wahrheit, die nicht Wissen ist. Denn Glauben und Wissen stehen sich einander ausschließend polar gegenüber wie die Hoffnung auf einen Gegenstand und der Besitz des Gegenstandes. Was man schon besitzt, das kann man nicht mehr erhoffen. Und was man erhofft, das besitzt man nicht. Zwischen glauben und wissen besteht also nur die Möglichkeit des Entweder-oder! Eine fundamentale geistige Verwirrung liegt daher vor, wenn man —mit dann leeren Worten— redet, dasselbe zu wissen und auch zu glauben.

Der praktische Hintergrund dieser zweiten Definition ist, daß die Denktätigkeit des Menschen, die wissen genannt wird, an sich selbst exakt definiert werden kann, nicht aber die Denktätigkeit des Menschen, die glauben genannt wird. Es kann also nicht ein Glaube oder gar „der" Glaube an sich selbst exakt definiert werden. Mit dem Wort „der Glaube" wird so viel Unfug getrieben wie mit dem Wort „das Recht". Diese Tatsache ist gründlichster und umfangreicher Studien wert. Denn die negativen Folgen sind in beiden Fällen ungeheuerlich groß und umfangreich.

Die Exaktheit und Vollständigkeit der sachlichen Definition der menschlichen Tätigkeit, die glauben genannt wird, wird daher von ihrem Gegensatz entlehnt, dem Wissen. Also muß hier zuerst das Wissen klar und bestimmt definiert werden.

Was ist Wissen? Wissen im Sinne der exakten Wissenschaft umfaßt nur den Bereich der Quantitäten von Raum und Zeit, also bei Millimeter und Sekunde angefangen. Zwar hat Einstein auch diese euklidisch-archimedische Exaktheit eingeschränkt. Wie schon von den alten Indern über Thomas bis zur Gegenwart ununterbrochen gelehrt wird, daß alles in Zeit und Raum relativ ist. Aber für das praktische Leben des Menschen in seinen Raum- und Zeitgrößen ist die Sicherheit im quantitativen Umgang mit Zeit und Raum noch vollständig ausreichend.

Nur den Bereich der Quantitäten in Raum und Zeit umfaßt das allgemeingültige Wissen. Das ist das Wissen der modernen Physik, wie typisch der Quantenmechanik. Daher wird modernerweise die Physik auch als die Grundwissenschaft aller exakten Wissenschaften behandelt.

Die fünf Sinne des Menschen können jedoch nur einen winzigen Bereich des real Existierenden erkennen. Alle Felder, Strahlungen und deren Strömungen können sie nicht unmittelbar erkennen, sondern nur an deren sekundären Wirkungen. Die Physik selber —sogar diese— ist aber gegenwärtig schon vollständig Feldwissenschaft geworden.

Zudem existieren Milliarden Galaxien. Und jede Galaxie umfaßt Milliarden Sterne mit möglicherweise zehn mal mehr Milliarden Planeten, darunter vielleicht jeweils einem erdenähnlichen Planeten. Von all diesen Galaxien aber wissen wir nur, daß sie überhaupt existieren. Wir wissen nichts von einem ihrer Planeten. Wie winzig wenig selbst von der Physik des Kosmos wissen also auch die Physiker!

Unser exaktes Wissen vom Kosmos umfaßt daher noch nicht ein Promille von einem Milliardstel allein des materiell Existierenden. Vom seelischen und geistigen Leben also noch ganz abgesehen. Dieses aber ist für einen Kulturmenschen erstrangig.

Daraus folgt: Das Verhältnis des Wissens zu dem Glauben ist qualitativ und quantitativ wie Eins zu Milliarden von Milliarden. Und das besagt: Der Glaube und das Glaubensfreigutlebensrecht haben im Leben jedes realen Menschen eine alles Wissen praktisch unendlich überragende Bedeutung für alles menschenwürdige Leben, ja für alles Leben überhaupt!

Was ist dann das lebenswichtigste Wissen? Das ist das Wissen von den Menschenrechten! Wenn die Menschheit dieses Wissen nicht bald erlangt und anerkennt, dann drohen allein aus dieser Unwissenheit in dem sich dann steigernden Weltstreit Weltkrieg und Tod! —

Dieses Wissen gründet praktisch auf dem sachlichen und zugleich personalen Wissen, wo die allseits freie raumzeitliche Tätigkeit eines Menschen endet, d. h. wo die Grenze seines Eigentumes ist. Denn hinter dieser Grenze kann, darf und soll er nach seinem eigenen guten Glauben vom menschenwürdigen und also qualifizierten guten Leben und von der Zukunft allseits frei leben. Hinter der Grenze seines Eigentumes darf und soll jeder Mensch gemäß seinem Zukunftsglauben sein eigenes gutes sittliches, gesellschaftliches und wirtschaftliches Leben planen.

Mit anderen Worten ist das lebenswichtigste und vor allem friedenswichtigste Wissen des Menschen das Wissen von Mein und Dein auf Erden. Auf diesem Urwissen gründen alle Religionen und Kulturen. Im Ausmaß der Verbreitung dieses Urwissens herrscht Friede auf Erden. Denn alle Menschen guten Willens erkennen auch an, was sie als Wahrheit erkannt haben. Dann bleibt allen Menschen unguten Willens, die aber ihr Gesicht wahren wollen, ebenfalls nichts anderes übrig. Und diese beiden Gruppen zusammen machen wohl über 99% der Menschheit aus! Wie leicht wäre es also den Menschen guten Willens und wären sie nur 30% der Menschheit, den Frieden auf Erden zu schaffen!—

Im Ausmaß der Verwirrung dieses Urwissens wie durch kapitalistische und kollektivistische Eigentums- und Besitzideologien, durch lebensfremde ideologische Überbauten von Arbeitswerten und Produktionsmitteln —jede Ideologie ist Glaube!— herrscht Unfriede auch unter den subjektiv gutwilligen Menschen und also unter allen Menschen.

Hätten wir das Wissen von den Menschenrechten schon? Die Erklärung der Menschenrechte der Vereinten Nationen beginnt mit den Worten: „Wir, die Völker der Vereinten Nationen, entschlossen, ... den Glauben an grundlegende Menschenrechte, an Würde und Wert der menschlichen Person... erneut zu bekräftigen...“ — Es besteht also in den Vereinten Nationen bzw. in den Völkern der Erde noch kein Wissen von den Menschenrechten, sondern vorerst nur ein Glaube!

Es besteht also bisher in der Menschheit noch kein Rechtswissen, sondern nur ein millionenfältiger, ja milliardenfältig verschiedener, jeweils persönlicher Rechtsglaube!

Diese vielfältig höchst lebenswichtige Tatsache ist höchst bemerkenswert und studierenswert. Das besonders, weil der Rechtsglaube am Ende der Neuzeit dichtestens vernebelt ist, sodaß von keinem einzigen Menschenrecht auch nur in einem Minimum eine klare Vorstellung herrscht, von einer Übereinstimmung nicht zu reden. Und „die Menschenrechte“ sind doch die „Grundlage... der Gerechtigkeit“, also aller Rechte (Art. 1 GG)! Überall noch ein Chaos! Wie auch das bundesdeutsche Grundgesetz zeigt. Nirgends ein festes, klares Wissen wie Rechtswissen! Und daraus folgt der heutige ungeheure Weltstreit! Ein

Glaubensstreit um Recht und Gerechtigkeit, um Unrecht und Ungerechtigkeit. Ein Streit ohne Achtung der Menschenwürde im Glaubensrecht! Recht und Gerechtigkeit aber sind die erste Grundlage „jeder menschlichen Gemeinschaft" und zuvor alles menschenwürdigen Lebens! — —

Was also ist Glaube, wenn man vom Wissen ausgeht?

Was ein allseits freies Leben und also Handeln ist, das ist an der Grenze des Eigenreiches und somit Eigentumes jedes Menschen auf Millimeter und Sekunde exakt und also zweifelsfrei sicher richtig erkennbar. Das also ist Rechtswissen für den objektiv zurechnenden Menschen. Aber was ein gutes, also personal und natural lebensqualifiziertes wie sittliches, soziales Leben und also Handeln in der Eigenwelt und Umwelt ist, das ist Glaubenssache. Denn Qualitäten kann man nicht exakt, nämlich nicht quantitativ feststellen und messen.

Man kann nicht einmal mit Worten eine Qualität einem anderen Menschen sicher richtig übermitteln, geschweige beweisen. Wenn man etwas als schön oder wohlschmeckend bezeichnet, dann weiß man nicht, was der andere darunter versteht. Zudem kann dieser vielleicht als Unwohl fühlen, was ein anderer als Wohl fühlt oder glaubt. Über Geschmäcker und also Qualitäten kann man bekanntlich vernünftigerweise nicht streiten. Also auch nicht über Wohl und Unwohl, gleichgültig von wem! Und auch nicht über Nutzen und Schaden an menschenwürdigem Leben!

Somit sind ausnahmslos alle Qualitäten im Grunde Glaubenssache, von der ethischen bzw. sittlichen Qualität der Tugenden und Untugenden angefangen über die gesellschaftlichen wie sozialen Qualitäten eines Wohles bis zu den wirtschaftlichen Qualitäten des Nutzens, den Qualitäten des kulturellen Lebens und den Qualitäten der Natur in uns, neben uns und unter unseren Füßen.

Sogar wenn jemand einige Qualitäten wie sittliche, soziale Qualitaten als sein eigenes Lebenswissen erfahren hat, dann kann er dieses Wissen den anderen nicht sicher richtig übermitteln. Also bleibt auch die Richtigkeit einer qualitativen Übermittlung Glaubenssache. Der Übermittelnde und derjenige, dem eine Qualität —Lebensqualität!— mit Worten, Bildern, Tönen und sonstwie zu übermitteln versucht wird, können beide nur glauben, daß erstens die Übermittlung des Gebers der qualifizierten Information überhaupt qualitativ sachgerecht und vollständig war, zweitens daß sie von dem Empfänger der Information qualitativ sachgerecht und vollständig verstanden wurde.

Aber hier besteht eine lebenspraktische Grenze, die von höchst lebenswichtiger Bedeutung ist.

Wenn nämlich Unqualitäten grobe Grenzen überschreiten, also wenn ein Gift nachweislich krank macht und tötet, dann kann man sekundär, nämlich erfahrungswissenschaftlich an den Folgen die Unqualität in groben Grenzen relativ sicher erkennen und übermitteln. Entgegengesetzt kann man auch Qualitäten wie in echten Heilmitteln an der effektiven Heilung relativ sicher erkennen und übermitteln. Es heißt ja, daß wir die guten und schlechten „Bäume" (Ursachen) an den „Früchten" (Folgen) erkennen sollen (Mt. 7,16). Ehe wir aber solche sichere Folgekenntnis über einen Lebenswert oder Unwert haben, bleibt der Wert und also die Qualität Glaubenssache. Und wer persönlich solch eine Folgekenntnis noch nicht hat, —was selber zu bestimmen und zu erklären er das Menschenrecht hat—, für den bleibt diese Erkenntnis persönliche Glaubenssache, bis er sie hat. Und dieser Glaube ist zu respektieren gemäß der Goldenen Regel bzw. gemäß dem Menschenrecht!

Glaube ist, was nicht Wissen ist!
Und Glaube eines Menschen ist, was nicht Wissen dieses Menschen ist!

Was alles zählt zum Glaubensfreigutlebensrecht?

Nach den vorangehenden grundlegenden Klärungen kann jetzt die Bilanz gezogen werden. Was alles zählt zum ganzen Umfang des Glaubensfreigutlebensrechtes? Mit anderen Worten: Was alles ist im zwischenmenschlichen Leben primär Glaubenssache? Auch wenn es individuell möglich ist und allgemein Pflicht ist, daß ein Teil des Glaubens durch Logik und Erfahrungswissenschaft zum persönlichen Wissen werden kann und soll, so ist alles, was noch nicht Wissen der jeweiligen Person ist, Glaubenssache dieser Person.

Zum ganzen Glaubensfreigutlebensrecht zählt a u s n a h m s l o s a l l e s, was gut und also lebensqualifiziert ist oder nach persönlichem Glauben sein kann und was andererseits ungut und also lebensunqualifiziert ist oder nach persönlichem Glauben sein kann u. a. in:

den vier Urqualitäten warm, kühl, trocken und feucht,
den vier Unqualitäten hitzig, eiskalt, dürr und naß,
den vier Elementen Erde, Wasser, Luft und Feuer (plasmatischer bzw. vierter Aggregatzustand)
in der Eigenwelt in Essen, Trinken, Kleiden, Bauen-Einrichten-Wohnen, in Lebensweise, Heilweise und Hygiene,
in den sieben Werken der Barmherzigkeit bzw. den sieben Sozialwerken: Die Hungrigen speisen, die Durstigen tränken, die Nackten kleiden, die Fremden beherbergen, die Gefangenen befreien, die Kranken besuchen bzw. heilen, die Toten bzw. das Tote begraben.
was Sitte ist und also ein kultiviertes Leben ist und was Unsitte, also ein unkultiviertes Leben ist, somit was Kultur und was Unkultur ist.
was Kunst ist und was nicht.
was aesthetisch ist und was nicht.
was wirtschaftlich (ökonomisch) gut ist und was hier ungut ist.
was ein Gemeinwohl ist und was nicht.
was ein Nutzen an Lebensqualitäten ist und was nicht.
was ökologisch gut ist und was nicht.
was gesellschaftlich gut, also sozial ist und was gesellschaftlich ungut ist.

was eine gute oder die beste Gesellschaft ist und was nicht.
was eine gute oder die beste Wirtschaft ist und was nicht.
was charakterlich bzw. sittlich gut ist und was ungut, was also eine gute und eine ungute wie böse/schlechte Gesinnung ist.
was eine Tugend und was eine Untugend ist. Was heilig und was lasterhaft ist.

Was also beispielsweise lebensqualifiziert oder unqualifiziert ist im Baumaterial, in Anstrichen, Einrichtungsgegenständen, Pflegemitteln, was gut oder ungut ist in Nahrungsmitteln wie Brot und Milch, Wein und Honig, Butter und Käse, Fleisch und Wurst, in Trinkwasser und Atemluft, all das ist Glaubenssache, soweit es nicht schon persönliches Wissen geworden ist und soweit es nicht in groben Umrissen schon allgemeingültiges sicheres Erfahrungswissen geworden ist wie etwa bei den Wohngiften und anderen Umweltgiften.

Gehen wir folgend vom lebenswichtigsten und zugleich friedenswichtigsten Wissen in der Zeitraumwelt aus, um erneut zum ganzen Umfang des Glaubensfreigutlebensrechtes zu gelangen:

Wo der Mensch die Erde allseits frei bebaut, sei sie vorher unbebaut gewesen oder von einem Bebauer allseits frei erlangt worden, wo er also diese Erde bebaut wie durch sein Haus und die Furchen des Ackers, da ist die Grenze seines Eigentumes auf Millimeter und Sekunde exakt wissenschaftlich und somit als allgemeingültiges Rechtswissen feststellbar. Was anderes —welch anderes Wissen?— wäre die raumzeitliche Grundlage des Friedens in der irdischen Welt?

Hier ist also die in mehrfacher Hinsicht fundamentale Außengrenze des eigenen Lebensreiches als Wissen sicher erkennbar, in dem der Mensch menschenwürdigerweise, urrechtsmäßig und urpflichtgemäß nach dem eigenen guten Glauben wie von der guten Erde leben kann, darf und soll. Und dieses allseits freie subjektiv gute Leben nach seinem eigenen Gutglauben liebt er auch im tiefsten Herzen.

Wer hier einen Einwand machen will mit „dem" Recht, nämlich irgend einem staatlichen, schulischen, kirchlichen Machtrecht realer Menschen (!), der bringt hier zunächst seinen eigenen Glauben vor. Ihm steht das Wissen und also Rechtswissen von dem Menschenrecht gegenüber, die Erde allseits frei gut bebauen zu dürfen. Der eingewandte Glaube vom „dem Recht" bleibt Glaube, bis er als Rechtswissen nachgewiesen ist. Und dieser Nachweis kann rechtslogisch gültig nur auf der „Grundlage" „der Menschenrechte" (Art. 1 GG) erbracht werden, nicht mit der Willkür irgend welcher Menschen und mögen sie auch in großen Massen auftreten. Die praktisch allererste Rechtsgrundlage des Friedens auf Erden ist somit das Menschenrecht zum allseits freien guten Bebauen der Erde nach dem eigenen Glauben, was gut ist! —

Die ganze Pyramide der zuoberst hoch komplizierten und sehr vielfältigen Eigentumsverhältnisse und also Freiheitsverhältnisse (!) gründet auf der Basis des vom Menschen durch die Bebauung der Erde in Zeit und Raum geschaffenen Eigenreiches und also des Eigentumes an der Erde, des Urbesitzes.

Hier haben alle Modellvorstellungen des allseits frei subjektiv gut geschaffenen und somit rechtmäßigen Eigentumes zu beginnen und alle Modellvorstellungen der Freiheit des Menschen in dieser Welt. Wenn die Modellvorstellungen von dem Menschenrecht und von allem anderen Recht, dem Folgerecht der Menschenrechte (!), von dem Selbsteigentum des einzelnen Menschen an der Erde ausgehen und also von dieser Urfreiheit des Menschen, dann stehen die Grundvorstellungen von Freiheit und Eigentum, die Grundvorstellungen von —„dem"— Recht und Gerechtigkeit auf erdfestem Grund. Nur dann kann man die endneuzeitlich agonale Verwirrung alles Freiheitsdenkens, alles Rechtsdenkens und Eigentumsdenkens wie in den kollektivistischen Staatsvergötzungen in der sozialistischen Glaubensdiktatur und in den westlichen Staatsvergötzungen sicher überwinden. Nur dann kann man die Weltprobleme der Arbeitslosigkeit, des Währungschaos, des Parteienstreites, des Streites der vier Himmelsrichtungen und allen ökonomisch-ökologischen Streit felsenfest sicher, nämlich für alle zurechnenden Menschen überzeugend richtig friedlich überwinden! —

Wie wir das Problem auch angehen: Der Friede auf Erden gründet in dem Menschenrecht des realen Menschen, die Erde allseits frei gut nach seinem eigenen Gutglauben bebauen zu dürfen.

Wir haben also erkannt, daß das Glaubensfreigutlebensrecht und diese Urpflicht durchaus nicht nur ein Recht auf Religionsfreiheit ist, gar auf das Leben in derjenigen Religion, welche die jeweiligen religiösen oder unreligiösen Machthaber willkürlich nach ihrem jeweiligen Glauben, Irr- oder Aberglauben diktieren. Es sei denn, daß jeglicher Glaube wie auch an die gute Erde, das gute bzw. lebensqualifizierte Wasser, die gute Luft usf. als Religion bezeichnet und anerkannt wird. Für viele Menschen kann am Ende einer Kultur tatsächlich auch dieser Glaube religiöse Bedeutung haben, dies nicht nur in einer Zeit des Naturalismus, sondern auch in einer Zeit, in der die Allherrschaft Gottes wieder erkannt und anerkannt wird. Welche Allherrschaft für viele Amts-Christen in einer saekularisierten Zeit konkret unvorstellbar sein kann.

Hätte denn der Mensch kein Recht, nach seinem guten Glauben von der guten Erde, vom guten Wasser und den Früchten daraus allseits frei zu leben! Die so sehr zahlreichen Glaubenstyrannen in der Welt, in Ost und West, Nord und Süd machen sich hierüber bisher noch kaum Gedanken, auch wenn sie laut und oft von Toleranz im Glauben reden und von Menschenrechten. Denn sie versuchen in ihren Taten ständig, in einem riesigen Gebiet des Lebens Glaubenszwang und Gewissenszwang auszuüben. Und zugleich weisen sie schizophren jeden Glaubenszwang und Gewissenszwang verbal weit von sich! Ein ganz normaler Wahnsinn! Dieser aber führt zu dem ständigen Streit der Menschen wie dem Parteienstreit, dem Arbeitgeber- und -Nehmerstreit, dem Streit der Himmelsrichtungen, der Konservativen und Progressiven usf. bis zur Zerstörung der Gemeinschaften und bis zu den Weltkriegen.

Dieser Urstreit der geistig verwirrten Menschheit am Ende der Neuzeit beginnt also nicht erst in dem objektiv unmündigen Streit darüber, was soziale Gerechtigkeit und unsoziale Ungerechtigkeit ist, in dem Streit über die Bearbei-

tung der Erde und ihre Güter, in dem Streit über die Produktionsmittel und darüber, was ein gerechter Preis und Lohn ist. All dieser Streit beweist Unmündigkeit in den Menschenrechten! Denn es wird der Glaubensanteil in all diesen Bereichen nicht erkannt. Er kann daher auch bei bestem subjektiven Willen nicht respektiert werden. Der Urstreit beginnt darin, was Glaube —Meinen, Hypothese— ist und was Wissen ist.

Stellen wir also gegenüber all der modernen Glaubenstyrannei und ihrem heillos geistig verworrenen Streit fest: Glaube für einen Menschen ist, was dieser Mensch glaubt! Allein das, was er selber glaubt und also allseits frei als seinen eigenen Glauben bestimmt, nur das ist für ihn als Glaube und folgend für sein gesamtes Leben maßgebend und von allen anderen Menschen zu respektieren. Nicht das, was irgend ein wirtschaftlicher, militärischer, ideologischer, kirchlicher oder staatlicher Machthaber den anderen Menschen als Glaube aufzwingen will, wie als Glaube, was allein als Glaube zu gelten habe, was die —unterworfenen, ihrer Souveränität, d. h. ihrer Lebensrechte beraubten!— Bürger als Glaube zu bezeichnen und also zu glauben und zu leben hätten, nicht das ist als Glaube maßgebend für das menschenwürdige zwischenmenschliche Leben. Diese Glaubenstyrannei und folglich auch Gewissenstyrannei, dieser geistige Terror ist am Ende der Neuzeit fast überall in der Welt normal geworden, auch in der BRD.

Aber wir sind doch keine Tyrannen! So entgegnet hier ein westlicher Richter. Abgesehen davon, daß die Tyrannen sich selber niemals als Tyrannen erscheinen, kann der Grad des Glaubens- und Gewissenszwanges in manchen Regionen zeitweise relativ gering erscheinen — dies jedoch nicht allen, so etwa den Grünen nicht, mit denen über 50% der Bevölkerung sympathisieren. Aber der Glaubens- und Gewissenszwang ist durch die winzig enge diktatorische Definition des Glaubens im Staatsrecht prinzipiell verankert. Wenn eine Volksfrontregierung kommt, kann sie legal alle Bürgerrechte brechen und eine bolschewistische Tyrannei errichten. Und niemand kann logisch widersprechen und sich beklagen. Denn die winzig enge Glaubensdefinition und folgend Definition des Glaubensfreiheitsrechtes bzw. der Religionsfreiheit und sogar das Rechtbrechrecht hat er schon seit Jahren als „Recht" und gerecht anerkannt! —

Ein Beispiel für die moderne westliche und prinzipiell gleiche nahöstliche Glaubenstyrannei und Gewissenstyrannei:

Das Toleranzrecht in Holland

Erst als ein Kriegsdienstverweigerer in dem schon enorm toleranten Holland einen nichtreligiösen Glauben als Begründung anführte und die Richter in ihrer heutzutage normalen Glaubenstyrannei —bezüglich alles nach ihrem Glauben, Irr- oder Aberglauben nichtreligiösen Glaubens— die Glaubensargumente des Angeklagten als ungültig, nämlich als unreligiös abqualifizierten (diskriminierten!) bzw. abtaten und ihn verurteilten, wie in der die Menschenrechte so hoch achtenden Schweiz noch grasser üblich, da erhob sich das ganze holländische

Volk gegen diese Tyrannei, gegen diesen staatlichen Glaubensterror. Und da erst begannen die Staatsbeamten ein wenig nachzudenken und zu begreifen, daß sie bisher in ihrer Staatsvergötzung und Überheblichkeit erst einen winzigen Bereich des Glaubensrechtes, nämlich des Menschenrechtes der Toleranz erkannt und geachtet hatten. Und sie begannen, ein wenig mehr von diesem praktisch lebenswichtigsten Menschenrecht aller Menschenrechte und aller Folgerechte zu achten. Das glaubensterroristische und gewissensterroristische Urteil mußte von den verdutzten Hofjuristen selber revidiert werden.

So wird in Holland heute vielleicht schon zehn Prozent von dem praktisch lebenswichtigsten Menschenrecht geachtet! — Das ist im internationalen Vergleich sehr viel! Mehr als zehn Prozent des Glaubensfreigutlebensrechtes wird wohl nur in Nordamerika und Kanada geachtet. Oder? Was wird von dem lebenswichtigsten Menschenrecht in Liechtenstein geachtet?

Wo außerhalb Hollands würden die Staats-, Schul- und Kirchenjuristen schon über ihre religiöse Glaubenstyrannei nachdenken und sich ein wenig mehr zur Erkenntnis und Achtung der Menschenrechte aufschwingen? Wo? —

Wo sie es tun, dort beginnen sie, den unheilvoll drohenden Glaubensstreit aller Himmelsrichtungen menschenwürdig zu überwinden mit Hilfe des gesunden Menschen-Rechtsverstandes. Dort beginnen sie, die Grundlagen des Weltfriedens zu erarbeiten und den Frieden selbst zu begründen. Dort beginnen sie auch, den dritten Weltkrieg abzuwenden. —

Privatlebensrecht und Privatlebenspflicht

Wenn zwei Menschen einen verschiedenen Glauben haben, was gut wie sozial ist, so bleibt ihnen, wenn sie menschenwürdigerweise pflichtgemäß und gewissenhaft nach ihrem jeweils eigenen guten Glauben leben wollen, nur die Möglichkeit, im Bereich des verschiedenen Glaubens ihr Eigenleben gegeneinander abzugrenzen und die Grenze zu sperren gegen alle Einwirkungen, die dem eigenen guten Glauben zuwiderlaufen. Das Abgrenzen und Sperren der Grenze nennt man Privatisieren. Das private Leben ist also durch die Grenze und deren ganze oder teilweise Sperrung definiert. Was nicht abgegrenzt ist oder was abgegrenzt, aber nicht gesperrt ist, das nennt man offen, öffentlich, zugänglich.

So ergibt sich auf dem Grunde des Glaubensfreilebensrechtes und in seinem Rahmen das Privatlebensrecht samt der Privatlebenspflicht. Denn wenn zwei Menschen nicht miteinander leben können, weil sie nicht denselben Grundglauben an ethische, gesellschaftliche, wirtschaftliche, kulturelle und/oder naturale Lebenswerte haben, so dürfen sie menschenwürdigerweise im Bereich des unvereinbaren Grundglaubens gar nicht versuchen, miteinander zu leben, weil das logischerweise nicht friedlich möglich ist. Sondern sie können und dürfen in diesem Glaubensbereich nur nebeneinander leben. Dann aber müssen sie sich gegenseitig abgrenzen in ihrem eigenen Leben und also Eigentum, wenn sie nicht in Streit und Krieg gegeneinander geraten wollen, sei der Krieg offen oder geheim geführt wie unter einem Staatsterror des Glaubens, des religiösen, ideologischen, wirtschaftspolitischen oder sonstigen Glaubens. Das gemäß der Selbsterlebenspflicht und der Glaubensfreigutlebenspflicht pflichtgemäße Abgrenzen und Sperren der Eigengrenze gegen selbstentfremdende wie glaubensentfremdende Einwirkungen nennt man Privatisieren, Privateigentum bilden, ein Privatleben führen.

Formulieren wir sogleich in Kürze das Privatlebensrecht:

Der Mensch hat das Urrecht, die Urpflicht und die Urliebe, allseits frei gut privat zu leben, soweit und solange sein Lebens-Glaube verschieden ist vom Leben des Nächsten

Unter der Verschiedenheit wird hier die Unvereinbarkeit verstanden. Dann ist keine Gleichung möglich. Denn es besteht dann ein diametraler Gegensatz.

Das Privatlebensrecht wird vielfältig mißverstanden. Als Privatlebenspflicht wird es auch oft garnicht verstanden, weder von der einen noch von der anderen Seite. Und das Privatlebensrecht wird auch oft mißbraucht, nämlich zu einem unguten wie unsozialen Leben. Daher muß hier sorgfältig Recht und Unrecht, sowie echte Pflicht und echte Liebe von falscher Liebe zum Privatleben und anderem unterschieden werden.

Versuchen wir, dieses Urthema der Menschheitsgeschichte und der Kriegsgeschichte der Religionen und gleich der Sozial-Ideologien und anderen Ideologien am Ende der Neuzeit anstatt mit dem Grundbegriff „leben“ mit dessen wichtigster Sonderform, mit dem Begriff „bestimmen“ zu beschreiben:

Privatbestimmungsrecht und Privatbestimmungspflicht

Wenn zwei Menschen mit unvereinbarem subjektiv gutem Glauben ihr eigenes Leben und also Eigentum beide nach ihrem eigenen guten Glauben selber allseits frei bestimmen wollen, so müssen sie sich abgrenzen und ihre Grenze gegen alle einwirkenden Bestimmungen und also Mitbestimmungen sperren, welche dem eigenen guten Glauben wie Sozialglauben zuwiderlaufen.

Es ist hierbei gleichgültig, ob die widrigen Bestimmungen aus subjektiv guter Absicht wie gutem Glauben oder aus einem anderen Motiv kommen. Das Menschenrecht ist auch gleich gültig, ob die Bestimmungen von Mehrheiten oder Minderheiten kommen, ob sie von oben oder unten, von Vorgesetzten oder Nachgesetzten kommen, ob sie von staatlichen, schulischen, kirchlichen, betrieblichen oder anderen Personen oder Massen kommen.

Würden beide Menschen ihren Selbstbestimmungsbereich und also ihr Selbsteigentum nicht abgrenzen und spezifisch sperren gegenüber den nach eigenem Glauben glaubenswidrigen Bestimmungen, so würden die sich widersprechenden Bestimmungen zu einer Disharmonie, zu Streit und Kampf führen oder zur übermächtigen stillen Unterdrückung mit geheimem Kampf, also zum

Unfrieden. Nur durch die Abgrenzung und Sperrung, also nur durch die beiderseitige Privatisierung kann der Friede erhalten bleiben. Denn nun können beide hinter der Grenze ihrer Eigenreiche ihr eigenes Leben allseits frei nach ihrem eigenen guten Glauben himmlischer oder irdischer Art bestimmen. Nur dann kann Friede herrschen.

Das rechte Privatrecht, nämlich im Bereich des unvereinbar verschiedenen Glaubens, erhält somit den Frieden. Und der ist das Fundament alles sozialen Lebens. Der Krieg, auch als Unterdrückung durch eine andere Ideologie ist das Unsozialste. Daher zählt das echte, das menschengerechte Privatrecht zum Fundament des echten Sozialrechtes und Kommunrechtes und somit alles wirklich sozialen Lebens!

Auch diese Erkenntnis ist gründlichen Nachdenkens wert.

Ein Beispiel: Wenn zwei staatliche menschliche Gemeinschaften einen grundverschiedenen Glauben haben, was menschenwürdig ist, wie was sozial oder kommun ist, so müssen sie sich im Ausmaß der Verschiedenheit gegenseitig abgrenzen. Denn andernfalls können diese Menschen in ihren staatlichen Gemeinschaften nicht allseits frei nach ihrem eigenen guten Glauben gewissenhaft leben. Sondern jeder Mensch bzw. Staatsmensch würde versuchen, nach seinem eigenen subjektiv guten Glauben wie Sozialglauben den anderen zu bestimmen, zu beeinflussen. Jeder Staatsführer würde versuchen, zu einer Vorherrschaft über die Bürger des anderen Staates zu gelangen. Man spricht dann auch von Hegemonie, Satellitenstatus, Protektorat, Kolonie usf.

Eine solche staatliche bzw. politische Bestimmung wäre auch keine M i t bestimmung, sondern eine G e g e n bestimmung, nämlich gegen den guten Lebensglauben der anderen. Das wäre das genaue Gegenteil einer menschenwürdigen, einer objektiven und daher beidseitigen, somit übereinstimmenden Mitbestimmung. Das wäre eine selbstentfremdende Bestimmung, also das fundamentale Gegenteil einer menschenwürdigen, einer sozialen und kommunen Bestimmung.

Vielleicht würde die eine staatliche menschliche Gemeinschaft sogar versuchen, mit Gewalt ihren subjektiv guten Glauben den anderen staatlichen Gemeinschaften aufzuzwingen, auch wenn sie sich nachweislich schon oft in ihrem subjektiv guten Glauben geirrt hat und also schwere Fehler gemacht hat, insbesondere also objektiv unsozial und unkommun gehandelt hat. Das wäre ein tyrannisches und terroristisches Verhalten! Das ist das genaue Gegenteil jedes objektiv sozialen, kommunen, menschenwürdigen Verhaltens. Es ist der Versuch der Selbstentfremdung „der anderen“, nämlich der anders gutgläubigen wie der anders sozialgläubigen Menschen.

Würde jedoch von jeder staatlichen Gemeinschaft eine teilweise sperrende Grenze gezogen, nämlich dort, wo sich der beiderseitige Glaube widerspricht, würde also eine Privatgrenze gezogen und die Menschenwürde jedes Menschen, folgend auch jeder staatlichen menschlichen Gemeinschaft respektiert, würde also in einem wirklich sozialen Verhalten das Selbstbestimmungsrecht jedes Menschen —seine Souveränität!— über sein sozial-kommunes bzw. men-

schenwürdiges Leben in all seinen Gemeinschaften geachtet, dann kann jede staatliche menschliche Gemeinschaft mit gleichem Sozialglauben hinter ihren Staatsgrenzen menschenwürdig ihr eigenes staatliches Leben nach ihrem anderen eigenen Sozialglauben führen. Dann herrscht Friede. Dann besteht ein menschenwürdiges, wirklich soziales Verhältnis beider Staaten. Nämlich dann wird das Selbstbestimmungsrecht über das eigene Leben geachtet. Und nur dann kann überall eine wirkliche Kommunität gebildet werden, die ihren Namen verdient, eine Gemeinschaft, ein Bund wie Staatenbund, eine Union, ein Reich bis zum Weltreich der Menschheit. Denn nur bei der Achtung dieser ersten Gerechtigkeit in der Raumzeitwelt kann jede Gemeinschaft allseits frei ihren eigenen Weg zu dem Endziel der allsozialen, allkommunen Menschheitsfamilie, zur Alleinheit, zum irdischen oder/und überirdischen Paradies gehen.

Jede teilweise gesperrte Grenze ist eine Privatgrenze, gleichgültig, ob hinter der Grenze nur ein einzelner Mensch oder eine Gemeinschaft von Menschen mit über einer Milliarde Mitgliedern lebt. Es ist auch gleichgültig, ob hinter der teilweise gesperrten Grenze eine staatliche, schulische, kirchliche, betriebliche, familiäre oder sonstige menschliche Gemeinschaft lebt. Es gibt nicht zweierlei Menschenrecht. Das Menschenrecht ist die „Grundlage j e d e r menschlichen Gemeinschaft“ (Art. 1 GG). Also ist auch das Privatmenschenrecht und diese Menschenpflicht die Grundlage jeder menschenwürdigen Gemeinschaft!

Menschenrechtlich und also grundlagenrechtlich, fundamentalrechtlich, naturrechtlich liegt dasselbe vor. Es ist stets der reale Mensch, der allseits frei nach seinem eigenen guten Glauben friedlich lebt hinter seiner gegenüber andersgläubigen bzw. als ungut geglaubten Einwirkung gesperrten Eigengrenze. Ob er dies allein oder mit anderen Menschen tut, ob er dies familiär, kirchlich, schulisch, staatlich oder betrieblich tut, das ist etwas Sekundäres, also etwas Unwesentliches für das Privatlebensrecht.

Es ist bemerkenswert: Im Anfang besteht keine Privatgrenze! Auch wenn ein Mensch in einer Familie geboren wird, so hat er im Anfang gegenüber Vater und Mutter keine Privatgrenze. Und wo keine Grenze ist, da kann auch nichts gesperrt werden. Der junge Mensch wächst im selben Grundglauben der Eltern auf. Erst später kann sich bei der irdischen Entwicklung seiner Persönlichkeit ein anderer subjektiv guter Glaube entwickeln, der dann zur Bildung eines privaten Lebensraumes in der Gemeinschaft berechtigt und verpflichtet.

Formulieren wir das echte, das richtige Privatrecht des Menschen noch ausführlicher und zugleich mit dem Privatbestimmungsrecht und dieser Pflicht. Formulieren wir das praktisch wichtigste Lebensrecht des Menschen in dieser Welt, das erfahrungsgemäß ausnahmslos ein jeder Mensch für sich selber beansprucht, kein Sozialist bzw. Kommunist ausgenommen. Im Gegenteil: Kommunisten sperren ihre Grenzen besonders umfangreich und führen also ein besonders umfangreiches Privatleben gegenüber anderen Menschen. Wären die Kremlmauern denn etwa besonders niedrig? Und welche Staatsgrenzen sind am meisten gesperrt? Also formulieren wir das Menschenrecht, das auch alle Kommunisten in der Tat für sich selber beanspruchen, noch ausführlicher:

Der Mensch hat das Urrecht, die Urpflicht und die Urliebe, selber, mit jedem und gemeinschaftlich allseits frei gut privat zu leben (bestimmen), soweit und solange sein Glaube verschieden ist vom Leben eines anderen Menschen

Also nur gegenüber den Menschen, die nach dem eigenen Glauben ungut einwirken, wie besonders gegenüber den anders gutgläubigen Menschen und gegenüber den bösen Menschen, nur gegenüber diesen Menschen darf und soll der Mensch privat leben, nicht gegenüber sonstigen Menschen!

Also darf man nicht gegenüber Menschen gleichen guten Glaubens wie gleichen Sozialglaubens, gleichen Kommunglaubens, gleichen religiösen Glaubens privat leben! Wie das die ersten Christen praktiziert haben. Innerhalb einer echten Kommune, d. h. innerhalb einer echten und vollständigen Gemeinschaft existieren keine gesperrten Grenzen.

Aber das total gemeinschaftliche, das vollkommen kommune Leben ist ein anzustrebendes Ideal. Im Denken, Wollen und Fühlen existieren zwischen Menschen, die noch keine vollkommenen Heiligen sind, da und dort noch Glaubensverschiedenheiten wie Bewertungsverschiedenheiten und also Privatgrenzen. Erst im Himmel ist ein vollkommen unprivates Leben der mündigen Personen möglich und wirklich.

Gegenüber Menschen, die nach einem unvereinbar anderen Sozial- und Kommunglauben leben, darf und soll der Mensch seine eigene Grenze sperren. Wie das z. B. Kommunisten vorbildlich zeigen. Wenn sie hier anderen Menschen dasselbe Menschenrecht zugestehen würden, so hätten sie Frieden und bräuchten keine Angst zu haben vor den Arbeitern und Bauern, genauer vor allen anderen Menschen, weil diese gleich wie sie das Menschenrecht beanspruchen, nach ihrem eigenen guten Glauben allseits frei zu leben, und daher bereit sind, ihr Lebensrecht gegen alle Unterdrücker zu verteidigen.

Solange man den anderen Menschen nicht dieselben Menschenrechte zugesteht, die man für sich selber beansprucht, solange man sich stolz über die anderen Menschen erhebt, solange man sich so eindeutig objektiv unsozial und unkommun verhält, indem man einen anderen Glauben nicht respektiert, führt man Krieg gegen alle „anderen" (andersgläubigen) Menschen. Dann führt man den ungerechten Krieg des objektiv antikommunen Verhaltens, des objektiv antisozialen Verhaltens.

Und man beachte das „soweit" und „solange". Denn der Rechtsgrund zum Privatleben ist allein der andere gute Glaube. Wo der Lebensglaube wie ein Sozialglaube, Kommunglaube, Gnadenglaube, Naturglaube, Arbeitsglaube usf. gleich ist, dort besteht die Urpflicht zum grenzfreien oder zwar abgegrenzten, aber ungesperrten Miteinanderleben und Gemeinschaftsleben. Auch dort wäre ein Privatleben und also ein gesperrtes Eigentum, d. h. ein Privateigentum rechtswidrig. Solange wir also noch nicht im Himmel leben, müssen wir gerechterweise —sozialerweise— zum Teil privat leben.

Und man beachte: „Nur“ allseits frei gut wie sozial darf der Mensch privat leben. Er darf nicht ungut wie unsozial oder anderweitig bösartig oder schlecht privat leben.

Das besagt, daß der in einem Teilbereich seines Lebens privat lebende Mensch nach wie vor die Urpflicht zum Gemeinschaftsleben mit allen Menschen hat, zum allsozialen, allkommunen Leben der Menschheitsfamilie. Er darf nur in dem Bereich des unvereinbar anderen subjektiv guten Lebensglaubens seinen eigenen Weg zu diesem Ziel gehen. Und das soll er pflichtgemäß auch. Auch das ist seine Sozialpflicht!

Aber dieses Ziel der vollkommen einigen und also unprivaten Menschheitsfamilie und also dieses Motiv hat auch sein gesamtes Privatleben zu beherrschen. Eigentum und also Leben, Dasein verpflichtet zum Gemeinschaftsleben, wenn der Mensch mehr als einen anderen Menschen bzw. mehr als ein anderes Lebewesen neben sich erkennt (Vgl. Art. 14 GG. „Eigentum verpflichtet“ Alles Leben ist Eigentum des Lebenden!). Wer drei Menschen sieht, für den beginnt die Pflicht zum Gemeinschaftsleben.

„Privat“ besagt gemäß der lateinischen Sprachwurzel „Beraubtsein“. Wer privat lebt, der ist des Gemeinschaftslebens beraubt. Das ist schmerzlich für alle Menschen wahrhaft guten Willens. Aber der Respekt vor der Menschenwürde der andersgutgläubigen Menschen und vor der eigenen Glaubenslebenspflicht und somit Gewissenspflicht geht vor. Auch ist anders kein Friede möglich. Der Krieg aber —auch als heimlicher Bürgerkrieg unter einem staatlichen, schulischen, kirchlichen, familiären, betrieblichen Terrorregime— ist weit unsozialer und unkommuner als das friedliche und im eigenen guten Glauben menschenwürdige Privatleben. Auch kann man bei einer Glaubensverschiedenheit nur auf der Basis des freien Privatlebens aller den Weg zu der Allkommunität der Menschheit gehen, zur wirklichen Menschheitsfamilie.

Das Privatsoziallebensrecht

Aus alledem ergibt sich: Das echte, richtige, das menschenrechtlich bzw. naturrechtlich begründete Privatlebensrecht ist genau besehen ein Privatsoziallebensrecht, ein Privatkommunlebensrecht.

Das Privatlebensrecht ist ein Privatsozialrecht oder kein echtes Privatrecht!

Und das Privatsoziallebensrecht ist zugleich eine Privatsoziallebenspflicht jedes Menschen. Das Privatkommunlebensrecht ist zugleich eine Privatkommunlebenspflicht jedes Menschen.

Beansprucht nicht jeder Sozialist bzw. Kommunist für sich selber und auch für seine Gemeinschaft gleichen Sozialglaubens wie Kommunglaubens das Privatsoziallebensrecht und diese Urpflicht gegenüber allen andersgläubigen Menschen und ihren staatlichen, kirchlichen und sonstigen Gemeinschaften! Weshalb spricht er so oft von Einmischung! Also ist gerechterweise und vernünf-

tigerweise dieses Urrecht und diese Urpflicht auch allen anderen Menschen und ihren Gemeinschaften zuzugestehen. Auch der Kommunist bzw. Sozialist darf sich nicht in deren Glauben von der besten Gesellschaft und Wirtschaft einmischen!

Alles irdische Eigentum ist privat und unprivat zugleich

Die Erfahrung lehrt, daß alles Eigenleben des Erdenmenschen —jeder Amtsmensch bzw. Funktionär eingeschlossen— und somit all sein Eigentum einerseits gegenüber vielen anderen Menschen abgegrenzt und gesperrt ist, also privat ist nach außen, aber zugleich nach innen gegenüber der eigenen Person, gegenüber dem Ehepartner, gegenüber der Blutsfamilie und anderen eigenen Gemeinschaften nicht gesperrt und also nicht privat ist in weiten Bereichen.

Wer also gegen das Privateigentum überhaupt kämpft, somit ohne gerechtes und ungerechtes Privateigentum zu unterscheiden, der bekämpft sich zuerst selber, entzieht seinem eigenen doch umfangreich gegenüber anderen Menschen gesperrten Leben, somit seinem eigenen privaten Leben den Rechtsgrund. Er bekämpft und vernichtet somit auch und zuerst sein eigenes Leben!

Das private Miteinanderleben

Noch weitere Folgerungen ergeben sich, wenn man die Beziehung zwischen der Dreieinheit der drei ersten Urrechte, dem Ich-Du-Wir-Lebensrecht des Menschen und dem Glaubensfreilebensrecht untersucht. Nämlich: Der Mensch kann auch als Privatmensch mit anderen Menschen leben. Und das soll er gemäß der Miteinanderlebenspflicht und der Gemeinschaftslebenspflicht auch stets tun! Denn diese Urpflichten sind allgemein vorrangig, wie die Zahlen 2 und 3 vor der Zahl 4 rangieren.

Auch wenn zwei Menschen oder beliebig viele ihre eigenen privaten Wege zum allsozial-allkommunen Endziel der unprivaten Menschheitsfamilie gehen, was doch ihre Pflicht ist, so können sie doch noch in vielem über ihre Privatgrenzen hinweg miteinander und gemeinschaftlich leben, also sozialkommun leben. Dies können sie beispielsweise tun, indem sie über ihre in vielen Bereichen gesperrten Eigengrenzen hinweg miteinander wirtschaften. Was man sachlich Privatwirtschaft nennt. Es leben also auch Staat, Schule und Kirche mehr oder weniger weit privat miteinander!

In objektiver Wissenschaftlichkeit hat man bei dem Wort „privat“ auf die Sache zu sehen, auf das Wesentliche. Dann hat man dieses Wort sachgerecht überall dort anzuwenden, wo dieselben sachlichen Verhältnisse vorliegen. Man darf es nicht emotional unwissenschaftlich nur gegen „die anderen“ verwenden, gar dann diskriminierend, also ebenfalls das Menschenrecht verletzend, und die Tatsache seines eigenen Privatlebens ignorierend! —

Welcher Kommunist oder andere Sozialist würde nicht mit andersgläubigen

Sozialisten und anderen Menschen Handel treiben und auch anderwärts ein privates, nämlich abgegrenzter Leben führen und doch zugleich über seine Grenzen hinweg „mit anderen" verkehren? Welcher kommunistische Staat würde ohne Privatwirtschaft in sich und ohne Privatwirtschaft mit anderen Staaten und deren Staatsbürgern —und deren Krediten!— existieren können?

Also auch diese Privatmenschen haben auf beiden Seiten sozial zu sein. Das heißt beide haben in ihrer subjektiv guten Absicht sozial zu handeln und durch all ihr Handeln das allsozial-allkommune Endziel der Menschheitsfamilie auch in ihrem Privatleben anzustreben. Beide haben soziale Preise vom anderen zu fordern und soziale Löhne zu zahlen, wie es der hl. Benedikt in seiner echten Kommunität von seinen Ordensmitgliedern verlangte.

Wer die Sozialbindung des Privatlebens erfaßt und zwar auf der Grundlage der Menschenrechte, der löst endlich das riesige Problem der in so vielem berechtigten Kritik am weithin noch immer üblichen, unsozialen Privatleben. (Vgl. Art. 14 GG).

Die Erfahrung lehrt, daß gerade im wirtschaftlichen Bereich der Glaube über die eigenen Arbeitswerte und die Arbeitswerte der anderen Menschen und also über den Wert der Tätigkeiten und Gegenstände der anderen, über ihre Bedürfnisse, Interessen, über die zukünftige Entwicklung der Bedürfnisse, Möglichkeiten etc. sehr verschieden ist. So daß man menschenwürdigerweise gar nicht anders miteinander wirtschaften kann als großenteils privat. Das war schon immer in der Weltgeschichte so. Und es wird, wie die Erfahrung und Psychologie lehrt, zweifellos zumindest noch lange so bleiben, nämlich so lange die Menschen von einer Sache verschiedenes glauben wie an verschiedene Werte und an eine verschiedene Zukunft.

Das Recht zum Privatleben, nämlich zum privaten Gesinnen, Gesellen und Wirtschaften bzw. Arbeiten gründet also nicht in der Willkür irgend eines gesellschaftlichen, wirtschaftlichen oder militärischen Machthabers oder in der Willkür irgend einer Mehrheit, in der Willkür irgend eines Tyrannen und Sklavenhalters, sondern das Privatlebensrecht des Menschen ist ein angeborenes, unverletzliches und unveränderliches Urrecht des Menschen, ein Fundamentalrecht, ein Menschenrecht, ein Recht gemäß seiner Natur als freie Person! (Vgl. Art. 8 der „Europäischen Konvention zum Schutz der Menschenrechte". Von 21 Staaten anerkannt). Es ist überall und allezeit selbstverständlich „unmittelbar geltendes Recht" (Art. 1 GG), auch wenn manche staatlichen Machthaber dieses fundamental lebens- und friedenswichtige Menschenrecht noch nicht begriffen und daher in ihrer Verfassung noch nicht anerkannt haben.

Wenn man Menschenrecht und Menschenpflicht zum eigenen Lebensweg bei jedem Menschen und bei all seinen Gesellungen vollständig erfassen will, dann setze man in dem oben zitierten allgemeinen Privatlebensrecht für das Wort „leben" alle wichtigen Lebensformen ein, also „gesinnen", „gesellen", „arbeiten", „wirtschaften", „mit und in der Umwelt leben", „bauen", „einrichten", „wohnen" usf. Auf all diese Bereiche kann sich der andere gute Lebensglaube eines Menschen erstrecken. Also hat er dann die Pflicht, in diesem anderen

Glauben seinen eigenen Lebensweg zu gehen, sei es allein, sei es mit allen gleich Gläubigen zusammen.

Was ergibt sich dann? Es ergibt sich, wo zwei und mehr Menschen menschenwürdigerweise miteinander gesinnen, gesellen, arbeiten, wirtschaften usf. können, dürfen und sollen. Und es ergibt sich, wo sie menschenwürdigerweise nicht miteinander gesinnen, gesellen —zu Ehe, Familie, Betrieb, Polis, Schule, Kirche— und arbeiten können, dürfen und sollen. Es ergibt sich dann sehr klar, wo sie urverpflichtet sind gemäß dem Menschenrecht und der Menschenpflicht, nach ihrem eigenen, selber bestimmten anderen guten Lebensglauben wie Sozial- oder Kommunglauben privat zu leben, privat zu gesinnen, privat zu gesellen, privat zu arbeiten bzw. zu wirtschaften. Und ausnahmslos alle Menschen haben diese Menschenrechte zu achten, wie sie typisch im Eheleben geachtet werden.

Mit dieser Grunderkenntnis kann man alle Staatsvergötzung und allen daraus folgenden Staatsterror in Ost und West, Nord und Süd überwinden. Aber auch allen Kirchenterror und allen Schulterror.

Das Privatlebensrecht ist im Besonderen also ein Privatgesinnungsrecht samt Pflicht, ein Privatgesellungsrecht samt Pflicht und ein Privatwirtschaftsrecht bzw. Privatarbeitsrecht samt Pflicht. Da hier keine vollständige Übersicht über den ganzheitlichen Kreis aller Menschenrechte auch in den Sonderformen der Menschenrechte gegeben werden kann und soll, so soll zur Klarheit wenigstens das Privatwirtschaftsrecht des Menschen und seine Pflicht vollständig formuliert werden. Denn für das Eigenweltrecht und folgend Umweltrecht wie im Bau- und Wohnrecht ist dieses Menschenrecht bzw. Grundrecht, Fundamentalrecht (common law) fundamental lebenswichtig:

Der Mensch hat das Urrecht, die Urpflicht und die Urliebe,
selber, mit jedem und gemeinschaftlich
allseits frei gut (sittlich, sozial)
privat
erstens autark selber zu wirtschaften (zu arbeiten, zu bestimmen)
zweitens mit jedem zu wirtschaften (zu arbeiten, zu bestimmen)
durch Leihen, Mieten, Pachten und Tauschen
drittens gemeinschaftlich zu wirtschaften durch Markten
viertens subjektiv zu wirtschaften durch Finanzieren.

Der eigene Lebensweg

Alle Menschen in der Welt sollen gemäß dem zweiten und dritten Menschenrecht und dieser Menschenpflicht gemeinschaftlich frei gut leben, „so gut wie der Vater im Himmel“. Das wahrhaft freie und gute Leben kann man auch als das wahrhaft sozial-kommune Leben bezeichnen. Also sollen alle Menschen sozialkommun in einer einzigen Menschheitsfamilie leben.

Soweit die Menschen jedoch einen verschiedenen Glauben von dem Guten haben, von ihrer Herkunft, von ihrem Lebensziel, ihrem Lebenszweck, von der Vergangenheit und besonders von der Zukunft, bleibt ihnen gemäß Menschenrecht und Menschenpflicht keine andere Möglichkeit, als gleichgerechterweise ihren eigenen Lebensweg zur Erkenntnis der vollen Wahrheit vom wahrhaft guten sozialkommunen Leben zu gehen. Das heißt, daß sie gerechterweise ihre eigenen Familien, Betriebe, Landesgemeinschaften, Schulgemeinschaften, Kirchen usf. bilden müssen und sich in diesem ihrem gesellschaftlichen Eigentum nach ihrem eigenen Glauben und Gewissen um das allsoziale, allkommune Endziel im Himmel und/oder auf Erden bemühen müssen, je nach ihrem Glauben. Wer immer diesen eigenen Weg behindert oder gar diskriminiert und sich zu einem Glaubenstyrannen und Gewissenstyrannen aufschwingen und also die anderen Menschen versklaven will, der ist ein Terrorist, ein objektiv asozialer und objektiv antikommuner Mensch, ein Tyrann. Das ist ein Mensch, der die anderen Menschen nicht in Frieden leben lassen will, sondern sie ständig kriegerisch unterwerfen und ausbeuten will für seine eigenen Glaubenszwecke.

Wo beginnt der eigene Lebensweg? Er beginnt auf der eigenen, selber bebauten Erde, auf diesem Selbstbesitz und in der freien Selbstbestimmung des Menschen über seine eigene Erde. Und er führt zunächst dazu, daß jeder arbeitende Mensch den Wert seiner Arbeit nach seinem eigenen guten Wertglauben und eigenen Gewissen selber bestimmt. Wo anders könnte das objektiv menschenwürdige, das objektiv soziale und kommune Leben beginnen?

Auch bestimmt jeder reale Mensch selber allseits frei sozial über seine eigenen Produktionsmittel nach seinem eigenen Sozialglauben.

Der eigene Lebensweg führt dann zur Bildung der eigenen Landesgemeinschaft, die sich aufgrund der Souveränität des Menschen selber regiert. Er führt zur eigenen Schule und zur eigenen Kirche. Und er führt zum eigenen Betrieb, der nach dem eigenen Sozialglauben arbeitet. Kein Glaubens- und Gewissenstyrann hat ein Recht, sich in diese eigenen sozialen Lebenswege einzumischen, mag er sich selber auch noch so laut und noch so pathetisch, stolz und überheblich als sozial, kommun und menschenwürdig bezeichnen.

Wenn es zu einer Einmischung kommt, wie durch monomane, selbstüberhebliche diktatorische Erklärungen, was allein ein soziales, kommunes, menschenwürdiges, rechtmäßiges Leben sei, was allein eine rechtmäßige beste Gesellschaft und Wirtschaft sei, dann kommt es mit allen andersgläubigen Menschen zu Spannungen und Streit, zur Kriegsgefahr. Und das ist auch schon ein Krieg, zumindest ein kalter Krieg. Von diesem Krieg kann nur friedlich entspannt werden durch die Erkenntnis und Anerkenntnis des Selberlebensrechtes aller Menschen nach ihrem eigenen guten Glauben und dieser Menschenpflicht. Solange dieses Menschenrecht und diese Menschenpflicht nicht erkannt und anerkannt ist, ist objektiv keine Entspannung möglich, sondern nur ein endloses hilfloses Gerede wie Friedensgerede und Abrüstungsgerede. Solch hohles und grundloses Gerede mag der einen oder anderen Seite oder beiden dienen, den anderen zu übertölpeln. Erst dann, wenn in diesen Reden bzw. Dialogen, Konferenzen etc. versucht wird, die „Grundlage jeder menschlichen Gemeinschaft, des Friedens und der Gerechtigkeit" (Art. 1 GG) klar und bestimmt zu erkennen und allseitig anzuerkennen, wenn also alle Unterwerfungsgelüste und Unterdrückungsgelüste und alle Mißachtung der Menschenwürde „der anderen" (Andersgutgläubigen) enttarnt und guten Willens überwunden wird, erst dann ist eine echte Entspannung möglich und teilweise auch schon wirklich.

Bebauungsrecht und Umweltrecht

Das Arbeitsrecht und die Arbeitspflicht

Das Ökologierecht

Das Glaubensfreigutlebensrecht und seine Pflicht wurde eingangs als das praktisch lebenswichtigste Menschenrecht bezeichnet. Es ist vor allem das friedenswichtigste Menschenrecht. So wurde aus ihm zunächst das Privatlebensrecht abgeleitet und dann tiefer und allgemeiner das Subjektlebensrecht.

Noch ein weiteres, praktisch ebenso lebens- und friedenswichtiges Menschenrecht ist aus dem Glaubensfreigutlebensrecht und seiner Pflicht, d. h. aus dem Menschenrecht des Subjektes und seiner Menschenpflicht zum subjektiv freien guten Leben abzuleiten, nämlich das Bebauungsrecht und seine Pflicht. Dies ist das fundamentale Wirtschaftsrecht und zugleich Umweltrecht, auf dem alles weitere Umweltrecht gründet. Es ist das fundamentale Menschenrecht der Ökologie und Ökonomie zugleich. Denn die Ökonomie ist ökologisch oder keine echte Ökonomie, sondern Unrecht und Unwirtschaft.

„Bebauet die Erde" lautet der Urauftrag Gottes an den Menschen. Darin sind alle Arbeitsrechte und alle Arbeitspflichten des Menschen enthalten. Denn die fruchtbare Erde unter unseren Füßen bietet uns alles Lebensnotwendige und noch gewaltig viel mehr. Wer also die fruchtbare Erde bebaut, der ist fundamental unabhängig von den anderen Menschen, vor allem unabhängig in der Arbeit. Er kann nicht ausgebeutet werden, wenn er es nicht selber zuläßt. Und er kann nicht unterjocht werden, wenn sein Menschenrecht auf sein allseits freies eigenes Leben in seinem Eigenreich geachtet wird.

Wir haben hier somit das praktisch fundamentale Arbeits- und Wirtschaftsrecht des Menschen in dieser Welt. Wenden wir uns ihm und seiner Gründung aufmerksam zu. Denn um was anderes dreht sich der gegenwärtige und lebensgefährlich gewordene Weltstreit der Menschheit! Um was anderes dreht sich heute die gesamte Kriegs- und Friedensproblematik, zugleich die gesamte Parteienproblematik, zugleich die gesamte Arbeitslosenproblematik, zugleich die gesamte Ökologieproblematik? —

Doch „Erde" besagt nicht nur die Erde unter unseren Füßen. Sie besagt auch die ganze Natur dieser Welt, d. h. die Raumzeitwelt des ganzen Kosmos. Auch unsere eigene leibliche irdische Natur ist hier eingeschlossen. All diese Natur bzw. „Erde" haben wir zu bebauen. Auch dies und zuerst dies zählt zu unserem Arbeitsrecht und unserer Arbeitspflicht. Wir haben also mit der Arbeit an uns selbst zu beginnen. Das ist die Grundlagenarbeit aller anderen Arbeit und deren Voraussetzung.

Was ist der Inhalt dieser Arbeit? Daß wir Subjekte höchstmöglich objektiv leben, also objektiv lebensgerecht, objektiv naturgerecht, unserer wahren Urnatur gerecht werdend. So haben wir die gesamte Natur unserer Eigenwelt und Umwelt möglichst objektiv allseits frei gut zu bebauen und zu bewahren in all ihrem Guten, wie Gott, das höchste, rein objektive Gut es uns aufgetragen hat (Gen. 2,15). Das heißt, unsere Eigenwelt und Umwelt allseits frei gut entwickeln, allseits frei gut aus ihr, mit ihr und in ihr leben.

Bedenken wir nochmals, was im vorangegangenen Kapitel erläutert wurde:

Das subjektiv Gute ist das geglaubte Gute. Der gute Glaube ist die universale Konsequenz aus dem subjektiv guten Leben, dem subjektiv guten Denken, Wollen und Fühlen, dem subjektiv guten Bewußtseinsleben. Das menschenwürdige Leben ist zuerst und grundlegend Bewußtseinsleben! Es besteht aus dem und gründet in dem subjektiven Bewußtsein des allseits freien guten Lebens.

Das Menschenrecht von Eigentum und Besitz

Das subjektiv gute Leben führt zu dem subjektiven Eigentum. Es wird seit altersher im Recht als Besitz bezeichnet. Der Besitz steht als vierte Urform des Eigentums den drei ersten objektiven Urformen gegenüber, dem Selbsteigentum, dem Miteigentum und dem Gemeinschaftseigentum. Denn Leben ist Eigentum der lebenden Person. Selberleben ist also Selbsteigentum der Person. Das Mitleben der Person ist ihr Miteigentum. Das Gemeinschaftsleben der Person ist ihr Gemeinschaftseigentum. Und das Gemeinschaftsleben der realen Person umfaßt ausnahmslos ihr gesamtes Gemeinschaftseigentum. Ein anderes Gemeinschaftseigentum bzw. Gemeineigentum existiert nicht! Denn wo könnte es real sein?

Das allseits freie gute Eigentum ist die Wirklichkeit des freien und guten Lebens der Person. Das allseits frei geschaffene Eigentum ist also die Wirklichkeit der Freiheit des Menschen, die erste Wirklichkeit seiner Menschenwürde.

Aber haben wir in dieser Scheinwelt von Zeit und Raum, die von den Indern über Platon und Thomas von Aquin bis Kant so kritisch betrachtet und von der modernen Physik immer mehr entschleiert wird, überhaupt objektives Eigentum? Haben wir in ihr nicht nur Besitz? Dann hätten wir Subjekte in ihr nur Selbstbesitz, Mitbesitz und Gemeinschaftsbesitz. Vieles spricht für diese Wirklichkeit.

Man beachte sorgfältig die Worte und den Sinn dieser Sätze. Sie klären fundamental und von Selbstverständlichkeiten exakt evident ausgehend eines der größten Streitprobleme der Menschheit am Ende der Neuzeit, das Problem des Eigentumes und Besitzes. Sie klären es auf dem Grunde des absoluten, fundamentalrechtlichen, naturrechtlichen Rechtsgrundes des Menschenrechtes. Und sie führen es zu seiner vollständigen, widerspruchsfrei differenzierten ganzheitlichen Ordnung und der Rangordnung darin.

Der lebenswichtigste Besitz des Erdenmenschen ist sein Besitz an der Erde, aus der er leiblich geschaffen ist und also besteht, aus der und mit der er irdisch lebt und in der er wieder begraben wird. Alles irdisch Lebensnotwendige zu Speise und Trank, Kleidung und Wohnung, Lebensweise, Heilweise und Hygiene erlangt der Mensch durch die allseits freie gute Bebauung der Erde.

Durch Selbstbebauung der Erde wird diese sein Selbstbesitz. Durch Mitbebauung wird sie sein Mitbesitz. Durch gemeinschaftliche Bebauung wird sie sein Gemeinschaftsbesitz, also Gemeinschaftsbesitz des jeweiligen realen Menschen. Nur der reale Mensch hat Gemeinschaftsbesitz.

Die Grenzen der Bebauung und also Formung der Materie der Erde sind die sachlichen, logischen und also auch rechtslogischen Grenzen seines Besitzes, seines Besitzlebens, somit seines irdischen Eigentumes. Durch die Formung der Erde bzw. allgemein der Materie nach seinem Wesen prägt er dieser die wesentliche Form seiner Person ein. So sind die raumzeitlichen Grenzen der allseits freien guten Formung der Erde unter seinen Füßen die Grenzen seines Grund-Eigentumes, insbesondere seines Grund-Besitzes. Das sind die Grenzen seines wirklich in jedem Sinne fundamental menschenwürdigen irdischen Lebens.

Was der Mensch nicht formen kann wie die drei Elemente Wasser, Luft und Feuer, das kann nicht sein Besitz werden. Hier bleibt die Freiheit der Meere des Wassers, der Luft und des Feuers bzw. des Äthers, der modernerweise von den Physikern auch als plasmatischer Zustand bezeichnet wird, auch als vierter Aggregatzustand.

Die Freiheit der Meere reicht also bis zum letzten Millimeter Wasser und Luft vor der Ufergrenze und Oberfläche der bebauten (!) Erde! Alle Vereinbarungen über Einflußzonen etc. sind Vertragsrecht der vereinbarenden Personen auf die Dauer ihrer Verträge. Für Nichtvertragspartner gelten bekanntlich Verträge nicht. Solche willkürlich mal größer, mal kleiner subjektiv bestimmten Einflußzonen sind vor allem kein Naturrecht, kein Menschenrecht.

Der reale Mensch ist es also, der realen Besitz an der realen Erde hat, nicht ein übermenschlicher und also unmenschlicher „Staat" oder „die Gesellschaft"! Phantasien haben nur in der Phantasie einen Besitz. Und der reale Mensch hat, auch als staatliche, kirchliche oder sonstige Amtsperson, nur ein Besitzrecht an der objektiv von ihm besessenen, nämlich von ihm —selbstwirkend und mitwirkend— geformten Erde, nicht an der von ihm nicht geformten und also nicht besessenen Erde! Das ist die menschenrechtliche Grundlage der Bodenreform!

Am liebsten möchten manche irdischen Machthaber ihre Rechte bis zu Mond und Sternen ausdehnen und den ganzen Kosmos als ihren Besitz erklären, so daß sie von allen anderen Tribut fordern könnten und ihnen das gesamte Leben diktieren könnten. Doch das natürliche und logomathematische Recht, das vom Selberlebensrecht des Menschen ausgeht, weist sie auf die raumzeit-

lichen Grenzen ihres Besitzes zurück, den sie real selber raumzeitlich geformt haben.

Wie nun darf und soll der Mensch die Erde bebauen? Wenn wir das Urwort „die Erde bebauen“ als eine so wesentliche Sonderform von „leben“ anstelle dieses Wortes in das Glaubensfreilebensrecht einsetzen, dann erlangen wir das Menschenrecht oder Fundamentalrecht (common law) oder Naturrecht der Bebauung der Erde:

**Der Mensch hat das Urrecht, die Urpflicht und die Urliebe,
selber, mit jedem und gemeinschaftlich
allseits frei gut die Erde zu bebauen
nach seinem Glauben, was gut (lebensqualifiziert) ist**

Wir haben hiermit erstens das fundamentale Arbeitsrecht oder Wirtschaftsrecht des Erdenmenschen konkret formuliert. Denn die fruchtbare Erde bietet dem Erdenmenschen alles Lebensnotwendige. Sie bietet durch gute, nämlich möglichst objektiv lebensqualifizierte Bebauung alles, wessen der Mensch zu einem menschenwürdigen Leben auf Erden bedarf. Und sie bietet noch weit mehr hinzu.

Zugleich haben wir das fundamentale Umweltrecht konkret formuliert. Denn die Erde ist die lebenswichtige Umwelt des Erdenmenschen. „Erde“ ist hier allgemein als Kosmos zu verstehen, insbesondere als die unterste der drei Ebenen des Kosmos, die materielle Ebene des Kosmos, und darin speziell als der Erdglobus im Sonnensystem. Alle irdische Materie in festem, flüssigem, gasförmigem und plasmatischem Zustand ist somit Erde. Der Globus ist nach allgemeinem Glauben von China bis zum Christentum die vorübergehende Heimat des gefallenen Erdenmenschen auf seinem Pilgerlebensweg zu seinem Endziel, der wahren ewigen Heimat des nie endenden Lebens, dort in der voll friedlichen und glücklichen allkommunen Gemeinschaft aller Lebewesen.

Wie nur darf man die Umwelt, allgemein die irdische Materie bebauen und also bearbeiten? „Nur“ allseits frei und „nur“ gut, also nur lebensgerecht, nur lebensqualifiziert. Man darf also die Erde bzw. Materie nicht disqualifizierend bearbeiten. Man darf sie daher physikalisch-chemisch nicht so bearbeiten, daß ihre Lebensqualität verschlechtert wird. Im Gegenteil: Bebauen heißt aufbauen, verbessern, qualifizieren! Bebauen heißt, aus Wüsten Paradiese machen, aus bitteren und sauren Holzäpfeln süße, hoch aromatische, gut schmeckende Kulturäpfel züchten, aus fruchtarmem Gras Weizen züchten, aus bitteren kleinen Beeren süßen, reichen Wein, aus oxydierten Mineralien reines Gold, reines Silber, reines Kupfer gewinnen usf.

Mit anderen Worten: Man darf nicht aus Gutem Schlechtes machen, aus Lebendigem Totes, aus Reinem Unreines, kurz aus Heilem nichts Unheiles, also nichts Giftiges.

Der Mensch —und jede andere Person!— darf also aus Gutem oder Neutralem nichts Ungutes produzieren wie Gifte. Denn sonst würde er prinzipiell und total dem Menschenrecht widersprechen, dem Naturrecht des Menschen, das „nur" erlaubt und auch verpflichtet, gut zu handeln, also lebensqualifiziert, heil, ungiftig, das also „nur" erlaubt, Gutes zu produzieren, zu handeln, zu verkaufen und zu kaufen.

Das ist eine Erkenntnis von gewaltiger Tragweite!

Es darf also aus allem im Kosmos nichts Schlechteres gemacht werden! Es darf daher in einem Betrieb nichts Schlechteres herauskommen, als hereingekommen ist. Hierbei ist die gesamte Eingabe an Rohmaterialien, Energieträgern usf. (Input) mit dem gesamten Ausstoß an Fertigwaren, Abfall, Emissionen etc. (Output) zu vergleichen. Diese Bilanz muß zumindest ausgeglichen sein. Sie soll gemäß dem Menschenrecht positiv, nämlich gut sein im Sinne der objektiven Lebensqualitäten.

Aus Gutem darf also nichts Giftiges produziert werden! Es dürfen daher grundsätzlich keine Explosionsmotoren betrieben werden, da diese —ihrem Wesen gemäß— die Materie und gesamte Umwelt von den Vibrationen des Lärms bis zu dem Auspuff und dem Abrieb der Räder etc. noch mehr disqualifizieren. Aus gutem Erdöl darf kein giftiges Benzin und Benzol produziert werden, sondern nur ein ungiftiger und unter zumutbaren Bedingungen ungiftig verwendungsfähiger Energieträger. Katalysatoren und ähnliche symptomatische Verfahren sind nur ein vorübergehendes Notmittel. Man darf auch hier keine Kurpfuscherei üben.

Der Mensch darf allgemein keine Verbrennungsanlagen betreiben, deren lebensqualitative Bilanz negativ ist. Es existieren qualitativ positive Verbrennungsanlagen. Schon eine gut funktionierende Holzverbrennungsanlage arbeitet in der Bilanz ökologisch positiv.

Zusammengefaßt wird hier das gesamte Problem des Umweltrechtes an der Wurzel angepackt und menschenrechtlich bzw. naturrechtlich vollständig behandelt.

Daraus ergibt sich konkret: Man darf zu Speise und Trank, Kleidung und Wohnung, Lebensweise, Heilweise und Hygiene von der lebendigen Erde nach Möglichkeit nur das Gute, Lebendige bzw. Lebensqualifizierte und Reine verwenden in der Eigenwelt. Man darf ein Haus nur aus Gutem, Lebensqualifiziertem und Reinem, also aus giftfreier „Erde" erbauen, aus Heilerde. Unter Haus ist zunächst das Haus aus vier Wänden, aber auch jede Stadt, jedes Land und das Haus der ganzen Erde zu verstehen. Das besagt Ökologie im allgemeinen Sinne. Denn Ökos heißt Haus. Auch die gesamte Industrie samt allem Handwerk ist ein Haus im Hause einer Nation. Und ein jeder Betrieb ist ein Haus.

Man darf also die Eigenwelt und Umwelt nur lebensqualifiziert und somit qualifizierend behandeln. Das besagt im Grunde das Wort bebauen. Es besagt erbauen, aufbauen, kultivieren. Das Gute, das Lebensqualifizierte der Schöpfung ist darin zu „wahren", wie Gott ausdrücklich erklärt hat (Gen. 2,15). Wer das Gute der Schöpfung nicht wahrt, wer gar Pflanzen und Tiere ausrottet, der verletzt das Lebensrecht, das Menschenrecht. Er tötet. Und es heißt: Du sollst nicht töten!

Der Mensch darf also gemäß dem allgemeinen Arbeitsrecht bzw. Wirtschaftsrecht, dem Menschenrecht und der Menschenpflicht zur Bebauung der Erde seine Eigenwelt und Umwelt nur lebensqualifiziert behandeln. Er darf keine Gifte —Wohngifte— in die Eigenwelt einbauen und auch nicht in die Umwelt ausscheiden. Er darf die Welt nicht technokratisch und chemokratisch, genauer technoterroristisch und chemoterroristisch verschlechtern. Der Mensch soll aus den Wüsten wieder Paradiese machen, aus dem Chaos wieder eine Ordnung. Er darf die Erde nicht verwüsten.

Der Mensch darf dies nicht, weil er selber vor sich selber und in seinem Leben selber das nicht darf. Er darf das nicht, weil er dann in seiner Eigenwelt ungut handelt und somit Schande, Unwohl und Schaden verursacht. Es ist daher nicht erforderlich, daß nachgewiesen wird, daß er sich selber oder einen anderen Menschen schädigt. Auch wenn ein Mensch keinen anderen Menschen und kein sonstiges Lebewesen in der Umwelt in seinem gesunden und also lebensqualifizierten Leben schädigen würde, dann darf er selber dennoch nicht schlecht und also verschlechternd handeln. Denn er verschlechtert dann die Welt, die Erde, das Leben überhaupt. Er darf also die Welt nicht verschlechternd verändern. Er darf „nur" gut handeln, leben, sich verhalten.

Die gesamte Bearbeitung des Umweltrechtes, wie es in der BRD vom Bundesverfassungsgericht, von Leisner, Krems und anderen vertreten wird und wie Amerikaner und Engländer es vertreten, zielt stets auf die Schädigung anderer Menschen. Im BGB wird hier das Nachbarrecht bzw. Nachbarschutzrecht angezogen. Diese Bearbeitung der Sachlage ist zwar praktisch ebenfalls höchst wichtig. Aber da die Beweislast gemäß dem Ehrenmenschenrecht nicht und niemals umkehrbar ist, so gerät man auf diesem Wege angesichts der Multivergiftung der Erde öfters in Beweisnot; und das besonders bei den massivsten Vergiftungen der Erde wie z. B. den Verklappungen auf der Hochsee, bei der Belastung großer Flüsse, bei Spritzaktionen und anderen Anwendungen von Giften auf großen Flächen, bei weit verbreitetem Benzin- und Diesel-Autoverkehr, bei großen Müllverbrennungsanlagen usf. Große Chemiefirmen haben in Prozessen schon erklärt, sie hätten doch schon die ganze Welt mit Giften behandelt; also könne und dürfe sich nichts mehr giftfrei wie biologisch nennen! Diese Bezeichnung sei zu verbieten! —

Hier hilft nur, an die Wurzel der Rechtslage zu gehen, nämlich zum „Menschenrecht als Grundlage (des menschenwürdigen Lebens) jeder menschlichen Gemeinschaft ... und (all ihrer) Gerechtigkeit" (Art. 1 GG). Und dieser Weg wird teils instinktiv, teils ahnungsvoll auch weithin in der Welt schon gegangen wie in Japan, USA und in der Bundesrepublik, so etwa bei der scheinbaren Umkehrung der Beweislast. Denn alle Beteiligten sind gemäß dem Miteinanderlebensrecht und seiner Menschenpflicht, sowie gemäß der Gemeinschaftslebenspflicht urverpflichtet, alle zur Klärung einer in Indizien verdächtigen Sachlage erforderlichen Tatsachen zutage zu fördern, soweit dem kein —echtes— Privatlebensrecht entgegen steht. Von der Mitwirkungspflicht ist auch anderwärts im geltenden Staatsrecht die Rede. Diese Pflicht ist in den „Menschen-

rechten als Grundlage ... der Gerechtigkeit" zu sehen, somit als universale, allgültige Menschenpflicht.

Schweigen verletzt das Miteinanderlebensrecht in der Miteinanderlebenspflicht. Eigentum verpflichtet! (Art. 14 GG). Und Lügen ist eine schwere Rechtsverletzung des allgemeinsten Menschenrechtes, somit prinzipiell aller Menschenrechte, insbesondere des Selberfreigutlebensrechtes samt Pflicht, des Miteinanderlebensrechtes und Gemeinschaftslebensrechtes samt Pflicht, des Subjektivfreigutlebensrechtes, des Ehrenlebensrechtes, des Gewissenslebensrechtes und des allerhöchsten Menschenrechtes, jeweils samt Menschenpflicht. Durch die Lüge, durch dieses grob asoziale und antikommune Verhalten scheidet sich der Mensch aus der Gemeinschaft selber aus. Solange er eine Lüge nicht wiedergutgemacht hat, bleibt er aus der ehrenhaften Gemeinschaft ausgeschlossen. Einer Lügengesellschaft mag er angehören. Diese zeigt keine menschenrechtliche, keine ehrenhafte Konsequenz gegen das Belügen. Sie spricht nur von „Schutzbehauptung". Auch dies ist eine Lüge, nämlich eine Selbstbelügung und eine Mitbelügung. Und was wird dann geschützt und als Schutz anerkannt? Es wird die Lüge und also das Handeln gegen die Gerechtigkeit, gegen das soziale und andere menschenwürdige Handeln geschützt! Es wird also die Verletzung des Menschenrechtes geschützt! —

Das praktische Fazit: Es ist die gesamte Eingabe (Input) und die gesamte Ausgabe (Output) jedes Menschen, insbesondere jedes Betriebes lebensqualitativ zu vergleichen. Das ist biotechnisch in mehreren Verfahren bei gut tragbaren Kosten in relativ kurzer Zeit möglich, wie an Mikrolebewesen. Wenn dann die bio-ökologische Bilanz negativ ist, so arbeitet der Mensch bzw. der Betrieb rechtswidrig. Er verletzt das Lebensrecht des Menschen, das Menschenrecht. Er ist zu bestrafen und zu schließen. Und er hat, soweit bewiesen, Schadensersatz zu leisten.

Hier kann besonders von Politikern der Einwand des Gemeinwohles und Gemeinnutzens gemacht werden wie so oft von den National- und International-Sozialisten, aber auch von so vielen anderen. Dazu ist an die Worte von F. A. von Hayek zu erinnern: „Das Gemeinwohl oder der öffentliche Nutzen ist bis zur Gegenwart ein Begriff, der sich gegen jede präzise Definition sträubt und deshalb beinahe jeden durch die Interessen der herrschenden Gruppe suggerierten Inhalt erhalten kann." Warum sträubt er sich? Weil er qualitativ ist, daher nicht exakt wissenschaftlich erfaßbar ist, nicht beweisbar ist, sondern Glaubenssache ist, soweit er nicht in groben Umrissen Erfahrungswissenschaft geworden ist wie bei den krank machenden Giften oder den heilenden echten, lebensqualifizierten Heilmitteln.

Das Gemeinwohl ist also Glaubenssache, soweit es nicht dem Rechtswissen widerspricht und hiermit zu nicht mehr schützenspflichtigem und rechtlich schützbarem, sondern korrekturpflichtigem Aberglauben wird. Das Gemeinwohl darf beispielsweise nicht als Machtwachstum oder Profitwachstum definiert werden, schon garnicht als solches Wachstum um jeden Preis wie den Preis der Verschlechterung der Lebensqualitäten und den Preis auch anderer Verletzung der Menschenrechte wie des Privatlebensrechtes, speziell des Privatwirtschaftsrechtes und seiner Privatwirtschaftspflicht. Ein solch schändliches Verhalten bewirkt —objektiv— Gemeinunwohl und Gemeinschaden.

Noch ein anderer genereller Einwand gegen das Glaubensfreigutlebensrecht und also gegen die Menschenrechte insgesamt wird von machtsüchtigen, apersonal orientierten Politikern erhoben. So wurden 1984 hohe Beamte der sowjetischen Regierung von Experten der UNO-Menschenrechtskommission nach der Achtung der Menschenrechte befragt. Sie antworteten, die Menschenrechte würden geachtet, jedoch nur unter der Bedingung, daß „die sozialistische Realität" respektiert würde.

Worin besteht diese Realität? In der Existenz von Materie? Doch nach vielen Erklärungen in der Existenz eines bestimmten gesellschaftlichen Bewußtseins! Wo ist dieses Bewußtsein? Nur in den realen, objektiven, individuellen Menschen. Wo sonst? Bei wissenschaftlich exakter Analyse ergibt sich, daß Millionen verschiedener, unvereinbarer sozialistischer Realitäten existieren! In jedem anderen Sozialisten eine andere Realität! Welche ist also zu achten? Es ist alles zu achten als das, was es objektiv ist! —

Also besteht ein ziemliches Chaos an sozialistischen Realitäten!

Was also meinten diese Russen? Diese Sowjetrussen meinten unreflektiert und unerklärt die Realität ihres zu ehrenden eigenen subjektiv guten Glaubens von dem guten Sozialismus und von den subjektiv guten und also zu ehrenden Absichten so vieler Sozialisten. Aber jeder andere gute Glaube, jede andere gute Absicht von andersdenkenden Bürgern ist in Respektierung der Freiheit, Gleichheit und Brüderlichkeit und also der Menschenrechte gleich so zu achten wie bei den Machthabern. Oder es herrscht ein Glaubensterror und Machtterror! Der aber ist eine totale Mißachtung praktisch aller Menschenrechte und das totale Gegenteil einer menschenwürdigen sozialen Ordnung! Denn besteht er nicht in dem permanent revolutionären Angriffskrieg und Unterdrückungskrieg aller gegen alle? —

In den westlichen Staaten herrscht jedoch prinzipiell dasselbe geistige und rechtliche Chaos, nur in mancher Hinsicht teilweise gemindert. Hier diktieren die Machthaber —oft von den Massen und ihren egoistischen Trieben gesteuert— nicht ihren Glauben von einer der vielen tausend sozialistischen Realitäten in der Welt, sondern vom „Gemeinwohl", vom „Gemeinnutz", von der „Ruhe" und „Ordnung", von der „sozialen Gerechtigkeit". Soweit dieser Glaube gegen den Glauben von anderen Bürgern gewalttätig verwirklicht wird, insbesondere das Privatlebensrecht der Bürger gleich wie bei anderem Glaubensterror mißachtend, liegt im Prinzip dasselbe vor wie bei der gewalttätigen Diktatur irgend einer der vielen tausend national- oder international-„sozialistischen Realitäten"! —

Deshalb kann kein Diktator einem anderen Diktator klar und bestimmt eine Verletzung der Menschenrechte nachweisen. Sondern auch die Diskussion über die Menschenrechte bleibt im Nebel und Chaos! —Und also bleibt der Unfriede und die riesige Gefahr eines dritten Weltkrieges. Leben wir nicht schon lange in dem geistig geführten Weltkrieg?

Hiermit haben wir die äußerste Grenze des vierten Menschenrechtes mit seinen Unterrechten, dem Privatlebensrecht und dem Bebauungsrecht erreicht. Der weitere Weg führt nun logisch und sachlich unmittelbar in den fünften großen Lebensbereich des Menschen und also zum fünften Menschenrecht, dem Befreiungsrecht oder Verbesserungsrecht.

Zusammenfassung

Fassen wir zusammen: Der Mensch lebt in seinem Bewußtsein nicht nur objektiv allseits frei gut, sondern zumindest teilweise nur subjektiv frei und gut. In seinem subjektiven Bewußtsein kann er irren. Er glaubt dann nur und weiß noch nicht.

Soweit der Mensch irrt in seinem subjektiv guten Glauben, können viele Menschen in einer Sache etwas Verschiedenes als gut glauben. Da jeder die Urpflicht hat, nach seinem guten Glauben zu leben wie zu arbeiten und zu gesellen, so muß dann jeder in dem verschiedenen Glaubensbereich seinen eigenen Lebensweg gehen.

Vor allem über die Lebensqualitäten hat der Mensch anfangs nur einen Glauben, ehe er da und dort zu einem persönlichen Erfahrungswissen gelangt, das er aber nicht absolut sicher richtig mitteilen kann.

Da alles Leben in der Entwicklung von Lebensqualitäten besteht, so kann der Mensch ohne seinen subjektiv guten Glauben auf dieser Erde garnicht leben. Er hat aber das Lebensrecht und die Lebenspflicht. Auch sein Glauben ist eine Form des Lebens, sogar die erstrangige Hauptform seines Lebens. Also hat der Mensch das Glaubensrecht und die Glaubenspflicht, nämlich allseits frei gut zu glauben und nach seinem guten Glauben auch anderweitig zu leben. Er hat das Lebensrecht und die Lebenspflicht, subjektiv objektiv allseits frei gut zu leben.

Das Glaubensleben ist und bleibt das erste Leben des Menschen. Menschenwürdigerweise bestimmt daher das Glaubensleben des Menschen all sein anderes Leben, soweit er nicht schon Wissen hat wie das Rechtswissen vom Einmaleins der Menschenrechte, was ihn objektiv mündig macht. Das Wissen der Menschenrechte ist jedoch nur die „Grundlage jeder menschlichen Gemeinschaft, des Friedens und der Gerechtigkeit in der Welt", die Grundlage aller Verständigung. Der Inhalt aller Verständigung ist der Glaube an die Qualitäten, zuerst an die höchste und allgemeinste Qualität, das Gut aller Güter.

Im Bewußtseinsleben des Menschen führt also das Glauben, nicht das Wissen! Das Wissen von den Menschenrechten ist „nur" die Grundlage des menschenwürdigen Lebens jeder menschlichen Gemeinschaft, die Basis der Freiheit und also der Menschenwürde. Der Inhalt der Freiheit und der Menschenwürde ist das eigene Leben nach dem eigenen guten Glauben wie von der wahrhaft sozialen Ordnung.

Der Mensch lebt menschenwürdigerweise zuerst und maßgebend in seinem Bewußtsein, in seinem Denken, Wollen und Fühlen, also in seinem Glauben vom menschenwürdigen Leben.

Wenn nun zwei Menschen einen unvereinbar verschiedenen Lebensglauben haben, aber doch das Menschenrecht und die Menschenpflicht nach wie vor haben, nach ihrem subjektiv guten Glauben allseits frei zu leben, so bleibt ihnen keine andere Möglichkeit, als gegenseitig privat zu leben auf die Dauer der Verschiedenheit ihres subjektiv guten Glaubens und im Raum ihres verschiedenen subjektiv guten Glaubens. Das ist der Inhalt des echten, des richtigen, des naturrechtlichen Privatlebensrechtes. Es ist scharf abgegrenzt gegen das unsoziale Mißbrauchsrecht (jus abutendi) des Eigentums, praktisch des Privateigentums, und also gegen das liberalistische Privateigentumsrecht.

Das erste Fundament der friedlichen Gesellschaft und Wirtschaft

Arbeitsfriede und Vollbeschäftigung

Wenn zwei Menschen einen unvereinbar verschiedenen Lebensglauben wie Sozialglauben oder Arbeitswertglauben —wie vom rechten Lohn oder Preis— haben, dann können sie nicht frei gut zusammenarbeiten. Wenn der führende Mitarbeiter glaubt, daß die folgende Mitarbeit des anderen nur fünfzig Geldeinheiten wert ist, dieser aber glaubt, daß seine Mitarbeit hundert Geldeinheiten wert ist, dann ist keine allseits freie und also menschenwürdige Mitarbeit möglich. Ist dann einer von beiden oder sind gar am Ende beide dann zur Arbeitslosigkeit verurteilt?

Wenn ein Bauer und ein Landarbeiter nicht mehr allseits frei eine Mitarbeit vereinbaren können, dürfen und sollen sich dann beide als arbeitslos erklären? Hätten dann beide das Recht, daß nun die anderen —bescheideneren— Bauern und Landarbeiter sie gratis ernähren?

Und wenn man von dem einen verlangt, daß er das Land dann allein weiter bebaue, das er deshalb nur noch zum Teil bebauen kann, hätte dann der andere das Recht, von dem Arbeitenden ein arbeitsloses Einkommen zu fordern und sich also gratis ernähren zu lassen? Angesichts unbebauter fruchtbarer Erde! Nur weil sie sich nicht einigen konnten? Und weil der eine oder der andere zu hohe Ansprüche stellte?

Dazu ist erstens zu erinnern: Alles Lebensnotwendige gewinnt der Mensch aus der guten und also lebensqualifizierten Bebauung der Erde. Der Mensch hat das Arbeitsrecht bzw. Wirtschaftsrecht, die Erde gut zu bebauen, und die Urpflicht dazu. Das ist vor allem der Urauftrag Gottes, hier in seinem untersten, fundamentalen Sinn (Gen. 2,15).

Hier aber ist zweitens zu bedenken:

Nur bebaute Erde und also von dem bebauenden Menschen räumlich und zeitlich geformte Erde ist Eigentum, insbesondere Besitz. Das ist der Urbesitz des Erdenmenschen. Jeder Erdenmensch hat diesen Urbesitz, sei es nur als

Selbstbesitz, sei es auch als Mitbesitz und Gemeinschaftsbesitz wie bei der Wohnungsmiete. Objektiv unbebaute und also objektiv unbesessene Erde ist objektiv kein Besitz gemäß der Rechtslogik des Eigentumes, gemäß Menschenrecht bzw. Naturrecht bzw. Fundamentalrecht (common law). Unbebaute und also objektiv unbesessene Erde legalrechtlich wie staatsrechtlich zu Besitz eines Machthabers zu erklären, das ist die fundamentalste Rechtsverletzung aller Verletzungen des Menschenrechtes! Sie hat die größten Folgen an Unfrieden, wie heute der Bodenkapitalismus, insbesondere der Bolschewismus die Menschheit eindrücklich lehren, soweit sie Augen hat, zu sehen, und Ohren, zu hören. Die Bodenreform, verstanden als Rechtsreform, das Menschenrecht des objektiven und freien (legitimen) Bodenbesitzes auch subjektiv (legalrechtlich) wiederherzustellen, ist daher die fundamentalste Rechtsform aller Rechtsformen und die Voraussetzung aller anderen wirtschaftsrechtlichen und wirtschaftlichen Reformen. Denn ohne allseits freie Bebauung der Erde besteht ein Wirtschaftskrieg und gesellschaftlicher Krieg, auch Rechtskrieg, wie als Arbeitskampf. Jede Reform und andere Bemühung, die diesen Krieg nicht ursächlich überwindet, vermehrt ihn!

Nach UNESCO-Forschung bietet diese Welt genügend bebauungsfähige Erde, um mehr als dreißig Milliarden Menschen in vollständiger Freiheit und also in vollem sozialem Frieden zu ernähren, — wenn die Menschenrechte erkannt und anerkannt werden. Denn die eigene Erde wird im subjektiven oder objektiven Notfall erfahrungsgemäß sehr intensiv objektiv gut bewirtschaftet, sodaß sie einen sehr hohen Ertrag bringt. Was überall in der Welt, nicht nur in China, die Menschen schon in ihrem Familiengarten beweisen.

Der Mensch hat das Menschenrecht und die Menschenpflicht, die objektiv unbebaute und also objektiv unbesessene, daher freie, niemandem objektiv eigene Erde allseits frei gut (lebensqualifiziert!) zu bebauen, also in Besitz zu nehmen. Durch das (gute) Bebauen wird sie sein (gutes) Eigentum, nämlich sein legitimes Selbst-, Mit- und Gemeinschaftseigentum, je nachdem, wie er sie allseits frei bebaut. Das ist das Menschenrecht des Okkupationsrechtes! Dieses „Menschenrecht" ist die Rechts-„Grundlage jeder menschlichen Gemeinschaft" auf Erden, ihres „Friedens und der Gerechtigkeit in der Welt" (Art. 1 GG). Seine Achtung begründet den Arbeitsfrieden und also Wirtschaftsfrieden und somit den Gesellschaftsfrieden in der Menschheit, in Staat, Schule und Kirche! Seine Mißachtung begründet die unseligsten und längsten Kriege, vielleicht auch den dritten Weltkrieg. Was folgt daraus?

Wenn zwei Menschen nicht allseits frei ihre Mitarbeitsbedingungen vereinbaren können und einer von ihnen keine andere freie Mitarbeit findet, aber nicht in Sklaverei geraten will und soll, nämlich durch Not gezwungen werden soll, gegen seinen guten Glauben vom Arbeitswert und gegen sein Gewissensurteil darin in einem Betrieb mitzuarbeiten, so muß er die Möglichkeit haben, allseits frei gut sich selber in autarker Eigenarbeit das Lebensnotwendige zu erarbeiten. Das heißt, er muß die Möglichkeit haben, allseits frei, somit ohne —besonders finanzielle, aber auch andere wie politische— Bedingungen durch irgendwelche gesellschaftlichen oder wirtschaftlichen Machthaber die unbebaute Erde zu bebauen. Denn nur dort kann er sich selber völlig unabhängig von einem andersgläubigen, nämlich Lohn und Preis anders wertenden führenden Mitarbeiter oder von anders wertenden folgenden Mitarbeitern, somit allseits frei das Lebensnotwendige selber erarbeiten. Er kann dann wirklich menschenwürdig arbeiten, nämlich ohne subjektiven Zwang, gegen seinen Arbeitswertglauben, gegen seinen Zukunftsglauben und also Planglauben für sein Leben und gegen sein Gewissen arbeiten zu müssen. Nur dann kann er sich von aller zwingenden Selbstentfremdung frei halten.

Da dieser Erdball genug fruchtbare Erde für über dreißig Milliarden Menschen bietet, so ist es „nur" eine Frage der klaren und bestimmten Erkenntnis des Besitzrechtes bzw. Menschenrechtes an der Erde und der entsprechenden Bodenreform, daß die wirklich freie Wirtschaft und Gesellschaft endlich (wieder) entsteht. Die menschenrechtlich gegründete Bodenreform besteht darin, daß alle nicht tatsächlich besessene, nämlich nicht bebaute Erde legitimrechtlich und legalrechtlich zugleich als Nichtbesitz erklärt wird.

Wo keine freie Erde ist, dort wird unausweichlich aufgrund der Habgier der Menschen und der nicht mehr durch den wirklich freien Markt gerecht regulierten, daher ungehemmt wachsenden Ansprüche die sogenannte Arbeitslosigkeit entstehen. Dort ist der Beweis der fundamental und also genau besehen total unfreien, daher objektiv unrechtmäßigen Wirtschaft und Gesellschaft erbracht! —

Arbeitslosigkeit ist der Beweis der Verletzung der Menschenrechte! *Und zwar der fundamentalsten Verletzung der Menschenrechte, nämlich des Menschenrechtes, die Erde zu bebauen, also die Welt menschenwürdig zu bewohnen! —*

Wo dieses Menschenrecht — das Arbeitsrecht aller Arbeitsrechte! — wirklich geachtet wird, dort kann es keinen Arbeitskampf geben und keine Arbeitslosigkeit! Sondern dort kann nur immerwährende freie und also fundamental menschenwürdige Vollbeschäftigung bestehen für alle arbeitswilligen Menschen! Sie ist zuerst und grundlegend eine Selbstbeschäftigung, also eine Selberarbeit!

Zudem kann es dort, wie das Menschenrecht und die Menschenpflicht zum allseits freien guten Wirtschaften (Arbeiten!) mit Geld lehrt, auch keine Inflation und keine Deflation geben! —

Die unfreie Wirtschaft und also auch Gesellschaft kann nur zu immer größerem Streit führen, folgend zur demokratistischen Anarchie und/oder dem cäsaristischen bzw. diktatorischen Staatsterror. Am Ende führt diese fundamentale Unfreiheit unvermeidbar zum großen Zusammenbruch und zur allgemeinen Selbstvernichtung der Gesellschaft. Das heute weltweite „Selbstmordprogramm" (Taylor) gründet objektiv darin, daß unbebaute und also objektiv unbesessene Erde als Besitz erklärt wird! Sodaß man die anderen, die keine Möglichkeit haben, die Erde nach ihrem eigenen Wertglauben allseits frei zu bebauen, nun ausbeuten kann! Und das ganz „legal" und mit legalrechtlichem guten Gewissen. Was verständlicherweise zur feindseligen Zerspaltung der Gesellschaften in Arbeitgeber und Arbeitnehmer, in Parteien und Gewerkschaften führt.

Müßten nun alle Arbeitslosen Bauern und Landarbeiter werden? Keineswegs!

Es genügt weitesthin schon die bloße Möglichkeit, sich selber in Nurselbstarbeit alles Lebensnotwendige zu erarbeiten, um den Arbeitsfrieden und also Wirtschaftsfrieden herzustellen und den mehr oder weniger heißen Bürgerkrieg —den zuerst ideologischen wie wirtschaftspolitischen Krieg— in Gestalt des Arbeitskampfes zu beenden! Denn dann regulieren sich frei alle überhöhten Ansprüche oder zu geringen Lohnangebote! —Nur dann kann „die unsichtbare Hand" (Adam Smith) alles Wirtschaften wirklich optimal regulieren, nämlich allseits frei und also menschenwürdig. Dann erkennt der führende Mitarbeiter auf dem nun wirklich freien Markt, daß die folgende Mitarbeit doch fünfundsiebzig Geldeinheiten wert ist und nicht nur fünfzig. Und der folgende Mitarbeiter erkennt angesichts der Mühe der Selbstarbeit auf dem Acker, daß seine Mitarbeit nur fünfundsiebzig Geldeinheiten wert ist anstatt hundert. Und so können sie sich nun allseits frei gut, somit ohne Arbeitskrieg —das ist ein echter Bürgerkrieg!— menschenwürdig friedlich in Ehren zur Mitarbeit einigen.

Es ist eine ungeheure Groteske, daß Länder mit gewaltigen Flächen unbebauter Erde wie die USA und die südamerikanischen Staaten von Arbeitslosigkeit reden. Auch in Europa ist Arbeitslosigkeit eine Groteske. Sie ist im Grunde eine ethische bzw. rechtliche, eine gesellschaftliche und eine wirtschaftliche Geisteskrankheit.

5. Das Befreiungsrecht

Das Notwehrrecht
Subsiduumrecht und -Pflicht des Menschen

Welches Menschenrecht hat der Mensch, wenn sein Recht von einem Menschen verletzt wird? Das ist eine Urfrage, die eine klare und bestimmte Antwort verlangt, besonders in einer Zeit, in der die Not durch Rechtsverletzungen von mächtigeren Menschen oder weniger mächtigen schon ganz normal geworden ist.

Ihr gegenüber steht die soziale Urfrage: Welches Menschenrecht hat der Mensch, wenn er in die heute sog. soziale Not geraten ist, nämlich durch Hunger und Durst, durch Nacktheit und Unbehaustheit, durch Süchte, Krankheit oder Alter?

Zusammengefaßt: Welches Menschenrecht hat der Mensch, seiner Not zu wehren? Darf er sich selber von jeglicher Not befreien? Ist das gar auch seine Urpflicht? Oder hat er kein angeborenes, unveräußerliches Menschenrecht, seiner Not zu wehren? Muß er die Not seines Lebens klaglos bis in den Tod ertragen? Etwa in der Hoffnung, daß ein mächtiger Mensch oder (!?) „der Staat" oder „die Gesellschaft" ihm hilft?

Und aufgrund welches Menschenrechtes würde der Helfer —doch real ein Mensch! Oder?— ihm helfen? Hätte dieser ein Übermenschenrecht zur Nothilfe, zur Befreiung? Woher? —

Fragen wir den Menschen selber:

Was würden dem Menschen alle Menschenrechte, die doch Lebensrechte sind, helfen, wenn er sich in der Not seines Lebens nicht selber helfen dürfte? Hilfe heißt lateinisch subsiduum. Um das Prinzip des Subsiduumrechtes haben sich schon viele Gedanken gemacht. Wer könnte ein Subsiduumrecht unter den Menschen haben? Und auf welcher Grundlage, wenn nicht auf der Ur-Naturrechts-„Grundlage jeder menschlichen Gemeinschaft" und aller „Gerechtigkeit in der Welt" (Art. 1 GG)? —

Behandeln wir auch dieses Urthema gründlich und jeden überzeugend, der seinen gesunden Menschen-Rechtsverstand gebrauchen kann und will.

Der nächste Anlaß zu diesem Urthema ist im Untergang des Abendlandes und Morgenlandes das Unvermögen der politischen Machthaber in Gesetzgebung und Richteramt, das Menschenrecht zur Befreiung von jeglicher Not klar und bestimmt zu erkennen und anzuerkennen. Man studiere die Staatsverfassungen. Um das Notwehrrecht des Menschen und diese Urpflicht wird ein Eiertanz aufgeführt. (Vgl. Art. 20 GG. Und man suche es in der Europäischen Konvention zum Schutz der Menschenrechte).

Andererseits ist im Zeitalter der —Französischen— Revolution sehr vorsichtig mit dem allgemeinen Befreiungsrecht des Menschen umzugehen, da es liberalistisch irrtümlich zur Zerstörung der Ehe, Familie und jeder Gemeinschaft mißbraucht werden kann und so zu noch viel größerer Unfreiheit des Menschen führen kann. Was lehren die unaufhörlichen politischen Revolutionen, die im Namen der Freiheit und Befreiung geführt werden! Was lehren auch die christlichen und islamischen Religionskriege! Was lehren Emanzipation und antiautoritäre Erziehung!

Für alle Menschenrechte, aber besonders für das Befreiungsrecht gilt, wenn wir gründlich nachdenken: „Es gibt immer etwas, was wir noch nicht gedacht haben, was uns aber einfallen könnte" (Lars Gustavsohn). Besonders in einer Zeit der geistigen Verwirrung und der Lüge könnte uns etwas Prinzipielles einfallen oder eingegeben werden. Ob uns also nicht auch hier eine Wahrheit von der Gerechtigkeit einfallen könnte? „Die Macht der öffentlichen Lüge wird immer stärker" (Gustavsohn), auch der Lüge und der Verwirrung, was Recht und Unrecht sei. Also ist die Wahrheit vom Recht klar zu erkennen und zu bekennen. Vielleicht wäre das eine oder d i e Systemänderung in dem System des menschlichen Lebens auf dieser Erde! —

Da vom wahren und ganzen Befreiungsrecht von allem Unrecht und aller anderen Not unser ganzes Leben und also unser ganzes Lebensrecht abhängt, somit alles Menschenrecht, sind wir verpflichtet, uns um eine besonders gründliche Klärung zu bemühen. Dies auch deshalb, weil es im Zeitalter der Staatsvergötzung das von den staatlichen Machthabern am meisten verkannte und mißachtete Menschenrecht ist.

Das Befreiungsrecht im Allgemeinen

Wenn der Mensch als Subjekt objektiv allseits frei gut wie sittlich, sozial usf. leben will, dann steht er angesichts seiner Mängel und Fehler in seiner Person und seiner Natur in dieser Welt sofort vor der Aufgabe, sich von diesen Mängeln und Fehlern zu befreien. Denn nur in dem Ausmaß dieser Befreiung kann der Mensch wirklich objektiv allseits frei gut leben. Und seine Pflicht als Subjekt ist, nach seiner Möglichkeit gemäß seinen Fähigkeiten und Eigenschaften in seinem Denken, Wollen und Fühlen objektiv frei und objektiv gut, nämlich wahrhaft gut (qualifiziert, wertvoll) zu leben. Da der Mensch erfahrungsgemäß in dieser Welt ungeheuer viel irrt, so hat er beständig an seiner Befreiung zu arbeiten und zwar ursachengerecht zuerst geistig bzw. geistlich.

Die Urpflicht zur Befreiung rangiert also vor allen anderen Pflichten und Rechten. Denn wenn man in einer erkannten Unfreiheit und Ungutheit weiter lebt, ohne sich um die Befreiung von dieser Not zu bemühen, dann lebt man rechtswidrig. Dann lebt man menschenunwürdig. Denn der Mensch ist zum freien Herrn der Schöpfung bestimmt worden. Sogar doppelt ungerecht lebt man dann; denn das nicht befreiende Leben vermehrt die Unfreiheit und Ungutheit. Wer sich in einem Teerfaß horizontal bewegt, der verschmutzt immer mehr. Nur wer nach oben hin herauszusteigen sucht, kann sauber werden.

So lange also der Mensch in dieser vielfach notvollen Welt lebt, soll sein erstes, all sein Handeln begründendes personales wie soziales Motiv sein, an der Befreiung aller Personen zu arbeiten, die man in Not sieht oder glaubt. Das ist das Grundmotiv aller Religionen und Kulturen und auch der modernen Sozialbewegungen.

Das Urrecht und die Urpflicht zur Befreiung ist nicht auf die eigene Person beschränkt. Sondern beides erstreckt sich automatisch im Miteinanderleben auf alle Mitmenschen und im Gemeinschaftsleben auf alle Mitglieder der eigenen Gemeinschaften. Denn man nimmt solidarisch und integriert an der Not aller Mitmenschen teil.

Das Urrecht zur Befreiung erstreckt sich weiter auf alle subjektiv lebenden Menschen, sofern man diese in Not glaubt. Es ist hierbei gleichgültig, ob ein anderes Subjekt glaubt oder weiß, nicht in Not zu sein. Das könnte dem Anschein nach gefährlich werden. Da jedoch alle Befreiung von mündigen Menschen deren Zustimmung erfordert, kann es nicht gefährlich werden, wenn der Befreier die Menschenrechte weiß und achtet. Wenn zudem ein Mensch glaubt, nicht in Not zu sein, so hat der Befreier —etwa ein andersgläubiger Christ, Mohammedaner, Sozialist bzw. Kommunist, Theologe, Ideologe, Soziologe, Wissenschaftler usf.— den anderen Menschen zuerst zu informieren und also in seinem Bewußtsein zu überzeugen, daß er Not leidet. Denn wider seinen Willen kann man niemanden befreien; bei einer Handlung gegen den Willen eines mündigen Menschen, der sich nicht in Not glaubt, kann nicht befreit werden, sondern dann wird eine Not geschaffen oder eine vorhandene Not noch vermehrt.

Auch von den Befreiungsirrtümern kann, darf und soll man die Irrenden befreien. Wer etwa andere von ihrem Kapital befreien will, aber nicht sich selber, oder von ihren Produktionsmitteln, aber nicht sich selber, den darf und soll man von seinen Selbstwidersprüchen und Überheblichkeiten, folgend Ungleichberechtigungen befreien.

So gut wie der Vater im Himmel sollen wir leben, also wahrhaft gut, somit auch wahrhaft frei. Wenn der Sohn euch frei macht —zum wahrhaft guten Leben!—, erst dann seid ihr wahrhaft frei, sagt das Christentum (Joh. 8,36). Um wahrhaft frei zu werden, müssen wir das wahre Leben suchen und seinen Weg. Wir müssen also die Wahrheit vom allseits freien und allseits guten Leben suchen, nicht nur die Wahrheit von dem nur äußerlich in Zeit und Raum freien Leben. Dieses Leben kann innerlich tief unfrei sein. Nur, wenn wir die objektive Wahrheit vom Leben erkennen, die ganze Wahrheit, dies teils als Wissen, teils als Glaube, nur dann kann sie uns Subjekte zum objektiv wahren Leben führen und also frei machen. „Ihr werdet die Wahrheit erkennen und die Wahrheit wird euch frei machen" (Joh. 8,32). Das Evangelium wird „das vollkommene Gesetz der Freiheit" und also Befreiung genannt (Jak. 1,25).

Die erste Wahrheit des menschenwürdigen Lebens, dieses Leben begründend, ist die Wahrheit von den Menschenrechten. Ihre Erkenntnis macht objektiv mündig.

C. F. von Weizsäcker hat gemäß der Tradition der Wissenschaft als die Aufgabe der Wissenschaft und also der Schule erklärt, die subjektive Erkenntnis der Wahrheit vom Leben zu objektivieren zum sicheren Wissen. Das sei unser Recht und unsere Pflicht. Denn jeder Mensch hat die allgemeine Würde des Wissenschaftlers bzw. des Gelehrten. Und entsprechend unserer Erkenntnis der objektiven Wahrheit haben wir auch zu leben, ausnahmslos überall und allezeit. Also ist die Grundlage aller wissenschaftlichen Arbeit das Befreiungsrecht.

Ist nicht seit jeher die Grundlage der menschenwürdigen Schule das Erziehungsrecht und die Erziehungspflicht? — Was anderes wäre Erziehung als Befreiung zum wahrhaft menschenwürdigen Leben!

Hätte die Glaubensgemeinschaft, auch Kirche genannt, im Grunde eine andere Aufgabe? Sie geht nur anstatt vom Wissen vom Glauben aus. Ihre Aufgabe ist, zunächst die Wahrheit des eigenen Glaubens zu lehren und von dieser Wahrheit zu überzeugen, sowie von allem Irrglauben und Nichtglauben zu befreien. Die nächste Aufgabe ist, die subjektive Erkenntnis der Glaubenswahrheiten zu objektivieren mit den Mitteln des Glaubens wie Gebet, Sakrament und anderen Gnaden Gottes, und dann entsprechend den immer objektiver erkannten Glaubenswahrheiten zu leben, von früh bis spät, ebenfalls ausnahmslos.

Denn es ist fundamental menschenunwürdig, eine erkannte Wahrheit nicht zu leben. Auch hindert die Finsternis eines solch selbstwidersprüchlichen Lebens, weitere Wahrheiten zu erkennen. Und sogar die schon erkannten Wahrheiten werden dann verdunkelt, so daß man zu zweifeln beginnt. Und dem Zweifel folgt die Verwirrung. Das Ende ist die Verzweiflung am Sinn des Lebens und folgend am ganzen Leben. —

Was wäre die Aufgabe der Landesgemeinschaft der Menschen, auch Staat genannt? Hier ist die subjektiv allseits freie gute Bebauung der Erde zu objektivieren. Also ist hier zu erkennen, was die objektiv lebensqualifizierte, allseits freie Bebauung der Erde und die Bewahrung des Guten in ihr wirklich ist (Vgl. Gen. 2,15). Wären wir Menschen nicht urberechtigt und urverpflichtet, nach unserer Erkenntnis der objektiven Wahrheit auch hier zu leben? Also ist auch die Urpflicht der menschlichen Gemeinschaft auf dem Lande bzw. der staatlichen „menschlichen Gemeinschaft" (Art. 1 GG) die Befreiungspflicht. Man spricht modernerweise auch von Sozialpflicht im engeren Sinne.

Aber beachten wir stets: Was subjektiv und objektiv f r e i ist an menschlichem Handeln i n Z e i t u n d R a u m , das ist auf Millimeter und Sekunde als exaktes Wissen zu erkennen und also anzuerkennen, somit zu achten bei jedem realen Menschen. Was jedoch objektiv g u t ist, also was l e b e n s q u a l i f i z i e r t ist im personalen, kulturellen und naturalen Handeln, das können wir zwar durch Befreiung von den Mängeln und Fehlern unserer Person und unserer Natur laufend klarer und bestimmter erkennen, aber im Grunde bleibt zumindest für das zwischenmenschliche Verhältnis alle noch so objektive Erkenntnis des Guten, des Lebensqualifizierten Glaubenssache, soweit sie nicht in groben Umrissen Erfahrungswissen geworden ist. Und also bleibt in der Erkenntnis des Guten und im folgenden guten Leben das Glaubensfreigutlebensrecht maßgebend.

Befassen wir uns folgend konkreter mit dem Befreiungs- und also Verbesserungsrecht des Menschen im menschlichen Leben, mit dem Religierungs- und Kultivierungsrecht und seiner Pflicht. Formulieren wir dieses fünfte Menschenrecht zunächst in der Ordnung des Urverhältnisses vom subjektiven und objektiven Leben:

**Der Mensch hat das Urrecht, die Urpflicht und die Urliebe,
selber, mit jedem und gemeinschaftlich
allseits frei gut objektivierend zu leben,
nach dem eigenen Glauben, was objektiv allseits frei und gut ist.**

Noch allgemeiner und kürzer formuliert, so kurz wie das allgemeinste Menschenrecht:

*Der Mensch hat das Urrecht, die Urpflicht und die Urliebe,
befreiend zu leben*

Oder kürzestens:

**Der Mensch hat das Urrecht, die Urpflicht und die Urliebe,
zu befreien**

Das Befreiungsrecht im Besonderen

Das Lebens-Notwehrrecht

Die Erde ist zu bebauen! Denn sie ist weithin „wüst und leer“! Aus welcher Ursache sie so geworden ist, das ist gründlichen Studiums wert. Da Gott die Fülle des Lebens und dessen gerechte Ordnung zugleich ist, so kann Er logischerweise nichts Leeres und Wüstes geschaffen haben. Zwischen dem ersten und zweiten Satz der Hl. Schrift ist daher noch allerlei geschehen! Die Wüsten, an denen der Mensch möglicherweise ursächlich beteiligt war, soll er nun wieder in ein Paradies verwandeln und also kultivieren, aufbauen. Das ist der Sinn der Bebauung.

Eine Zwischenbemerkung: Es ist zugleich (!) auch noch ein tieferer Sinn der hebräischen Worte, die hier mit „wüst und leer“ übersetzt wurden, möglich und zwar ein Ordnungssinn. Aber das ist Sache der höheren Theologie, der mystischen Theologie.

Wir sehen tatsächlich im Kosmos und auf unserem Erdball viele Wüsten und Leeren. Unsere Umwelt ist nicht in Ordnung, sondern liegt wie unsere psychosomatische Eigenwelt in verschiedener Unordnung. Die Erde mit all ihren Lebewesen ist offensichtlich in allerlei Not. Sie harrt sehnsüchtig darauf, daß sie durch die Kinder Gottes „befreit wird von der Verderbtheit zur Freiheit der Herrlichkeit der Kinder Gottes" (Röm. 8,21). Da aber der Mensch auch selber in die Verderbtheit gefallen ist und also in die Not der Unwissenheit—etwa der Unwissenheit, was objektiv und subjektiv Recht und Gerechtigkeit ist im Reiche der Person und im Reiche der Natur—, da er in die Not der Bosheiten und der Irrtümer gefallen ist, so muß er zuerst selber, also in seiner Eigenwelt von all dieser Wüste und Leere befreit werden.

Um frei zu werden von allen Fehlern und Mängeln hat der Mensch gemäß seinem Selberlebensrecht samt Selbstbestimmungsrecht und Selbstbestimmungspflicht dazu selber die Initiative zu ergreifen. Denn geholfen werden kann logischerweise einer willensfreien Person nur, so weit sie aus eigener Initiative und also Selbstbestimmung bereit ist, Hilfe (subsiduum) anzunehmen. Auch hier herrscht das Prinzip der Gleichberechtigung.

Alle Wüste und Leere der Fehler und Mängel der Natur ist ein Notfall. Welches Menschenrecht und welche Menschenpflicht hat der Mensch in einer Not? Wenn sein Lebensrecht von einem Rechtsbrecher bzw. Verbrecher gebrochen wird, auch wenn dieser in schwerer geistiger Verwirrung wähnt, Recht brechen zu dürfen, wie es die führenden gleich den nicht mehr folgenden Terroristen in den Staaten, Schulen und Kirchen wähnen und sogar in den Verfassungen erklären, muß er sich das klaglos und tatenlos gefallen lassen? Welchen Sinn hätte dann noch sein allgemeines Lebensrecht, das allgemeine Menschenrecht?

Es ist höchst selbstverständlich, daß der Mensch sein Lebensrecht auch verteidigen darf und also eine Verletzung seines Lebensrechtes ausgleichen darf, um sein allseits freies gutes Leben und somit sein konkretes Lebensrecht wiederherzustellen. Denn welcher Nichtmensch —also von Gott abgesehen— würde in dieser Welt den Menschen von Not befreien? „Der" Staat? „Die" Gesellschaft? Dieser Nichtmensch ist noch niemals gesehen worden. Es haben, auch in allerlei Ämtern, stets reale Menschen gehandelt. Und Menschen müssen zu ihrem Handeln als „Grundlage" (Art. 1 GG) ein Menschenrecht haben! Oder sie handeln aus bloßer Macht heraus. Und das ist höchst gefährlich. Denn dann überschreiten sie sehr leicht die Grenzen ihres Rechtes. Wie die modernen endlosen Konferenzen belegen, in denen um die Erkenntnis der Rechtsgrenzen des Staates gerungen wird.

Das Verteidigungsrecht, das Freiheits- und also auch Befreiungsrecht des Menschen ist gleichsam die Kehrseite seines allgemeinen Lebensrechtes. Beide Seiten gehören zusammen und bilden eine untrennbare polare Einheit wie die zwei Seiten einer Münze. Formulieren wir dieses fünfte Menschenrecht als Kehrseite des allgemeinsten Menschenrechtes zuerst ebenfalls höchst allgemein:

Der Mensch hat das Urrecht, die Urpflicht und die Urliebe,
von der Not der Unfreiheit und Ungutheit des Lebens zu befreien

Kürzer:

Der Mensch hat die ethische Potenz, befreiend zu leben

Dies im Unterschied zu der gesellschaftlichen und der wirtschaftlichen Potenz des Menschen zum Befreien und allgemein zum Handeln in all den Lebensbereichen. Hier wird die Befreiung nur in der Sicht der Menschenrechte logomathematisch entwickelt. Das aber ist die erstrangige Sicht. Auch alle Sozialisten wie Kommunisten sprechen zuerst vom Recht auf Freiheit und Befreiung wie von Unterdrückung und Ausbeutung. Sie beginnen ihr Werk nicht mit der wirtschaftlichen Befreiung, sondern mit dem Geist der Befreiung, mit der Ideologie der Befreiung!

Der Mensch darf und soll also von Not befreien. Und das ist auch eine wahre Liebe von ihm.

Diese sehr allgemeine Formulierung kann zu vielen Unklarheiten und also Mißverständnissen verleiten. Um sie alle zu vermeiden muß man das fünfte Menschenrecht mathematologisch exakt entwickeln, indem man es auf den vorangehenden vier Menschenrechten aufbaut, wie das vierte Menschenrecht auf der Dreieinheit der ersten drei Menschenrechte aufgebaut ist, wie das dritte auf dem zweiten und das zweite auf dem ersten Urrecht aufgebaut ist und dieses auf dem allgemeinsten, dem universalen Menschenrecht bzw. Natur-Urrecht der menschlichen Person. Es ergibt sich somit jedes Menschenrecht stets als ein weiterer Schritt auf dem Lebensweg logisch-mathematisch exakt aus dem vorangehenden Menschenrecht. Also folgt objektiv exakt rechtswissenschaftlich, nämlich objektiv systematisch und lebenslogisch ganzheitlich entwickelt bzw. deduziert das vollständige Nothilferecht als vollständiges Subsidiumrecht der Person. Und zwar folgt es in der lex aeterna justitiae (Thomas v. A.) sive Mathesis universalis justitiae (Leibniz) als Selbsthilfe- und Mithilferecht zugleich:

Der Mensch hat das Urrecht, die Urpflicht und die Urliebe,
selber, mit jedem und gemeinschaftlich
von Unfreiheit und Ungutheit zu befreien
nach seinem Glauben, was ungut ist,
bei unvereinbarem Befreiungsglauben privat

Wen befreien?

Wen darf und soll der Mensch befreien? Zuerst sich selber, soweit es in seiner Kraft steht. Dann soll er zweitens jedem Mitmenschen aus der Not helfen, zuerst seinem Nächsten.

Seinen Mitmenschen kann der Mensch logischerweise nur so weit von Unfreiheit und Ungutheit befreien, als er selber schon frei und gut geworden ist.

Und er kann seinen Mitmenschen nur so weit befreien, als dieser sich überhaupt befreien lassen will und insbesondere durch seine Hilfe befreien lassen will. Denn gegen seinen Willen kann man keinen Menschen befreien! Und einen solchen Versuch darf man auch garnicht machen. Er wäre rechtswidrig und pflichtwidrig, weil er die Menschenwürde in dem Selbstbestimmungsrecht des Menschen über sein Leben verletzen würde, das archimedische Angelrecht aller Lebensrechte.

Wenn also ein Patient weitere Hilfe ablehnt, so kann der Arzt, der diese Selbstbestimmung über das eigene Leben achtet, nicht wegen unterlassener Hilfeleistung bestraft werden. Zudem wäre das Aufzwingen einer Hilfe doppelt rechtswidrig, da es keine wirkliche Hilfe wäre, sondern die —stets zuerst personale!— Not vergrößern würde.

Materialisten wie viele Kapitalisten und Sozialisten sehen fast nur die leibliche bzw. materielle Not. Sie wollen daher auch gewalttätig helfen. Sie wollen den Menschen zu seinem Glück zwingen, wie schon Rousseau erklärte. Kann diese apersonale Sicht objektiv menschenwürdig sein? Das Ende dieser subjektiv gut gemeinten Hilfe ist dann der allgemeine Zwang, die totale Unterdrückung! Und ihr folgt die totale Ausbeutung, um die totale Unterdrückung aufrecht erhalten zu können! — Zur „Befreiung"!

Also verpflichtet das fünfte Menschenrecht als allgemeines Notwehr- und Hilferecht —als naturrechtliches vollständiges Subsiduumrecht, nämlich der Person und also jeder Person!—, allen notleidenden Menschen allseits frei zu helfen. Jeder Mensch hat als Mitglied der Menschheitsfamilie die Urpflicht, all seinen Brüdern und Schwestern in vollständiger Achtung ihrer Freiheit und also Menschenwürde zu helfen, wo er kann und wo Hilfe frei angenommen wird. Man kann nicht zum Glück zwingen. Denn das Glück besteht zuerst in der Freiheit. Der Zwang aber ist das diametrale und totale Gegenteil der Freiheit, also auch das diametrale und totale Gegenteil des Glückes!

Das Befreiungsrecht rangiert vor allem anderen Tun und Lassen

Hier ist die schon eingangs genannte Erkenntnis von höchster Tragweite erneut zu nennen, die alle Religionen und Kulturen der Menschheit und auch alle modernen Sozialbewegungen beherrscht:

Die Nothilfe rangiert vor allem anderen Tun und Lassen! Sie rangiert also vor der Betätigung aller anderen Menschenrechte, es sei denn, daß auch diese zur Nothilfe betätigt werden wie die drei Kronrechte (Zehntes bis zwölftes Menschenrecht). Hiermit wird das fünfte Menschenrecht erstrangig! Dies lehrt auch beispielsweise die Katholische Kirche mit den Worten, daß das Subsidiaritätsprinzip das erstrangige naturrechtliche Rechtsprinzip ist. Leider konnte dieses Prinzip in der Kirche bisher nur minimal erkannt und noch nicht klar formuliert werden.

Und daraus folgt: Es besteht kein Recht, sich selber mehr als das Lebensnotwendige zu erarbeiten und dieses zu bewahren, so lange andere Menschen auf dieser Welt noch Not leiden! Denn die Lebensnot rangiert vor aller anderen Tätigkeit im Leben. Also rangiert das Lebensnothilferecht vor allen anderen Lebensrechten des Menschen! Wie hat Christus von den irdisch Reichen gesprochen? Man denke nur an das Kamel und das Nadelöhr (Mt. 19,24).

Wie ist diese Vorrangigkeit auch abgesehen von der schon eingangs genannten Begründung näher zu verstehen?

Das ganze Leben rangiert vor einem Teil des Lebens. Denn welchen Sinn hätte es, seine Brust zu schmücken, wenn uns jemand am Kragen hat, einen Strick um den Hals legt und diesen zuzieht! Welchen Sinn hat es, die halbe Welt zu gewinnen, wenn man Schaden leidet an seiner Seele und deshalb alles verliert? Denn das Bewußtseinsleben regiert alles andere menschliche Leben.

Wenn es also in Hunger und Durst um das ganze Leben geht, dann rangiert die Befreiung von dieser das ganze Leben des Menschen bedrohenden Not vor einem Teil des menschlichen Lebens. Die ganze freie Entfaltung der Persönlichkeit rangiert vor einem —auch noch so großen!— Teil der freien Entfaltung der Persönlichkeit (Art. 2 GG).

Es ist hier zuerst an Hunger und Durst nach dem geistig-seelischen Leben zu denken wie dem Hunger und Durst nach der Gerechtigkeit der Menschenrechte bzw. der vollkommenen himmlischen Gerechtigkeit der Personrechte aller Personen. Denn aus deren Mißachtung folgt alle leibliche Not, somit auch aller leibliche Hunger und Durst. Dieser ist daher auf die Dauer nur zu überwinden durch die fundamentale, nämlich geistig-seelische Selbsthilfe. Dazu erforderlich ist die Erkenntnis, Formulierung, Lehre und Anerkennung der ganzen Gerechtigkeit der Person bzw. des vollkommenen Gesetzes der Freiheit und dessen Achtung bei allen Personen in und über Staat, Schule und Kirche. Das Gesetz der Freiheit besteht zuerst in dem 1 × 1 der Personurrechte, insbesondere der Menschenrechte.

Daß die Befreiungspflicht bzw. Nothilfepflicht vor allem anderen rangiert, das zeigt sich auch als neuere Entwicklung des Rechtsbewußtseins in der allgemeinen Hilfspflicht des Menschen, wie etwa bei KFZ-Unfällen, und in der entsprechenden staatlichen Rechtsprechung. Die Pflicht, Hilfe (subsiduum) zu leisten, geht auch hier jeder anderen Pflicht vor. Wer also seiner allgemeinen menschlichen Hilfspflicht nicht nachkommt, gleich ob Amtsmensch oder Privatmensch, etwa weil er in seinem Sozialprodukt bzw. gar in seinem Profit (um jeden Preis) noch weiter wachsen möchte, der kann vor Gott und auch vor den Menschen wegen unterlassener Hilfeleistung rechtmäßig verklagt und bestraft werden! Das erlaubt das angeborene unverletzliche Notwehrrecht des Menschen. Und dazu verpflichtet es.

Können wir hier nicht von der sozialen Weltbewegung lernen! Sie ist entstanden, weil immer mehr Menschen ihre Mitverantwortung für alle anderen Mitglieder der Menschheitsfamilie erfühlen, gedanklich erkennen und in ein Wollen umsetzen, indem sie der Nothilfe alle andere Tätigkeit unterordnen. War das nicht schon immer das Lebensprinzip der vorbildlichen Christen?

Die Umweltfühligkeit des Menschen

Die Umweltfühligkeit des Menschen ist in diesem Jahrhundert sehr schnell gewachsen. Einerseits ist die personale Umweltfühligkeit gewachsen wie als soziale Verpflichtung überhaupt und insbesondere gegenüber dem ganzen eigenen Volk und gegenüber der ganzen Menschheit; andererseits ist genau so schnell auch die naturale Umweltfühligkeit gewachsen. Sie hat sich am Ende des zweiten Jahrtausends nach Christi Geburt von der allernächsten Umwelt des Menschen auf sein ganzes Haus, auf die Stadt und das Land und dann ebenfalls auf die ganze Menschheit und das Haus der ganzen irdischen Welt ausgedehnt. Ja sie beginnt, sich auf den ganzen Kosmos auszudehnen. Wir erkennen immer deutlicher: Im Weltraum sitzen wir alle in einem Boot.

Und die Umweltfühligkeit, richtiger Mitweltfühligkeit beginnt, sich noch weiter auszudehnen. Auch logisch gilt gemäß dem fünften Urrecht der Person: Solange irgend eine Person noch Not leidet, so lange das Lebensrecht irgend einer Person noch mißachtet wird und noch nicht wiederhergestellt ist, ist gemäß der Rangordnung und also Lebensordnung der jeweiligen Personen an der Wiederherstellung ihrer Rechte vor allem anderen zu arbeiten.

Was besagt dies konkreter? Ca. 99 % der Menschen in der Menschheitsgeschichte glauben an Gott. Atheisten machen in der ganzen Menschheitsgeschichte noch nicht ein Prozent aus. Was allenfalls nur ein Prozent ausmacht, das ist nach wissenschaftlicher Erfahrung und wissenschaftlichem Brauch in den Statistiken als Fehlbereich wahrscheinlich und daher nicht relevant für die Wissenschaft und das lebensgerechte Leben, also in der Sache nicht beachtenswert.

Aber auch der letzte Atheist bzw. Materialist auf der Welt wird von der objektiv sozialen Gerechtigkeit der Menschenrechte als Person geachtet und also in all seinen Menschenrechten wie dem Glaubensfreigutlebensrecht. Wenn auch hier viel aus dem Christentum zitiert wird, weil aus seinen Wahrheiten das ganze und wahre Menschenrecht erkannt wird im Spiegel der Gerechtigkeit, so wird doch in der vorliegenden Darlegung der Menschenrechte stets sorgfältig das Rechtswissen vom Rechtsglauben unterschieden. Es wird also stets das absolut glaubensneutrale Menschenrecht dargelegt und geachtet. Selbst wenn es nur einen einzigen Atheisten auf der ganzen Welt gäbe, so wäre sein Glaubensfreigutlebensrecht vollständig zu achten. Nicht im geringsten dürfte er von einem politischen oder anderen Machthaber terrorisiert werden, wie es bei den atheistischen Machthabern gegenüber den Theisten leider die Regel ist und als Recht gelehrt wird. Auch das ist ein Hinweis, wo die Wahrheit und das Leben zu suchen ist. —

Das Befreiungsrecht vor Gott

Aus den Statistiken der Menschheit ergibt sich, daß zuerst die Rechte Gottes wiederherzustellen sind wie in Seiner Ehre, in Seinem Eigentum, zu dem wie alles auch diese Welt zählt. In die Wiederherstellung der Ehre Gottes integriert ist, das wahre, das vollkommen notfreie Leben aller gefallenen Menschen wiederherzustellen. Das ist das Leben der Seele und ihm folgend des Leibes. Ein Nobelpreisträger wie C. F. von Weizsäcker hat für moderne Ohren erstaunlicher-

weise, aber übereinstimmend mit allen Hochreligionen und Hochkulturen der Menschheit erklärt, daß die erste Aufgabe der Wissenschaft sei, die Ehre Gottes wiederherzustellen, also Gott zu verherrlichen! Ist das nicht die höchste und allgemeinste Objektivierungsarbeit? Umfaßt sie nicht alle andere Arbeit? Denn in Gott leben, weben und sind wir, wie die Hl. Schrift sagt. Dann und nur dann wird erfahrungsgemäß auch unsere eigene Ehre und unser ganzes eigenes allseits freies und gutes Leben wiederhergestellt, unsere Mitherrschaft über die gesamte Schöpfung des Kosmos und weit darüber hinaus. Dann wird auch unser irdisches Recht, unsere irdische Gesellschaft und unsere irdische Wirtschaft wiederhergestellt in menschenwürdiger Ordnung.

Jeder Mensch ist also mitverantwortlich für die Wiederherstellung der Ehre aller Personen, insbesondere für das wahre Heil und somit das ewige Glück ausnahmslos aller Menschen. Jeder Mensch wird von der ewigen und unumgehbaren Gerechtigkeit zur Verantwortung gezogen, wie er diese Urhilfspflicht (Subsiduumpflicht) in seinem irdischen Leben gegenüber Gott, den Menschen und allen Kreaturen erfüllt hat.

Wie kann sie der Mensch erfüllen? Der einzelne Mensch erscheint vielen so schwach gegenüber den Milliarden Menschen der Menschheit. Doch die Menge täuscht. Jeder Mensch kann den Arm Gottes bewegen wie durch Gebet und Opfer! Und der Arm Gottes kann mit einer einzigen Bewegung allen Menschen helfen und alle Lebensqualitäten in der Welt verbessern. Gott richtet sich auch und zwar nicht wenig nach der freien Tätigkeit des Menschen! Welchen Sinn hätte sonst ein Gebet!

Nur selber befreien?

Wie darf der Mensch befreien? Nur selber? Grundsätzlich kann und darf der Mensch nur als Selbst befreien, also nur selber befreien. Das heißt: Er kann erstens ausschließlich selber befreien, zweitens selber mit einem anderen befreien und drittens selber gemeinschaftlich befreien.

Daraus ergibt sich: Der so schwache Erden-Mensch soll sich bemühen, mit der Hilfe von höchst freien und höchst guten, daher auch höchst mächtigen Personen zusammen zu befreien. Der Mensch soll also selber zusammen mit einer anderen Person befreien, die vielleicht weit über 99 % der Befreiungsarbeit leistet. Das glauben die Christen von Jesus Christus.

Erforderlich zur Befreiung des Menschen ist also seine Mitwirkung bei der vollkommenen Befreiung, die auch Erlösung genannt wird. Diese Selbermitwirkung beginnt mit dem eigenen Glauben. Denn auch und zuerst zu glauben ist eine Mitwirkung, also eine Arbeit. Sie ist keine leichte Arbeit! In dieser Arbeit gründet alle vollkommene Befreiung! Ohne eigene Mitwirkung, —pflichtgemäß mit allen vorhandenen Kräften und nicht nur mit dem kleinen Finger— also keine Befreiung! Der Glaube ohne Werke ist tot (Jak. 2,14ff.). Das Evangelium wird daher auch als „das vollkommene Gesetz der Freiheit" und Befreiung bezeichnet (Jak. 1,25).

Wer den Staat vergötzt und seine äußere Hoheit um jeden Preis hochhalten will, der hat größte Schwierigkeiten mit der Erkenntnis, Formulierung und Anerkennung des Notwehrrechtes wie des Unrechtswehrrechtes des Menschen als Menschenrecht. Davon singen die Staatsverfassungen und Kirchenverfassungen ein Lied und die Volksvertreter bzw. Parteivertreter in den Parlamenten. Und auch die rechtswissenschaftliche Diskussion tut sich hier ergötzlich schwer. Das folgende Kapitel bringt daher eine weitere Klärung des Selberbefreiungsrechtes bei allem Unrecht und aller anderen Not.

Das Befreiungsrecht in der Gemeinschaft

Aus dem Menschenrecht der Befreiung folgt weiterhin:

Soweit der Mensch Mitglied irgendeiner Gemeinschaft ist wie einer Landesgemeinschaft, Staat genannt, oder einer Wissensgemeinschaft, Schule genannt, oder einer Glaubensgemeinschaft, Kirche oder Denomination genannt, soll er gemeinschaftlich befreien. Er soll also gemäß der selber mit gestalteten Gemeinschaftsordnung seiner jeweiligen Gemeinschaft selber mit gemeinschaftlich befreien. Das ist seine Urpflicht.

Wo der Mensch also Mitglied einer Gemeinschaft ist, dort darf er nur gemäß der unter Führung des Leiters der Gemeinschaft allseits frei gut gemeinschaftlich bestimmten und somit positiv gemäß dem dritten Menschenrecht und dieser Menschenpflicht gesetzten gemeinschaftlichen Lebensordnung befreien.

In der Familie darf das Mitglied also nur befreiend handeln gemäß der Familienordnung, die unter Führung des Vaters allseits frei gemeinschaftlich bestimmt worden ist von allen mündigen Familienmitgliedern. Bei Glaubensdifferenzen hier ist das Mitglied auf sein Privatlebensrecht verwiesen, darin auf das Privatbefreiungsrecht und dessen Pflicht.

In der staatlichen Gemeinschaft darf das Mitglied sein Menschenrecht und seine Menschenpflicht zur Befreiung aller Menschen von Not wie Rechtsnot und naturaler Lebensnot nur gemäß der Grundordnung ausüben, die unter Führung des Staatslenkers allseits frei gut bestimmt worden ist. Das ist das Landesgesetz bzw. Staatsgesetz. Es wird seit alters her auch als Landfriedensordnung bezeichnet. Hier gilt bei Glaubensdifferenzen ebenfalls das Privatbefreiungsrecht und seine Pflicht.

Ein besonderes Problem ergibt sich, wenn ein Mensch im Rechtsfühlen oder Rechtsdenken das Wissen von den Menschenrechten hat und erkennt, daß ein staatlicher Machthaber mehr oder weniger weit das Recht bricht und also objektiv zweifelsfrei ein Rechtsbrecher ist und dies sogar in seinem Grundgesetz von sich selber erklärt, wenn auch in dem schweren Wahn, daß —nur— er selber das Recht brechen dürfe. Dann ist der Wahnsinn schon ganz normal geworden. Da aber die Massen der Wahnsinnigen den öffentlichen Rechtsbruch subjektiv als legales Recht wähnen —vielleicht weil sie ebenfalls den Rechtsbruch üben—, darf auch dann nur das Privatbefreiungsrecht betätigt werden. Denn der allgemeine öffentliche Rechtsbruch hat unter den Rechtsbrechern eine gewisse Legalität. Aber Wahnsinnige sind nicht mündig und dürfen und sollen als das behandelt werden, was sie sind! Daraus folgt allerlei!

In dieser zum Himmel brüllenden Situation ist vor allem stets darauf zu achten, daß eine zur Befreiung geplante Maßnahme effektiv befreit in der Bilanz! Man darf also das System des öffentlichen Rechtsbruches nicht derart verändern, daß in der Bilanz der gesamten Maßnahmen noch mehr Unfreiheit und Ungutheit resultiert! In einem solchen Chaos sich zurechtzufinden, ist wirklich nicht leicht.

Wenn ein Mensch Mitglied einer kirchlichen Gemeinschaft ist, so hat er zuallererst deren gemeinschaftliche Befreiungsordnung zu achten wie in Gestalt des Kirchengesetzes. Sie ist in der Regel für die Gläubigen die Grundordnung aller irdischen Befreiung und also Nothilfe. Warum?

Ursachengerecht befreien

Der Mensch soll ursächlich befreien. Denn nur das ist eine objektiv richtige und wirkliche Befreiung. Alles andere ist symptomatische Kurpfuscherei.

Wenn der Mensch subjektiv die erste Ursache einer Not eines Menschen im mangelnden oder fehlerhaften Glaubensleben sieht, dann soll er logischerweise zuerst gemeinschaftlich auf dem Weg und mit den Methoden und Mitteln seiner Glaubensgemeinschaft befreien, nämlich den Glauben vermehren, dazu die Hoffnung stärken und die Liebe entzünden. Aber er soll auch das im Lichte Christi erkennbare Personrecht —das wahre und ganze, systematisch einheitliche Naturrecht der göttlichen, menschlichen und anderen Personen!— selber erkennen und lehren als himmlische bzw. vollkommene Gerechtigkeit.

Wenn der Mensch subjektiv und vielleicht auch objektiv die erste Ursache in mangelndem Wissen wie in Unwissenheit des allseits freien guten und somit menschenwürdigen Lebens sieht, in dem Nichtwissen der person- und naturgesetzlichen Rechts-, Gesellschafts- und Wirtschaftsgrundordnung, dann soll er zuerst in seiner Wissensgemeinschaft und also Schule in der Ordnung der wissenschaftlichen Wege und Methoden und mit deren Mitteln befreien, nämlich von Unwissenheit bzw. Irrtümern.

Wenn der Mensch auch noch im Bereich der Landesgemeinschaft eine fundamentale Ursache sieht wie in der mangelnden Freiheit, allseits frei die Erde zu bebauen, folglich in der wirtschaftlichen Abhängigkeit von Machthabern, folgend in der Unterdrückung und Ausbeutung, in der Arbeitslosigkeit, in der Inflation usf., dann soll er nach der Befreiung des subjektiven Bewußtseinslebens durch mehr Glaube und mehr Wissen auch politisch befreien. Auch hier ist zuerst das ganze Menschenrecht klar und bestimmt zu erkennen, zu formulieren, zu lehren und anzuerkennen, gleich wie in Kirche und Schule.

Wirklich befreien

Und der Mensch darf nur und soll wirklich befreien. Die Bilanz einer Befreiungsmaßnahme muß also in der Gesamtheit aller Beteiligten mehr freies und gutes Leben ergeben, nicht noch weniger freies und noch schlechteres Leben. Dies ursachengerecht zuerst in demjenigen Bereich, den der Mensch als Quelle des Lebens und dann als Ursache der Unfreiheit sieht. Andernfalls wurde oder wird nicht wirklich befreit, so daß also weder subjektiv noch objektiv ein Recht und eine Pflicht zu dieser Maßnahme bestand oder besteht.

Das ist eine sehr folgenschwere Erkenntnis, besonders für alle kirchlichen, schulischen und staatlichen Machthaber und für deren Kritiker und vor allem für die Revolutionäre. Also ist vor jeder Befreiungsmaßnahme unter Einbezug aller Faktoren das wahrscheinliche Ende zu bedenken. Dazu ein Beispiel: Wenn ein Arzt in blindem Eifer einen Menschen von körperlicher Schwäche befreit, ohne deren Ursache zu ergründen, und dann dieser Mensch nach seiner Befreiung dankend erklärt, nun könne er wieder jeden Tag eine Schöne vernaschen, dann hat sich dieser Arzt gründlichere Gedanken über seine Befreiungspflicht bzw. Hilfspflicht zu machen; und er hat entsprechend der erkannten Wahrheit künftig besser zu arbeiten, besser zu helfen, genauer gesehen, überhaupt erst menschengerecht zu helfen.

Ein anderes Beispiel führt Christus an. Wenn einer mit 20000 Mann anrückt und man hat zur Verteidigung nur 10000 Mann, dann könnte ein Kampf mehr Unfreiheit und Ungutheit bringen als eine —vielleicht vorübergehende— Sklaverei. Aber das muß nicht so sein. Es kommt auf die Werte an. Wenn den Sklaven etwa ihr Glaube an Gott ausgetrieben werden soll, dann bestehen besondere Bewertungsprobleme.

Die Befreiung des Bewußtseinslebens von Mängeln und Fehlern wie von Unwissenheit, Irrtum und Bosheit rangiert somit stets an erster Stelle. Denn der Mensch ist ein selbstbewußtes und selbstberechtigtes Lebewesen, eben eine Person. Daraus folgt alle andere wie kulturelle und naturale Befreiung. Und die Befreiung im Bewußtsein ist stets zuerst eine ethische Befreiung. Aus ihr folgt alle gesellschaftliche und wirtschaftliche Befreiung.

Befreit wird von Not. Die Not ist hier als Unfreiheit und Ungutheit bzw. Lebensunqualifiziertheit des menschlichen Lebens definiert. Was alles unter Leben zu verstehen ist, unter dem geistlich-geistigen, dem seelischen und naturalen Leben, das ist oben dargelegt worden.

Die ganzheitliche Sozialordnung

Befreien kann man von personaler Not insbesondere durch Befreiung von Rechtsnot, von Gesellschaftsnot und Wirtschaftsnot.

Weiter kann man von naturaler Not befreien wie von Not durch Hunger *und* Durst, *nämlich durch Mangel und Fehler an Speise und Trank, weiter von Not durch Mangel und Fehler an Kleidung und Wohnung, nämlich von* Nacktheit *und*

Wohnungslosigkeit. *Dies sind die vier Grundbefreiungen des menschlichen Lebens. Auf diesen vier Ecksteinen bzw. Grundfreiheiten ruht das Haus des freien Lebens in dieser Welt.*

Weiter kann man befreien von der Not der lebenswidrigen Lebensweise *wie einer Gefangenschaft in mancherlei Süchten, dann von der Not durch Mangel und Fehler der Heilkunde, also von einer* fehlenden oder schlechten Medizin *wie nach der Teufel-Beelzebub-Methode, schließlich von der Not durch* mangelnde oder schlechte Hygiene *wie durch die Tötung und Vergiftung des Lebens, dies ebenfalls objektiv rechtswidrig nach der Teufel-Beelzebub-Methode. Darin ist alle Not durch das Alter eingeschlossen.*

Diese sieben Urformen der Befreiung von Not können auch als die sieben Sozialwerke *gesehen werden. Sie haben die abendländische Kultur beherrscht in Gestalt der* sieben Werke der Barmherzigkeit: *„Die Hungrigen speisen. Die Durstigen tränken. Die Nackten kleiden. Die Fremden beherbergen. Die Gefangenen befreien. Die Toten bzw. das Tote begraben." Im Untergang des Abendlandes, am Ende der Neuzeit werden sie von der staatlichen menschlichen Gemeinschaft neu entdeckt und zu beleben versucht als vollständige Sozialordnung, dies jetzt in nurmenschlicher Art. Aber auch hier sind die sieben Werke der Barmherzigkeit Urpflichten des Menschen.*

Diese sieben Urwerke der Nothilfe (subsiduum) sind sowohl leiblich als auch seelisch und geistig-geistlich zu verstehen, also in drei Lebensebenen jeweils siebenfach. Und auch hier hat man ursachengerecht zu helfen, um nicht Kurpfuscherei zu treiben. Alles Leibliche hat seine geistig-seelische Ursache, wie die psychosomatische Heilkunde seit jeher lehrt. Also ist hier zuerst die Befreiungsordnung der eigenen kirchlichen Gemeinschaft zu achten, wie sie für Christen im Evangelium —als der Grundordnung der echten Befreiungstheologie— dargelegt ist.

In dieser Sicht umfassen die sieben Sozialwerke der Barmherzigkeit die Befreiung von aller Rechts-, Gesellschafts- und Wirtschaftsnot aller Personen in dieser Welt, bei der Wiederherstellung der Ehre Gottes angefangen. Dann wird bei höherer Sicht in jeder Nothilfe zuerst Jesus Christus befreit (Mt. 25,35f.).

In welcher Gesinnung soll befreit werden? Liebe Gott über alles und deinen Nächsten wie dich selbst! An diesem Doppelgesetz „h ä n g t das ganze Gesetz und die Propheten" (Mt. 22,37). Man vergleiche diesen Grundsatz mit dem vorangehenden Grundsatz der Goldenen Regel, aus der sich alle Menschenrechte bzw. Personurrechte ergeben und von der Christus sagt „Das i s t das Gesetz und die Propheten". Das ist also alles Recht, alle Ethik, alle Sittlichkeit, alle Moral, alle menschenwürdige Gesinnung. Um dies alles zu erkennen, benötigt man nur den gesunden Menschen-Rechtsverstand.

Zusammenfassung

Fassen wir alles zusammen: Das fünfte Gebot Gottes lautet: Du sollst nicht töten! Die Quintessenz des „vollkommenen Gesetzes der Freiheit“ (Jak. 1,25), also speziell des Neuen Testamentes kann man zusammenfassen in dem Gebot: Du sollst wieder lebendig machen! Das ist jedoch auch der höhere Sinn von „bebauen“! Das fünfte Axiom der Logik ist das Axiom der Korrektur der Unlogik. Die fünfte Seligpreisung lautet: Selig die Barmherzigen, denn sie werden Barmherzigkeit erlangen. Das fünfte Werk der Barmherzigkeit lautet: Die Gefangenen befreien. Das fünfte Natur-Urrecht der Person ist das der vielfältig dreieinheitlichen Urethik der Befreiung bzw. Erlösung von aller Unfreiheit und Ungutheit in Geist, Seele und Leib und dem daraus folgenden Tod. Man kann die universale logomathematische Befreiungsordnung —gemäß der „Mathesis universalis“ nach Leibniz— auch die Urethik der Hilfe (subsiduum) nennen. Das ist die Grundethik aller Religion und Kultur und jeder ehrlichen Sozialbewegung.

Auf welcher anderen Urform der lex aeterna justitiae würde alles menschenwürdige Leben praktisch erstrangig gründen? Was lehrt der Sitz der Weisheit und Spiegel der Gerechtigkeit? —

Zeigt diese Zusammenstellung nicht deutlich, daß alle echten und also wahren Ordnungen des Seins und Lebens einander analog sind!

Vom Menschen ist heute die Universitas theologiae vitae anstatt einer bloßen Summa gefordert! Die Universitas theologiae et scientarum vitae lehrt gemäß der Magna Charta der Dreieinheits-Ordo die Alleinheit aller Ordnungen des Lebens.

Das Umweltschutzrecht im Allgemeinen

Die Entwicklung, Wahrung, Wiederherstellung und Schützung des Lebens Recht, Pflicht und Liebe zum lebensgerechten Verhalten in der Eigenwelt und Mitwelt

Das Lebensprogramm

Alle Religionen und Kulturen lehren: Die Dinge in der Raumzeitwelt sind gemischt aus Gutem und Ungutem, aus Lebensqualitäten und Unqualitäten. Unqualitäten sind degenerierte, in sich selbst disharmonisch gewordene Lebensqualitäten. Alles in dieser Welt ist also teils gesund und teils ungesund, teils in Ordnung, teils in Unordnung. Wir sehen in der Welt Licht und Finsternis, hier Paradiese, dort Wüsten. Das weiß jedermann, der um sich sieht oder nur in sich sieht und auch hier die Mischung von gut und ungut, von Ordnung und Unordnung, von Harmonie und Disharmonie erkennt als Selbsterkenntnis.

Alle Religionen und Kulturen der Menschheit gründen auf dieser Fundamentalerkenntnis. Aus ihr die Konsequenzen zu ziehen, daraus besteht das Wesen von Religion und Kultur. Aus diesen Konsequenzen wird nämlich die Ethik aufgebaut, wie im allgemeinen Befreiungsrecht bzw. Hilferecht (Subsiduumrecht), in der ebenso menschenwürdigen, objektiv sozialen Gesellschaftsordnung in Ehe und Familie, in Kirche, Schule und Staat, sowie in der ebenso menschenwürdigen, ebenso die Lebensgesetze achtenden Wirtschaftsordnung in Eigenwelt und Umwelt. Die Konsequenzen werden also zuerst in dem Umgang mit der Natur des eigenen Leibes und der eigenen Seele gezogen und gleich so im lebensqualifizierten, die Lebensordnung wiederherstellenden Umgang mit der Natur der Umwelt. Die Religionen und Kulturen erforschten daher die Prinzipien, Gesetze und Typen des qualifizierten personalen und naturalen Lebens, vor allem die Gesetze der Wiederordnung und Neuordnung, also Heilung des irdischen Lebens. Das sind die Grundgesetze der Bebauung dieser Welt im Sinne der heilig gehaltenen Schriften vieler Religionen und Kulturen, wie der Gita, des Zendavesta, des Gilgamesch-Epos, des äyptischen Totenbuches und krönend des Alten und Neuen Testamentes. Aber auch das Staatsgesetz von Hammurapi und König Ashoka zählt dazu, das Zwölftafelgesetz, die Edda und die Divina Comedia.

Im Laufe der Neuzeit gingen diese Grundkenntnisse der Religionen und Kulturen von der requalifizierenden Bebauung der —menschlichen und anderen— Natur dieser Welt verloren, weil das Wissen und Glauben von den Qualitäten (= objektiven Werten) verloren ging. Auch die Wissenschaft wurde stolz wert-„frei", also wertlos, somit leblos, dies als Sonderfall des allgemeinen Wertverlustes im Leben des moder-nen Menschen. Die Welt versank so unvermeidlich im Unguten, im geistigen, seelischen und leiblichen Giftmüll. Als schließlich die Erde zum Himmel zu stinken begann, wurde die uralte Qualitätsproblematik und also Lebensproblematik der Menschheit neu entdeckt und zwar jetzt zuerst ganz unten und außerhalb des nächsten menschlichen Lebens als Umweltproblematik. So begann man mit dem Umweltschutz.

Langsam erkannte man dann auch, daß vor dem Umweltschutz und gleich mit ihm der Eigenweltschutz steht. Genauer besehen ist der Eigenweltschutz sogar das Hauptziel des Umweltschutzes.

Und man erkannte, daß unsere Umwelt auf dieser Erde eigentlich unsere Mitwelt ist. Denn sie wird geistig wie durch die Felder, Strahlen und Ströme unseres Eigenlebens und auch durch vom Menschen geprägte materielle Emissionen durchwirkt bis in die Tiefen der Erde und bis an die Grenzen der Stratosphäre, ja bis zum Mond. So ist die ganze Welt zu unserer Mitwelt geworden. Wir sollten daher besser von Mitweltrecht reden und folglich das Miteinanderlebensrecht, das zweite Menschenrecht auf die gesamte Umwelt anwenden.

Und man erkannte, daß die geistige Umweltverschmutzung aus der geistigen Eigenweltverschmutzung stammt und daher hier zuerst zu bekämpfen ist.

Aus der geistig-seelischen Verschmutzung folgt die leibliche Verschmutzung unserer Eigenwelt und Mitwelt. Soweit daher die innere, die geistig-seelische Eigenwelt- und Umweltverschmutzung nicht heilend, zuerst reinigend behandelt wird, ist alle äußere Umwelt in Gefahr, nur symptomatisch und also am Ende vergeblich kuriert zu werden.

Noch genauer besehen erkennt man dann, daß es bei dem Schutz der Umwelt und der Eigenwelt um den Schutz des Lebens geht und zwar zuerst des menschlichen Lebens, doch durchaus nicht nur des menschlichen Lebens. Denn der Mensch wird immer deutlicher eingeordnet in die Ganzheit des Lebens der Welt erkannt, in die Ganzheit alles tierischen, pflanzlichen und kristallinen Lebens, weiter des elementischen Lebens, das er im Wetter kennen lernt. So entwickelte sich unter gründlicher denkenden Menschen die Lebensschutzbewegung, wie im „Weltbund zum Schutze des Lebens". Sie steht logischerweise an geistiger Qualität und Weite erheblich über der gewöhnlichen Umweltschutzbewegung.

Der Mensch ist jedoch nicht nur in die Natur dieser Welt eingebunden, sondern zuerst in die über dieser Welt herrschende Natur, in die Gemeinschaft der sogen. Übernatur. Auch daraus wurden im Weltbund zum Schutze des Lebens —und zur Förderung des Lebens— die lebensgerechten Konsequenzen gezogen wie in dem Buch „Morgen holt dich der Teufel" (G. Schwab). Hier haben wir also eine erheblich höhere und weitere Sicht der Natur und Umwelt als diejenige, die nur die vier Elemente, die Pflanzen und Tiere sieht.

Von der noch negativen, passiven und äußerlichen Sicht des Umweltschutzes und dann Lebensschutzes erhebt sich der noch gründlicher nachdenkende Mensch zu der dreifachen Aufgabe erstens der Entwicklung und also Förderung des Lebens und somit weit über das Schutzrecht hinaus zum Entwicklungs- und Förderungsrecht des Lebens samt Pflicht, *zweitens der Wahrung des vorhanden Lebens, drittens der Wiederherstellung gestörten, degenerierten Lebens und viertens des Schutzes von alledem, also des Schutzes dieser dreifachen Lebensarbeit.*

Und es wurde immer deutlicher erkannt, daß das menschenwürdige Leben aus der Dreieinheit des geistlich-geistigen, des seelischen und des leiblichen Lebens besteht. Gemäß dem Gesetz der Ganzheit ist das Leben des Menschen in allen drei Bereichen gleichgewichtig und zugleich wiederherzustellen und nicht wider die Ganzheit und also wider die Lebensordnung teilhaft nur im naturalen bzw. materiellen Leben.

All das zusammen ergibt das Lebensprogramm. *Es wird dem „Selbst-Mordprogramm" (Buchtitel, Taylor, Weltbestseller) entgegengestellt, das die Agonie der abendländischen und morgenländischen Kultur im 20. Jahrhundert kennzeichnet.*

Worin besteht die Ganzheit des Lebensprogrammes? Denn dieses Programm ist der vollständige und solide Grund des gesamten Eigenwelt- und Umweltschutzes und vor allem der gesamten Lebensentwicklung in der Eigenwelt und Umwelt im übereinstimmenden Grundsinn aller Religionen und Kultu-

ren. Ohne Kenntnis der Lebensordnung des Menschen und der Natur seiner Welt bleibt aller Umweltschutz nicht einmal eine halbe Sache. Er bleibt ein Stückwerk und Bruchwerk. Aus Unkenntnis, was objektiv bio-logisch ist, was objektiv grün ist, kann daher eine Umweltschutzbewegung sogar in das Chaos geraten und im grauen Elend und in dem zuerst blutroten und dann leichenblassen Tod enden.

Das Lebensprogramm besteht dreieinheitlich erstens aus der personalen Grundordnung des Lebens, zweitens aus der naturalen Grundordnung des Lebens, drittens in Vereinigung der personalen und naturalen Lebensordnung aus der kulturellen Grundordnung des Lebens.

Die personale Grundordnung des Lebens besteht erstens aus dem gesamten Lebensgrundrecht. Dieses umfaßt den ganzen Kranz der zwölf Lebensurrechte des Menschen, genannt Menschenrechte, und in weiterer Sicht auch anderer Lebewesen. Zweitens besteht das Lebensprogramm aus der ganzen Grundordnung alles Gesellens. Drittens besteht es aus der ganzen Grundordnung des Wirtschaftens.

Hiervon interessiert in einem Buch über die Baubiologie im engeren und weiteren Sinne das Baugrundrecht im Haus und das Baugrundrecht auf dem Acker. Beides ist im Leben unzertrennlich. Aus der Erde des Ackers wird das Haus geformt in Stein, Holz und Fell bzw. Leder und Wolle. Auf dieser Erde steht das feste Haus und bewegt sich das mobile Haus. Aus dieser Erde wird das erste Haus des Menschen, sein Leib gebildet. Und in dieser Erde wird er begraben. Und die vier Elemente durchwirken Acker und jedes Haus zugleich. So ist schon hier Eigenweltrecht und Umweltrecht bzw. Mitweltrecht nur geistig trennbar. Praktisch ist stets die Ganzheit von alledem in einem Leben zu sehen.

Welches sind nun konkret die wichtigsten Rechtsprobleme der Entwicklung, der Wahrung, der Wiederherstellung und des Schutzes all dieses qualifizierten Lebens in der Eigenwelt und Umwelt? Hier sollen als typische Probleme rechtlich behandelt werden das Giftproblem, *das* Technik- *oder* Mechanikproblem, *dessen Spezialfall das* Lärmproblem, *und dann die* Rechtsprobleme *in dem* Hausbaurecht, *dem Einrichtungsrecht und* Wohnrecht *jeweils samt Menschenpflicht. Denn das Haus und seine Bewohnung darf den Menschen nicht krank machen, sondern im Gegenteil ist es Aufgabe des Hauses, den in dieser Welt vielfältig in seinem Leben gestörten Menschen zu einem vollständig menschenwürdigen, somit an Geist, Seele und Leib gesunden Leben zu verhelfen auf seine Art.*

Gutrecht und Giftrecht

Paracelsus lehrt, daß alle —leibliche, seelische und geistig-geistliche— Krankheit durch ein Gift verursacht wird. Unter „Gift" versteht er eine degenerierte, lebensunqualifizierte Substanz, also eine in sich disharmonische Substanz. Deshalb sagt er vom Arzt als Grundprinzip aller Heilung und also Befreiung bzw. Erlösung von jeglicher Krankheit: „Nun hat da der Arzt auf nichts anderes zu achten, als daß das Gift hinweggenommen werde" (Paragranum). Denn bei der Anwendung von Giften in der Eigenwelt und Umwelt hat er erfahren: „Da ich aber sah, daß dabei nichts anderes herauskommt als töten, sterben, würgen, verkrüppeln, lähmen, verderben, war ich gezwungen, der Wahrheit auf anderen Wegen nachzugehen" (Paragranum). —

Diese anderen Wege —die Wege des Lebens— werden hier in ihren Prinzipien, Gesetzen und Typen dargelegt.

Was sah Paracelsus also? Daß der Dauergebrauch von Giften zu den schweren degenerativen Dauererkrankungen führt, zu den Leiden, zur Degeneration der Funktionen aller Sinnesorgane und aller anderen Organe. Was für die Medizingifte gilt, das gilt auch für die Bau- und also Wohngifte. Diese pathologische Giftliebe des moder-nen Menschen führt also zu den Sorgenkindern und Sorgenerwachsenen! Der dauernde Gebrauch von Giften, etwa indem ein vorher gesundes Volk zu einem Volk von süchtigen Pillenschluckern wird, führt zu den geistigen, seelischen und leiblichen Krüppeln und an den Ekzemen Aussätzigen, zu den Frühinvaliden. Dieser kurzsichtige Mißbrauch von Giften überall, im Essen und Trinken, im Kleiden und Wohnen, in den Genußmitteln und Kosmetika, in den Heilmitteln und Hygienika führt also zu einer mißgebildeten Gesellschaft, folglich zu einem mißgebildeten Recht und einer mißgebildeten Wirtschaft. Was alles am Ende durch die selber produzierten Gifte in der Eigenwelt und Umwelt an Selbstvergiftung zugrunde geht! Das nennt man das allgemeine Selbst-Mordprogramm.

Der ständige Gebrauch der Gifte im Essen und Trinken, im Kleiden und Bauen-Einrichten-Wohnen, in der Lebensweise wie in Industrie und Verkehr, in Arbeit und Vergnügen, in der Heilweise wie in den Medizingiften und in der Scheinhygiene, nämlich mit den grob unhygienischen Hygienegiften führt zu einer ungeheuren, am Ende nicht mehr bezahlbaren Kostensteigerung im Krankheitsunwesen, fälschlich Gesundheitswesen genannt, und im Rentenunwesen.

Vergleichen wir diese Grunderfahrungen, die heute die gesamte Menschheit macht, mit dem allgemeinen Lebensrecht des Menschen, so ergibt sich erstens, daß der Mensch überhaupt kein Gift produzieren, vertreiben oder anwenden darf, weder in der Eigenwelt noch in der Umwelt. Warum nicht?

Gift wirkt naturgesetzlich ausnahmslos vergiftend. Und es macht zudem oft süchtig. Gift ruiniert also das Leben und zwar ausnahmslos und überall, gleich ob ein sogenannt natürliches —nur „natürlich" für diese aus gut und ungut gemischte Welt!— oder ob ein künstliches Gift verwandt wird. Daran ändert nichts, daß spezielle Lebewesen spezielle natürliche Gifte —wie Amseln die

Tollkirschen in größerem Maße als der Mensch— verkraften können. Auch die Haut des Menschen, die äußere und die innere wie im Magen kann viele natürliche Gifte verkraften und also neutralisieren. Aber schon diese Arbeit kostet Leben und ist also ein Verlustposten in der Lebensbilanz. Es existiert kein Menschenrecht zur Verlustwirtschaft! Sondern solche Wirtschaft ist Unrecht!

Es ergibt sich also logisch, daß alles Erzeugen und Gebrauchen von Giften in der Gesamtbilanz stets zu mehr Schaden als Nutzen führt. Das ist lebenslogisch! Bio-logisch! Das ist öko-logisch! Und das ist in der wahren Ökonomie auch ein ökonomisches Prinzip! Der Schaden an unserem gesamten Leben, der durch das Waldsterben, Obststerben, Weinsterben, Getreidesterben, Gemüsesterben, Tiersterben, Kindersterben und Erwachsenensterben einschließlich der Krankheiten angerichtet wird, ist weit größer als der Gesamtgewinn der Giftindustrie einschließlich der Lohngewinne dieser Arbeitsplätze, wenn man den Vergleich zu einer gesunden Industrie zieht! Nur kurzsichtig und kurzfristig kann der nur finanzielle Gewinn von Fabrikanten und Arbeitern größer sein, weil diese die von ihnen verursachten Schäden die anderen bezahlen lassen wie den Steuerzahler und ihre nächsten Generationen. Daraus folgt:

Gift vergiftet! – Gift schadet!

Gift schadet immer und überall! Ausnahmslos! Wie dies Paracelsus am Beispiel der Medizingifte deutlich genug erklärt hat.

Darf nun der Mensch aus der Umwelt überhaupt kein Gift aufnehmen? Prinzipiell darf er das nicht. Aber er kann das mangels genügend Erkenntnis-, Unterscheidungs- und Trennkräften zum Teil gar nicht vermeiden, wie etwa bei einem Gang durch den heute üblichen Giftsmog einer Großstadt. Weshalb die Großstädte auch als Pestbeulen und Krebsgeschwülste der Zivilisation bezeichnet werden. Doch ist der Mensch gemäß dem Menschenrecht urverpflichtet, die Aufnahme von Giften so weit wie möglich zu vermeiden. Denn er darf Leben nicht vergiften und also ungut behandeln.

Diese erste kausalgesetzliche Selbstverständlichkeit, daß Gift vergiftet und in der Lebensbilanz stets mehr schadet als nützt, muß man sich mit Hilfe des gesunden Menschenverstandes in der Geistesverwirrung des „ganz normalen Wahnsinns“ der untergehenden Neuzeit immer wieder bewußt machen. Andernfalls ist man ein haltloses Blatt, das beliebig manipuliert werden kann und das vom Sturmwind dieser Welt chaotisch umher gewirbelt wird, bis er normalerweise in der Gosse endet. —

Was folgt daraus?

Produzieren, handeln, verkaufen und kaufen darf der Mensch ebenfalls kein Gift, vom Pornogift, diesem geistig-seelischen Sevesogift bis zum materiellen Sevesogift. Die geistige Umweltverschmutzung rangiert stets zuerst. Denn die leibliche Umweltweltvergiftung ist stets eine Folge der geistig-seelischen Eigenwelt- und Umweltvergiftung. Wie innen, so außen! Wie oben, so unten!

Was alles ist giftig?

Es sind die natürlichen Gifte von all den künstlichen Giften, den Synthetics

—im Englischen mit gleicher negativer Bewertung teils auch Plastics genannt— zu unterscheiden. Denn die natürlichen Gifte werden auf dieser Welt schon seit hunderten von Millionen Jahren produziert. Gegen sie haben die Organismen allgemeine und spezielle Abwehrfunktionen entwickelt, so daß weit über 90% der natürlichen Gifte in den irdisch lebensüblichen geringen Dosen schadlos verkraftet werden können.

Gegen die Synthetics und die anderen künstlichen chemischen Gifte, die der Mensch in Anfangsformen zwar schon seit einigen tausend Jahren produziert, aber im 20. Jahrhundert explosionsartig in millionenfacher Menge und mit weit höherer Lebenswidrigkeit wie beispielsweise in den chlorierten Kohlenwasserstoffen, hat der Organismus keine Abwehrfunktionen ausbilden können. Daher ist er gegen die künstlichen Gifte weithin praktisch machtlos und also schutzlos. Sie schädigen die Lebeswesen daher insgesamt weit mehr und vor allem nachhaltiger als die natürlichen Gifte. Die synthetischen Gifte schädigen erfahrungsgemäß in der Regel das Vererbungssystem und somit viele Generationen. Wie dies Paracelsus ausdrücklich und eindrücklich berichtet hat und wie oben wörtlich zitiert wurde. Was würde er erst heute sagen? „Nichts anderes" als schädigen kann logischerweise, naturgerechterweise und erfahrungsgemäß bei der Anwendung der künstlichen Gifte herauskommen! Ausnahmslos „nichts anderes" kann bio-logischerweise, nämlich qualitativ kausalgesetzlich die Folge sein „als töten, sterben, würgen, verkrüppeln, lähmen, verderben". Denn Gift vergiftet! Gift schadet immer und überall!

Alles Verkünstelte, alles Synthetische, alles nur chemisch, also nicht biochemisch, nicht lebenschemisch, nicht lebensqualifiziert —nicht gemäß der Ordnung der Lebensqualitäten in der Natur— chemisch Bearbeitete ist in seiner Naturwidrigkeit Gift für alles Natürliche. Denn die Natur ist natürlich und nicht künstlich.

„Berufskrankheiten: Fast ein Drittel Dermatosen" (Ärztliche Praxis Nr. 89/84 S. 2625). Als „Die wichtigsten Stoffe" werden hierbei aufgezählt: „Chromverbindungen, Gummiinhaltsstoffe, Kunststoff, Desinfizienzen, Arzneimittel, Nickelverbindungen sowie Detergenzien". Das sind im Sinne der Lebenslehre sämtlich verkünstelte Stoffe und also Gifte. Dermatosen sind Ausschläge, in denen der Körper in seiner Not versucht, die Gifte herauszuschlagen. Was er nicht herausschlagen kann, auch nicht durch Hämorrhoiden, Unterschenkelgeschwüre und Salzfluß an den Zehen, das wird in Leber, Nieren, Milz, Herz, Gefäßen, Muskeln und als Fettgewebe abgelagert. Diese Lagergifte verkranken das Leben langsam aber sicher bis zum Krebsgeschwulst, zum Blutkrebs usw.

„Schadstoffe am Arbeitsplatz. Größte Gefahr für die Gesundheit" (Südkurier 5. 11. 84. „Der Gewerkschaftler" 8/84). Der Hauptarbeitsplatz des menschlichen Lebens ist sein Wohnraum! Dort arbeitet er an sich und seiner Familie, um menschenwürdig zu leben. Die Woche hat 168 Lebensstunden. Wie viel Arbeitsstunden im engsten Sinne hat sie?

Die gesamte Synthetikindustrie ist also eine Verletzung des Lebensrechtes der Menschheit, eine Verletzung der Menschenrechte bzw. Naturrechte des

Menschen auf ein gutes, lebensqualifiziertes Leben! Daran ändert nichts, daß in der Agonie der Neuzeit diese Industrie sehr umfangreich geworden ist. In jedem Organismus erlangen in der Agonie des Todeskampfes die Gifte die Oberhand, bis der Tod, auch durch anderweitige Selbstvernichtung, diesen gesamten moder-nen Zustand restlos beendet. —

Die Industrie der natürlichen Gifte, allen voran der Suchtgifte wie so vieler Pillengifte —aber die Gifte führen mehr oder weniger alle zur Sucht!— ist somit eine Verletzung des Naturrechtes bzw. Menschenrechtes! —

Zu dieser Grunderkenntnis gelangt langsam das Bewußtsein der Menschen im 20. Jahrhundert. Anfangs hatte man nur die Wirkung einzelner schwerer Gifte studiert. Dann mehrten sich die Schadensmeldungen. Schließlich stieg die Flut der festgestellten Giftschäden beängstigend an, so daß in jeder ärztlichen Zeitschrift die Spalte mit den Vergiftungen und folgend Rückrufen der Medizingifte immer größer wurde, soweit die Zeitschrift nicht von den Herstellern dieser Gifte gesteuert wurde. Und man begann, die vielen Summierungs-, Kombinations- und Potenzierungswirkungen zu erkennen. Endlich erkannte man generell, was der gesunde Menschenverstand seit jeher in allen Religionen und Kulturen lehrt:

Gift wirkt giftig!
Gift schadet!

Der Gebrauch von Giften ist also allgemein naturwidrig, allgemein wirtschaftswidrig bzw. unwirtschaftlich und somit naturrechtswidrig. Der Gebrauch von Giften ist allgemein lebenswidrig und daher eine Verletzung der Lebensrechte des Menschen, der Menschenrechte und Menschenpflichten zum allseits freien guten und also ungiftigen, gesunden Leben.

Mit anderen Worten: Der Gebrauch von Giften ist rechtswidrig, gesellschaftswidrig und wirtschaftswidrig!

Was ergibt sich an weiteren Konsequenzen?

Darf der Mensch Gifte in die Umwelt ausscheiden? Es sind ja schon die frischen, geilen, nämlich noch unfermentierten Fäkalien Gifte für die Natur.

Selbstverständlich darf der Mensch grundsätzlich so wenig Gifte in die Natur ausscheiden, als er aus ihr Gifte in seine Eigenwelt aufnehmen darf. Aber so weit der so vielfältig lebensgestörte Erdenmensch mangels Möglichkeit zusammen mit anderem Guten wie guten Nahrungsmitteln auch natürliche Gifte in seine Eigenwelt aufgenommen hat, darf er diese gleichgerechterweise auch wieder ausscheiden.

Das besagt im Naturrecht der Menschenrechte: Im äußersten Fall darf der Mensch gleich viel Gifte in die Natur ausscheiden, als er aus ihr entnommen hat.

Doch dann wird das Befreiungsrecht und seine Pflicht noch nicht geachtet. Die Befreiungspflicht verlangt, daß man das Leben der Eigenwelt und Umwelt befreit von allen Übeln wie zuerst Giften. Je mehr man also die Kenntnisse und Kräfte hat, die Befreiungspflicht im Leben zu erfüllen, desto weniger Gifte darf man aus der Natur aufnehmen und desto größer soll die Differenz zwischen den aufgenommenen und ausgeschiedenen Giften sein. Desto besser soll also die

Lebenshaushaltsbilanz sein, die Ökobilanz. Denn desto mehr Gifte kann, also darf und soll der Mensch dann zum Guten rückverwandeln. Was in einem biologisch geführten Komposthaufen bzw. Misthaufen und in einer solchen Kläranlage beispielhaft geschieht. Hier wird die Natur durch kulturelle Maßnahmen typisch verbessert. Alle Formen der Rückverwandlung der giftigen Substanzen wieder in gute, lebensqualifizierte Substanzen sind somit Urpflicht gemäß dem Menschenrecht! —

Mit anderen Worten ist das lebensqualifiziert gesteuerte (!) und daher die Qualitätsbilanz des Lebens bessernde Kreislaufsystem —das lebensqualifizierte Recycling— Menschenrecht und Menschenpflicht!

Besteht nicht das ganze Wesen aller Kultur und Religion darin, das Ungute in den Personen und Naturen wieder in Gutes zurückzuverwandeln? —

Denn im Anfang ist alles gut!

Wer diese Kunst im Lebensprogramm des Kulturmenschen beherrscht, der scheidet nur noch minimal Gifte in die Umwelt aus, wie etwa in der Atemluft, soweit diese von einem voll gesunden Haus nicht schon neutralisiert und regeneriert ist. Und er bewirkt weit mehr Kultivierung und also Wiederaufbauung der giftig wüsten und leeren Natur als er noch Gifte in sie ausscheidet und somit die Natur durch sie abbaut, verwüstet und sie ihres Lebens entleert. Die positive Bilanz im Leben ist seine höchste und für all sein Leben maßgebende Lebenspflicht, seine Menschenpflicht. Die objektiv positive Lebensbilanz des Menschen in all seinen Gemeinschaften ist die objektive Grundlage all seiner Sozialbilanzen!

Zur negativen Lebensbilanz hat der Mensch kein Menschenrecht und also nirgends ein echtes Recht! Es würde zum jus abutendi zählen, zu dem seit Jahrtausenden von verantwortungsbewußten Menschen kritisierten Asozial-„recht“ im Umgang mit dem Eigentum und allgemein im eigenen Leben.

Wenn man diese Konsequenzen der qualitativen Naturgesetze, der Gesetze der Logik und der Gesetze der Gerechtigkeit durchdenkt, dann werden zuweilen so irre Einwendungen gemacht wie: Aber das ergibt doch einen Verlust von X hundert Milliarden Mark Umsatz für die Volkswirtschaft. Und das kostet Millionen Arbeitsplätze!

Solche Einwände sind derart kurzsichtig und profitorientiert, daß sie schon psychopathologisch zu bewerten sind. Denn die Güter, die der Mensch zu einem menschenwürdigerweise qualifizierten Leben benötigt, werden dann doch gesund produziert. Was ebenso viel und vielleicht noch mehr Milliarden Umsatz ergibt. Und was noch einige Millionen Arbeitsplätze mehr und vor allem objektiv lebensqualifizierte, gesunde und also objektiv menschenwürdige, somit allein menschenrechtmäßige Arbeitsplätze schafft!

Technik und Umweltrecht

Der Technoterrorismus und die Biotechnik

Die Technik wird im Untergang einer jeden Kultur ein ähnlich großer Götze wie der Arbeiter und wie der Staat, allgemein wie die Quantität und die Materie, das Untere und das Äußere. So entartet auch die Technik zu einem krebsigen Wachstum im Mechanizismus der Quantitäten. Dieser wird dann zur Religion der Proletarier. Der lebensblinde Quantismus ignoriert zuerst die Realität und also das Wesentliche, nämlich die Qualität. Er stört in seiner Blindheit das Leben und ruiniert es mannigfaltig, das leibliche Leben gleich wie das geistig-seelische Leben. Technik und Leben, Technik und Menschenwürde werden dann zu einem diametralen Gegensatz. Der Mensch wird zum Techniker. Und der Techniker wird zum Technokraten. Das ist der armselige Mensch, der wähnt, mit der Technik alle Probleme des Lebens lösen zu können.

Der Technokrat entartet dann zum Technoterroristen. Denn der Technokrat wähnt, alle Welträtsel gelöst zu haben und nahezu schon alles zu wissen. Das ist typisch für die stolze proletarische Haltung. Der Proletarier, nach K. Marx ein Mensch, der die Wurzeln seines Lebens und somit das Verständnis alles Lebens verloren hat, ist der typische Techniker am Ende der Neuzeit.

Gegen diesen endneuzeitlichen geistigen und dann auch leiblichen Terror der Technik in der Eigenwelt und Umwelt wendet sich langsam die ganze Menschheit. Denn sie fühlt, daß sich dieser Terror gegen die Menschenwürde wendet und gegen alles Leben, gegen alle Natur.

Diese moderne Technik reicht von der Technik des prinzipienlosen, gewissenlosen und grundlosen Mengen- und Mehrheitsdenkens im ethischen Verhalten bzw. im demokratistischen Macht-Rechtsdenken über die gleichartigen Techniken des Soziologismus, der Massenveranstaltungen im Demokratismus, der Straßendemonstrationen usf. bis zum Mehrheitsmachtrechtsdenken in den Wahlen, Parteien etc., bis zur Technik der quantistischen Produktions-, Umsatz- und Konsumwirtschaft der Proletarier aller vier Himmelsrichtungen in Staat, Schule und Kirche.

Die Magie und der Mystizismus der Technik haben viele Schriftsteller und Philosophen beschäftigt. Es existiert eine eigene Bibliothek der Technokritik und der Versuche, ihr Wesen zu ergründen. Es wurde auch manches geklärt, aber ob das Wesentlichste?

Im Zeitalter der Technokratie entartet auch die Wissenschaft fast gänzlich und wird zu einer Technik mit Quantitäten, wie typisch im Mechanizismus der modernen Scheinbiologie und sogen. organischen Chemie. Man sucht dann ständig nach Mechanismen. Ist das nicht die Aufgabe der Mechaniker? — Deshalb werden die Universitäten zu „Technischen Universitäten“, —zu Proletarieruniversitäten! Die Wissenschaft wird dann zur Hilfsarbeiterin für die Techniker! Soweit sie das noch nicht ist, wird das als „Bildungsnotstand“ bezeichnet. Aber auch Picht hat sich später sehr gewandelt.

Der Mechanik der Technik, dieser lebensblinden, naturfremden, abergläubischen und unmenschlichen Ideologie wird dann alles untergeordnet. Der Mensch wird wie die ganze Natur nur noch als physikalisch-chemische Maschine betrachtet. Wie das die großen Revolutionäre schon zum Beginn der Renaissance des Heidentumes bzw. der erneut fallenden Menschheit erklärt haben. In diesem Aberglauben wird dann in vielen Überschriften und Instituten von „Technik und Wissenschaft" gesprochen. Welche Reihenfolge hier sachrichtig ist. Und was besagt, daß dann die Wissenschaft als Sonderform der Technik fundamental mißverstanden und sinnentleert wird, gleich wie die Demokratie als Demokratismus und die Ökonomie als antiökologischer Ökonomismus. All das wird dann zu einem Quantismus. Die soziologischen Institute werden dann zu Institutionen der quantistischen technokratischen Behandlung bzw. Mißhandlung der Gesellungsformen des Menschen, da sie in ihrem phänomenologischen und anderen Empirismus und sozialistischen Glauben und Aberglauben führerlos, geistlos umherirren. Ehe, Familie und andere Gemeinschaften werden dann am Ende nur noch sinnlos als mechanische, ordnungslose, daher chaotische Gruppe betrachtet. Was Andreski, selber führender Soziologe, veranlaßt hat, von den „Hexenmeistern" der Soziologie zu sprechen. Und es wird dann von einem „Elend der Soziologie" wie von einem „Elend der Ökonomie" gesprochen. Denn die quantistischen Wissenschaften können nichts Wesentliches mehr begreifen, also auch nichts mehr lebensrichtig erklären. All ihre, fast stets fehl gehenden Prognosen offenbaren ihr Elend. Denn die Hexenmeister der moder-nen Wissenschaft, in der das Leben vermodert, irren in ihrer quantistischen Lebensblindheit ständig umher.

Dies alles bildet das Selbst-Mordprogramm am Ende der Neuzeit. Von Europa und Amerika ausgehend wird dieses Mordprogramm am menschenwürdigen Leben heute in der ganzen Welt praktiziert. Auch Karl Marx war Europäer. Die Menschheit wird so zu einem Proleten. Der Mensch wird zum Mechaniker. Dieser zerstört zuletzt das Atom, das Sinnbild der Erde, die gut zu bebauen Gott den Menschen beauftragt hat.

Aber immer mehr Menschen und ganze Nationen wie in Indien und China wenden sich von dem im Abendland geborenen Selbstmordprogramm ab, auch in der Wissenschaft, und kehren zur Erkenntnis des qualifizierten Lebens zurück und zu dieser Praxis. Sie erfassen die Technik wieder als Dienerin des Lebens. —

Was heißt Technik? Techne heißt Handwerk, — also nicht Maschinenwerk! Wenn der Techniker die Hand des Menschen als Hand begreift, als Werkzeug des qualifizierten lebendigen Geistes, wie den ganzen Menschen, dann ist er ein menschenwürdiger und lebensgerechter Arbeiter. Dann begreift er seine Hand als Werkzeug von Herz und Kopf zugleich. So wird der Techniker bzw. Handwerker ein menschenwürdiger Teilnehmer der Kultur und nicht ein revolutionärer Hilfsarbeiter. Sind heute nicht auch viele Wissenschaftler zu Revolutionären des Lebens geworden? Und werden das nicht schon viele Philosophen und Theologen? Der menschenwürdige Handwerker dagegen hilft mit seiner Hand, das

Werk der Kultur zu erbauen. Er findet durch all den Technizismus am Ende der Neuzeit hindurch den Weg zur lebensgerechten Technik, zur sanften, zur lebensqualifizierten Technik.

Wenn der Techniker jedoch seine Hand nicht mehr begreift und seine Werkzeuge nicht mehr handgerecht baut, d. h. zuerst herzgerecht und kopfgerecht zugleich, dann degeneriert er zum Maschinenwerker, zum Mechaniker, zum Quantitätswerker. Dann erhebt er sich in seiner revolutionären Gesinnung über alle anderen Menschen, über Kirche, Wissenschaft und Staat und wird zum Totengräber der Menschheit. Dann gräbt er anderen ein Grab und auch sich selber. Dann behandelt er die ganze Umwelt als Grab, als Trümmerhaufen und Abfallhaufen für seinen Giftmüll und seine Wegwerfprodukte. Denn nichts anderes kann er mehr produzieren. Mit diesem Giftmüll betreibt er eine Profit-Wachstumswirtschaft. Sie ist ein einziges krebsiges Wachstum in Geist, Seele und Leib.

Der typische, nämlich quantistische Techniker in der Wirtschaft, in den Staaten, Schulen und Kirchen breitet sich am Ende der Neuzeit aus wie die miliare Aussaat von Metastasen im verkrebsten Organismus. So entwickelt er sich im agonalen Endstadium der Kultur zum Terroristen gegen alles Leben. Und wähnt in seinem normalen Wahnsinn, das Leben zu fördern. Denn er kann die Lebensqualität garnicht mehr begreifen. Daher ruiniert er die Lebensqualitäten überall, in Herz, Kopf und Hand, in Geist, Seele und Natur, in der Eigenwelt und Umwelt.

Da der proletarische Techniker, wie typisch Stalin, wähnt, schon nahezu alles zu wissen und daher auch alles machen zu können, so sucht er überall seine Technokratie, seine Technoterrorherrschaft zu errichten. Als Allwissender erklärt er jeden Widerstand gegen sein mörderisch lebenswidriges Handeln als unmündig, bösartig und rechtlos. Wodurch er seine Terrorherrschaft gegen das Leben und gegen alle Menschenwürde vollendet. Dieser staatliche Techniker sucht dann über das Recht, über die Wissenschaft, den Staat, die Kirche und die gesamte Wirtschaft zu herrschen, in seiner Monomanie über jede Gesellschaft. Diese sieht er nur noch als Gruppe, als chaotische Summe von materiellen Teilchen bzw. Massen. Er denkt überall nur noch massenhaft, also gruppenhaft, kollektiv. Das Kolletiv ist das Symbol der Auflösung der Gemeinschaft, der Familie. (Aber im russischen Kollektiv ist verborgen der goldene Kern der Alleinheit, des artelt). Da er auch im Recht nur noch massenhaft denkt nach dem Prinzip „Die Masse hat Recht", so wird der Techniker überall zum Technoterroristen.

Und auch umgekehrt gilt: Terroristen sind Technoterroristen. Diese Terroristen sind am Ende der Neuzeit in der Führung von Wirtschaft, Staat, Wissenschaft und Kirche zu finden gleich wie in der Gefolgschaft.

Wie kann sich der gesunde Mensch mit seinem gesunden Menschenverstand wehren gegen diesen Urfeind alles menschenwürdigen Lebens? Denn dieser Proletarier ruiniert alle Eigenwelt und auch Umwelt.

„Laßt die Toten ihre Toten begraben" hilft zwar, aber ob heute genügend? Denn der Technoterrorist, typisch als Sozialist sucht die ganze Menschheit mit

seinem Aberglauben zu terrorisieren, bei der Quantenmechanik angefangen, die doch heute nach C. F. von Weizsäcker als die Mitte der Physik gilt.

Hilft hier nur die Erkenntnis und Lehre der Menschenrechte? Der Goldenen Regel von Mein und Dein und also insbesondere des Glaubensfreilebensrechtes? Wie kann man dem Techniker beibringen, daß es außerhalb der Maschinen auch noch etwas gibt und zwar Leben, eigenständiges organisches Leben? Daß es außer den Quantitäten seines subjektiven Bewußtseins auch Realitäten gibt, nämlich Qualitäten! Daß es außer den nur causalen Mechanizismen noch finale Potenzen und Akte des Lebendigen gibt. Ihm zeigen, daß es Wissen und Glauben gibt und daß er noch nicht allwissend ist? Er schafft zwar glänzend funktionierende Maschinen, aber in den Herzen der Menschen Elend, gleich wie auch im anderen Leben. Überall strandet er ratlos und hilflos vor den Lebensproblemen wie zuerst in der Technik der Paragraphen des positiven Rechtes. Dort verstrickt er sich im Gestrüpp der Normenkollisionen. Er strandet schließlich in der Weltspannung der Menschheit. Denn da sein subjektives Bewußtseinsleben von allem Wesentlichen entleert ist, kann er sich über nichts Wesentliches mehr verständigen. Das Leben aber ist wesentlich. Und so kann er kein Lebensproblem mehr lebensgerecht lösen. Immer hektischer und revolutionärer stürzt er sich in Reformen, —in neue Revolutionen des Lebens. So etwa in Bildungsreformen. Doch der Zustand wird immer schlechter.

Angesichts der Lebensprobleme, die der moderne Mensch, der Techniker überall schafft und nicht mehr lösen kann, müßte er doch endlich erkennen, daß der Mensch das Recht hat, nach seinem eigenen guten Glauben von Technik und Leben zu leben und nach seinem eigenen Gewissenurteil darüber, — wie es auch der Techniker für sich selber beansprucht.

Das ist auch den Technikern in den Parlamenten und Staatsregierungen gesagt, die mit immer mehr —technokratischem— Geld immer mehr Bereiche des menschlichen Lebens technisch dirigieren wollen mit immer weniger Verständnis für das Selberlebensrecht der Person und insbesondere ihr Privatlebensrecht und diese Pflicht.

Dem Techniker ist die Mathematik und Gleichheit heilig. Das eröffnet ihm den Weg zum Verständnis der Menschenrechte, mit denen er ohnedies verbal gerne umgeht. Dann aber kann er auch wieder das Wesen der Person begreifen. Und von ihm her läßt sich bei gutem Willen der Weg zur Wahrheit und zum Leben finden. All das aber ist zuerst Aufgabe der Schule, bei der Volksschule angefangen, und Aufgabe der Erziehung zum menschenwürdigen Leben. Das ist auch Aufgabe der Kirche.

Die Biotechnik

Was ist das Gute der Technik? Was also ist die lebensgerechte Technik?

Der Schreiber dieser Zeilen ist ein begeisterter Techniker, von Jugend an Flieger. Er liebt die Physik, —aber die Physik des Lebens. Er liebt sogar die Mechanik. Denn auch in ihr sind nach Pythagoras, Euklid und Archimedes große Geheimnisse des Lebens enthalten, da sie auf der Geometrie gründet. Und ein alter Satz lautet: Gott geometrisiert. In der Geometrie des Lebens!

Da der Schreiber aber auch Arzt ist, so hat er die Gefahren und Schäden der lebensfremden Technik im Menschen kennen gelernt. Diese Gefahren sind angesichts der ungeheuren Vernichtungstechnik heute langsam fast der gesamten Menschheit schon dumpf bewußt geworden. Und so wurde in vielen verschiedenen, oft noch unzulänglichen, aber gut gemeinten und in der Richtung stimmenden Ansätzen schon der Weg zur „sanften Technik", zur Bio-Technik eingeschlagen, zur Öko-Technik, d. h. zur lebensfreundlichen Technik.

Was ist das Wesen der Technik des Lebens? Das ist die reale, objektive Lebensqualität und also das Verständnis für sie. Als Paracelsus erkannte, daß er mit der Medizintechnik der Gifte nicht heilen konnte, sondern daß „da nichts anderes heraus kommt als töten, sterben, würgen, verkrüppeln, lähmen, verderben, war ich gezwungen, der Wahrheit auf anderen Wegen nachzugehen" (Paragranum). Die Wahrheit vom Leben liegt in der Erkenntnis der realen Lebensqualitäten und deren pyramidaler hierarchisch-organischer Ordnung vom Himmel bis zur Unterwelt. Hier und nirgendwo anders ist das Fundament der Biotechnik! Bei ihr ist vor allem zu bedenken, daß die Lebens-Technik zugleich eine Technik des Lebens der Person und des Lebens der unpersonalen Natur ist. Man spricht ja auch von Techniken des Denkens, des Wollens und des Fühlens, wie etwa von der Organisation des eigenen Selbst, also des Selberlebens. Diese Erkenntnis hilft, den Naturalismus zu überwinden.

Dann findet man zuerst zur Technik des guten Lebens der Person in sittlicher Hinsicht. Das ist die Technik des tugendhaften Lebens und der Überwindung der Untugenden in der Natur der Person. Das ist und bleibt die oberste Technik. Ohne sie ist der Mensch in Gefahr, zu dem Techniker zu werden, der Intelligenzbestie genannt wird und in milderer Form Eierkopf.

Hier kann man die Geometrie der Menschenrechte erkennen, ihr Einmaleins und ihre Kreisordnung. Und hier kann man zum lebensgerechten Techniker der Menschenrechte werden, zum Techniker des „richtigen Rechtes" (Stammler).

Von der Natur der Person soll man den Weg zur Natur des Leibes und der unpersonalen Natur um uns und unter uns gehen. Also soll man den Weg von der Technik der Lebensqualitäten bzw. Tugenden der Person wie in der Technik der Menschenrechte zu der Technik der Lebensqualitäten bzw. Tugenden der unpersonalen Natur gehen.

Paracelsus ist der Wahrheit zuerst auf diesem technischen Weg nachgegangen. Und jeder verantwortungsbewußte Mensch, der sich um ein objektiv menschenwürdiges Leben bemüht, geht diesen Weg.

Von unten bei der irdischen Natur angefangen ist die Biotechnik oder Ökotechnik (Technik des Lebenshaushaltes!) zuerst eine Technik im lebensgerechten Umgang mit den drei ersten Urqualitäten Sal, Sulphur und Mercur, mit den vier Urqualitäten warm, kühl, trocken und feucht, auch im lebensgerechten Umgang mit den vier Unqualitäten hitzig, dürr, eiskalt und naß, dann mit den vier Elementen usf. Das sind die objektiven Grundlagen der Biotechnik in der Natur. Soweit man diese Ur-Lebensqualitäten noch nicht begriffen hat, ist man noch ein Anfänger und irrt gar in vielem.

Der Lebenstechniker muß also zuerst ein echter Biologe sein, zu unterscheiden von dem materialistischen und quantistischen Scheinbiologen. Der echte Biologe ist daran zu erkennen, daß er die Lebensqualität als das maßgebliche Prinzip und Wesen der Realität erkannt hat, das Gute, das Ens, die Entelechie, wie schon der „Vater der abendländischen Wissenschaft" Aristoteles lehrte, und daß er einige Ordnungen der Lebensqualitäten weiß. Eine Biologie, die nicht auf den realen objektiven Lebensqualitäten der Natur gründet, ist Larifari.

Auch zur objektiven Bio-Chemie und ihrer Biotechnik führt dieser Weg, zur hohen Kunst des Löse und Binde (Solve et coagula). Welchen Sinn mag es wohl haben, wenn Jesus Christus, Der das Leben ist und die Wahrheit, also die Wahrheit von allem Leben, mit der Binde- und Lösegewalt eine der höchsten technischen Gewalten über das Leben verliehen hat?

Lärm und Umweltrecht

In einem älteren Buch über Amerika wird als Kennzeichen der USA der ständige Lärm genannt. Aber ist der geistig-seelische und dann auch körperliche Lärm nicht das Kennzeichen des Endes der Neuzeit?

Der Lärm hat die Menschheit überfallen in diesem Jahrhundert. Wir brauchten viele Jahrzehnte, um uns des Lärmes unseres modernen Lebens und dessen Schäden überhaupt bewußt zu werden. Und diese Bewußtwerdung hat soeben erst begonnen. Überall in der Welt bilden sich heute Gesellschaften gegen den Lärm. Warum? Ist Lärm der Lebensfeind Nr. 1? Bis vor kurzem galt die Lärmschwerhörigkeit als die Berufskrankheit und also Arbeitskrankheit Nr. 1 des modernen Menschen. Dann hat die Schadstoffvergiftung ihr den Rang abgelaufen.

Werden wir durch die Lärmgifte fundamental geschädigt? Ist der Lärmschaden nicht nur als Gehörschaden zu erfassen, sondern als Abstumpfung und Schädigung unseres gesamten Lebens? Der Teufel macht Lärm!

Was ist das Wesen des Lärmes?

Lärm besteht aus disharmonischen Schwingungen. Sie disqualifizieren das Leben in der Umwelt und Eigenwelt und zwar überall. Denn der Lärm dringt überall hin und durchdringt alles, dies im großen Gegensatz zu vielen anderen Schadwirkungen.

Die disharmonischen Vibrationen des Lärmes werden nur zu einem kleinen Teil von unseren Ohren bewußt gemacht. Vielen Lärm hören wir überhaupt nicht. Und das könnte der weitaus meiste Lärm sein. Aber auch er schädigt, gleich wie der hörbare, zuweilen noch viel mehr, besonders bei höheren Frequenzen als den hörbaren. Schon als Kriegswaffe ist der Lärm erprobt worden. Man kann Menschen auf größere Entfernung schnell kampfunfähig machen und töten einerseits mit sehr tiefen Frequenzen, andererseits mit überhohen Frequenzen.

Wir können heute sehr viel unhörbaren Lärm mit Geräten messen und sichtbar machen wie am Oszillographen und durch Wandlung in andere Frequenzen auch hörbar machen. Aber seine Unqualität kann man am Bild kaum oder garnicht erkennen. Am Ton kann ihn nur ein geschultes Ohr erkennen.

Wie viel modernes Leben besteht aus Lärm?

Der Lärm schädigt unser Gehör und auch alle anderen Sinnesorgane, besonders die mit den Ohren näher lebensfunktionell verbundenen Augen. Das ist medizinisch nachgewiesen. Lärm kann auch die Augenleistung um 20% verringern. Und er schädigt auch alle anderen Lebensfunktionen. Man verglich einmal zwei Kapellen. Die eine spielte fast nur Rock- und Popmusik. Sie bestand aus kräftigen Burschen. Doch diese waren ständig krank, herz- und kreislaufkrank, nervenkrank usf. Die andere Kapelle spielte fast nur klassische Musik. Sie bestand aus sensiblen, eher schwächlichen Menschen. Doch diese waren gesund. —Kühe geben bei klassischer Musik mehr und bessere Milch. Bei Pop- und Rockmusik geben sie weniger und schlechtere Milch, kranke Milch!

Der Dauerlärm der modernen Welt wird keineswegs nur durch die Luft übertragen, sondern er durchdringt und verändert alles, alle Häuser und Möbel, auch die Erde und unseren ganzen Leib. Disharmonische Baustoffe und Bauformen erzeugen ständig selber Lärm, schon durch ihre atomare Bewegung. Und sie verschlechtern den auf sie einwirkenden Lärm, machen diesen also noch bösartiger. Gute, in sich harmonische Baustoffe und Bauformen schwingen ständig in einem harmonischen Ton. Sie neutralisieren daher den Lärm, der in ihnen erzeugt wird und der von außen andringt, sofern er nicht übermächtig wird. In Betonkästen wie den großen Silos lebt man im großenteils unterschwelligen Dauerlärm. Das Ohr hört von ihm nur sehr wenig.

Der Lärm ist der große Gegner des harmonischen Tones, des Lebenswortes, des Lebensklanges!

Der Lärm schädigt all unser Leben, also außer den Sinnesorganen die Magen- und Darmfunktion, das Herz, das Nervensystem, einfach alles. Warum?

Alles Leben besteht aus Schwingungen, wie schon im Atom die Elektronen schwingen. Alles Leben besteht aus kreisförmigen Schwingungen, aus Kreisläufen. Da alle Materie, auch die unseres Leibes, aus schwingenden Atomen besteht, so disharmoniert der Lärm alles Leben. Der Lärm besteht aus disharmonischen Schwingungen, aus disharmonischen Tönen, aus einer Kakophonie, aus dem Unton bzw. Unwort, dem Antilogos, dem Alogon nach Pythagoras. Die Ursache des Lärms sind wir selber. Zuerst wird unser Geist lärmig. Er wendet sich revolutionär gegen das Leben, wie technokratisch, technoterroristisch gegen Gott, Mensch und Natur. Wenn unser Geist und unsere Seele lärmig werden, dann schaffen unsere Hände lärmende Werke. — So können wir erkennen, wo allein wir den Lärm ursachengerecht zu bekämpfen haben. Denn alles andere wird zur Kurpfuscherei. Zuerst sind also die Lärmgifte in Geist und Seele zu überwinden, wie die lärmende Kritik an Gott und Seiner Schöpfung.

Da alles Lebenswidrige Unrecht ist, so ist auch der Lärm Unrecht. Auch Robinson Crusoe darf in seiner Einsiedelei keinen Lärm machen. Lärm verletzt das Menschenrecht auf ein gutes, daher gesundes, lebensqualifiziertes, also lärmfreies Leben.

Aufgrund des Menschenrechtes sind daher alle Geräte, alle Maschinen lärmfrei zu konstruieren und zu gebrauchen. Es ist bei ihrer Konstruktion zu beachten, daß harmonikale Formen harmonisch schwingen und disharmonische Formen disharmonisch. Das erfordert die Entwicklung der harmonikalen Stoff- und Formtechnik. Und das erfordert die Entwicklung des Umwelt- und Eigenweltschutzrechtes als Lebensschutzrecht, hier als lebensqualifiziertes Lärmschutzrecht.

Also darf man nur Maschinen produzieren, handeln, verkaufen, kaufen und benutzen, die keinen Lärm machen. Einige Beispiele dazu:

Die schnell, nämlich über 700/800 Touren/min. laufenden Umwälzpumpen der Heizungen lärmen, und das nicht wenig, auch wenn es die meisten lärmgeschädigten Zivilisationsohren nicht mehr bewußt wahrnehmen.

Die Düsenbrenner der Ölheizungen lärmen, ganz abgesehen davon, daß sie das Öl disharmonisch und unvollständig verbrennen und viele Schadstoffe erzeugen im Gegensatz zu den harmonischen Brennern, den lebensgerechten Verdampfungsbrennern.

Alle Explosionsmotoren lärmen. Die Explosion ist eine typische Form des Lärmes. Sie verlärmen ihre ganze Umwelt, nicht nur die Kraftwagen. Ihr Ende ist daher nahe. Im Übergang wäre durch die harmonische Formung des Verbrennungsraumes und des gesamten Motors, durch harmonischen Sitz der Zündkerzen, durch harmonische Kondensatoren für den Zündstrom, durch biochemische Zusätze zum Brennstoff usf. ihre Lärmfähigkeit zu verringern und zugleich die Schadstofferzeugung zu mindern und der Nutzeffekt zu steigern. Es existieren auch weniger lärmende Motortypen. Schon eine Gasturbine kann man lärmarm bauen, zugleich schadstoffärmer und effektiver. Der Wirkungsgrad und die Lebensdauer jeder Maschine steigt, je lärmärmer sie läuft. Lärm ist stets selber Energieverlust. Und er zeigt zugleich anderen Energieverlust an. Das ist besonders deutlich am Lärm der Luftbewegung an nicht aerodynamisch gestalteten Kraftwagen und Flugzeugen erkennbar.

Das Fazit: Es ist im Umweltschutzrecht bzw. Lebensschutzrecht insbesondere das allgemeine Lärmschutzrecht zu entwickeln gleich wie das allgemeine Giftschutzrecht.

Das Baurecht —
Das nächste und lebenswichtigste Umweltschutzrecht

Das Haus ist unsere nächste Umwelt. Zu über 95% seiner Lebenszeit hält sich der zivilisierte Mensch innerhalb von vier Wänden auf, sei es in der Wohnung oder am Arbeitsplatz. Zudem steigt die Feldwirkung eines Dinges im Quadrat der Annäherung. Die Physik lehrt, daß alle physikalischen Wirkungen Feldwirkungen sind. Wir haben sie erst zu einem winzigen Teil physikalisch-wissenschaftlich erforscht, noch praktisch überhaupt nicht in ihren Lebensqualitäten. Aber wir erleben sie täglich von früh bis spät und von spät bis früh. Also erfahren wir sie in unserem Leben. Also sind sie Erfahrungswissenschaft der qualifziert lebenden, insbesondere denkenden Menschen, des Menschen, der die qualifizierten Meldungen seiner Sinnesorgane nicht ideologisch abblendet in seinem Quantismus. Wenn eine wert„freie", also lebensqualitäts„freie", also ideologisch auf die Quantitäten winzig eingeengte materialistisch-mechanistische Wissenschaft die Lebensqualitäten nicht —und in ihrem Aberglauben niemals!— erforschen kann, so ist das deren Sache. Dann ist um des Lebens der Menschheit willen so schnell wie möglich die lebensqualifizierte Wissenschaft zu entwickeln und aller materialistisch-mechanistische Aberglaube —als ob mit den Quantitäten etwas Wesentliches eines Dinges erfaßt und bewirkt werden könnte— zu überwinden.

Somit ist das Haus unsere weitaus lebenswichtigste Umwelt. Also ist das Hausbaurecht, das Einrichtungsrecht und das Wohnrecht das weitaus lebenswichtigste Umweltrecht!

Am Ende der Neuzeit muß festgestellt werden: Wir haben in den sogen. zivilisierten —aber im Laufe der Neuzeit offensichtlich immer weniger kultivierten— Staaten kein lebensqualifiziertes Baurecht und also nächstes Umweltschutzrecht entwickelt. Dies im Unterschied zu den Hochkulturen der Menschheit. Im Gegenteil, wir haben das lebensqualifizierte Baurecht der Hochkulturen bei unserem steigenden mechanistisch-materialistischen, nämlich quantistischen Aberglauben nicht mehr begriffen, mißachtet und an dessen Stelle ein Selbst-Mordbaurecht entwickelt. Es enthält zahlreiche Vorschriften, welche die Bewohner dauerkrank machen, ermorden oder totschlagen, sowie andere lebensqualifizierte Lebewesen und Dinge im Haus schädigen. Ca. 70% der heutigen Patienten sind dauerkrank (nach Schipperges). Sind sie hauptsächlich chronisch ernährungs- und wohnungskrank? Die Wirkungen des Umzuges in eine gesunde Wohnung beweisen den mit der kranken Ernährung überragenden Einfluß des kranken Hauses! Solange diese Ursachen wirkend bleiben, kann man die Kranken anderweitig nicht heilen!

Wenn z. B. nach behördlicher Anweisung alle zum Hausbau verwandten Hölzer, wie typisch im Dachstuhl, vor dem Einbau mit Giften imprägniert werden müssen, die wortbetrügerisch als Holzschutzmittel bezeichnet werden, um überhaupt die Bauerlaubnis zu erhalten, so werden immer noch alle Bewohner behördlich vergiftet, mit Sevesogiften! Es ist schon vielfältig nachgewiesen worden, daß speziell diese Holzgifte bei hohen Temperaturen, insbesondere schon bei dem kleinsten Brand Dioxine entwickeln, soweit sie nicht schon selber wie fast üblich Dioxine enthalten oder dioxinähnlich wirken. Die Staats-Behörden, Kirchenbehörden, Schulbehörden usf. wissen dies, zumindest durch die Medien. Eine andere Kenntnisnahme kann man ja konstant ablehnen, wenn man entgegengesetzte Motive hat, wie z. B. den Profit —einschließlich Steuerprofit— um jeden Preis zu mehren. Dies teils auch in dem Wahn, dann dem Gemeinwohl zu nützen. Wenn dennoch und trotz aller verbal ökologischen Bestrebungen von Regierungen diese behördlichen Baubestimmungen des Zwanges zur Selbstvergiftung der Bewohner jahrelang weiter in Kraft bleiben, was ist dann unbezweifelbar ein Haupttatbestand in den heutigen Staaten? „Das Selbst-Mordprogramm"? (Buchtitel, Taylor). Oder die Beherrschung einer Regierung durch eine Kapital-Lobby oder irgend eine Maffia? Durch den Ungeist!

Das gesellschaftliche Selbst-Mordprogramm ist stets auch ein Mitmordprogramm und ein Gemeinschafts-Mordprogramm! Und würden am Ende der Neuzeit viele Kirchen und Schulen sich deutlich von ihm in Wort und Tat distanzieren? Äußerst langsam und zögernd —man muß hierbei ja eigene Sünden eingestehen!— und erst nach langjährigem Drängen vom Volke her und dann in den Medien rafft man sich in Kirche und Schule auf, hier die Moral, bzw. das Recht wie auch das Gottesrecht (Gen. 2,15) zu vertreten. Man tut es erfahrungsgemäß besonders dann, wenn eine Werbewirksamkeit in solchen Reden entdeckt wird. —

Durch steigende weltweite Giftnot gezwungen, entwickelt die Zivilisationsmenschheit vorerst in der ferneren Umwelt, die vor der Haustüre beginnt, langsam erste Ansätze zu einem lebensqualifizierten Umweltrecht. Dessen bisher erkennbare Prinzipien sind die drei: Erstens die lebendige Natur in ihren Lebensqualitäten entwickeln, also qualifiziert zu bebauen (Gen. 2,15 und alle Menschenrechte). Zweitens die vorhandene lebendige Natur in ihren Lebensqualitäten bewahren (Gen. 2,15 und alle Menschenrechte). Drittens die qualifizierte Natur zu schützen und bei Schädigungen gemäß dem Verursacherrecht Schadensersatz einzufordern (Fünftes und zehntes Gebot und fünftes und zehntes Menschenrecht).

Zwar werden diese drei Prinzipien derzeit erst im Ansatz entwickelt und in der Praxis noch sehr unzulänglich geachtet. Aber die vielfältige Umwelt- und Eigenweltschädigung der ganzen Menschheit und Welt, die bis zur Lebensgefahr der Menschheit angestiegen ist, erzwingt von den Völkern her immer mehr die Achtung dieser drei Lebens- und Rechtsprinzipien und also die Achtung der Menschenrechte und Menschenpflichten. Denn diese sind qualifizierte Lebensrechte und Lebenspflichten. So beginnen jetzt auch die Oberen in Staat, Schule und Kirche, hier über Recht und Unrecht nachzudenken. Sollten sie nicht die ersten sein? Aber die Endzeit der Welt soll überall eine demokratische Grundnote zeigen. Dann sollen nach den Prophezeiungen die Apostel des Lichtes kommen. —

Wenden wir folgend die Menschenrechte und Menschenpflichten zum lebensqualifizierten, also gesunden Leben auf das gesamte Baurecht und Wohnrecht samt Arbeitsrecht an, also auf Wohnplatz und Arbeitsplatz zugleich. Dann ergibt sich konkret gemäß den Hauptbereichen der Hauskrankheiten des Menschen, aller anderen Lebewesen und lebensqualifizierten Dinge und somit auch des Hauses selber:

1. Es ist eine Verletzung des Menschenrechtes und der Menschenpflicht, allseits frei gut zu leben, wenn Gifte in das Haus, in Wohn- und Arbeitsplatz eingebracht werden durch Stoffe aller Art bis zu der Einrichtung und der Bewohnung und Arbeit, wie z. B. durch die unbiologischen, giftigen chemischen sogenannten Reinigungsmittel und Pflegemittel und durch so viele ungesunde Produktionen und Produktionshilfsmittel. Wer es dennoch tut, der ist für die gesundheitlichen Schäden der Bewohner und Arbeiter, der Produzenten und Konsumenten und die Schäden an der Lebensqualität anderer Lebewesen und Gegenstände in einem solchen Haus und anderwärts gemäß dem fünften Menschenrecht in vollem Umfang haftbar und zwar auf die Dauer der Schadwirkungen, also praktisch auf die Lebensdauer der Bauten, der Einrichtung und der ungesunden wie gifthaltigen Arbeitsprodukte.

2. Alle technischen Installationen, besonders die metallischen, speziell die elektrischen sind so zu gestalten, daß keine gesundheitlichen Schädigungen und andere Schädigungen der Lebensqualitäten im Haus entstehen, wie etwa Elektrokrankheiten.

3. Alle Baumaterialien einschließlich der chemischen Hilfsmittel, der Zusätze, Farben, Lacke und anderen Anstriche müssen zumindest von solcher Lebensqualifiziertheit bzw. Lebens-Neutralität sein, daß sie keine das Leben der Bewohner und der Gegenstände im Haus schädigende Wirkung ausüben. Es darf keine Käfigwirkung entstehen, auch nicht durch die erst schädliche Kombination sonst relativ neutraler Einzelmaterialien.

4. Alle Arbeitsmaterialien, Rohmaterialien, Arbeitshilfsmittel und Produktionsmittel müssen chemisch schadstoffrei, also giftfrei sein und dürfen auch anderweitig nicht die Gesundheit der produzierenden, handelnden und konsumierenden Menschen und anderen Lebewesen schädigen.

5. Das Haus als Wohn- und Arbeitsplatz darf nur in einer solchen Umwelt wie bezüglich des Baugrundes, der seitlichen Nachbarschaft und der Klimaverhältnisse erbaut und/oder bewohnt werden, daß keine Schädigungen der Bewohner wie der darin arbeitenden Menschen und ihres Eigentumes am Haus und im Haus auftreten.

Andererseits darf ein Haus nur so benutzt werden, wie beispielsweise ein Fabrikbau nur so betrieben werden, daß ebenfalls keine Auswirkungen (Emissionen) in Gestalt von Feldwirkungen, Strahlungen, Strömungen und Materien in die Umwelt ausgehen, welche deren Lebewesen und Lebensqualitäten schädigen.

6. Die Formen des Hauses und aller Gegenstände darin müssen lebensqualifiziert sein. Zumindest müssen sie so lebensneutral sein, daß keine lebensschä-

digenden Auswirkungen von ihnen auf die Bewohner wie Arbeiter samt Angestellten, auf die Innenwelt und die Umwelt des Hauses ausgehen.

7. Das Haus und seine Bewohnung bzw. die Arbeit darin müssen den darin lebenden und arbeitenden Menschen genügend Zugang zu den Lebensqualitäten der vier Elemente Wärme, Licht und Luft, Wasser und Erde lassen. Es darf auch hier keine Käfigwirkung entstehen. Ständig künstlich belichtete und belüftete Wohn- und Arbeitsplätze sind ungesund und also menschenrechtswidrig.

Das Privatlebensrecht im Baurecht

Soweit staatliche menschliche Gemeinschaften sich nicht scheuen, das Menschenrecht und also Lebensrecht des Menschen vielfältig zu verletzen durch ein Selbstmordprogramm, scheuen sie sich auch nicht, das Lebensrecht des Menschen in seinem Privatbereich vielfältig zu verletzen. Besonders Völker, die einen starken Hang zur Obertanen- und Untertanenmentalität haben, somit zur Diktatur und zur sklavischen, buckelnden Gefolgschaft, und die für dieses wenig würdevolle Verhalten weltweit bekannt sind, wie das deutsche Volk leider teilweise noch immer, mißachten das Privatlebensrecht des Menschen besonders radikal und umfangreich. Sie stehen dem Bolschewismus nahe, dem National- wie International-Sozialismus. Dieser ist prinzipiell blind für die Menschenwürde in Gestalt des Menschenrechtes auf das eigene Leben. Daher existiert bei solchen Völkern in der Verfassung auch kein Privatlebensrecht. Und die Anerkennung eines international erklärten Privatlebensrechtes wie in der Europäischen Konvention zum Schutz der Menschenrechte (Art. 8) ist bei solchen Völkern nur eine leere Phrase. Es fehlt einfach das Verständnis für das Menschenrecht bei diesen Völkern. Um so mehr wird in ihnen über das Menschenrecht gestritten.

In solchen Nationen wird der Mensch von den staatlichen und anderen Machthabern angeschnallt in seinem Privatleben, insbesondere in seinem eigenen Haus, sei es mobil oder immobil. Dies beweist, daß in solchen Völkern die Rede von der Freiheit der Person ziemlich inhaltslos ist. —

Auf dem Wege zur Entwicklung des Bewußtseins der Menschenwürde ist besonders das Verständnis für das Privatlebensrecht des Menschen und die Privatlebenspflicht zu entfalten (Art. 2 GG), um barbarische Lebensformen zu überwinden. Das erfordert eine klare Erkenntnis der Grenze zwischen Gemeinschaftsrecht und Privatlebensrecht. Nirgendwo anders als im Bereich des Hauslebens ist diese Grenze deutlicher zu studieren.

Diese Grenze ist zuerst und grundlegend die räumliche Grenze des privateigenen Grundstückes. Diese Grenze ist jedoch nicht nur eine Linie auf der Erde, sondern sie besteht, wie in der Entwicklung des vierten Menschenrechtes schon dargelegt, in der gesamten Oberfläche des Grundstückes samt all seiner Bebauung. Also liegt die Grenze auch im sichtbaren Bereich der Außenhaut oder Außenform des Hauses. Was öffentlich zu sehen ist, das ist öffentlich. Was nicht besagt, daß es den Charakter des Privaten verliert. Sondern es wird im Grenzbereich privat und öffentlich bzw. gemeinschaftlich zugleich. So daß sich hier mehrere zu einigen haben. Genauer, das Mitglied einer Gemeinschaft —nicht nur einer staatlichen Gemeinschaft— hat hier die Pflicht, sein Privatleben, über das es ausschließlich selber zu bestimmen hat, mit seinem Gemeinschaftsleben und zugleich dem Gemeinschaftsleben der anderen Mitglieder zu vereinigen.

Die Grenze geht also auch nicht von der seitlichen Linie an senkrecht in die Luft empor. Dort in der Luft ist kein Eigenreich, kein Eigenleben und also keine Eigengrenze, wie jedermann mit den eigenen Augen sehen kann. Einbildungen und gegenstandslose Ansprüche sind irreal.

Nicht öffentlich und also privat ist daher alles, was unter der außen sichtbaren Oberfläche von Bauten liegt.

Dies gilt auch umgekehrt für sogenannte öffentliche Bauten einer staatlichen Gemeinschaft. Denn auch die staatliche Gemeinschaft entwickelt einen Privatbereich. Dieser beginnt ebenfalls hinter der Oberfläche des bebauten Grundstückes samt der Erdoberfläche. Dasselbe gilt für die Bauten der schulischen und kirchlichen Gemeinschaften.

Wie nun kann man raumzeitlich im Baubereich die Lebensrechte der Nachbarn, insbesondere deren Privatlebensrecht verletzen und wie nicht?

Wer über die seitlichen Grenzen seines Grundstückes in den Grundstücksbereich seines Nachbarn hinein in der Richtung nach oben baut, der verletzt dessen Grundstücksrecht am Grunde, also an dem von ihm geformten Bereich an der Oberfläche der Erdkugel.

Auf der gesamten Fläche des eigenen Grundstückes dagegen kann man nach oben hin durch das bloße Dasein von Formen die Rechte keines Nachbarn und auch der Gemeinschaft verletzen. Aber durch das geistig-seelische Wesen von Formen kann man andere verletzen wie durch menschenunwürdige Worte und durch menschenunwürdig unaesthetische, also häßliche andere Formen. Da jedoch häßliche, also unwertige Formen Glaubenssache und somit praktisch meist Privatsache sind, kommt es hier darauf an, wie weit sich eine Gemeinschaft in der Anerkennung von solchen Werten und Unwerten geeinigt hat. Bei Nichteinigung geht das Selberlebensrecht des Menschen und also das Privatlebensrecht vor.

Was unter der Oberfläche eines bebauten Grundstückes bebaut ist, das ist vom Menschenrecht her vollständig Privatsache.

Was unter der Oberfläche nicht bebaut und also nicht besessen ist, das ist Niemandsland, also nicht Besitz. Dieser Bereich bis zum Erdmittelpunkt ist so wenig Besitz wie der unbebaute Bereich, der sich über dem bebauten Teil nach oben in den Weltraum erstreckt. Jedoch hat der Grundbesitzer das Recht auf die Festigkeit seines Grundes. Sein Grund darf also nicht derart unterminiert werden, daß die Grundfestigkeit geschädigt wird. Dieses Grund-Recht ist ein von jedermann auf Erden beanspruchtes Lebensrecht.

Jedoch kann die Führung einer —staatlichen, schulischen oder/und kirchlichen wie auch familiären— Gemeinschaft aus zwei Rechtsgründen her in den Privatbereich eines Mitgliedes hinein wirken: Erstens können die Mitglieder der eigenen Gemeinschaft noch weithin nicht zum Bewußtsein ihrer Menschenwürde gelangt sein, also noch unmündig sein. Dies trifft besonders für Völker mit starker Obertanen- und Untertanenmentalität zu, die somit ein größeres Führerbedürfnis haben. Solche Völker sind von Mitteleuropa ab bis zu den Ostgrenzen Chinas zu finden, auch teilweise unterhalb des Äquators. Die mündigen Bürger dieser Völker sind in einer schwierigen Lage, da sie wie die großen, meist unmündigen Massen behandelt werden, solange keine Mündigkeitsprüfungen eingeführt werden, wie es ein Kennzeichen aller Kulturvölker ist seit jeher. Zweitens können die mündigen Bürger einen besonders hohen Gemeinschaftssinn entwickeln und sich dann bereit erklären in ihren echten Volksvertretungen, sich auch in ihrem Privatleben weithin gemeinschaftlichen Bestrebungen anzupassen.

Bei der Beurteilung der Lage des Privatrechtes in einer Gemeinschaft sind sorgfältig diese beiden Möglichkeiten zu erforschen. Wenn viele Proteste von Bürgern über die Eingriffe in das Privatleben vorliegen und sogar Fesselungen des Privatlebens wie in der Form des Anschnallens, dann liegt keiner dieser beiden Fälle vor, sondern eine machtrechtliche, obertanenüberhebliche Verletzung des praktisch lebens- und friedenswichtigsten Menschenrechtes.

In diesen Gemeinschaften sind dann schon eine größere Zahl von Menschen zum Selbstbewußtsein und somit zum Selbstrechtsbewußtsein erwacht, somit zum klareren Bewußtsein der Menschenrechte wie des Privatlebensrechtes und dieser Menschenpflicht. Dann liegt eine Übergangsform von barbarischen unmündigen Gesellungsformen zu menschenwürdigen Gesellungsformen vor.

Beispiele kaum gehemmten staatlichen Machtrechtes wie stolzen Führerrechtes sind im Baurecht die viele Bände umfassenden staatlichen Baubestimmungen. Sie erreichen auch den Stand der Lächerlichkeit, wenn sie sich selber vielfältig widersprechen, da in der Bevormundungssucht der Führer-Obertanen diese in ihren verschiedenen Ministerien entgegengesetzte Bestimmungen erlassen. Wenn eine Gesellschaft mündig werden und also menschenwürdig leben will, dann ist ein solches den Ruf einer Nation erheblich belastendes Chaos der die Menschenrechte vielfältig verletzenden Baurechtsbestimmungen zu überwinden.

Die Rechtsunmündigkeit bzw. Kindlichkeit, andererseits aber auch die noch barbarische Obertanenmentalität zeigt sich auch in den Begründungen der Anschnallpflicht im Privatleben, etwa „Zu ihrer Sicherheit". Bei solcher Rechts-„logik" kann zur Sicherheit vor luetischen und anderen Infektionen auch das Anschnallen eines Keuschheitsgürtels staatsgesetzlich befohlen werden, samt regelmäßiger Überprüfung durch die staatlichen Führer. Und es können Eß- und Trinkpflichten zur Sicherung des gesunden Lebens staatlich befohlen werden, mit vielerlei Geboten und Verboten, weiter Anschnallpflichten in der Kleidung, Freizeitverwendungspflichten usf., wie dies der National- und International-

Sozialismus drastisch zeigt und wie es aus religiösem Sicherheitsbedürfnis schon vor Jahrhunderten etwa der Genfer Stadtstaat zeigte. Diese staatsterroristischen Tendenzen sind im 20. Jahrhundert anfangs des achten Jahrzehntes auch in Europa noch immer ungebrochen. Ja diese Degeneration des Rechtsbewußtseins nimmt —wie auch Benda bekennt— noch immer weiter zu!

Die Gesundheitserziehung seelischer und leiblicher Art ist sicher ein Bestandteil des Befreiungsrechtes und seiner Pflicht. Wenn aber die Freiheit der mündigen Personen in ihrem Glauben nicht geachtet wird, dann beginnt der Staatsterror und vielleicht auch noch anderer geistiger Terror!

So ist das gesamte Bau-, Wohn- und Arbeitsrecht Menschenrecht und Menschenpflicht. Die Gesundheit jedoch ist eine Qualität. Die Weltgesundheitsorganisation (WHO) hat daher als maßgebendes Kriterium der Gesundheit das subjektive Wohlbefinden erklärt. Dazu zählt auch die subjektive Leistungsfähigkeit wie Arbeitsfähigkeit.

Ein Sonderbereich dieses modernen Staatsterrors ist die behördliche Diktatur des mechanistisch-materialistischen Aberglaubens und anderen Aberglaubens, wie daß man durch immer mehr Gift ein giftfreies Leben erreichen kann, dies gemäß dem Teufel-Beelzebub-Aberglauben. Wie viele betrügen sich noch immer selber in dem Aberglauben, daß man mit Lügen die Wahrheit —etwa des Gemeinwohles oder des sozialkommunen Lebens— erlangen kann oder daß man mit blutroter Farbe weiß malen kann.

Jeder, der gegen solchen Aberglauben und solche Aberglaubensdiktatur protestiert, die sogar unter C-Herrschaft und unter pathetischem Bekenntnis zu den Menschenrechten ausgeübt werden kann, wird dann staatlich diskriminiert und auch nach Möglichkeit verfolgt. Wie dies schon Hitler demonstrierte.—

Die Mündigwerdung einer Gesellschaft zeigt sich am deutlichsten in der Erkenntnis und An-Erkenntnis des Privatlebensrechtes, und dies zuerst und fundamental im Baurechtsbereich. Sie zeigt sich in der Erkenntnis und Anerkenntnis von Recht und Pflicht zur allseits freien guten Bebauung der Erde nach dem eigenen guten Glauben.

Der „integrierte Pflanzenbau"

Ein Musterbeispiel für das grundlagenlose, geistig verwirrte moder-ne Bebauen der Erde ist der „integrierte Pflanzenbau". In diesem neuen Modewort —und Tarnwort?— ist also der Gegenstand ein Bauen, nämlich die Bebauung der Erde, somit unserer Umwelt. Zuständig für die grundlegende Klärung ist dann das Bebauungsrecht bzw. Baurecht, allgemein das Umweltrecht, noch allgemeiner das Lebensrecht des Menschen und aller Lebewesen auf dieser Erde.

Das vorangehende Zauberwort hieß „Integrierter Pflanzenschutz". Nachdem durch diesen „Schutz" —als eine Art „Eigenweltschutz"— schon fast die Hälfte aller Pflanzenarten ausgerottet worden war, so daß der „Schutz" allzu anrüchig wurde und man langsam einen diametralen Gegensatz zum Umweltschutz feststellte, wurde das neue Zauberwort „Pflanzenbau" unter die Massen ausgestreut. Eignet es sich psychologisch besser? Auch für mancherlei Manipulierung?

Die Grundfrage lautet bei beiden Zauberworten aus der Hexenküche der modernen Chemie: Kann man gut und ungut integrieren?

Wie könnte man Wahrheit und Unwahrheit integrieren? Wie Harmonie und Disharmonie? Könnte das eine Harmonie ergeben? Eine Wahrheit und also ein Leben? Oder kann das nur einen innerlich stets faulen Kompromiß ergeben? Und also eine Störung und Zerstörung des Lebens?

Man kann „Gut und Gift" nicht integrieren, nämlich wesenhaft zu etwas Gutem vereinigen. Das lehrt Paracelsus auf Tausenden von Seiten immer erneut. Und das weiß jeder Kulturmensch, also jeder auf das Einmaleins des Lebens zurechnungsfähige und zurechnende Mensch. Man kann Gut und Gift so wenig integrieren wie eine richtige und eine falsche Rechnung. Wer mit einer solchen Rechnung eine Brücke für das Leben bauen will, der bricht mit dieser Brücke ein, wird von ihr erschlagen und bringt zudem noch andere mit um.

Der „integrierte Pflanzenbau" ist also eine falsche, lebensfremde und lebenswidrige Rechnung gleich wie der „integrierte Pflanzenschutz".

Paracelsus, dieser anerkannte Meister des gesunden Lebens, der Heilung des kranken Lebens und zugleich Begründer der bio-logischen Chemie lehrt ganz klar: Nun hat da der Arzt nichts anderes zu tun als Gut und Gift zu scheiden und das Gute zu nehmen und das Gift nicht.—

Der Landwirt ist der Arzt des Landes, seines Lebens. Denn das Land dieser Welt ist krank. Das beweisen nicht nur alle Schädlinge, sondern auch alle anderen Disharmonien in der Natur, alle Mängel und Fehler in den vier Elementen Erde, Wasser, Luft und Feuer, alle Wüsten, alle Pflanzenkrankheiten usf. Es bleibt also bei dem, was alle Religionen und Kulturen der Menschheit einmütig lehren und erfolgreich praktizieren: Die Befreiungsarbeit und also Heilarbeit des Menschen auf dieser Erde besteht im Grunde in der Befreiung der Erde bzw. Natur von allem Unreinen, von allem Unguten, Unlebendigen und Giftigen. Das Befreiungsrecht und diese Befreiungspflicht des Menschen an der Natur dieser Welt, bei der Natur des Erdenmenschen selber angefangen, ist kompromißlos. Es ist prinzipienklar und daher urgesetzlich geordnet.

Alle Integration mit dem Teufel ist also des Teufels!

Und ist manche Kompromißtheorie nicht eine Tarntheorie zum Selbst- und Mitbetrug? Kann unter ihrer Decke die Erde und also das Leben des Menschen nicht noch immer ärger vergiftet werden? Die Produktion der Gifte —Sevesogifte!— steigt doch bei dieser Theorie in der Tat immer noch mehr an! Subjektiv theoretisch wird als Leitwort ausgegeben: So viel Natur (Gut und Leben) wie möglich. So viel Gift nur wie nötig! Die Praxis dieses angeblichen Leitwortes, das nach immer weniger Gift klingt, ist jedoch: Immer mehr Gift! —Also ein täuschendes Wort? Oder ein täuschender Umgang mit diesem in die richtige Richtung weisenden Wort?—

Doch zur Grundfrage: Was heißt „So viel Natur wie möglich"? Wem wäre denn die ganze Natur nicht möglich? Und warum nicht? Ist der in seiner leiblichen Natur doch zur Gänze natürliche Mensch in seinem Geistesleben am Ende der Neuzeit steigend naturwidrig, lebenswidrig geworden? Hat das was mit der Weltanschauung zu tun? Mit dem Materialismus und Mechanizismus, dem Quantismus? Mit dieser radikal lebensfremden und radikal lebenswidrigen und täuschenden Weltanschauung?

Kein Gift ist nötig, um zu leben und gar noch, um in einer Lebensnot wieder zum Leben zu gelangen. Gift vergiftet! Immer und ausnahmslos! Und das ruiniert das Leben. Immer und ausnahmslos!

Ist also manche Theorie kriminell oder ganz normaler Wahnsinn? Oder beides integriert? Ist diese Integration in den faulen Kompromissen nicht heutzutage schon oder noch immer ganz normal?

Aber hier ist ein großer Einwand zu erheben, sogar ein doppelter:

Die Integration dieser Welt

Ist nicht diese ganze Welt, der Kosmos, eine wenn auch relative Integration von Licht und Finsternis, von gut und böse in uns, von Wachen und Schlafen? Sie ist es doch tatsächlich unbezweifelbar! Aber wenn das Licht in die Finsternis scheint, so ergibt sich nur eine elende und vergängliche „Integration", eine Scheinintegration! Denn diese besteht nur aus einer im Grunde unvereinbaren Mischung. Eine solche Mischung hat einen Anfang in der Zeit und ein Ende in ihr, wie auch unser Erdenleben in unserem Erdenleib. Das sollte man nie vergessen.

Der Herr dieser Mischung ist der „Fürst dieser Welt". Und seine wenn auch vergängliche Herrschaft ist zu überwinden. Auch das sollte man nie vergessen.

Die beschränkte und im Grunde faule Herrschaft über all diese Mischungen von gut und ungut, von Licht und Finsternis ist zu überwinden, zuerst im eigenen Herzen und dann in „jeder menschlichen Gemeinschaft" und in allen Lebensbereichen, bei der Erde unter unseren Füßen angefangen. Andernfalls kann kein Friede in Gerechtigkeit werden, kein Friede mit der Natur in uns und um uns, kein Friede mit dem Menschen, kein Friede mit Gott. Sondern das Ende ist der Todesfriede! Der Friedhofsfriede!

Die Überbrückung einer Lebensgefahr

Der zweite Einwand: Wenn ein Mensch lebensgefährlich krank ist, und der Arzt hat kein anderes lebensrettendes Mittel zur Hand als ein Gift, das —wie bei einem Kreislaufschock— den Übergang zur lebensgerechten Behandlung bewirken kann, dann ist er verpflichtet, dieses Gift zu gebrauchen. So argumentiert dann der Chemiker. Doch er argumentiert nur zur Hälfte. Denn der Arzt ist verpflichtet, auch hier auf das Ganze zu sehen. Er ist dann verpflichtet, so argumentiert der Chemiker, integriert „biologisch-chemisch" zu handeln. Das ist ein drittes Zauberwort! Wie legt es jedoch der Arzt aus? Der echte Arzt, der Paracelsus folgt, geht mit dieser Giftanwendung zugleich die Verpflichtung ein, nach Überwindung der akuten Not das Gift aus dem Organismus wieder auszuscheiden. Versäumt er diese Befreiung vom Gift, so liegt Kurpfuscherei bzw. prinzipiell ein schwerer —rechtsprinzipiell strafbarer!— Kunstfehler vor! Dieser zieht in der Regel weitere gleiche und also insgesamt noch schwerere Kunstfehler nach sich. Das nennt man dann Allopathie oder die Teufel-Beelzebub-Medizin.

Ist nun die Ernährung der Industriegesellschaft und Weltbevölkerung nicht in einem Schockzustand bzw. lebensgefährlichen Mangelzustand, daß die „integrierte" „biologisch-chemische" Behandlung der Böden erforderlich ist, um die Ernährung sicherzustellen?

Nein! Denn es wird in einem grassen Überfluß produziert und Nahrung ständig sündhaft verschwendet und vernichtet! Und es ist zudem nicht möglich, viele Gifte wie Schwermetallgifte aus dem Boden zu entfernen! Diese Vergiftung ist für menschliches Können irreparabel, wie vielfältig nachgewiesen ist und auch ökonomisch verständlich ist. Niemand könnte eine solche Entgiftung bezahlen. Die regelmäßige Behandlung des Bodens mit Giften wie synthetischen Düngemitteln, Pflanzen- und Schädlingsgiften, diese schon erkannte und amtlich anerkannte fundamentale Gift-„Belastung" unserer Umwelt ist es also, die in Wirklichkeit die gesunde und ausreichende Ernährung der Menschheit gefährdet und unmöglich macht! Und sie schädigt das gesamte Leben auf dieser Erde! Die Produktion und Verwendung dieser Gifte ist es also, welche durch Umweltvergiftung die Menschheit —auch— in naturale Lebensgefahr bringt! (Vgl. „Dreißig Zentimeter, von denen wir leben" Spiegel 32/84. Und „Spiegel-Buch 56 „Was die Erde befällt... Nach den Wäldern sterben die Menschen")

Zusammengefaßt: Alle drei Zauberworte sind Selbstbetrug und folgend Mitbetrug. Nur das Gute bringt Leben und also Gesundheit. Gift vergiftet und schadet, immer und ausnahmslos. Es bringt Krankheit in allen Lebensbereichen, Elend und Tod, immer und ausnahmslos!

Im Bauwesen der immobilen und mobilen Bauten wird ein „integrierter Hausbau" angestrebt, ebenfalls mit einem rein chemischen oder „integrierten Bautenschutz". Und die heutigen mobilen Bauten, die Autos werden mit immer mehr giftigen Kunststoffen gebaut. Sie vergiften die Insassen des Wagens und zugleich die fernere Umwelt! Auch für diese Mischung von Gut und Gift gilt das, was oben gesagt wurde.

Auch einen integrierten Bodenschutz und Wasserschutz kennen wir schon, im Wasser z. B. mit dem ersten Giftgas der Weltgeschichte, dem Chlor. Wie viel Jahrtausende ist die Menschheit ohne Chlor im Trinkwasser gut ausgekommen! Ohne Not! Wir werden es wieder lernen müssen. Dann werden wir den Boden und das Wasser vielleicht lebensqualifizierter behandeln als je zuvor.

Auch ein integrierter Mundschutz und Intimschutz existiert, —mit Fluor, Formaldehyd und anderen Sevesogiften! Für all das gilt dasselbe. Alle Integra-

tion mit dem Teufel ist des Teufels! Von ihr soll sich der Mensch befreien und zwar mit Hilfe aus dem Reiche des Lichtes.

Zusammenfassung der fünf unteren Menschenrechte

Alle fünf ersten Menschenrechte bilden eine Fünfeinheit. Da der reale Mensch zumindest in einer einzigen Gemeinschaft geboren wird, in der Regel in dreien zugleich, da er darin erzogen wird zum menschenwürdigen Leben und so heranwächst, da er in Raum und Zeit zumindest ein subjektives Leben führt und da er in einer aus Licht und Finsternis gemischten Welt lebt, also mit vielen personalen und naturalen Mängeln und Fehlern, so lebt er genau besehen ständig auf der „Grundlage" (Art. 1 GG) der ganzen Fünfeinheit der fünf unteren Menschenrechte.

Also kann man all diese lückenlos alles Recht begründenden und umfassenden Menschenrechte, die seit jeher und in alle Zukunft „unmittelbar geltendes Recht" (Art. 1 GG) sind, zusammenfassen in einem einzigen fünffachen Grundrecht. Es ist das differenzierte allgemeine Lebensrecht des Menschen. Insbesondere kann man es auch als das allgemeine Gemeinschaftsrecht oder Familienrecht des Menschen in dieser Welt bezeichnen. Auf seiner Grundlage bauen alle folgenden sieben oberen Menschenrechte auf.

Der Mensch hat das Urrecht, die Urpflicht und die Urliebe,
selber, mit jedem und gemeinschaftlich
allseits frei gut zu leben
nach seinem Glauben, was gut ist,
befreiend von aller Not

Die sieben oberen Menschenrechte

Vorwort

Die fünf unteren und die sieben oberen Menschenrechte

Die fünf unteren Menschenrechte bilden eine alles Recht fundamental begründende Fünfeinheit. Sie sind wie eine fünffingrige Hand. Der Daumen ist das Selberlebensrecht mit dem Selbstbestimmungsrecht über das eigene Leben nach dem eigenen guten Glauben, insbesondere nach dem eigenen Befreiungsglauben und somit dem lebensgerechten Entwicklungsglauben samt Zukunftsglauben und Planungsglauben. Man kann auch von dem Wachstumsglauben sprechen, von dem Sozialglauben, von dem Kulturglauben und zuhöchst von dem Religionsglauben, dem Glauben an die gute oder beste oder auch schlechte Gesellschaft und gute oder beste oder auch schlechte Wirtschaft in Zeit und Ewigkeit. Als Fazit von all diesem Glauben ergibt sich, was ein jeder Mensch glaubt, was sein eigener bester Lebensweg ist und was der beste Lebensweg von diesem oder jenem Menschen und dieser oder jener seiner Gesellschaften und Wirtschaften ist.

Mit der Erkenntnis der ersten fünf Menschenrechte wird der Mensch mit mathematischer Sicherheit gerecht handlungsfähig in Raum und Zeit. Er wird also in Raum und Zeit objektiv rechtsmündig und zwar im ganzen Bereich all seines irdischen zwischenmenschlichen Lebens. Welcher Erdenmensch wäre das bisher gewesen?—

Wenn man den Entwicklungsweg der Urrechte und ihrer Gerechtigkeit lebensgerecht und also zugleich mathematologisch weiter geht, so gelangt man zu den sieben oberen Menschenrechten. Sie sind anderwärts dargelegt worden. Daher folgt hier nur ein kurzer Auszug, kurz deswegen, weil er nach der Darlegung des Wesentlichsten eines jeden Menschenrechtes nur die Konsequenzen für das Baurecht des Menschen in Zeit und Raum entfalten will, also für das Biobaurecht auf der Erde und in jedem Haus, in aller Eigenwelt, Mitwelt und Umwelt, in der ganzheitlichen Welt. Man kann noch allgemeiner von dem Bewohnungsrecht im Haus der Erde sprechen. Das wäre die allgemeine Haushaltsrechtslehre, die allgemeine Öko-Logos-Rechtslehre.

Denn all dieses Lebensrecht gründet im Lebensrecht des Menschen und also im Menschenrecht. Im eigenmenschlichen und im zwischenmenschlichen Verhalten ist daher in allen Fragen der Ökologie etc. vom Menschenrecht auszugehen, wenn man auf felsenfest sicherem Rechtsgrund stehen will. Alle anderen Rechtsgründe wie Höchstwerte, Grundwerte, Rassenwerte, Sozialwerte, „Interessen des Volkes“ (die doch Interessen der realen Menschen sind oder irreale individualistische ideologische Überbauten und Interessen von Machtideologien machthabender Subjekte!), Entwicklungswerte und also Zielwerte und Planungen usf. sind persönliche Glaubenssache.

Die sieben oberen Lebensurrechte des Menschen stellen jeweils eine besondere Anwendung der fünf Fundamentrechte dar. Alle fünf unteren Lebensurrechte des Menschen bilden also jeweils die Grundlage jedes einzelnen der sieben oberen Menschenrechte. Diese erhält man somit, wenn man das Wort „leben“ in den fünf fundamentalen Urrechten auf eine der wesentlichsten Sonderformen des menschlichen Lebens anwendet.

Diese folgend beschriebenen sieben Sonderformen des fünfeinheitlichen Urrechtes des Menschen zu leben umfassen erstens oder in der Weiterzählung

6. Das Urrecht des Menschen, staatlich zu leben,
7. Das Urrecht des Menschen, schulisch zu leben,
8. Das Urrecht des Menschen, kirchlich zu leben,
9. Das Urrecht des Menschen, alleinheitlich zu leben,
10. Das Urrecht des Menschen, ehrenhaft zu leben,
11. Das Urrecht des Menschen, gewissenhaft zu leben,
12. Das Urrecht des Menschen, liebevoll zu leben

im Haus dieser Welt und im Haus jeder anderen, persönlich geglaubten oder auch teilweise schon persönlich erfahrenen Welt.

6. Das Staatsrecht des Menschen

Das Menschenrecht zum menschenwürdigen Leben auf dem Lande

Vorbemerkung: Dieses Menschenrecht muß ausführlicher behandelt werden als die folgenden Menschenrechte, weil am Ende der Neuzeit viele Menschen in dem Wahn leben, daß „der“ Staat eine Art übermenschliche und doch zugleich auch menschliche kollektive Superinstitution sei, die über dem realen Menschen schwebe und über ausnahmslos alles menschliche Leben zu verfügen habe. Die von diesem neuzeitlichen Wahn befallenen Menschen in Ost und West, Nord und Süd werden bei einem Widerstand gegen ihren Wahn oft gewalttätig und also terroristisch, nämlich wenn andere Menschen auf der Achtung ihrer Menschenrechte als „Grundlage“ ihres menschenwürdigen Lebens und insbesondere als „Grundlage“ ihrer „menschlichen Gemeinschaften“ wie Landesgemeinschaften mit ihrem Landesrecht bestehen und also auf der „Grundlage ... des Friedens“. Die Staatsterroristen wollen dann —wie Hitler und Stalin— deren Rechte brechen und bei weiterem Widerstand gegen den Bruch ihrer Menschenrechte diese Menschen —also die eigenen Staatsbürger, den Souverän!— auch liquidieren (Vgl. Art. 31 und 37 GG).

Diese objektiv menschenverachtende und geistig verwirrte Staatsvergötzung, diese moderne Tyrannei von Bürgern, Politikern, staatlichen Gesetzgebern, Richtern und Verwaltern, sogar von Lehrern und Theologen hindert am Ende der Neuzeit sehr wirksam die Achtung der Menschenrechte, verletzt ständig den gerechten Frieden und führt so zu einem unaufhörlichen Streit wie als Ost-West-Streit, Parteienstreit und Arbeitsstreit.

Wenn der Mensch das Menschenrecht hat, zu leben und zwar menschenwürdig zu leben, d. h. allseits frei gut wie sittlich, sozial zu leben nach dem eigenen Gutglauben wie Sozialglauben, was in vielen Staatsverfassungen an erster Stelle anerkannt wird, dann folgen daraus alle Menschenrechte zu den besonderen Lebensformen. Also folgt daraus auch das Menschenrecht, auf dem Lande zu leben. Das ist das Staatsrecht des Menschen.

Speziell folgt daraus das Menschenrecht, gemeinschaftlich auf dem Lande zu leben, also in einer Landesgemeinschaft. Denn der Mensch lebt natürlicherweise gemeinschaftlich, wie das Urbild der Gemeinschaft, die Familie zeigt. Welcher Mensch außer Adam und Eva wäre nicht von menschlichen Eltern geboren und also nicht in einer Familie aufgewachsen! Aber auch Adam hatte schon das angeborene Urrecht, selber —und somit allein— auf dem Lande zu leben, aus dessen Erde er gebildet ist.

Formulieren wir das Staatsmenschenrecht des realen Menschen in aller Kürze:

**Der Mensch hat das Menschenrecht,
allseits frei gut staatlich zu leben**

Wenn der Mensch dieses Menschenrecht nicht hätte, mit welchem Recht dürfte er dann staatlich leben? Und von welcher realen Größe könnte er dann sein Staatslebensrecht verliehen erhalten? —

Es kann also unter Menschen niemand anderes ein Staatsrecht haben als der Mensch! Der reale individuelle Mensch! Deshalb und aus keinem anderen Grund ist die „Grundlage" des Staatsrechtes des Menschen das „Menschenrecht" (Art. 1 GG). Daraus ergibt sich klar und bestimmt auch die Grenze alles Staatsrechtes.

Aus dem eben formulierten Staatsmenschenrecht, das aus dem allgemeinsten Menschenrecht abgeleitet ist, folgt jedoch auch: Der Mensch hat kein Recht, unfrei staatlich zu leben, nämlich das Lebensrecht und somit Menschenrecht anderer allseits frei nach ihrem guten Glauben lebender Menschen zu brechen und mit Gewalt über sie herzufallen, sie also zu verletzen und zu tyrannisieren. Auch und zuerst dieses Terrorisierungsrecht ist Unrecht! (Vgl. Art. 31 und 37 GG). Jedes solches Terrorisierungsrecht bzw. Unterwerfungsrecht ist Machtrecht und also Antimenschenrecht. Es ist typisches Hitlerrecht.

Und der Mensch hat kein Recht, ungut staatlich zu leben, also wider seinen eigenen Glauben, was wahrhaft gut ist wie sittlich, sozial, wohlig, nützlich usf. Auch hieraus folgt sehr viel. Der Christ beispielsweise darf nicht unchristlich staatlich leben. Hier kann der moderne Christ vom Islam, vom Buddhismus und anderen Hochreligionen lernen.

Personales Leben besteht aus Gesinnen, Gesellen und Wirtschaften. Also hat der Mensch die Menschenrechte dazu, nämlich zum allseits freien guten Gesinnen, Gesellen und Wirtschaften. Also ist die Rechts-„Grundlage" für jegliche menschliche Gesellung auf dem Lande, speziell für jegliche „menschliche Gemeinschaft" auf dem Lande und somit für all deren „Gerechtigkeit" das „Menschenrecht", staatlich frei gut zu gesinnen, staatlich frei gut zu gesellen und staatlich frei gut zu wirtschaften bzw. zu arbeiten (Art. 1 GG). Also kann auch in einer „staatlichen menschlichen Gemeinschaft" (Benda) kein echtes, richtiges, nämlich gerechtes Recht wie Gesetzgebungsrecht, Richtrecht, Verwaltungsrecht, Strafrecht, Polizeirecht, Kriegsrecht, Finanzrecht, Wirtschaftsrecht zum staatlichen Wirtschaften, sowie Denkrecht, Willensrecht und Fühlrecht im staatlichen Bereich usf. existieren, das sich nicht aus der „Grundlage", nämlich dem Menschenrecht des Menschen zum allseits freien guten staatlichen Leben und dieser Menschenpflicht ergibt. Und dieses Menschenrecht eines jeden realen Menschen ist allezeit und überall „unmittelbar geltendes Recht" (Art. 1 GG).

Die staatliche Gesellung des Menschen

Unter dem Wort „Gesellschaft" wird hier realistisch jegliches objektive und subjektive Gesellen des realen Menschen verstanden, also jegliches gesellschaftliche Verhalten. Es wird folglich darunter erstens jedes Selbergesellen verstanden, angefangen bei dem Nurselbergesellen, dem Mitsichselbergesellen, wie es Adam und ein Einsiedler zeigen, zweitens jedes zweivieleinheitliche Gesellen, wie es typisch die Ehe zeigt, und drittens jedes dreialleinheitliche Gesellen, d. i. das gemeinschaftliche Gesellen gemäß dem dritten Menschenrecht. Daraus ergibt sich insbesondere das Menschenrecht und die Menschenpflicht zur staatlichen „menschlichen Gemeinschaft" (Art. 1 GG).

Das Selbstwohl, Mitwohl und Gemeinwohl des Menschen in seinem Staatsleben

Ein weiterer Grund riesiger Verwirrung im staatsrechtlichen Denken des Bürgers, in dem der gesunde Menschenverstand gleich zu regieren hat wie überall anderwo ebenfalls, ist der Nebelkomplex um das Wort „Wohl", insbesondere „Gemeinwohl". Durchlichten wir auch diesen weithin giftigen und höchst streiterfüllten Nebel.

Das Wesen des gesellschaftlichen Verhaltens ist das Wohl, auch genannt Glück, Seligkeit usf. (Vgl. die US-Unabhängigkeitserklärung).

Ein Wohl fühlt man! Oder man glaubt daran, daß man ein zukünftiges Wohl selber fühlen wird und/oder daß es andere fühlen. Wo man ein Unwohl fühlt, dort ist kein Wohl, also auch kein Gemeinwohl.

Was ergibt sich hieraus gemäß der Dreieinheit des Ich-, Du- und Wirlebens des Menschen?

Realistisch ist das Selbstwohl *des realen Menschen von dem* Mitwohl *des realen Menschen und dem* Gemeinschaftswohl *des realen Menschen zu unterscheiden.*

Das Mitwohl ist daher ein Selbstmitwohl. Und das Gemeinschaftswohl bzw. Gemeinwohl ist ein Selbstgemeinwohl des realen Menschen. Denn nur der Mensch selber kann das Wohl leben und erleben und zwar nur in sich selber. Außerhalb des Selberlebens des realen Menschen kann es daher nicht das geringste Gemeinwohl —doch von realen Menschen! Und real erlebt!— geben außer in der irrealen Phantasie eines Subjektivisten wie eines modernen Staatsideologen bzw. Staatstheologen. Diese Phantasie ist ohne Rechts-„Grundlage", ohne Halt und ohne Grenze (Art. 1 GG). Wer so phantasiert, der achtet als Machthaber erfahrungsgemäß prinzipiell keine Rechtsgrenze, sondern sucht seine Macht immer weiter auszudehnen in die Rechte anderer Menschen hinein.

Der reale Mensch ist es also, der das Menchenrecht zu seinem (!) Selbstwohl, zu seinem Mitwohl und zu seinem, ebenfalls real erlebten oder zu erlebenden Gemeinschaftswohl hat! Und er hat die gleiche Menschenpflicht. Im Sonderfall des Staatslebens des Menschen hat also der reale Mensch das Menschenrecht und die Menschenpflicht zu seinem staatlichen Selbstwohl, zu seinem staatlichen Selbstmitwohl und zu seinem staatlichen Selbstgemeinwohl! Jedem das Seine! — Wo also im Leben der „staatlichen menschlichen Gemeinschaft" (Benda) von Gemeinwohl gesprochen wird, aber Mitglieder protestieren, da liegt zweifelsfrei sicher kein Gemeinwohl vor, sondern nur ein Parteiwohl. Auf wessen Kosten?

Gemeinwohl und Gemeingut (bonum commune)

Es sei jedoch darauf hingewiesen, daß unter dem lateinischen Grundbegriff „bonum commune", der die naturrechtliche wie insbesondere staatsrechtliche Diskussion zwei Jahrtausende beherrscht hat, gewaltig viel mehr zu verstehen ist als nur das Wohl, nämlich alles Gute (bonum) des menschlichen Lebens, also die Ganzheit all seiner personalen, kulturellen und naturalen bzw. geistigen, seelischen und leiblichen realen Lebensqualitäten seines Lebens.

Ehre, Wohl und Nutzen des Menschen in seinem Staatsleben

Im objektiven Sinn des Gemeingutes (bonum commune) ist allgemein im realen Menschen die Dreieinheit seines guten Gesinnungslebens von seinem guten Gesellungsleben und seinem guten Wirtschaftsleben zu unterscheiden.

Die Gesinnung, die man auch als Ethik, Recht, Sittlichkeit, Moral usf. bezeichnet, gründet in der Ehre *des Menschen. Also ist hier die* Selbstehre, *die* Mitehre *und die* Gemeinschaftsehre *des realen Menschen zu unterscheiden.*

Gleich so sind in der Gesellung die drei Urformen des Selbstwohles, *des* Mitwohles *und des* Gemeinwohles *des realen Menschen zu unterscheiden.*

Das Wesen der Wirtschaft des Menschen ist, ein Mehr zu erzielen, auch Nutzen oder Gewinn genannt, objektiv und menschenwürdigerweise ein Mehr an Lebensqualitäten in dem realen Leben des realen Menschen. Mit anderen Worten kann man als das Wesen der Wirtschaft das —objektiv— lebensqualifizierte Wachstum bezeichnen. Das ist das menschenwürdigerweise real gute Wachstum des personalen, kulturellen und naturalen Lebens des Menschen.

Folglich ist in dem Wirtschaftsrecht des Menschen sein Menschenrecht zum allseits freien guten Selbstnutzen, *zu solchem* Mitnutzen *und zu solchem* Gemeinnutzen *an Lebensqualitäten zu unterscheiden. Also hat der Mensch insbesondere im staatlichen Leben das Menschenrecht und die Menschenpflicht zum allseits freien guten staatlichen Selbstnutzen, zum allseits freien guten staatlichen Selbstmitnutzen und zum allseits freien guten staatlichen Selbstgemeinnutzen in den Qualitäten seines Lebens.*

Nur an den Geldnutzen bzw. nur an das Kapital denken bei den Worten Nutzen bzw. Gemeinnutz die Proletarier, die entwurzelten Menschen, die ihren gesunden Menschenverstand verloren haben. All ihr Leben dreht sich nur noch um „Das Kapital".—

Ein Nutzen bzw. Mehr, Gewinn außerhalb des realen Lebens des Menschen ist eine irreale Phantasie, gleich wie ein solches Gemeinwohl. Der Mensch hat das Sprachrecht, einen unrechtmäßigen Gewinn als Profit zu bezeichnen. Vorerst hat dieses Wort jedoch einen zweiwertigen Sinn.

Dies zeigt, daß der Mensch nicht nur das Menschenrecht und die Menschenpflicht zum Nutzen in seiner staatlichen menschlichen Gemeinschaft hat, sondern auch zum Nutzen in jeder seiner anderen menschlichen Gemeinschaften wie in seinem Familienleben, in seinem privaten Betriebsleben, in seinem Schulleben, in seinem Kirchenleben usf.

Zusammengefaßt: Gesinnung (Recht, Sittlichkeit, Ethik, Moral), Gesellung (Gesellschaft) und Wirtschaft des Menschen verhalten sich wie Ehre, Wohl und Nutzen des Menschen. *Wer hier nicht klar unterscheidet, der gerät in heillose Verwirrung oder bleibt darin. —*

Vorwegnehmend ist hier auch zu unterscheiden das Selbst-, Mit- und Gemeinwohl eines Menschen in seinem Familienleben, das Selbst-, Mit- und Gemeinwohl desselben Menschen in seinem staatlichen Leben, das Selbst-, Mit- und Gemeinwohl desselben Menschen in seinem schulischen Leben, das Selbst-, Mit- und Gemeinwohl desselben Menschen in seinem kirchlichen Leben und das Selbst-, Mit- und Gemeinwohl desselben Menschen in seinem betrieblichen Leben. Der Mensch ist in jedem Wohlstreben gleichberechtigt.

Das Leben des Menschen auf dem Land ist sein Staatsleben

Was folgt daraus für das Leben des Menschen auf dem Lande? Dieses Leben wird seit über zwei Jahrtausenden auch als politisches Leben bezeichnet, seit wenigen Jahrhunderten auch als staatliches Leben. Seit vielen Jahrtausenden wird es auch als Leben in einem Königreich bezeichnet. Aber diese Bezeichnungen, besonders die neueren seit zwei Jahrtausenden oder gar erst seit einigen Jahrhunderten sind prinzipiell zunächst subjektiv. Nicht auf die subjektive Bezeichnung, sondern allein auf die objektive Sache selber kommt es wissenschaftlich an, hier auf das Selberleben, Selbermitleben und Selbergemeinschaftsleben auf dem Lande bzw. auf der Erde. Die Juristen sprechen hier vom territorialen Leben (terra = Erde, Land).

Auf dem Lande kann der Mensch erstens einzeln allein leben. Das ergibt einen Staat, der aus einem einzigen Menschen besteht. Zweitens kann der Mensch selber mit einem Menschen oder vielen teilweise zusammen leben, wie etwa die Markgenossen, d. h. Landgenossen, im alten Germanien zusammen gelebt haben, gleich wie überall auf der Welt in der älteren Zeit und prinzipiell gleich wie noch heute viele Menschen in dünn besiedelten Gebieten Südamerikas, Afrikas, Asiens, Australiens, Polynesiens usf. tatsächlich leben. Was zu unterscheiden ist von den ideologischen staatsrechtlichen Überbauten der Machthaber in diesen Gebieten. Drittens kann der Mensch auf dem Lande gemeinschaftlich leben. Dann vereinigt eine einzige von Menschen sichtbar geformte Landesgrenze —als Grenze bebauten Landes!— die gemeinschaftlich und also integriert lebenden Menschen. Romulus und Remus haben eine solche Grenze bei der Gründung des Stadtstaates Rom mit dem Pflug gezogen.

Im anfänglichen Miteinander liegt unbebautes Land und also unbesessenes Land, d. h. objektiv Niemandsland zwischen den Eigentumsinseln der Landbebauer wie der Markgenossen. Erst bei einem integrierten Miteinanderleben wie dem ehelichen und familiären Leben auf dem Lande vereinigt hier eine einzige Grenze diese beiden Markgenossen bzw. Landgenossen. Denn dann wird alles Land an der Grenze bebaut. Nur dann liegt ein realer einheitlicher Landbesitz vor und also eine reale territoriale Besitz-Grundlage einer staatlichen menschlichen Gemeinschaft. Andernfalls ergeht man sich in Phantasien bzw. ideologischen Überbauten.

Dieselben Menschen, die hier Markgenossen, d. h. Landgenossen sind, sind mit demselben Recht und also derselben Souveränität anderweitig auch Schulgenossen und Kirchengenossen.

Der Mensch in der Mitte des Staatslebens

Es ist angesichts des höchstgradig verworrenen Staatsdenkens und also auch Staatsrechtsdenkens am Ende der Neuzeit von höchster Wichtigkeit, wenn man wieder zu dem realistischen Staatsdenken mit dem Menschen in der Mitte und als Grundlage gelangen will, daß man auch hier bei der Einsform des Lebens auf dem Lande zu denken beginnt und nicht verwirrt versucht, mit der Zahl Drei anfangen zu rechnen und zu rechten, gar mit einer noch viel höheren Zahl wie mit Massen und Mehrheiten. Das moderne Massendenken bzw. Quantitätsdenken ist subjektivistisch, relativistisch, individualistisch und irreal. Der Massendenker —der Proletarier!— verliert den realen objektiven Gegenstand aus den Augen, in der Physik wie im Staatsdenken, hier den realen Menschen. Wer z. B. „das Volk“ über den realen Menschen stellt, der ist ein Massendenker, zumindest hier ein illusionärer Denker.

Wenn man den Menschen und folglich sein „Menschenrecht“ in der Mitte und daher „als Grundlage“ sieht, als Rechtsgrundlage zu all seinem Rechten bzw. Gesinnen, zu all seinem Gesellen und zu all seinem Wirtschaften bzw. Arbeiten, als „Grundlage jeder menschlichen Gemeinschaft, des Friedens und der Gerechtigkeit“ (Art. 1 GG), dann folgen aus dieser realistischen und allein vernünftigen Grundlage alle Rechte des Menschen unter Menschen. Insbesondere folgen hier alle Rechte des Menchen in seinem eineinheitlichen, zweivieleinheitlichen und dreialleinheitlichen Leben auf dem Lande, alle Menschenrechte und Menschenpflichten zum allseits freien guten Selberleben (Ichleben), Miteinanderleben (Duleben) und Gemeinschaftsleben (Wirleben) auf dem Lande. D. h. es folgen alle Rechte des realen Menschen zum staatlichen bzw. politischen Leben.

Die Gerechtigkeit im Staatsleben des Menschen

Aus dem schon früher dargelegten Wesen der Gerechtigkeit folgt, daß aus den Staatsrechten des Menschen alle Formen der Gerechtigkeit im Staatsleben folgen. Die staatlichen Lebensformen des Menschen bestehen also aus der Gerechtigkeit seiner Urrechte und Urpflichten zum staatlichen Leben bzw. zum allseits freien guten Leben wie Gemeinschaftsleben auf dem Lande.

Da zwischen Menschen nur menschliche Personen Rechte haben, nicht eiserne Zäune, Steine, Kanonen, Bücher oder Paragraphen, so besteht die Gerechtigkeit in ihrer „Grundlage“ in der richtigen, somit geraden Beziehung zwischen den absoluten, unsetzbaren, jeder Willkür unerreichbaren „unverletz-

lichen und unveräußerlichen" Urrechten der Person, speziell den „Menschenrechten". Dies erklärt und bestimmt auch der erste Artikel des bundesdeutschen Grundgesetzes grundlegend für alles Folgende. Alle andere und also nicht in den Personrechten gründende und von diesen ausgehende Gerechtigkeit ist daher ein subjektivistisches, relativistisches, irreales Luftgebilde ohne Grundlage, ohne Mitte, ohne Halt und ohne Grenzen.

Das gilt selbstverständlich für die Rechts-„Grundlage jeder menschlichen Gemeinschaft ... und der (zuerst ihrer) Gerechtigkeit", also auch für das Leben des Menschen in einer menschlichen Gemeinschaft auf dem Lande.

Also ergibt sich alle Gerechtigkeit in den Landesgemeinschaften von der kleinsten Landgemeinde bis zum Weltstaat rational exakt als Rechtswissen aus dem Wissen der Menschenrechte. Was nicht aus dem Rechtswissen der Menschenrechte exakt abzuleiten ist als Recht und Gerechtigkeit, das kann logischerweise nur persönliche Glaubenssache sein, etwa als persönliches Rechtsgefühl und als solches Rechtswollen. Das ist also kein —allgemeingültiges!— Rechtswissen.

Also müssen sich alle Grundlagenbeziehungen (Grundsätze, Axiome) der Gerechtigkeit logisch evident und stringent aus den Urrechten der menschlichen Person, den Menschenrechten zum allseits freien guten Leben ergeben. Sie ergeben sich aus dem allgemeinsten Grundsatz der Gerechtigkeit „Jedem das Seine" (Suum cuique) als ein System, das logisch verbunden lückenlos und widerspruchsfrei alle Grundsätze (Axiome) der Gerechtigkeit ganzheitlich systematisch umfaßt. (Vgl. H. Palm. Die Menschenrechte in christlicher Sicht. Ordo-Verlag Konstanz. 1979. S. 56f.).

Jedem Staatsbürger sein Staatsleben

Daraus folgt allgemein: Jedem Bürger einer Landesgemeinschaft ist das Seine zu lassen, nämlich sein allseits freies gutes Leben auf dem Lande. Es ist ihm sein freies gutes Selberleben, sein freies gutes Miteinanderleben und sein freies gutes Gemeinschaftsleben auf dem Lande zu lassen wie sein Dorfgemeinschaftsleben, dann sein Stadtleben, sein kantonales Leben, sein Teilstaatsleben, sein Unionsleben usf. bis zu seinem ebenso absolut freien und guten Landesleben in einem Weltstaat.

Alles Staatsrecht geht vom Volke der Staatsbürger aus

Der reale Mensch ist es also, der das Staatsrecht hat, nämlich das Menschenrecht zu seinem allseits freien guten Leben auf dem Lande, zu seinem (!) politischen Leben. Er hat das Menschenrecht und die Menschenpflicht zu seinem allseits freien guten staatlichen Gesinnen, zu seinem allseits freien guten staatlichen Gesellen und zu seinem allseits freien guten staatlichen Wirtschaften, wie z. B. mit den Steuergeldern. (Zum Wirtschaftsrecht des Menschen vgl. das fünfte Menschenrecht, speziell im Privatwirtschaftsrecht).

Ein anderes Staatsrecht unter Menschen als das Staatsmenschenrecht des realen Menschen existiert mit absoluter Sicherheit nicht außer als grundlose und haltlose subjektivistische Phantasie, als irrealer ideologischer Überbau!

Niemand anderes als der Mensch kann unter Menschen das Recht zum menschlichen Rechts-, Gesellschafts- und Wirtschafts-Leben auf dem Lande haben. Kein Luftgebilde wie ein über dem Menschen schwebender Staats-, Kollektiv- oder Volks-Leviathan und kein Machthaber aufgrund seiner Macht an Kanonen, Bomben, Polizei usf. kann ein Staatsrecht haben! Das wird im Zeitalter der Demokratie auch angezielt mit Grundsätzen wie „Alle Staatsgewalt geht vom Volke aus" (Art. 20 GG). Das Volk besteht nämlich aus realen Menschen, nicht im Geringsten aus Steinen, Büchern, Stacheldraht, eisernen oder anderen Zäunen usf. und nicht aus einem Luftgebilde. Logischerweise wird daher in vielen staatlichen Grundgesetzen erklärt, daß alle rechtsmäßige Staatsgewalt —wie Gesetzgebungsgewalt, Richtgewalt, Verwaltungsgewalt, Finanzierungsgewalt usf.— von dem „Menschenrecht als Grundlage" (Art. 1 GG) ausgeht. Sie geht also von den realen Menschen aus, welche auf der Grundlage ihrer Menschenrechte, somit aufgrund von ihnen den jeweiligen Staat bilden. Der reale Mensch ist der Souverän und nicht irgend ein ideologischer Überbau!

Formulieren wir daher dieses für den Frieden auf Erden so grundwichtige Menschenrecht klar und bestimmt und sogleich vollständig:

**Der Mensch hat das Urrecht, die Urpflicht und die Urliebe,
selber, mit jedem und gemeinschaftlich
allseits frei gut auf dem Lande (= politisch, territorial) zu leben
nach seinem Glauben, was gut ist,
von der Not politisch befreiend**

Hiermit wird klar erkennbar das fünfeinheitliche fundamentale Menschenrecht auf das staatliche Leben des Menschen angewandt. Wer bei der ungeheuren Verwirrung im staatsrechtlichen Denken in der Agonie der Neuzeit felsenfesten Grund in seinem Rechtsdenken erlangen will, der lese die vorstehenden Absätze mehrmals durch und vollziehe sie konequent in seinem Denken. Er wird es nicht bereuen. Insbesondere wird der Staatsjurist das Chaos seiner radikalen Selbstwidersprüche, abwiegelnd „Normenkollisionen" genannt, überwinden und sich so von diesen vielen menschenunwürdigen, insbesondere staatsunwürdigen Verhältnissen befreien, in denen er bisher „hilflos" und also erbarmenswürdig „gefangen und befangen" ist (Radbruch, Rechtsphilosophie. Stuttgart 1950. S. 175).

Ebenso wird der Schuljurist, soweit er sich mit dem Staatsrecht befaßt —sollte er sich nicht mit dem gleich souveränen Recht des Souveräns Mensch zu „jeder menschlichen Gemeinschaft ... und der Gerechtigkeit" befassen?— das seit einigen Jahrhunderten bejammernswert immer höher ansteigende Chaos im Rechtsdenken für immer überwinden und die Ehre der Rechtswissenschaft wiederherstellen, glänzender denn je.

Das ist die Aufgabe des Staates!

Auch im staatlichen Leben des Menschen steht die Befreiung von aller Not im Vordergrund, modern gesagt die soziale Tätigkeit im guten und weitesten Sinn, zu unterscheiden von der heutigen Pervertierung des Begriffes „sozial". Diese Urpflicht des Menschen ist in dieser Welt allezeit und allerorten akut. Aber sie kann und darf in der Landesgemeinschaft nur in deren Rahmen und nur in ihrer Art erfüllt werden. Sie darf also prinzipiell in einer Landesgemeinschaft nicht in der Art der Wissensgemeinschaften und Glaubensgemeinschaften bzw. Schulen und Kirchen zu erfüllen gesucht werden. Mit anderen Worten: Irgend eine menschliche Not kann in der Landesgemeinschaft nur in Übereinstimmung mit den Mitgliedern der Landesgemeinschaft zu überwinden gesucht werden. Wo keine Übereinstimmung besteht wie in der Beurteilung bzw. Bewertung, was eine geistige, seelische oder/und leibliche Not eines Menschen ist und was der beste staatliche Weg aus dieser Not ist, da hat nicht ein Staatsmensch das Nothilferecht und die Nothilfepflicht im Namen der ganzen staatlichen Gemeinschaft. Sondern da hat er nur ein Privatrecht zur Hilfe. Und vielleicht haben andere —je nach Art der Not— das Hilfsrecht und die Hilfspflicht, wie im Bereich des Wissens die Schule und im Bereich des Glaubens die Kirche.

Was folgt daraus allgemein und speziell für das Ökorecht bzw. Haushaltslebensrecht des Menschen, d. h. für sein Bebauungs- und Bewohnungsrecht, für sein gesamtes Eigenwelt-, Mitwelt- und Umweltrecht?

Die reale zentrale Staatsperson hat mit ihrer Regierung und zusammen zunächst mit ihrer Volksvertretung bemüht zu sein, die Qualität des Lebens auf dem Lande in ihrer Landesgemeinschaft ständig zu verbessern. Hierbei hat sie ebenfalls gemäß dem Befreiungsrecht und seiner Pflicht (Subsiduumpflicht) im brüderlichen staatlichen Zusammenleben auch den anderen Landesgemeinschaften neben, über und unter sich zu helfen, die personale, kulturelle und naturale Lebensqualität des menschlichen Lebens auf dem Lande zu verbessern. So ist das Waldsterben bzw. das Erdsterben, das Pflanzensterben, das Tiersterben und folgend Menschensterben eine erste Aufgabe der Landesgemeinschaft zur Nothilfe.

Hinzu hat die Landesgemeinschaft brüderlich auch den freien Schulen und den Kirchen bei der von allen Übeln befreienden Verbesserung des menschlichen Lebens nach ihrer Art zur Seite zu stehen, wie diese gleicherweise die umgekehrte Pflicht nach ihrer Art haben, also der Landesgemeinschaft in Wissensfragen und Glaubensfragen zu Hilfe zu kommen.

Zuerst ist stets die Qualität des ethischen bzw. rechtlichen Lebens im Allgemeinen und insbesondere im Landesleben bzw. staatlichen Leben zu verbessern, wie durch die klare und bestimmte Lehre, Erkenntnis, Formulierung und Anerkennung der Menschenrechte als Grundlage jeder menschlichen Gemeinschaft, des Friedens und der Gerechtigkeit in allen Lebensbereichen. Hier besteht die große Aufgabe der staatsbürgerlichen Erziehung. Ihr erstes Ziel ist die staatliche bzw. politische Mündigkeit des Menschen, also die exakte und systematisch vollständige und einheitliche Kenntnis der ganzen „Grundlage jeder menschlichen Gemeinschaft, des Friedens und der Gerechtigkeit“ und die Einübung des richtigen Umganges mit den ganzen Menschenrechten.

Dann ist die Qualität des gesellschaftlichen Lebens auf dem Lande zu verbessern wie in der klaren und bestimmten Erkenntnis, Formulierung und Anerkennung der —den Menschenrechten analogen— Urformeln alles gesellenden Lebens des Menschen. Hier sind die gesellschaftlichen Tugenden wie Anstand, Brüderlichkeit, Hilfsbereitschaft usf. zu verbessern, die den ethischen Tugenden der Ehrfurcht vor der Menschenwürde, der Wahrhaftigkeit, der Gerechtigkeitsliebe, der Nächstenliebe und Gottesliebe entsprechen.

Und schließlich ist, den eben genannten Verbesserungen folgend und aus ihnen hervorgehend auch die Qualität des wirtschaftlichen Lebens auf dem Lande zu verbessern, dies ebenfalls zuerst in der klaren und bestimmten Erkenntnis, Formulierung und Anerkennung der Urformeln des wirtschaftlichen Lebens überhaupt und speziell des wirtschaftlichen Lebens auf dem Lande.

All diese Befreiungsarbeit sollte in allseits freier guter Zusammenarbeit mit den beiden anderen großen menschlichen Gemeinschaften geleistet werden, mit den gleich souveränen Schulen der Wissenschaft und den gleich souveränen Glaubensgemeinschaften bzw. Kirchen, genauer mit allen freien Schulen und allen Kirchen, die gemäß dem Schulrecht des Menschen und dem Kirchenrecht des Menschen in den Bürgern des Landes leben.

Es ist zuerst den Nächsten zu helfen gemäß der Nächstenpflicht und dem Nächstenrecht. Denn wer zu einer ferneren notleidenden Person läuft und also eine nähere notleidende Person übergeht, der verschwendet seine Lebensenergie zum nutzlosen Laufen und verletzt daher objektiv unsozial und unkommun das Lebensnotwehrrecht und seine Pflicht.

Was ergibt sich daraus zunächst für die naturalen Qualitäten im Lebenshaushalt des Menschen?

Zu erkennen und zu lehren ist erstens die Wahrheit von der Lebensqualität überhaupt und von der Praxis im Umgang mit ihr auf dem Lande, weiter von der ganzen pyramidalen Ordnung aller realen Lebensqualitäten.

Die Ordnung der Lebensqualitäten, die in den Hochkulturen im Grunde übereinstimmend gelehrt und praktiziert wird, ist erfahrungsgemäß die wahre Lebensordnung der Natur dieser Welt. Der moderne Quantismus im Untergang des Abendlandes ist dagegen etwas Sinnloses, Wertloses, weil Wertfreies, daher etwas Lebloses, Totes, insgesamt etwas Menschenunwürdiges.

Entsprechend der lebensqualifizierten Lebenswissenschaft und Praxis der Hochkulturen sind positive Staatsgesetze für die Bebauung der Erde zu setzen. Daraus ergibt sich eine objektiv gegründete und vollständige Ordnung des Ökorechtes, also des naturalen Eigenwelt-, Mitwelt- und Umweltrechtes. Daraus ergibt sich die Grundordnung der lebensgerechten, insbesondere menschengerechten giftfreien Landeswirtschaft, zu unterscheiden von der Schulwirtschaft mit dem Wissen und der Glaubenswirtschaft mit den Glaubensgrößen.

Stets ist Sorge zu tragen, daß die Erde von den Landesbürgern allseits frei bebaut werden kann, wie schon bei den Konsequenzen des vierten Menschenrechtes beschrieben. Dann ist Arbeitslosigkeit *überhaupt nicht möglich und auch keine erzwingbare oder unausweichliche* Ausbeutung. *Auch keine* Unterdrükkung *des Menschen auf dem Lande für Machtziele, kapitalistische oder sozialistische Ziele ist mehr möglich, wenn das Staatsrecht des Menschen weltweit geachtet wird und wenn die Bürger vor der Verleihung des aktiven Bürgerrechtes auf die Mündigkeit in der Rechts-„Grundlage jeder menschlichen Gemeinschaft, des Friedens und der Gerechtigkeit" geprüft werden.*

Und wenn die Qualitäten der Substanzen geachtet werden, bei der Qualität von Erde, Wasser, Luft und Feuer angefangen, auch wenn die Qualität der Substanz des Geldes und dessen Blutkreislauf im Wirtschaftsorganismus der Landesgemeinschaft erkannt und geachtet wird, dann ist auch keine Inflation *und* Deflation *mehr möglich. Und es ist keine* krankhafte Konjunkturschwankung *mehr möglich angesichts einer freien Weltwirtschaft. Ernste Konjunkturschwankungen sind nur in einer fundamental unfreien Wirtschaft möglich, nämlich in der Wirtschaft, in der die Bebauung der Erde nicht allseits frei möglich ist. Diese fundamental unfreie Wirtschaft besteht am Ende der Neuzeit in fast allen Staaten der Erde. Auch in einer —anderweitig— staatsterroristischen Wirtschaft, nämlich in einer Tyrannei des Wertglaubens von der Arbeit und des anderen Sozialglaubens oder bei einer gewerkschaftlichen Diktatur der Löhne, so daß ebenfalls keine wirklich freie Marktwirtschaft möglich ist, geschweige eine objektiv soziale Marktwirtschaft, sind große Konjunkturschwankungen möglich. Vor allem aber sind ungesunde Konjunkturschwankungen möglich in einer anarchischen, teilweise ebenfalls staatsterroristischen Wirtschaft wie in einer staatskapitalistischen Monopolwirtschaft unter dem Anschein einer Demokratie, wenn mit einem kranken, gar substanzlosen Geld umgegangen wird und noch mit viel anderen Giften, bei der Vergiftung von Erde, Wasser, Luft und Feuer angefangen. —*

Zusammengefaßt ist der Mensch wirklich im Mittelpunkt des menschlichen Lebens auf dem Lande und also im politischen Leben zu sehen. Das wird zwar in guter Absicht und verbal schon oft und erfreulicherweise immer häufiger und lauter gesagt. Aber diese Worte können erst Leben gewinnen in dem Ausmaß, in dem die leviathanische Staatsvergötzung überwunden wird (Vgl. den Schluß des Kapitels über das neunte Menschenrecht). Erst die klare und bestimmte Erkenntnis der Menschenrechte und Menschenpflichten als der „Grundlage ... d e r Gerechtigkeit", somit der ganzen Gerechtigkeit —nicht nur eines Teiles!— und somit aller Rechte und allen Rechtes, insbesondere daraus die Erkenntnis des Staatsrechtes, des Schulrechtes und des Kirchenrechtes des Menschen kann die pathologische Staatsvergötzung überwinden, die unausweichlich zum Terror entweder der Rechtsdiktatur mit irgend einem konservativem bzw. rechtem Glaubensrecht oder der Linksdiktatur des National- und International-Sozialismus mit seinem Glaubensrecht führt.

Sozialismus und Staatsmenschenrecht

Wenn schon bei den heute rechts orientierten Menschen der Begriff des Staatsmenschenrechtes noch nicht geboren oder wieder verloren gegangen ist —weil in den Volksideologien vor lauter Wald der Baum bzw. Mensch nicht mehr gesehen wird, ebenso in der Ideologie von „dem Recht“—, so zeigt der Sozialismus die größte Entfernung vom Staatsmenschenrecht des Menschen und dessen gröbste Verletzungen. Denn das Wesen des Sozialisten ist, sich selber —proletarisch!— über alle „anderen“ zu erheben, indem man sich selber als in allem unfehlbar oder zumindest besser und daher auch besser wissend erklärt, und indem man alle „anderen“ bzw. Andersdenkenden (Andersgutgläubigen, anders gewissenhaft urteilenden Menschen) als Bösewichte und Dumme bzw. Unmündige diskriminiert. Damit erklärt man alles „andere“ Leben als nicht rechtmäßig und so sich selber zur Unterwerfung aller „anderen“, zu deren „Erziehung“ und zu deren Ausbeutung für die eigenen Ziele berechtigt. —

Diese Selbstrechtfertigung der linken, sich selber eindeutig als „sozialistisch“ bezeichnenden und in diesem Wesen auch objektiv übereinstimmenden nationalsozialistischen und internationalsozialistischen Diktaturen bzw. der modernen Tyranneien ist studierenswert.

Dieses System der linken Diktatur hat nicht nur Solschenizyn oft und eingehend beschrieben, sondern auch Dietrich von Hildebrandt (Vgl. „Die Menschheit am Scheideweg“, Regensburg 1955. S. 233f.)!

Es dreht sich hier im Grunde alles um die Frage, wer mündig ist! Der Proletarier ist nach Karl Marx der total entwurzelte, also ohne menschenwürdige Grundlage denkende, wollende und fühlende Mensch, somit der total unmündige Mensch. Der Proletarier bzw. der Sozialist, der Extremist, der Terrorist —fast alle Terroristen bezeichnen sich als Sozialisten!— ist der Mensch, der die Wurde der Person nicht mehr begreift, der den anderen Menschen objektiv wie das Vieh behandelt, nämlich wenn er einen anderen Sozialglauben hat. Was schon Rousseau praktizierte. Daher ist die Mündigkeitslehre und Mündigkeitsprüfung vor einer Verleihung eines Wahlrechtes in einer Gemeinschaft von fundamentaler Bedeutung für den Frieden und die Gerechtigkeit in dieser Gemeinschaft und für den gerechten sicheren Frieden in der ganzen Welt.

Wenn die Proletarier —sehr zu unterscheiden von den Armen und Unterdrückten!— sich erheben in dem Staat, gleich so in Schule und Kirche, dann herrschen Verwirrung, Unterdrückung —zuerst die geistige Unterdrückung— und Furcht im Lande. Die Erde wird vergiftet werden und ihre guten Früchte nicht mehr geben.

Zusammengefaßt: Die Extremform des Liberalismus und Kapitalismus als Sucht nach der Kapitalbeherrschung, zudem mit der Überheblichkeit und dem Trieb, einen Glaubenszwang auf alle anderen Menschen auszuüben im Sozialglauben und folgend in ihrem staatlichen Handeln, nennt sich Sozialismus. Auch der Internationalsozialismus ist objektiv stets ein extrem überheblicher nationali-

stischer und egozentrischer Sozialismus, also im Sinne des Wortes ein National-Sozialismus.

Sozialisten sind wir alle, sagt Hayek. Alle die Tendenzen, über die anderen und deren Eigentum bzw. Kapital und deren Leben diktatorisch dirigistisch zu bestimmen, sind sozialistisch, auch typisch deutsch. Wäre die moderne Demokratie nicht sozialistisch? Der Grundsatz dieses Verhaltens ist: Was Dein ist, das ist mein. Darüber habe zuerst ich —Machthaber— zu bestimmen. Und was mein ist, das geht Dich garnichts an! Du hast darüber garnichts zu bestimmen. — Ist das nicht moderne Tyrannei und Sklaverei? Ist das nicht objektiv ein Asozialismus? Denn zeigt sich hier nicht eine Feindseligkeit gegen alle anderen Menschen und eine Aggression gegen sie, wie C. F. von Weizsäcker erklärt? Jeder Mensch aber ist anders. Also ist der Sozialist —bei aller zu ehrenden subjektiven Gutwilligkeit— objektiv der totale und immerwährende Angriffskrieger, der totale und immerwährende Unterdrücker und Ausbeuter! Und Sozialisten sind wir —nach Hayek— heute alle!

Erst die Erkenntnis der Menschenrechte, insbesondere des Glaubensfreigutlebensrechtes, als Grundlage auch der staatlichen menschlichen Gemeinschaft und des Privatlebensrechtes des Menschen als Urgleichgewicht zu dem Gemeinschaftslebensrecht des —selben!— Menschen kann daher den Weg frei machen zu einem wirklich menschenwürdigen, nämlich allseits freien und guten Staatsleben des Menschen. Das will das bundesdeutsche Grundgesetz mit Artikel Eins sagen, in dem es „das Menschenrecht als Grundlage jeder menschlichen Gemeinschaft, des Friedens und der Gerechtigkeit in der Welt" erklärt und „als unmittelbar geltendes Recht" anerkennt. Was also vorstehend als Selbstverständlichkeit und daraus exakt logisch folgend erklärt wurde, insbesondere gemäß der Goldenen Regel, das ist seit jeher in der Weltgeschichte und an allen Orten legitim unmittelbar geltendes Recht! Und das lehrten und praktizierten alle Staatsgründer der Weltgeschichte! Zudem ergibt sich dies aus der Goldenen Regel (Mt 7,12). Kein Staat, insbesondere kein revolutionärer bzw. moderner Staat zeigt eine andere Gründung! Dieses Menschenrecht aber gilt allezeit. Seine Erkenntnis darf man sich nicht durch eine Volksideologie und solche Staatsrechtsideologie vernebeln lassen, in der man vor lauter Wald den Baum nicht mehr sieht.

Erst wenn der Mensch in der Mitte alles menschlichen Lebens realistisch gesehen und also die Menschenrechte klar und bestimmt erkannt und anerkannt werden von allen zurechnungsfähigen und zurechnungswilligen Menschen, dann erst kann der im Untergang des alten Abendlandes und Morgenlandes endlos gewordene Streit fast aller mit allen über die rechten Formen jeder menschlichen Gemeinschaft, des Friedens und der Gerechtigkeit in der Welt enden wie der typische Streit über das beste Recht —insbesondere im Staat, aber oft nur hier gesehen—, folgend die beste Gesellschaft und die beste Wirtschaft!

Den Menschen mit seinen Menschenrechten zu allem menschenwürdigen Leben in der Mitte des menschlichen Lebens erkennen kann jedoch nur der-

jenige Mensch, der in der Mitte des Menschen Gott erkennt, nach dessen Bild und Gleichnis der Erdenmensch in seinem wahren, derzeit unsichtbaren Wesen gebildet worden ist. Wenn man also nicht das objektiv höchste und allgemeinste Gut, das höchste Selbst erkennt im „Himmelreich in uns", dann entartet das subjektiv freie Leben des Menschen in den Gesellschaften Ehe, Familie und Betrieb, Staat, Schule und Kirche, sowie in den anderen Gesellschaften in ein Chaos von unguten, unobjektiven, auch substanzlosen Subjektivismen und Relativismen wie von Volksrechten, Massen- und Mehrheitsrechten, in ein lebensfremdes und dann unausweichlich lebenswidriges Leben. Es entartet in die bewußte, halb bewußte oder unbewußte Feindschaft gegen Gott, Mensch und Natur und also zum vollständigen Selbstmordprogramm. Dieses Mordprogramm kann in einem alles verheerenden Weltkrieg enden. Das Lebensprogramm des Menschen aber gründet auch in dem Landesleben des Menschen auf dem höchsten Gut, auf Gott. Was auch viele Staatsregierungen erklären, etwa in der Bundesrepublik Deutschland und in der Schweiz in den Verfassungen.

„Tut meine Gebote und haltet meine Rechte und erfüllet sie, damit ihr ohne Furcht im Lande wohnen könnt und die Erde auch ihre Früchte gebe, die ihr esset bis zur Sättigung, und ihr brauchet keine Unterdrückung zu befürchten." (3. Mos. 25, 18—19).

7. Das Schulrecht des Menschen

Das Menschenrecht zum menschenwürdigen schulischen Leben

Der Mensch ist in seinen Menschenrechten souverän, d.h. Herr seines Rechtes (sui juris), nämlich Herr seines Selberbestimmungsrechtes über sein Leben. Derselbe Mensch kann daher mit seiner selben Souveränität zum Selberleben —jede andere und also nicht real menschliche Souveränität im Namen von realen Menschen ist schlimme Phantasie— nicht nur staatlich leben, sondern auch schulisch. Menschenwürdig schulisch leben heißt hier, die Wahrheit —die etwas Gutes ist!— als Wissen zu erforschen (studieren, suchen, erwerben, erlangen), zu wahren und zu lehren. Menschenwürdig im Wissen leben heißt insbesondere, entsprechend gesinnen, gesellen und wirtschaften, also der Wahrheit und ihrer Suche, Wahrung und Lehre entsprechende Gesetze setzen für sein ganzes Leben in allem Ichleben, Duleben und Wirleben, entsprechend richten und verwalten. Menschenwürdig im Wissen leben heißt somit, in der eigenen Schulgemeinschaft der Wahrheit leben, aus, mit und in der Wahrheit Gesetze setzen, richten und verwalten.

Also kann ein Mensch mit derselben allgemeinen menschlichen Souveränität, mit und in der er sein staatliches Leben entfaltet, zugleich auch sein schulisches Leben entfalten. Was der Mensch allseits frei gut tun kann, das darf er tun. Also hat der Mensch das Menschenrecht, selber eine Schule zu bilden oder sich mit anderen Menschen in einer Schule des Wissens zu vereinigen zum Miteinanderleben im Wissen und zum Gemeinschaftsleben darin. Er entfaltet dann allseits frei gut sein eigenes, zuerst geistiges Leben, um auf allgemein gleichen Wegen, mit gleichen Methoden und Mitteln die Wahrheit als Wissen zu erforschen, zu wahren und zu lehren. So bildet der Mensch entweder nur selber, oder auch mit anderen und auch gemeinschaftlich eine Schule.

Unter Schule wird hier somit die menschliche Institution zur Erforschung, Wahrung und Lehre der Wahrheit als Wissen verstanden.

Also folgt aus dem fünfeinheitlichen Menschenrecht insbesondere das siebte Menschenrecht, das Schulrecht des Menschen:

Der Mensch hat das Urrecht, die Urpflicht und die Urliebe,
selber, mit jedem und gemeinschaftlich
allseits frei gut schulisch zu leben
nach seinem Glauben, was gut ist,
von der Not schulisch befreiend

Nach seinem Glauben, was gutes Wissen ist, was dazu gute Motive und Ziele sind, sowie was gute Wege, gute Methoden und gute Mittel dazu sind, bestimmt hier der Mensch allseits frei sein eigenes Leben. Es besteht aus schulischem Selberleben, Miteinanderleben und Gemeinschaftsleben

Auch hier steht die Befreiung im Vordergrund, jetzt als Befreiung durch die Erforschung, Wahrung und Lehre der Wahrheit als Wissen. Das allseits freie Geben und Nehmen von wahren und somit guten Informationen ist also Menschenrecht. Nicht von anderen Informationen! Keine andere Erforschung, Aufbewahrung und Lehre von Wissen ist Recht! Ungutes Wissen ist Unrecht! Oder das Freiheitsrecht im Menschenrecht wird mißverstanden oder mißbraucht.

Ungutes zu wissen bzw. zu denken ist Unrecht! Gleich Unrecht wie Ungutes zu wollen oder zu fühlen! Wer Ungutes jedoch auf dem Grunde und also im Rahmen des Befreiungsrechtes denkt und weiß, wie etwa der Arzt, also von den Motiven und Zielen der Befreiung beherrscht, der hat im Ganzen kein ungutes Wissen. In dieser Form weiß Gott das Ungute (Gen. 3,5 u. 23).

Daraus folgt für das siebte Menschenrecht:

Vom Baum der Erkenntnis sollen wir kein Wissen stehlen, wie das siebte Gebot Gottes im Allgemeinen klärt. Wir dürfen ein Wissen nicht wider den Willen des Ureigentümers alles Wissens erlangen. Wir sollen also das Wissen ehrlich erwerben, aus guten Motiven, auf guten Wegen, mit guten Methoden und guten Mitteln zu guten Zielen, und also auch stets allseits frei. Das höchste Ziel ist, die Wahrheit von dem Gut aller Güter, dem höchsten Gut so weit wie möglich zu erkennen auf dem Wege des geistigen Lebens. Und dieses Gut sollen wir auch lieben. Denn es ist unsere angeborene wahre Liebe.

Das nächste Ziel der Wissenschaft ist, die Raumzeitwelt zu erforschen und zwar in der überzeitlichen Ordnung ihres Lebens, wie dies schon Pythagoras, der Urvater der abendländischen Wissenschaft erklärt, dann Platon und der den Ehrentitel „Vater der (abendländischen) Wissenschaft“ tragende Aristoteles.

Das Totengerippe der Quantitäten des Kosmos zu erforschen, der Quantitäten von Zeit und Raum, ihrer Relativitäten und ihrer Mechanik, das ist kein menschenwürdiger Gegenstand der Wissenschaft. Das ist Aufgabe der Handwerkor, dcr Techniker.

In der Welt von Zeit und Raum ist alles relativ, wie Einstein gelehrt hat, nämlich relativ im Verhältnis zu den Substanzen des Lebens, zu den realen Lebensqualitäten. Diese sind Feldeinheiten. Sie sind also der Hauptgegenstand der Wissenschaft, auch wenn sie im zwischenmenschlichen Verhältnis als Qualitäten gleichsam nur wissenschaftlich eingekreist werden können. Aber sie gründen in der absoluten und daher wie das 1×1 überzeitlichen und unveränderlichen Seinsordnung. Diese allein ist würdiger Gegenstand des echten Gelehrten.

Erst in ihrem Bezug zu den erkannten Qualitäten gewinnt eine Erforschung von Quantitäten objektiven Wert, nämlich einen Lebenswert.

Also ist es nächste Aufgabe der Wissenschaft, die Ordnung der Lebensqualitäten —eine höchst allgemeine Lebensqualität ist die Person als Person— in ihren Prinzipien, Gesetzen und Typen zu erforschen, zu wahren und zu lehren, die Wege des geistigen, seelischen und leiblichen Lebens, seine Methoden und Mittel im Reiche der Person, der Kultur und der Natur zu erforschen, zu wahren und zu lehren, um so alle Unwissenheit im Leben und alle Irrtümer über das Leben in dieser Welt und dann auch in jener Welt zu überwinden.

8. Das Kirchenrecht des Menschen

Das Menschenrecht zum menschenwürdigen kirchlichen Leben

Derselbe Mensch kann aus der identischen Souveränität und Majestät seiner Menschenwürde und also seiner Person auch kirchlich allseits frei gut leben, selber, mit jedem und gemeinschaftlich. Also darf er dies! Hier ist der Mensch in seinem eigenen Leben also gleichberechtigt mit seinem anderen eigenen Leben wie seinem staatlichen und schulischen Leben. Nur wenn man schlimme Phantasien konstruiert, nämlich vom realen Menschen abgetrennte leviathanische ideologische Überbauten wie von einem übermenschlichen Staat, wie es am Ende der Neuzeit in Staat, Schule und Kirche —also in dem endneuzeitlichen Menschen!— üblich ist, nur dann verliert man den Blick für die Selbstverständlichkeit derselben Souveränität des Menschen in all seinen Gesellungen, hier also für dieselbe Souveränität des Menschen in seinem staatlichen, in seinem schulischen und in seinem kirchlichen Leben. Nur dann verliert man die fundamentale Erkenntnis von der Gleichberechtigung desselben Menschen in diesen seinen drei Gesellungen und also seinen (!) Gesellschaften.

Zwar kann der Mensch zugleich auch noch mit göttlichen und anderen nichtmenschlichen Personen kirchlich —auch schulisch und staatlich!— leben. Aber ein solches über den Bereich der sichtbaren Menschen hinausgehendes gesellschaftliches Leben ist scharf und vollständig von dem gesellschaftlichen Leben der realen sichtbaren Menschen untereinander zu unterscheiden, welches auch Gegenstand des Wissens der Soziologie ist. Also ist, wie jüngere Päpste, u. a. Joh. Paul II. betonen, in der Kirche die zwischenmenschliche Gesellung und somit diese menschliche kirchliche Gemeinschaft von der gottmenschlichen kirchlichen Gemeinschaft zu unterscheiden. Unterscheiden besagt jedoch nicht trennen! (Vgl. auch das neunte Menschenrecht).

Die Menschen verschiedenen Glaubens haben also untereinander ihre Glaubensvereinigungen (Kirchen, Synagogen, Denominationen, Sekten) als Vereinigungen sichtbarer Menschen in ihrem guten Glauben und somit als Rechtswissen gleichberechtigt zu respektieren. Wie es mit der Goldenen Regel (Mt 7,12) seit Jahrtausenden in den Kulturen der Menschheit gelehrt und praktiziert wird.

Die Menschen, die an Gott glauben, haben ihre verschiedenen Glaubensvereinigungen auch als gottmenschliche Vereinigungen zu respektieren. Aber das ist nur Glaubenssache derjenigen Menschen, die diesen Glauben haben.

Die Menschen, die sich gemäß ihrem Glauben auch noch mit luziferischen Personen oder/und mit leviathanischen Größen wie einem über dem Menschen schwebenden und daher mit Übermenschenrechten ausgestatteten Staat vereinigt wähnen, wie im Nationalsozialismus, im Bolschewismus, in einem modernistischen Naturrecht, in den Gesellschaften der Menschenweisheit usf., dürfen ebenfalls allseits frei nach ihrem Glauben sich menschlich vereinigen. Aber sie haben dieselbe allgemeine und den Frieden in der Welt begründende Würde und dasselbe Glaubensfreigutlebensrecht, das sie für sich selber als Menschen in ihrer Vereinigung beanspruchen, den anderen Menschen auch in all ihren anderen Gesellungen in ihrem anderen guten Glauben zuzuerkennen. Und soweit sie sich stolz und mehr oder weniger offen zu Luzifer bekennen, sollten Christen wissen, mit wem sie es zu tun haben.

Doch fällt ihnen die Erkenntnis der Menschenrechte und deren praktische Anerkennung öfters sehr schwer, da sie sich im Namen ihrer übermenschlichen ideologischen Überbauten mit Übermenschenrechten als Staatsrechten oder/und Kirchenrechten, Kollektivrechten, Hegemonierechten, geisteswissenschaftlichen oder allgemein wissenschaftlichen Rechten usf. ausgestattet glauben und sich so hoch erhaben über den „anderen" Menschen wähnen. Mit dem Aberglauben dieser ihrer leviathanischen Götzen-Rechte wähnen nicht wenige von ihnen, über andere Menschen und also Völker und sogar alle anderen Gemeinschaften auch gewalttätig herrschen zu dürfen. Das ist die Grundideologie der glaubensterroristischen Christen, wie typisch in den gegenseitigen Diskriminierungen und Christenverfolgungen seit fast zweitausend Jahren, und ihnen getreu folgend der National- und International-Sozialisten. Dies erklären nicht nur Solschenizyn, O. Spengler und P. A. Sorokin, sondern auch prominente Christen wie Böckenförde. An dem Wesen dieser Übermenschen wie dieser National- und International-Sozialisten bzw. Kommunisten soll nach deren Meinung die Welt—mehr oder weniger gewalttätig—genesen. Daß dies eine stolze, irre und objektiv graß unsoziale, unbrüderliche, unkommune, undemokratische Selbstüberhebung ist, das erkennen viele Sozialisten bei anderen Sozialisten, so die kommunistischen Sozialisten bei den (anderen) National-Sozialisten, nur nicht bei sich selber. Gott sei Dank erkennen das jetzt mehr und mehr Menschen, die sich als Christen glauben.—

Der Glaube ist stets zuerst etwas Subjektives. Den subjektiv guten Glauben haben alle Subjekte untereinander gleich zu respektieren. Und da der Mensch aus sich selber heraus nichts Ungutes bilden wie unterstellen darf, so ist bis zum Gegenbeweis jeder Glaube unterstellend als guter Glaube zu respektieren. Also ist bis zum Gegenbeweis jede Glaubensgemeinschaft einschließlich der modernen ideologischen wie der vielen tausend, sich so vielfältig widersprechenden sozialistischen Glaubensgemeinschaften zu respektieren erstens ehrend in ihrem jeweiligen persönlichen subjektiv guten Glauben, zweitens sachlich natural, soweit sie allseits frei leben!—

Doch den Aberglauben an übermenschliche und zugleich menschliche Götzen wie einer über dem Menschen schwebenden und zugleich menschlichen Gesellschaft, der sich die realen Menschen zu unterwerfen —von werfen, umwerfen!— hätten, also gegen ihren guten Glauben und gegen ihr Gewissen, solchen Unsinn kann man nur als das respektieren, was er ist. Solcher modernistisch naturrechtliche, national- und international-sozialistische Aberglaube macht unmündig! Solch abergläubische Menschen beanspruchen für sich die Freiheit, die anderen Menschen unfrei zu behandeln. Werden sie jedoch selber unterworfen, dann schreien sie Zeter und Mordio! Solche Rechtslehrer und

Theologen sind daher psychiatrisch zu behandeln gemäß den Gesetzen der Logik und der Medizin.

Also folgt für zurechnende und somit mündige Menschen das achte Menschenrecht, das kirchliche Lebensrecht des Menschen:

**Der Mensch hat das Urrecht, die Urpflicht und die Urliebe,
selber, mit jedem und gemeinschaftlich
allseits frei gut kirchlich zu leben
nach seinem Glauben, was gut ist,
von der Not kirchlich befreiend**

Die größte Sünde —ein Unrecht, wie jedes Unrecht Sünde ist— des gläubigen Menschen, auch des ideologisch gläubigen, somit die größte Verletzung des achten Menschenrechtes hat Gott im achten Gebot genannt, nämlich die Diskriminierung des andersgläubigen Menschen! — Das ist im achten Menschenrecht sorgfältig zu erwägen.

Das offene oder geheime falsche Zeugnis gegen die Andersgläubigen, diese selbst geschaffene ungute Bestimmung ist ein ungeheures Übel. Auch wenn in der eigenen Kirche die nur im Besonderen oder Einzelnen Andersgläubigen diskriminiert werden, bleibt es die Ursünde der Mitglieder der Kirche. Ebenso übel ist es, die Andersgläubigen in den anderen subjektiven Kirchen zu diskriminieren. Dies ist —nach Böckenförde und anderen— das geschichtliche Vorbild der ideologischen Diskriminierung aller Andersdenkenden durch die Sozialisten, wie durch die National- und Inter-National-Sozialisten.

Diese schwere Verletzung der Menschenrechte hat zu den Religionskriegen geführt. Christen haben andersgläubige Christen umgebracht, zuerst in ihrer Ehre. Sie tun es noch heute weithin. Moslems haben andersgläubige Moslems umgebracht. Sie tun es noch heute weithin. Sozialisten haben in ihrer sozialistischen Kirche andergläubige Sozialisten und andere gutgläubige Menschen ihres Glaubens wegen umgebracht, meist eigene Landsleute, bis heute über 200 Millionen Menschen. Sie tun es noch immer.

Und wenn ein Mensch über Lebensqualitäten des menschlichen Lebens und der irdischen Natur anders denkt, also anders glaubt, dann wird er noch heute von so vielen Mitgliedern all der genannten Glaubensvereinigungen bzw. Kirchen diskriminiert.—

Der Mensch hat das Menschenrecht und die Menschenpflicht, nur selber kirchlich zu leben, wenn er in seinem subjektiv guten Grundglauben mit keinem Menschen übereinstimmt. Wenn er mit einem anderen Menschen darin übereinstimmt, dann hat er mit diesem zweieinheitlich kirchlich zu leben. Wo er mit mehr als zwei Menschen in seinem Grundglauben an das wahrhaft gute wie wahrhaft soziale Leben mit allen Personen im Himmel und/oder auf Erden übereinstimmt, dort hat er gemeinschaftlich kirchlich zu leben. Und daraus folgt vieles, nämlich wie in Staat und Schule die dreieinheitliche Amtsordnung von Führen, Vermitteln und Folgen.

Diese oben schon formulierten Amtsrechte kann man auch als Primat, Sekundat und Tertiat bezeichnen. Sie gelten logomathematisch selbstverständlich für ausnahmslos alle Gemeinschaften, bei der kleinsten Familie angefangen. Sie gelten im Himmel und auf Erden, darüber und darunter.

Fast jeder Mensch hat in einer Hinsicht das Primatrecht, in anderer Hinsicht zugleich das Sekundatrecht, in dritter Hinsicht zugleich das Tertiatrecht. Wer einen Superprimat für sich selber beansprucht und irgend einen anderen Primat bekämpft, der widerspricht sich selber und verhält sich mehrfach menschenunwürdig. Er verletzt das Menschenrecht.

Von dem allgemeinen Grundglauben, der die verbindliche Grundlage einer Glaubensgemeinschaft ist, ist der besondere und einzelne Glaube zu unterscheiden. In ihm kann in derselben Glaubensgemeinschaft Verschiedenheit bestehen. Und diese oder jene Glaubensverschiedenheit in dem besonderen und einzelnen Glauben besteht praktisch unter allen Mitgliedern jeder Glaubensgemeinschaft. Die alten und die modernen ideologischen Glaubensterroristen, die noch kein ausreichendes Verständnis für die Gottes- und Menschenwürde haben, für die Freiheit der Person und für das Glaubensfreigutlebensrecht und diese Menschenpflicht, versuchen in ihren Glaubensgemeinschaften auch in dem besonderen und einzelnen Glauben den grob menschenunwürdigen und vor allem gotteswidrigen Glaubenszwang auszuüben.

Alle Kirchen, von der extremsten und chaotischsten Ideologiekirche bis zu den mystischen Kirchen haben in ihren realen Menschen im Verhältnis zu den anderen realen Menschen dieselben Menschenrechte, nämlich als gutgläubige Vereinigungen im Glauben allseits frei leben zu dürfen, also alle Menschen allseits frei subjektiv gut behandeln zu dürfen und zu sollen und von ihnen so behandelt zu werden. Sie sind also alle gleichberechtigt unter Menschen. Das verlangt auch die Goldene Regel, auf der alle Religionen und Kulturen gründen.

Wie die verschiedenen Glaubensgesellschaften vor Gott verschieden berechtigt sind, das ist eine ganz andere Rechtsbeziehung. Wer diese Verschiedenberechtigung, an die er glaubt, nicht von der Gleichberechtigung in den Menschenrechten, die er als mündiger Mensch wissen sollte, unterscheiden will, der will den Glaubensterror, seine Diskriminierungen und seine Glaubenskriege noch immer fortsetzen. Wer das nicht unterscheiden kann, der ist hier noch unmündig. Der erkennt die Menschenrechte noch garnicht. Daher kann auch von einer An-Erkennung der Menschenrechte durch solche Menschen nicht die Rede sein außer im Sinne leerer und belangloser Worte. Solche Kirchenmenschen wenden sich zuweilen sogar offen gegen die Menschenrechte, ohne die echten, Christus gleichförmigen Menschenrechte, aus denen die gesamte christliche Moral und das gesamte gerechte Kirchengesetz der Tradition folgt, von den liberalistischen Menschenrechten zu unterscheiden, mit denen in allen Gemeinschaften bewußt oder unbewußt auch die Revolution gegen alles Gute und gegen alle Ordnung geschürt wird. Das Wenden gegen das Menschenrecht überhaupt ist heute selbstmörderisch und zeigt einen bedenklichen Mangel an Realismus und Rechtsdenken.

9. Das Alleinheitslebensrecht des Menschen

Das Allkommunrecht

Derselbe Mensch ist es, der in Achtung seiner Menschenwürde hier nur selber lebt, dort mit diesem und mit jenem, anderweitig in vielen verschiedenen Gemeinschaften, der in diesen drei Bereichen subjektiv lebt, daher teilweise privat lebt in vielerlei Nebeneinander, in vielerlei Miteinander und in vielen Gemeinschaften, und der sich überall grundlegend um die Befreiung von Mängeln und Fehlern bei sich und den anderen bemüht. Derselbe Mensch ist es insbesondere, der hier auf dem Lande, dort im Wissen und dort im Glauben lebt, der also zugleich in seinem Staat, in seiner Schule und in seiner Kirche lebt. Und überall gesinnt, gesellt und wirtschaftet derselbe eine Mensch. Überall führt derselbe eine Mensch zugleich ein personales Leben, ein kulturelles Leben und ein naturales Leben.

Objektiv kann er in allem vollkommen einheitlich leben. Denn in der Wahrheit, in der Freiheit, im Guten und in der Gerechtigkeit ist alles einig! Doch lebt der Mensch in Raum und Zeit weithin subjektiv, vielleicht in über 99% seiner Vorstellungswelt, weil diese Welt eine Welt der Täuschungen und Irrungen ist, eine falsche und trügerische Welt, eine Maja-Welt. Das erkannten schon die alten Inder. Und das lehren im Abendland die größten Gelehrten, bei Platon angefangen bis zu den modernen Atomphysikern. Beide weisen uns darauf hin, daß wir mit den zwei „blöden Augen" (Paracelsus) nur die Schattenrisse der Dinge sehen. So lebt der Mensch erfahrungsgemäß subjektiv teilweise —privat— gespalten wie teils nur staatlich, teils nur schulisch und teils nur kirchlich. Er lebt teilweise gespalten in seiner Gesinnung, gespalten in seiner Gesellung und gespalten in seiner Wirtschaft bzw. Arbeit. Denn er arbeitet relativ getrennt einerseits für seine Familie, andererseits für seinen Staat, für seine Kirche usf. Auch lebt er als Erdenmensch schon irdisch angeboren teilweise gespalten als Person und als natürlicher Organismus. Denn seine Person beherrscht seinen Organismus nur teilweise.

Diese vielfältigen subjektiven Spaltungen seines Lebens in Raum und Zeit sind gemäß seiner allgemeinen Objektivierungspflicht und gemäß seiner allgemeinen Gemeinschaftslebenspflicht zu überwinden. Also soll ein und derselbe Mensch, der in all diesen verschiedenen Bereichen teilweise nicht übereinstimmend lebt, sich ständig bemühen, zu einem objektiv alleinheitlichen Leben in all seinen Lebensbereichen zu gelangen, zu einem wahrhaft allkommunen Leben. Das ist das Endziel aller großen Religionen, z. B. des Buddhismus, des Islam und des Christentumes, und das Endziel der großen Sozialbewegungen der Menschheit. Aller Totalitarismus ist Ausdruck solch unbewußten Strebens. Dieser goldene Kern ist im National- und International-Sozialismus zu erkennen und auch in allem anderen Messianismus wie so vieler Parteien.

Aus dieser Mathematologik bzw. Mathesis universalis des Lebens folgt das Alleinheitslebensrecht, das neunte Menschenrecht des einen Menschen, der daher in all seinem Leben einig leben kann, darf und soll:

**Der Mensch hat das Urrecht, die Urpflicht und die Urliebe,
selber mit jedem und gemeinschaftlich
allseits frei gut alleinheitlich (allkommun) zu leben
nach seinem Glauben, was gut ist,
von aller Not alleinheitlich befreiend**

Man beachte, daß hier hinter dem Wort „selber“ kein Komma steht.

Hier gewinnen die Worte „mit jedem“ und „gemeinschaftlich“ den weitesten Sinn. „Mit jedem“ besagt hier nicht nur mit jeder —göttlichen, menschlichen und anderen— Person, sondern mit jeder realen Einheit. Und „gemeinschaftlich“ bezieht sich dann auf alle existierenden realen Einheiten, auf alle Lebewesen. Denn nach Paracelsus ist alles lebendig. Auch jeder Kristall, jedes Atom ist eine relativ selbständige, daher sich selber bewegende Lebenseinheit.

Mit anderen Worten: Alles persongerechte und alles naturgerechte Leben des Menschen soll übereinstimmen und also eine vollständige Ganzheit sein.

Die normale und dem dreieinigen Urwesen des Menschen voll entsprechende Grundlage des alleinheitlichen Lebens des Menschen bildet die Dreieinheit des staatlichen, schulischen und kirchlichen Lebens. Denn nach alter Lehre hat der Mensch die drei Urwürden des allgemeinen Priestertumes, des allgemeinen Gelehrtentumes und des allgemeinen Königtumes. Folglich hat er drei dem entsprechende Ureigenschaften und Urfähigkeiten, zu leben, jeweils selber, mit jedem und gemeinschaftlich. Dementsprechend wird in vielen Staatsgrundgesetzen das wissenschaftliche bzw. schulische Leben des realen Menschen, das kirchliche bzw. weltanschauliche, im Glauben gegründete Leben des realen Menschen, das staatliche Leben des realen Menschen und allgemein das freie gute wie sittliche bzw. soziale Leben des Menschen in „jeder menschlichen Gemeinschaft“, bei der kleinen Familie angefangen, als „Menschenrecht“ erkannt und anerkannt (Art. 1 GG und folgend).

In den Kulturvölkern ist auf jedem Dorf die Dreieinheit von Bürgermeister, Lehrer und Pfarrer der Garant des menschenwürdigen und also friedlichen, freien, des gerechten Lebens. So auch sollen Papst, Rektor und König bzw. Präsident einig zusammen leben. In noch weiterer Sicht soll in der Menschheitsfamilie die Gemeinschaft aller subjektiven Kirchen, die Gemeinschaft aller Schulen und die Gemeinschaft aller Staaten gleichberechtigt —nämlich auf ihrer menschenrechtlichen Grundlage der Souveränität des Menschen— menschenwürdig dreialleinheitlich leben. Die Dreieinheit der drei Urgemeinschaften hat schon im hohen Mittelalter Albertus Magnus auf der Universität zu Paris gelehrt. UNO und UNESCO sind neue Vorformen zu dieser dreieinheitlichen Menschheitsfamilie und also zu einer solchen Weltregierung aller drei Urfamilien.

Dann enden die Kriege und die ungeheuren unsozialen Rüstungsausgaben.

Denn auf der klar und bestimmt erkannten, formulierten und anerkannten „Grundlage jeder menschlichen Gemeinschaft, des Friedens und der Gerechtigkeit in der Welt" ist ein Weltgerichtshof mit allen notwendigen Vollmachten möglich, der von allen gutwilligen mündigen Menschen in ihren also mündigen Staaten, Schulen und Kirchen anerkannt wird. Dann herrscht Friede in der Gesinnung, also im Recht, in der Gesellschaft und in der Wirtschaft, in der Weltkultur und im Umgang mit der Natur. Auch ist dann im Verhältnis zur Rüstung in der Agonie der Neuzeit nur noch eine fast verschwindend kleine Weltpolizei erforderlich.

Der Anfang dieses menschenwürdigen Lebens ist die Erkennung und An-Erkennung derselben menschlichen Souveränität und Majestät in der kirchlichen, schulischen und staatlichen Gesellung des Menschen. Daraus ergibt sich ein prinzipiell vom Recht her störungsfreies Gleichgewicht dieser drei Urgemeinschaften. Denn ihre Lebensbereiche sind von Natur aus vollständig unterschieden wie der Glaube, das Wissen und das Land. Es existieren daher bei exakter Unterscheidung ihrer Lebensbereiche keine Reibungsflächen und Kollisionen zwischen ihnen. Im Gegenteil, ihre gleiche Achtung und daraus folgend ihr Gleichgewicht im öffentlichen Leben ist die weitaus größte Sicherung für das allseits freie gute Leben des Menschen auf dieser Erde und also für den Frieden der Menschheit.

Da der moderne Mensch in der Agonie der Neuzeit in einem menschenfernen Staats-, Gesellschafts- und Wirtschaftsdenken ausgesprochen krankhaft illusionär denkt, nämlich staatsvergötzend und in irrealen ideologischen Überbauten, anstatt realistisch den realen Menschen in der Mitte zu sehen, zuerst in der Mitte seines Rechtes, so sei aus dem Kapitel „Weltregierung" eines Buches zitiert:

> *„Die traditionelle Vorstellung von der ... Obergewalt des Staates inmitten nichtstaatlicher Gruppen ist irreführend. Die Tatsachen zeigen, daß der Staat nur eine unter verschiedenen Gruppen ist, daß er ziemlich spät in der menschlichen Geschichte auftritt, daß Gesetze von jeder dieser Gruppen geschaffen werden, oft ohne Erlaubnis oder Billigung von seiten des Staates, daß der Staat weder tatsächlich noch rechtlich die einzige souveräne Gruppe gewesen ist (so war z. B. die mittelalterliche christliche Kirche viel souveräner als der mittelalterliche Staat ... usw."). (P. A. Sorokin. Die Wiederherstellung der Menschenwürde. Frankf./Main, 1952, S. 29. Und: Sorokin. Society, Culture and Personality. New York, 1947, Kap. 10f.)*

Die drei Kronrechte des Menschen

Die ersten neun Menschenrechte umfassen die Grundmündigkeit des Menschen. Die drei Kronrechte oder Kronformen der Ethik umfassen die höhere Mündigkeit des Menschen. Sie beginnen mit der Ehrmündigkeit und führen über die Mündigkeit im Gewissensleben zur Mündigkeit in der wahren Liebe.

Auf den drei Kronrechten gründet das eigentlich menschenwürdige Leben. Denn der Grund der Würde ist die Ehre. Ohne Ehre keine Würde. Das Verantwortungsbewußtsein des Menschen gründet in der Ehre und Gewissenhaftigkeit. Wer sich selber und anderen gegenüber unverantwortlich handelt, gewissenlos, der handelt nicht menschenwürdig.

Wie am Anfang der zwölf Menschenrechte eine Dreieinheit von Urrechten steht, so steht eine ebenfalls höchst wesentliche Dreieinheit von Urrechten am Ende dieses Sternenkranzes. Beide Dreieinheiten sind einander analog. Und sie sind auch analog der in der Mitte des Kranzes stehenden Dreieinheit der drei Urwürden des Menschen und also seiner Urgemeinschaften.

10. Das Ehrenrecht des Menschen

Was ist unter der Ehre zu verstehen?

Als in den vergangenen Jahrhunderten mutige Forscher erstmals fremde Länder betraten und auf noch unbekannte Völker stießen, wie verhielten sie sich da? Sie verbeugten sich vor den fremden Menschen und erwiesen ihnen hiermit Ehre. Denn so wird das Zeichen der Verbeugung in der Menschheit seit jeher begriffen und verstanden.

In der Verbeugung wird dem anderen ohne Worte gezeigt, daß man an seinen guten Willen glaubt. Und darüber hinaus wird ihm gezeigt, daß man den guten Willen an sich hoch achtet. Hiermit gibt man zu erkennen, daß man auch selber den guten Willen hat. Mittelbar gibt man somit zu erkennen, daß man auch selber ein Ehrenmensch ist.

In der Ehrung wird die Majestät der gutwilligen Person anerkannt. Es wird die Hoheit des guten Willens geachtet. Man spricht hier auch von Würdigung, von Respektierung.

Ein wesentlicher Bestandteil des guten Willens ist die Wahrhaftigkeit der Person, ihre Ehr-lichkeit. In der Ehrung eines Menschen erkennt man somit auch an, daß er wahrhaftig ist, also die Wahrheit denkt, will und spricht und also nicht lügt.

In der Ehrerweisung wie durch die Verbeugung gibt man zugleich zu verstehen, daß man die Wahrhaftigkeit an sich schätzt und sich daher auch selber um die Wahrhaftigkeit bemüht, also nicht lügt, nicht heuchelt, sondern auch selber ehr-lich ist. —

Die Ehrerweisung bewährte sich seit jeher in der Weltgeschichte als erste, wichtigste und bleibende Grundlage der Verständigung und des Aufbaues eines friedlichen, menschenwürdigen Miteinanderlebens und Gemeinschaftslebens.

Die Ehrung reicht bis zur Grenze der Person, also bis zur Grenze des Eigentumes. Sie umfaßt somit „alles, was sein ist" (vgl. das Zehnte Gebot). Alles Eigentum wird bis zum Gegenbeweis als ehrlich erworben anerkannt.

Die Grundlage des menschenwürdigen Gemeinschaftslebens ist somit die Respektierung des Selberlebens. Mit anderen Worten ist die Anerkennung des eigenen personalen Lebens des anderen und gleich des eigenen personalen Lebens der ehrenden Person als gut und somit menschenwürdig die ständige Grundlage des menschenwürdigen Miteinander.

Ohne ständige gegenseitige Ehrung fehlt einer Verständigung die menschenwürdige Grundlage. Ohne gegenseitige Ehrung ist daher praktisch kein friedliches Miteinander möglich, auch keine echte Entspannung.

Alle Religionen und Kulturen gründen auf diesem Grundverhalten alles menschenwürdigen Lebens. Die Anrede des anderen Menschen im englischen Parlament und im angloamerikanischen Gerichtswesen ist „Euer Ehren". Im Parlament und im Gericht steht man Menschen gegenüber, die eine wesentlich andere Auffassung davon haben, was im Besonderen und Einzelnen gut und also menschenwürdig ist. Um jedoch diese Verschiedenheit zu klären und um sich menschenwürdig zu einigen mit Hilfe des Wortes, ist es erforderlich, daß man eine gemeinsame Grundlage des menschenwürdigen Lebens hat. Das ist die allgemeine Respektierung des anderen, indem man ihm bis zum Gegenbeweis den guten Willen und somit die Wahrhaftigkeit seiner Worte und seines gesamten weiteren Verhaltens unterstellt und den subjektiv guten Glauben in seiner Rechtsauffassung.

Andernfalls ist kein unmittelbar menschenwürdiger Umgang mit dem Wort und also kein zweiseitig personwürdiges Verhältnis mit dem anderen mehr möglich, sondern nur ein einseitig personwürdiges Verhältnis. Dann ist auch kein zweiseitig menschenwürdiges Nebeneinander mehr möglich. Sondern es ist dann um des Friedens willen nur noch eine Distanz zwischen beiden möglich, so daß keine Berührung erfolgt, wie durch eine Mauer. Dann kann keiner den anderen sehen. Die Mauer ist auch das Prinzip des Privatlebens.

Sämtliche Menschenrechte und genau besehen auch alle Folgerechte lehren, daß alles Leben des Menschen im Allgemeinen ein Selberleben ist. Das gutgläubige Selberleben des realen Menschen und also dessen reale „Menschenwürde" zu ehren ist somit die ständige Grundlage alles menschenwürdigen Miteinanderlebens in „jeder menschlichen Gemeinschaft" (Art. 1 GG).

Das wissen alle Kulturmenschen und somit alle kultivierten Gesellschaften. Sie sind mündig im Ehrenrecht des Menschen. Sie achten das Ehrenrecht als heilig.

Das erste Wort des Christentumes lautete: Ehre sei Gott in der Höhe und Friede den Menschen auf Erden, die guten Willens sind. Wer dieses durch zwei

Jahrtausende geheiligte Wort anerkennt, gar selber ausspricht, der ehrt auch den Menschen, der guten Willens ist. Er ehrt zuerst Gott als den Guten.

Den Modernisten ist jedes deutliche Wort der Hl. Schrift wegen seiner Verbindlichkeit unangenehm. Sie suchen all diese Worte aufzulösen in unverbindliche Gemeinplätze.

Versuchen wir, das zehnte Menschenrecht auch in der mathematologischen Art von Pythagoras zu beleuchten, der das höchste Wissen der vorangehenden Kulturen in die abendländische Kultur übertragen hat. Die Zahl 10 wird aus einer Eins und einer Null gebildet. Die Null kann hier als ein glänzendes Lichtfeld um die Eins gesehen werden, als Offenbarung des Wesens der Eins, nämlich des bewußten wie verantwortungsbewußten, des wahrhaftigen, des guten Grundwesens der Person.

Auch dem Menschen, dem das Wesen der Null als Feldes um die Eins nicht so deutlich erkennbar ist, der weiß aus der Mathematik das Wesen der Null als Verzehnfachung der Eins. Das mag erkennbar machen, daß das zehnte Menschenrecht für alles rechtliche bzw. sittliche, ethische, moralische Leben eine Grundbedeutung wie die Eins hat, das Selberlebensrecht, aber von zehnfacher Stärke. Und diese Verzehnfachung der moralischen Wirkung erstreckt sich auch auf alle vorangehenden neun Menschenrechte, wenn sie in der ehrenhaften Gesinnung der Wahrhaftigkeit und des guten Willens wie der subjektiv guten Absicht betätigt werden. Man kann das Menschenrecht nämlich auch aus Furcht vor Strafe oder aus Eitelkeit nicht verletzen oder um seine Ruhe zu haben oder um den größtmöglichen irdischen Gewinn zu erlangen, also ohne ehrenhafte Gesinnung!

Versuchen wir, noch auf eine dritte Art zum vollen Verständnis des Ehrenrechtes des Menschen zu gelangen.

In dubio pro reo

„In dubio pro reo —Im Zweifel für den Beklagten bzw. Angeklagten“, nämlich zuerst für seine Ehre!— ist ein Grundsatz der Rechtsprechung aller Kulturgemeinschaften, also aller menschenwürdigen Staaten, Schulen und Kirchen, aller menschenwürdigen Familien. Der allgemeine Inhalt dieses Rechtsaxiomes und ersten Grundsatzes alles menschenwürdigen Miteinander bei einer ernsten Meinungsverschiedenheit ist aber nicht nur die Vermutung und Unterstellung eines rechtmäßigen Verhaltens im Sinne der ersten neun Menschenrechte, sondern darüber hinaus vor allem: Bis zum Beweis des nicht ehrenhaften Verhaltens —nämlich des unwahrhaftigen Verhaltens vor sich selber und anderen, des verantwortungslosen Verhaltens, des selbstwidersprüchlichen Verhaltens, des bewußt unguten Verhaltens, des somit menschenunwürdigen Verhaltens— ist jedem Menschen das vollständig menschenwürdige Verhalten zu unterstellen. Das ist das bewußt wahrhaftige, das bewußt gute Verhalten. Es ist dem Menschen also vor allem die Ehre des würdigen Verhaltens zu erweisen. Es ist ihm die Ehre der Wahrhaftigkeit, die Ehre der guten Absicht, also zumindest des

subjektiv guten Verhaltens zu erweisen. Formulieren wir diese Grunderkenntnis als Menschenrecht:

Jedem Menschen ist die Ehre der guten Absicht zu erweisen
bis zum Beweis der unguten Absicht

Oder:

*Jedem Menschen ist bis zum Beweis des Gegenteiles
die Ehre des guten Verhaltens zu erweisen*

Dies ganz allgemein als Menschenrecht formuliert, insbesondere aus dem allgemeinsten Menschenrecht und aus dem Selberlebensrecht abgeleitet:

**Der Mensch hat das Urrecht, die Urpflicht und die Urliebe,
allseits frei gut ehrenhaft zu leben**

Hier kann man anstelle von „allseits frei gut ehrenhaft zu leben" viel kürzer setzen „ehrenhaft zu leben". Denn der Grund des ehrenhaften, also des absichtlich guten Lebens um des Guten willen ist das allseits freie gute Verhalten wie typisch die allseitige Freiheit des Wortes in der Wahrhaftigkeit.

Ein solch ehrenhaftes und also menschenwürdiges Verhalten hat sogar drei Gründe: Erstens um der Ehre und also Menschenwürde des anderen willen. Zweitens um der eigenen Menschenwürde willen. Denn wenn man ein menschenunwürdiges Verhalten des anderen denkt, es aber nicht bewiesen hat, es also nicht aus dem tatsächlichen Verhalten des anderen widerspiegelt, dann muß man diesen menschenunwürdigen unguten Gedanken —und eventuell ein daraus folgendes Wort wie eine Beschuldigung— selber geschaffen haben. Das aber ist menschenunwürdig, also unehrenhaft, also eine Verletzung des Menschenrechtes und der Menschenpflicht, sich allseits frei gut zu verhalten, somit gut zu denken, zu wollen und zu fühlen, gut zu handeln. Das ist also eine Verletzung aller zehn Menschenrechte, sowie der beiden folgenden Kronrechte. Der dritte Grund ist, daß ohne die gegenseitige Ehrung kein menschenwürdiges Miteinander möglich ist. Dieses aber nach Möglichkeit herzustellen ist Menschenrecht und Menschenpflicht.

Denn wenn Menschen sich gegenseitig ohne Beweis beschuldigen, somit diskriminieren, wenn sie sich gegenseitig belügen und unausweichlich folgend dann auch betrügen, wäre das ein menschenwürdiges Verhalten? Wäre dann ein Friede möglich? Dann kommt es unausweichlich auch zur Unterdrückung der anderen und dann folgend zur Ausbeutung der anderen. Wie das in West und Ost, Nord und Süd der Welt bis zum heutigen Tage zu sehen ist.

Der marxistische Sozialist beispielsweise kennt keine Freiheit der Person im Sinne der freien Wahl, folglich auch kein ehrenvolles und schuldhaftes Verhalten. Das zeigt sich auch in seinen Bestrebungen der Rechtspflege deutlich. Er hält deshalb auch die Lüge für erlaubt, wie Lenin ausdrücklich erklärt und wie Hitler und Göbbels unaufhörlich praktiziert haben. Konsequenterweise und erfahrungsgemäß sind dann viele Sozialisten durch und durch verlogen. Sie belügen sich zuerst fortgesetzt selber. Wie wäre mit ihnen ein zweiseitig menschenwürdiges Verhältnis möglich?

Andererseits kämpfen viele Sozialisten besten Willens mit den zahlreichen Selbstwidersprüchen des Marxismus und seinen so häufigen bzw. ständigen Mißerfolgen im realen Leben. Sie suchen wahrhaftig zu leben. Mit ihnen kann man relativ leicht den Weg zum zweiseitig menschenwürdigen Verhalten gehen.

Das Vertragsrecht

Der Vertrag ist eine praktisch höchst lebenswichtige Rechtsform. Er überbrückt die Zeit. Alle vorangehenden Menschenrechte erfaßten nicht eigens die Zeit.

Da das Sein und die Person einheitlich ist, muß auch alles Recht der Person einheitlich sein, was man ganzheitlich nennt und was in der Wissenschaft als System bezeichnet wird. In einer systematischen Rechtslehre muß daher auch das gesamte Vertragsrecht aus der „Grundlage ... der Gerechtigkeit" vollständig abzuleiten sein, also aus dem rechtswissenschaftlich exakt, systematisch geordnet und vollständig formulierten richtigen Menschenrecht.

Was also ist das Wesen des Vertrages und die Grundordnung aller möglichen Verträge?

Ein Vertrag ist erstens in seinem allgemeinen Wesen eine gegenwärtige Selbstbestimmung auf eine zukünftige Selbstbestimmung hin. Der Selbstvertrag besteht nur darin.

Zweitens kann ein Vertrag zwischen zwei Personen abgeschlossen werden. Dann liegt ein Mitvertrag vor. Ein Mitvertrag besteht in einer gegenwärtigen gegenseitigen Selbermitbestimmung zweier Personen auf eine zukünftige gegenseitige Selbermitbestimmung hin.

Drittens besteht ein Vertrag von drei und mehr Personen in einer gegenwärtigen gegenseitigen Selbergemeinschaftsbestimmung auf eine zukünftige gegenseitige Selbergemeinschaftsbestimmung hin. Das ist ein integraler Vertrag, ein solidarischer, ein ganzheitlicher Vertrag.

Jeder Vertrag gründet viertens auf dem gegenwärtigen persönlichen Glauben jedes Vertragspartners an das Gute des Vertrages.

Dieser Glaube kann sich ändern, insbesondere durch zwischenzeitlich erlangtes Wissen, durch höhere Gewalt usf. Dann ändert sich die Vertragsgrundlage. Somit ist dann gewissenhafterweise auch der Vertrag befreiend zu verändern. Dies kann nur, darf nur und soll gemäß dem Befreiungsrecht, d. h. gemäß dem allgemeingültigen Rechtswissen des fünften Menschenrechtes geschehen.

Legitime Verträge sind allgemein nicht nur über alle legitimen Gegenstände, d. h. über alle allseits freien guten Handlungen der Person, sondern auch zwi-

schen allen Personen möglich. Sie sind in der Familie, insbesondere in den drei Urfamilien Staat, Schule und Kirche und in der ganzen Menschheitsfamilie und Allfamilie aller Personen möglich.

Verträge sind besonders wichtig für die Sicherung des freien, gerechten, friedlichen Lebens in den drei Urfamilien und zwar hier zwischen Regierung und Volksvertretung, also zwischen Vater und Mutter der Urfamilie, d. h. des Staates, der Schule und der Kirche. Dies ist dem Ehevertrag analog. Im Staat beispielsweise ergibt sich hier der grundlegende Staatsvertrag als der eigentliche staatliche Gesellschaftsvertrag. In ihm bindet sich die regierende Person und also Regierungsgemeinschaft an die Magna Charta libertatum, also der Menschenrechte. Und im Sinne der Habeascorpusakte bindet sie sich an bestimmte Gesetzgebungs-, Gerichts- und Verwaltungsverfahren wie Polizeiverfahren. Schließlich bindet sie sich an bestimmte Formen der gegenseitigen Leistungen wie der Steuerleistungen und der Verwendung der Steuern.

Analog sind auch in Schule und Kirche solche Grundverträge menschenwürdig, also schulwürdig und kirchenwürdig.

Hiermit ist das Vertragsrecht rechtslogisch aus der Rechts-„Grundlage" des menschenwürdigen Lebens und insbesondere „jeder menschlichen Gemeinschaft" (Art. 1 GG) exakt und prinzipiell vollständig in seiner Ordnung abgeleitet. Denn die gerechten bzw. rechtmäßigen Vertragsmöglichkeiten umfassen —in der Freiheit der Person selbstverständlich— alle Möglichkeiten des allseits freien guten Verhaltens, d. h. alles solchen Tuns, Lassens und Zulassens, somit das Verhalten gemäß allen Menschenrechten und Menschenpflichten. Und warum sollte man sich nicht auch zum liebevollen Verhalten vertraglich binden können?

Vertrag und Ehrenrecht

Der Vertrag gründet in der guten Absicht, sein Wort bzw. seine Selbstbestimmung auf die Dauer des Vertrages zu achten, also zu wahren. Das verlangt, daß der Mensch sich selber treu bleibt. Die gute Absicht und die Treue gründen in der Ehre. Nur Ehrenmenschen sind treu. Also gründet das Vertragsrecht im Ehrenrecht des Menschen.

Der Ehrenmensch wertet das Wort des Menschen menschengerecht. Denn der Mensch ist ein Mikro-Logos. Daher sagt man auch: Ein Mann (Mensch) — ein Wort.

Der menschenwürdig lebende Mensch ist ein Ehrenmensch. Sein Leben ist zuerst und grundlegend ein Ehrenleben, also ein wahrhaft gutes wie sittliches, ein gegenüber allen existierenden und ihm bekannten Personen wahrhaft soziales Leben, wahrhaftig vor sich selber und vor allen anderen Personen. Dem Kulturmenschen ist daher die Ehre —des Lebens in den drei Kronrechten— heilig. Alles andere in Zeit und Raum ist für ihn sekundär.

Das gesamte Vertragsrecht gründet somit in dem Ehrenrecht. Weshalb auch nur Ehrenmenschen die Verträge —aus eigenem Beweggrund— achten.

Der Grundsatz der Kulturmenschheit „Pacta sunt servanda — Verträge sind zu wahren" ist daher nur auf dieser „Grundlage" des „Menschenrechtes" der Ehre und der vorangehenden Menschenrechte überhaupt verstehbar. Entsprechend ist er auszulegen.

Was aber heißt „wahren" bei einer späteren Glaubensverschiedenheit über die Wahrheit des Vertrages und die Wahrheit des vertragsgerechten Verhaltens der Vertragspartner? Kann hier eine Vertragsgrundlage, eine Grundlage des Miteinanderlebens wie eine Geschäftsgrundlage geändert werden? Was ändert sich dann am Vertrag? Und was darf sich nicht ändern? Oder wie ist der Vertrag dann persongerecht und wahrheitsgerecht zu wandeln?

Um dies zu klären ist es erforderlich, das Ehrenrecht in vollständiger Differenzierung zu entwickeln:

**Der Mensch hat das Urrecht, die Urpflicht und die Urliebe,
selber, mit jedem und gemeinschaftlich
allseits frei gut ehrenhaft zu leben
nach seinem Glauben, was gut ist,
von der Not ehrenhaft befreiend**

Dann ergibt sich, daß die Gleichung im Vertrag wie in einer gleichwertigen Leistung immer zu wahren ist, daß aber der Gegenstand aus mancherlei Not-Gründen wie Glaubensgründen, Ehren- und Gewissensgründen, aus Gründen höherer Gewalt usf. gleichwertig gewandelt werden darf und soll gemäß dem Befreiungsrecht, darin insbesondere gemäß dem Ausgleichsrecht (Aequilifikationsrecht) und daß dies beidseitig zu erkennen und anzuerkennen ist.

Es ergibt sich weiter, daß das Miteinanderleben, wie typisch in der Ehe, und das Gemeinschaftsleben, wie typisch in der Familie, in der Landes-, Schul- und Glaubensfamilie nicht auf dem Vertrag gründet. Hier irrt Rousseau fundamental, von seinen anderen Irrtümern noch abgesehen. Die Gemeinschaft gründet auf Primatrecht, Sekundatrecht und Tertiatrecht, d. h. auf den ersten drei Sondermenschenrechten des Gemeinschaftslebensrechtes des Menschen, nämlich dem Gemeinschaftsrecht, zu führen, dem Gemeinschaftsrecht, zu vermitteln, und dem Gemeinschaftsrecht, zu folgen. Nur zusätzlich kann man hier und soll man hier in bestimmten Bereichen und unter bestimmten Bedingungen auch einen Vertrag (Bund) schließen, wie aus Sicherheitsgründen. Gott hat mit dem Erdenmenschen einen Bund geschlossen. (Zur Bedeutung des Vertrages in einer endenden Kultur und einer beginnenden neuen Kulturphase vgl. P. A. Sorokin. Die Krise unserer Zeit. Und: Die Wiederherstellung der Menschenwürde. FFM, 1952.)

11. Das Gewissenslebensrecht des Menschen

Was ist das Gewissen? Das Gewissen ist nach uralter Erfahrung der Menschheit eine geistig-seelische Instanz im Menschen, der sich der Mensch menschenwürdigerweise verpflichtet fühlt und also verpflichtet erkennt, bedingungslos und ausnahmslos zu folgen.

Menschenwürdig leben ist nach jahrtausendalter Erkenntnis der Kulturmenschheit gewissenhaft leben!

Die innere Stimme des Gewissens hört der Mensch nur selber. Oder wer will behaupten, die Gewissensstimme in anderen Menschen mit zu hören? Mit welchem Recht könnte sich daher ein Mensch ein Urteil über die Gewissenhaftigkeit des Gewissensurteiles eines anderen Menschen erlauben?—

Dagegen kann man darüber urteilen, ob das gewissenhafte Urteil eines Menschen anderen Selbstbestimmungen dieses Menschen widerspricht oder nicht. Zu dieser Beurteilung kann man auch verpflichtet sein. Der Aufweis eines Selbstwiderspruches verpflichtet den sich selber widersprechenden Menschen zu dessen Überwindung. Andernfalls liegt eine rechtswidrige oder eine unmündige Haltung vor. Beides führt in einer mündigen Gesellschaft zu seinen Konsequenzen.

Erfahrungsgemäß beurteilt das Gewissen Fragen des Glaubens, nicht Fragen des Wissens. Was drei mal drei ist, das wird nicht vom Gewissen geklärt, sondern vom Wissen. Was dagegen gut ist wie sittlich, sozial, tugendhaft oder lasterhaft, das wird vom Gewissen geklärt.

Das Hören der Stimme des Gewissens ist eine Selbstbestimmung des Subjektes. Das Gewissensurteil ist also ein zweieinheitliches Urteil, eine Miteinanderbestimmung, nämlich einerseits führend der Stimme des Gewissens, andererseits folgend des hörenden, mit denkenden und mit urteilenden Subjektes.

Das Gewissensfreigutlebensrecht lautet:

Der Mensch hat das Urrecht, die Urpflicht und die Urliebe,
gewissenhaft zu leben

Die ausführlichere Formel aufgrund des fünfeinheitlichen Fundamentrechtes lautet:

Der Mensch hat das Urrecht, die Urpflicht und die Urliebe,
selber, mit jedem und gemeinschaftlich
allseits frei gut gewissenhaft zu leben
nach seinem Glauben, was gut ist,
von der Not gewissenhaft befreiend

Das Gewissensfreigutlebensrecht ist in seinem Inhalt noch weit umfangreicher als das Glaubensfreigutlebensrecht. Denn es umfaßt die Achtung alles guten

Lebens, also auch des Lebens aufgrund eines Wissens wie von der Freiheit. Es umfaßt also nicht das Wissen selbst, sondern nur dessen Achtung. Es umfaßt somit die Achtung aller Wahrheiten des Wissens und Glaubens, die Achtung aller Gerechtigkeit, die Achtung aller Pflicht und aller wahren Liebe. Das Gewissen lehrt, die wahre Liebe von der unwahren Liebe zu unterscheiden.

Aufgrund des Ehrenrechtes des Menschen ist bis zum Gegenbeweis jede Gesinnung, Gesellung und Wirtschaft bzw. Arbeit des Menschen als gewissenhaft zu unterstellen und somit als gewissenhaft zu ehren. Wer dies als Gesetzgeber, Richter oder Verwalter nicht erkennt, der erweist sich hier noch als unmündig in den drei Kronrechten, allgemein als ehrunmündig. Daraus folgt viel für seine Handlungen und für deren objektive Bewertung und Behandlung durch ehrmündige Personen.

Was folgt aus dem Gewissensfreigutlebensrecht für den Eigenwelt- und Mitweltschutz und die Entwicklung des Lebens darin, also für die Ökologie des menschlichen Lebens in dieser Welt?

Jedes Verhalten in diesen Lebensbereichen ist wie in allen anderen Lebensbereichen bis zum Beweis der unguten Absicht als gewissenhaft zu ehren.

Einige Beispiele: Der Landesvater von B.-W. forderte in „Wissen die Europäer, was sie riskieren?“ zu einer Beteiligung an der technischen Forschung zum Krieg der Sterne auf, da nach seinem Glauben sonst eine „destabilisierte Wirtschaftsstruktur die Folge“ wäre. So auch werden überall „Technologie-Fabriken“ eingerichtet. Andere dagegen glauben, daß hier ein lebensfremdes technokratisches Denken einen weiteren Fortschritt im „Selbstmordprogramm“ (Taylor) bringe, sofern nicht in der wirklichen Wende der Weg zur echten Bio-Technologie eingeschlagen werde. Denn lebens-not-wendig und spezielle Aufgabe Europas in der Welt sei die Erforschung und Lehre des Lebensprogrammes, nämlich des friedlichen qualifizierten Lebens der Personen untereinander und mit der Natur.

Was also sei konkret erforderlich? „Der Ökoplan“? Der aber werde nur mit liberalistischer Marktwirtschaft versucht und verfehle daher das Ziel, urteilt Jo Leinen. „Die Politik (müsse) dem Eigennutz eine ökologische Orientierung ... verleihen“. Was ist diese „Orientierung“ wenn nicht zuerst gemäß Art 1 GG eine in der Lebensrechts-„Grundlage jeder menschlichen Gemeinschaft“? (Beides Spiegel 11/85).

Wissen die Europäer, was sie riskieren, wenn sie nicht rechtzeitig persongerecht und objektiv lebensqualifiziert naturgerecht denken, wollen und fühlen lernen? Der Krieg der Sterne des Geistes entscheidet heute über Tod und Leben bzw. Überleben!

Aber all diesen Suchern ist bis zum Gegenbeweis mit einer Verbeugung die Ehre des gewissenhaften Nachdenkens in guter Absicht aufgrund des eigenen Glaubens zu erweisen. Das heute weltweite inter- und national-sozialistische Grundverhalten der Diskriminierung und Ignorierung „der anderen“ führt totsicher im materiellen Krieg auf unserem Stern in den globalen Holocaust! Lernen wir also die Menschenrechte klar erkennen.

12. Das Urrecht der Liebe

Was ist die Liebe? Das ist vielleicht die größte Frage des Menschen! Sie ist weit größer als die Frage: Was ist das Recht und die Pflicht?

Die Liebe ist die höchste und allgemeinste Lebensqualität. Sie ist daher am schwierigsten durch eine wissenschaftliche Definition einzukreisen. Dennoch ist die objektiv wahre Liebe von der nur subjektiven und unwahren Liebe scharf zu unterscheiden.

Die wahre Liebe, auch Agape, Caritas usf. genannt, ist selbstlos. Die Selbstlosigkeit macht ihr ganzes Wesen aus. Selbstlos zu leben ist die höchste Freiheit der Person, die Freiheit höchstselbst. Die wahre Liebe ist also die höchste und allgemeinste Form der Freiheit.

Die Selbstlosigkeit der Liebe steht im harmonischen polaren Gegensatz zum ersten Menschenrecht, dem Selberlebensrecht. So schließt sich der Kreis der Menschenrechte.

Da Gott d i e Liebe ist, so kehrt durch die Liebe alles, was von ihr ausgegangen ist, im Kreislauf des Lebens der Schöpfung bzw. des Aus- und Einatmens Gottes in der Ewigkeit der Ewigkeiten wieder zu Ihm zurück. Doch wann, wo und wie, das hängt für jede Person von der Selbstbestimmung dieser Person ab.

Die wahre, die gute Liebe schenkt. Sie schenkt sich selber in ihrem Geschenk. Das ist ihre Selbstbestimmung, ihr Selberleben! Die unwahre Liebe dagegen ist egozentrisch. Sie sucht sich selbst, nicht den anderen. Sie fordert. Sie fordert gar das Geschenk von dem anderen.

So ist die wahre Selbstliebe, Mitliebe und Gemeinschaftsliebe von der unwahren Selbstliebe, der unwahren Mitliebe und der unwahren Gemeinschaftsliebe zu unterscheiden.

Die wahre Liebe ist das höchste und auch allgemeinste Wohl, somit das höchste Selbstwohl, das höchste Mitwohl und das höchste Gemeinwohl. Der wahren Liebe ist daher alles andere untergeordnet. Ihr hat alles andere zu dienen, wenn es dem Wohl des Menschen dienen will.

Die unwahre, ungute Liebe führt letzten Endes —in Analogie zur Selbstlosigkeit der wahren Liebe— zur Selbstauflösung in Form der zentralen Selbstzerstörung. Die Liebe zum Unguten führt zum Haß gegen das Gute und die Guten.

Der Haß gegen das Gute, insbesondere der Haß gegen Menschen, die subjektiv guten Willens sind, ist der diametrale Gegensatz zur wahren Liebe, somit auch der diametrale Gegensatz zum objektiv sozialen wie objektiv kommunen Leben. Die wahre Liebe dagegen ist das Band aller objektiven Kommunität.

Welch höheres soziales Verhalten wäre denkbar als das liebevolle, das schenkende Verhalten!

Daher sind der schenkenden Liebe überall, zuerst in den drei Urgemeinschaften alle Tore zu öffnen und alle Wege frei zu halten. Wäre es nicht weniger sozial und also unsozial, die wahre Liebe zu besteuern?

Das Erbrecht ist je nach dem Willen des Erblassers Schenkrecht oder nur Hinterlassungsrecht.

Die Liebe liebt Recht, Pflicht und Liebe, gleich wie die Pflicht zu Recht, Pflicht und Liebe besteht und wie das Recht das Recht, die Pflicht und die Liebe achtet. Doch die Liebe übersteigt Recht und Pflicht und bringt alles zur Vollkommenheit.

Formulieren wir das Menschenrecht zum liebevollen Verhalten:

Der Mensch hat das Urrecht, die Urpflicht und die Urliebe,
liebevoll zu leben

Dies ausführlich gemäß dem fünfeinheitlichen Fundamentalrecht formuliert:

**Der Mensch hat das Urrecht, die Urpflicht und die Urliebe,
selber, mit jedem und gemeinschaftlich
allseits frei gut liebevoll zu leben
nach seinem Glauben, was gut ist,
von aller Not liebevoll befreiend**

Die Liebe sucht von aller Not zu befreien. Denn ihr Wesen ist alleinheitlich. Nichts ist intensiver und vollkommener alleinheitlich als die Liebe. Und nichts hilft mehr in der Not als die liebevolle Hilfe.

Der Mensch hat also das Menschenrecht, die Menschenpflicht und die ebenfalls angeborene Menschenliebe, aus, mit und in der Liebe zu leben. Er hat die dreieinheitliche ethische Potenz, für die Liebe zu leben und mit allem, was er ist und hat, zur vollkommenen Liebe zu streben. „Gott ist die Liebe" (1. Joh 4,8). Daher hat Er Seinen eingeborenen Sohn aufgeopfert, um der Gerechtigkeit Genüge zu tun (vgl. die Befreiungsgerechtigkeit, darin das Ausgleichsrecht, das Aequilifikationsrecht, das jus talionis). Und Er hat uns das vollkommene Gesetz der Freiheit und Befreiung auch schriftlich geschenkt (Jak. 1,25). —

Was folgt aus dem obersten Kronrecht der Menschenrechte für das Bebauungsrecht der Erde als Urpflicht und Urliebe des Menschen? Liebevoll soll der Mensch mit allen Lebewesen umgehen, mit Gott, mit allen Menschen, mit allen Tieren, mit allen Pflanzen und mit allen anderen Kreaturen. Liebevoll soll der Mensch die Mutter Erde bebauen. Sie wird ihm dann reichste Früchte guten und reinen Lebens schenken.

„Die Liebe ist die Herrin, die Königin, die Mutter, die Seele, das Leben und die Schönheit aller Tugenden. Sie beherrscht sie alle, regt sie an und führt sie zu ihrem wahren und letzten Ziel. Sie steigert sie zu ihrer Vollkommenheit, erhält, erleuchtet und schmückt sie und gibt ihnen Leben und Kraft... Ohne Liebe sind sie alle ungeformt, unansehnlich, untätig, tot und unnütz. Die Liebe ist gütig, geduldig, sanftmütig, ohne Eifersucht, ohne Neid und Bitterkeit, sie eignet sich nichts an, gibt alles her und bringt alles Gute hervor und stimmt keiner Bosheit zu. Sie besteht ja in der innigsten Teilnahme am wahren und höchsten Gut..."

(Maria von Jesus, Leben der jungfräulichen Gottesmutter Maria, D — Jestetten, 1982. Bd. 1. S. 376)

„Die Frucht des Geistes ist Liebe" (Gal. 5,22)

„Alle eure Dinge lasset in der Liebe geschehen" (1. Cor. 16,14)

„Wenn ich die Sprache der Menschen und Engel redete, aber die Liebe nicht hätte, so wäre ich wie ein tönendes Erz und eine klingende Schelle. Und wenn ich die Gabe der Weissagung hätte und wüßte alle Geheimnisse und besäße alle Wissenschaft, und wenn ich alle Glaubenskraft hätte, so daß ich Berge versetzen könnte, hätte aber die Liebe nicht, so wäre ich nichts. Und wenn ich alle meine Güter zur Speisung der Armen austeilte, und wenn ich meinen Leib zum Brennen hingäbe, hätte aber die Liebe nicht, so nützte es mir nichts. Die Liebe ... erträgt alles, sie glaubt alles, sie hofft alles, sie duldet alles. Die Liebe höret nimmer auf..." (1. Cor. 13,1f.).

Die Bilanz der zwölf Urrechte der Person

Alle Gesetze Gottes und alle gerechten Gesetze, die der Mensch je gesetzt hat und je setzen wird in Zeit und Ewigkeit, in Kirche, Schule und Staat, in Ehe, Familie und Betrieb, nämlich in „jeder menschlichen Gemeinschaft", sind in der Rechts-„Grundlage jeder menschlichen Gemeinschaft... und der Gerechtigkeit" allgemein enthalten, nämlich in den Urrechten der Person. Sie werden bei den menschlichen Personen „Menschenrechte" genannt (Art 1 GG BRD).

Alle Gerechtigkeit im Himmel und auf Erden, darüber und darunter muß logischerweise vollständig in den Urformen aller Gerechtigkeit enthalten sein. Denn das ergibt sich aus ihrem Wesen als der „Grundlage ... der Gerechtigkeit". Deren systematische logische Entwicklung ergibt zwölf Urformen.

Ein menschenwürdig denkender Mensch prüft dies nach, soweit er durch die vorangehenden Darlegungen noch nicht überzeugt ist. Ein Stolzer verwirft dies ohne Begründung.

Daher kann es in Zeit und Ewigkeit niemandem gelingen, eine Rechtsform zu finden, die nicht allgemein in dem Kranz der zwölf Urformen aller Ethik (Sittlichkeit, Moral, Rechtlichkeit, Gesinnung) enthalten ist. Denn diese umfassen, wie vorangehend schon umfangreich exakt nachgewiesen ist, lückenlos vollständig alles mögliche gerechte Leben der Person in Dürfen, Sollen und Lieben.

Schon die ersten drei Urrechte, welche die Magna Charta alles Rechtes und aller Gerechtigkeit sind —der Magna Charta des Christentums, der Allerheiligsten Dreieinigkeit in allem vollständig analog—, begründen und umfassen lükkenlos alles denkbare und wirkliche Recht.

Das vierte und fünfte Urrecht der Person umfassen auf ihre Art wiederum alles Recht und alle Gerechtigkeit. Denn welches gerechte Recht, das je auf Erden von Gott und Mensch anerkannt wurde, wäre nicht in ihnen gegründet und nicht von ihnen ableitbar?

Das allgemeine Staatsrecht, das sechste Menschenrecht beschränkt die seit jeher nach innen und außen krebsig wuchernde Machtsucht und Überheblich-

keit staatlicher Machthaber und führt sie auf die ehernen, ewig gültigen Rechtsgrenzen der Landesgemeinschaft zurück. Sie beendet den seit Kain bestehenden Krieg der staatlichen Machthaber gegen die eigenen Bürger, insbesondere gegen deren Privatlebensrecht, nach ihrem eigenen guten Glauben allseits frei leben zu dürfen. Und es beendet die Sucht so vieler Regenten, in die Freiheit der unbesessenen Erde, sowie der Meere von Wasser, Luft und Äther einzugreifen und also den Bereich des eigenen Eigentums in Raum und Zeit zu überschreiten. Das Staatsrecht des Menschen beendet somit allen Staatsterror.

Das siebte Menschenrecht, das Schulrecht des Menschen beendet die Überheblichkeit der meist, aber durchaus nicht immer von den Staatsherren und zuweilen auch von den Kirchenherren gestützten Schulwissenschaftler und den daraus folgenden Wissensterror und Wissenschaftsterror. Es begründet die Freiheit des Geistes und des Wissens aller Menschen im Recht.

Das achte Menschenrecht, das Kirchenrecht des Menschen beendet die Überheblichkeit der Kirchengläubigen, der Christen und Moslems wie der modernen Ideologiegläubigen, etwa der Materialisten und Atheisten. Es führt alle Gläubige auf die Grenzen ihres Eigenreiches zurück wie die Wissenschaftler und die staatlichen Machthaber auf ihren Amtsbereich. Es beendet also allen Glaubenskampf bzw. Ideologiekampf, der die Menschen in den zweiten Weltkrieg geführt hat und in den dritten zu führen scheint. Es beendet somit ausnahmslos allen Glaubensterror.

Kirchen, Schulen und Staaten mögen vor Gottes Angesicht noch eine gewaltig viel größere Würde haben, als sie sich aus der Freiheit des Menschen in Zeit und Raum ergibt. Diese Würde aber ist und bleibt bis zum Ende dieser Welt Glaubenssache eines jeden Menschen. Die hier gleich gläubigen Menschen sind urverpflichtet, auch diese größere Würde zu achten. Doch sollten sie niemals vergessen, daß auch diese Würde auf der „Ehrfurcht vor dem Menschenrecht" (UNO-Erklärung der Nationen der Welt) gründet. Wer vor dem Menschenrecht keine Ehrfurcht hat, der hat auch keine Ehrfurcht vor dem Gottesrecht! Und zuerst umgekehrt. Wer vor Gott keine Ehrfurcht hat, der hat sie erfahrungsgemäß auch nicht vor den Menschen.

Das neunte Menschenrecht, das Allrecht des Menschen zum einigen Leben in der ganzen Menschheit und mit allen anderen Lebewesen ist die große Antwort auf die sozial-kommunen Bestrebungen der Menschheit und die Bestrebungen zu ihrer Neuen Ordnung im grünen Frieden des Lebens.

Und diese Antwort wird noch gegründet auf das zehnte Menschenrecht. Denn es umfaßt klar und bestimmt die erste Grundlage alles menschenwürdigen Lebens, die Ehrung der Person. Diese Grundlage haben alle Hochreligionen und Hochkulturen hoch geachtet. Sie zuerst wird den Frieden der Menschheit begründen.

Das elfte und zwölfte Menschenrecht, das Gewissensrecht und das Urrecht der Liebe formulieren und vollenden in Rechtsform, was das Christentum der Menschheit gebracht hat.

Warum also zwölf Menschenrechte, wenn wir die Zehn Gebote haben?

Weil der Mensch in seiner Person selbstbewußt geworden ist und daher die Erkenntnis und Anerkenntnis der absoluten Glaubenslebensfreiheit ausnahmslos in allem subjektiv guten Glauben zur Einigung der Menschheit erforderlich ist. Bei klarer Sicht sind für ein gläubiges Herz die zwölf Urrechte der Person in den Zehn Geboten Gottes enthalten wie auch umgekehrt.

Ein guter Richter benötigt nicht mehr als die zwölf Urrechte der Person. Er findet in ihnen alles, was er als staatlicher, schulischer oder kirchlicher Richter benötigt, um recht und gerecht urteilen zu können, auch um die Gerechtigkeit eines irdischen Gesetzes sicher richtig beurteilen zu können.

Das Zwölftafelgesetz des alten Rom entsprach dieser lapidaren Kürze. Die 282 Paragraphen von König Hammurabis Reformgesetz überschritten schon ein wenig das nötige Maß. Die unermeßliche staatliche Gesetzesflut im 20. Jahrhundert vor der großen Krise weist auf deren globalen Umfang und ihre Gewalt hin.

Die Einigung der Nationen der Erde, ihrer Schulen und Kirchen nach der großen Wende benötigt bei dem erwachten Selbstbewußtsein der Menschen die höchste Verallgemeinerung und Kürze des Rechtes und seiner Gerechtigkeit. Denn nur in dieser Allgemeinheit und Glaubensneutralität kann die Gerechtigkeit und ihre Ordnung von allen zurechnungsfähigen Menschen sicher richtig und ausreichend zum Weltfrieden erkannt und anerkannt werden.

Die Gerechtigkeit der zwölf Urrechte der Person ist am Himmel eingezeichnet für alle, die Augen haben zu sehen. Und sie ist in das Herz eines jeden Menschen eingeschrieben. Wo wäre ein seiner selbst bewußter Mensch, der die zwölf Urrechte nicht für sich selber beanspruchte und der die zwölf Urpflichten nicht bei den anderen sehen und auch ihre Erfüllung beanspruchen würde?

Also kann gemäß der Goldenen Regel (Mt. 7,12) die Einigung der Menschheit auf dem Sternenkranz des Spiegels der Gerechtigkeit begründet werden.

LITERATUR-NACHWEIS

12 Beck. Zum objektiven Nachweis von geopathischen Zonen und zum Nachweis durch das EKG. Erfahrungsheilkunde Heft 3/56.

14 Tribune de Genève 16. mars 1972.
Nationalzeitung März 1972.

15,1 Berichte mehrerer deutscher Zeitungen.

15,2 A. Schmid. Biologische Wirkungen der Luft-Elektrizität.
Bern-Leipzig 1936 S. 52.

15,3 Künzle. Chrut und Uchrut. Minusio/Schweiz.

15,4 A. Libik. Bericht im Deutschen Fernsehen 1972.

15,5 W. Hellpach. Geopsyche. Enke, Stuttgart 1967. S. 155.

17 Vgl. Kap. VI.

18 Vgl. die Werke von Paracelsus in den Ausgaben von Aschner oder Sudhoff.
Vom Licht der Natur und des Geistes. Reclam 8448/49. Vgl. Die Bhagavadgita, den Tao Te King, Buddhas Reden, das Gilgamesch-Epos, Zarathustra, das Ägyptische Totenbuch, die Hl. Schrift. Vgl. Nr. 37,2.

19,1 Quick vom 30.6.1956.

19,2 Schröder-Ostrander. PSI. Scherz-Verlag Bern-München-Wien 1972.
Vgl. auch Stelter. PSI-Heilung. Scherz 1973.

23,1 Bartels. Geophysik. Fischer-Lexikon 1969. S. 118.

23,2 a. W. Heisenberg. Der Teil und das Ganze. Piper, München, 1969.
b. C. F. von Weizsäcker. Die Einheit der Natur. Hanser, München 1971.
c. A. Dempf. Die Einheit der Wissenschaft. Urban, Kohlhammer 1955.

24 C. F. von Weizsäcker. Die Tragweite der Wissenschaft.
Hirzel, Stuttgart 1966. S. 60, 119, 205f.

26 S. Hunke. Allahs Sonne über dem Abendland. dva 1971.

27 B. Russell. Einführung in die mathematische Philosophie.
R. Löwit. Wiesbaden. S. 24.

28 Stalin. Materialismus. Volks-Verlag Singen (BRD) 1946. S. 7.

30 Vgl. 23,2b und 24,1.

31 J. W. Forrester. Der teuflische Regelkreis. dva 1972.
D. Meadows. Die Grenzen des Wachstumes. dva 1972.

33 Paracelsus. Paragranum. Der dritte Grund der Medizin.

36 v. Hoff. „Therapieschäden gehören heute . . zu den häufigsten Krankheitsursachen". Die Medizinische. 1957. Heft 17. Und Verhandlungen der Deutschen Ges. f. Inn. Medizin. 1969.

37,1 S. Rhadakrishnan. Die Bhagavad-Gita. Holle. Baden-Baden 1958.
S. Rhadakrishnan. Meine Suche nach Wahrheit. Bertelsmann 1961.

37,2 Yogananda. Autobiographie eines Yogi. Barth. München 1950. S. 345.

41,1 Sprüche 1,7.
41,2 Vgl. 24,1.
45 Vgl. 23,2 und 24,1 sowie A. M. K. Müller. Die präparierte Zeit. Radius. Stuttgart. Ca. 1973. S. 329, 530, 637.
46,1 Kant. Kritik der reinen Vernunft. Elementarlehre. III. Abschnitt. Von den reinen Verstandesbegriffen.
Vgl. bei Pythagoras, Aristoteles, der indischen Philosophie usf.
46,2 Eisler. Wörterbuch der philosophischen Begriffe. Stichwort Gesetz.
49,1 A. M. K. Müller. Die präparierte Zeit. Radius-Verlag Stuttgart. Ca. 1973. Stichwort Erfahrung.
49,2 Siehe 49,1 Stichwort Erkenntnis.
57,1 Vgl. 23,2b und 24,1.
57,2 Haeckel. Kristallseelen. Leipzig ca. 1907.
61 Vgl. 23,1 S. 245.
63,1 F. Wagner. Die Wissenschaft und die gefährdete Welt. München 1964.
63,2 a. W. Heitler. Naturphilosophische Streifzüge. Vieweg. Braunschweig 1970.
b. W. Heitler. Der Mensch und die naturwissenschaftliche Erkenntnis. Vieweg. Braunschweig. 4. Aufl. 1966.
63,3 Vgl. 49,1.
63,4 B. Thüring. Die Gravitation und die philosophischen Grundlagen der Physik. Duncker und H. Berlin 1967.
B. Thüring. Fundamentalfragen der exakten Naturwissenschaften. Wetter-Boden-Mensch Nr. 20/1974.
68,1 Dionys Areopagita. Die Hierarchien der Engel und der Kirche. O. W. Barth, München 1955.
Dionys Areopagita. Mystische Theologie. O. W. Barth. München 1956.
68,2 Mein . . . Unendliche Sphäre u. Allmittelpunkt. Halle/Saale. Ca. 1937.
69 Vgl. 36,1.
73 Vgl. 17,1.
74 Vgl. 17,1.
75 Zeitschrift Esotera Heft 8/1973.
76 O. F. Bollnow. Mensch und Raum. Kohlhammer 1963. S. 144.
80,1 a. Hildegard von Bingen. Ursachen und Behandlung der Krankheiten. Haug, Ulm 1955. Auch Scivias usf.
b. Jakob Böhme. Sämtliche Schriften. Frommann Stuttgart 1942.
80,2 A. Seifert. Ein Leben für die Landschaft. E. Diederichs. Düsseldorf, 1962. S. 80 u. a.
85 Siehe 49,1. Stichwort Urobjekte.
93 Vgl. Platon. Timäos. Und: Aristoteles. Organon.
94 Vgl. 19,2.
96 H. Sedlmayr. Verlust der Mitte. Ullstein 1956.
103 Vgl. 23,2b.

104,1 In fast allen Werken von Conrad-Martius, Heisenberg. Heitler, C. F. von Weizsäcker u. a.

104,2 H. Heimsoeth. Die sechs großen Themen der abendländischen Metaphysik. Kohlhammer 1958.

108,1 Nach Feststellungen wiss. Institute.

108,2 Nach ärztlichen Erfahrungen reagieren Patienten auf Bims-Zement-Mauern am negativsten.

112 L. Schröder-Speck. Baumethoden und Gesundheit. Eles. Genf 1948.

124 L. Kolisko. Mitteilungen des Biologischen Institutes am Goetheanum. Nr. 1-4. Stuttgart 1934/35.

130 Taylor. Das Selbstmordprogramm. G. B. Fischer, Ffm. 1971 S. 142.

132,1 H. Frieling, X. Auer. Mensch, Farbe und Raum. Callwey, München.

132,2 Siehe 132,1.

133 Siehe 80,2.

157 Siehe 15,5.

160 Siehe 15,5, S. 164f.

174 E. Reusche. Wärmespeicherfähige Wände und Raumklima. Wohnungsmedizin Heft 4/1972.

178 Siehe 63,2.

180 Thoma a Kempis. Die Nachfolge Christi. Atlas-Verlag Köln. S. 245. 4. Buch. 4. Kap.

182 Mündliche Information vom Erfinder des Purflammbrenners.

186 I. Barran. Der offene Kamin. I. Hoffmann, Stuttgart 1959.
H. Grohmann. Kachelofen und Kamin. Callwey, München.

190 R. Ayoub. Natürliche Klimatisierung. Glasforum 1/69.

198,1 Schwenk. Das sensible Chaos. Freies Geistesleben. Stuttgart 1968.

198,2 Bartels. Geophysik. Fischer, 1969. S. 245.

210 Siehe 80,2 und Im Zeitalter des Lebendigen. 1940.

211 „Menschliche Exkremente zu Bauplatten verarbeitet". Deutsches Ärzteblatt v. 26. April 1973.

212 Siehe 108,1.

216,1 E. Hartmann. Krankheit als Standortproblem. Haug, Ulm. 1964.

216,2 Siehe 12.

216,3 Siehe Dokumentation im Ringbuch des Forschungskreises für Geobiologie.

217 I. Kopp. Gesundheitsschädliche und bautenschädliche Einflüsse von Bodenreizen. Zürich 1965.

218 Paracelsus. Sämtliche Werke. Herausg. Aschner, Jena 1926.
Bd. I S. 465. Siehe in Philosophia sagax, De origine morborum invisibilium, De caducis, De signatura rerum usf.

219 Vgl. die Handbücher und Zeitschriften, die in vielen Ländern existieren wie Wetter-Boden-Mensch, die Zeitschrift für Radiaesthesie, München, die schweiz. Z. RGS, St. Gallen usf.

Klinckowström-Maltzahn. Handbuch der Wünschelrute, Oldenbourg, München 1931.

223 Bartels. Geophysik. Fischer-Lexikon 1969. S. 213f. Stichwort Meereswellen.

224 Vgl. 223 S. 214.

228 Wüst, Petschke. Gammastrahlenmessungen auf geopathischen Zonen. Erfahrungsheilkunde 2/1956. Vgl. 216,1 und die Zeitschrift Wetter-Boden-Mensch, München.

230,1 G. Wachsmuth. Erde und Mensch. Christiani, Konstanz 1952.

230,2 Siehe 80,2 S. 50f.

232 Siehe 219c S. 298f.

234 Siehe 112 S. 50.

238 Vgl. die Lit. von Dr. med. Voll. Plochingen b. Stuttgart.

239,1 G. v. Pohl. Erdstrahlen als Krankheitserreger. Hubers, Diessen vor München 1932. S. 191f.

239,2 I. Winkelmann. Geheimnis der Talismane und Amulette. Bauer, Freiburg. 1955.

240,1 Im Handel sind vielerlei Armreifen, Halsreifen, Stirnreifen, Gürtel, Fußreifen usf., die einmetallisch, legiert, geschichtet und auch mit Edelsteinen besetzt sind.

240,2 Vgl. 19,2.
Wüst. Erdstrahlenabschirmung anders gesehen. Zeitschr. f. Rad. 1952 Heft 7/8.
Wüst. Erfahrungen und Beobachtungen nach der Aufstellung von Phylax-Geräten. Hagen/W. Siehe auch 216,1.

242 P. Frumentius Renner. Raumakustik und Erdkraftfeld. Herold. München. 1961. Zeitschr. f. Rad. 2/61.

243 Vgl. Zeitschrift Wetter-Boden-Mensch in mehreren Berichten wie von Hartmann.

244 Siehe 112.

245 Wüst. Roux's Archiv für Entwicklungsmechanik der Organismen. 131. Bd. 3/1934. S. 416 (beids. versilb. Kupfer, amalgam. od. cadm. Zink, cadm. Magnesium, verzinntes Blei oder Eisen usf.).

247 Zur Geopathie des Hauses siehe Wetter-Boden-Mensch.

252 Reichenbach. Odisch-magnetische Briefe. Haug, Ulm 1955.
Straniak. Die achte Großkraft der Natur. Huber, Diessen 1936.
Siehe weiter Galvanis Berichte, Zeileis.

254 Die drei Mittel von Pythagoras bei Aristoteles. Siehe im Anhang Ankündigung des Verlages.

255 A. Pressmann. Elektromagnetische Felder — Informationsträger in der lebenden Natur. Ideen des exakten Wissens. Nr. 12/68.

257 H. Rohracher. Mechanische Mikroschwingungen des menschlichen Körpers. Urban, Wien 1959.

Rohracher — Inaga. Die Mikrovibration. Huber, Bern-Stuttgart 1969. Vgl. auch Schumann-Frequenzen, Altmann usf.

258 Vgl. Lit. zur Elektroakupunkturtherapie bei Voll und anderen.

260 G. Buchhorn. Wechselstromstörungen bei physiologischen Registrierungen, ihre Ursachen und Abhilfemaßnahmen. Elektromedizin Bd. 11/1972 Nr. 2.

262,1 F. H. Ungar-Brachat. Zur medizinischen Bedeutung magnetischer Wirkungen in unserem technischen Zeitalter. Ars medici. Liestal/Schweiz. Heft 6 und 10/1963.

262,2 K. Blüchel. Die weißen Magier. Bertelsmann München 1974. S. 378f u. a.

266 Siehe 255 und 223.

267 Siehe PSI und H. Hofmann. Telepathie und Psychokinese. In Grenzgebiete der Wissenschaft. III/74 Resch-Verl. Innsbruck.

272 Falk. Kapitel Haustechnik in Gesundes Bauen — Gesundes Wohnen. Herold, München 1974.

277 Vgl. 23,1.

285,1 E. Schmidt. Radiowellen erzeugen Verhaltensstörungen. Deutsche Gesundheitskorrespondenz 1974. S. 9.
Tragen elektromagnetische Wellen zur Umweltverschmutzung bei? Ärztliche Praxis v. 13.7.74.
Danger — Heavy waves. Newsweek v. 3.6.74. S. 55.
Neben Thyristoren auch Fernseher als Netzstörer entlarvt. ZIK Juni 74.
H. L. König. Unsichtbare Umwelt. H. Moos-Verlag, Gräfelfing 1975.
R. Kopp. Menschlicher Tagesrhythmus wird durch Magnetfelder beeinflußt. Ärztliche Praxis v. 21.8.73.
Siehe 255 und Lit. bei Ranscht-Froemsdorff über Technics.

289 Siehe elektromed. Fachlit.

295 Vgl. 272.

304 Vgl. 285.

305 Vgl. 245.

307 Vgl. 272.

312 F. Hahn. Luftelektrizität. Bad-Druckerei Oeyenhausen.
H. Kritzinger. Wetterleiden, Wesen und Heilwege. Medizin heute. Nr. 11/1955. Todesstrahlen und Wünschelrute. Leipzig 1929.
K. W. O. Daniel. Zur Frage der Wiederherstellung des natürlichen elektrischen Feldes. Erfahrungsheilkunde 12/58.
Daniel. Neue Therapieerfolge mit elektrostatischer Feldwirkung. Erfahrungsheilkunde Heft 3 und 10/65.

313,1 Vgl. allgemein die Lit. über Gleichfelder.

313,2 A. Nieper. Zur Feldbehandlung von Organleiden. Hannover, ca. 1970. Die Therapie mit unterbrochenen Gleichfeldern. W-B-M 4/68.

315 Vgl. die Lit. von Daniel, Fischer, Haase, Hahn, Hartmann, Herbst, Hellpach, Israel, König, Kritzinger, Kopp, Lueder, Nieper, Möse, Reiter, de Rudder, Ranscht-Froemsdorff, Scheller, Schuy, Strampfer, Stark, Wüst u. a. mehr.

316 Vgl. Hahn 312.

317 Solche Geräte existieren seit Jahrzehnten auf dem Markt. Auch in der Schulmedizin wird der Gleichstrom vielfältig angewandt wie z. B. im Stangerbad.

322,1 Vgl. die Lit. von Klinckowström-Maltzahn, Hartmann, Petschke, Oberneder, Benedikt, Stängle, Wüst u. a.

322,2 So in der BRD, in Österreich, der Schweiz, Frankreich usf.

322,3 So z. B. das Anthroposkop.

322,4 Vgl. Lit. bei Altmann, Fischer, Lueder, Möse, Hartmann u. a.

322,5 Quick vom 30.6.56 „Mensch wie du geladen bist“.

322,6 M. Freedom-Long. Kahuna-Magie. S. 200f. Bauer, Freiburg 1966.

323 Siehe die Lit. von Croon/Bad Homburg, Voll/Plochingen, Schmidt/Nürnberg u. a.

324 G. Schwab. Der Tanz mit dem Teufel. Gift in der Küche. u. a. Siehe Lit. in „Lebensschutz — Der stille Weg“, Salzburg.

326,1 Zitiert im Deutschen Ärzteblatt 1974.
Zahnärztezeitschrift ZM 12/73 „Jedes Pharmakon ist ein Gift“ im Fettdruck mit der Mahnung, immer daran zu denken.

330 „Die Minamata-Krankheit“. D. Ärzteblatt v. 26.4.73.

333 Siehe 36.

334 D. M. Spain. Yatrogene Krankheiten. Thieme 1967.
K. Blüchel. Die weißen Magier. Bertelsmann 1974.
Viele med. Zeitschriften haben in jüngerer Zeit eigene Spalten für laufende Berichte über Vergiftungen durch Medikamente eingerichtet.

337 R. Lefaux. Chemie und Toxikologie der Kunststoffe. Mainz 1966.

344 P. A. Sorokin. Die Wiederherstellung der Menschenwürde.
J. Henrich-Verlag. Ffm. 1972.

351 Die Wolga. Stern vom 22.11.73.

357 Siehe Hahn 312, Möse, Fischer, Lueder u. a.

358,1 Siehe 15,2 S. 35.

358,2 Siehe 15,2 S. 51.

359,1 F. Steiniger. Holz im Stallbau. In Desinfektion und Gesundheit. Aug. 1959. S. 119.

359,2 H. Bielenberg. Der Einfluß des Stalles auf die Schweinemast. Hannover 1963. Diss an der T. U. Braunschweig.

359,3 Pech. La Presse medicale Nr. 6/1929.

359,4 S. Lang. Die Auswirkungen moderner Bauten. 9,9 DAB 8/73.

360,1 Möse, Schuy und Fischer. Versuchsanlage zum Studium der Wirkung von elektrostatischen Gleichfeldern. Biomed. Technik 17/1972 Nr. 2.

360,2 Möse, Fischer, Strampfer. Immunbiologische Reaktionen im elektrostatischen Gleichfeld und Faradaykäfig.
Z. Immunbiolog. Forschung. Bd. 145, S. 404f. 1973.

360,3 F. Wiedemann. Warum müde sein? Heidenheimer Verl. Anstalt. 1953.

360,4 Siehe 360,2 und G. Fischer. Die bioklimatische Bedeutung des elektrostatischen Gleichfeldes. Zbl. f. Bakt. Hyg. I. Abt. Orig. B 157. 1973.

360,5 Siehe 360,1 und De Rudder. Grundriß einer Meteorobiologie des Menschen. Göttingen-Heidelberg 1952.

361,1 Siehe 360,4.

361,1 Siehe 360,4.

362,1 F. Erb. Der Mensch im Nullfeld. Beton-Verlag. Düss. 1969.

364,1 Siehe 27.

364,2 Siehe 360,3.

365,1 Künzle. Chrut und Uchrut. Minusio/Schweiz.

369 1-3 Siehe 360,2.

370 Hermann Mattern. Gras darf nicht mehr wachsen.
Ullstein Berlin-Wien.

371,1 und 2 Viele Zeitungsberichte in der BRD. Südkurier v. 18.1.74 „Schluß mit der Betonisierung". Südkurier v. 23.3.74 „Keine einsamen Rufer in der Betonwüste". Südkurier v. 24.6.74 „Stein gewordene Scheußlichkeiten am Bodenseeufer. Bausünden. Bauen ist etwas Böses geworden".
Don Widener. Kein Platz für Menschen. Goverts. Stuttgart 71. S. 198.

373 Studies on naturally occuring ionizing radiations with special reference to radiations doses in Swedish houses of various types. Kungliga Svenska Vetenskapsakademiens Handlingar. Fjärde Serien Sette Bandet. By Bengt Hultquist, Stockholm, 1965.

377 K. Neupert. Hans Thoma-Gesellschaft. Bericht über die Verleihung der Medaille an H. Sedlmayr.
Anna Teut. Architektur im Dritten Reich.

378 Bielenberg. Der Einfluß des Stalles auf die Schweinemast. S. 359,2.

380 Siehe 19,2.

387 Das Beste vom Dez. 63 und Nov. 69.2

393 Bericht im Südkurier 1974.

394,1 D. Ä. v. 23.1.75 S. 189.
Monatsschrift Kampf dem Lärm. Lehmann, München.

394,2 Bericht im Südkurier 1973/4.

395 Vgl. die Lehrbücher der Geophysik.

398 F. W. Paelke. Hauserneuerung. Institut für Bauplanung. Detmold.

399,1 Das Beste. Der Lärm bringt uns noch um. 1974.

399,2 Deutscher Arbeitsring für Lärmbekämpfung. Siehe 394,1.

399,3 J. Pieper. Was heißt akademisch? Kösel, München 1952. S. 51.

400 Yogananda, Autobiographie eines Yogi. München 1950.
P. Brunton. Yogis. Und: Der Weg nach innen.

402 Höfling. Kopfschmerzen durch Leuchtstofflampen. Schilling. Herne 1973.
418a. Löbsack. Versuch und Irrtum. Der Mensch — Fehlschlag der Natur? Bertelsmann 1974.
418b. Stumpf. Überleben im Atomzeitalter. Univ. Tübingen. April 1972.
418c. F. H. Tenbruck. Die Herausforderung der Zukunft.
F. H. Tenbruck. Zur Kritik der planenden Vernunft.
Alber, Freiburg 1972.
418d. Stern. Viele Artikel in Zeitschr. und Zeitungen.
419 G. Steinhoff. Amerikas Architekten denken um. Allg. Bauzeitung 1.3.74. Wohnwert von Hochhäusern. DAB 6 und 10/74.
J. Kopp. Beton-Wohnblöcke und Hochhäuser im Lichte der Wohnungs-Medizin. Vaterland/Schweiz v. 29.2.72.
Hochhäuser machen krank. Bericht von Dr. Ricklefs/Bremen. Abendzeitung v. 9.10.73.
421 Südkurier-Bericht 1974.
425 Siehe 216,1.
433 F. Novotny. Zur Lage. Deutsches Architektenblatt v. 15.10.74.
434 Viele Berichte vom Märkischen Viertel, von der Gropius-Stadt, von Frankfurts Nord-West-Stadt usf.
436 A. Mitscherlich. Die Unwirtlichkeit unserer Städte. Suhrkamp SV 1972.
438 Vgl. 80,2. S. 76. Dort als „Lehrsatz" bezeichnet! Also von prinzipieller und universeller Bedeutung.
442 Der offene Fußboden in Kühlräumen für pflanzliche Erzeugnisse. In Der Erwerbsgärtner 15/1973.
448 N. Ehlen. Das familiengerechte Heim. Paulus-V. Recklingh. 1951.
449 Vgl. Joh. 1,14; 1. Cor. 3,16; 2. Mos. 25,8; Röm. 8,11; Ps. 101,6; Joh. 14,10; 2. Tim. 1,14; 2. Cor. 6,16 usf.
452,1 O. Spengler. Jahre der Entscheidung. Beck, München 1933.
452,2 Vgl. Kap. VI.
452,3 Bericht über Volvo-Arbeitsorganisation in Deutsche Bauzeitung 9/74.
455 Siehe 132,1.
462 v. Reichenbach. Der sensitive Mensch. Cotta, Stuttgart 1854 Bd. 1 S. 555. Sédir. Esoterisches Christentum. Otto Reichl-Verlag. Remagen 1964. S. 92.
465 P. Brunton. Geheimnisvolles Ägypten. Rascher, Zürich 1951.
479 E. Bindel. Pythagoras. Freies Geistesleben. 1962. Stuttgart.
E. Bindel. Die Zahlengrundlagen der Musik im Wandel der Zeiten. Freies Geistesleben, Stuttgart.
Vgl. auch die Werke von H. Kayser und A. von Thimus. Die harmonikale Symbolik des Altertums. Ca. 1870.
480 H. Jenny. Kymatik. H. Moos-Verlag München 1967.

484,1 P. M. Bode. Richard Neutras luxuriöse Architektur.
Südd. Zeitung v. 22. 5. 68.
484,2 Graf Dürckheim. Hara. Die Erdmitte d. Menschen. O. W. Barth. 1967.
484,3 Siehe 448. S. 26.
485,1 R. Steiner. Wie erlangt man Erkenntnisse höherer Welten?
Dornach 1935.
485,2 T. Burckhardt. Vom Sufitum. O. W. Barth, München 1953.
486,1 Siehe 15,2.
486,2 F. Steiniger. Holz im Stallbau. In Desinfektion und Gesundheitswesen. Heft August 1959.
487 Yogananda. Autobiographie eines Yogi. O. W. Barth. 1950.
489 Seifert. Gärtnern, Ackern ohne Gift. Klug. München 1967.
490 Siehe 489.
491 Gartengeräte mit Spurenelementabgaben sind auf dem Markt.
492,1 Hauschka. Substanzlehre. Vittorio Klostermann, Ffm.
492,2 Siehe 489.
494 Siehe 359,2.
495 Das ist altbewährter Brauch.
499 Dreidax. Bauen Im Lebendigen. Erschienen vor 1933.
501,1 Siehe 19,2.
501,2 Siehe 442.
503 Siehe Gleichfeld-Literatur.
505 Siehe 112 S. 25.
506 Die Bayrische Versicherungsges. hat einen Bericht über Schäden durch PVC bei Bränden veröffentlicht.
514 Sedlmayr. Der Tod des Lichtes. S. 139.
516 Ufos sind keine Hirngespinste. Das Beste. August 74.
536 Siehe 124.
538 Joh. 1,14.
541 Geh. Off. 21,1-2f.
542,1 Vgl. die Lit. von Mitscherlich, Jacobs, Sedlmayr usf.
542,2 und 3 Zitiert aus den Werken Karl Neuperts, Kiel.
543 Sedlmayr. Der Tod des Lichtes S. 174.
544,1 Siehe 542,2.
544,2 a. Röpke. Civitas humana. 3. Aufl. E. Rentsch, Zürich.
b. Neupert, K. Werden der Siedlungslandschaft.
Raumordnung und Siedlungsgestaltung.
Leben und Gestalt. Selbstverlag, Kiel.

ALLGEMEINES LITERATUR-VERZEICHNIS

Das folgende Verzeichnis umfaßt mit der schon genannten Literatur nur eine kleine Auswahl aus der vorhandenen Literatur. In den zitierten Werken ist viele weitere Literatur angegeben.

Altmann, G. Einfluß physikalischer Faktoren auf Organismen.
Mathemat. und Naturwiss. Unterricht, Ffm, Hirschgraben-Verlag Heft 7/69.
Bauen mit Ziegeln. Schriftreihe. Essen-Kray.
Berdjajew. Das neue Mittelalter. O. Reichl. Tübingen 1950.
Biologie und Lebensschutz. Zeitschrift. Wiesbaden.
Bircher. Lebenswerte Gegenwart. Bircher-Benner-Verlag Zürich 1955.
Blaha. Umweltmedizin als gesundheitspolitische Aufgabe. D. Ä. 30.8.73.
Bodamer, J. Der Mensch ohne Ich. Herderbücherei Bd. 21.
Gesundheit in der technischen Welt. Herder-Bücherei Bd. 277.
Sind wir überhaupt noch Menschen? Herder-Bücherei Bd. 257.
Der Mann von heute. Herder-Bücherei Bd. 171.
Wege zu einem neuen Ich. Herder-Bücherei Bd. 190.
Brüche. Zur Problematik der Wünschelrute. In Reihe „Mensch und Umwelt". Bd. V. Geigy SA Basel 1962.
Braus, F. W. Physiologische Wirkungen von elektromagnetischen Wechselfeldern — 50 Hz — in Wohnräumen auf den Menschen". (Blutveränderungen um 5 %) Kurzber. Bauforschg. 13 (1972) Nr. 11.
Bull. Sev. Nr. 4 v. 19.2.72. Besondere Schutzbestimmungen in der UdSSR bei Arbeiten in Höchstspannungsanlagen. (20-30 m Mindestabstand).
Cordes. Bibliographie Klima und Mensch. 1945-49. Bad Kissingen 1950.
Daniel, K. W. O. Zur Frage der Wiederherstellung des natürlichen elektrischen Feldes und seiner Einwirkung. Erfahrungsheilkunde 12/58.
Deutsche Ärzteschaft. Acht-Punkte-Programm für Umweltschutz des Präsidiums des Deutschen Ärztetages, DÄ 19.12.74.
„Die medizinische Ursachenforschung über Umweltgefahren steht erst am Anfang."
Diehl-Tromp. Probleme der geographischen und geologischen Häufigkeitsverteilung der Krebssterblichkeit. Haug, Ulm 1955.
Der Naturarzt. Zeitschrift. Berlin-Wiesbaden.
Deutscher Medizinischer Informationsdienst. Baden-Baden.
Wohnungsmedizin. Zeitschrift. Baden-Baden.
Droscha, H. Über selektive Membranen, Oberflächendiffusion, „Supereisen" . . . und andere Forschungsergebnisse. technika Nr. 18. Nov. 68.
Endrös, R. Zur Physik pathogener Zonen. W-B-M 5/69.
Endrös, R. Nachweis unterirdischer Wasserführungen durch Messung der elektrischen Strömungspotentiale. Landshut 1966.
W. Ebrich. Zur Bekämpfung der sogen. Neubaumilbe. (Betonmilbe).
Der Deutsche Baumeister 8/63.

Eichholtz, F. Die Bedrohung unserer Gesundheit. Kröner 1956.
Frank, W. Zum gegenwärtigen Stand der raumklimatischen Forschung. Gesundheitsingenieur 2/69.
Gilgen, A. Barrier, A. Besonnung von Wohnungen. Das Bauzentrum 4/70.
Göbel, K. Zum Bauen mit Ziegeln. Aus Göbel-Gatz. Ziegelkonstruktionen im Hochbau.
Göbel, K. Vergleiche von Wandbaustoffen und Wandbauarten. Güteschutz Ziegelindustrie. Stuttgart-Bad Cannstatt 1967.
Göbel, K. Raumklimatisierende Einflüsse von Baustoffen. Gesundheitswesen und Desinfektion 7/69.
Grandjean Physiologische Gestaltungen des Arbeitsplatzes. Industrielle Organisation, Zürich 1958.
Grandjean Physiologische Arbeitsgestaltung. Ott-Verlag, Thun. 2. Aufl.
Guratzsch, G. Im Dickicht der Städteplanungen. Die Welt v. 21.6.74.
Gurwitsch, A. G. Die mitogenetische Strahlung. VEB Fischer, Jena 1959.
Haase, H. Statische Elektrizität als Gefahr. Hamburg 67.
Hahn, F. Die praktische Anwendung der Elektroklimatechnik. Klimatechnik 3/61 Nr. 8.
Hahn, F. Die elektrische Aufladung der Ställe. Tierärztliche Umschau 10/1959 Nr. 2.
Harmsen, H. Zur Bedeutung der baulichen Beschaffenheit . . für Gesundheit . . Detail, Heft 5. Serie 69.
Hartmann, E. Zahlreiche Lit. Siehe Dokumentation im Ringbuch des Forschungskreises für Geobiologie.
Hartmann, E. Krankheit als Standortproblem, Haug, Heidelberg. 2. Aufl.
Heitler, W. „Gilt die Gleichung: Leben = Physik plus Chemie?“ in Lebendige Erde. Darmstadt Heft 3/68.
Heyer, A. Der Untergang des Morgenlandes. Ullstein 1966.
Herbst und Hübner. Analyse der Exposition der Bevölkerung. Umgebungsstrahlung und Geologie. In Atomenergie Heft 11/12/64.
Herbst und Hübner. Variabilität der Umgebungsstrahlung im Freien. In Atomenergie 12/62.
Herbst, W. Befunde und Bemerkungen zum Problem der biologischen Wirkungen elektromagnetischer Felder. W-B-M 12/71.
Hertzen, H. von. Die Krise der Stadt und des Menschen. Wohnungsmedizin Heft 1/72.
Hiss, W. F. Wohnungen, die uns krank machen. In Leben und Erziehung 1.1.74. Holz, Heim, Hygiene. Mitteilungen der Deutschen Gesellschaft für Holzforschung. Stuttgart 1948.
Jahnke, H. Biologische Wirkungen von Wechselfeldern. W-B-M 8/70.
Jenny, Stauffer, Oehler. Experim. Untersuch. über biolog. Wirkungen der sogen. Erdstrahlen. Schweiz. med. Wochenschau 1935.
Israel, H. Luftelektrizität und Radioactivität. Springer 1956.

Kapfinger, H. Das Geschäft mit dem Gift. Passauer Neue Presse 10.2.68.
Kaufmann, A. Die ontologische Begründung des Rechts. Darmstadt 1965.
Kaufmann, W. Der umbaute Raum und seine technische Einrichtung als Störfaktor. Zeitschr. f. Radiaest. 4/64.
Kaufmann, W. Wasseradern, Wünschelrute, Wissenschaft und Wirklichkeit. Giessen 1973.
Klingenberg, Möse, Fischer, Porta, Sadjak. Stoffwechselaktivitäten der Rattenleber im elektrischen Feld und im Faradaykäfig.
Univ. Graz. Institut f. funkt. Pathologie. Ca. 1972.
Kliewe Die bau- und wohnungshygienischen Vorzüge des Holzes.
Desinf. und Gesundhw. 8/59.
Koepf-Petterson. Biologische Landwirtschaft. Verlag E. Ulmer, Stuttgart 1974. (Biol. dyn.).
Kopp-Mechel-Wiedemann. Elektrostatische Aufladung durch Wärmedämmstoffe? Wärme-Kälte-Schall. Heft 1/73.
Kopp, J. Betonwohnblöcke und Hochhäuser im Lichte der Wohnungsmedizin. Vaterland/Schweiz vom 29.2.72.
Kopp, J. Boden und Mensch. In Imago Mundi Bd. IV/1973.
Kopp, J. Gesundheitsschädliche und bautenschädliche Einflüsse von Bodenreizen. Schweiz. Verlhs. Zürich 1965.
Kopp J. Biologische Untersuchungen. In Plan. Schweiz. Ztschr. f. Landes-, Regional- und Ortskanung. Solothurn 1965/8.
Kopp, J. Biologische Einwirkungen in Eisenbetonbauten.
In Bauen und Wohnen 1956/9.
Kopp, R. Über biologische Wirkungen der Elektrizität in modernen Wohnungen Zeitschr. RGS/Schweiz Nr. 70/65.
Kopp, R. Menschliche Tagesrhythmen werden durch Magnetfelder beeinflußt. Ärztliche Praxis v. 21.8.73.
Knoll Untersuchungen über den möglichen Einfluß atmosphärischer Jonen auf die menschliche Reaktionszeit. Inst. f. techn. Elektronik,
München 1960/61.
König, H. Der Einfluß elektrischer atmosphärischer Vorgänge auf den Menschen. Umschau 61/1961.
Kötschau, K. Vorsorge oder Fürsorge. Hippokr. Verlag Stuttgart 1954.
Ganzheit und Gesundheit Klug, München 64.
Die Zukunft der Menschheit. Wort und Werk, Köln 1963.
Kolisko, W. Physiologischer Nachweis der Wirksamkeit kleinster Entitäten bei sieben Metallen.
Wirkung von Licht und Finsternis auf das Pflanzenwachstum.
Phil. Anthrop. Verlag Dornach/Schweiz 1926.
Kritzinger, H. Wetterleiden, Wesen und Heilwege. Medizin heute. Nov. 55.
Kritzinger, H. Praktische Bioklimatik, insbesondere der Luftelektrizität im Freien und im Wohnraum. Strahlen-, Klima-, Bäderheilkunde vom 26.9.57.

Elektrische Feldwirkungen in ihrer Bedeutung für das Gesundheitswesen. In Waerlandmitteilungen Heft 23/67.
Kritzinger, H. Von den elektrobiologischen Vorzügen des Holzbaues. In Mitteil. d. D. Ges. f. Holzforschung Heft 43/1958.
Kritzinger, H. Praktische Bioklimatik, insbesondere der Luftelektrizität. In Fortschritte der Medizin. 75 Jahrg. Nr. 18.
Landsberg, F. Neue Erkenntnisse über Denkwellen. W-B-M 11/71.
Lichtner, H. Gefahren elektrischer Strahlungen und Vibrationen. München 1968.
Lippa, H. Zur Frage der „Atmungsaktivität" von Wänden. Wohnungsmedizin 6/1970.
Lotz. Bautechnische Gesundheitsmaßnahmen nach L. und M. Schröder-Speck. Staatliche Ingenieurschule Biberach a. Riss. 1972.
Löbsack. Versuch und Irrtum. Der Mensch, Fehlschlag der Natur. Bertelsmann 1974.
Lueder, H. Biologische Wirksamkeit atmosphärischer Jonen in medizinischer . . . Hinsicht. Zeitschr. Phys. Med. und Rek. 5/70.
Lueder, H. Elektroklimatisierung im Hinblick auf die biologischen Wirkungen. Klima-Technik 10/65.
Maihofer, W. Recht und Sein. Klostermann, Ffm. 1954.
Maihofer, W. Naturrecht und Rechtspositivismus. Gentner-Verlag, Bad Homburg 1962.
Maihofer, W. Naturrecht als Existenzrecht. Klostermann Ffm, 1963.
Manstein, B. Im Würgegriff des Fortschritts.
Manstein, B. Kurzer Traktat über das Gewissen (in Wissenschaft und Fortschritt) W-B-M 2/68.
Missenard, A. Klima und Lebensrhythmus. Meisenheim 1949.
Minkh, A. A. Luftjonisation und ihre hygienische Bedeutung. Medgiz. Moskau 1959.
Moll, E. Wohnklimatisierung und Gesundheit. Haustechnik XI 3/73.
Möse, Fischer. Zur Wirkung elektrostatischer Gleichfelder. Archiv. f. Hyg. und Bakt. 4/70. Urban München-Wien.
Möse, G. Fischer, M. Fischer. Einfluß des elektrostat. Gleichfeldes auf die Wirkung einiger die glatte Musk. stimul. Pharmaka. Zeitschr. f. Biologie. August 1969.
Möse, Fischer, Porta. Die Wirkung des elektrostat. Gleichfeldes auf den Sauerstoffverbrauch der Mäuseleber. Archiv. f. Hyg. und Bakt. 6/71.
Möse, Fischer. Das elektrostat. Feld als Klimafaktor? Aus dem Hyg. Instit. der Univ. Graz. Ca. 1974.
Mücher, H. Psychische und physiologische Wirkungen des Wetters. Editio Cantor. Aulendorf/W. 1957.
Mühleisen, R. Die luftelektrischen Verhältnisse im Küstenaerosol. Archiv. Meteor. Geophys. Bioklim. Serie A 11 1959/1, Kiel Juni 1974.

Neupert, K. Humanes Wohnen, Humaner Städtebau, Humane Umwelt. Rettet unsere Städte — Jetzt. Kiel 1974.
Nieper, H. A. Die Therapie mit unterbrochenen Gleichfeldern. Hippokrates Heft 7/54. W-B-M 4/68.
Nipperdey, H. C. Die Würde des Menschen. In „Theorie und Praxis des Grundrechts". Bd. II, 1954.
Nissle, A. Untersuchungen zur Erforschung der Ätiologie des Krebses. Der Landarzt Heft 35/54.
Oberneder. Fernlehrkurs für Rutengänger. Herold-Verlag München 1970.
Oettel/Hofmann. Gesundheitsgefahren durch Verschwelungsprodukte von organ. Material. . VFDB-Zeitschrift. Heft 3/1968 S. 79f.
Oettel. Gesundheitsgefahren bei . . Zersetzung von Kunststoffen. Moderne Unfallverhütung Heft 10/66. Vulkanverlag Essen.
Ober, I. Gesundes Stallklima. Bayr. Landwirtsch. V/37, München.
Petschke, H. Krebs und geopathische Zonen, medizinisch gesehen. In Gesundheit und Wohlfahrt. 5/1955.
Panzhauser, E. Zur Klassifizierung des Nutzwertes von Wohnungen. Wohnungsmedizin 3/1970.
Auf dem Weg zur gesetzlichen Gewährleistung gesunder Wohnverhältnisse in Bayern. Wohnungsmedizin 2/70.
Pehnt, W. Die Bausünden der sechziger Jahre. Spiegel 1.6.70ff.
Ranscht-Froemsdorff. „Man weiß heute, daß eine optimale Lebensentfaltung nicht durch die Ausklammerung äußerer Reizfaktoren gegeben ist. Gerade die Vielzahl meteorologischer Impulse in bunter Variation wirkt vitalisierend und steigert die menschliche Produktivität". In Bunte Illustrierte vom 2.2.71.
Ratschow. „Die Ware, die wir verkaufen, ist noch schlecht." Abschließende Worte von Prof. Ratschow, einem der Tagespräsidenten der Therapiewoche in Karlsruhe. 1955. Bericht von Dr. Kühn Reform-Rundschau 10/55.
Reinders, H. Ein Beitrag zur Klärung der Einflüsse elektrischer Gleichstromfelder . . in Aufenthaltsräumen. Verlag H. Pfaar, Kaarst, 1964.
Reiter, R. Meteorobiologie und Elektrizität der Atmosphäre. Akadem. Verlagsges. Leipzig 1960.
Reiter-Kampik. Neue Ergebnisse der Klimatologie und Biophysik. Verlag Die Egge, Nürnberg 1948.
Ringger, A. Erdstrahlen und deren Auswirkungen auf Tiere. Die Grüne. Schweiz. landwirtsch. Zeitschr. 1959/6.
De Rudder. Über sogen. kosmische Rhythmen beim Menschen. Thieme 1937.
Saller, K. Sind Land und Leben krank? In Gesundes Land-Gesundes Leben. München, Pflaum 1953.
Schäfer, H. Die Medizin unserer Zeit. Piper 1965.
Schöpfer, H. Mittelalterliche Konstruktionsmethoden. Freiburger Nachrichten vom 16.6.73 Schweiz.

Scheller. Strahleneinwirkung im Blut und Krebs. W-B-M 6/69.
Spain, D. M. Yatrogene Krankheiten. (Medizinisch verursachte Kr.) Thieme 1967.
Stängle, W. F. Neue Thermalwassererschließung in Zurzach. Schweiz. Z. RGS St. Gallen Nr. 68/65.
Steiniger, F. Die wohnungshygienische Bedeutung der Baustoffe. Gesundheiswesen und Desinf. Januar 1969.
Stanek, H. Wohnen Besinnung und Selbsthilfe zum persönlichen Umweltschutz. Starnberg 1974.
Spiegel, Zeitschrift. Artikel: Volks-Mies 23. Mai 62. S. 78.
Slums verschoben 9. Sept. 68 S. 134.
Alptraum der Städteplaner 1.1.68 S. 68 (München-Perlach).
Sekera. Gesunder und kranker Stallbau. Parey-Verlag Hbg. 1951.
Seltmann. Stallhygiene im Allgäu. Diss. München 51.
Varga. Einfluß von Magnetfeldern auf das Wachstum. Heidelberg 1973.
Varga Forschungsbericht über die physiologischen Wirkungen von Luftjonen . . . Heidelberg 1972.
Vogler/Kühn. Medizin und Städtebau. Urban, München 1957.
De la Warr, G. Biomagnetism. Oxford. March 1967.
Wendler, A. Zur Frage der objektiven Wünschelrutenkontrolle mit magnetometrischen Apparaten. Herold-V. München 36.
Weissenborn, G. Die reaktive Magnettherapie. W-B-M. Heft 8/70.
Wüst, J. Zur gegenwärtigen Situation der Geopathie. Haug, Ulm 54.
Wüst, J. Erdstrahlenabschirmung anders gesehen. Z. F. Rad. 7/52.
Wüst, J. Physikalische und chemische Grundlagen der menschlichen Aura. Schweiz. Ztschr. Neue Wissenschaft. Heft Juli/Aug./Sept. 54.
Wüst, J. Einige Gedanken über das elektr. Empfangsorgan des Rutengängers. Aus der Abt. f. experim. Biologie an der Anatomie der Univ. München Herold-Verlag München-Solln. Z. f. Wünschelrut. F. Nr. 2/3 1940.
Wüst, J. Untersuchungen mit dem Gerameter. Z. f. Wünsch. Nr. 3/41.
Wüst, J. Über das Kleinklima von Reizzonen. Z. f. Rad. 1/1963.

PERSONENVERZEICHNIS

STICHWORTVERZEICHNIS

INHALTSVERZEICHNIS